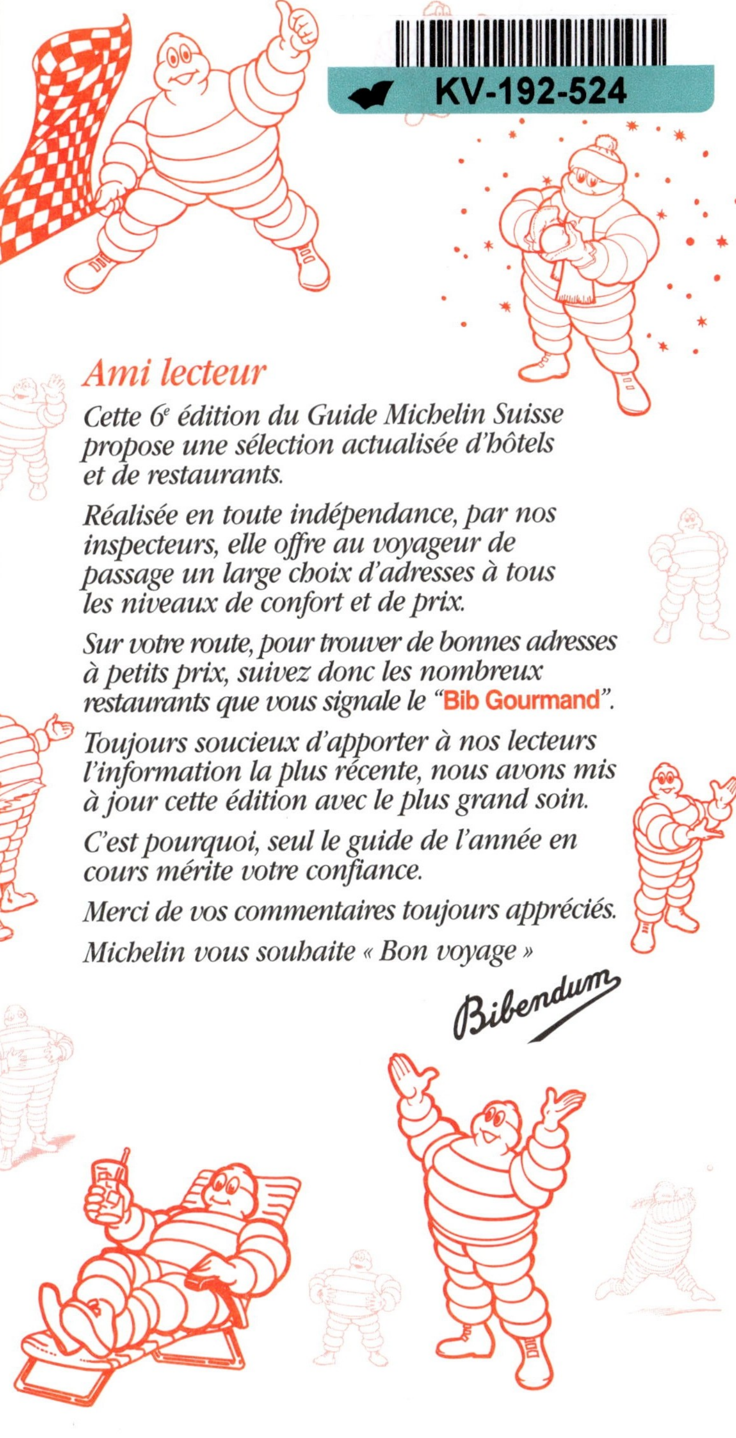

Ami lecteur

Cette 6ᵉ édition du Guide Michelin Suisse propose une sélection actualisée d'hôtels et de restaurants.

Réalisée en toute indépendance, par nos inspecteurs, elle offre au voyageur de passage un large choix d'adresses à tous les niveaux de confort et de prix.

Sur votre route, pour trouver de bonnes adresses à petits prix, suivez donc les nombreux restaurants que vous signale le "**Bib Gourmand**".

Toujours soucieux d'apporter à nos lecteurs l'information la plus récente, nous avons mis à jour cette édition avec le plus grand soin.

C'est pourquoi, seul le guide de l'année en cours mérite votre confiance.

Merci de vos commentaires toujours appréciés.

Michelin vous souhaite « Bon voyage »

Bibendum

Sommaire

La table

Les étoiles

Certains établissements méritent d'être signalés à votre attention pour la qualité de leur cuisine. Nous les distinguons par les étoiles de bonne table. Nous indiquons, pour ces établissements, trois spécialités culinaires qui pourront orienter votre choix.

✿✿✿ **Une des meilleures tables, vaut le voyage**

On y mange toujours très bien, parfois merveilleusement. Grands vins, service impeccable, cadre élégant... Prix en conséquence.

✿✿ **Table excellente, mérite un détour**

Spécialités et vins de choix... Attendez-vous à une dépense en rapport.

✿ **Une très bonne table dans sa catégorie**

L'étoile marque une bonne étape sur votre itinéraire. Mais ne comparez pas l'étoile d'un établissement de luxe à prix élevés avec celle d'une petite maison où à prix raisonnables, on sert également une cuisine de qualité.

Le nom du chef de cuisine figure après la raison sociale lorsqu'il exploite personnellement l'établissement.

Exemple : XX ✿ **Panorama** (Martin)...

Le "Bib Gourmand"

Repas soignés à prix modérés

Vous souhaitez parfois trouver des tables plus simples, à prix modérés ; c'est pourquoi nous avons sélectionné des établissements proposant, pour un rapport qualité-prix particulièrement favorable, un repas soigné.

Ces maisons sont signalées par le "Bib Gourmand" ,

Repas, Menu *ou* Pasto

Ex : Repas 30/50.

Consultez les cartes des établissements à étoiles ✿✿✿, ✿✿, ✿, et "Bib Gourmand" *(pages 70 à 73)*

Voir aussi *page suivante*

Principaux vins et spécialités régionales voir p. 67 à 69.

Les prix

Les prix que nous indiquons dans ce guide ont été établis en été 1998 et s'appliquent à la ***haute saison****. Ils sont susceptibles de modifications, notamment en cas de variations des prix des biens et services. Ils s'entendent taxes et services compris. Aucune majoration ne doit figurer sur votre note, sauf éventuellement la taxe de séjour.*

Les hôtels et restaurants figurent en caractères gras lorsque les hôteliers nous ont donné tous leurs prix et se sont engagés, sous leur propre responsabilité, à les appliquer aux touristes de passage porteurs de notre guide.

Hors saison, certains établissements proposent des conditions avantageuses, renseignez-vous lors de votre réservation.

Entrez à l'hôtel ou au restaurant le guide à la main, vous montrerez ainsi qu'il vous conduit là en confiance.

Repas

enf. 15 (Kinder – bambini)	*Prix du menu pour enfants*
	Établissement proposant un plat du jour à moins de 20 CHF
Repas *18,50* **(Menu – Pasto)**	**Plat du jour :** *Prix moyen du plat du jour généralement servi le midi, en semaine, au café ou à la brasserie.*
Repas 36/80 **(Menu – Pasto)**	**Menus à prix fixe :** *minimum* 36 *maximum* 80
Repas à la carte 50/95 **(Menu – Pasto)**	**Repas à la carte :** *Le premier prix correspond à un repas normal comprenant entrée, plat garni et dessert. Le 2e prix concerne un repas plus complet (avec spécialité) comprenant : deux plats, fromage et dessert.*

Chambres

29 ch 100/200
(Zim – cam)

Prix minimum 100 *pour une chambre d'une personne/prix maximum* 200 *pour une chambre de deux personnes en* **haute saison***, petit déjeuner compris.*
(Suites et Junior suites : se renseigner auprès de l'hôtelier)

Basse saison
Vorsaison 80/160
Bassa stagione

Prix des chambres pratiqués en basse saison.
Dans tous les cas, il est indispensable de s'entendre par avance avec l'hôtelier pour conclure un arrangement définitif.

20

Prix du petit déjeuner

Demi-pension

½ P suppl. 30
(Zuschl. – sup.)

Ce supplément par personne et par jour s'ajoute au prix de la chambre pour obtenir le prix de 1/2 pension.
La plupart des hôtels saisonniers pratiquent également, sur demande, la pension complète.

Les arrhes

Certains hôteliers demandent le versement d'arrhes. Il s'agit d'un dépôt-garantie qui engage l'hôtelier comme le client. Bien faire préciser les dispositions de cette garantie.
Demandez à l'hôtelier de vous fournir dans sa lettre d'accord toutes précisions utiles sur la réservation et les conditions de séjour.

Cartes de crédit

AE VISA JCB

Cartes de crédit acceptées par l'établissement :
American Express – Diners Club – Eurocard/MasterCard – Visa – Japan Credit Bureau

Les villes

	*Armoiries du canton indiquées au chef lieu du canton*
(BIENNE)	*Traduction usuelle du nom de la localité*
3000	*Numéro de code postal de la localité*
✉ *3123 BELP*	*Numéro de code postal et nom de la commune de destination*
C - K	*Chef-lieu de canton*
Bern (BE)	*Canton auquel appartient la localité*
217 ⑥	*Numéro de la Carte Michelin et numéro du pli*
1 057 h. (Ew. – ab.)	*Population*
Alt. (Höhe) 1 500	*Altitude de la localité*
Kurort Stazione termale	*Station thermale*
Wintersport Sport invernali	*Sports d'hiver*
1 200/1 900	*Altitude minimum et maximum atteinte par les remontées mécaniques*
2	*Nombre de téléphériques ou télécabines*
14	*Nombre de remonte-pentes et télésièges*
	Ski de fond
	Localité interdite à la circulation
BY B	*Lettres repérant un emplacement sur le plan*
18	*Golf et nombre de trous*
	Panorama, point de vue
	Aéroport
	Localité desservie par train-auto. Renseignements au numéro de téléphone indiqué
	Information touristique
	Touring Club Suisse (T.C.S.)
	Automobile Club de Suisse (A.C.S.)

(Voir page 14)

Les curiosités

Intérêt

★★★ *Vaut le voyage*

★★ *Mérite un détour*

★ *Intéressant*

Les musées sont généralement fermés le lundi

Situation

Voir
Sehenswert *Dans la ville*
Vedere

Environs
Ausflugsziel *Aux environs de la ville*
Dintorni

La curiosité est située :

Nord, Sud, Süd, *au Nord, au Sud de la ville*

Est, Ost, *à l'Est de la ville*

Ouest, West, Ovest, *à l'Ouest de la ville*

② ④ *On s'y rend par la sortie ② ou ④ repérée par le même signe sur le plan du Guide et sur la carte*

2 km *Distance en kilomètres*

Manifestations locales

Sélection des principales manifestations culturelles, folkloriques ou sportives locales.

Les cartes de voisinage

Avez-vous pensé à les consulter ?

Vous souhaitez trouver une bonne adresse, par exemple, aux environs de BERNE ?

Consultez la carte qui accompagne les ressources de la ville.

La « carte de voisinage » (ci-contre) attire votre attention sur toutes les localités citées au Guide autour de la ville choisie, et particulièrement celles qui sont accessibles en automobile en moins de 20 minutes (limite de couleur).

Les « cartes de voisinage » vous permettent ainsi le repérage rapide de toutes les ressources proposées par le Guide autour des métropoles régionales.

Nota :

Lorsqu'une localité est présente sur une « carte de voisinage », sa métropole de rattachement est imprimée en BLEU sur la ligne des distances de ville à ville.

Exemple :

Vous trouverez Langnau Im Emmental sur la carte de voisinage de BERN.

LANGNAU IM EMMENTAL *3550 Bern (BE)*
217 ⑦ *– 8 569 Ew. – Höhe 673.*
Sehenswert : *Dürsrütiwald★.*
Bern 31 – Interlaken 63 – Luzern 63 – Solothurn 45.

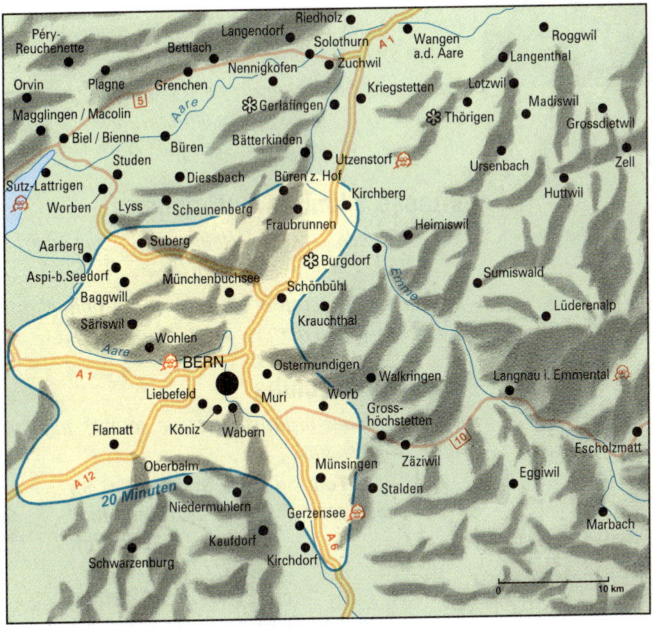

Tableau d'assemblage des cartes de voisinage

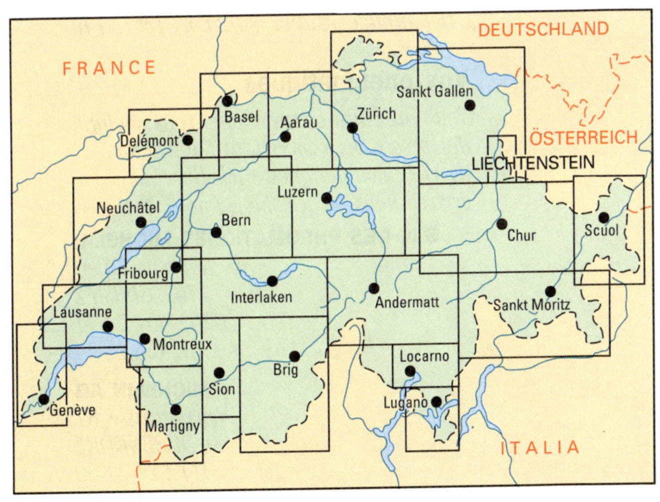

La voiture, les pneus

Marques automobiles

Une liste des principales marques automobiles figure pages 394 et 395.

En cas de panne, l'adresse du plus proche agent de la marque vous sera communiquée en appelant le numéro de téléphone indiqué, entre 9 h et 17 h.

Vitesse : limites autorisées

Autoroute	Route	Agglomération
120 km/h	80 km/h	50 km/h

Le port de la ceinture de sécurité est obligatoire à l'avant et à l'arrière des véhicules.

Automobile clubs

Les principales organisations de secours automobile dans le pays sont :

Touring Club Suisse (T.C.S.)
Siège social : 4 ch. de Blandonnet
CH – 1214 VERNIER
Tél. : (022) 417 27 27
Fax : (022) 417 20 20

Automobile Club de Suisse (A.C.S.)
Siège social : Wasserwerkgasse 39
CH – 3000 BERN 13
Tél. : (031) 328 31 11
Fax : (031) 311 03 10

Dépannage routier 24/24 h. Tél. : 140

Vos pneumatiques

Vous avez des observations, vous souhaitez des précisions concernant l'utilisation de vos pneumatiques Michelin, écrivez-nous ou téléphonez-nous à :

S.A. DES PNEUMATIQUES MICHELIN
36, Route Jo Siffert
CH – 1762 GIVISIEZ
Tél. : (026) 467 71 11
Fax : (026) 466 16 74

MICHELIN AG
Neugutstrasse 81
CH – 8600 DÜBENDORF
Tél. : (01) 821 21 60
Fax : (01) 821 22 93

Les plans

● *Hôtels*
● *Restaurants*

Curiosités

Bâtiment intéressant et entrée principale
Édifice religieux intéressant :
Catholique – Protestant

Voirie

Autoroute
Voie à chaussées séparées
Grande voie de circulation
Voie en escalier – Allée piétonnière – Sentier
Rue piétonne – Rue impraticable, réglementée
Sens unique – Tramway
Dunant P *Rue commerçante – Parc de stationnement*
Porte – Passage sous voûte – Tunnel
Gare et voie ferrée
Funiculaire, voie à crémaillère
Téléphérique, télécabine

Signes divers

Information touristique
Mosquée – Synagogue
Tour – Ruines
Jardin, parc, bois – Cimetière
Stade – Golf – Hippodrome – Patinoire
Piscine de plein air, couverte – Port de plaisance
Vue – Panorama – Table d'orientation
Monument – Fontaine – Usine – Centre commercial
Aéroport – Station de métro – Gare routière
Transport par bateau :
passagers et voitures, passagers seulement
3 *Repère commun aux plans et aux cartes Michelin détaillées*
Bureau principal de poste restante
Hôpital – Marché couvert
Bâtiment public repéré par une lettre :
G H *– Police cantonale (Gendarmerie) – Hôtel de ville*
J M *– Palais de justice – Musée*
P T U *– Préfecture – Théâtre – Université, grande école*
POL. *– Police municipale*
4m4 18 *Passage bas (inf. à 4 m 50) – Charge limitée (inf. à 19 t)*
Touring Club Suisse (T.C.S.)
Automobile Club de Suisse (A.C.S.)

Lieber Leser

Die vorliegende 6. Ausgabe des Roten Michelin-Führers Schweiz bringt eine aktuelle Auswahl an Hotels und Restaurants.

Sie wurde von unseren Inspektoren in völliger Unabhängigkeit erstellt und bietet dem Reisenden eine breit gefächerte Auswahl von Adressen in allen Komfort- und Preisklassen.

Wenn Sie unterwegs gut und preiswert essen möchten, folgen Sie dem "**Bib Gourmand**", *der Ihnen den Weg zu zahlreichen Restaurants mit besonders günstigem Preis-/Leistungsverhältnis weist.*

Im ständigen Bemühen, unsere Leser mit aktuellen Informationen zu versorgen, sind wir bei der Überarbeitung dieser Ausgabe mit grösster Sorgfalt vorgegangen.

Deshalb ist nur die Ausgabe des laufenden Jahres wirklich zuverlässig.

Vielen Dank für Ihre Anregungen und Hinweise, die uns stets willkommen sind.

Michelin wünscht Ihnen "Gute Reise !".

Inhaltsverzeichnis

Wahl eines Hotels, eines Restaurants

Die Auswahl der in diesem Führer aufgeführten Hotels und Restaurants ist für Durchreisende gedacht. Sie sind nach ihrem Komfort klassifiziert. In jeder Kategorie drückt die Reihenfolge dieser Betriebe eine weitere Rangordnung aus.

Kategorien

	XXXXX	*Grosser Luxus und Tradition*
	XXXX	*Grosser Komfort*
	XXX	*Sehr komfortabel*
	XX	*Mit gutem Komfort*
	X	*Mit Standard Komfort*
		Bürgerlich
M		*In seiner Kategorie, Hotel mit moderner Einrichtung*
sans rest. garni, senza rist		*Hotel ohne Restaurant*
avec ch. mit Zim, con cam		*Restaurant vermietet auch Zimmer*

Annehmlichkeiten

Manche Häuser sind im Führer durch rote Symbole gekennzeichnet (s. unten). Der Aufenthalt in diesen ist wegen der schönen, ruhigen Lage, der nicht alltäglichen Einrichtung und Atmosphäre sowie dem gebotenen Service besonders angenehm und erholsam.

bis	*Angenehme Hotels*
XXXXX bis X	*Angenehme Restaurants*
« Park »	*Besondere Annehmlichkeit*
	Sehr ruhiges oder abgelegenes und ruhiges Hotel
	Ruhiges Hotel
< Berge	*Reizvolle Aussicht*
<	*Interessante oder weite Sicht*

Die Übersichtskarten S. 70 bis 73, auf denen die Orte mit besonders angenehmen oder sehr ruhigen Häusern eingezeichnet sind, helfen Ihnen bei der Reisevorbereitung.

Teilen Sie uns bitte nach der Reise Ihre Erfahrungen und Meinungen mit. Sie helfen uns damit, den Führer weiter zu verbessern.

Einrichtung

Die meisten der empfohlenen Hotels verfügen über Zimmer, die alle oder doch zum grössten Teil mit Bad oder Dusche ausgestattet sind. In den Häusern der Kategorien 🏘, 🏠 und ⛱ kann dies jedoch in einigen Zimmern fehlen.

30 Zim (ch, cam)	*Anzahl der Zimmer*
	Fahrstuhl
	Klimaanlage (im ganzen oder Teilen des Hauses)
TV Video	*Fernsehen, Videorecorder im Zimmer*
	Haus teilweise reserviert für Nichtraucher
☎	*Zimmertelefon mit direkter Aussenverbindung*
	Modemanschluss
	Für Körperbehinderte leicht zugängliche Zimmer
	Spezielle Einrichtungen / Angebote für Kinder
	Garten-, Terrassenrestaurant
	Badeabteilung, Thermalkur
	Fitnessraum, Sauna
	Freibad, Hallenbad
	Strandbad – Liegewiese, Garten
18	*Hoteleigener Tennisplatz – Golfplatz und Lochzahl*
	Bootssteg
15/150	*Konferenzräume (Mindest- und Höchstkapazität)*
	Hotelgarage (wird gewöhnlich berechnet)
P	*Parkplatz reserviert für Gäste*
P	*Gesicherter Parkplatz für Gäste*
	Hunde sind unerwünscht (im ganzen Haus bzw. in den Zimmern oder im Restaurant)
Mai-Okt. – mai-oct. maggio-ottobre	*Öffnungszeit, vom Hotelier mitgeteilt*
nur Saison saison - stagionale	*Unbestimmte Öffnungszeit eines Saisonhotels. Fettgedruckte Häuser ohne Angabe von Schliessungszeiten sind ganzjährig geöffnet.*

Küche

Die Sterne

Einige Häuser verdienen wegen ihrer überdurchschnittlich guten Küche Ihre besondere Beachtung. Auf diese Häuser weisen die Sterne hin.

Bei den mit Stern ausgezeichneten Betrieben nennen wir drei kulinarische Spezialitäten, die Sie probieren sollten.

✿✿✿ **Eine der besten Küchen : eine Reise wert**

Man isst hier immer sehr gut, öfters auch exzellent. Edle Weine, tadelloser Service, gepflegte Atmosphäre... entsprechende Preise.

✿✿ **Eine hervorragende Küche : verdient einen Umweg**

Ausgesuchte Menus und Weine... angemessene Preise.

✿ **Eine sehr gute Küche : verdient Ihre besondere Beachtung**

Der Stern bedeutet eine angenehme Unterbrechung Ihrer Reise.
Vergleichen Sie aber bitte nicht den Stern eines sehr teuren Luxusrestaurants mit dem Stern eines kleineren oder mittleren Hauses, wo man Ihnen zu einem annehmbaren Preis eine ebenfalls vorzügliche Mahlzeit reicht.

Wenn ein Hotel oder Restaurant vom Küchenchef selbst geführt wird, ist sein Name (in Klammern) erwähnt.
Beispiel : XX ✿ **Panorama** (Martin)...

Der "Bib Gourmand"

Sorgfältig zubereitete, preiswerte Mahlzeiten

Für Sie wird es interessant sein, auch solche Häuser kennenzulernen, die eine etwas einfachere gute Küche zu einem besonders günstigen Preis/Leistungs-Verhältnis bieten.
Im Text sind die betreffenden Restaurants durch das rote Symbol "Bib Gourmand" *und* Menu, Repas *oder* Pasto *kenntlich gemacht*
Z.B. : Menu 30/50.

Siehe Karten der Häuser mit Stern ✿✿✿, ✿✿, ✿, und "Bib Gourmand" *(S. 70 bis 73).*
Siehe auch nächste Seite

Wichtigste Weine und regionale Spezialitäten siehe S. 67 bis 69.

Preise

*Die in diesem Führer genannten Preise wurden uns im Sommer 1998 angegeben und beziehen sich auf die **Hochsaison**. Sie können sich mit den Preisen für Waren und Dienstleistungen ändern. Sie enthalten MWSt. und Bedienung. Es sind Inklusivpreise, die sich nur noch durch die evtl. zu zahlende Kurtaxe erhöhen können.*

Die Namen der Hotels und Restaurants, die ihre Preise genannt haben, sind fett gedruckt. Gleichzeitig haben sich diese Häuser verpflichtet, die von den Hoteliers selbst angegebenen Preise den Benutzern des Michelin-Führers zu berechnen.

Halten Sie beim Betreten des Hotels oder des Restaurants den Führer in der Hand. Sie zeigen damit, dass Sie aufgrund dieser Empfehlung gekommen sind.

Mahlzeiten

Kinder 15 (enf. – bambini)

Preis des Kindermenus

Häuser die einen Tagesteller unter 20 CHF bieten

Tagesteller :

Menu *18,50* **(Repas – Pasto)**

Mittlere Preislage des Tagestellers im allgemeinen mittags während der Woche in der Gaststube oder Brasserie serviert

Feste Menupreise :

Menu 36/80 **(Repas – Pasto)**

Mindestpreis 36, *Höchstpreis* 80

Mahlzeiten « à la carte » :

Menu à la carte 50/95 **(Repas – Pasto)**

Der erste Preis entspricht einer einfachen Mahlzeit und umfasst Vorspeise, Hauptgericht, Dessert. Der zweite Preis entspricht einer reichlicheren Mahlzeit (mit Spezialität) bestehend aus : Vorspeise, Hauptgang, Käse und Dessert.

Zimmer

29 Zim ☕ 100/200 (ch – cam)

Mindestpreis 100 *für ein Einzelzimmer/Höchstpreis* 200 *für ein Doppelzimmer in der* **Hochsaison***, inkl. Frühstück (Suiten und Junior Suiten : sich erkundigen)*

Vorsaison
Basse saison ☕ 80/160
Bassa stagione

Zimmerpreis in der Vorsaison Auf jeden Fall sollten Sie den Endpreis vorher mit dem Hotelier vereinbaren.

☕ 20

Preis des Frühstücks

Halbpension

½ P Zuschl. 30 (suppl. - sup.)

Dieser Zuschlag wird pro Person und pro Tag dem Zimmerpreis hinzugefügt und ergibt den Halbpensionspreis.

Anzahlung

Einige Hoteliers verlangen eine Anzahlung. Diese ist als Garantie sowohl für den Hotelier als auch für den Gast anzusehen. Bitten Sie den Hotelier, dass er Ihnen in seinem Bestätigungsschreiben alle seine Bedingungen mitteilt.

Kreditkarten

AE ⓓ E VISA JCB

*Vom Haus akzeptierte Kreditkarten :
American Express – Diners Club –
Eurocard/MasterCard – Visa – Japan Credit Bureau*

Städte

	*Wappen des Kantons am Hauptort des Kantons angegeben*
(BIENNE)	*Gebräuchliche Übersetzung des Ortschaftsnamens*
3000	*Postleitzahl*
✉ *3123 BELP*	*Postleitzahl und Name des Verteilerpostamtes*
K - C	*Kantonshauptort*
(Bern) (BE)	*Kanton, in dem der Ort liegt*
217 ⑥	*Nummer der Michelin-Karte und Faltseite*
1 057 Ew. (h. – ab.)	*Einwohnerzahl*
Höhe (alt.) 1 500	*Höhe*
Station thermale – Stazione termale	*Kurort*
Sports d'hiver – Sport invernali	*Wintersport*
1 200/1 900	*Minimal- und Maximal-Höhe, die mit Kabinenbahn oder Skilift erreicht werden kann*
2	*Anzahl der Luftseil- und Gondelbahnen*
14	*Anzahl der Schlepp- und Sessellifts*
	Langlaufloipen
	Für den Autoverkehr nicht zugängliche Ortschaft
BY B	*Markierung auf dem Stadtplan*
18	*Golfplatz und Lochzahl*
	Rundblick – Aussichtspunkt
	Flughafen
	Ladestelle für Autoreisezüge – Nähere Auskunft unter der angegebenen Telefonnummer
	Informationsstelle
	Touring Club der Schweiz (T.C.S.)
	Automobil Club der Schweiz (A.C.S.)

(Siehe Seite 28)

Sehenswürdigkeiten

Bewertung

★★★	*Eine Reise wert*
★★	*Verdient einen Umweg*
★	*Sehenswert*

Museen sind im allgemeinen montags geschlossen

Lage

Sehenswert **Voir** **Vedere**	*In der Stadt*
Ausflugsziel, Environs Dintorni	*In der Umgebung der Stadt*
Nord, Süd, Sud,	*Im Norden, Süden der Stadt*
Ost, Est,	*Im Osten der Stadt*
West, Ouest, Ovest,	*Im Westen der Stadt*
② ④	*Zu erreichen über die Ausfallstrasse ② bzw. ④, die auf dem Stadtplan und auf der Michelin-Karte identisch gekennzeichnet sind*
2 km	*Entfernung in Kilometern*

Lokale Veranstaltungen

Auswahl der wichtigsten kulturellen, folkloristischen und sportlichen lokalen Veranstaltungen.

Umgebungskarten

Denken Sie daran sie zu benutzen

Wenn Sie beispielsweise in der Nähe von BERN eine gute Adresse suchen, hilft Ihnen dabei unsere Umgebungskarte.

Diese Karte (siehe rechts) ermöglicht Ihnen einen Überblick über alle im Michelin erwähnten Orte, die in der Nähe von Bern liegen.

Die innerhalb der blau markierten Grenze liegenden Orte sind in weniger als 20 Autominuten erreichbar.

Anmerkung :

Auf der Linie der Entfernungen zu anderen Orten erscheint im Ortstext die jeweils nächste Stadt mit Umgebungskarte in BLAU.

Beispiel :

Sie finden Langnau Im Emmental auf der Umgebungskarte von BERN.

LANGNAU IM EMMENTAL *3550 Bern (BE)*
217 ⑦ *- 8 569 Ew. - Höhe 673.*
Sehenswert : *Dürsrütiwald★.*
Bern 31 - Interlaken 63 - Luzern 63 - Solothurn 45.

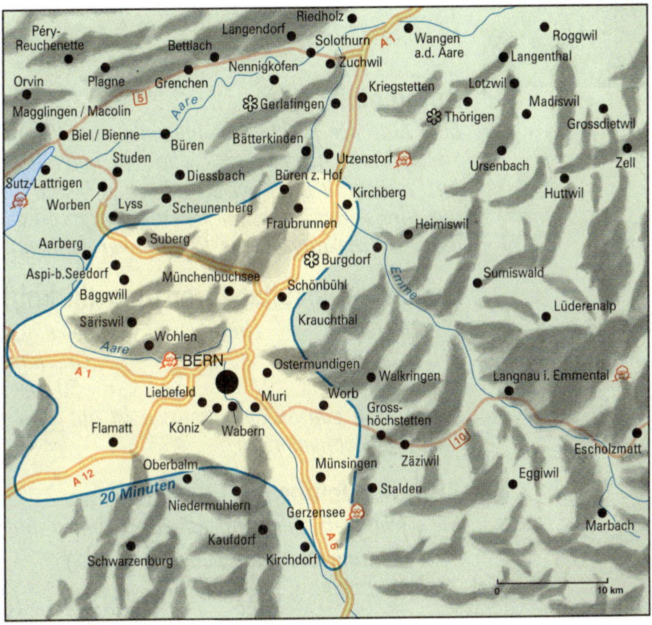

Riedholz
Péry-Reuchenette
Langendorf
Solothurn
A 1
Wangen a.d. Aare
Roggwil
Bettlach
Nennigkofen
Zuchwil
Langenthal
Orvin
Plagne
Grenchen
Kriegstetten
Lotzwil
5
Aare
Gerlafingen
Madiswil
Magglingen / Macolin
Thörigen
Grossdietwil
Biel / Bienne
Büren
Bätterkinden
Studen
Utzenstorf
Ursenbach
Zell
Diessbach
Büren z. Hof
Sutz-Lattrigen
Worben
Kirchberg
Huttwil
Lyss
Scheunenberg
Fraubrunnen
Heimiswil
Suberg
Aarberg
Burgdorf
Aspi-b.Seedorf
Münchenbuchsee
Emme
Sumiswald
Schönbühl
Baggwil
Krauchthal
Lüderenalp
Säriswil
Wohlen
Aare
BERN
Ostermundigen
A 1
Walkringen
Langnau i. Emmental
Liebefeld
Muri
Worb
Gross-höchstetten
Flamatt
Köniz
Wabern
10
Escholzmatt
Oberbalm
Münsingen
Zäziwil
A 12
Eggiwil
20 Minuten
Stalden
Niedermuhlern
Gerzensee
Marbach
Kaufdorf
A 6
Schwarzenburg
Kirchdorf
0
10 km

Übersicht der Umgebungskarten

DEUTSCHLAND
FRANCE
Sankt Gallen
Basel
Aarau
Zürich
Delémont
ÖSTERREICH
LIECHTENSTEIN
Luzern
Neuchâtel
Bern
Chur
Scuol
Fribourg
Interlaken
Andermatt
Sankt Moritz
Lausanne
Montreux
Locarno
Brig
Sion
Lugano
Genève
Martigny
ITALIA

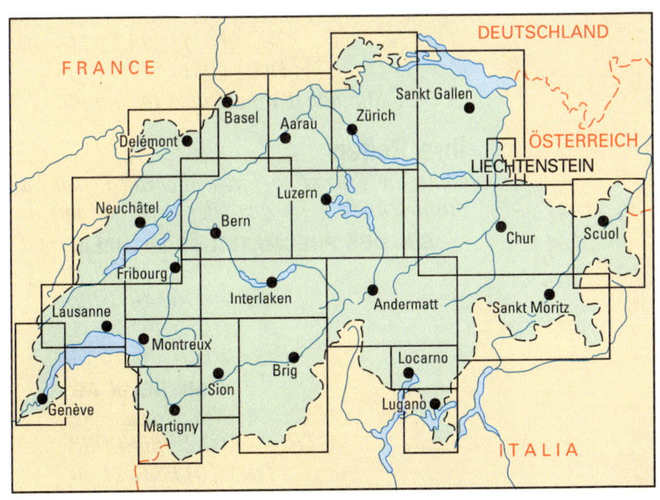

Das Auto, die Reifen

Automobilfirmen

Eine Liste der wichtigsten Automobilhersteller finden Sie am Ende des Führers (Seite 394 und 395).
Im Pannenfall erfahren Sie zwischen 9 und 17 Uhr die Adresse der nächstgelegenen Vertragswerkstatt, wenn Sie die angegebene Rufnummer wählen.

Geschwindigkeitsbegrenzung (in km/h)

Autobahn	Landstrasse	Geschlossene Ortschaften
120 km/h	80 km/h	50 km/h

Das Tragen von Sicherheitsgurten ist auf Vorder-und Rücksitzen obligatorisch.

Automobilclubs

Die wichtigsten Automobilclubs des Landes sind :

Touring Club der Schweiz (T.C.S.)
Zentralverwaltung : 4 ch. de Blandonnet
CH – 1214 VERNIER
Tel. : (022) 417 27 27
Fax : (022) 417 20 20

Automobil Club der Schweiz (A.C.S.)
Zentralverwaltung : Wasserwerkgasse 39
CH – 3000 BERN 13
Tel. : (031) 328 11 11
Fax : (031) 311 03 10
24 Stunden Pannenhilfe. Tél. : 140

Ihre Reifen

Wenn Sie Fragen zu Ihren Michelin-Reifen haben, dann schreiben Sie uns oder rufen Sie uns an :

S.A. DES PNEUMATIQUES MICHELIN
36, Route Jo Siffert
CH – 1762 GIVISIEZ
Tel. : (026) 467 71 11
Fax : (026) 466 16 74

MICHELIN AG
Neugutstrasse 81
CH – 8600 DÜBENDORF
Tel. : (01) 821 21 60
Fax : (01) 821 22 93

Stadtpläne

- *Hotels*
- *Restaurants*

Sehenswürdigkeiten

Sehenswertes Gebäude mit Haupteingang
Sehenswerte katholische bzw. evangelische Kirche

Strassen

Autobahn
Strasse mit getrennten Fahrbahnen
Hauptverkehrsstrasse
Treppe
Fussgängerzone – Gesperrte Strasse, mit Verkehrsbeschränkungen
Einbahnstrasse – Strassenbahn
Dunant P *Einkaufsstrasse – Parkplatz, Parkhaus*
Tor – Passage – Tunnel
Bahnhof und Bahnlinie
Standseilbahn, Zahnradbahn
Seilbahn, Kabinenbahn

Sonstige Zeichen

Informationsstelle
Moschee – Synagoge
Turm – Ruine
Garten, Park, Wäldchen – Friedhof
Stadion – Golfplatz – Pferderennbahn – Eisbahn
Freibad – Hallenbad – Jachthafen
Aussicht – Rundblick – Orientierungstafel
Denkmal – Brunnen – Fabrik – Einkaufszentrum
Flughafen – U-Bahnstation – Autobusbahnhof
Schiffsverbindungen : Autofähre – Personenfähre
(3) *Strassenkennzeichnung (identisch auf Michelin Stadtplänen – und Abschnittskarten)*
Hauptpostamt (postlagernde Sendungen)
Krankenhaus – Markthalle
Öffentliches Gebäude, durch einen Buchstaben gekennzeichnet :
G H *– Kantonspolizei – Rathaus*
J M P *– Justizpalast – Museum – Kantonale Verwaltung*
T U *– Theater – Universität, Hochschule*
POL. *– Stadtpolizei*
4m4 (18) *Unterführung (Höhe bis 4,50 m) – Höchstbelastung (unter 19 t)*
Touring Club der Schweiz (T.C.S.)
Automobil Club der Schweiz (A.C.S.)

Amico lettore

Questa 6esima edizione della Guida Michelin Svizzera propone una selezione aggiornata di alberghi e ristoranti. Realizzata dai nostri ispettori in piena autonomia, offre al viaggiatore di passaggio un'ampia scelta a tutti i livelli di confort e prezzo.

Sulla vostra strada per trovare buoni indirizzi a prezzi interessanti, seguite i numerosi ristoranti che vi segnala il **"Bib Gourmand"**.

Con l'intento di fornire ai nostri lettori l'informazione più recente, abbiamo aggiornato questa edizione con la massima cura.

Per questo solo la Guida dell'anno in corso merita pienamente la vostra fiducia. Grazie delle vostre segnalazioni sempre gradite.

Michelin vi augura "Buon Viaggio !"

Sommario

La scelta di un albergo, di un ristorante

Questa guida propone una selezione di alberghi e ristoranti per orientare la scelta dell'automobilista. Gli esercizi, classificati in base al confort che offrono, vengono citati in ordine di preferenza per ogni categoria.

Categorie

	XXXXX	*Gran lusso e tradizione*
	XXXX	*Gran confort*
	XXX	*Molto confortevole*
	XX	*Di buon confort*
	X	*Abbastanza confortevole*
		Semplice, ma conveniente
M		*Nella sua categoria, albergo con installazioni moderne*
senza rest. sans rest. garni		*L'albergo non ha ristorante*
con cam avec ch, mit Zim		*Il ristorante dispone di camere*

Amenità e tranquillità

Alcuni esercizi sono evidenziati nella guida dai simboli rossi indicati qui di seguito. Il soggiorno in questi alberghi si rivela particolarmente ameno o riposante.

Ciò puo dipendere sia dalle caratteristiche dell'edificio, dalle decorazioni non comuni, dalla sua posizione e dal servizio offerto, sia dalla tranquillità dei luoghi.

	*Alberghi ameni*
XXXXX a X	*Ristoranti ameni*
« Parco fiorito »	*Un particolare piacevole*
	*Albergo molto tranquillo o isolato e tranquillo*
	*Albergo tranquillo*
lago	*Vista eccezionale*
	Vista interessante o estesa

Le località che possiedono degli esercizi ameni o molto tranquilli sono riportate sulle carte da pagina 70 a 73.
Consultatele per la preparazione dei vostri viaggi e, al ritorno, inviateci i vostri pareri ; in tal modo agevolerete le nostre inchieste.

Installazioni

Le camere degli alberghi che raccomandiamo possiedono, generalmente, delle installazioni sanitarie complete. È possibile tuttavia che nelle categorie 🏘, 🏠 e ⛱ alcune camere ne siano sprovviste.

30 cam (ch, Zim)	*Numero di camere*
	Ascensore
	Aria condizionata (in tutto o in parte dell'esercizio)
TV video	*Televisione, videoregistratore in camera*
	Esercizio riservato in parte ai non fumatori
	Telefono in camera comunicante direttamente con l'esterno
	Presa modem in camera
	Camere di agevole accesso per portatori di handicap
	Attrezzatura per accoglienza e ricreazione dei bambini
	Pasti serviti in giardino o in terrazza
	Cura termale, Idroterapia
	Palestra, Sauna
	Piscina : all'aperto, coperta
	Spiaggia attrezzata – Giardino
18	*Tennis appartenente all'albergo – Golf e numero di buche*
	Pontile d'ormeggio
15/150	*Sale per conferenze : capienza minima e massima delle sale*
	Garage nell'albergo (generalmente a pagamento)
P	*Parcheggio riservato alla clientela*
P	*Parcheggio chiuso riservato alla clientela*
	Accesso vietato ai cani (in tutto o in parte dell'esercizio)
maggio-ottobre mai-oct. – Mai-Okt.	*Periodo di apertura, comunicato dall'albergatore*
stagionale saison nur Saison	*Probabile apertura in stagione, ma periodo non precisato. Gli esercizi senza tali menzioni sono aperti tutto l'anno.*

La tavola

Le stelle

Alcuni esercizi meritano di essere segnalati alla vostra attenzione per la qualità particolare della loro cucina ; li abbiamo evidenziati con le « stelle di ottima tavola ».
Per ognono di questi ristoranti indichiamo tre specialità culinarie che potranno aiutarvi nella scelta.

✿✿✿ **Una delle migliori tavole, vale il viaggio**
Vi si mangia sempre molto bene, a volte meravigliosamente. Grandi vini, servizio impeccabile, ambientazione accurata... Prezzi conformi.

✿✿ **Tavola eccellente, merita una deviazione**
Specialità e vini scelti... Aspettatevi una spesa in proporzione.

✿ **Un'ottima tavola nella sua categoria**
La stella indica una tappa gastronomica sul vostro itinerario.
Non mettete però a confronto la stella di un esercizio di lusso, dai prezzi elevati, con quella di un piccolo esercizio dove, a prezzi ragionevoli, viene offerta una cucina di qualità.
Il nome dello chef figura dopo la ragione sociale quando si occupa personalmente dell'esercizio.
Esempio : XX ✿ **Panorama** (Martin)...

Il "Bib Gourmand"

Pasti accurati a prezzi contenuti
Per quando desiderate trovare delle tavole più semplici a prezzi contenuti abbiamo selezionato dei ristoranti che, per un rapporto qualità-prezzo particolarmente favorevole, offrono un pasto accurato.
Questi ristoranti sono evidenziali nel testo con il "Bib Gourmand" *e* Pasto, Repas *o* Menu.
Es. : Pasto 30/50.

Consultate le carte degli esercizi con stelle ✿✿✿, ✿✿, ✿ e "Bib Gourmand" *(pagine 70 a 73).*
Vedere anche *a pagina seguente*

Principali vini e specialità regionali : vedere p. 67 a 69

I prezzi

I prezzi indicati in guida, stabiliti nell'estate 1998, si riferiscono ***all'alta stagione****. Potranno pertanto subire delle variazioni in relazione ai cambiamenti dei prezzi di beni e servizi. Essi s'intendono comprensivi di tasse e servizio. Nessuna maggiorazione deve figurare sul vostro conto, salvo eventualmente la tassa di soggiorno.*
Gli alberghi e i ristoranti vengono menzionati in carattere grassetto quando gli albergatori ci hanno comunicato tutti i loro prezzi e si sono impegnati sotto la propria responsabilità, ad applicarli ai turisti di passaggio, in possesso della nostra guida.
In bassa stagione, certi esercizi applicano condizioni più vantaggiose, informatevi al momento della prenotazione

Entrate nell'albergo o nel ristorante con la Guida in mano, dimostrando in tal modo la fiducia in chi vi ha indirizzato.

Pasti

bambini 15 (enf. – Kinder) — *Prezzo del menu riservato ai bambini*

Ⓢ — *Esercizio che offre un piatto del giorno per meno di* 20 CHF

Piatto del giorno :

Pasto *18,50* **(Repas – Menu)** — *Prezzo medio del piatto del giorno generalmente servito a pranzo nei giorni settimanali alla « brasserie ».*

Menu a prezzo fisso :

Pasto 36/80 **(Repas – Menu)** — *minimo* 36 *massimo* 80

Pasto alla carta :

Pasto à la carte 50/95 **(Repas – Menu)** — *Il primo prezzo corrisponde ad un pasto semplice comprendente : antipasto, piatto con contorno e dessert. Il secondo prezzo corrisponde ad un pasto più completo (con specialità) comprendente : due piatti, formaggio e dessert.*

Camere

29 cam ☕ 100/200 (ch – Zim)	*Prezzo minimo* 100 *per una camera singola e prezzo massimo* 200 *per una camera per due persone in* ***alta stagione*** *prima colazione compresa (Suite e Junior suite : informarsi presso l'albergatore)*
Bassa stagione Vorsaison ☕ 80/160 Basse saison	*Prezzi delle camere praticati in bassa stagione. È comunque indispensabile prendere accordi preventivi con l'albergatore per stabilire le condizioni definitive.*
☕ 20	*Prezzo della prima colazione*

Mezza pensione

½ P sup. 30 (suppl. – Zuschl.)	*Questo supplemento per persona al giorno va aggiunto al prezzo della camera per ottenere quello della ½ pensione. La maggior parte degli alberghi pratica anche, su richiesta, la pensione completa.*

La caparra

Alcuni albergatori chiedono il versamento di una caparra. Si tratta di un deposito-garanzia che impegna sia l'albergatore che il cliente. Vi consigliamo di farvi precisare le norme riguardanti la reciproca garanzia di tale caparra. Chiedete all'albergatore di fornirvi nella sua lettera di conferma, ogni dettaglio sulla prenotazione e sulle condizioni di soggiorno.

Carte di credito

AE ⓓ E VISA JCB	*American Express – Diners Club – Eurocard/MasterCard – Visa – Japan Credit Bureau*

Le città

	*Stemma del cantone e capoluogo cantonale*
(BIENNE)	*Traduzione in uso dei nomi di comuni*
3000	*Codice di avviamento postale*
✉ *3123 BELP*	*Numero di codice e sede dell'ufficio postale di destinazone*
C - K	*Capoluogo cantonale*
Bern (BE)	*Cantone a cui la località appartiene*
217 ⑥	*Numero della carta Michelin e numero della piega*
1 057 ab. (h. – Ew.)	*Popolazione*
alt. (Höhe) 1500	*Altitudine della località*
Station thermale Kurort	*Stazione termale*
Sports d'hiver Wintersport	*Sport invernali*
1 200/1 900	*Altitudine minima e massima raggiungibile con gli impianti di risalita*
2	*Numero di funivie e cabinovie*
14	*Numero di sciovie e seggiovie*
	Sci di fondo
	Località chiusa al traffico
BY B	*Lettere indicanti l'ubicazione sulla pianta*
18	*Golf e numero di buche*
	Panorama, vista
	Aeroporto
	Località con servizio auto su treno. Informarsi al numero di telefono indicato
	Ufficio informazioni turistiche
	Touring Club Svizzero (T.C.S.)
	Club Svizzero dell'Automobile (A.C.S.)

(Vedere pagina 42)

Luoghi d'interesse

Grado di interesse

★★★ *Vale il viaggio*

★★ *Merita una deviazione*

★ *Interessante*

I musei sono generalmente chiusi il lunedì

Ubicazione

Vedere
Voir — *Nella città*
Sehenswert

Dintorni
Environs — *Nei dintorni della città*
Ausflugsziel

Il luogo si trova :

Ouest, West, Ovest, — *a Ovest della località*

Nord, Sud, Süd., — *a Nord, a Sud della località*

Est, Ost, — *a Est della località*

② ④ — *Ci si va dall'uscita ② o ④ indicata con lo stesso segno sulla pianta della guida e sulla carta stradale*

2 km — *Distanza chilometrica*

Manifestazioni locali

Selezione delle principali manifestazioni culturali, folkloristiche e sportive locali.

Le carte dei dintorni

Sapete come usarle ?

Se desiderate, per esempio, trovare un buon indirizzo nei dintorni di BERNA, la « carta dei dintorni » (qui accanto) richiama la vostra attenzione su tutte le località citate nella Guida che si trovino nei dintorni della città prescelta, e in particolare su quelle raggiungibili in automobile in meno di 20 minuti (limite di colore).

Le « carte dei dintorni » permettono la localizzazione rapida di tutte le risorse proposte dalla Guida nei dintorni delle metropoli regionali.

Nota :

Quando una località è presente su una « carta dei dintorni », la città a cui ci si riferisce è scritta in BLU nella linea delle distanze da città a città.

Esempio :

Troverete Langnau Im Emmental sulla carta dei dintorni di BERNA.

LANGNAU IM EMMENTAL *3550 Bern (BE)*
217 ⑦ *– 8 569 Ew. – Höhe 673.*
Sehenswert : *Dürsrütiwald*★
Bern 31 – Interlaken 63 – Luzern 63 – Solothurn 45.

Péry-Reuchenette
Langendorf
Riedholz
Solothurn
Bettlach
Wangen a.d. Aare
Roggwil
Langenthal
Nennigkofen
Zuchwil
Orvin
Plagne
Grenchen
Kriegstetten
Lotzwil
Aare
Gerlafingen
Madiswil
Magglingen / Macolin
Thörigen
Grossdietwil
Biel / Bienne
Büren
Bätterkinden
Zell
Studen
Utzenstorf
Ursenbach
Sutz-Lattrigen
Diessbach
Büren z. Hof
Huttwil
Worben
Lyss
Scheunenberg
Kirchberg
Fraubrunnen
Heimiswil
Aarberg
Suberg
Burgdorf
Aspi-b.Seedorf
Münchenbuchsee
Emme
Sumiswald
Baggwil
Schönbühl
Lüderenalp
Säriswil
Krauchthal
Wohlen
Aare
BERN
Ostermundigen
A 1
Walkringen
Langnau i. Emmental
Liebefeld
Muri
Worb
Gross-höchstetten
Flamatt
Köniz
Wabern
10
Escholzmatt
A 12
Oberbalm
Münsingen
Zäziwil
Eggiwil
20 Minuten
Stalden
Niedermuhlern
Gerzensee
Marbach
Kaufdorf
A 6
Schwarzenburg
Kirchdorf
0
10 km

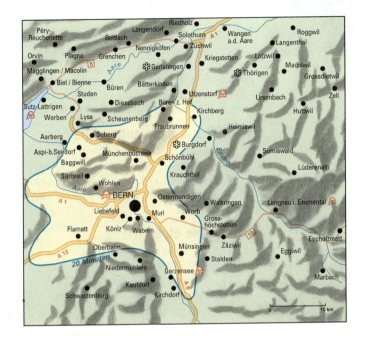

Quadro d'insieme
delle carte dei dintorni

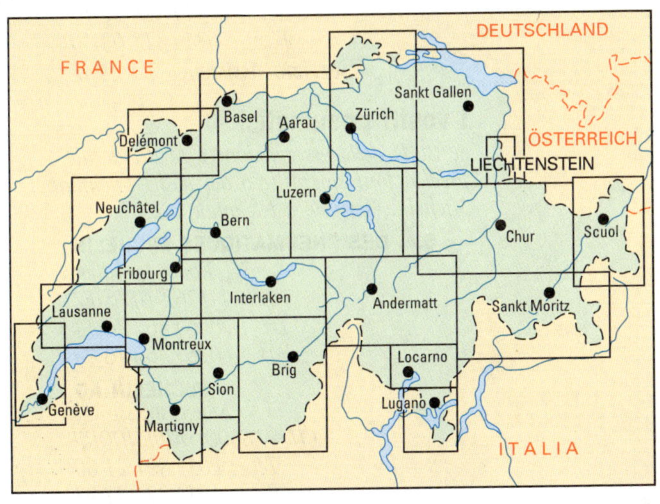

L'automobile, I pneumatici

Marche automobilistiche

L'elenco delle principali case automobilistiche si trova alle pagine 394 e 395.
In caso di necessità l'indirizzo della più vicina officina autorizzata, vi sarà comunicato chiamando, dalle 9 alle 17, il numero telefonico indicato.

Velocità massima autorizzata

Autostrada	Strada	Abitato
120 km/ora	80 km/ora	50 km/ora

L'uso della cintura di sicurezza è obbligatorio sia sui sedili anteriori che su quelli posteriori degli autoveicoli.

Automobile clubs

Le principali organizzazioni di soccorso automobilistico sono

Touring Club Svizzero (T.C.S.)
Sede sociale : 4 ch. de Blandonnet
CH – 1214 VERNIER
Tél. : (022) 417 27 27
Fax : (022) 417 20 20

Club Svizzero dell'Automobile (A.C.S.)
Sede sociale : Wasserwerkgasse 39
CH – 3000 BERN 13
Tél. : (031) 328 11 11
Fax : (031) 311 03 10
Servizio Assistenza 24/24 o.

I vostri pneumatici

Se avete delle osservazioni o se desiderate precisazioni sull'utilizzo dei vostri pneumatici Michelin, scrivete o telefonate a :

S.A. DES PNEUMATIQUES MICHELIN
36, Route Jo Siffert
CH – 1762 GIVISIEZ
Tél. : (026) 467 71 11
Fax : (026) 466 16 74

MICHELIN AG
Neugutstrasse 81
CH – 8600 DÜBENDORF
Tél. : (01) 821 21 60
Fax : (01) 821 22 93

Le piante

Alberghi
Ristoranti

Curiosità

Edificio interessante ed entrata principale
Costruzione religiosa interessante : Cattolica – Protestante

Viabilità

Autostrada
Strada a carreggiate separate
Grande via di circolazione
Via a scalini – Passeggiata – Sentiero
Via pedonale – Via impraticabile, a circolazione regolamentata
Senso unico – Tranvia
Dunant P *Via commerciale – Parcheggio*
Porta – Sottopassaggio – Galleria
Stazione e ferrovia
Funicolare, Ferrovia a cremagliera – Funivia, Cabinovia

Simboli vari

Ufficio informazioni turistiche
Moschea – Sinagoga
Torre – Ruderi
Giardino, parco, bosco – Cimitero
Stadio – Golf – Ippodromo – Pista di pattinaggio
Piscina : all'aperto, coperta – Porto per imbarcazioni da diporto
Vista – Panorama – Tavola d'orientamento
Monumento – Fontana – Fabbrica – Centro commerciale
Aeroporto – Stazione della Metropolitana – Autostazione
Trasporto con traghetto :
- passeggeri ed autovetture, solo passeggeri
③ *Simbolo di riferimento comune alle piante ed alle carte Michelin particolareggiate*
Ufficio centrale di fermo posta
Ospedale – Mercato coperto
Edificio pubblico indicato con lettera :
G H *– Polizia cantonale – Municipio*
J M P *– Palazzo di Giustizia – Museo – Prefettura*
T U *– Teatro – Università*
POL. *– Polizia*
4m4 (18) *Sottopassaggio (altezza inferiore a m 4,50) – Portata limitata (inf. a 19 t)*
Touring Club Swizzero (T.C.S.)
Club Svizzero dell'Automobile (A.C.S.)

Dear Reader

This 6th edition of the Michelin Guide Suisse offers the latest selection of hotels and restaurants.

Independently compiled by our inspectors, the Guide offers travellers a wide choice of establishments at all levels of comfort and price.

And on your travels look out for the many restaurants awarded the **"Bib Gourmand"** *symbol, which indicates moderately priced menus and good value for money.*

We are committed to providing readers with the most up to date information, and this edition has been revised with the greatest care.

That is why only this year's guide is worthy of your complete trust.

Thank you for your comments, which are always appreciated.

Bon voyage !

Contents

Choosing a hotel or restaurant

This guide offers a selection of hotels and restaurants to help the motorist on his travels. In each category establishments are listed in order of preference according to the degree of comfort they offer.

Categories

🏨🏨🏨🏨🏨	XXXXX	*Luxury in the traditional style*
🏨🏨🏨🏨	XXXX	*Top class comfort*
🏨🏨🏨	XXX	*Very comfortable*
🏨🏨	XX	*Comfortable*
🏨	X	*Quite comfortable*
🏠		*Simple comfort*
M		*In its category, hotel with modern amenities*
sans rest, garni, senza rist		*The hotel has no restaurant*
avec ch, mit Zim, con cam		*The restaurant also offers accommodation*

Peaceful atmosphere and setting

Certain establishments are distinguished in the guide by the red symbols shown below.

Your stay in such hotels will be particularly pleasant or restful, owing to the character of the building, its decor, the setting, the welcome and services offered, or simply the peace and quiet to be enjoyed there.

🏨🏨🏨🏨🏨 to 🏨	*Pleasant hotels*
XXXXX to X	*Pleasant restaurants*
« Parc fleuri »	*Particularly attractive feature*
🐴 (red)	*Very quiet or quiet, secluded hotel*
🐴	*Quiet hotel*
⋞ lac	*Exceptional view*
⋞	*Interesting or extensive view*

The maps on pages 70 to 73 indicate places with such very peaceful, pleasant hotels and restaurants.

By consulting them before setting out and sending us your comments on your return you can help us with our enquiries.

Hotel facilities

In general the hotels we recommend have full bathroom and toilet facilities in each room. This may not be the case, however, for certain rooms in categories 🏘, 🏠 *and* ⛱.

30 ch (Zim, cam)	*Number of rooms*
	Lift (elevator)
	Air conditioning (in all or part of the hotel)
TV video	*Television, video recorder in room*
	Establishment partly reserved for non-smokers
	Direct-dial phone in room
	Modem point in the bedrooms
	Rooms accessible to disabled people
	Special facilities for children
	Meals served in garden or on terrace
	Hydrotherapy
	Exercise room, Sauna
	Outdoor or indoor swimming pool
	Beach with bathing facilities – Garden
18	*Hotel tennis court – Golf course and number of holes*
	Landing stage
15/150	*Equipped conference hall (minimum and maximum capacity)*
	Hotel garage (additional charge in most cases)
P	*Car park for customers only*
P	*Enclosed car park for customers only*
	Dogs are excluded from all or part of the hotel
mai-oct. Mai-Okt. maggio-ottobre	*Dates when open, as indicated by the hotelier*
saison nur Saison stagionale	*Probably open for the season – precise dates not available.*
	Where no date or season is shown, establishments are open all year round.

Cuisine

Stars

Certain establishments deserve to be brought to your attention for the particularly fine quality of their cooking. Michelin stars are awarded for the standard of meals served. For such restaurants we list three culinary specialities to assist you in your choice.

✿✿✿ **Exceptional cuisine, worth a special journey**

One always eats here extremely well, sometimes superbly. Fine wines, faultless service, elegant surroundings. One will pay accordingly !

✿✿ **Excellent cooking, worth a detour**

Specialities and wines of first class quality. This will be reflected in the price.

✿ **A very good restaurant in its category**

The star indicates a good place to stop on your journey. But beware of comparing the star given to an expensive "de luxe" establishment to that of a simple restaurant where you can appreciate fine cooking at a reasonable price. The name of the chef appears between brackets when he is personally managing the establishment.

Example : XX ✿ **Panorama** (Martin)...

The "Bib Gourmand"

Good food at moderate prices

You may also like know of other restaurants with less elaborate, moderately priced menus that offer good value for money and serve carefully prepared meals. In the guide such establishments bear the "Bib Gourmand" *and* Menu*,* Repas *or* Pasto.

Ex. : Menu 30/50.

Please refer to the map of star-rated restaurants ✿✿✿, ✿✿, ✿ and the "Bib Gourmand" *(pp 70 to 73).*

See also on next page

Main wines and regional specialities : see pages 67 to 69

Prices

The prices indicated in this Guide, supplied in Summer 1998, apply to ***high season****. Changes may arise if goods and service costs are revised.*
The rates include tax and service and no extra charge should appear on your bill,
with the possible exception of visitors' tax.
Hotels and restaurants in bold type have supplied details of all their rates and have assumed responsibility for maintaining them for all travellers in possession of this guide.
Out of season certain establishments offer special rates. Ask when booking.

Your recommendation is selfevident if you always walk into a hotel or restaurant Guide in hand.

Meals

enf. 15 (Kinder – bambini) — *Price of childrens' menu*

⊛ — *Establishment serving a dish of the day under* 20 CHF

Dish of the day :

Repas *18,50* **(Menu – Pasto)** — *Average price of midweek dish of the day, usually served at lunch in the "café".*

Set meals :

Repas 36/80 **(Menu – Pasto)** — *Lowest* 36 *and highest* 80 *prices for set meals*

« A la carte » meals :

Repas à la carte 50/95 **(Menu – Pasto)** — *The first figure is for a plain meal and includes hors-d'œuvre, main dish and dessert.*
The second figure is for a fuller meal (with "spécialité") and includes 2 main courses, cheese and dessert.

Rooms

29 ch ☕ 100/200 (Zim - cam)

Lowest price 100 *for a single room and highest price* 200 *for a double including breakfast, in* **high season** *(Suites and Junior suites : ask the hotelier)*

Basse saison Vorsaison ☕ 80/160 Bassa stagione

Room prices in loww season. It is essential to agree terms with the hotelier before making a firm reservation.

☕ 20

Price of continental breakfast

Half board

½ P suppl. 30 (Zuschl. - sup.)

This supplement per person per day should be added to the cost of the room in order to obtain the half board price. Most hotels also offer full board terms on request.

Deposits

Some hotels will require a deposit, which confirms the commitment of customer and hotelier alike. Make sure the terms of the agreement are clear. Ask the hotelier to provide you, in his letter of confirmation, with all terms and conditions applicable to your reservation.

Credit cards

Credit cards accepted by the establishment : American Express – Diners Club – Eurocard/MasterCard – Visa – Japan Credit Bureau

Towns

	*Coat of arms of "Canton" indicated on the capital of "Canton"*
(BIENNE)	*Usual translation for the name of the town*
3000	*Local postal number*
✉ *3123 BELP*	*Postal number and name of the postal area*
C - K	*Capital of "Canton"*
Bern (BE)	*Canton in which a town is situated*
217 ⑥	*Number of the appropriate sheet and fold of the Michelin road map*
1 057 h. Ew. – ab.	*Population*
alt. Höhe 1 500	*Altitude (in metres)*
Station thermale Kurort Stazione termale	*Spa*
Sports d'hiver Sport invernali	*Winter sports*
1 200/1 900	*Lowest and highest point reached by lifts*
2	*Number of cablecars*
14	*Number of ski and chairlifts*
	Cross-country skiing
	Traffic is forbidden in this area
BY B	*Letters giving the location of a place on the town plan*
18	*Golf course and number of holes*
	Panoramic view. Viewpoint
	Airport
	Places with motorail pick-up point. Further information from phone No. listed
	Tourist Information Centre
	Touring Club Suisse (T.C.S.)
	Automobil Club der Schweiz (A.C.S.) *(see p 56)*

Sights

Star-rating

★★★ *Worth a journey*
★★ *Worth a detour*
★ *Interesting*

Museums and art galleries are generally closed on Mondays

Location

Voir **Sehenswert** **Vedere** — *Sights in town*

Environs **Ausflugsziel** **Dintorni** — *On the outskirts*

Nord, Sud, Süd., — *The sight lies north, south of the town*
Est, Ost, — *The sight lies east of the town*
Ouest, West, Ovest, — *The sight lies west of the town*
② ④ — *Sign on town plan and on the Michelin road map indicating the road leading to a place of interest*
2 km — *Distance in kilometres*

Local events

Selection of the main cultural, traditional and sportin events.

Local maps

May we suggest that you consult them

Should you be looking for a hotel or restaurant not too far from BERN, for example, you can consult the map along with the selection. The local map (opposite) draws your attention to all places around the town or city selected, provided they are mentioned in the Guide. Places located within a 20 minute drive are clearly identified by the use of a different coloured background.

The various facilities recommended near the different regional capitals can be located quickly and easily.

Note :

Entries in the Guide provide information on distances to nearby towns. Whenever a place appears on one of the local maps, the name of the town or city to which it is attached is printed in BLUE.

Example :

Langnau Im Emmental is to be found on the local map BERN.

LANGNAU IM EMMENTAL *3550 Bern (BE)*
217 ⑦ *- 8 569 Ew. - Höhe 673.*
Sehenswert : *Dürsrütiwald★*
Bern 31 - Interlaken 63 - Luzern 63 - Solothurn 45.

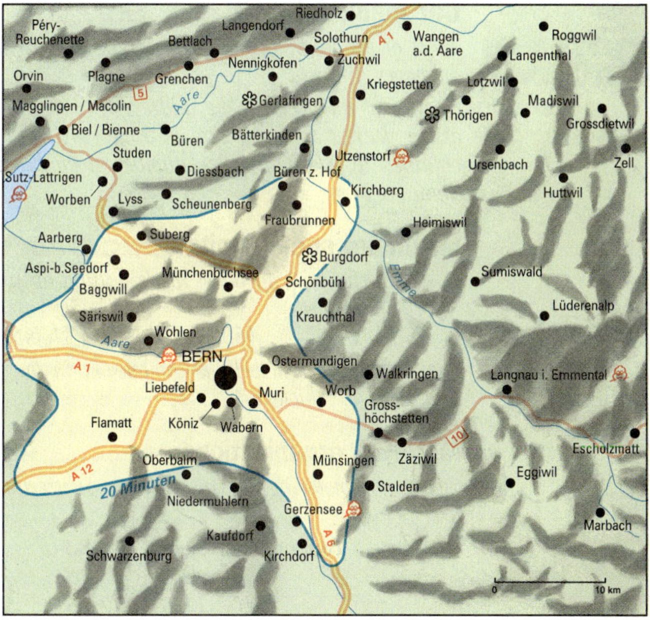

Layout diagram of the local maps

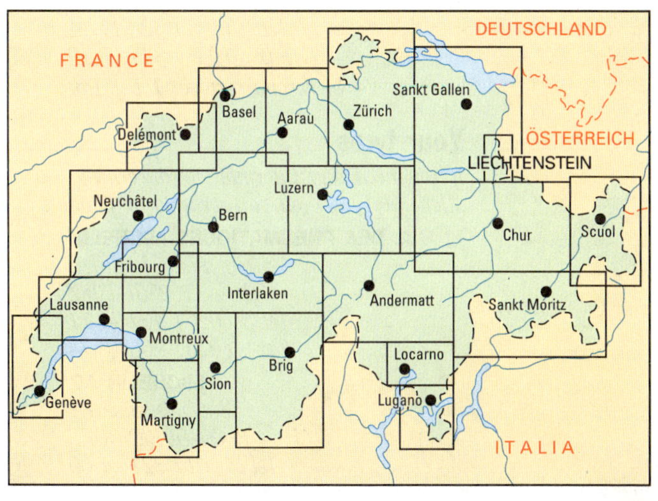

Car, tyres

Car manufacturers

A list of the main Car Manufacturers is to be found on pages 394 and 395.

In case of an accident the address of the nearest agent for that marque can be obtained by telephoning the number given between 9 am – 5 pm.

Maximum speed limits

Motorways	All other roads	Built-up areas
120 km/h	80 km/h	50 km/h
(74 mph)	(50 mph)	(31 mph)

The wearing of seat belts is compulsory in the front and rear of vehicles.

Motoring organisations

The major motoring organisations in Switzerland are

Touring Club Suisse (T.C.S.)
4 ch. de Blandonnet
CH – 1214 VERNIER
Tél. : (022) 417 27 27
Fax : (022) 417 20 20

Automobil Club der Schweiz (A.C.S.)
Wasserwerkgasse 39
CH – 3000 BERN 13
Tél. : (031) 328 11 11
Fax : (031) 311 03 10
24 h. rescue service. Tél. : 140

Your tyres

If you need any information concerning your Michelin Tyres, you can write to or phone :

S.A. DES PNEUMATIQUES MICHELIN
36, Route Jo Siffert
CH – 1762 GIVISIEZ
Tél. : (026) 467 71 11
Fax : (026) 466 16 74

MICHELIN AG
Neugutstrasse 81
CH – 8600 DÜBENDORF
Tél. : (01) 821 21 60
Fax : (01) 821 22 93

Town plans

- *Hotels*
- *Restaurants*

Sights

Place of interest and its main entrance

Interesting place of worship : Catholic – Protestant

Roads

Motorway
Dual carriageway
Major thoroughfare
Stepped street – Footpath – Path
Pedestrian street – Unsuitable for traffic, street subject to restrictions
One-way street – Tramway
Dunant *Shopping street – Car park*
Gateway – Street passing under arch – Tunnel
Station and railway
Funicular, rack railway
Cablecar, cable way

Various signs

Tourist Information Centre
Mosque – Synagogue
Tower – Ruins
Garden, park, wood – Cemetery
Stadium – Golf course – Racecourse – Skating rink
Outdoor or indoor swimming pool
Pleasure boat harbour
View – Panorama – Viewing table
Monument – Fountain – Factory – Shopping centre
Airport – Underground station – Coach station
Ferry services : passengers and cars, passengers only
3 *Reference number common to town plans and Michelin maps*
Main post office with poste restante
Hospital – Covered market
Public buildings located by letter :
G H *– Local Police Station – Town Hall*
J M P *– Law Courts – Museum – Offices of cantonal authorities*
T U *– Theatre – University, College*
POL. *– Police*
4m4 18 *Low headroom (15 ft. max.) – Load limit (under 19 t)*
Touring Club Suisse (T.C.S.)
Automobil Club der Schweiz (A.C.S.)

Char lectur

Questa 6avla ediziun dal Guide Michelin Suisse propona ina schelta actualisada d'hotels e da restaurants.

El è vegnì realisà en tutta independenza da noss inspecturs, ed el offra al viagiatur da transit ina vasta eleczìun d'adressas da tut ils nivels da comfort e da pretsch.

Sun vossa via, per chattar bunas adressas per pretschs favuraivels, suandai ils numerus restaurants inditgads sut **"Bib Gourmand"**.

Nus ans dain tutta fadia da furnir a noss lecturs l'infurmaziun la pli recenta e nus vain elavurà questa ediziun cun la pli gronda attenziun.

Perquai merita sulettamain il Guide da l'onn current vossa confidenza.

Nus engraziain per voss commentaris adina bainvis.

Michelin as giavischa « Bun viadi ! ».

Les cantons suisses

La Confédération Helvétique regroupe 23 cantons dont 3 se divisent en demi-cantons. Le « chef-lieu » est la ville principale où siègent les autorités cantonales. Berne, centre politique et administratif du pays, est le siège des autorités fédérales (voir Guide Vert Suisse).
Le 1er août, jour de la Fête Nationale, les festivités sont nombreuses et variées dans tous les cantons.

APPENZELL (AR/AI)

AARGAU (AG)

BASEL-LAND (BL)

BASEL-STADT (BS)

BERN (BE)

0 40 km
FRANCE
Basel BS
BASEL (BÂLE)
Liestal
BL
AG
AARGAU (ARGOVIE)
Aarau
Delémont
JU
JURA
SO
SOLOTHURN
(SOLEURE)
Solothurn
Doubs
Aare
LU
LUZERN
(LUCERNE)
NE
NEUCHÂTEL
(NEUENBURG)
Neuchâtel
Lac de Neuchâtel
Bern
UNTERWALDEN
Fribourg
FR
FRIBOURG
(FREIBURG)
VD
VAUD (WAADT)
BE
BERN (BERNE)
Lausanne
LAC LÉMAN
RHÔNE
Sion
VS
VALAIS WALLIS
Genève
GE
GENÈVE
(GENF)
FRANCE
ITALIA

FRIBOURG (FR) GENÈVE (GE) GLARUS (GL) GRAUBÜNDEN (GR) JURA (JU) LUZERN (LU) NEUCHÂTEL

Die Schweizer Kantone

Die Schweizer Eidgenossenschaft umfasst 23 Kantone, wobei 3 Kantone in je zwei Halbkantone geteilt sind. Im Hauptort befindet sich jeweils der Sitz der Kantonsbehörden. Bern ist verwaltungsmässig und politisch das Zentrum der Schweiz und Sitz der Bundesbehörden (siehe Grüner Führer Schweiz). Der 1. August ist Nationalfeiertag und wird in allen Kantonen festlich begangen.

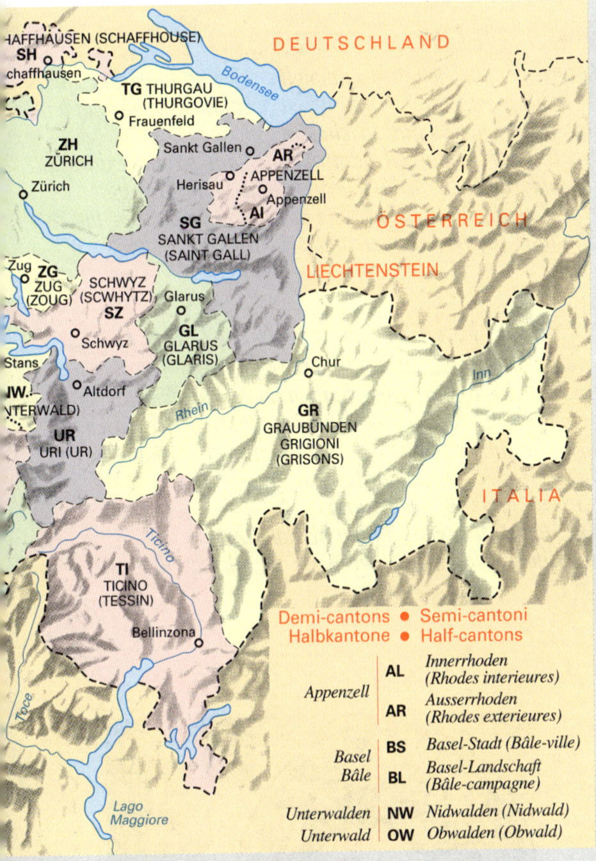

DEUTSCHLAND
ÖSTERREICH
LIECHTENSTEIN
ITALIA
SH (S)HAFFHAUSEN (SCHAFFHOUSE) – Schaffhausen
TG THURGAU (THURGOVIE) – Frauenfeld
ZH ZÜRICH – Zürich
SG SANKT GALLEN (SAINT GALL) – Sankt Gallen
AR APPENZELL – Herisau
AI – Appenzell
ZG ZUG (ZOUG) – Zug
SZ SCHWYZ (SCWHYTZ) – Schwyz
GL GLARUS (GLARIS) – Glarus
NW. (UN)TERWALD) – Stans
UR URI (UR) – Altdorf
GR GRAUBÜNDEN GRIGIONI (GRISONS) – Chur
TI TICINO (TESSIN) – Bellinzona
Bodensee
Rhein
Inn
Ticino
Toce
Lago Maggiore

Demi-cantons • Semi-cantoni
Halbkantone • Half-cantons

Appenzell	AL	*Innerrhoden (Rhodes interieures)*
	AR	*Ausserrhoden (Rhodes exterieures)*
Basel Bâle	BS	*Basel-Stadt (Bâle-ville)*
	BL	*Basel-Landschaft (Bâle-campagne)*
Unterwalden	NW	*Nidwalden (Nidwald)*
Unterwald	OW	*Obwalden (Obwald)*

ZÜRICH (ZH)

ZUG (ZG)

LIBERTÉ ET PATRIE

VAUD (VD)

VALAIS (VS)

URI (UR)

OBWALDEN OW)

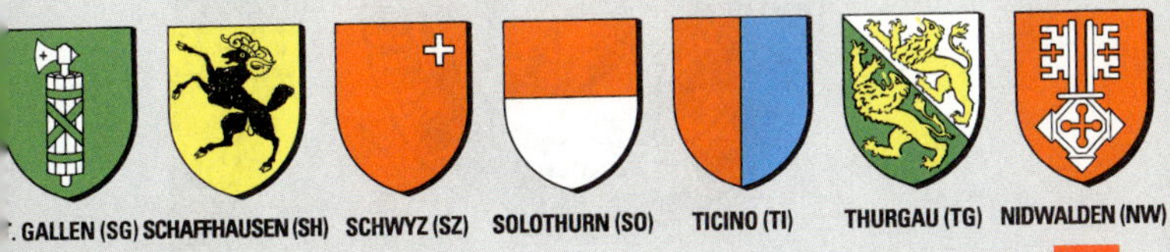

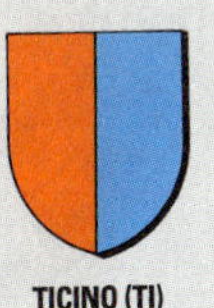

(ST). GALLEN (SG) SCHAFFHAUSEN (SH) SCHWYZ (SZ) SOLOTHURN (SO) TICINO (TI) THURGAU (TG) NIDWALDEN (NW)

I cantoni svizzeri

La Confederazione Elvetica raggruppa 23 cantoni, dei quali 3 si dividono in semi-cantoni. Il "capoluogo" è la città principale dove risiedono le autorità cantonali. Berna, centro politico ed amministrativo del paese, è sede delle autorità federali (vedere Guida Verde Svizzera in francese, inglese, tedesco). Il 1° Agosto è la festa Nazionale e numerosi sono i festeggiamenti in tutti i cantoni.

Ils chantuns svizzers

La Confederaziun Helvetica cumpiglia 23 chantuns dals quals 3 èn dividids en mezs chantuns. La "chapitala" è la citad nua che las autoritads civilas sa chattan. Berna, il center politic ed administrativ dal pajais, è la sedia da las autoritads federalas (vesair Guid Verd Svizra). Il prim d'avust, il di da la festa naziunala, dat i en tut ils chantuns numerasas festivitads da different gener.

Swiss Districts (Cantons)

The Helvetica Confederation comprises 23 cantons of which 3 are divided into half-cantons. The "chef-lieu" is the main town where the district authorities are based. Bern, the country's political and administrative centre, is where the Federal authorities are based (see Green Guide to Switzerland). On 1st August, the Swiss National Holiday, lots of different festivities take place in all the cantons.

Les langues parlées

Outre le « Schwyzerdütsch », dialecte d'origine germanique, quatre langues sont utilisées dans le pays : l'allemand, le français, l'italien et le romanche, cette dernière se localisant dans la partie ouest, centre et sud-est des Grisons. L'allemand, le français et l'italien sont considérés comme langues officielles administratives et généralement pratiqués dans les hôtels et restaurants.

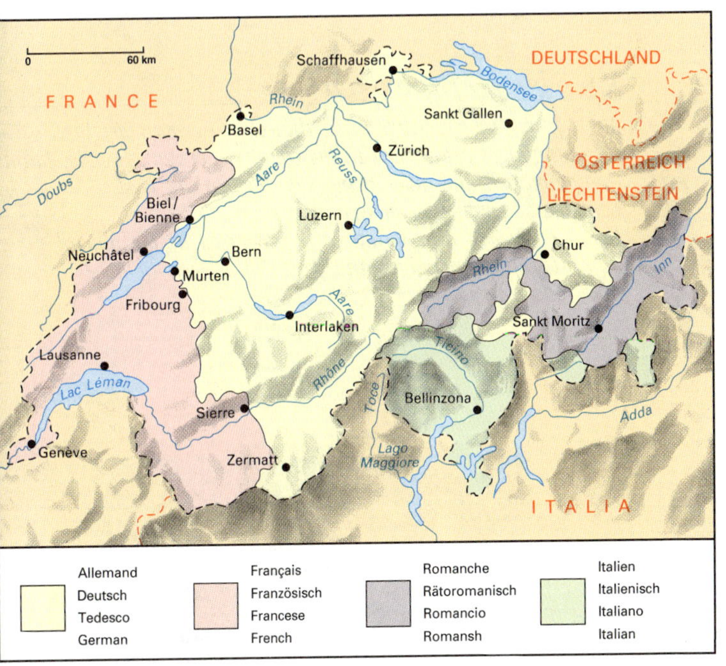

Die Sprachen

Neben dem "Schwyzerdütsch", einem Dialekt deutschen Ursprungs, wird Deutsch, Französisch, Italienisch und Rätoromanisch gesprochen, wobei Rätoromanisch im westlichen, mittleren und südöstlichen Teil von Graubünden beheimatet ist. Deutsch, Französisch und Italienisch sind Amtssprachen ; man beherrscht sie in den meisten Hotels und Restaurants.

Le lingue parlate

Oltre allo "Schwyzerdütsch", dialetto di origine germanica, nel paese si parlano quattro lingue : il tedesco, il francese, l'italiano ed il romancio ; quest'ultimo nella parte ovest, centrale e sud-est dei Grigioni. Il tedesco, il francese e l'italiano sono considerate le lingue amministrative ufficiali e generalmente praticate negli alberghi e ristoranti.

Ils lingvatgs

Ultra il "Schwyzerdütsch", in conglomerat da dialects d'origin german, vegnan quatter linguas utilisadas : il tudestg, il franzos, il talian ed il rumantsch che è derasà en la part ves sid-ost e la part centrala dal Grischun.

Il tudestg, il franzos ed il talian èn renconuschids sco linguatgs uffizials ed en general san ins discurrer quels en hotels ed ustarias.

Spoken Languages

Apart from "Schwyzerdütsch", a dialect of German origin, four languages are spoken in the country: German, French, Italian and Romansh, the latter being standard to the West, Centre and South-East of Grisons.

German, French and Italian are recognised as the official administrative languages and generally spoken in hotels and restaurants.

Le vignoble suisse

La production vinicole suisse, est estimée à 1,2 million d'hectolitres, dont 60 % de vins blancs. Le relief tourmenté du pays rend difficile l'exploitation du vignoble, mais assure une grande variété de climats et de terroirs *(voir page 67).*
Cépage blanc typique de Suisse romande et peu cultivé ailleurs, le Chasselas est sensible à toute nuance de terroir et de vinification, d'où une grande variété de caractères selon les régions. Pinot, Gamay et Merlot sont les principaux cépages rouges cultivés dans le pays. La réglementation d'« Appellation d'Origine Contrôlée », en cours d'élaboration, est de la compétence des cantons. Elle existe déjà dans les cantons d'Argovie, Genève, Neuchâtel, Schaffhouse, Vaud, Valais et la région du lac de Bienne.
1995 et surtout 1997 sont les meilleurs millésimes récents

Das Schweizer Weinanbaugebiet

Die Weinproduktion in der Schweiz wird auf 1,2 Millionen Hektoliter (davon 60 % Weisswein) geschätzt. Die Topographie der Schweiz macht den Weinanbau zwar schwierig, sorgt jedoch für eine grosse Vielfalt verschiedener Klimazonen und Böden *(Siehe Seite 67).*
Der Chasselas, eine typische weisse Rebsorte aus der Westschweiz, die woanders kaum angebaut wird, reagiert sehr unterschiedlich auf den Boden und die Verarbeitung des Weins. Daher variert der Charakter dieses Weins sehr stark je nach der Region, in der er angebaut wird. Blauburgunder, Gamay und Merlot sind die wichtigsten roten Rebsorten.
Eine Regelung zur kontrollierten Ursprungsbezeichnung wird derzeit erarbeitet. Diese steht der Kompetenz der Kantone zu und existiert schon für die Kantone Aargau, Genf, Neuenburg, Schaffhausen, Waadt, Wallis und die Region Bielersee.
1995 und besonders 1997 sind die besten letzten Jahrgänge

La Svizzera vinicola

La produzione vinicola svizzera è stimata in 1,2 milioni d'ettolitri, il 60 % dei quali di vino bianco. Il rilievo accidentato del paese rende difficoltosa l'attività vitivinicola, ma assicura una grande varietà di climi e terreni *(Vedere pagina 67).*
Vitigno bianco tipico della Svizzera romanda e poco coltivato altrove, lo Chasselas è sensibile a tutte le sfumature del terreno e della vinificazione ; da ciò deriva una grande varietà di caratteristiche. Pinot, Gamay e Merlot sono i principali vitigni rossi coltivati nel paese. La normativa sulla "Denominazione d'Origine Controllata", in corso di elaborazione, è di competenza dei cantoni, ma già esiste, nei cantoni di Argovia, Ginevra, Neuchâtel, Sciaffusa, Vaud, Vallese e nella regione del lago di Bienne.
1995 e sopratutto 1997 sono le migliori annate recenti

Swiss Wine

Swiss wine production is estimated at 1.2 million hectolitres per year, of which 60 % is white.
The tortuous relief of the country makes cultivation of vineyards difficult but ensures a great variation in climate and soil *(See page 67).*
The Chasselas, a typical white Swiss grape little grown elsewhere, is sensitive to the slightest variation in soil or fermentation ; hence its noticeable change in character according to the region in which it is grown. Pinot, Gamay and Merlot are the main red grapes grown in the country
A district standard of "Appellation d'Origine Contrôlée" is currently being implemented. It already exists on a regional basis in the districts of Aargau, Geneva, Neuchâtel, Schaffhausen, Valais, Vaud and the region of Bienne.
1995 and especially 1997 are the best of the recent vintages

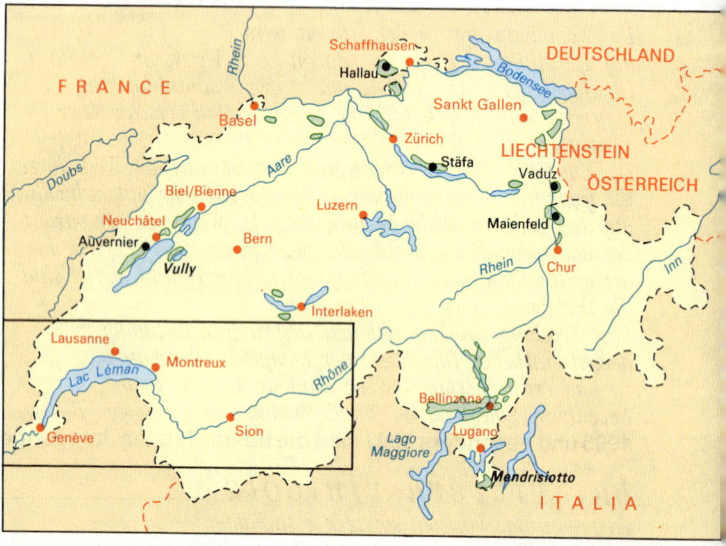

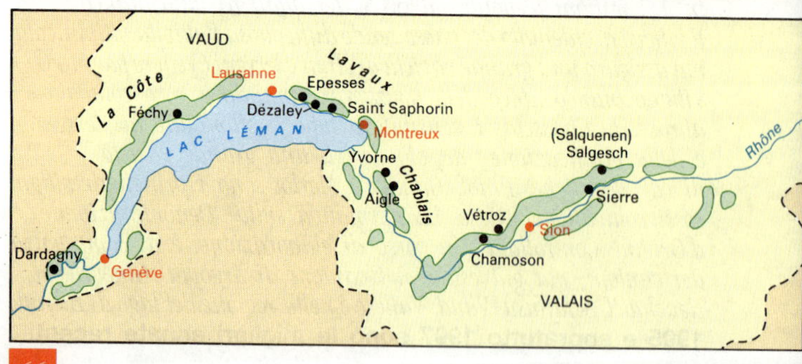

Principaux vins et spécialités régionales
Wichtigste Weine und regionale Spezialitäten
Principali vini e specialità regionali
Main wines and regional specialities

Principaux cépages *Wichtigste Rebsorten* Principali vitigni *Main grape stock* *(*)*	Caractéristiques *Charakteristiken* Caratteristiche *Characteristics*	Mets et principales spécialités culinaires régionales *Gerichte und wichtigste regionale kulinarische Spezialitäten* Vivande e principali specialità culinarie regionali *Food and main regional culinary specialities*
GENÈVE (Genf) (GE)		
Chasselas (b)	fruité, léger, frais *fruchtig, leicht, mundig frisch*	Poissons du lac (omble chevalier), Fondue, Gratin genevois *Süsswasserfische (Saibling), Käse-Fondue, Genfer Auflauf*
Gamay (r)	frais, souple, fruité *mundig frisch, zart, fruchtig*	Viandes blanches, Ragoût de porc (fricassée) Longeole au marc (saucisse fumée) *helles Fleisch, Schweinsragout (Frikassee),* « Longeole » *(geräucherte Wurst)*
GRAUBÜNDEN (Grisons) (Grigioni) (GR)		
Blauburgunder (Pinot noir) (r)	velouté *körperreich, samtig*	Bœuf en daube - *Bündner Beckribraten,* Viande de bœuf séchée des Grisons – *Bündnerfleisch*
NEUCHÂTEL (Neuenburg) (NE)		
Chasselas, Chasselas sur lie (b)	nerveux *feine Säure*	Palée : Féra du lac de Neuchâtel *Felchen aus dem Neuenburgersee*
Pinot noir (r) *(Blauburgunder)*	bouqueté, racé *blumig, rassig*	Viandes rouges *dunkles Fleisch*
Œil de Perdrix (rosé de Pinot noir) *Rosé von Blauburgunder*	vif *anregend-frisch*	Tripes à la Neuchâteloise *Kutteln nach Neuenburger Art*
TICINO (Tessin) (TI)		
Merlot bianco (b)	fruité, frais, léger *fruchtig, frisch, leicht* *fruttato, fresco, leggero*	Poissons d'eau douce *Süsswasserfische*
Merlot (r)	corsé, équilibré *kräftig, ausgeglichen* *robusto, equilibrato*	Viandes rouges, Gibier à plumes, fromages, Polpettone (viandes hachées aromatisées) *dunkles Fleisch, Wildgeflügel, Käse,* « *Polpettone* » *(gewürztes Hackfleisch)*

(*) (b) (w) : *blanc, weiss, bianco, white* (r) : *rouge, rot, rosso, red*

Principaux cépages *Wichtigste Rebsorten* Principali vitigni *Main grape stock* *(*)*	Caractéristiques *Charakteristiken* Caratteristiche *Characteristics*	Mets et principales spécialités culinaires régionales *Gerichte und wichtigste regionale kulinarische Spezialitäten* Vivande e principali specialità culinarie regionali *Food and main regional culinary specialities*
TICINO (Tessin) (TI)		
Merlot rosato (rosé)	fruité, frais *fruchtig, mundig frisch* *fruttato, fresco*	Poissons d'eau douce, Pesci in carpione (Fera en marinade) *Süsswasserfische, Pesci in carpione, Felchen in einer Marinade*
VALAIS (Wallis) (VS)		
Fendant (Chasselas) (b)	rond, équilibré, fruité, parfois perlant *füllig, ausgeglichen, fruchtig, gelegentlich perlend*	Poissons, Raclette, Filets de truite *Fische, Raclette, Forellenfilets*
Petite Arvine (b)	certains secs, d'autres doux *einige trocken, andere mild*	Vins secs : Poissons, fromages de chèvre *Trockene Weine : Fische, Ziegenkäse*
Amigne (b)	corsé, sapide, parfois sec, très souvent doux *kräftig, harmonisch, voll, manchmal trocken, oft mild*	Vins doux : Foie gras, desserts *Milde Weine : Ente-, Gänseleber, Desserts*
Johannisberg (b) (Sylvaner)	sec ou doux *trocken oder mild*	
Malvoisie flétrie (Pinot gris vendanges tardives, *Grauburgunder Beerenauslese)* (b)	moelleux, riche *weich, rund gehaltvoll*	Vin d'apéritif et de dessert, *Aperitif- und Dessert-Wein* Foie Gras *Ente-, Gänseleber*
Dôle (assemblage de Pinot noir et de Gamay) *(Mischung aus Blauburgunder und Gamay)* (r)	robuste, ferme, bouqueté *robust, verschlossen, bukettreich*	Assiette valaisanne (viande séchée, jambon et fromage) *Walliserteller (Trockenfleisch, Schinken, Hobel-, und Bergkäse)*
Cornalin (r)	corsé, tanique *kräftig, gerbstoffhaltig*	Gibiers : cerf, chevreuil, sanglier *Wild : Hirsch, Reh, Wildschwein* Fromages - *Käse*
Humagne rouge	charnu, généreux *kernig, edel*	

(*) (b) (w) : *blanc, weiss, bianco, white* (r) : *rouge, rot, rosso, red*

Principaux cépages *Wichtigste Rebsorten* Principali vitigni *Main grape stock* (*)	Caractéristiques *Charakteristiken* Caratteristiche *Characteristics*	Mets et principales spécialités culinaires régionales *Gerichte und wichtigste regionale kulinarische Spezialitäten* Vivande e principali specialità culinarie regionali *Food and main regional culinary specialities*
VAUD (Waadt) (VD)		
Chasselas (b)	équilibré, fruité *ausgeglichen fruchtig*	Truite, brochet, perche ; Fondue (vacherin et gruyère) *Forelle, Hecht, Egli, Käse-Fondue (Vacherin und Greyerzer)*
Salvagnin (r) *(assemblage de Pinot noir et de Gamay)* *(Mischung aus Blauburgunder und Gamay)*	harmonieux, velouté *harmonisch, samtig*	Viandes blanches, Papet vaudois (poireaux, p. de terre, saucissons) *helles Fleisch, Waadtländer Papet (Lauch, Kartoffeln, Würste)*
ZÜRICH (ZH) **AARGAU** (Argovie) (AG) **THURGAU** (Thurgovie) (TG) **SCHAFFHAUSEN** (Schaffhouse) (SH)		
Riesling-Sylvaner (w)	parfum délicat, léger, sec *feines Aroma, leicht, trocken*	Zürich- und Bodenseefische *Poissons des lacs de Zürich et Constance*
Blauburgunder (Pinot noir) (r)	léger, aromatique *leicht, aromatisch*	Cochonailles. *Deftige Wurstwaren* Emincé de veau *Geschnetzeltes Kalbfleisch* Potée aux choux, *Zürcher Topf (verschiedene Fleischsorten mit Kohl)* Assiette bernoise (viandes diverses, choucroute, choux, haricots, pommes de terre) *Berner Platte (verschiedene Fleischsorten Sauerkraut, Kohl, Bohnen, Kartoffeln)*

(*) (b) (w) : *blanc, weiss, bianco, white* (r) : *rouge, rot, rosso, red*

✿✿✿ *Les étoiles*

✿✿ *Die Sterne*

✿ *Le stelle*

The stars

L'agrément

Annehmlichkeit

Amenità e tranquillità

Peaceful atmosphere and setting

Repas
Menu
Pasto
30/50

"Bib Gourmand"

Repas soignés à prix modérés

Sorgfältig zubereitete preiswerte Mahlzeiten

Pasti accurati a prezzi contenuti

Good food at moderate prices

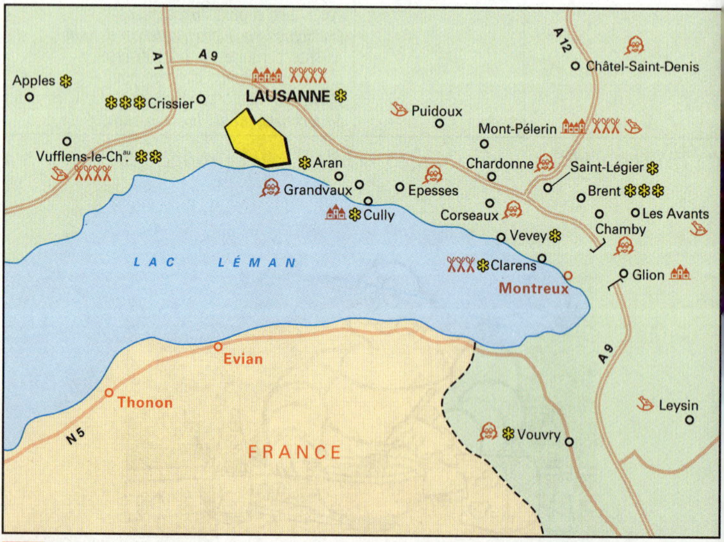

A 1
A 9
A 12
Apples
Crissier
LAUSANNE
Châtel-Saint-Denis
Puidoux
Mont-Pélerin
Vufflens-le-Ch^au^
Aran
Chardonne
Saint-Légier
Grandvaux
Epesses
Brent
Cully
Corseaux
Les Avants
Chamby
Vevey
LAC LÉMAN
Clarens
Glion
Montreux
Evian
A 9
Leysin
Thonon
N 5
Vouvry
FRANCE

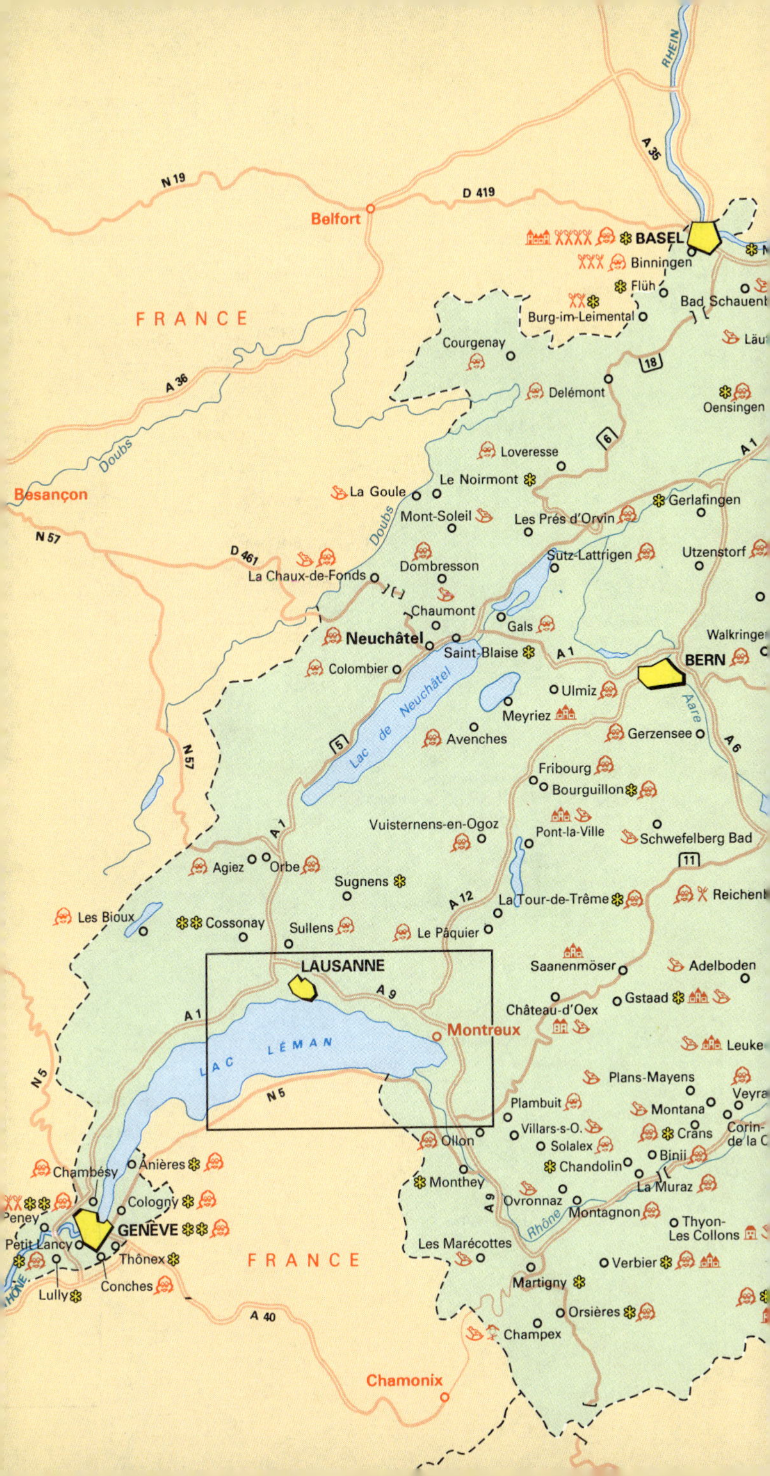

RHEIN
A 35
N 19
D 419
Belfort
BASEL
Binningen
Flüh
Bad Schauent
Burg-im-Leimental
FRANCE
Courgenay
18
Läu
A 36
Delémont
Oensingen
Doubs
6
Loveresse
A 1
Besançon
La Goule
Le Noirmont
Gerlafingen
Mont-Soleil
Les Prés d'Orvin
N 57
Doubs
D 461
Dombresson
Sutz-Lattrigen
Utzenstorf
La Chaux-de-Fonds
Chaumont
Gals
Walkringe
Neuchâtel
Saint-Blaise
A 1
BERN
Colombier
Ulmiz
Meyriez
Aare
Lac de Neuchâtel
5
Avenches
Gerzensee
A 6
N 57
Fribourg
Bourguillon
Vuisternens-en-Ogoz
Pont-la-Ville
Schwefelberg Bad
A 1
11
Agiez
Orbe
Sugnens
A 12
La Tour-de-Trême
Reichen
Les Bioux
Cossonay
Sullens
Le Pâquier
LAUSANNE
Saanenmöser
Adelboden
A 9
Château-d'Oex
Gstaad
A 1
Montreux
LAC LÉMAN
Leuke
N 5
N 5
Plans-Mayens
Plambuit
Montana
Veyra
Villars-s-O.
Crans
Corin-de la C
Ollon
Solalex
Anières
Binii
Chambésy
Chandolin
Monthey
La Muraz
Peney
Cologny
A 9
Ovronnaz
Montagnon
Thyon-Les Collons
GENÈVE
Rhône
Petit Lancy
Thônex
FRANCE
Les Marécottes
Verbier
Conches
Martigny
Lully
HONE
A 40
Orsières
Champex
Chamonix

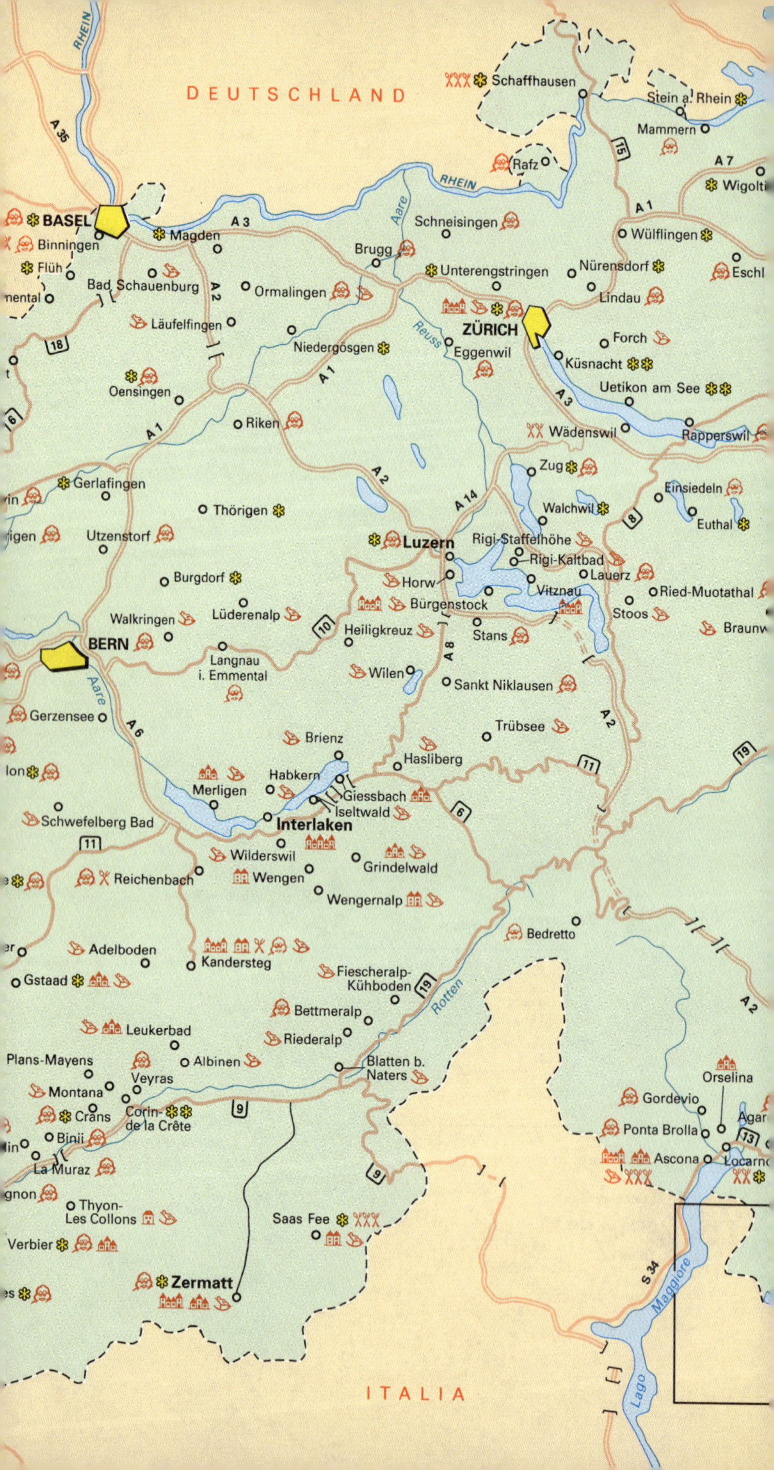
RHEIN
DEUTSCHLAND
A 35
Schaffhausen
Stein a. Rhein
Mammern
15
Rafz
RHEIN
A 7
A 1
BASEL
A 3
Magden
Binningen
Flüh
Bad Schauenburg
A 2
Ormalingen
Aare
Schneisingen
Brugg
Unterengstringen
Nürensdorf
Wülflingen
Lindau
ZÜRICH
Reuss
Eggenwil
Forch
Küsnacht
Uetikon am See
Läufelfingen
Niedergösgen
18
A 1
Oensingen
Riken
A 3
Wädenswil
Rapperswil
A 1
Zug
Einsiedeln
Gerlafingen
A 2
A 14
Walchwil
Euthal
8
Thörigen
Utzenstorf
Luzern
Rigi-Staffelhöhe
Rigi-Kaltbad
Horw
Lauerz
Burgdorf
Vitznau
Ried-Muotathal
Bürgenstock
Stoos
Lüderenalp
Walkringen
10
Heiligkreuz
Stans
BERN
Langnau
i. Emmental
A 8
Wilen
Sankt Niklausen
Aare
Gerzensee
A 6
A 2
Trübsee
Brienz
Hasliberg
11
19
Habkern
Merligen
Giessbach
Iseltwald
6
Schwefelberg Bad
Interlaken
11
Wilderswil
Grindelwald
Reichenbach
Wengen
Wengernalp
Bedretto
Adelboden
Kandersteg
Gstaad
Fiescheralp-
Kühboden
19
Rotten
A 2
Bettmeralp
Leukerbad
Riederalp
Plans-Mayens
Albinen
Blatten b.
Naters
Veyras
Montana
Crans
Corin-
de la Crête
9
Orselina
Gordevio
Ponta Brolla
13
Binii
La Muraz
Ascona
9
Thyon-
Les Collons
Saas Fee
Verbier
S 34
Maggiore
Zermatt
Lago
ITALIA

nstanz
gerwilen
Bodensee
Altnau
Arbon
Bregenz
Lömmenschwil
Abtwil
A 1
Rehetobel
kt Gallen
Teufen
Stein
8
Wald
St. Peterzell
Appenzell
Schaanwald
Vaduz
Walenstadt
LIECHTENSTEIN
Weite
Triesen
A 3
Fläsch
Mels
Grüsch
Bad Ragaz
28
Rhein
Klosters
Laret
Chur
Flims-
Waldhaus
Davos
Sagogn
Bonaduz
Arosa
Breil/Brigels
Sporz
A 13
3
A 96
DEUTSCHLAND
ÖSTERREICH
A 14
St. Anton
A 12
S 16
Ftan
Scuol
27
Tarasp
28
Santa Maria-
im-M.
Zuoz
La Punt
Madulain
Bever
Sankt Moritz
Pontresina
Champfèr
Plaun da Lej
Poschiavo
Soazzao
Bellinzona
S 39
S 38
Lago di Como
S 36
gano
Como
Lago
Maggiore
Taverne
Bosco Luganese
Massagno
Lugano
Magliaso
Sorengo
Caslano
Lago
di Lugano
ITALIA
Rovio
Vico
A 2
Serpiano
Salorino
Vacallo
Como

Villes

classées par ordre alphabétique

Les renseignements sont exprimés dans la langue principale parlée sur place.

Städte

in alphabetischer Reihenfolge

Die Informationen sind in der lokalen Sprache angegeben.

Città

in ordine alfabetico

Le informazioni sono indicati nella lingua che si parla in prevalenza sul posto.

Towns

in alphabetical order

Information is given in the local language.

AADORF *8355 Thurgau (TG) Zürich (ZH)* **216** ⑧ ⑨ *– 7 199 Ew. – Höhe 528.*
Bern 161 – Zürich 42 – Frauenfeld 14 – Wil 13 – Winterthur 14.

Heidelberg, Schützenstr. 45, ✆ (052) 365 15 21, *Fax (052) 365 12 13* –
P – 50. AE ⓓ E VISA
23. Dez. - 3. Jan. geschl. – **Menu** *18.50* - 28 (mittags)/42 und à la carte 29/85, Kinder 1
– **14 Zim** ☕ 90/160.

Die Preise — Einzelheiten über die in diesem Führer angegebenen Preise finden Sie in der Einleitung.

AARAU *5000* K *Aargau (AG)* **216** ⑯ ⑰ *– 15 903 Ew. – Höhe 388.*
Ausflugsziel : *Schloss Hallwil★ über ③ : 18 km.*
Entfelden in Oberentfelden, ✉ 5036 ✆ (062) 723 89 84, Fax (062) 723 84 36, über ④ : 4 km ; in Schinznach Bad, ✉ 5116 (April - Okt.) ✆ (056) 443 12 26, Fax (056) 443 34 83, über ② : 16 km Richtung Brugg.
Lokale Veranstaltungen
02.07 : "Maienzug", alter Brauch
24.09 : "Bachfischet", alter Brauch und Volkfest.
Aarau Info Verkehrsbüro, Graben 42, ✆ (062) 824 76 24, Fax (062) 824 77 50
Rathausgasse 2, ✆ (062) 838 21 00, Fax (062) 838 21 09.
Vordere Vorstadt 8, ✆ (062) 824 02 02, Fax (062) 824 66 61.
Bern 78 ④ – Basel 56 ① – Luzern 47 ④ – Zürich 47 ②.

AARAU

Strasse	Planfeld	Nr.
Aumattweg	B	3
Färbergasse	A	4
Frey-Herose-Strasse	B	6
Güterstrasse	B	7
Hintere Vorstadt	A	9
Hunzikerstrasse	B	10
Kirchgasse	A	12
Kronengasse	A	13
Laurenzentorgasse	A	15
Metzgergasse	A	16
Rathausgasse	A	19
Rössligutstrasse	B	21
Schachenallee	A	22
Schlossplatz	A	24
Schönwerderstr.	A	25
Sengelbachweg	B	26
Storchengasse	A	27
Viehmarktplatz	A	28
Vordere Vorstadt	A	30
Zwischen den Toren	A	31

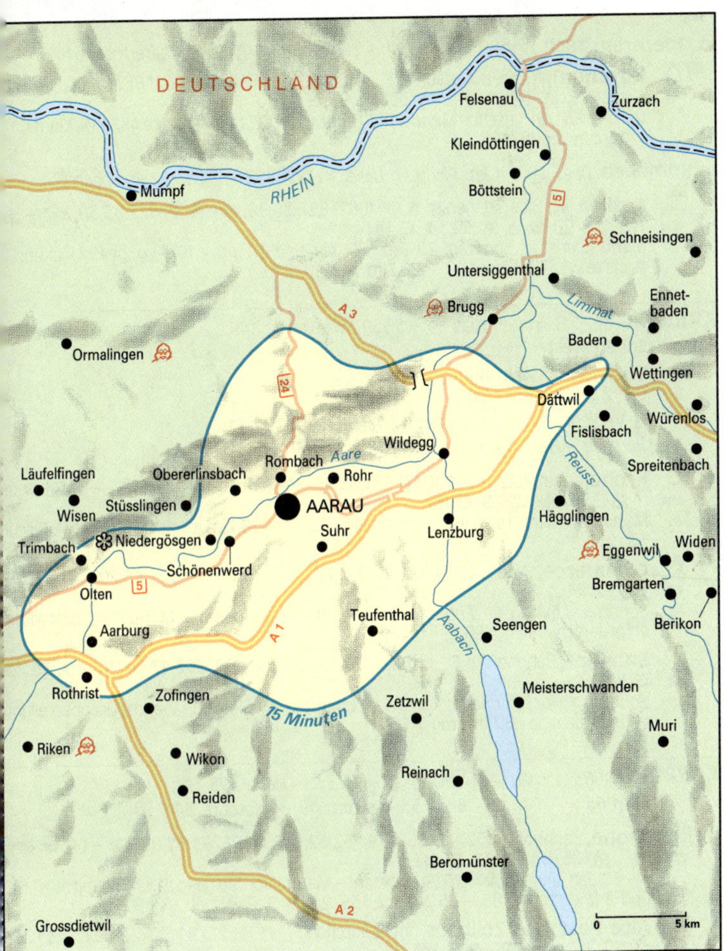

Aarauerhof, Bahnhofstr. 68, ✉ 5001, ✆ (062) 837 83 00, *Fax (062) 837 84 00,* – Zim, – 15/50. AE VISA JCB B a
General Herzog *(Samstag - Sonntag geschl.)* **Menu** *25 -* 39 (mittags)/74 und à la carte 43/79 – ***Grand Café* : Menu** *15* und à la carte 28/72 – **81 Zim** 160/250.

Chez Jeannette, Vordere Vorstadt 17, ✆ (062) 822 77 88, *Fax (062) 822 62 12,* – AE VISA A b
Sonntag und 20. Juli - 3. Aug. geschl. – ***1. Etage* : Menu** *29 -* 65/85 und à la carte 72/111 – ***Tagesrestaurant* : Menu** *18.50* und à la carte 42/75.

Mürset, Schachen 18, ✆ (062) 822 13 72, *Fax (062) 824 29 88,* – AE VISA A c
***Alte Stube* : Menu** *30 -*40 (mittags)/75 (abends) und à la carte 41/89, Kinder 14 – ***Brasserie* : Menu** *17.50* und à la carte 28/69.

in Rohr *Nord-Ost über ② : 2 km – Höhe 385 – ✉ 5032 Rohr :*

Sternen M, Hauptstr. 68, ✆ (062) 834 08 00, *Fax (062) 834 08 89,* – – 25. AE VISA
Sonntag und 24. - 30. Dez. geschl. – **Menu** *18.50* und à la carte 40/84 – **21 Zim** 100/160 – ½ P Zuschl. 35.

in Obererlinsbach *Nord-West : 4,5 km – Höhe 430 – ✉ 5016 Obererlinsbach :*

XXX **Hirschen** mit Zim, Hauptstr. 125, ✆ (062) 857 33 33, *Fax (062) 857 33 00,* – Rest, 30.
23. Dez. - 6. Jan. geschl. – **Menu** 26 - 50 (mittags)/105 und à la carte 46/115, Kinder 1 – **16 Zim** 98/195.

in Rombach *über ① : 1 km Richtung Basel – Höhe 383 – ✉ 5022 Rombach :*

Basilea Ⓜ, Bibersteinerstr. 4, ✆ (062) 827 36 36, *Fax (062) 827 35 39,* – Zim,
Menu *(Samstag, Sonntag, 20. Dez. - 5. Jan. und 27. Juli - 10. Aug. geschl.)* 13 und à la carte 31/72, Kinder 10 – **26 Zim** 110/210.

AARBERG *3270 Bern (BE) 216 ⑭ – 3 359 Ew. – Höhe 449.*

Sehenswert : *Stadtplatz★.*

Lokale Veranstaltung
05.12 : "Chlouser Märit".

Verkehrsverein, Stadtplatz 12, ✆ (032) 392 32 31.

Bern 19 – Biel 15 – Fribourg 36 – Neuchâtel 35 – Solothurn 31.

Krone, Stadtplatz 29, ✆ (032) 391 99 66, *Fax (032) 391 99 65,* – – 15/250.
Menu 17 - 44 (mittags)/68 und à la carte 42/81 – **18 Zim** 100/180 – ½ P Zuschl 30.

XX **Commerce,** Stadtplatz 20, ✆ (032) 392 45 45, *Fax (032) 392 45 20,* – Rest
Sonntag - Montag, 21. Feb. - 1. März und 18. - 31. Juli geschl. – **Menu** (Tischbestellung erforderlich) 15 - 50/95.

XX **Bahnhof,** Bahnhofstr. 5, ✆ (032) 392 48 88, *Fax (032) 392 47 04,* –
Sonntag - Montag und im Sept. 3 Wochen geschl. – **Menu** (abends Tischbestellung erforderlich) 16 - 50 (mittags)/95.

AARBURG *4663 Aargau (AG) 216 ⑯ – 5 843 Ew. – Höhe 395.*

Bern 65 – Aarau 18 – Basel 53 – Luzern 48 – Solothurn 34.

Krone, Bahnhofstr. 52, ✆ (062) 791 52 52, *Fax (062) 791 31 05,* – – 25/80.
3. - 10. Jan. und 20. Juli - 10. Aug. geschl. – **Menu** *(Montag geschl.)* 18 - 32 (mittags)/80 und à la carte 44/85 – **25 Zim** 135/210 – ½ P Zuschl. 38.

XX **Alte Post und Zollhaus,** Im Städtchen 5, ✆ (062) 791 30 40, *Fax (062) 791 30 10,* –
Montag, Dienstag, 1. - 14. Feb. und 6. - 19. Sept. geschl. – **Menu** 22 - 64/105 und à la carte 53/94, Kinder 15.

L'ABBAYE *Vaud 217 ② – voir à Joux (Vallée de).*

ABTWIL *9030 Sankt Gallen (SG) 216 ㉑ – Höhe 658.*

Bern 196 – Sankt Gallen 6 – Bregenz 45 – Frauenfeld 47 – Konstanz 36.

Säntispark Ⓜ, Wiesenbachstr. 5, ✆ (071) 313 11 11, *Fax (071) 313 11 13,* – Zim, – 15/80. Rest
Gourmet **: Menu** 35 - 78 und à la carte 50/87 – ***Parkrestaurant*** **: Menu** 22 und à la carte 36/65 – **72 Zim** 165/240.

Nord : *3 km – ✉ 9030 Abtwil*

Säntisblick, Grimmstrasse, ✆ (071) 313 25 25, *Fax (071) 313 25 26,* Säntis und Glarner Alpen, – video
Menu *(Montag geschl.)* 38/72 und à la carte 38/84, Kinder 12 – **14 Zim** 135/195 – ½ P Zuschl. 35.

ADELBODEN 3715 Bern (BE) 217 ⑯ – 3 581 Ew. – Höhe 1 356 – Wintersport : 1 356/2 350 m 6 18.

Sehenswert : Engstligenfälle★★★ – Lage★★.

Tourist Center, Dorfstr. 23, (033) 673 80 80, Fax (033) 673 80 92.

Bern 70 – Interlaken 49 – Fribourg 104 – Gstaad 81.

Parkhotel Bellevue, (033) 673 40 00, Fax (033) 673 41 73, ←, , Wellness - Center , , – – Rest
19. Dez. - 18. April und 5. Juni - 17. Okt. – **Menu** 34 - 42 (mittags)/72 (abends) und à la carte 38/80 – **45 Zim** 180/330, Vorsaison 130/260, 5 Suiten – ½ P Zuschl. 30.

Grand Hotel Regina M, Dorfstr. 7, (033) 673 83 83, Fax (033) 673 83 80, ←, , , – , Zim, – 15/50. AE VISA. Rest
21. Dez. - 4. April und 14. Juni - 10. Okt. – **Menu** 61 (abends) und à la carte 36/72, Kinder 12 – **85 Zim** 170/320, Vorsaison 130/260 – ½ P Zuschl. 20.

Steinmattli M, Risetensträssli 10, (033) 673 39 39, Fax (033) 673 38 39, ←, , – – 15/40. AE VISA
Anfang Dez. - Ende April und Mitte Juni - Ende Okt. – ***Bistro :*** **Menu** 25 - 32 (mittags)/55 und à la carte 39/72, Kinder 12 – **58 Zim** 165/322, Vorsaison 105/210 – ½ P Zuschl. 25.

Sporthotel Adler M, Dorfstr. 19, (033) 673 41 41, Fax (033) 673 42 39, ←, , – . AE VISA
Mitte Nov. - Mitte April und Mitte Mai - Mitte Okt. – **Menu** 15.50 - 55 und à la carte 31/76, Kinder 13 – **43 Zim** 120/246, Vorsaison 83/176 – ½ P Zuschl. 30.

Beau Site, Dorfstr. 5, (033) 673 22 22, Fax (033) 673 33 33, ←, , , – . AE VISA
Mitte Dez. - Mitte April und Ende Mai - Mitte Okt. – **Menu** *(Dienstag geschl.)* 14.50 und à la carte 36/77 – **36 Zim** 150/320, Vorsaison 105/220 – ½ P Zuschl. 25.

Viktoria Eden M, Dorfstr. 15, (033) 673 88 88, Fax (033) 673 88 89, ←, – – 15/60. VISA
Menu *(Dienstag und Juni geschl.)* 18 und à la carte 30/71 – **21 Zim** 125/200, Vorsaison 85/130 – ½ P Zuschl. 35.

Bären M, Dorfstr. 22, (033) 673 21 51, Fax (033) 673 21 90, , – . AE VISA
18. Nov. - 18. Dez. und 24. Mai - 8. Juli geschl. – **Menu** *(Donnerstag geschl.)* 22 - 31 und à la carte 29/89, Kinder 12 – **14 Zim** 120/260, Vorsaison 68/160 – ½ P Zuschl. 35.

Huldi und Waldhaus, Dorfstr. 77, (033) 673 15 31, Fax (033) 673 28 43, ← Berge, – . AE VISA
19. Dez. - 10. April und 5. Juni - 16. Okt. – ***Rôtisserie Le Tartare*** *(nur Abendessen)* **Menu** à la carte 45/92 – **50 Zim** 85/270, Vorsaison 68/230 – ½ P Zuschl. 29.

ADLIGENSWIL 6043 Luzern (LU) 216 ⑱ – 4 396 Ew. – Höhe 540.

Bern 117 – Luzern 6 – Aarau 53 – Schwyz 33 – Zug 30.

Rössli, Dorfstr. 1, (041) 370 10 30, Fax (041) 370 10 30, – . AE VISA
Mittwochabend - Donnerstag, 10. - 25. Feb. und 7. - 22. Juli geschl. – **Menu** 18.50 - 45/65 und à la carte 47/82, Kinder 13.

ADLISWIL 8134 Zürich (ZH) 216 ⑱ – 15 426 Ew. – Höhe 451.

Bern 130 – Zürich 9 – Aarau 52 – Luzern 51 – Rapperswil 32 – Schwyz 48.

Ibis M, Zürichstr. 105, (01) 710 85 85, Fax (01) 710 85 86, – Zim,, Rest, . AE VISA
Menu 15.50 und à la carte 29/50, Kinder 8 – 13 – **73 Zim** 99/125 – ½ P Zuschl. 19.

AESCH 4147 Basel-Landschaft (BL) 216 ④ – 9 866 Ew. – Höhe 318.

Bern 106 – Basel 16 – Delémont 32 – Liestal 26.

Nussbaumer, Klusstr. 178, (061) 751 77 33, Fax (061) 751 77 34, , « Schöne Lage in den Weinbergen » – . VISA
Montag - Dienstag und Ende Feb. 2 Wochen geschl. – **Menu** 59 (mittags)/119 und à la carte 66/119.

AESCHI BEI SPIEZ 3703 Bern (BE) 217 ⑦ – 1940 Ew. – Höhe 859.
Bern 45 – Interlaken 23 – Brienz 42 – Spiez 5 – Thun 15.

Aeschi Park M, Dorfstrasse, (033) 655 61 33, Fax (033) 654 61 50, < Thunersee und Berge, – video – 40. AE VISA. Rest
***Le Mignon* : Menu** 15 - 25 (mittags)/69 und à la carte 36/76 – **41 Zim** 120/200 6 Suiten – ½ P Zuschl. 35.

in Aeschiried Süd-Ost : 3 km – Höhe 1000 – ✉ 3703 Aeschi bei Spiez :

Panorama, Scheidmatti, (033) 654 29 73, Fax (033) 654 29 40, – P. AE E VISA
6.- 20. April, 21. Juni - 14. Juli, 25. Okt. - 4. Nov., Montag von März - Juni und von Okt. - Dez. und Dienstag geschl. – **Menu** 24 - 53/75 (abends) und à la carte 40/95.

AESCHIRIED Bern 217 ⑦ – siehe Aeschi bei Spiez.

AESCHLEN OB GUNTEN 3656 Bern (BE) 217 ⑦ – Höhe 766.
Bern 36 – Interlaken 15 – Brienz 35 – Spiez 19 – Thun 9.

Panorama , (033) 251 31 31, Fax (033) 251 31 27, < Thunersee und Berge , – P. AE E VISA
Menu (von Okt. - Mai Montag geschl.) 19 - 22 und à la carte 36/73 – **17 Zim** 85/170 – ½ P Zuschl. 25.

AFFOLTERN AM ALBIS 8910 Zürich (ZH) 216 ⑱ – 9451 Ew. – Höhe 494.
Bern 121 – Zürich 19 – Aarau 43 – Luzern 35 – Schwyz 45.

Rosengarten, Untere Bahnhofstr. 33, (01) 761 62 82, Fax (01) 761 84 49 – P. AE E VISA
Dienstagmittag, Montag, 22. Feb. - 9. März und 17. Juli - 10. Aug. geschl. – ***La Fleur* : Menu** 49 (mittags)/115 und à la carte 69/115 – ***Gaststube* : Menu** 15.50 und à la carte 53/90.

AGARN 3951 Wallis (VS) 217 ⑯ ⑰ – 684 Ew. – Höhe 650.
Bern 179 – Brig 27 – Aosta 125 – Montreux 95 – Sion 26.

Central, (027) 473 14 95, Fax (027) 473 44 94, – P. E VISA
Menu 15 und à la carte 39/80, Kinder 12 – **19 Zim** 70/116 – ½ P Zuschl. 25.

AGARONE 6597 Ticino (TI) 219 ⑧ – alt. 350.
Bern 257 – Locarno 14 – Bellinzona 11 – Lugano 39.

Della Posta, (091) 859 12 42, Fax (091) 859 14 98, – E VISA
chiuso mercoledì – **Pasto** (coperti limitati - prenotare) à la carte 40/70.

Grotto Romitaggio, (091) 859 15 77, Fax (091) 859 16 00, , Grotto ticinese, « Servizio estivo in terrazza panoramica » – AE E VISA
chiuso lunedì – **Pasto** (prenotare) 18 - 40/60 ed à la carte 42/72.

AGIEZ Vaud 217 ③ – rattaché à Orbe.

AGNO 6982 Ticino (TI) 219 ⑧ – 3478 ab. – alt. 274.
Bern 284 – Lugano 6 – Bellinzona 29 – Locarno 41.

La Perla, all'Aeroporto, (091) 611 10 10, Fax (091) 611 10 20, , « Grande parco-giardino con », , , , – , cam, P – 15/280. AE E VISA
Pasto 36/75 (sera) ed à la carte 50/88 – **97 cam** 145/240 – ½ P sup. 36.

AIGLE 1860 Vaud (VD) 217 ⑭ – 7693 h. – alt. 417.
18 Montreux (024) 466 46 16, Fax (024) 466 60 47.
Bern 100 – Montreux 16 – Evian-les-Bains 37 – Lausanne 42 – Martigny 32 – Thonon-les-Bains 47.

Nord sans rest, 4 r. Colomb, (024) 466 10 55, Fax (024) 466 42 48 – .
AE E VISA
19 ch 95/190.

AIROLO *6780 Ticino (TI)* **218** ⑪ *- 1 886 ab. - alt. 1 142 - Sport invernali : 1 142/2 065 m* 2 5.

Dintorni : *Strada★★ del passo della Novena Ovest - Strada★ del San Gottardo Nord verso Andermatt e Sud-Est verso Giornico - Museo nazionale del San Gottardo★ - Val Piora★ : Est 10 km.*

Ente Turistico, (091) 869 15 33, Fax (091) 869 26 42.

Bern 188 - Andermatt 26 - Bellinzona 60 - Brig 73.

Forni, via Stazione, (091) 869 12 70, *Fax (091) 869 15 23,* ≤ - 40. AE E VISA JCB. rist
chiuso dal 3 novembre al 10 dicembre - **Pasto** *(chiuso mercoledì da gennaio ad aprile)* 18 - 29/40 ed à la carte 37/77, bambini 12 - **19 cam** 80/180 - ½ P sup. 25.

ALBINEN *Wallis* **217** ⑯ *- siehe Leukerbad.*

ALDESAGO *Ticino* **219** ⑧ *- vedere Lugano.*

ALLAMAN *Vaud* **217** ⑫ *- rattaché à Rolle.*

ALLSCHWIL *4123 Basel-Landschaft (BL)* **216** ④ *- 18 656 Ew. - Höhe 287.*

Bern 106 - Basel 6 - Belfort 62 - Delémont 48 - Liestal 26 - Olten 52.

Rössli, Dorfplatz 1, (061) 481 11 55, *Fax (061) 481 85 45,* - AE E VISA
Menu 18 - 39 (mittags) und à la carte 39/106, Kinder 15 - **23 Zim** 95/225.

Mühle, Mühlebachweg 41, (061) 481 33 70, - E VISA.
Sonntag - Montag und über Fasnacht 1 Woche geschl. - ***Gourmet* : Menu** 60 (mittags)/76 und à la carte 60/91 - ***Buurestube* : Menu** 18.50 und à la carte 47/89.

ALPNACH *6055 Obwalden (OW)* **217** ⑨ *- 4 586 Ew. - Höhe 452.*

Bern 97 - Luzern 14 - Altdorf 38 - Brienz 40.

Küchler, Brünigstr. 25, (041) 670 17 12, - E VISA
Sonntagabend, Montag und im Juli 3 Wochen geschl. - **Menu** 15 und à la carte 35/82, Kinder 10.

ALTDORF *6460* K *Uri (UR)* **218** ① *- 8 450 Ew. - Höhe 447.*

Sehenswert : *Telldenkmal und Museum.*

Verkehrsverein, Rathausplatz, (041) 872 04 50, Fax (041) 872 04 51.

Bahnhofstr. 1, (041) 870 47 41, Fax (041) 870 73 93.

Bern 152 - Luzern 42 - Andermatt 34 - Chur 133 - Interlaken 92 - Zürich 74.

ALTENDORF *8852 Schwyz (SZ)* **216** ⑲ *- 4 048 Ew. - Höhe 412.*

Bern 164 - Zürich 39 - Glarus 35 - Rapperswil 7 - Schwyz 34.

Hecht, Seestattstr. 23, (055) 451 01 00, *Fax (055) 451 01 01,* ≤ Zürichsee, , Riegelhaus am See, - AE E VISA
von Okt. - März Sonntag und Montag geschl. - **Menu** 32 - 98 (abends) und à la carte 49/107.

ALTNAU *8595 Thurgau (TG)* **216** ⑩ *- 1 670 Ew. - Höhe 409.*

Bern 204 - Sankt Gallen 31 - Arbon 18 - Bregenz 49 - Frauenfeld 37 - Konstanz 12 - Winterthur 54.

Urs Wilhelm's Rest. M mit Zim, im Schäfli (neben der Kirche), (071) 695 18 47, *Fax (071) 695 31 05,* , « Heimelige Atmosphäre » - AE VISA
Donnerstagmittag, Mittwoch, 20. Jan. - 11. Feb. geschl. - **Menu** (Tischbestellung ratsam) 54 (mittags)/108 und à la carte 63/129 - **4 Zim** 145/245
Spez. Urs Wilhelm's besonderer Salat mit frischen Kräutern und Kalbsmilken. Bodenseefische vom Tagesfang. Chicken curry.

ALT SANKT JOHANN *9656 Sankt Gallen (SG)* **216** ㉑ *– 1 461 Ew. – Höhe 894 – Wintersport : 894/1 620 m* ≴5 ⛷.

Tourist-Info, Hauptstrasse 413, ✆ (071) 999 18 88, Fax (071) 999 18 33.

Bern 215 – Sankt Gallen 53 – Bregenz 57 – Chur 63 – Zürich 83.

Schweizerhof, Dorf, ✆ (071) 999 11 21, Fax (071) 999 90 28, – VISA
6. April - 4. Mai und 1. Nov. - 20. Dez. geschl. – **Menu** *30* - 45 und à la carte 42/87, Kinder 16 – **25 Zim** 75/150, Vorsaison 70/140 – ½ P Zuschl. 25.

Rössli, ✆ (071) 999 24 60, Fax (071) 999 22 40, – AE VISA
Mittwoch (ausser Rest. in Hochsaison), 1. - 20. Dez. und April geschl. – **Menu** *20* - und à la carte 36/88 – **14 Zim** 75/160, Vorsaison 75/120 – ½ P Zuschl. 15.

Hirschen, ✆ (071) 999 12 71, Fax (071) 999 38 34, – VISA
In der Zwischensaison Montag - Dienstag, Juni und 17. Nov. - 5. Dez. geschl. – **Menu** *16.50* und à la carte 26/53, Kinder 10 – **11 Zim** 58/136 – ½ P Zuschl. 20.

ALTSTÄTTEN *9450 Sankt Gallen (SG)* **216** ㉒ *– 10 028 Ew. – Höhe 460.*

Verkehrsbüro Rheintal, Bahnhof AB Stadt, ✆ (071) 755 40 90.

Bern 234 – Sankt Gallen 25 – Bregenz 26 – Feldkirch 20 – Konstanz 61.

Frauenhof, Marktgasse 56, ✆ (071) 755 16 37, Fax (071) 755 17 37, – AE VISA
Sonntag - Montag, 3. - 19. Jan. und 25. Juli - 10. Aug. geschl. – **Menu** *29* - 50/90 und à la carte 55/96 – ***Frauenhof-Stube* : Menu** *13* und à la carte 32/67, Kinder 10

AMDEN *8873 Sankt Gallen (SG)* **216** ⑳ *– 1 416 Ew. – Höhe 935 – Wintersport : 908/1 700 m* ≴5 ⛷.

Verkehrsbüro Amden-Weesen, Dorfstr. 22, ✆ (055) 611 14 13, Fax (055) 611 17 06.

Bern 192 – Sankt Gallen 66 – Chur 69 – Feldkirch 70 – Luzern 93 – Zürich 67.

in Arfenbühl *Ost : 4 km – Höhe 1 259 – ✉ 8873 Amden :*

Arvenbüel , Arvenbüelstr. 47, ✆ (055) 611 12 86, Fax (055) 611 21 01, ←, , – TV AE VISA. Zim
29. Nov. - 23. Dez. und April geschl. – **Menu** *20* - 30 und à la carte 32/70, Kinder 10 – **21 Zim** 85/192 – ½ P Zuschl. 32.

AMRISWIL *8580 Thurgau (TG)* **216** ⑩ *– 10 971 Ew. – Höhe 437.*

Verkehrsverein, Arbonerstr. 2, ✆ (071) 414 11 11, Fax (071) 414 11 55.

Bern 203 – Sankt Gallen 19 – Bregenz 41 – Frauenfeld 36 – Konstanz 21 – Winterthur 54.

Hirschen M mit Zim, Weinfelderstr. 80, ✆ (071) 411 79 71, Fax (071) 411 79 75, , « Restauriertes Riegelhaus aus dem 18. Jh. » – TV AE VISA
Gourmet-Stube *(Sonntag - Montag, 1. - 14. Jan. und 17. Juli - 9. Aug. geschl.)* **Menu** 39 (mittags)/108 und à la carte 61/118 – ***Beizli* : Menu** *25* und à la carte 32/83 – **8 Zim** 65/150.

ANDEER *7440 Graubünden (GR)* **218** ⑭ *– 677 Ew. – Höhe 983 – Kurort.*

Andeer Tourismus, ✆ (081) 661 18 77, Fax (081) 661 10 80.

Bern 279 – Sankt Moritz 74 – Andermatt 107 – Bellinzona 80 – Chur 37.

Post, ✆ (081) 661 11 26, , – TV VISA
Dienstag (ausser von Juli. - Dez.) und Ende Nov. - 23. Dez. geschl. – **Menu** *23* und à la carte 33/59 – **15 Zim** 75/150 – ½ P Zuschl. 20.

ANDERMATT *6490 Uri (UR)* **218** ① *– 1 488 Ew. – Höhe 1 438 – Wintersport : 1 436/2 963 m* 2 ≴7 ⛷.

Sehenswert : *Lage★.*

Ausflugsziel : *Göscheneralpsee★★ Nord : 15 km – Schöllenen★★ Nord : 3 km.*

Lokale Veranstaltung

13.02 - 14.02 : Schlittenhunderennen.

Andermatt - Sedrun, Information ✆ (041) 887 12 20.

Verkehrsverein, Gotthardstr.2, ✆ (041) 887 14 54, Fax (041) 887 01 85.

Bern 173 – Altdorf 24 – Bellinzona 84 – Chur 89 – Interlaken 91.

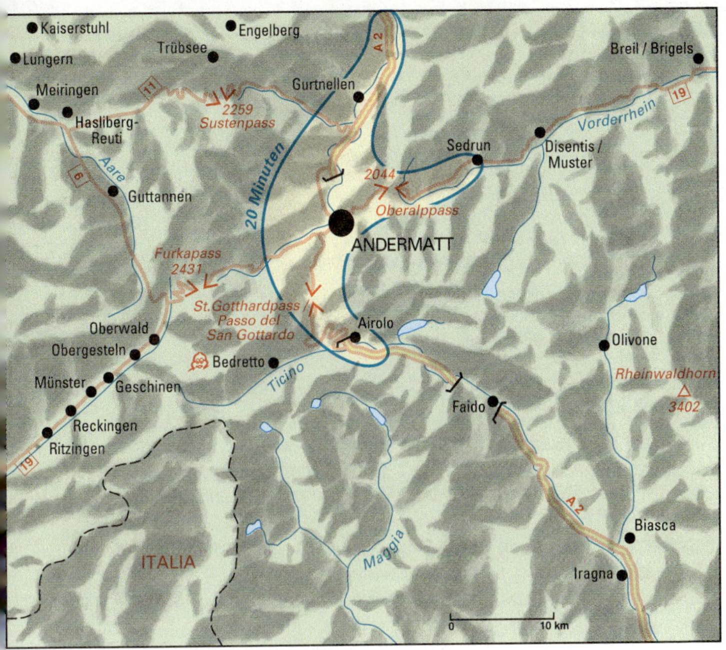

3 Könige und Post, Gotthardstr. 69, ✆ (041) 887 00 01, *Fax (041) 887 16 66,* ⛱, ⌂ – TV ☎ 🚗 P. AE ⓓ E VISA JCB
19. Dez. - 10. April und 20. Mai - Ende Okt. – **Menu** 17 - 48 (abends) und à la carte 28/76, Kinder 10 – **21 Zim** ☕ 90/220, Vorsaison ☕ 70/180 – ½ P Zuschl. 35.

Monopol-Metropol, Gotthardstr. 43, ✆ (041) 887 15 75, *Fax (041) 887 19 23,* ⛱, ▣ – |‡| TV ☎ P. AE ⓓ E VISA
19. Dez. - 7. April und 9. Mai - 9. Okt. – **Menu** 18.50 - 48 (abends) und à la carte 45/80, Kinder 8 – **33 Zim** ☕ 100/220, 4 Suiten – ½ P Zuschl. 40.

Zur Sonne, Gotthardstr. 76, ✆ (041) 887 12 26, *Fax (041) 887 06 26,* ⛱, ⌂ – |‡| TV ☎ P. AE E VISA
21. Dez. - 19. April und 1. Juni - 31. Okt. – **Menu** 16.50 und à la carte 38/70 – **20 Zim** ☕ 75/170 – ½ P Zuschl. 32.

Badus, Gotthardstr. 25, ✆ (041) 887 12 86, *Fax (041) 887 03 38,* ⛱ – |‡| ☎ P. AE ⓓ E VISA
5. Dez. - 2. Mai und 3. Juni - 10. Okt. – **Menu** 20 - 28 und à la carte 32/70, Kinder 12 – **23 Zim** ☕ 80/150, Vorsaison ☕ 65/130 – ½ P Zuschl. 30.

ANIÈRES *1247 Genève (GE)* 217 ⑪ ⑫ – *1 678 h. – alt. 410.*

Bern 150 – Genève 7 – Annecy 60 – Saint-Claude 70 – Thonon-les-Bains 30.

Auberge de Floris (Legras), 287 rte d'Hermance, ✆ (022) 751 20 20, *Fax (022) 751 22 50,* ⛱, « terrasse ≤ lac » – P. AE E VISA
fermé 20 déc. au 5 janv., 11 au 26 avril, 24 oct. au 6 nov., dim. et lundi – **Repas** 54 (midi)/105 et à la carte 74/140 – ***Le Café :*** Repas 16 - 34 et à la carte 50/78
Spéc. Nougat de foie gras aux fruits secs. Coussinet d'omble du lac à la crème de parmesan. Bouillabaisse (sauf juil. - août).

Les renseignements sont donnés dans la langue principale parlée sur place.

APPENZELL *9050* 🄺 *Appenzell Innerrhoden (AI)* **216** *㉑ – 5 373 Ew. – Höhe 789.*

Sehenswert : *Hauptgasse★.*

Ausflugsziel : *Hoher Kasten★★ : Panorama★★ Süd-Ost : 7 km und Luftseilbahn Ebenalp★★ : Seealpsee★★ Süd : 7 km und Luftseilbahn.*

in Gonten, ✉ 9108 (Mai - Okt.), ✆ (071) 795 40 60, Fax (071) 795 40 61 West : 4 km.

Lokale Veranstaltung
25.04 : Landsgemeinde.

Appenzellerland Tourismus, Hauptgasse 4, ✆ (071) 788 96 41 Fax (071) 788 96 49.

Bern 218 – Sankt Gallen 20 – Bregenz 41 – Feldkirch 35 – Konstanz 57.

Säntis, Landsgemeindeplatz, ✆ (071) 788 11 11, *Fax (071) 788 11 10,* « Appenzeller Holzfassade », – 30. AE VISA JCB *10. - 31. Jan. geschl.* – **Menu** *25* - 58/100 und à la carte 47/97, Kinder 12 – **37 Zim** 110/260 – ½ P Zuschl. 35.

Appenzell, Landsgemeindeplatz, ✆ (071) 787 42 11, *Fax (071) 787 42 84,* – AE VISA JCB *5. - 27. Nov. geschl.* – **Menu** *(Dienstagmittag geschl.) 24* und à la carte 30/63, Kinder 11 – **16 Zim** 120/200 – ½ P Zuschl. 30.

Rössli, Postplatz, ✆ (071) 787 12 56, *Fax (071) 787 12 56,* *Montag, Dienstag, Mitte Dez. - Mitte Jan. und 2 Wochen Ende Feb. geschl.* – **Menu** *22* und à la carte 39/63.

in Schlatt b. Appenzell *Nord : 5 km – Höhe 921 – ✉ 9050 Appenzell :*

Bären, ✆ (071) 787 14 13, – Zim *Dienstag - Mittwoch, 10. - 25. Feb. und 15. - 25. Juli geschl.* – **Menu** 44 und à la carte 29/67, Kinder 11.

in Weissbad *Süd-Ost : 4 km – Höhe 820 – ✉ 9057 Weissbad :*

Hof Weissbad Ⓜ, ✆ (071) 798 80 80, *Fax (071) 798 80 90,* ←, , Park, – 25. AE VISA ***Schotte-Sepp Stube :*** **Menu** *25* -65 und à la carte 42/105 – **77 Zim** 205/350 – ½ P Zuschl. 30.

Süd-West : *4 km – ✉ 9050 Appenzell :*

Kaubad , ✆ (071) 787 48 44, *Fax (071) 787 15 53,* ←, – AE VISA *Montag, Anfang Dez. und Anfang Jan. jeweils 2 Wochen geschl.* – **Menu** *22* - 37 (mittags)/42 (abends) und à la carte 25/75, Kinder 11 – **18 Zim** 90/160 – ½ P Zuschl. 35.

APPLES *1143 Vaud (VD)* **217** *② – 1 016 h. – alt. 642.*

Bern 128 – Lausanne 24 – Genève 50 – Pontarlier 64 – Yverdon-les-Bains 48.

Auberge de la Couronne (Joseph) Ⓜ avec ch, ✆ (021) 800 31 67, *Fax (021) 800 53 28,* – AE VISA *fermé dim. soir, mardi midi, lundi, 25 déc. au 9 janv. et 25 juil. au 15 août* – **Repas** 35 (midi)/140 et à la carte 94/123 – ***Café :*** **Repas** *15* - 35/67 et à la carte 33/68, enf. 8 – **5 ch** 70/160 – ½ P suppl. 25
Spéc. Croustillant de homard au chou vert à l'estragon (hiver). Suprême de cabillaud en croustille de sésame et aux asperges vertes (printemps). Médaillon de veau d'Apples aux chanterelles, jus au thym (été).

ARAN *1603 Vaud (VD)* **217** *⑬ – alt. 468.*

Bern 98 – Lausanne 5 – Montreux 18 – Yverdon-les-Bains 42.

Guillaume Tell (Velen), 5 rte de la Petite Corniche, ✆ (021) 799 11 84, *Fax (021) 799 11 84,* – VISA *fermé 1er au 15 janv., 10 au 14 avril, 25 juil. au 17 août, dim. et lundi* – **Repas** *26* - 39 (midi)/97 et à la carte 60/101
Spéc. Carpaccio de veau au céleri vert et huile de truffe blanche. Duo de langoustines en viennoise de sésame blanc. Filet de springbok rôti au vin cuit.

ARBON *9320 Thurgau (TG)* **216** ⑩ *- 13 249 Ew. - Höhe 399.*
Verkehrsverein, Bahnhofstr. 40, (071) 447 85 15.
Bern 212 - Sankt Gallen 14 - Bregenz 32 - Frauenfeld 45 - Konstanz 27.

Metropol, Bahnhofstr. 49, (071) 447 82 82, *Fax (071) 447 82 80,* Bodensee, 15/50. Rest
1. Dez. - 31. Jan. geschl. - ***Bel Etage*** (1. Etage) **Menu** 29 und à la carte 47/97, Kinder 9 - ***Bistro :*** **Menu** 21 und à la carte 34/67 - **42 Zim** 150/230 - ½ P Zuschl. 35.

Seegarten M, Seestr. 66, (071) 446 57 57, *Fax (071) 446 39 03,* 15/60.
- **Menu** 16 und à la carte 36/79 - **41 Zim** 120/210 - ½ P Zuschl. 35.

Frohsinn mit Zim, Romanshornerstr. 15, (071) 447 84 84, *Fax (071) 446 41 42,* « eigene Brauerei » -
Rest. Martin Surbeck *(Sonntag - Montag geschl.)* **Menu** 58 (mittags)/130 und à la carte 80/123 - ***Braukeller :*** Menu 14 und à la carte 38/84 - **13 Zim** 120/175.

ARDON *1957 Valais (VS)* **217** ⑮ *- 2 129 h. - alt. 488.*
Bern 160 - Martigny 21 - Montreux 59 - Sion 9.

Relais du Petit Bourg M, Simplon, (027) 306 86 00 (rest. 306 74 74), *Fax (027) 306 86 01,* - 15/100.
Repas *(fermé dim. soir et lundi)* 15 - 30 (midi)/80 et à la carte 42/76 - **35 ch** 65/120 - ½ P suppl. 30.

ARFENBÜHL *Sankt Gallen* **216** ⑳ *- siehe Amden.*

ARLESHEIM *4144 Basel-Landschaft (BL)* **216** ④ *- 8 393 Ew. - Höhe 330.*
Sehenswert : *Stiftskirche★.*
Bern 103 - Basel 7 - Baden 68 - Liestal 23 - Olten 49 - Solothurn 72.

Zum Ochsen M, Ermitagestr. 16, (061) 706 52 00, *Fax (061) 706 52 54* - Zim, - 15/30.
Menu *(18. Juli - 8. Aug. geschl.)* 22 - 52 (mittags)/95 und à la carte 45/101 - **35 Zim** 170/325.

AROLLA *1986 Valais (VS)* **219** ③ *- alt. 1 998 - Sports d'hiver : 2 003/2 889 m 5.*
Office du Tourisme, (027) 283 10 83, Fax (027) 283 22 70.
Bern 192 - Sion 39 - Brig 90 - Martigny 69 - Montreux 108.

du Pigne, (027) 283 11 65, *Fax (027) 283 14 64,* - rest
16 déc. - 31 mai et 16 juin - 29 oct. - **Repas** *(fermé mardi hors saison)* 15 - 30 et à la carte 26/83, enf. 14 - **9 ch** 90/154 - ½ P suppl. 30.

du Glacier, (027) 283 12 18, *Fax (027) 283 14 97,* -
fermé 1er nov. au 15 déc. et lundi (sauf saison) - **Repas** 18.50 - 30/44 et à la carte 34/66, enf. 8 - **20 ch** 55/130 - ½ P suppl. 21.

AROSA *7050 Graubünden (GR)* **218** ⑤ *- 2 521 Ew. - Höhe 1 739 - Wintersport : 1 739/2 653 m 2 14.*
Sehenswert : *Lage★★★ - Weisshorn★★ mit Seilbahn.*
Ausflugsziel : *Strasse von Arosa nach Chur★ - Strasse durch das Schanfigg★.*
(Juni - Mitte Okt.) (081) 377 42 42, Fax (081) 377 46 77.
Lokale Veranstaltungen
11.12 - 20.12 : Aroser Humor-Festival
24 und 31.01 : Pferderennen auf Schnee.
Arosa Tourismus, Poststrasse, (081) 378 70 20, Fax (081) 378 70 21.
Bern 278 - Chur 31 - Davos 102 - St. Moritz 119.

Tschuggen Grand Hotel M, (081) 377 02 21, *Fax (081) 377 41 75,* Arosa und Berge, -
Anfang Dez. - 31. März - ***La Vetta*** - italienische Küche - *(von Jan. - April jeweils Montag geschl.)(nur Abendessen)* **Menu** 85 und à la carte 59/95 - ***Bündnerstube*** *(nur Abendessen)* **Menu** 65 und à la carte 35/70 - ***La Provence*** *(nur Mittagessen)* **Menu** à la carte 30/94 - **133 Zim** 345/660, Vorsaison 275/490, 4 Suiten - ½ P Zuschl. 25.

Arosa Kulm, (081) 378 88 88, *Fax (081) 378 88 89*, ≤, , , , , – , 15/60. AE VISA. Rest
Anfang Dez. - 10. April und Ende Juni - Mitte Sept. – **Menu** 18 - 48 (mittags) à la carte 55/101 ***Ahaan Thaï*** *(Anfang Dez. - 10. April geöffnet ; Sonntag und mittags geschl.)* **Menu** à la carte 42/95 – ***Taverne*** *(nur Abendessen)* **Menu** 22 - 38 und à la carte 31/106 – **123 Zim** 230/640, Vorsaison 135/340, 14 Suiten – ½ P Zuschl. 30

Waldhotel National, (081) 377 13 51, *Fax (081) 377 32 10*, ≤ Arosa und Berge, , , , – – 15/100. AE VISA. Rest
6. Dez. - 4. April und 20. Juni - 11. Sept. – ***Kachelofa-Stübli*** *(im Sommer abends geschl.)* **Menu** 24 - 38 (mittags)/98 und à la carte 64/119 – **89 Zim** 255/500 Vorsaison 235/440, 5 Suiten – ½ P Zuschl. 25.

Blatter's Bellavista, Untere Waldpromenade, (081) 378 66 66, *Fax (081) 378 66 00*, ≤ Berge, , – – 25. AE VISA Rest
Dez. - März – ***Blatterstube*** **Menu** à la carte 46/91 – **82 Zim** 235/450, Vorsaison 190/350 – ½ P Zuschl. 25.

Excelsior, (081) 377 16 61, *Fax (081) 377 16 64*, ≤ Berge und Arosa, , – . AE VISA. Rest
20. Dez. - 10. April – **Menu** 40 (abends) und à la carte 50/83 – **72 Zim** 200/360, Vorsaison 100/280 – ½ P Zuschl. 50.

Posthotel, am Obersee, (081) 377 01 21, *Fax (081) 377 40 43*, – , Zim, – 20. AE VISA. Rest
5. Dez. - 9. April und 13. Juni - 16. Okt. – ***Grill zur Alten Post :*** **Menu** 18.50 - 55 und à la carte 46/101 – ***Peking*** - chinesische Küche - *Montag und 11. April - 10. Dez. geschl. (nur Abendessen)* **Menu** à la carte 43/76 – **65 Zim** 180/450, Vorsaison 110/230 – ½ P Zuschl. 40.

Prätschli, auf dem Prätschli, Nord : 4 km, (081) 377 18 61, *Fax (081) 377 11 48*, ≤ Berge, , , – . AE VISA
20. Dez. - 10. April – **Menu** 18 - 38 (mittags) und à la carte 42/91, Kinder 12 – **84 Zim** 183/454, Vorsaison 138/346, 4 Suiten – ½ P Zuschl. 20.

Hof Maran, in Maran, Nord : 2 km, (081) 377 01 85, *Fax (081) 377 45 28*, ≤ Berge, , , , , – – 30. AE VISA. Rest
20. Dez. - 5. April und 20. Juni - 11. Sept. – **Menu** 22 - 52 (abends) und à la carte 41/92 – **53 Zim** 120/410, Vorsaison 65/230 – ½ P Zuschl. 20.

Valsana, (081) 377 02 75, *Fax (081) 377 41 59*, , , , , , , – video – 15/90. AE VISA. Rest
19. Dez. - 9. April und 27. Juni - 24. Sept. – **Menu** *(nur ½ Pens. für Hotelgäste) (mittags geschl.)* – **86 Zim** 240/450, Vorsaison 120/250 – ½ P Zuschl. 25.

Hohenfels, (081) 377 01 01, *Fax (081) 377 14 89*, ≤ Arosa und Berge, – . AE VISA JCB. Rest
18. Dez. - 5. April und 18. Juni - 10. Okt. – **Menu** *(nur ½ pens. für Hotelgäste)* – **50 Zim** 167/346, Vorsaison 85/190 – ½ P Zuschl. 25.

Cristallo, Poststrasse, (081) 377 22 61, *Fax (081) 377 41 40*, ≤ Berge – . AE VISA
17. Dez. - 26. April und 18. Juni - 5. Sept. – ***Le Bistrot :*** **Menu** 16.50 - 58/88 und à la carte 53/103 – **36 Zim** 125/310, Vorsaison 75/190 – ½ P Zuschl. 40.

Eden M, (081) 377 02 61, *Fax (081) 377 40 66*, ≤ Arosa und Berge, Einrichtung im Designer-Stil, , – – 25. AE VISA
Nov. - April – ***Roggenmoser :*** **Menu** 15 -45 (abends) und à la carte 42/90, Kinder 9 – ***Sapori*** - italienische Küche - *(Mittwoch geschl.) (nur Abendessen)* **Menu** 45 und à la carte 41/83 – **80 Zim** 140/360, Vorsaison 115/290 – ½ P Zuschl. 45.

Arve Central, Hubelstr. 252, (081) 377 02 52, *Fax (081) 377 42 71*, – – 80. AE VISA
Menu *(in Mai und Nov. Montag und Dienstag geschl.)* 21 - 38/59 und à la carte 44/111 – **48 Zim** 144/286, Vorsaison 82/164 – ½ P Zuschl. 30.

Alpensonne, (081) 377 15 47, *Fax (081) 377 34 70*, ≤ Berge, , – – 25. AE VISA JCB
15. April - 28. Juni geschl. – **Menu** 28 - 65 (abends) und à la carte 38/83 – **32 Zim** 135/320, Vorsaison 65/220 – ½ P Zuschl. 25.

Hohe Promenade M, (081) 377 26 51, *Fax (081) 377 44 04*, ≤ Arosa und Berge, – . VISA. Rest
20. Dez. - 5. April und 3. Juli - 5. Sept. – **Menu** *(nur ½ Pens. für Hotelgäste) (mittags geschl.)* – **30 Zim** 105/290, Vorsaison 75/190 – ½ P Zuschl. 25.

Belri, (081) 377 21 97, *Fax (081) 377 40 75*, Berge, « Rustikale Einrichtung » – . Rest
Menu *(nur Abendessen)* 44 – **18 ch** 140/310, Vorsaison 110/290 – ½ P Zuschl. 25.

Obersee, Aeussere Poststrasse, (081) 377 12 16, *Fax (081) 377 45 66*, , – . AE E VISA
5. Dez. - 5. April und 20. Juni - 10. Okt. – **Menu** 17 - 35 (abends) und à la carte 39/86, Kinder 10 – **21 Zim** 123/288, Vorsaison 80/170 – ½ P Zuschl. 35.

Astoria, Alteinstrasse, (081) 377 13 13, *Fax (081) 377 44 76*, Berge, , – . E VISA. Rest
20. Dez. - 11. April und 26. Juni - 1. Sept. – **Menu** 19 - 40 (abends) und à la carte 36/71, Kinder 10 – **34 Zim** 157/352, Vorsaison 107/202 – ½ P Zuschl. 20.

Panarosa, (081) 377 10 66, *Fax (081) 377 41 21*, Berge, – AE E VISA.
7. Dez. - 17. April und 12. Juni - 16. Okt. – **Menu** *(nur ½ Pens. für Hotelgäste) (mittags geschl.)* – **31 Zim** 157/314, Vorsaison 95/206 – ½ P Zuschl. 35.

Anita, Hohe Promenade, (081) 377 11 09, *Fax (081) 377 36 18*, Berge und Arosa, – . AE E VISA
19. Dez. - 19. April – **Menu** (siehe auch Rest. ***Zum Wohl Sein***) – **30 Zim** 140/280, Vorsaison 90/230 – ½ P Zuschl. 30.

Isla, Neubachstr. 30, (081) 377 12 13, *Fax (081) 377 44 42*, Berge und Arosa – AE E VISA. Rest
20. Dez. - 10. April und 20. Juni - 3. Sept. – **Menu** *(nur für Hotelgäste)* 35/55 (abends) – **47 Zim** 160/320, Vorsaison 75/190 – ½ P Zuschl. 20.

Sonnenhalde garni, Sonnenbergstrasse, (081) 377 15 31, *Fax (081) 377 44 55*, Berge, –
5. Dez. - 18. April und 26. Juni - 16. Okt. – **20 Zim** 70/194, Vorsaison 58/184, 3 Suiten.

Stueva-Cuolm, (081) 378 88 90, *Fax (081) 378 88 89*, , « Rustikale Einrichtung » – AE E VISA
Mitte Dez. - 10. April – **Menu** - italienische Küche - (Tischbestellung ratsam) 90 (abends) und à la carte 53/109.

Zum Wohl Sein (Caduff) - ***Hotel Anita***, Hohe Promenade, (081) 377 11 09, *Fax (081) 377 36 18*, « Bemerkenswerte Weinkarte » – AE E VISA.
18. Dez. - 19. April geöffnet ; Sonntag - Montag geschl. – **Menu** *(nur Abendessen)* (Tischbestellung erforderlich) (nur Menu) 125
Spez. Curry-Ingwercremesuppe. Entenlebermousse mit Riesling Auslese. Rehhackbraten mit Taylorechalottenconfit und Steinpilzrisotto (Saison).

Bajazzo, Poststrasse, (081) 377 21 15 – AE E VISA
April - Dez. Dienstagmittag - Montag, Juni und Nov. geschl. – **Menu** - italienische Küche - 29 (mittags)/78 (abends) und à la carte 42/107.

Gspan mit Zim, (081) 377 14 94, *Fax (081) 377 36 08*, Arosa und Berge, – E VISA
7. Dez. - 19. April und 16. Juli - 19. Okt. – **Menu** *(im Sommer Montagabend und Dienstag geschl.)* 18 und à la carte 35/92, Kinder 11 – **15 Zim** 125/260, Vorsaison 70/170.

ARTH *6415 Schwyz (SZ) 216 ⑱ – 8 659 Ew. – Höhe 420.*

Bern 143 – Luzern 22 – Cham 20 – Einsiedeln 29 – Schwyz 14.

Hofmatt mit Zim, Schulweg 10, (041) 855 10 33, *Fax (041) 855 21 70*, – AE E VISA.
Montag - Dienstag und 18. Dez. - 10. Jan. geschl. – **Menu** à la carte 35/96, Kinder 15 – **10 Zim** 85/165 – ½ P Zuschl. 30.

ARZIER *1273 Vaud (VD) 217 ⑪ ⑫ – 1 575 h. – alt. 842.*

Bern 146 – Genève 35 – Lausanne 42 – Lons-le-Saunier 82 – Yverdon-les-Bains 66.

Bel Horizon, rte de Saint-Cergue, (022) 366 15 20, *Fax (022) 366 15 20*, , – E VISA
fermé 3 au 13 janv., 9 au 26 oct., lundi soir et mardi du 1er déc. au 30 avril – **Repas** 15 et à la carte 29/63, enf. 12 – **7 ch** 60/120 – ½ P suppl. 20.

ASCONA *6612 Ticino (TI)* 219 ⑦ ⑧ *– 4814 ab. – alt. 210.*

Dintorni : *Circuito di Ronco★★ per strada di Losone – Isole de Brissago★.*

(marzo-novembre), (091) 791 21 32, Fax(091) 791 07 06, Est : 1,5 km Y.

Manifestazioni locali

25.06 - 04.07 : Ascona New Orleans Jazz

25.08 - 19.10 : Settimane musicali.

Ascona e Losone Turismo, piazza San Pietro - Casa Serodine, (091) 791 00 90 Fax (091) 792 10 08.

Bern 269 ② – Lugano 3 ② – Bellinzona 23 ② – Domodossola 51 ① – Lugano 43 ②

Pianta pagina a lato

Castello del Sole, via Muraccio 142, (091) 791 02 02, *Fax (091) 792 11 18*, « Grande parco in riva al lago con vigneti », – rist

20 marzo - 1º novembre – ***Locanda Barbarossa :*** **Pasto** 45(mezzogiorno)/90 ed à la carte 69/127 – **81 cam** 360/660, 4 suites – ½ P sup. 40.

Giardino, via Segnale (1,5 km per via Muraccio), (091) 791 01 01, *Fax (091) 792 10 94*, « Giardino fiorito in un'atmosfera mediterranea », – rist, rist

13 marzo - 2 novembre – **Pasto** (vedere anche rist. ***Aphrodite***) – ***Osteria Giardino*** *(chiuso a mezzogiorno, lunedì e martedì)* **Pasto** 59 ed à la carte 51/92, bambini 15 – **54 cam** 380/670, 18 suites – ½ P sup. 40.

Eden Roc M, via Albarelle 16, (091) 791 01 71, *Fax (091) 791 15 71*, ≤, interni ed arredamento di design moderno, – rist Y r

chiuso dal 17 ottobre al 19 marzo – **Pasto** 53 (mezzogiorno)/88 ed à la carte 55/110 – **53 cam** 420/680, 9 suites – ½ P sup. 20.

Park Hotel Delta, via Delta 137, (091) 791 11 05, *Fax (091) 791 67 24*, « Grande parco-giardino con », – 50. rist X a

21 marzo - 6 novembre – **Pasto** 32 - 45 (mezzogiorno)/85 ed à la carte 68/104, bambini 15 – **38 cam** 275/540, 7 suites – ½ P sup. 50.

Ascona, via Collina, (091) 791 11 35, *Fax (091) 792 17 48*, ≤ Lago Maggiore, « Giardino e terrazza fiorita con », – 15/100. rist X d

chiuso dal 6 gennaio al 6 marzo – ***Al Grotto :*** **Pasto** 29 ed à la carte 40/88, bambini 15 – **75 cam** 138/438 – ½ P sup. 30.

Castello, piazza G. Motta, (091) 791 01 61, *Fax (091) 791 18 04*, ≤, « Torre dell' antico castello sull' acqua », – Z r

16 marzo - 1º novembre – ***De' Chiriglioni*** (primavera/autumno aperto solo alla sera) **Pasto** 68 ed à la carte 44/90, bambini 17 – **45 cam** 150/480 – ½ P sup. 34.

Ascolago, via Albarelle 6, (091) 791 20 55, *Fax (091) 791 42 26*, ≤, « Giardino in riva al lago », – rist,

Albergo : chiuso dal 15 novembre al 15 dicembre ; Rist. : chiuso da dicembre a marzo e lunedì in aprile e maggio – **Pasto** 46 (mezzogiorno)/86 ed à la carte 50/108 – **19 cam** 240/380, 3 suites – ½ P sup. 45. Y s

Ascovilla, via Albarelle, (091) 785 41 41, *Fax (091) 785 44 00*, « Giardino con », – rist Y a

7 marzo - 8 novembre – **Pasto** 25 - 35 (mezzogiorno)/55 ed à la carte 41/83 – **52 cam** 165/320, 5 suites – ½ P sup. 38.

Mulino M, via delle Scuole 17, (091) 791 36 92, *Fax (091) 791 06 71*, – 60. rist Y m

13 marzo - 30 ottobre – **Pasto** 32 - 38/48 ed à la carte 38/96 – **32 cam** 140/260 – ½ P sup. 30.

Tamaro, piazza G. Motta 35, (091) 791 02 82, *Fax (091) 791 29 28*, ≤, « Ristorante in verdeggiante giardino d'inverno » – rist, Z v

6 marzo - 15 novembre – **Pasto** 21 - 30 ed à la carte 33/83, bambini 12 – **49 cam** 100/270 – ½ P sup. 30.

Carcani Mövenpick M, piazza G. Motta, (091) 785 17 17, *Fax (091) 785 17 18*, ≤, – Z c

chiuso dal 8 novembre al 17 dicembre – **Pasto** 24 ed à la carte 31/73, bambini 10 – **32 cam** 110/220.

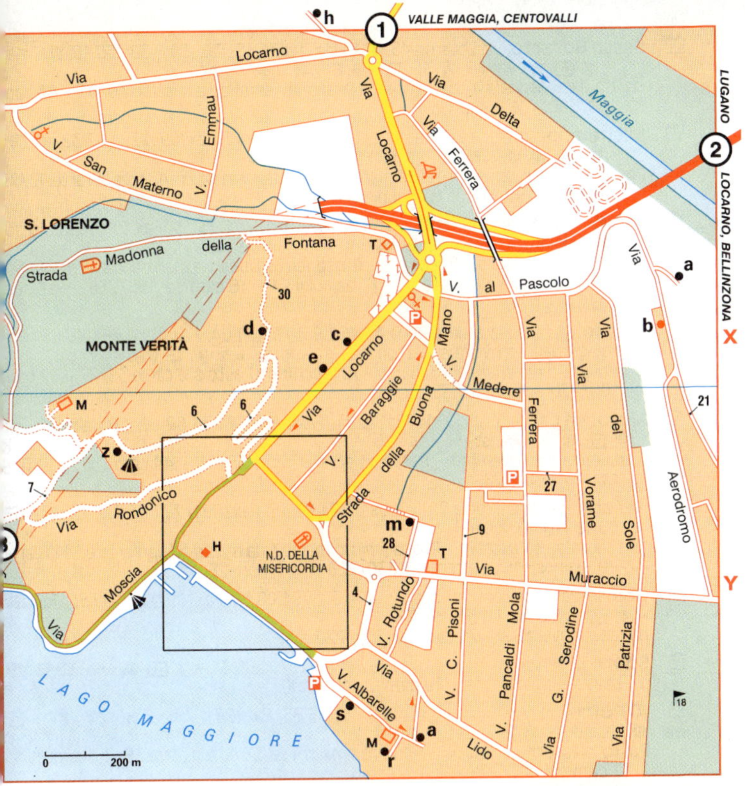

ASCONA

Borgo (Via)	Z	
Buona Mano (Strada della)	Z	3
Circonvallazione (Via)	Y	4
Collina (Strada)	Y	6
Collinetta (Strada)	Y	7
Franscini (Via)	Y	9
Ghiriglioni (Vicolo dei)	Z	10
Losone (Via)	X	12
Maggiore (Contrada)	Z	13
Motta (Piazza G.)	Z	15
Muraccio (Via)	Z	16
Pasini (Vicolo)	Z	18
Pecore (Strada delle)	Z	19
Querce (Via delle)	Y	21
S. Pietro (Passaggio)	Z	22
S. Sebastiano (Via)	Z	24
Sacchetti (Via)	Z	25
Schelcie (Via)	Y	27
Scuole (Via delle)	Y	28
Signore in Crocce (Via)	Y	30

I nomi delle principali vie commerciali sono scritti in rosso all'inizio dell'indice toponomastico delle piante di città.

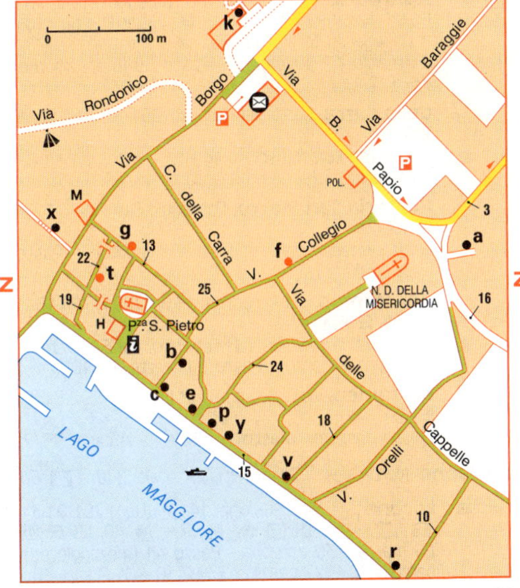

Sasso Boretto, via Locarno 45, ✆ (091) 791 71 15, *Fax (091) 791 50 18,* – |‡| TV ☎ – 35. AE ⓓ E VISA JCB. rist X c
chiuso dal 6 gennaio al 15 febbraio – **Pasto** 48 (sera) ed à la carte 40/91 – **44 cam** 180/300 – ½ P sup. 35.

Michelangelo, via Collina 81, ✆ (091) 791 80 42, *Fax (091) 791 67 32,* <, – |‡| TV ☎. AE ⓓ E VISA JCB. rist y z
Pasto *(chiuso 1° novembre al 30 marzo ed a mezzogiorno)* 21 - 48 ed à la carte 42/79 – **17 cam** 180/300 – ½ P sup. 35.

Schiff - Battello, piazza G. Motta 21, ✆ (091) 791 25 33, *Fax (091) 792 13 15* <, – |‡| TV ☎. AE E VISA Z e
chiuso dal 6 gennaio al 10 febbraio – **Pasto** *(chiuso lunedì e martedì dal 1° novembre al 15 marzo)* 21 ed à la carte 42/70, bambini 14 – **16 cam** 155/255 – ½ P sup 32.

Riposo, scalinata della Ruga 4, ✆ (091) 791 31 64, *Fax (091) 791 46 63,* « Roof-garden con vista su Ascona », – |‡| ☎ P. E VISA. rist Z x
chiuso dal 25 dicembre al 15 marzo – ***Arlecchino*** **: Pasto** à la carte 36/77 – **32 cam** 105/270 – ½ P sup. 35.

Moro, via Collina 3, ✆ (091) 791 10 81, *Fax (091) 791 51 69,* <, – |‡| TV ☎ P. rist Z k
1° marzo - 15 novembre – **Pasto** 21 ed à la carte 39/68 – **44 cam** 90/180, 4 suites – ½ P sup. 28.

Al Faro, piazza G. Motta 27, ✆ (091) 791 85 15, *Fax (091) 791 65 77,* <, – TV ☎. AE E VISA. cam Z y
16 febbraio - 30 ottobre – **Pasto** *(chiuso martedì da marzo ad aprile)* 25 ed à la carte 42/80, bambini 16 – **9 cam** 130/220 – ½ P sup. 28.

Golf senza rist, vicolo Sacchetti 2, ✆ (091) 791 00 35, *Fax (091) 791 00 55,* – |‡| TV video ☎. AE ⓓ E VISA Z b
marzo - novembre – **21 cam** 110/220.

Sport M senza rist, via Locarno 25, ✆ (091) 791 00 31 – |‡| TV ☎. AE E VISA
15 marzo - 31 ottobre – **19 cam** 100/190. X e

Al Porto, piazza G. Motta, ✆ (091) 785 85 85, *Fax (091) 785 85 86,* – TV ☎. AE ⓓ E VISA. rist Z p
Pasto *(chiuso mercoledì da novembre a marzo)* 18 - 38 ed à la carte 36/85, bambini 11 – **37 cam** 102/276 – ½ P sup. 30.

Aphrodite - ***Hotel Giardino***, via Segnale (1,5 km per via Muraccio), ✆ (091) 791 01 01, *Fax (091) 792 10 94,* « Giardino fioritto in un' atmosfera mediterranea » – P. AE ⓓ E VISA.
13 marzo - 2 novembre – **Pasto** 59 (mezzogiorno)/125 ed à la carte solo la sera 64/112.

della Carrà, Carrà dei Nasi, ✆ (091) 791 44 52, *Fax (091) 791 44 52,* – AE E VISA. Z g
chiuso mercoledì (escluso agosto - settembre) e dal 15 novembre al 15 dicembre – **Pasto** 24 - 65 (sera) ed à la carte 45/81.

Hostaria San Pietro, Passaggio San Pietro 6, ✆ (091) 791 39 76, – AE ⓓ E VISA Z
chiuso lunedì e dal 7 gennaio al 7 febbraio – **Pasto** 22 - 38/55 (mezzogiorno) ed à la carte 42/77.

Aerodromo, via Aerodromo 3, ✆ (091) 791 13 73, *Fax (091) 791 13 73,* – P. AE ⓓ E VISA. X b
chiuso dal 7 gennaio al 1° febbraio, dal 6 novembre al 15 dicembre e mercoledì da dicembre a marzo – **Pasto** à la carte 45/109.

Borromeo, via Collegio 16, ✆ (091) 791 92 81, *Fax (091) 791 12 97,* – AE ⓓ E VISA. Z f
chiuso gennaio – **Pasto** 18 - 22 ed à la carte 35/79, bambini 14.

a Losone *Nord-Ovest : 2 km per ① X – alt. 240 – ✉ 6616 Losone :*

Losone, via dei Pioppi 14, ✆ (091) 791 01 31, *Fax (091) 792 11 01,* – |‡| TV ☎ P – 40. AE E VISA. rist X h
20 marzo - 30 ottobre – **Pasto** 41 (mezzogiorno)/90 (sera) ed à la carte 48/97, bambini 18 – **77 cam** 230/410 – ½ P sup. 38.

Alle Arcate senza rist, via Locarno 58, (091) 791 42 42, *Fax (091) 791 74 59*, – AE E VISA
chiuso dal 15 dicembre al 31 gennaio – **24 cam** 100/190.

Elena senza rist, Via Gaggioli 25, (091) 791 63 26, *Fax (091) 792 29 22*, –
15 marzo - 30 ottobre – **20 cam** 130/180.

LdvOsteria Delea Enoteca, contrada Maggiore 24, (091) 791 78 17, *Fax (091) 791 78 17*, – AE E VISA.
chiuso lunedì, martedì, gennaio e febbraio – **Pasto** (coperti limitati - prenotare) 78/98 (sera) ed à la carte 60/87.

sulla strada Panoramica di Ronco *Ovest : 3 km :*

Casa Berno, 6612 Ascona, (091) 791 32 32, *Fax (091) 792 11 14*, Lago Maggiore e monti, – – 30. AE E VISA. rist
marzo - novembre – **Pasto** 30 - 54 (sera) ed à la carte 45/82, bambini 13 – **62 cam** 220/485 – ½ P sup. 20.

ASPI BEI SEEDORF *Bern – siehe Seedorf.*

ASSENS *1042 Vaud (VD) 217 ③ – 706 h. – alt. 625.*

Bern 90 – Lausanne 12 – Genève 69 – Montreux 38 – Yverdon-les-Bains 21.

Le Moulin d'Assens, Est : 1 km par rte Brétigny, (021) 881 41 21, *Fax (021) 881 48 70*, – AE E VISA
fermé 25 juil. au 16 août, dim. soir et lundi – **Repas** 20 - 42 (midi)/99 et à la carte 55/98.

ASUEL *2954 Jura (JU) 216 ⑭ – 252 h. – alt. 573.*

Bern 87 – Délémont 19 – Basel 46 – Belfort 49 – Montbéliard 46.

Au Cheval Blanc, (032) 462 24 41, – E VISA.
fermé lundi et mardi – **Repas** 15 et à la carte 54/75.

à la Caquerelle *Sud : 5 km par rte de La Chaux-de-Fonds – 2954 Asuel :*

La Caquerelle, (032) 426 66 56, *Fax (032) 426 73 17*, – – 25. AE E VISA
fermé 27 janv. au 24 fév. – **Repas** *(fermé jeudi midi sauf de juil. à sept. et merc.)* 16 et à la carte 33/64, enf. 14 – **8 ch** 52/107 ½ P suppl. 20.

ATTISWIL *4536 Bern (BE) 216 ⑮ – 1 345 Ew. – Höhe 467.*

Bern 44 – Basel 62 – Langenthal 20 – Solothurn 7.

Bären, Oltenstr. 4, (032) 637 15 35, *Fax (032) 637 28 88*, – AE E VISA.
Montag - Dienstag geschl. – **Menu** 20 - 42 (mittags)/98 und à la carte 54/81.

AU *9434 Sankt Gallen (SG) 216 ㉒ – 6 119 Ew. – Höhe 405.*

Bern 232 – Sankt Gallen 28 – Altstätten 12 – Bregenz 15 – Dornbirn 11 – Feldkirch 28 – Konstanz 51.

Isebähnli mit Zim, Rheinstr. 3, (071) 747 58 88, *Fax (071) 747 58 89*, – AE E VISA
Coq d'Or *(Samstagmittag und an Sonn- und Feiertagen jeweils abends geschl.)* **Menu** 16.50 - 49/89 und à la carte 47/98 – **3 Zim** 75/125 – ½ P Zuschl. 25.

AUBONNE *1170 Vaud (VD) 217 ⑫ – 2 371 h. – alt. 502.*

Bern 129 – Lausanne 25 – Genève 40 – Montreux 56 – Yverdon-les-Bains 48.

Le Manoir, 20 r. de Chêne, (021) 808 71 11, *Fax (021) 808 67 76*, « Manoir du 18e siècle avec jardin » – E VISA
fermé 4 au 21 janv., sam. midi et lundi – **Repas** 18 - 32 (midi)/70 et à la carte 53/79.

L'Esplanade, avenue du Chêne, (021) 808 52 50, *Fax (021) 808 71 09*, « Pavillon du 17e siècle, terrasse avec lac » – AE E VISA
fermé 22 déc. au 14 janv., mardi soir et merc. – **Repas** 16 - 42/54 et à la carte 44/77.

AUBORANGES *1673 Fribourg (FR)* **217** ④ – *141 h. – alt. 650.*
Bern 79 – Fribourg 50 – Lausanne 21 – Montreux 28 – Yverdon-les-Bains 54.

Rôtisserie d'Auboranges, ☎ (021) 907 72 88, – VISA
fermé 2 sem. en août, dim. soir et lundi – **Repas** (grillades) 15 - 35/55 et à la carte 32/63, enf. 10.

AUSSERBERG *3938 Wallis (VS)* **217** ⑰ – *Höhe 1 008.*
Bern 184 – Brig 17 – Andermatt 107 – Saas Fee 33 – Sion 52.

Sonnenhalde, ☎ (027) 946 25 83, *Fax (027) 946 18 05*, ←, – AE E VISA. Rest
Feb. geschl. – **Menu** *(von Nov. - 15. März Mittwoch - Donnerstag geschl.)* 18 und à la carte 38/90 – **15 Zim** 70/144 – ½ P Zuschl. 33.

Wenn Sie ein ruhiges Hotel suchen,
benutzen Sie zuerst die Karte in der Einleitung
oder wählen Sie im Text ein Hotel mit dem Zeichen bzw.

AUVERNIER *Neuchâtel* **216** ⑫ ⑬ – *rattaché à Neuchâtel.*

Les AVANTS *Vaud* **217** ⑭ – *rattaché à Montreux.*

AVENCHES *1580 Vaud (VD)* **217** ⑤ – *2 511 h. – alt. 475.*
Voir : *Musée romain★.*
Manifestation locale
03.07 - 12.07 : Festival d'opéra aux arènes d'Avenches..
Office du Tourisme, 3 pl. de l'Église, ☎ *(026) 675 11 59, Fax (026) 675 33 93.*
Bern 40 – Neuchâtel 37 – Fribourg 18 – Lausanne 58.

Couronne M, 20 r. Centrale, ☎ (026) 675 54 14, *Fax (026) 675 54 22*, – – 15/40. AE E VISA
fermé 2 au 31 janv. – **Repas** *(fermé dim. soir et mardi soir de sept. au 31 mai)* 16 - 38 (midi)/78 et à la carte 31/81, enf. 9.50 – **12 ch** 105/190 – ½ P suppl. 22.

Lacotel, Les Joncs, Nord : 3 km par rte de Salavaux, ☎ (026) 675 34 44, *Fax (026) 675 11 88*, , , – – 15/80. AE E VISA
fermé 21. déc. au 31 janv. – **Repas** 42 (midi)/89 (soir) et à la carte 44/86, enf. 12 – ***Brasserie*** **: Repas** 15 - 48 et à la carte 36/78 – **40 ch** 100/140 – ½ P suppl. 35.

Hôtel de Ville, 33 r. Centrale, ☎ (026) 675 28 33, *Fax (026) 675 20 35*, – AE E VISA.
fermé 15 fév. au 2 mars, 10 - 25 oct., dim. soir et lundi – **Repas** 58/98 et à la carte 57/102 – ***Café*** **: Repas** 22 -48 et à la carte 34/71.

des Bains, 1 rte de Berne, ☎ (026) 675 36 60, *Fax (026) 675 15 37*, – AE E VISA
fermé dim. soir et merc. – **Repas** 15 - 48/85 et à la carte 38/92, enf. 14.

AVRY-DEVANT-PONT *1644 Fribourg (FR)* **217** ⑤ – *428 h. – alt. 790.*
Bern 51 – Fribourg 19 – Montreux 43 – Murten 34 – Thun 81.

Hostellerie du Vignier M avec ch, La Cantine, ☎ (026) 915 21 95, *Fax (026) 915 20 61*, ←, , « Terrasse dominant le lac de la Gruyère » – – 30. AE E VISA JCB. ch
fermé 14 janv. au 19 fév. – **Repas** 48 (midi)/90 et à la carte 62/96, enf. 10 – ***Brasserie*** **: Repas** 15 et à la carte 38/79 – **7 ch** 120/180 – ½ P suppl. 50.

BÄCH *8806 Schwyz (SZ)* **216** ⑲ – *Höhe 411.*
Bern 157 – Zürich 32 – Glarus 42 – Rapperswil 9 – Schwyz 32.

Seeli, Seestr. 189, ☎ (01) 784 03 07, *Fax (01) 784 73 25*, , « Riegelhaus » – AE E VISA JCB
Sonntag - Montag und 24. Dez. - 7. Jan. geschl. – **Menu** - Fischspezialitäten - (Tischbestellung ratsam) 55/88 und à la carte 53/101.

BADEN 5400 Aargau (AG) 216 ⑥ ⑦ – 15 228 Ew. – Höhe 396 – Kurort.

Sehenswert : Lage★ – Altstadt★ : Blick★ von der Hochbrücke.

Museum : Stiftung "Langmatt" Sydney und Jenny Brown★ Y.

in Schinznach Bad, ✉ 5116 (April - Okt.) ☎ (056) 443 12 26, Fax (056) 443 34 83, über ④ : 14 km.

Baden Tourismus, Bahnhofstr. 50, ☎ (056) 222 53 18, Fax (056) 222 53 20.

Theaterplatz 3, ☎ (056) 221 03 71, Fax (056) 221 15 87.

Bern 105 ③ – Aarau 27 ③ – Basel 65 ④ – Luzern 66 ③ – Zürich 24 ②.

du Parc, Römerstr. 24, ☎ (056) 221 03 11, Fax (056) 222 07 93, – , Zim, – 15/60. AE VISA Y a
23. Dez. - 2. Jan. geschl. – ***Grill* : Menu** 24 - 68 (abends) und à la carte 43/76 – ***Bistro* : Menu** 18 - 25 (mittags) und à la carte 32/50 – **106 Zim** 195/280 – ½ P Zuschl. 35.

Atrium-Hotel Blume, Kurplatz 4, ☎ (056) 222 55 69, Fax (056) 222 42 98, « Atrium ähnlicher Innenhof », – . AE VISA JCB. Rest Y b
21. Dez. - 8. Jan. geschl. – **Menu** 30 (mittags)/43 – **35 Zim** 83/250 – ½ P Zuschl. 25.

BADEN

Straße	Planquadrat	Nr.
Bäderstrasse	Y	
Badstrasse	YZ	
Bahnhofstrasse	YZ	
Bruggerstrasse	YZ	
Cordulaplatz	Z	3
Ehrendingerstrasse	YZ	
Gartenstrasse	Y	4
Gstühlstrasse	Z	6
Haselstrasse	Y	
Kronengasse	Z	7
Kurplatz	Y	9
Landstrasse	Y	
Promenade	YZ	
Mellingerstrasse	Z	
Neuenhoferstrasse	Z	
Oberdorfstrasse	Y	
Oelrainstrasse	Z	
Parkstrasse	Y	
Römerstrasse	Y	
Rütistrasse	Z	
Schartenstrasse	Z	10
Schlossbergplatz	Z	
Schulhausplatz	Z	12
Seminarstrasse	Z	
Sonnenbergstrasse	YZ	
Stadtturmstrasse	YZ	
Theaterstrasse	Z	13
Untere Halde	Z	15
Weite Gasse	Z	16
Wettingerstrasse	Z	

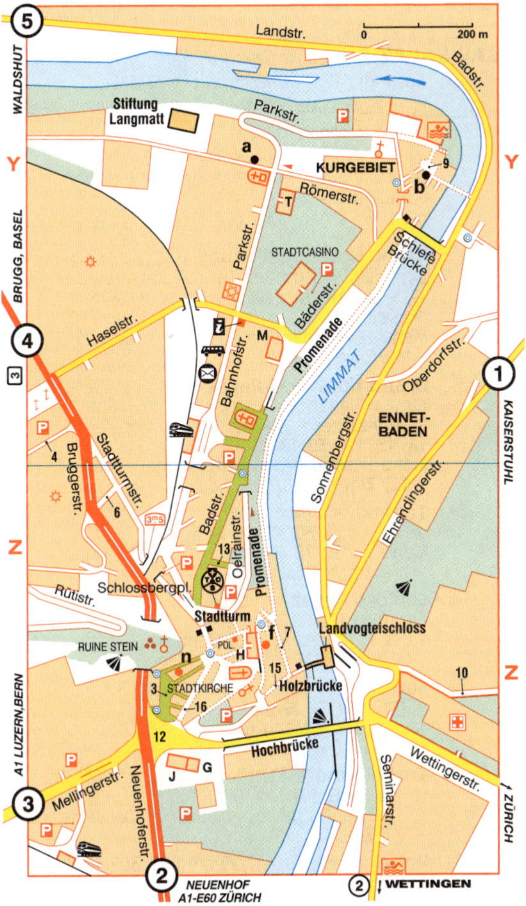

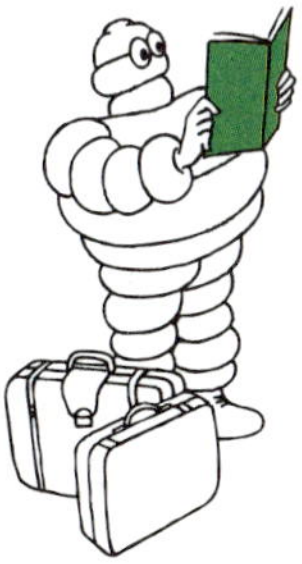

Zunfthaus zum Paradies, Cordulaplatz 1, ✆ (056) 221 50 58, *Fax (056) 221 57 12,* – AE E VISA Z r
Sonntag - Montag, 1. - 10. Jan. und 2. - 19. April geschl. – **Menu** 26 - 43 (mittags)/84 und à la carte 55/87.

Trudelhaus, Obere Halde 36, ✆ (056) 222 07 77, im ehemaligen Wohnhaus des Künstlers Hans Trudel – AE E VISA Z
Samstagmittag, Sonntag, Montag, April und Okt. jeweils 2 Wochen geschl. – **Menu** 19.50 - 78 (abends) und à la carte 38/89.

in Ennetbaden *Nord-Ost : 2 km Richtung Freienwil – Höhe 359 – ✉ 5400 Baden 1 :*

Hertenstein, Hertensteinstr. 80, ✆ (056) 221 10 20, *Fax (056) 221 10 29* < Baden, – P. AE E VISA
Sonntagabend - Montag geschl. – **Menu** 49/98 (abends) und à la carte 42/91.

in Dättwil *Süd-West über ③ : 3,5 km – Höhe 432 – ✉ 5405 Baden 5 :*

Pinte, Sommerhaldenstr. 20, ✆ (056) 493 20 30, *Fax (056) 493 14 66,* – P. AE E VISA
Samstag, Sonn- und Feiertage, 24. Dez. - 10. Jan. 2. - 11. April und 25. Sept. - 10 Okt. geschl. – ***Bacchusstube*** (Tischbestellung ratsam) **Menu** 42 - 58 (mittags)/125 und à la carte 68/127 – ***Pinte :*** **Menu** 24 und à la carte 47/90, Kinder 12.

BAD RAGAZ *7310 Sankt Gallen (SG) 218 ④ – 4 574 Ew. – Höhe 502 – Kurort.*

Ausflugsziel : *Taminaschlucht★★ Süd-West.*

18 (19. Jan. - Anfang Dez.) ✆ (081) 303 37 17, Fax(081) 303 37 27.

Lokale Veranstaltung
02.05 : Maibär, traditioneller Brauch.

Kur- und Verkehrsbüro, Bartholoméplatz 3, ✆ (081) 302 10 61, Fax (081) 302 62 90.

Bern 227 – Chur 24 – Sankt Gallen 76 – Vaduz 24.

Grand Hotel Quellenhof M, ✆ (081) 303 30 30, *Fax (081) 303 30 33,* <, , Park, « Elegantes Thermalbad im römischen Stil », , , , , , , – , Zim, , TV – 25/150. AE E VISA JCB. Rest
Menu 22 - 45 (mittags)/90 und à la carte 76/128 – **97 Zim** 400/630, 9 Suiten – ½ P Zuschl. 60.

Grand Hotel Hof Ragaz M, ✆ (081) 303 30 30, *Fax (081) 303 30 33,* <, , « Elegantes Thermalbad im römischen Stil, modernes Health- und Beauty-Center », , , , , , , – , Rest, TV – 15/150. AE E VISA JCB. Rest
Menu (siehe auch Rest. ***Aebtestube***) – ***Zollstube :*** **Menu** 20 -52 und à la carte 27/75 – **127 Zim** 290/515, 6 Suiten – ½ P Zuschl. 40.

Tamina, Am Platz 3, ✆ (081) 302 81 51, *Fax (081) 302 23 08,* , – TV – 30. AE E VISA
Menu 17 - 33/78 und à la carte 43/80, Kinder 11 – **31 Zim** 180/340, 7 Suiten – ½ P Zuschl. 35.

Schloss Ragaz , Süd-Ost : 1,5 km Richtung Landquart, ✆ (081) 302 23 55, *Fax (081) 302 62 26,* , Park, – , Zim, TV P. AE E VISA. Rest
21. Nov. - 22. Dez. geschl. – **Menu** 24 - 36 (mittags)/70 und à la carte 32/79, Kinder 12 – **68 Zim** 113/238 – ½ P Zuschl. 29.

Sardona, Sarganserstr. 34, ✆ (081) 300 46 42, *Fax (081) 300 46 48,* , – TV P. AE E VISA
Jan. geschl. – **Menu** *(Dienstag geschl.)* 25 - 38 und à la carte 39/74 – **26 Zim** 115/210 – ½ P Zuschl. 28.

Torkelbündte, Fläscherstr. 21 a, ✆ (081) 302 41 44, *Fax (081) 302 38 66* – TV . AE E VISA.
20. Dez. - 6. Jan. geschl. – **Menu** *(nur Abendessen für Hotelgäste)* **12 Zim** 85/160 – ½ P Zuschl. 22.

Poltéra garni, Pizolstr. 29, ✆ (081) 302 25 01, *Fax (081) 302 36 46* – TV P. AE E VISA
15. Nov. - 20. Dez. geschl. – **17 Zim** 90/155.

Aebtestube - ***Grand Hotel Hof Ragaz,*** (081) 303 30 30, *Fax (081) 303 30 33* – AE ① E VISA JCB.
Sonntag - Montag und 13. Juli - 10. Aug. geschl. – **Menu** 45 (mittags)/108 und à la carte 79/125.

Löwen, Löwenstr. 5, (081) 302 13 06, *Fax (081) 302 13 06,* – AE ① E VISA
Sonntag - Montag, 12. April - 4. Mai und 25. Okt. - 16. Nov. geschl. – **Menu** 21 - 47/75 und à la carte 34/98.

in Valens *Süd : 5 km – Höhe 915 – ✉ 7317 Valens :*

Kurhotel Valens M, (081) 303 16 06, *Fax (081) 303 16 18,* (Thermalbad), – Zim, P – 50. AE ① E VISA
Zanai : **Menu** 17 und à la carte 28/67, Kinder 10 – **27 Zim** 147/304 – ½ P Zuschl. 20.

BAD SCHAUENBURG *Basel-Landschaft* 216 ④ – *siehe Liestal.*

BAGGWIL *Bern* 216 ⑭ – *siehe Seedorf.*

BÂLE *Basel-Stadt* 216 ④ – *voir à Basel.*

BALERNA *6828 Ticino (TI)* 219 ⑧ – *3 454 ab. – alt. 270.*

Bern 303 – Lugano 23 – Bellinzona 51 – Como 9 – Varese 22.

Bellavista, via San Gottardo 80, (091) 695 17 17, *Fax (091) 695 17 39* – rist, P. AE ① E VISA
Pasto *(chiuoso le sere di domenica, lunedì e 3 settimane nel agosto)* 22 - 29 (mezzogiorno)/95 ed à la carte 54/93 – 10 – **22 cam** 84/139.

Le Bistrot, via San Gottardo 82, (091) 683 38 28, – P. AE ① E VISA
chiuso mercoledì – **Pasto** 16 - 50/80 ed à la carte 42/82.

BALGACH *9436 Sankt Gallen (SG)* 216 ㉒ – *3 724 Ew. – Höhe 410.*

Bern 240 – Sankt Gallen 31 – Altstätten 8 – Bregenz 18 – Lustenau 6.

Bad Balgach mit Zim, (071) 722 14 14, *Fax (071) 722 25 16,* – P. AE ① E VISA.
2. - 8. Jan. geschl. – **Menu** 57/79 und à la carte 38/101 – **10 Zim** 105/160.

BALSTHAL *4710 Solothurn (SO)* 216 ⑮ – *5 634 Ew. – Höhe 489.*

Ausflugsziel : *Passwanggipfel : Panorama★★ Nord : 14 km.*

Bern 53 – Basel 48 – Solothurn 22 – Zürich 80.

Kreuz, Falkensteinerstr. 1, (062) 386 88 88, *Fax (062) 386 88 89,* – P – 15/150. AE ① E VISA
Menu *(12. Juli - 5. Aug. geschl.)* 18 - 26 (mittags) und à la carte 40/108 – **80 Zim** 95/160.

BALZERS *Fürstentum Liechtenstein* 216 ㉑ ㉒ – *Höhe 370 – siehe Seite 379.*

BASEL (BÂLE)

4000 [K] Basel-Stadt (BS) 216 ④ - 175 510 Ew. - Höhe 273

Bern 100 ⑤ - Aarau 56 ⑤ - Belfort 79 ⑦ - Freiburg im Breisgau 72 ① - Schaffhausen 99 ⑤.

Basel Tourismus, Schifflände 5, ☎ (061) 268 68 68, Fax (061) 268 68 70.
Steinentorstr. 13, ☎ (061) 205 99 99, Fax (061) 205 99 70.
Birsigstr. 4, ☎ (061) 272 39 33, Fax (061) 281 36 57.
Euro-Airport, ☎ (061) 325 31 11, Basel (Schweiz) über zollfreie Strasse 8 km und in Saint-Louis (Frankreich), ☎ (0033) 389 90 31 11.

Fluggesellschaften
Swissair *Elisabethenanlage 7, ☎ (061) 284 51 99, Fax (061) 284 56 80.*
Crossair *P.O. Box, ☎ (061) 325 31 11, Fax (061) 325 32 68.*
British Airways *Euro-Airport Basel. ☎ (061) 325 25 11, Fax (061) 325 29 52.*
Lufthansa *Gellertstr. 163, ☎ (061) 373 90 14, Fax (061) 373 90 16.*

Lokale Veranstaltung
22.02 - 24.02 : Fasnacht, "Morgenstraich".

18 in Hagenthal-le-Bas, ✉ F-68220 (März-Nov.) Süd-West : 10 km. ☎ (0033) 389 68 50 91, Fax (0033) 389 68 55 66.

Sehenswert : *Zoologischer Garten★★★* AZ *- Altstadt★ : Münster★★* CY, *Blick★ von der Pfalz, Fischmarktbrunnen★* BY, *Alte Strassen★* BY *- Hafen* T *: Blick★ von der Aussichtsterrasse auf dem Siloturm der Schweizerischen Reederei AG - Rathaus★* BY **H**.

Museen : *Kunstmuseum★★★* CY *- Museum für Kulturen★* BY **M1** *- Historisches Museum★★* BY *- Antikenmuseum und Sammlung Ludwig★* CY *- Basler Papiermühle★* DY **M6** *- Haus zum Kirschgarten★* BZ *- Museum Jean Tinguely★* T **M8**.

Ausflugsziele : *Römische Ruinen in Augst★★ Süd-Ost : 11 km - St.-Chrischona-Kapelle★ : 8 km über ② - Wasserturm Bruderholz★* U *- Riehen 6 km über ② : Fondation Beyeler★★, Spielzeugmuseum★.*

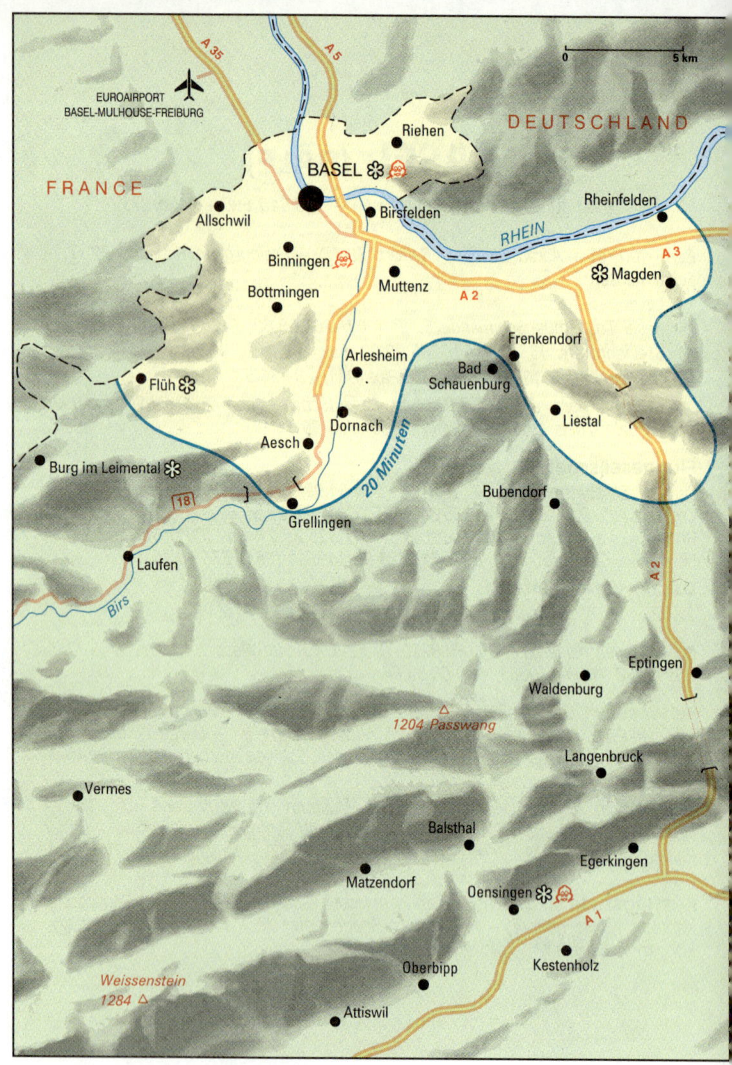

En complément à ce guide :

- *La* carte **427** *à 1/400 000.*
- *Les* cartes **216**. **217**. **218**. **219** *à 1/200 000.*
- *Le guide Vert touristique* ***Michelin « Suisse » :***
  Itinéraires de visite,
  musées,
  monuments et merveilles artistiques.

BASEL

Street	Grid	No.
äumlihofstrasse	T	10
ruderholzallee	U	13
rüglingerstrasse	U	
urgfelderstrasse	T	
ornacherstrasse	U	
reirosenbrücke	T	21
lsässerstrasse	T	
mil Frey-Strasse	U	
rlenstrasse	T	
asanenstrasse	T	
lughafenstrasse	T	30
Gärtnerstrasse	T	
Gellertstrasse	U	
Grenzacherstrasse	T	34
Gundeldingerrain	U	36
Gundeldingerstrasse	U	37
Hirzbrunnenstrasse	T	38
Holeestrasse	U	39
Horburgstrasse	T	40
Hüningerstrasse	T	42
Jakobsbergerstrasse	U	
Klybeckstrasse	T	
Laupenring	U	54
Luzernerring	T	
Mauerstrasse	T	
Morgartenring	TU	
Mülhauserstrasse	T	
Münchensteinerstrasse	U	67
Neubadstrasse	U	72
Reinacherstrasse	U	
Reservoirstrasse	U	
Riehenring	T	
Riehenstrasse	T	
St.Galler-Ring	TU	
St.Jakobs-Strasse	U	79
Thiersteinerallee	U	91
Unterer Batterieweg	U	93
Voltastrasse	T	
Zürcherstrasse	TU	

A
B
X
Y
Z
Kannenfeldpl.
0
200 m
Metzerstr.
Johanns-
Ring
St.-
Johanns-
Spital
Johanniterbrücke
Feldbergs
Klybeckstr.
St. Antonius-
Kirche
Mittlere
St.-
46
G
FRAUENSPITAL
Klingelbergstr.
Schanzenstr.
p
Vorstadt
str.
M
Burgfelderplatz
KANTONSSPITAL
Str.
Blumen-
a
rain
graben
Petersgasse
G
Mittlere
Rheinbrüc
M
M
12
Missionsstr.
Peterskirche
P
28
e
Petersspl.
FISCHMARKT-
BRUNNEN
61
24
Rhein-
sprung
Nonnenweg
Birmannsgasse
84
U
M
82
87
H
Spalentor
Peters-
Marktpl.
M
r
Y
Ahornstr.
Spalenring
Socinstr.
Schützen-
s
85
Spalenberg
x
76
Gerbergasse
Freie
70
str.
31
M
Heuberg
g
27
M
Str.
Socinstr.
Eulerstr.
graben
55
90
Allschwilerstr.
Austr.
Schützenmattstr.
Holbeinstr.
Steinengraben
M
57
51
HISTORISCH
MUSEUM
Weiherweg
Austr.
Steinenb
s
SCHÜTZENMATT-
PARK
Leimenstr.
52
92
Steinenvorstadt
T
Brennerstr.
Bundesstr.
Steinenring
Auberg
Holbeinstr.
HAUS ZUM
KIRSCHGARTEN
88
49
Arnold Böcklin-Str.
b
Bundespl.
Birsigstr.
Birsigstr.
Elisabethenstr.
Rütimeyer-
P
P
63
str.
43
str.
Viaduktstr.
P
P
a
Bachlettenstr.
Vivarium
25
18
16
k
d
f
Oberwiler-
Binningerstr.
ZOOLOGISCHER
GARTEN
Bernerring
Margarethenstr.
Güterstr.
Dornacherstr.

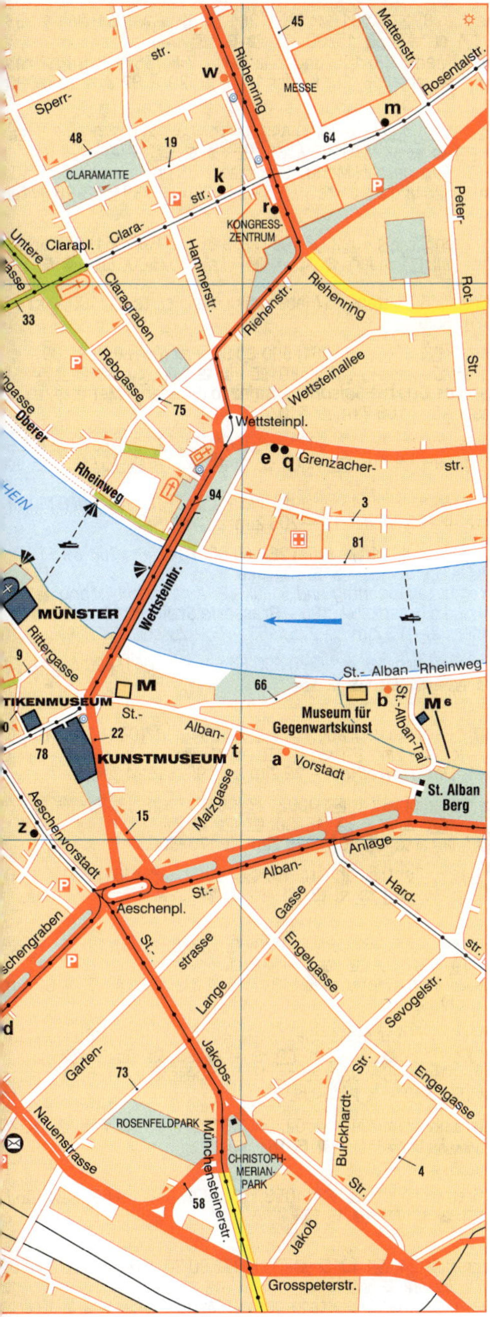

BASEL

Street	Grid	No.
Aeschenvorstadt	CYZ	
Alemannengasse	DY	3
Andreas Heusler-Strasse	DZ	4
Augustinergasse	BY	6
Barfüsserplatz	BY	7
Bäumleingasse	CY	9
Bernoullistrasse	ABY	12
Brunngässlein	CYZ	15
Centralbahnplatz	BZ	16
Centralbahnstrasse	BZ	18
Claraplatz	CX	
Drahtzugstrasse	CX	19
Dufourstrasse	CY	22
Eisengasse	BY	24
Erdbeergraben	BZ	25
Falknerstrasse	BY	27
Fischmarkt	BY	28
Freie Strasse	BY	
Gäemsberg	BY	31
Gerbergasse	BY	
Greifengasse	BCY	33
Innere Margarethenstrasse	BZ	43
Isteinerstrasse	DX	45
Kannenfeldstrasse	AX	46
Klingentalstrasse	CX	48
Klosterberg	BZ	49
Kohlenberg	BY	51
Kohlenberggasse	BY	52
Leonhardsgraben	BY	55
Leonhardsstrasse	BY	57
Lindenhofstrasse	CZ	58
Luftgässlein	CY	60
Marktgasse	BY	61
Marktplatz	BY	
Marschalkenstrasse	AZ	63
Messeplatz	DX	64
Mühlenberg	CDY	66
Münsterberg	BY	69
Münsterplatz	BY	70
Peter Merian-Strasse	CZ	73
Riehentorstrasse	CY	75
Rümelinsplatz	BY	76
St.Alban-Graben	CY	78
Schaffhauserrheinweg	DY	81
Schneidergasse	BY	82
Spalengraben	BY	84
Spalenvorstadt	BY	85
Stadthausgasse	BY	87
Steinentorstrasse	BZ	88
Steinenvorstadt	BYZ	
Streitgasse	BY	90
Theaterstrasse	BY	92
Wettsteinstrasse	CY	94

Es ist empfehlenswert, in der Hauptsaison und vor allem in Urlaubsorten, Hotelzimmer im voraus zu bestellen.

Drei Könige, Blumenrain 8, ✉ 4001, ✆ (061) 261 52 52, *Fax (061) 261 21 53* – ≤, 🍽 – |‡|, ▤ Zim, TV ☎ P – 🏛 15/80. AE ◑ E VISA JCB BY a
Rôtisserie des Rois : **Menu** 88/105 und à la carte 74/135 – ***Königsbrasserie :*** **Menu** *21* und à la carte 36/86, Kinder 14 – ☕ 29 – **82 Zim** 255/590 6 Suiten.

Plaza M, Messeplatz 25, ✉ 4021, ✆ (061) 690 33 33, *Fax (061) 690 39 70*, ≘s, 🏊 – |‡|, ⇔ Zim, ▤ TV ☎ ✆ ♿ 🚗 – 🏛 35. AE ◑ E VISA JCB DX
Le Monet *(26. Juni - 29. Aug. geschl.)* **Menu** 48 (mittags)/85 und à la carte 58/101 – ***Le Provence :*** **Menu** *15* -23 und à la carte 39/86 – **218 Zim** ☕ 389/558, 20 Suiten – ½ P Zuschl. 30.

Hilton M, Aeschengraben 31, ✉ 4002, ✆ (061) 275 66 00, *Fax (061) 275 66 50*, ≘s, 🏊 – |‡|, ⇔ Zim, ▤ TV video ☎ ✆ ♿ P – 🏛 15/300. AE ◑ E VISA JCB CZ c
Le Wettstein : **Menu** *29* - 43 (mittags)/57 (abends) und à la carte 42/100 – ☕ 27 – **204 Zim** 280/450, 10 Suiten.

Europe M, Clarastr. 43, ✉ 4005, ✆ (061) 690 80 80, *Fax (061) 690 88 80* – |‡| ⇔ Zim, ▤ TV video ☎ ✆ 🚗 – 🏛 15/180. AE ◑ E VISA JCB. ⇔ Rest CX k
Menu (siehe auch Rest. ***Les Quatre Saisons***) – ***Bajazzo*** (Brasserie) **Menu** *19,50* und à la carte 43/73, Kinder 15 – **166 Zim** ☕ 310/410.

Radisson SAS, Steinentorstr. 25, ✉ 4001, ✆ (061) 227 27 27, *Fax (061) 227 28 28*, 🏋, ≘s, 🏊 – |‡| ⇔, ▤ Zim, TV video ☎ ✆ ♿ 🚗 – 🏛 15/150. AE ◑ E VISA JCB BZ b
Steinenpick (Brasserie) **Menu** *18.50* - 45 (abends) und à la carte 38/90 – ***Kaffi Mühli*** : **Menu** *16* und à la carte 36/70, Kinder 12 – **205 Zim** ☕ 430/560.

Basel M, Münzgasse 12, ✉ 4001, ✆ (061) 264 68 00, *Fax (061) 264 68 11* – |‡| ⇔, ▤ Rest, TV ☎ ✆ – 🏛 25. AE ◑ E VISA JCB BY x
Basler Keller *(Samstagmittag, Sonntag und 3. Juli - 8. Aug. geschl.)* **Menu** *26* - 38 (mittags)/98 (abends) und à la carte 54/106 – ***Brasserie Steiger :*** **Menu** *15.50* und à la carte 31/64, Kinder 12 – **72 Zim** ☕ 275/355 – ½ P Zuschl. 35.

Palazzo M garni, Grenzacherstr. 6, ✆ (061) 690 64 64, *Fax (061) 690 64 10*, 🏋 – |‡| ⇔ ▤ TV ☎ ✆ ♿ 🚗. AE ◑ E VISA DY e
28 Zim ☕ 200/320.

Der Teufelhof M, Leonhardsgraben 47, ✉ 4051, ✆ (061) 261 10 10, *Fax (061) 261 10 04* – |‡|, ⇔ Zim, TV ☎ ♿. AE ◑ E VISA BY g
Menu (siehe auch Rest. ***Der Teufelhof***) – **29 Zim** ☕ 195/315, 4 Suiten.

Schweizerhof, Centralbahnplatz 1, ✉ 4002, ✆ (061) 271 28 33, *Fax (061) 271 29 19*, 🍽 – |‡|, ▤ Zim, TV ☎ P – 🏛 15/80. AE ◑ E VISA BZ n
Menu *19* - 49/69 und à la carte 48/107 – **75 Zim** ☕ 170/300.

St. Gotthard M garni, Centralbahnstr. 13, ✉ 4002, ✆ (061) 271 52 50, *Fax (061) 271 52 14* – |‡| ⇔ TV ☎ ✆ P. AE ◑ E VISA JCB BZ f
62 Zim ☕ 220/320.

Merian, Rheingasse 2, ✉ 4005, ✆ (061) 681 00 00, *Fax (061) 681 11 01*, ≤, 🍽 – |‡| TV ☎ ♿ 🚗 – 🏛 15/100. AE ◑ E VISA JCB BY b
Café Spitz - Fischspezialitäten - **Menu** *18.50* - 49/75 und à la carte 47/78 – **62 Zim** ☕ 165/270 – ½ P Zuschl. 35.

Admiral, Rosentalstr. 5 / Am Messeplatz, ✉ 4021, ✆ (061) 691 77 77, *Fax (061) 691 77 89*, 🏋, 🏊 – |‡|, ⇔ Zim, TV ☎ – 🏛 25. AE ◑ E VISA
23. Dez. - 3. Jan. geschl. – **Menu** *(Samstag ausser Messen geschl.)* *16.50* und à la carte 32/68 – **140 Zim** ☕ 150/350 – ½ P Zuschl. 25. DX m

Victoria garni, Centralbahnplatz 3, ✉ 4002, ✆ (061) 270 70 70, *Fax (061) 270 70 77* – |‡|, TV ☎ P – 🏛 15/80. AE ◑ E VISA JCB BZ d
41 Zim ☕ 280/380.

Wettstein garni, Grenzacherstr. 8, ✉ 4058, ✆ (061) 690 69 69, *Fax (061) 691 05 45* – |‡| ⇔ TV ☎ ✆. AE ◑ E VISA DY q
40 Zim ☕ 145/210.

Drachen, Aeschenvorstadt 24, ✉ 4010, ✆ (061) 272 90 90, *Fax (061) 272 90 02* – |‡| TV ☎ P – 🏛 25. AE ◑ E VISA JCB CY z
Au Premier (1. Etage) *(Sonn- und Feiertage geschl.)* **Menu** 41/58 und à la carte 49/95 – **41 Zim** ☕ 180/250 – ½ P Zuschl. 35.

Metropol garni, Elisabethenanlage 5, ✉ 4002, ☎ (061) 271 77 21, *Fax (061) 271 78 82* – |‡| ▤ TV video ☎. AE ⦿ E VISA BZ a
20. Dez. - 2. Jan. geschl. – **45 Zim** 210/440.

Steinenschanze garni, Steinengraben 69, ✉ 4051, ☎ (061) 272 53 53, *Fax (061) 272 45 73* – |‡| TV ☎. AE ⦿ E VISA BY s
54 Zim 180/250.

Rochat, Petersgraben 23, ✉ 4051, ☎ (061) 261 81 40, *Fax (061) 261 64 92* – |‡| TV ☎. AE ⦿ E VISA. Rest BY e
Menu (alkoholfrei) 16 und à la carte 26/45 – **48 Zim** 140/220 – ½ P Zuschl. 17.

Euro-Century 2000, Reiterstr. 1, ✉ 4054, ☎ (061) 306 76 76, *Fax (061) 306 76 77* – |‡| TV video ☎ – 15. ⦿ E VISA U n
Menu 19.50 - 45 und à la carte 33/72, Kinder 11 – 9 – **29 Zim** 140/320.

Bruderholz, Bruderholzallee 42, ✉ 4059, ☎ (061) 361 82 22, *Fax (061) 361 82 03*, , « Blumengarten », – P. AE ⦿ E VISA U z
Sonntag - Montag ausser Messen und 3. - 18. Jan. geschl. – **Menu** 67 (mittags)/185 und à la carte 117/195
Spez. Fricassée de queues de langoustines à l'amigne flétrie et truffe noire (15. Dez. - 15. März). Chausson de suprême de pigeon de Toscane aux morilles fraîches et asperges (15. März - 15. Juni). Feuillantine aux fruits de la passion et glace Pinacolada.

Les Quatre Saisons - *Hotel Europe*, Clarastr. 43 (1. Etage), ✉ 4005, ☎ (061) 690 87 20, *Fax (061) 690 88 80* – ▤. AE ⦿ E VISA JCB. CX k
Sonntag (ausser Messen) und 12. Juli - 8. Aug. geschl. – **Menu** 55 (mittags)/165 und à la carte 87/145, Kinder 30
Spez. Foie d'oie mi-cuit en robe de pommes. Gaspacho aux gnocchi piémontais. Mousseline de babeurre glacée aux baies des bois.

Der Teufelhof - *Hotel Der Teufelhof*, Leonhardsgraben 47, ✉ 4051, ☎ (061) 261 10 10, *Fax (061) 261 10 04*, – . AE ⦿ E VISA BY g
– ***Bel Etage*** *Sonntag - Montag (ausser Messen) 1. - 11. Jan., 22. Feb. - 8. März und 2 Wochen im Okt. geschl.* **Menu** 75 (mittags)/180 und à la carte 86/169 – ***Weinstube* :** **Menu** 28 - 70 et à la carte 60/112
Spez. Sommerbockschinken mit Tannenwipfelvinaigrette und Pfifferlingssalat (Sommer). Gratiniertes Zackenbarschfilet mit Krustentieren in Estragonsauce. Limonen - Tiramisu mit marinierten Beeren und Spinetta - Eis.

Chez Donati, St. Johanns-Vorstadt 48, ✉ 4056, ☎ (061) 322 09 19, *Fax (061) 322 09 81*, , Einrichtung im Bistrostil der Jahrhundertwende. BX p
Montag - Dienstag und 12. Juli - 10. Aug. geschl. – **Menu** - italienische Küche - à la carte 60/113.

Zum Goldenen Sternen, St. Alban-Rheinweg 70, ✉ 4052, ☎ (061) 272 16 66, *Fax (061) 272 16 67*, – AE ⦿ E VISA DY b
21. - 30. Dez. geschl. – **Menu** 24 - 54/75 und à la carte 46/100.

Schlüsselzunft, Freie Strasse 25, ✉ 4001, ☎ (061) 261 20 46, *Fax (061) 261 20 56*, « Haus aus dem 15. Jh. » – AE E VISA JCB BY r
Sonn. und Feiertage geschl. – **Menu** 35 - 48 (mittags)/58 (abends) und à la carte 45/98 – ***Höfli* :** **Menu** 17.50 und à la carte 36/60, Kinder 10.

St. Alban-Eck, St. Alban-Vorstadt 60, ✉ 4052, ☎ (061) 271 03 20 – AE E VISA. CDY t
Samstag (ausser abends von Ende Sept. - Juni), Sonn- und Feiertage und 10. Juli - 8. Aug. geschl. – **Menu** 27 - 37 (mittags)/79 und à la carte 65/110.

Charon, Schützengraben 62, ✉ 4051, ☎ (061) 261 99 80, *Fax (061) 261 99 09*, Bistro Ambiente – AE E VISA JCB AY s
von Okt. - April Sonntag - Montag, von Mai - Sept. Samstag - Sonntag, Weihnachten, Ostern und Juli geschl. – **Menu** 35 - 40 (mittags)/90 (abends) und à la carte 67/111.

Hong Kong, Riehenring 91, ☎ (061) 691 88 14, *Fax (061) 691 88 36.* AE ⦿ E VISA CX w
Juli. geschl. – **Menu** - cuisine chinoise - 19 - 43 (mittags)/102 und à la carte 33/78.

St. Alban-Stübli, St. Alban-Vorstadt 74, ✉ 4052, ☎ (061) 272 54 15, *Fax (061) 272 04 88*, – E VISA DY a
Samstagmittag, Sonntag und 24. Dez. - 11. Jan. geschl. – **Menu** 24 - 32/75 und à la carte 50/100.

Sakura, Centralbahnstr. 14, ✉ 4051, ✆ (061) 272 05 05, *Fax (061) 295 39 88*
- japanische Küche – ▤ – 🚻 15/90. AE ⓓ E VISA BZ
Samstagmittag, Sonn- und Feiertage und 11. Juli - 22. Aug. geschl. – ***Teppanyaki*** **Menu** 58/99 und à la carte 37/81, Kinder 30 – ***Yakitori*** (Grill) **Menu** 14.50 - 44/82 und à la carte 50/71.

Gundeldingerhof, Hochstr. 56, ✆ (061) 361 69 09, *Fax (061) 361 83 99,* –
AE ⓓ E VISA U
Sonntag, 24. Dez. - 3. Jan. und 29. Aug. - 12. Sept. – **Menu** 24 - 60/80 (abends) und à la carte 50/106.

in Riehen *über ② : 5 km – Höhe 288 – ✉ 4125 Riehen :*

Schürmann's, Äussere Baselstr. 159, ✆ (061) 643 12 10, *Fax (061) 643 12 10*
– AE E VISA
Samstagmittag, Montagmittag, Sonntag und 22. - 24. Feb. geschl. – **Menu** 24 - 50 (mittags)/85 (abends) und à la carte 54/114.

in Birsfelden *Ost über ④ : 3 km – Höhe 260 – ✉ 4127 Birsfelden :*

Alfa M, Hauptstr. 15, ✆ (061) 311 80 15, *Fax (061) 311 05 77* – TV ☎ P –
25/90. AE ⓓ E VISA T
Menu *(Sonntag - Montag geschl.)* 20 - 25 (mittags)/60 – **55 Zim** 105/225.

Waldhaus mit Zim, Ost : 2 km Richtung Rheinfelden, ✆ (061) 313 00 11,
« Schönes Fachwerkhaus in einer Parkanlage am Rheinufer » – TV ☎ P – 15/40
AE ⓓ E VISA. Zim
Montag und 21. Dez. - 4. Jan. geschl. – **Menu** 18.50 und à la carte 48/102 – **8 Zim** 115/180.

in Muttenz *über ⑤ : 4,5 km – Höhe 271 – ✉ 4132 Muttenz :*

Baslertor M, St. Jakobsstr. 1, ✆ (061) 465 55 00, *Fax (061) 465 55 50,* ,
– , Zim, TV ☎ . AE ⓓ E VISA JCB. Rest
Menu *(Sonntag geschl.) (nur Abendessen)* à la carte circa 38, Kinder 10 – **43 Zim** 230/280, 4 Suiten.

in Binningen *2 km U – Höhe 284 – ✉ 4102 Binningen :*

Schloss Binningen, Schlossgasse 5, ✆ (061) 421 20 55, *Fax (061) 421 06 35*
, « Altes Rittergut in einer Parkanlage, stilvolle Einrichtung » – P. AE ⓓ E VISA
JCB U
Sonntag - Montag (ausser Feiertage und Messen) und 14. - 28. Feb. geschl. – **Menu** 30 - 45 (mittags)/95 und à la carte 54/116.

Gasthof Neubad mit Zim, Neubadrain 4, ✆ (061) 302 07 05, *Fax (061) 302 81 16*
, – Zim, TV ☎ P. AE E VISA U
Mittwoch und 13. Feb. - 3. März geschl. – **Menu** 21 - 50 (mittags) und à la carte 46/107 – **6 Zim** 90/170.

im Flughafen Euro-Airport *über ⑧ : 8 km :*

Euroairport, 5. Etage im Flughafen, ✉ 4030 Basel, ✆ (061) 325 32 32
Fax (061) 325 32 65, – ▤. AE ⓓ E VISA
Grill : **Menu** 45 und à la carte 35/74 – ***Brasserie :*** **Menu** 15 und à la carte 28/59, Kinder 10.

BASSECOURT *2854 Jura (JU) 216 ⑭ – 3 301 h. – alt. 478.*

Bern 76 – Delémont 11 – Basel 56 – Biel 41 – Montbéliard 57.

Croix Blanche, 51 r. Colonel Hoffmeyer, ✆ (032) 426 71 89, *Fax (032) 426 60 49*
– TV ☎ P – 15/70. AE ⓓ E VISA JCB
Repas *(fermé dim. sauf fériés)* 17.50 et à la carte 26/79 – **9 ch** 60/130 – ½ P suppl. 20.

BÄTTERKINDEN *3315 Bern (BE) 216 ⑮ – 2 605 Ew. – Höhe 472.*

Bern 24 – Biel 33 – Burgdorf 14 – Olten 45 – Solothurn 11.

Kultur-Quelle Krone, Bahnhofstr. 1, ✆ (032) 665 34 34, *Fax (032) 665 34 83,*
« Wechselnde Kunstausstellungen » – P. AE ⓓ E VISA
Dienstag - Mittwoch, 2. - 17. Feb. und 7. - 28. Juli geschl. – **Menu** à la carte 58/88 – ***Dorfbeizli :*** **Menu** 14.50 - und à la carte 29/71, Kinder 10.

BAUEN *6466 Uri (UR)* 218 ① *– 224 Ew. – Höhe 440.*
Sehenswert : *Lage★.*
Bern 164 – Luzern 50 – Altdorf 11.

Zwyssighaus, (041) 878 11 77, *Fax (041) 878 10 77*, ≤, Geburtshaus des Komponisten der Schweizer Nationalhymne – AE ① E VISA
Montag - Dienstag, 1. - 18. Feb. und Nov. geschl. – **Menu** (Tischbestellung ratsam) *29* - 46 (mittags)/89 und à la carte 44/89.

BAUMA *8494 Zürich (ZH)* 216 ⑲ *– 4 262 Ew. – Höhe 639.*
Bern 163 – Zürich 40 – Frauenfeld 38 – Rapperswil 22 – Winterthur 25.

Tanne M mit Zim, Dorfstr. 16, (052) 386 14 03, *Fax (052) 386 34 23*, – TV P – 15/30. E VISA.
Ende Juli 2 Wochen geschl. – **Menu** *(Montag - Dienstag geschl.) 17.50* und à la carte 44/81, Kinder 13 – **5 Zim** 70/160.

Heimat mit Zim, Richtung Rapperswil : 1 km, (052) 386 11 66, *Fax (052) 386 25 60*, – Zim, TV P. AE ① E VISA
10. Jan. - 10. Feb. geschl. – **Menu** *(Montag - Dienstag geschl.) 24* und à la carte 30/71, Kinder 9 – **10 Zim** 60/140 – ½ P Zuschl. 28.

BEATENBERG *3803 Bern (BE)* 217 ⑦ *– 1 374 Ew. – Höhe 1 150.*
Sehenswert : *Niederhorn★★.*
Beatenberg Tourismus, Hälteli, (033) 841 18 18, Fax (033) 841 18 08.
Bern 66 – Interlaken 10 – Brienz 28.

in Waldegg *Ost : 1 km – Höhe 1 200 – ✉ 3802 Waldegg :*

Beausite ⑤, (033) 841 19 41, *Fax (033) 841 19 43*, ≤ Jungfraugebiet, – AE ① E VISA
10. - 30. April und 15. Nov. - 15. Dez. geschl. – **Menu** *(Dienstag geschl.)(nur Abendessen für Hotelgäste) 15* und à la carte 24/34, Kinder 8 – **11 Zim** 65/130 – ½ P Zuschl. 23.

Eiger ⑤ garni, (033) 841 12 18, ≤ Jungfraugebiet, – P. AE ① E VISA
1. Nov. - 20. Dez. und 12. - 25. April geschl. – **13 Zim** 60/140.

West : *2,5 km Richtung Schmocken :*

Gloria ⑤, ✉ 3803 Beatenberg, (033) 841 11 29, *Fax (033) 841 18 97*, ≤ Jungfraugebiet, – P. AE ① E VISA
1. Dez. - 13. Dez. geschl. – **Menu** *18* und à la carte 28/71, Kinder 7 – **16 Zim** 65/150 – ½ P Zuschl. 24.

BECKENRIED *6375 Nidwalden (NW)* 217 ⑩ *– 2 609 Ew. – Höhe 435 – Wintersport : 435/1 937 m 1 7.*
Lokale Veranstaltung
14.11 : Aelplerchilbli mit Umzug.
Tourismus Beckenried Klewenalp, Seestr. 1, (041) 620 31 70, Fax (041) 620 32 05.
Bern 135 – Luzern 22 – Andermatt 39 – Brienz 57 – Schwyz 34 – Stans 12.

Sternen, Buochserstr. 54, (041) 620 61 61, *Fax (041) 620 69 25*, ≤ Vierwaldstättersee, , , , – TV P. AE ① E VISA
Menu *19.50* 35 und à la carte 26/64, Kinder 13 – **45 Zim** 95/206 – ½ P Zuschl. 35.

Nidwaldnerhof, Dorfstr. 12, (041) 620 52 52, *Fax (041) 620 52 64*, ≤ Vierwaldstättersee, , – TV P. AE E VISA
Anfang Jan. - Anfang Feb. geschl. – **Menu** *16* und à la carte 38/83, Kinder 12 – **18 Zim** 100/190 – ½ P Zuschl. 32.

BEDIGLIORA *6981 Ticino (TI)* 219 ⑧ *– 442 ab. – alt. 615.*
Bern 289 – Lugano 18 – Bellinzona 46 – Locarno 58 – Varese 29.

Osteria la Palma, località Nerocco, Nord : 3 km, ✉ 6981 Banco-Bedigliora, (091) 608 11 18, , In zona verdeggiante con servizio estivo sotto un fiorito pergolato in legno – P.
chiuso febbraio, martedì sera (salvo luglio ed agosto) e mercoledì – **Pasto** *15.50* ed à la carte 39/65.

BEDRETTO *6781 Ticino (TI)* 217 ⑲ ⑳ – *alt. 1 405.*
Bern 209 – Andermatt 37 – Airolo 10 – Brig 65.

Locanda Orelli, (091) 869 11 40, *Fax (091) 869 24 12,* – P
1° maggio - 31 ottobre – **Pasto** 25 ed à la carte 36/71.

BELALP *Wallis* 217 ⑱ – *siehe Blatten bei Naters.*

BELLEVUE *Genève* 217 ⑪ – *rattaché à Genève.*

BELLINZONA *6500* Ⓒ *Ticino (TI)* 218 ⑫, 219 ⑧ – *17 159 ab. – alt. 233.*

Vedere : *Castelli★ : castello di Montebello★, ≤★ dal castello di Sasso Corbaro.*

Manifestazioni locali

11.02 - 16.02 : "Rabadan" corteo mascherato ed animazione carnevalesca
16.04 - 01.06 : Pianoforte, festival pianistico.

Bellinzona Turismo, Palazzo Civico, via Camminata 2, (091) 825 21 3
Fax (091) 825 38 17.

viale Stazione 32, (091) 826 11 55, Fax (091) 825 13 69.
via Pellandini, (091) 825 56 55, Fax (091) 825 55 18.
Bern 247 – Locarno 20 – Andermatt 84 – Chur 115 – Lugano 28.

Unione, via Generale Guisan 1, (091) 825 55 77, *Fax (091) 825 94 60,* –
rist, – 120. AE E VISA. rist
chiuso dal 20 dicembre al 20 gennaio – **Pasto** *(chiuso domenica)* 27 - 35/55 ed à l
carte 44/74, bambini 12 – **33 cam** 140/195 – ½ P sup. 28.

Internazionale, piazza Stazione 35, (091) 825 43 33, *Fax (091) 826 13 59,*
– P – 40. AE E VISA
Pasto à la carte 30/68, bambini 8 – **20 cam** 130/180 – ½ P sup. 18.

Castelgrande, Salita al Castello, (091) 826 23 53, *Fax (091) 826 23 65,*
Possibilità d'accesso tramite ascensore, « Nel complesso medioevale de
Castelgrande » – . AE E VISA
chiuso lunedì – **Pasto** 35 (mezzogiorno)/89 (sera) ed à la carte 61/101 – ***Grottin***
***San Michele* : Pasto** 18 ed à la carte 33/61.

Orico, Via Orico 13, (091) 825 15 18, *Fax (091) 825 15 19* – AE E VISA.
chiuso dal 4 al 12 gennaio, dal 26 luglio al 17 agosto, domenica e lunedì – **Pasto** 3
(mezzogiorno)/80 ed à la carte 57/91.

Corona, via Camminata 5, (091) 825 28 44, *Fax (091) 825 21 48,* Rist. e pizzeri
in centro città – AE E VISA.
chiuso domenica dal 15 giugno al 15 settembre – **Pasto** - pizzeria - 18 - 20 ed à l
carte 32/68, bambini 15.

Pedemonte, via Pedemonte 12, (091) 825 33 33, , Ambiente familiare
E VISA
chiuso lunedì e agosto – **Pasto** 12 - 70 (sera) ed à la carte 40/70.

Osteria Malakoff, Carrale Bacilieri (presso dell'ospedale), 6500 Bellinzona
Ravecchia, (091) 825 49 40, *Fax (091) 825 49 40* – E VISA
chiuso domenica, giorni festivi, dal 4 al 17 gennaio ed agosto – **Pasto** 17 - 45/54 e
à la carte circa 46.

sull'autostrada N2 *Sud-Ovest : 2 km :*

Mövenpick Benjaminn Ⓜ senza rist, area di servizio Bellinzona Sud
6513 Monte-Carasso, (091) 857 01 71, *Fax (091) 857 76 35* –
P – 25. AE E VISA
14 – **55 cam** 95/150.

BELLWALD *3997 Wallis (VS)* 217 ⑱ – *Höhe 1 563.*
Bern 157 – Brig 26 – Domodossola 89 – Interlaken 103 – Sion 79.

Bellwald Ⓜ , (027) 970 12 83, *Fax (027) 970 12 84,* ≤ Berge und Rhonetha
– . E VISA
April und Nov. geschl. – **Menu** *(in Mai und Juni Montag geschl.)* 19 - 28 (mittags) und à l
carte 28/72, Kinder 10 – **16 Zim** 75/150, Vorsaison 70/120 – ½ P Zuschl. 25.

BELPRAHON *Bern* 216 ⑭ – *rattaché à Moutier.*

BERG *9305 Sankt Gallen (SG)* 216 ⑩ – *837 Ew. – Höhe 508.*
Bern 206 – Sankt Gallen 9 – Bregenz 28 – Konstanz 29.

Zum Sternen, Landquartstr. 196, Nord : 1 km Richtung Arbon, (071) 446 88 60, *Fax (071) 446 88 50,* – P. E VISA
Sonntag - Montag, 20. Juli - 10. Aug. und Weihnachten geschl. – **Menu** 69/78 und à la carte 48/113.

BERGÜN (BRAVUOGN) *7482 Graubünden (GR)* 218 ⑮ – *541 Ew. – Höhe 1 372.*
Verkehrsverein, Hauptstrasse, (081) 407 11 52, Fax (081) 407 14 04.
Bern 298 – Sankt Moritz 37 – Chur 56 – Davos 39.

Sporthotel Darlux, (081) 407 51 51, *Fax (081) 407 51 52,* Piz Aela, , , , , , , – TV P – 15/40. AE E VISA JCB
20. Dez. - Ostern und Anfang Juni - Ende Okt. – **Stüva : Menu** 15 - 25(mittags)/35 und à la carte 29/93, Kinder 11 – **45 Zim** 122/254 – ½ P Zuschl. 35.

BERIKON *8965 Aargau (AG)* 216 ⑱ – *3 848 Ew. – Höhe 554.*
Bern 114 – Aarau 36 – Baden 17 – Dietikon 14 – Wohlen 12 – Zürich 18.

Stalden mit Zim, Friedlisbergstr. 9, (056) 633 11 35, *Fax (056) 633 71 88,* – TV P. AE E VISA
15. - 28. Feb. und 5. Juli - 1. Aug. geschl. – **Menu** *(Montag - Dienstag geschl.)* 18 - 60 und à la carte 40/74 – **10 Zim** 55/110.

BERLINGEN *8267 Thurgau (TG)* 216 ⑨ – *Höhe 403.*
Bern 184 – Sankt Gallen 67 – Frauenfeld 20 – Konstanz 16 – Schaffhausen 34 – Singen 23.

Kronenhof M, Seestrasse, (052) 762 54 00, *Fax (052) 762 54 81,* Bodensee, , , , , – , Zim, TV P – 15/50. AE E VISA
Menu 17 und à la carte 26/74, Kinder 10 – **47 Zim** 130/220 – ½ P Zuschl. 30.

Schiff, Seestr. 56, (052) 761 15 45, *Fax (052) 761 30 04,* – AE E VISA
Donnerstag, Okt. - März auch Mittwoch, 31. Jan. - 14. Feb. und 4. - 17. Okt. geschl. – **Menu** 25 - 43 (abends)/76 und à la carte 44/80, Kinder 13.

BERN (BERNE)

3000 🄺 Bern (BE) 217 ⑥ – 130 069 Ew. – Höhe 548

Biel 35 ① – Fribourg 34 ③ – Interlaken 59 ② – Luzern 111 ② – Zürich 125 ①.

Bern Tourismus, Im Bahnhof, ☎ (031) 311 66 11, Fax (031) 312 12 33.
Thunstr. 63, ☎ (031) 352 22 22, Fax (031) 352 22 29.
Theaterplatz 13, ☎ (031) 311 38 13, Fax (031) 311 26 37.
Bern-Belp, ☎ (031) 960 21 11, Fax (031) 960 21 12 BX.

Fluggesellschaften
Swissair *Im Hauptbahnhof 10b, ☎ (031) 329 62 62, Fax (031) 329 62 66.*
Crossair *Airport Bern, 3123 Bern-Belp, ☎ (031) 960 21 21.*

Lokale Veranstaltungen
05.05 – 09.05 : Internationales Jazzfestival.
22.11 : Zwiebelmarkt.

18 Blumisberg ✉ 3184 Wünnewil (mitte März-mitte Nov.), ☎ (026) 496 34 38 Fax (026) 496 35 23. Süd-West 18 km über ③.

Sehenswert : *Alt-Bern★★ : Marktgasse★* DZ, *Zytgloggeturm★* EZ **C**, *Kramgasse★* EZ, *Ausblicke★ von der Nydeggbrücke* FY, *Bärengraben★* FZ, *Münster St. Vinzenz★* EZ : *Bogenfeld★★, Rundblick★★ vom Turm* EZ – *Rosengarten* FY : *Blick★ auf die Altstadt – Botanischer Garten★* DY – *Tierpark im Dählhölzli★* BX – *Bruder-Klausenkirche★* BX **B**.

Museen : *Kunstmuseum★★ : Paul-Klee-Sammlung★* DY – *Naturhistorisches Museum★★* EZ – *Bernisches Historisches Museum★★* EZ – *Schweizerisches Alpines Museum★★* EZ – *Schweizerisches Postmuseum★* EZ.

Ausflugsziele : *Gurten★★* AX.

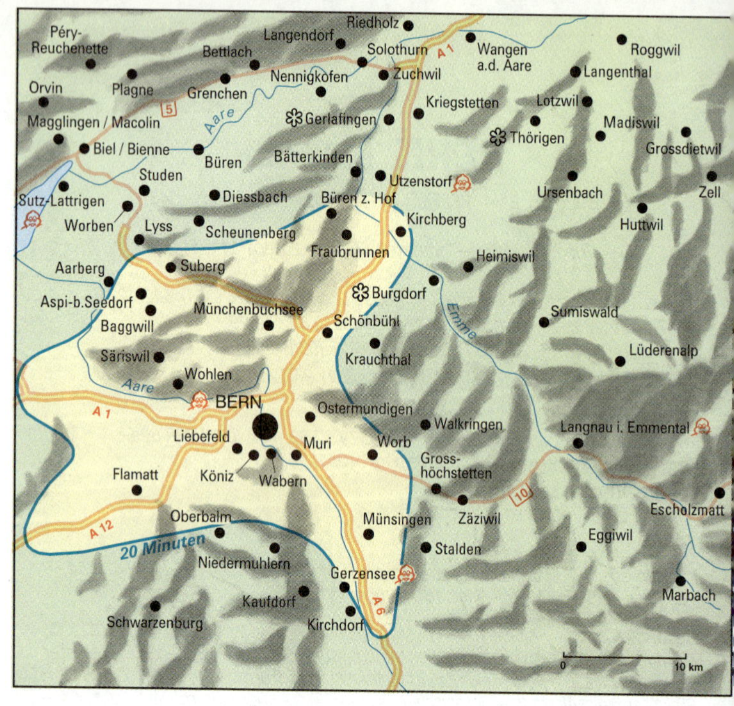

Bellevue Palace, Kochergasse 3, ✉ 3001, ✆ (031) 320 45 45, *Fax (031) 311 47 43*, ≤, 🍽, « Terrasse mit Aussicht auf die Aare » – |♦|, ▤ Rest, TV ☎ ♿ – 15/150. AE ⓓ E VISA JCB. ✂ Rest EZ p
Menu (siehe auch Rest. ***Bellevue-Grill/La Terrasse***) – ***Zur Münz :*** Menu *20* und à la carte 35/88 – **131 Zim** ☕ 290/430, 14 Suiten.

Schweizerhof, Bahnhofplatz 11, ✉ 3001, ✆ (031) 326 80 80, *Fax (031) 326 80 90* – |♦|, ▤ Zim, TV ☎ – 15/140. AE ⓓ E VISA. ✂ Rest DY e
Menu (siehe auch Rest. ***Schultheissenstube*** und ***Jack's Brasserie***) – ***Yamato*** - japanische Küche - *(Sonntag - Montag geschl.)* Menu 45 (mittags)/92 und à la carte 63/88 – ☕ 25 – **77 Zim** 260/380, 7 Suiten – ½ P Zuschl. 45.

Allegro M, Kornhausstr. 3, ✆ (031) 339 55 00, *Fax (031) 339 55 10*, ≤ – |♦|, ✂ Zim,, ▤ Rest, TV ☎ ♿ P. AE ⓓ E VISA JCB EY a
Eurasia *(Sonntag - Montag geschl.)* Menu 45 (mittags)/65 – ***Allegretto :*** Menu à la carte 31/69 – ***Bistro :*** Menu *17* und à la carte 35/82 – ☕ 21 – **159 Zim** 180/280, 3 Suiten – ½ P Zuschl. 25.

Innere Enge, Engestr. 54, ✉ 3012, ✆ (031) 309 61 11, *Fax (031) 309 61 12*, ≤, 🍽, Park – |♦|, ✂ Zim, TV ☎ P. AE ⓓ E VISA AX n
Menu *17* und à la carte 43/82, Kinder 13 – **26 Zim** ☕ 180/290.

Savoy garni, Neuengasse 26, ✉ 3011, ✆ (031) 311 44 05, *Fax (031) 312 19 78* – |♦| ✂ TV ☎. AE ⓓ E VISA DY n
☕ 18 – **56 Zim** 185/295.

Bern, Zeughausgasse 9, ✉ 3011, ✆ (031) 312 10 21, *Fax (031) 312 11 47*, 🍽 – |♦| TV ☎ ♿ – 15/200. AE ⓓ E VISA JCB EY b
Kurierstube *(Sonntag und Juli geschl.)* Menu 30 (mittags)/65 (abends) und à la carte 49/95 – ***7 Stube :*** Menu *15.50* und à la carte 27/68 – **101 Zim** ☕ 200/280.

City M garni, Bahnhofplatz 7, ✉ 3011, ✆ (031) 311 53 77, *Fax (031) 311 06 36* – |♦| TV ☎. AE ⓓ E VISA DZ a
☕ 16 – **58 Zim** 110/180.

BERN

mthausgasse DEZ 3
ärenplatz DZ
ethlehem Strasse AX 4
runngasse EY 6
undesterrasse DZ 7
hristoffelgasse DZ 9
elvetiaplatz EZ 10
ubiläumsstrasse EZ 12
ochergasse DEZ 13
Kramgasse EZ
Kreuzgasse EZ 15
Marktgasse DEZ
Münstergasse EZ 16
Münsterplatz EZ 18
Nägeligasse DY 19
Neubrückstrasse AX 21
Nydeggasse FY 22
Ostermundigenstrasse BX 24
Ostring BX 25
Papiermühlestrasse BX 27
Rathausgasse EY 28
Rathausplatz EY 30
Schlossstrasse AX 31
Schosshaldenstrasse FZ 33
Schwarzenburgstrasse CZ 34
Schwarztorstrasse CZ 36
Seftigenstrasse CZ 37
Spitalgasse DZ
Untertorbrücke FY 39
Waisenhausplatz DY 40
Weissensteinstrasse AX 42
Winkelriedstrasse BX 43
Worblaufenstrasse BX 45
Zeughausgasse DY 46
Zieglerstrasse CZ 48

Bristol garni, Schauplatzgasse 10, ✉ 3011, ✆ (031) 311 01 01, *Fax (031) 311 94 79*, – AE E VISA JCB DZ w
92 Zim 185/270.

Bären garni, Schauplatzgasse 4, ✉ 3011, ✆ (031) 311 33 67, *Fax (031) 311 69 83*, – AE E VISA JCB DZ s
57 Zim 185/270.

Belle Epoque garni, Gerechtigkeitsgasse 18, ✉ 3011, ✆ (031) 311 43 36, *Fax (031) 311 39 36*, « Einrichtung im Jugendstil » – AE E VISA EY u
17 Zim 200/285.

Ambassador, Seftigenstr. 99, ✉ 3007, ✆ (031) 370 99 99, *Fax (031) 371 41 17*, – 15/150. AE E VISA JCB. AX v
Rest
Menu 59 und à la carte 43/81, Kinder 12 – ***Teppan Taishi*** - japanische Küche - *(Montag geschl.)* **Menu** 49/84 und à la carte 47/82 – 16 – **97 Zim** 132/192 – ½ P Zuschl. 23.

Metropole garni, Zeughausgasse 26, ✉ 3011, ✆ (031) 311 50 21, *Fax (031) 312 11 53*, – Zim, – 15/100. AE E VISA DY z
59 Zim 136/200.

C
D
Y
Z
Zähringer
Mittelstr.
Neubrückstr.
Tiefenaustr.
1-12
Lorrainestr.
AARE
strasse
Mittelstr.
Hallerstr.
Länggass
Gesellschafts
Lorrainebrücke
BOTANISCH
GARTEN
Bühlstrasse
strasse
Hallerstr.
strasse
Neubrückstr.
LANGGASSE
Bollwerk
KUNSTMUSEUM
Hodlerstr.
POL.
U
GROSSE
SCHANZE
Speicher-gasse
f
q
40
Schü
19
J
Aarbergergasse
n
z
46
Stadtbachstrasse
Bahnhofpl.
e
v
MARKTGASS
Schanzenstr.
Heiliggeistkirche
Spitalgasse
Laupenstr.
1-10
Laupenstr.
a
w
s
Bärenplatz
Schauplatzgasse
Bundespl.
3
13
Belpstr.
Hirschen-
graben
Bubenbergpl.
9
Bundesgasse
BUNDESHAU
7
12
Effinger-
strasse
KLEINE
SCHANZE
Kapellenstr.
36
Schwarztorstr.
Monbijoustr.
Sulgeneckstr.
Aarstr.
Belpstr.
y
MATTENHOF
Mühlemattstr.
48
t
r
Sulgen-
bachstr.
Marzilistr.
Sulgeneckstrasse
Eiger-
platz
Eigerstr.
Monbijoustr.
34
37
Eigerstrasse
Monbijoubrüke
Dalmaziquai
SULGENBACH
C
D

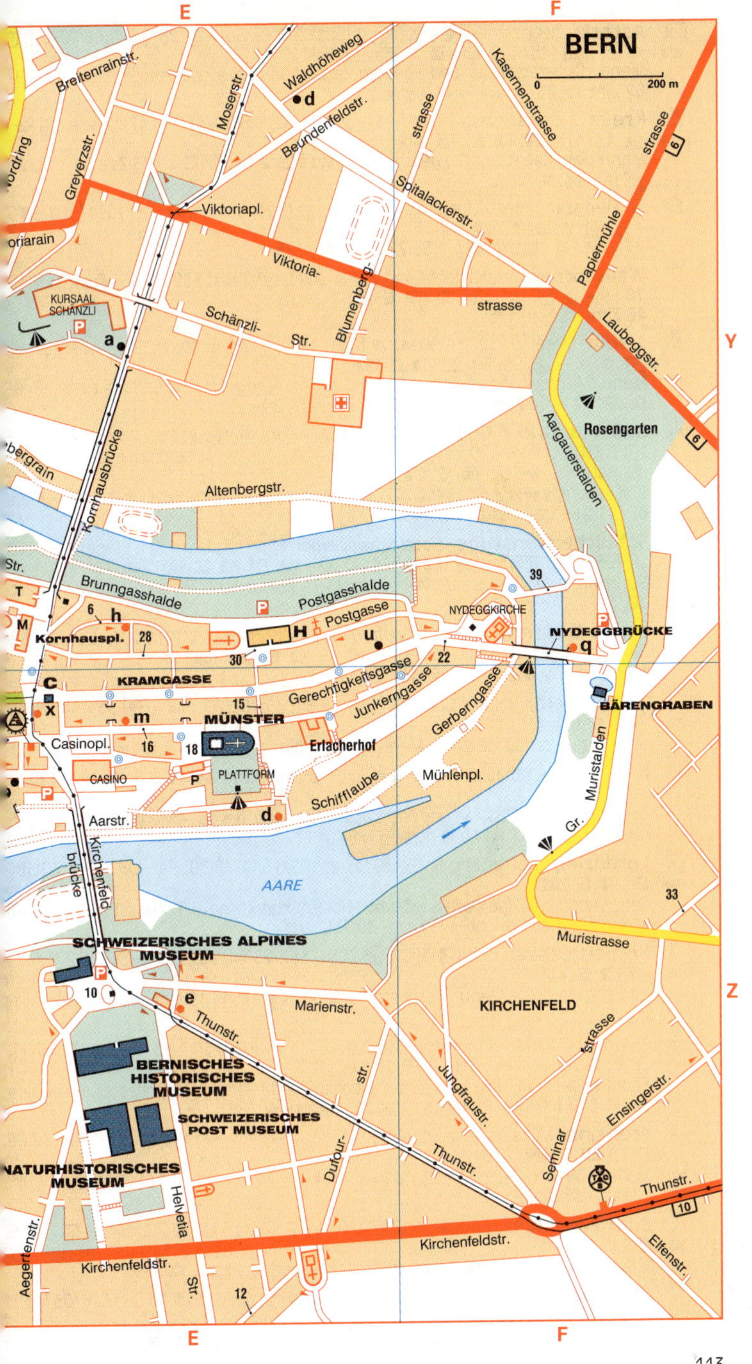
BERN
0
200 m
E
F
Y
Z
Breitenrainstr.
Moserstr.
Waldhöheweg
d
Beundenfeldstr.
strasse
Kasernenstrasse
Greyerzstr.
Viktoriapl.
Spitalackerstr.
Papiermühle
Viktoria-
strasse
Blumenberg-
KURSAAL
SCHÄNZLI
Schänzli-
Str.
a
Laubeggstr.
Rosengarten
Aargauerstalden
Kornhausbrücke
Altenbergstr.
Brunngasshalde
Postgasshalde
Postgasse
NYDEGGKIRCHE
39
NYDEGGBRÜCKE
q
h
6
Kornhauspl.
28
H
u
30
22
KRAMGASSE
Gerechtigkeitsgasse
Junkerngasse
Gerberngasse
BÄRENGRABEN
C
X
15
m
MÜNSTER
Erlacherhof
Casinopl.
16
18
CASINO
PLATTFORM
P
Mühlenpl.
Muristalden
Schifflaube
d
Aarstr.
Gr.
Kirchenfeld
brücke
AARE
33
Muristrasse
SCHWEIZERISCHES ALPINES
MUSEUM
10
e
Marienstr.
Thunstr.
KIRCHENFELD
strasse
BERNISCHES
HISTORISCHES
MUSEUM
str.
Jungfraustr.
Ensingerstr.
SCHWEIZERISCHES
POST MUSEUM
Dufour-
Thunstr.
Seminar
NATURHISTORISCHES
MUSEUM
Thunstr.
Helvetia
10
Kirchenfeldstr.
Elfenstr.
Aegertenstr.
Kirchenfeldstr.
Str.
12
6

Astoria, Zieglerstr. 66, ✉ 3007, ✆ (031) 378 66 66, *Fax (031) 378 66 00* – |
☎ P – 15/100. AE ⓓ E VISA. Rest CZ
Menu *(Samstagmittag und Sonntag geschl.)* 16 und à la carte 31/66, Kinder 9
62 Zim 95/190 – ½ P Zuschl. 25.

Kreuz, Zeughausgasse 41, ✆ (031) 311 11 62, *Fax (031) 311 37 47* – | TV ☎
15/120. AE ⓓ E VISA JCB DY
Menu *(Samstag - Sonntag geschl.)* 18.50 und à la carte 28/73 – **103 Zim** 136/20
– ½ P Zuschl. 22.

La Pergola garni, Belpstr. 43, ✉ 3007, ✆ (031) 381 91 46, *Fax (031) 381 50 5*
– | TV ☎. AE E VISA CZ
23. Dez. - 4. Jan. geschl. – **55 Zim** 140/185.

Waldhorn garni, Waldhöheweg 2, ✉ 3013, ✆ (031) 332 23 43, *Fax (031) 33*
18 69 – | TV ☎. AE ⓓ E VISA EY
46 Zim 120/175.

Jardin, Militärstr. 38, ✉ 3014, ✆ (031) 333 01 17, *Fax (031) 333 09 43,* – |
TV ☎ P – 15/50. AE ⓓ E VISA BX
Menu *(Mittwochabend, Sonntag und 5. Juli - 1. Aug. geschl.)* 22 und à la carte 26/66
Kinder 12 – **18 Zim** 98/133 – ½ P Zuschl. 20.

Bellevue Grill / Bellevue Terrasse - ***Hotel Bellevue Palace***, Kochergasse 3
✉ 3001, ✆ (031) 320 45 45, *Fax (031) 311 47 43,* , « Terrasse mit Aussicht au
die Aare » – . AE ⓓ E VISA JCB. EZ
Grill : mittags und Juni - Sept. geschl. ; Terrasse : im Winter abends geschl. – **Menu**
66/114 und à la carte 74/140.

Schultheissenstube - ***Hotel Schweizerhof***, Bahnhofplatz 11 (1. Etage), ✉ 3001
✆ (031) 326 80 80, *Fax (031) 326 80 90* – . AE ⓓ E VISA JCB. DY
Sonntag und 4. Juli - 8. Aug. geschl. – **Menu** 39 - 75/120 und à la carte
70/117.

Jack's Brasserie - ***Hotel Schweizerhof***, Bahnhofplatz 11, ✉ 3001, ✆ (031) 32
80 80, *Fax (031) 326 80 90,* – . AE ⓓ E VISA JCB. DY
Menu 30 - 74 und à la carte 43/106.

Kirchenfeld, Thunstr. 5, ✉ 3005, ✆ (031) 351 02 78, *Fax (031) 351 84 16,*
– AE E VISA EZ
Sonntag - Montag geschl. – **Menu** 16 - 35 (mittags)/55 und à la carte 41/76.

Ermitage, Amthausgasse 10, ✉ 3011, ✆ (031) 311 35 41, *Fax (031) 311 35 4*
– AE E VISA EZ
Samstagabend - Sonntag und Mitte Juli - Mitte Aug. geschl. – **Menu** (Tischbestellung
ratsam) 22.50 - 55 und à la carte 37/94.

Lorenzini, Theaterplatz 5, ✉ 3011, ✆ (031) 311 78 50, *Fax (031) 312 30 38* -
AE ⓓ E VISA EZ
Sonn- und Feiertage geschl. – **Menu** - italienische Küche - (Tischbestellung ratsam
13.50 - 22 (mittags) und à la carte 39/84.

Frohegg, Belpstr. 51, ✉ 3007, ✆ (031) 382 25 24, *Fax (031) 382 25 27,* -
AE ⓓ E VISA CZ
Sonntag geschl. – **Menu** (Tischbestellung ratsam) 16.50 - 48 (abends) und à la carte
40/89.

Zimmermania, Brunngasse 19, ✉ 3011, ✆ (031) 311 15 42, *Fax (031) 31*
28 22, Altes Berner Bistro – AE E VISA EY
Sonntag, Montag, und Juli. - Aug. 4 Wochen geschl. – **Menu** (Tischbestellung ratsam)
18.50 - 39 (mittags)/85 (abends) und à la carte 40/88.

Frohsinn, Münstergasse 54, ✉ 3011, ✆ (031) 311 37 68, *Fax (031) 311 37 68,*
– AE E VISA EZ
Montag (ausser Dez.), Sonntag und 11. Juli - 2. Aug. geschl. – **Menu** 17.50 - 68 und
à la carte 45/86.

Zum Zähringer, Badgasse 1, ✉ 3011, ✆ (031) 311 32 70, – AE ⓓ E
VISA EZ
Sonntag geschl. – **Menu** 17.50 - 26 (mittags) und à la carte 40/89.

Le Beaujolais, Aarbergergasse 50, ✉ 3011, ✆ (031) 311 48 86, *Fax (031) 31*
48 25, – AE ⓓ E VISA DY
Samstag, Sonn- und Feiertage geschl. – **Menu** 16.50 und à la carte 31/73.

Gourmanderie Moléson, Aarberggasse 24, ✉ 3011, ✆ (031) 311 44 63, *Fax (031) 312 01 45.* AE E VISA DY q
Sonntag, in Juli und Aug. auch Samstag geschl. – **Menu** 19.50 - 52 und à la carte 43/70.

Brasserie Bärengraben, Muristalden 1, ✉ 3006, ✆ (031) 331 42 18 – AE ⓓ E VISA FY g
Menu (Tischbestellung ratsam) 16.50 und à la carte 27/75, Kinder 10.

in Ostermundigen *Ost : 5 km - BX – Höhe 558 – ✉ 3072 Ostermundigen :*

Bären, Bernstr. 25, ✆ (031) 939 10 10, *Fax (031) 939 10 20,* – TV ☎ P – 15/80. AE ⓓ E VISA BX k
Wintergarten* : Menu** 16 und à la carte 35/71, Kinder 10 – ***Grotto - italienische Küche - *(1. Juli - 15. Aug. Samstag und Sonntag geschl.)* **Menu** 65 und à la carte 33/82 – **24 Zim** 110/180.

in Muri *Süd-Ost : 3,5 km - BX – Höhe 560 – ✉ 3074 Muri bei Bern :*

Sternen, Thunstr. 80, ✆ (031) 950 71 11, *Fax (031) 950 71 00,* – TV ☎ – 15/120. AE ⓓ E VISA JCB BX a
Läubli* : Menu** 39 (mittags)/60 und à la carte 48/77 – ***Da Pietro - italienische Küche - *(Samstag - Sonntag jeweils mittags, Feiertage und 4. Juli - 8. Aug. geschl.)* **Menu** 17.50 und à la carte 37/73 – **44 Zim** 170/245.

in Wabern *Süd : 5 km Richtung Belp - BX – Höhe 560 – ✉ 3084 Wabern :*

Maygut, Seftigenstr. 370, ✆ (031) 961 39 81, *Fax (031) 961 00 98,* – P. AE ⓓ E VISA BX u
Sonntag geschl. – ***Kreidolfstube* : Menu** 57/90 und à la carte 59/118 – ***Gaststube* : Menu** 15.50 und à la carte 33/87.

in Liebefeld *Süd-West : 3 km Richtung Schwarzenburg - AX – Höhe 563 – ✉ 3097 Liebefeld :*

Landhaus, Schwarzenburgstr. 134, ✆ (031) 971 07 58, *Fax (031) 972 02 49,* – P. AE ⓓ E VISA AX s
Sonn- und Feiertage geschl. – ***Rôtisserie* : Menu** 54 (mittags)/120 und à la carte 58/109 – ***Taverne Alsacienne* : Menu** 15.50 und à la carte 40/79.

in Köniz *Süd-West : 4 km Richtung Schwarzenburg – Höhe 572 – ✉ 3098 Köniz :*

Sternen M, Schwarzenburgstr. 279, ✆ (031) 971 02 18, *Fax (031) 971 86 84,* – Rest, TV ☎. AE ⓓ E VISA AX c
Menu 15.50 und à la carte 29/72 – **20 Zim** 110/177 – ½ P Zuschl. 20.

BERNECK *9442 Sankt Gallen (SG)* 216 ㉒ – *3 218 Ew. – Höhe 427.*
Bern 246 – Sankt Gallen 36 – Altstätten 11 – Bregenz 21 – Dornbirn 14 – Feldkirch 28.

Ochsen, Neugasse 8, ✆ (071) 747 47 21, *Fax (071) 747 47 25,* – AE ⓓ E VISA.
Donnerstag und Ende Juli - Anfang Aug. 3 Wochen geschl. – ***Zunftstube*** (1. Etage) **Menu** 25 - 47 (mittags)/69 und à la carte 36/94, Kinder 16 – ***Dorfstübli* : Menu** 18 und à la carte 30/69.

BEROMÜNSTER *6215 Luzern (LU)* 216 ⑰ *– 2 046 Ew. – Höhe 650.*

Sehenswert : *Gestühl★ der Stiftskirche.*

Bern 98 – Aarau 27 – Luzern 20 – Zürich 61.

Hirschen, Hirschenplatz 1, ✆ (041) 930 33 71, *Fax (041) 930 39 44*, « Ehemaliges Amtshaus aus dem 16. Jh. » – 25. AE E VISA

17. - 25. Feb. (nur Rest.) und 19. Juli - 9. Aug. geschl. – **Menu** *(Sonntags und Feiertage jeweils abends geschl.)* 16 - 48/105 und à la carte 50/102 – **13 Zim** 70/150.

BETTLACH *2544 Solothurn (SO)* 216 ⑭ *– 4 208 Ew. – Höhe 441.*

Bern 35 – Delémont 60 – Basel 82 – Biel 14 – Solothurn 9.

St. Urs + Viktor, Solothurnstr. 35, ✆ (032) 645 12 12, *Fax (032) 645 18 93*, – Zim, – 15/90. AE E VISA

Menu 14.50 und à la carte 41/80 – **34 Zim** 65/150.

BETTMERALP *3992 Wallis (VS)* 217 ⑱ *– Höhe 1 950 – – Wintersport : 1 950/2 709 m 4 9.*

Verkehrsverein, ✆ (027) 927 12 91, Fax (027) 927 33 45.

Bern 160 – Brig 14 – Andermatt 83 – Domodossola 80 – Sion 67.

mit Luftseilbahn ab Betten FO erreichbar

La Cabane M garni, ✆ (027) 927 42 27, *Fax (027) 927 44 40*, ←, « Schöne rustikale Einrichtung », – AE E VISA.

1. Dez. - 29. April und 1. Juli - 14. Okt. – **12 Zim** 125/260, Vorsaison 115/240.

Bettmerhof, ✆ (027) 928 62 10, *Fax (027) 928 62 15*, ← Berge und Tal, – E VISA. Zim

Mitte Dez. - 15 April und 21. Juni - 14. Okt. – **Menu** à la carte 32/100, Kinder 12 – **17 Zim** 100/230, Vorsaison 80/140 – ½ P Zuschl. 30.

Alpfrieden, ✆ (027) 927 22 32, *Fax (027) 927 10 11*, ← Berge, – AE E VISA. Zim

15. Dez. - 15. April und 2. Juli - 21. Okt. – **Menu** 20 - 28 (mittags)/90 und à la carte 30/85 – **22 Zim** 85/230, Vorsaison 80/190 – ½ P Zuschl. 35.

BEVER *7502 Graubünden (GR)* 218 ⑮ *– 580 Ew. – Höhe 1 714 – Wintersport : .*

Bern 339 – Sankt Moritz 11 – Chur 76 – Davos 63.

Chesa Salis, ✆ (081) 852 48 38, *Fax (081) 852 47 06*, , « Rustikale Einrichtung in einem Engadiner Haus aus dem 16. Jh. », – AE E VISA. Rest

20. Dez. - 4. April und 20. Juni - 16. Okt. – **Menu** 58/90 und à la carte 48/92 – **17 Zim** 134/294, Vorsaison 125/264 – ½ P Zuschl. 49.

BEX *1880 Vaud (VD)* 217 ⑭ *– 5 600 h. – alt. 411.*

Voir : *Mine de sel★.*

Bern 112 – Martigny 20 – Évian-les-Bains 37 – Lausanne 49 – Sion 46 – Thonon-les-Bains 56.

Le Cèdre M, 24 av. de la Gare, ✆ (024) 463 42 13, *Fax (024) 463 42 88*, ←, – 15/80. AE E VISA JCB

Repas *(fermé dim.)* 15 - 25/36 et à la carte 38/69 – **34 ch** 90/170 – ½ P suppl. 25.

rte de Saint-Maurice *Sud : 2,5 km*

Le St-Christophe avec ch, ✆ (024) 485 29 77, *Fax (024) 485 24 45*, , « Ancienne ferme fortifiée du 18e siècle » – AE E VISA. rest

fermé Noël, 18 juil. au 10 août, de sept. à juin dim. soir et lundi et de juillet à août dim. et lundi – **Repas** 58 (midi)/130 et à la carte 81/121 – ***La Tourelle*** Repas à la carte 40/76 – **12 ch** 55/130.

BIASCA *6710 Ticino (TI)* 218 ⑫ *– 6077 ab. – alt. 304.*
Dintorni : *Malvaglia : campanile★ della chiesa Nord : 6 km.*
Ente Turistico Biasca e Riviera, (091) 862 33 27, Fax (091) 862 42 69.
Bern 227 – Andermatt 64 – Bellinzona 24 – Brig 111 – Chur 131.

Al Giardinetto, via a. Pini 21, (091) 862 17 71, *Fax (091) 862 23 59,* – 15/40. AE E VISA. rist
Pasto *(chiuso martedì e mercoledì dal dicembre ad aprile)* 30 - 38 ed à la carte 45/76, bambini 9 – ***Bistro*** : **Pasto** 17.50 ed à la carte 40/68 – **30 cam** 110/155 – ½ P sup. 23.

BIBERBRUGG *Schwyz (SZ)* 216 ⑲ *– Höhe 830 – 8836 Bennau :.*
Bern 161 – Luzern 46 – Einsiedeln 7 – Rapperswil 14 – Schwyz 21 – Zürich 37.

Post, (055) 412 27 71, *Fax (055) 412 70 72,* – AE E VISA
Menu 26 - 38/49 und à la carte 37/83, Kinder 14 – **12 Zim** 80/150 – ½ P Zuschl. 36.

In questa guida
uno stesso simbolo, una stessa parola
*stampati in rosso o in **nero**,*
hanno un significato diverso.

Leggete attentamente le pagine esplicative.

BIEL (BIENNE) *2500 Bern (BE)* 216 ⑭ *– 51 319 Ew. – Höhe 437.*
Sehenswert : *Altstadt★* BY.
Museum : *Schwab★* AY **M.**
Ausflugsziel : *St. Petersinsel★★ Süd-West – Taubenlochschlucht★ über ② : 3 km.*
Lokale Veranstaltungen
25.06 - 27.06 : "Braderie", Volksfest
14.07 - 31.07 : Internationales Schachfestival.
Tourismus Biel Seeland, am Bahnhofplatz, (032) 322 75 75, Fax (032) 323 77 57.
Aarbergstr. 95, (032) 328 70 50, Fax (032) 328 70 59.
Aarbergstr. 29, (032) 323 15 25, Fax (032) 323 71 69.
Bern 35 ③ – Basel 91 ① – La Chaux-de-Fonds 44 ① – Montbéliard 96 ① – Neuchâtel 35 ④ – Solothurn 22 ②.

Stadtplan siehe nächste Seite

Golden Tulip Plaza M, Neumarktstr. 40, 2502, (032) 322 97 44, *Fax (032) 322 01 94,* – , Zim, – 15/100. AE E VISA BY a
Menu 17 - 26 (mittags) und à la carte 32/72 – **105 Zim** 170/265 – ½ P Zuschl. 25.

Elite, Bahnhofstr. 14, 2501, (032) 328 77 77, *Fax (032) 328 77 70* – – 15/120. AE E VISA JCB ABZ b
Menu (siehe auch Rest. ***Rôtisserie de l'Amphitryon***) – **81 Zim** 190/280, 4 Suiten – ½ P Zuschl. 35.

Atlantis garni, Mittelstr. 10, 2502, (032) 342 44 11, *Fax (032) 342 44 29* – . AE E VISA BY e
Sonntag und 20. Dez. - 3. Jan. geschl. – **15 Zim** 90/130.

Rôtisserie de l'Amphitryon - ***Hotel Elite***, Bahnhofstr. 14, 2501, (032) 328 77 77, *Fax (032) 328 77 70* – AE E VISA JCB ABZ b
Sonntag und 18. Juli - 8. Aug. geschl. – **Menu** 23 - 45/90 und à la carte 50/98.

Bielstube, Rosius 18, 2502, (032) 322 65 88, *Fax (032) 322 34 11,* – AE E VISA BY f
Sonn- und Feiertage geschl. – **Menu** 16.50 - 19 (mittags) und à la carte 37/71.

Süd-West *Richtung Neuchâtel über ④ : 2 km*

Gottstatterhaus, Neuenburgstr. 18, 2505 Biel, (032) 322 40 52, *Fax (032) 322 60 46,* , « Terrasse ← Bielersee », – AE E VISA
Mittwoch - Donnerstag, 29. Dez. - 14. Jan. und 7. - 21. Okt. geschl. – **Menu** 25 - 29 (mittags)/59 und à la carte 41/86, Kinder 15.

BIEL BIENNE

Adam Göuffi-Strasse	R. Adam Göuffi	BY 3
Bahnhofstrasse	R. de la Gare	ABZ 4
Bözingenstrasse	Rte de Boujean	BY 6
Brühlstrasse	R. du Breuil	BY 7
Burggasse	R. du Bourg	BY 9
Florastrasse	R. de Flore	BY 10
Freiburgstrasse	R. de Fribourg	BZ 12
General Guisan-Platz	Pl. du Gén. Guisan	AZ 13
Gerbergasse	R. des Tanneurs	BY 15
Güterstrasse	R. des Marchandises	BZ 16
Industriegasse	R. de l'Industrie	ABY 18
Jakob Rosius-Strasse	R. Jakob Rosius	ABY 19
Juravorstadt	Faubourg du Jura	BY 21
Kanalgasse	R. du Canal	BY 22
Karl Stauffer-Strasse	R. Karl Stauffer	BY 24
Kreuzplatz	Pl. de la Croix	BZ 2
Logengasse	R. de la Loge	BY 2
Marktgasse	R. du Marché	BY 2
Murtenstrasse	R. de Morat	BZ 3
Neumarktplatz	Pl. du Marché-Neuf	BY 3
Nidaugasse	R. de Nidau	BY 3
Obergasse	R. Haute	BY 3
Quellgasse	R. de la Source	ABY 3
Reuchenettestrasse	Rte de Reuchenette	BY 3
Rüschlistrasse	R. de Rüschli	ABY 3
Schüsspromenade	Prom. de la Suze	AYZ 4
Silbergasse	R. de l'Argent	BZ 4
Spitalstrasse	R. de l'Hôpital	AYZ 4
Tschärisplatz	Pl. de la Charrière	AY 4
Unionsgasse	R. de l'Union	ABY 4
Unterer Quai	Quai du Bas	AZ 4
Untergasse	R. Basse	BY 4
Zentralplatz	R. Centrale	BY 5
Zentralstrasse	R. Centrale	BZ

Die Stadtpläne sind eingenordet (Norden = oben).

BIENNE *Bern* 216 ⑭ – *voir Biel.*

BINII *Valais* 217 ⑮ – *rattaché à Sion.*

BINNINGEN *Basel-Landschaft* 216 ④ – *siehe Basel.*

BIOGGIO *6934 Ticino (TI)* 219 ⑧ – *1 344 ab. – alt. 292.*
Bern 272 – Lugano 7 – Bellinzona 28 – Locarno 40 – Varese 28.

XX **Grotto Antico,** via Cantonale 10, ℘ (091) 605 12 39, *Fax (091) 605 12 39,* Rustico caseggiato del 1800 immerso nel verde con servizio estivo in terrazza – P. AE ⓓ E VISA
Pasto (prenotare) à la carte 45/70.

XX **Stazione** con cam, ℘ (091) 605 11 67, *Fax (091) 605 11 67,* « Accogliente servizio estivo con giardino fiorito », – TV ☎ P. VISA
chiuso domenica sera (luglio ed agosto anche a mezzogiorno), lunedì e febbraio – **Pasto** 16 - 33/52 ed à la carte 38/86, bambini 15 – **5 cam** ☐ 80/160 – ½ P sup. 26.

X **Usteria dal Prevat,** via Cademario, ℘ (091) 605 49 23, , Ambiente rustico familiare in zona verdeggiante – P. E VISA.
chiuso domenica – **Pasto** à la carte 42/61.

Les BIOUX *Vaud* 217 ② – *voir à Joux (Vallée de).*

BIRSFELDEN *Basel-Landschaft* 216 ④ – *siehe Basel.*

BISCHOFSZELL *9220 Thurgau (TG)* 216 ⑩ – *5 523 Ew. – Höhe 506.*
Bern 199 – Sankt Gallen 22 – Frauenfeld 35 – Konstanz 24 – Romanshorn 18.

XX **Muggensturm,** Thurfeldstrasse Richtung Niederhelfenschwil : 1,5 km, ℘ (071) 422 12 47, *Fax (071) 422 64 47,* , « Ehemaliger Bauernhof aus dem 18. Jh. » – P. AE ⓓ E VISA
Sonntagabend, Montag, 1. - 7. Feb., 23. - 30. Juli und 28. Sept. - 12. Okt. geschl. – **Menu** 79/130 (abends) und à la carte 51/114, Kinder 8.

BISSONE *6816 Ticino (TI)* 219 ⑧ – *742 ab. – alt. 274.*
Bern 282 – Lugano 9 – Bellinzona 38 – Locarno 50 – Varese 30.

Campione, via Campione 62 (Nord : 2 km), ℘ (091) 649 96 22, *Fax (091) 649 68 21,* ≤ lago e monti, , – TV ☎ – 35. AE ⓓ E VISA JCB.
***All'Arco* Pasto** 22 - 38 ed à la carte 35/99, bambini 10 – **36 cam** ☐ 130/230, 5 suites – ½ P sup. 36.

XX **La Palma** con cam, piazza Borromini, ℘ (091) 649 84 06, *Fax (091) 649 67 69,* ≤ lago, , « Servizio estivo in terrazza giardino al lago » – TV ☎. AE ⓓ E VISA.
chiuso martedì da gennaio a marzo – **Pasto** 38/45 ed à la carte 39/85, bambini 14 – ☐ 10 – **12 cam** 79/120 – ½ P sup. 30.

XX **Ticino** con cam, Piazza Borromini 21, ℘ (091) 649 51 50, *Fax (091) 649 51 50,* – TV. AE ⓓ E VISA
chiuso mercoledì e dal 15 febbraio al 4 marzo – **Pasto** 25 - 42 (mezzogiorno)/88 ed à la carte 56/98 – ☐ 13 – **6 cam** 70/140 – ½ P sup. 35.

XX **Elvezia,** via Cantonale, ℘ (091) 649 73 74, – P. AE ⓓ E VISA
chiuso lunedì e dal 20 gennaio al 15 febbraio – **Pasto** 19.50 ed à la carte 46/68.

BIVIO *7457 Graubünden (GR)* 218 ⑭ ⑮ – *272 Ew. – Höhe 1 799.*
Bern 305 – Sankt Moritz 22 – Chiavenna 59 – Chur 65 – Davos 87.

Post, ℘ (081) 659 10 00, *Fax (081) 659 10 01,* – ☎ P. AE ⓓ E VISA
Mai und Nov. geschl. – **Menu** 22 - 45 und à la carte 26/77, Kinder 7 – **33 Zim** ☐ 90/220 – ½ P Zuschl. 33.

BLATTEN IM LÖTSCHENTAL *3919 Wallis (VS) 217 ⑰ – 334 Ew. – Höhe 1 540.*

Bern 208 – Brig 38 – Domodossola 55 – Sierre 34 – Sion 49.

Edelweiss, (027) 939 13 63, *Fax (027) 939 10 53,* Tal, – TV P E VISA

15. Nov. - 15. Dez. geschl. – **Menu** *(in der Zwischensaison Donnerstag geschl.)* 2c 38/65 (abends) und à la carte 30/55, Kinder 11 – **22 Zim** 125/210 – ½ P Zuscł 30.

BLATTEN BEI NATERS *3914 Wallis (VS) 217 ⑱ – Höhe 1 322.*

Bern 172 – Brig 10 – Andermatt 85 – Domodossola 70 – Sion 64.

Blattnerhof M, (027) 923 86 76, *Fax (027) 923 02 54,* – TV P E VISA
Nov. geschl. – **Menu** 15 - 62 und à la carte 31/59 – **21 Zim** 70/160 – ½ P Zuschl. 2!

La Montanara M garni, (027) 922 40 22, *Fax (027) 922 40 25,*
TV P E VISA.
19. Dez. - 16. April und 30. Mai - 15. Okt. – **17 Zim** 85/180, Vorsaison 75/14(

auf Belalp *mit Luftseilbahn und 40 Min. Spaziergang erreichbar :*

Belalp, (027) 924 24 22, *Fax (027) 924 30 95,* « Berghotel mit Berge un Aletschgletscher » – 25
Mitte Dez. - Mitte April und Mitte Juni - Mitte Okt. – **Menu** à la carte 39/87 – **19 Zin** 80/140 – ½ P Zuschl. 25.

BLONAY *Vaud 217 ⑭ – rattaché à Vevey.*

BLUCHE *Valais 217 ⑯ – rattaché à Crans-Montana.*

BOGNO *6951 Ticino (TI) 219 ⑧ – 121 ab. – alt. 963.*

Bern 284 – Lugano 16 – Bellinzona 40 – Locarno 52 – Varese 52.

San Lucio con cam, (091) 944 13 03, *Fax (091) 944 16 57,* – TV P – 30. AE E VISA. rist
chiuso dal 7 gennaio al 14 marzo – **Pasto** 48 ed à la carte 50/70 – **12 cam** 65/16(– ½ P sup. 30.

Les BOIS *2336 Jura (JU) 216 ⑬ – 1 004 h. – alt. 1 029.*

Bern 81 – Delémont 49 – Biel 46 – La Chaux-de-Fonds 13 – Montbéliard 73.

Auberge de l'Ours, (032) 961 14 45, *Fax (032) 961 14 45* – P E VISA
fermé 25 juil. au 10 août, mardi midi, dim. soir et lundi – **Repas** 15 et à la carte 37/73

BONADUZ *7402 Graubünden (GR) 218 ④ – 2 282 Ew. – Höhe 659.*

Bern 255 – Chur 14 – Andermatt 80 – Davos 59 – Vaduz 51.

Weiss Kreuz, Versamerstr. 5, (081) 641 11 74, *Fax (081) 641 16 55,* – TV P AE E VISA
Menu *(Sonntagabend und Montag geschl.)* 23 - 29 (mittags)/68 und à la carte 46/88 – ***Grischunata*** - Bündner Spezialitäten - **Menu** 15 - 52/78 und à la carte 34/79, Kinder 15 – **17 Zim** 70/180 – ½ P Zuschl. 45.

Alte Post mit Zim, (081) 641 12 18, *Fax (081) 641 29 32,* – TV P AE E VISA
Dienstag - Mittwoch und 5. Jan. - 10. Feb. geschl. – **Menu** 16.50 - 50 und à la carte 33/80 – **8 Zim** 70/150 – ½ P Zuschl. 25.

BÖNIGEN *Bern 217 ⑦ ⑧ – siehe Interlaken.*

BOSCO LUGANESE *6935 Ticino (TI) 219 ⑧ – 309 ab. – alt. 443.*

Bern 275 – Lugano 10 – Bellinzona 31 – Locarno 43.

Villa Margherita, (091) 611 51 11, *Fax (091) 611 51 10,* « Signorile dimora circondata da in bel parco con lago Maggiore, di Lugano e monti », – TV P – 30. AE E VISA. rist
9 aprile - 23 ottobre – **Pasto** 30 - 52 (mezzogiorno)/98 ed à la carte 46/93, bambini 15 – **30 cam** 270/444, 3 suites – ½ P sup. 50.

BOTTIGHOFEN *Thurgau* 216 ⑩ *– siehe Kreuzlingen.*

BOTTMINGEN *4103 Basel-Landschaft (BL)* 216 ④ *– 5 453 Ew. – Höhe 292.*

Bern 105 – Basel 5 – Aarau 60 – Baden 69 – Belfort 67 – Liestal 25.

XXX **Weiherschloss,** Schlossgasse 9, ✆ (061) 421 15 15, *Fax (061) 421 19 15,* « Im Barockstil renovierte Wasserburg in einer Parkanlage » – P. AE ① E VISA
Sonntag - Montag, 23. Dez. - 4. Jan., 14. - 25. Feb. und 18. Juli - 2. Aug. geschl. – **Menu** 53 (mittags)/112 und à la carte 65/130.

BÖTTSTEIN *5315 Aargau (AG)* 216 ⑥ *– 3 612 Ew. – Höhe 360.*

Bern 111 – Aarau 31 – Baden 20 – Basel 59 – Schaffhausen 49.

Schloss Böttstein mit Zim, Schlossweg 20, ✆ (056) 269 16 16, *Fax (056) 269 16 66,* « Patrizierhaus aus dem 16. Jh. », – TV video ☎ P – 30. AE ① E VISA
Menu *(Montag geschl.)* 22 - 44 und à la carte 58/110, Kinder 13 – **39 Zim** 90/170 – ½ P Zuschl. 42.

BOUDEVILLIERS *2043 Neuchâtel (NE)* 216 ⑫ ⑬ *– 564 h. – alt. 756.*

Bern 58 – Neuchâtel 7 – Biel/Bienne 44 – La Chaux-de-Fonds 15.

La Croisée M, à Malvilliers, ✆ (032) 858 17 17, *Fax (032) 858 17 00,* – TV ☎ P – 15/80. E VISA
Repas (self service) 17 und à la carte 21/53, enf. 7 – 6 – **26 ch** 55/65 – ½ P suppl. 15.

BOURGUILLON *Fribourg* 217 ⑤ *– rattaché à Fribourg.*

BOUSSENS *1034 Vaud (VD)* 217 ③ *– 573 h. – alt. 597.*

Bern 110 – Lausanne 11 – Genève 64 – Fribourg 81 – Yverdon-les-Bains 24.

X **Le Chalet,** rue du Village, ✆ (021) 731 11 28, *Fax (021) 731 26 91* – P. ① E VISA
fermé 24 déc. au 15 janv., 1er au 22 août, dim. et lundi – **Repas** 72/96 et à la carte 47/97.

Le BOUVERET *1897 Valais (VS)* 217 ⑭ *– alt. 374.*

Bern 104 – Montreux 17 – Aigle 16 – Évian-les-Bains 21 – Martigny 41 – Sion 66.

XX **Rive-Bleue** avec ch, 1 rte de la Plage, ✆ (024) 481 17 23, *Fax (024) 481 17 49,* « Au bord du lac », – TV ☎ P. AE ① E VISA
hôtel : fermé 8 janv. au 1er mars ; rest. : fermé 2 janv. au 15 mars, lundi et mardi de sept. à mai – **Repas** 30 - 48/68 et à la carte 54/116, enf. 18 – **12 ch** 140/240 – ½ P suppl. 45.

Le BRASSUS *Vaud* 217 ② *– voir à Joux (Vallée de).*

BRAUNWALD *8784 Glarus (GL)* 218 ② *– 478 Ew. – Höhe 1 280 – – Wintersport : 1 256/1 900 m 5 2 .*

Lokale Veranstaltungen *– 16.02 : Hornschlittenrennen – 03.07 - 09.07 : Internationale Musikwoche –* *Braunwald Tourismus,* ✆ *(055) 653 65 85.*

Bern 215 – Chur 95 – Altdorf 51 – Glarus 20 – Vaduz 82 – Zürich 90.

mit Standseilbahn ab Linthal erreichbar

Rubschen, über Wanderweg in Rubschen : 30 min, ✆ (055) 643 15 34, *Fax (055) 643 15 35,* Tal und Berge, – TV. E VISA. Zim
21. Dez. - 20. März und 2. Juni - 19. Okt. – **Menu** 19.50 und à la carte 34/88, Kinder 14 – **11 Zim** 85/210 – ½ P Zuschl. 40.

BREGANZONA *6932 Ticino (TI)* 219 ⑧ *– 4 806 ab. – alt. 435.*

Bern 282 – Lugano 7 – Bellinzona 27 – Locarno 39.

Villa Marita, via Lucino 49, ✆ (091) 966 05 61, *Fax (091) 968 11 18,* « Giardino fiorito con » – TV ☎ P. E VISA. rist
chiuso dal 15 dicembre al 15 febbraio – **Pasto** *(chiuso a mezzogiorno)* 28 – **19 cam** 90/160 – ½ P sup. 28.

BREIL (BRIGELS) *7165 Graubünden (GR) 218 ② – 1 308 Ew. – Höhe 1 289 – Wintersport 1 289/2 418 m ⛷7.*

Center Turistic, Casa Quader, ✆ (081) 941 13 31, Fax (081) 941 24 44.
Bern 225 – Andermatt 52 – Chur 50 – Bellinzona 112.

La Val ✆ (081) 941 12 52, Fax (081) 941 23 13, ≤, – ☎ P. AE ⓓ E VISA
Mitte April - Mitte Mai und Ende Okt. - Ende Nov. geschl. – **Menu** 21 - 29 (mittags)/45 (abends) und à la carte 35/70, Kinder 11 – **38 Zim** 110/220, Vorsaison 100/180 – ½ P Zuschl. 30.

Crestas, ✆ (081) 941 11 31, Fax (081) 941 21 71, ≤, – ☎ AE E VISA. Rest
21. Dez. - 5. April und 16. Mai - 31. Okt. – **Menu** 22 - 36 und à la carte 35/70, Kinder 12 – **21 Zim** 101/182, Vorsaison 94/170 – ½ P Zuschl. 22.

Kistenpass, ✆ (081) 941 11 43, Fax (081) 941 14 40, ≤ Rheintal und Berge, – , Rest, ☎ P. AE ⓓ E VISA
in der Zwischensaison Mittwoch - Donnerstag, 15. April - 30. Mai und 15. Okt - 15. Dez. geschl. – ***Stiva Cadi*** **: Menu** 18 -30 und à la carte 30/62 – **35 Zim** 75/180, Vorsaison 55/140 – ½ P Zuschl. 25.

Casa Fausta Capaul, ✆ (081) 941 13 58, Fax (081) 941 16 36, , Bündner Bauernhaus aus dem 18. Jh. – AE E VISA
Mittwoch, 12. April - 8. Mai und 2. Nov. - 10. Dez. geschl. – **Menu** 75/109 und à la carte 61/96.

BREMGARTEN *5620 Aargau (AG) 216 ⑰ ⑱ – 5 091 Ew. – Höhe 386.*

Bern 108 – Aarau 30 – Baden 20 – Luzern 50 – Zürich 21.

Sonne , Marktgasse 1, ✆ (056) 631 12 40, Fax (056) 633 50 85, – ☎ – 15/100. AE ⓓ E VISA
Sonntagabend und 23. Dez. - 11. Jan. geschl. – **Menu** 32 (mittags)/62 und à la carte 28/96, Kinder 10 – **15 Zim** 130/175.

in Eggenwil *Nord - Ost : 3 km – Höhe 396 – ✉ 5445 Eggenwil :*

Sternen, Oberdorfstr. 1, ✆ (056) 633 11 83, Fax (056) 633 70 11, – P. AE ⓓ E VISA
Montag, Anfang Feb. und Ende Juli jeweils 2 Wochen geschl. – **Menu** 69/81 und à la carte 45/92, Kinder 17 – ***Buurestube*** **: Menu** 17 und à la carte 34/83.

BRENT *Vaud 217 ⑭ – rattaché à Montreux.*

Les BREULEUX *2345 Jura (JU) 216 ⑬ – 1 312 h. – alt. 1 020.*

Bern 71 – Delémont 42 – Belfort 82 – Biel 36 – La Chaux-de-Fonds 26 – Neuchâtel 39.

Balance, Sud-Ouest : Les Vacheries, ✆ (032) 954 14 13, Fax (032) 954 11 45, , – P – 100. AE E VISA
fermé mi-mars à mi-avril et 9 au 23 nov. – **Repas** *(fermé mardi)* 16.50 et à la carte 31/71, enf. 11 – **25 ch** 95/110 – ½ P suppl. 25.

BRIENZ *3855 Bern (BE) 217 ⑧ – 2 929 Ew. – Höhe 570.*

Sehenswert : *Brienzer Rothorn★★★ – Giessbachfälle★★ – Ballenberg★★, schweizerisches Freilichtmuseum – Brienzer See★, Nordufer★ – Oltschibachfall★.*

Tourismusverein Brienz Axalp, Hauptstr. 143, ✆ (033) 952 80 80, Fax (033) 952 80 88 – *Bern 77 – Interlaken 18 – Luzern 52 – Meiringen 15.*

Lindenhof , Lindenhofweg, ✆ (033) 951 10 72, Fax (033) 951 40 72, ≤ Berge und See, , Park, – ☎ P – 35. AE E VISA. Rest
Jan. - Feb. geschl. – **Menu** 60 (abends) und à la carte 41/74 – **40 Zim** 130/220 – ½ P Zuschl. 35.

Brienzerburli-Löwen, Hauptstr. 11, ✆ (033) 951 12 41, Fax (033) 951 38 41, , « Terrasse am See », – , Rest, ☎ P. AE ⓓ E VISA
Menu 18 und à la carte 33/71, Kinder 12 – **32 Zim** 120/180 – ½ P Zuschl. 28.

Schönegg garni, Talstr. 8, ✆ (033) 951 11 13, Fax (033) 951 38 13, « Chalet mit ≤ Brienzersee » – E VISA.
2. April - 31. Okt. – **16 Zim** 70/160.

in Hofstetten *Nord-Ost : 4 km – Höhe 642 – ✉ 3858 Hofstetten bei Brienz :*

Alpenrose, ✆ (033) 951 14 10, *Fax (033) 951 44 81*, ←, – Zim, TV ☎ P – 30. AE VISA
4. Jan. - 6. Feb. geschl. – **Menu** 70 (abends) und à la carte 42/74 – **12 Zim** 90/200 – ½ P Zuschl. 35.

in Giessbach *Süd-West : 6 km – Höhe 573 – ✉ 3855 Brienz :*

Grandhotel Giessbach, ✆ (033) 952 25 25, *Fax (033) 952 25 30*, Park, « Einrichtung im Stil der Jahrhundertwende, ← See und Giessbachfälle », – TV ☎ – 25/100. AE VISA
25. April - 24. Okt. – **Menu** 18 - 30 (mittags)/80 und à la carte 41/98, Kinder 12 – **72 Zim** 140/340 – ½ P Zuschl. 70.

BRIG *3900 Wallis (VS)* 217 ⑱ – *10 977 Ew. – Höhe 678.*

Sehenswert : *Stockalperschloss : Hof★.*

Ausflugsziel : *Simplonpass★★ über ② : 23 km.*

Verkehrsverein Brig am Simplon, Bahnhofplatz 1, ✆ (027) 923 19 01, Fax (027) 924 31 44.

Bern 167 ① – Andermatt 90 ① – Domodossola 66 ② – Interlaken 110 ③ – Sion 53 ③

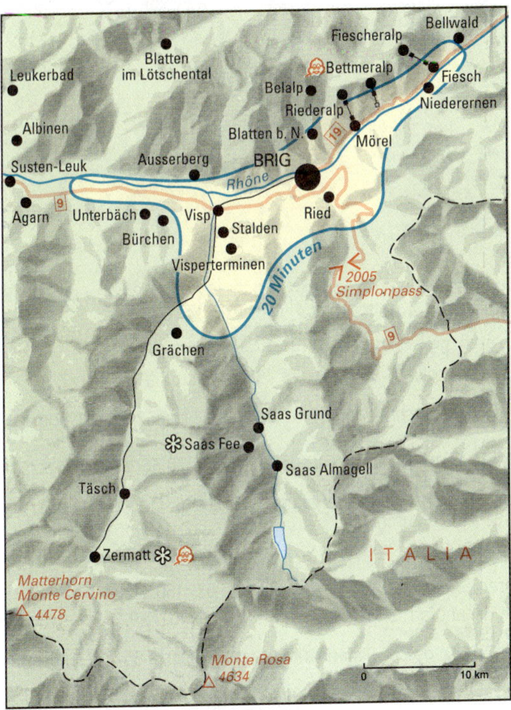

Stadthotel Simplon M, Sebastiansplatz 6, ✆ (027) 922 26 00, *Fax (027) 922 26 05* – , Rest, TV ☎ – 15/50. AE VISA Zm
4. - 18. Jan. geschl. – ***Rest. de Ville :*** **Menu** 45 (mittags)/98 und à la carte 56/88 – ***Bistro :*** **Menu** 18 - 25 (mittags) und à la carte 37/78 – **32 Zim** 125/190 – ½ P Zuschl. 25.

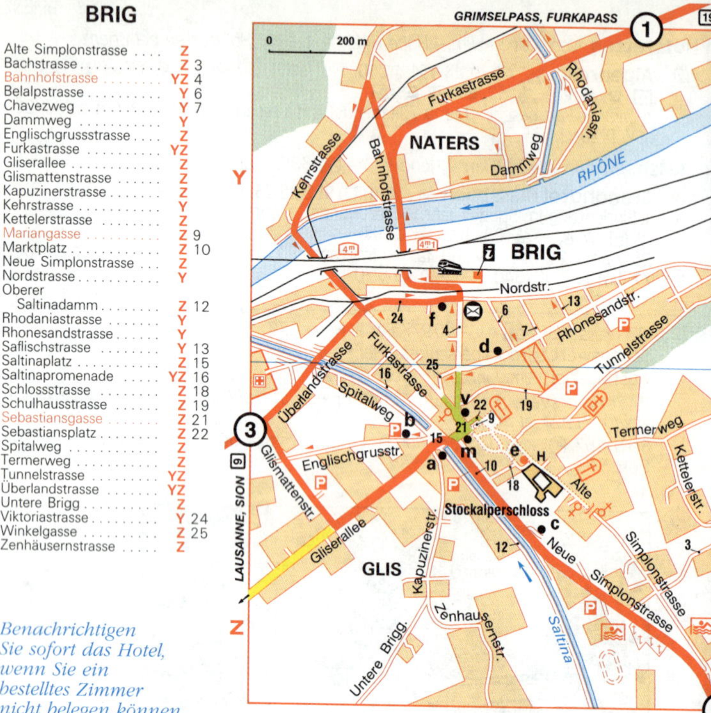

Benachrichtigen Sie sofort das Hotel, wenn Sie ein bestelltes Zimmer nicht belegen können.

Good Night Inn M, Englischgruss-Str. 6, ✆ (027) 921 21 00, *Fax (027) 921 21 99*, – |♦|, Rest, TV ☎ ✆ ♿. AE ⊙ E VISA — Z b
Menu *(Sonntag ausser von Juli - Aug. geschl.)* 14 und à la carte 30/71, Kinder 10 – **100 Zim** 79/99 – ½ P Zuschl. 19.

du Pont, Marktplatz 1, ✆ (027) 923 15 02, *Fax (027) 923 95 72*, – |♦| TV ☎ ♿. AE ⊙ E VISA JCB — Z a
24. Dez. - 10. Jan. geschl. – **Menu** 22 - 50 und à la carte 32/74 – **17 Zim** 110/200 – ½ P Zuschl. 27.

Alpina Volkshaus, Belalpstr. 10, ✆ (027) 923 76 36, *Fax (027) 923 45 20*, – |♦| TV ☎ P. AE E VISA JCB — Y d
3. - 17. Jan. geschl. – **Menu** *(Sonntag geschl.)* 16 - 46 und à la carte 38/74 – **30 Zim** 100/160 – ½ P Zuschl. 25.

Schlosshotel garni, Kirchgasse 4, ✆ (027) 923 64 55, *Fax (027) 923 95 36* – |♦| TV ☎ ✆. AE ⊙ E VISA — Z c
Weihnachten - Ende Jan. geschl. – **23 Zim** 85/160.

Victoria, Bahnhofstr. 2, ✆ (027) 923 15 03, *Fax (027) 924 21 69*, – |♦| TV ☎ ✆. AE ⊙ E VISA JCB — Y f
10. Nov. - 15. Dez. geschl. – **Menu** 18 - 31 und à la carte 35/78, Kinder 12 – **40 Zim** 130/200 – ½ P Zuschl. 30.

de Londres, Bahnhofstr. 17, ✆ (027) 922 93 93, *Fax (027) 922 93 94*, – |♦| TV ☎. AE ⊙ E VISA — Z v
Nov. geschl. – ***Schweizerhof*** *(Mittwoch geschl.)* **Menu** 28 (mittags)/87 und à la carte 42/92 – **14 Zim** 95/160 – ½ P Zuschl. 30.

Schlosskeller, Alte Simplonstr. 26, ✆ (027) 923 33 52, *Fax (027) 923 69 75*, – AE ⊙ E VISA — Z e
Montag, 4. - 19. Jan. und 5. - 20. Juli geschl. – **Menu** 48 und à la carte 47/98, Kinder 12.

Ried *über ② : 3,5 km Richtung Simplon – Höhe 901 – ✉ 3911 Ried bei Brig :*

Mühle ⛰, Bleiken 6, ☎ (027) 923 38 38, *Fax (027) 924 37 85,* ≤ Tal und Berner Alpen, ☂, ≘ – TV ☎ P – 🏋 25/120. AE E VISA
Jan. geschl. – **Menu** 18 - 70 und à la carte 43/72, Kinder 9 – **20 Zim** ☐ 75/120, 4 Suiten – ½ P Zuschl. 30.

BRIGELS *Graubünden* 218 ② *– siehe Breil.*

BRIONE *Ticino* 219 ⑧ *– vedere Locarno.*

BRISSAGO *6614 Ticino (TI)* 219 ⑦ *– 1 925 ab. – alt. 210.*

🅸 *Ente Turistico, ☎ (091) 793 11 70, Fax (091) 793 32 44.*

Bern 275 – Locarno 10 – Bellinzona 30 – Domodossola 62 – Lugano 49 – Verbania 28.

Villa Caesar ⛰, Via Gabietta 3, ☎ (091) 793 27 66, *Fax (091) 793 31 04,* ≤, ☂, ⚡, ≘, ⛱, ⛱ – |♦|, ▤ rist, TV ☎ P – 🏋 35. AE E VISA. ✂ rist
20 marzo - 24 ottobre – **Pasto** 55 (mezzogiorno) ed à la carte 53/98, bambini 20 – **24 cam** ☐ 200/380, 8 suites – ½ P sup. 40.

Mirto al Lago ⛰, viale Lungolago 2, ☎ (091) 793 13 28, *Fax (091) 793 13 33,* ≤, ☂, « Ubicato sulla passeggiata pedonale in riva al lago », ⛱, ⚓ – |♦|, ▤ rist, TV ☎ ☎ 🚗 P. E VISA JCB. ✂
aprile - ottobre – ***Vecchio Porto :*** **Pasto** 31 ed à la carte 39/80, bambini 12 – **25 cam** ☐ 100/240 – ½ P sup. 30.

Rivabella senza rist, via R. Leoncavallo, ☎ (091) 793 11 37, *Fax (091) 793 25 37,* ≤, « Terrazza-giardino sul lago » – |♦| ☎ P. VISA. ✂
aprile - ottobre – **18 cam** ☐ 70/136.

Mirafiori, via Leoncavallo 14, ☎ (091) 793 12 34, *Fax (091) 793 12 34,* ≤, ☂, « Terrazza ombreggiata sul lago », 🎾 – |♦| P. E VISA. ✂ rist
16 marzo - 24 ottobre – **Pasto** 30 - 48 ed à la carte 42/70 – **15 cam** ☐ 100/180 – ½ P sup. 30.

Osteria al Giardinetto, Muro Degli Ottevi, ☎ (091) 793 31 21, ☂, Ambiente rustico elegante con piccolo e grazioso patio per servizio estivo – E VISA
chiuso martedì, mercoledì e dal 1° gennaio al fine marzo – **Pasto** 28 - 59 ed à la carte 64/92.

a Piodina *Sud-Ovest : 3 km – alt. 360 – ✉ 6614 Brissago :*

Osteria Grotto Borei, via Ghiridone 77, Ovest : 3 km, alt. 850, ☎ (091) 793 01 95, ≤ lago e monti, ☂, Ambiente familiare con cucina casalinga – P. E VISA. ✂
chiuso giovedì e dal 20 dicembre al 12 marzo ; da novembre a dicembre aperto solo i week-end – **Pasto** (prenotare) à la carte 39/59.

BRONSCHHOFEN *Sankt Gallen* 216 ⑨ *– siehe Wil.*

BRUGG *5200 Aargau (AG)* 216 ⑥ *– 9 177 Ew. – Höhe 352.*

Bern 101 – Aarau 20 – Basel 55 – Luzern 65 – Waldshut-Tiengen 22 – Zürich 34.

Terminus, Bahnhofplatz 1, ☎ (056) 441 18 21, *Fax (056) 441 82 20* – |♦| TV ☎ P – 🏋 25. AE ◑ E VISA. ✂ Zim
19. Dez. - 10. Jan. geschl. – **Menu** *(Sonntag geschl.)* 15 - 34/58 und à la carte 37/81 – **53 Zim** ☐ 100/175.

Da Lorenzo, Hummelstr. 2, ☎ (056) 441 10 30, *Fax (056) 441 10 30,* ☂ – AE ◑ E VISA
Sonntag - Montag und 5. Juli - 2. Aug. geschl. – Menu - italienische Küche - (Tischbestellung ratsam) 22 - 59/86 und à la carte 45/95.

Les bonnes tables

Nous distinguons à votre intention certains hôtels et restaurants par ✿, ✿✿ ou ✿✿✿.

BRUNNEN 6440 Schwyz (SZ) 218 ① – Höhe 439.

Sehenswert : Lage★★ – Die Seeufer★★.

Verkehrsbüro, Bahnhofstr. 32, (041) 825 00 40, Fax (041) 825 00 49.

Bern 156 – Luzern 40 – Altdorf 13 – Schwyz 7.

Waldstätterhof M, (041) 825 06 06, Fax (041) 825 06 0C Vierwaldstättersee, , « Lage am See », , , , , , – , Zim – 15/120. AE VISA
Rôtisserie : Menu 48/88 und à la carte 46/96 – ***Sust-Stube*** : Menu 22 und à la carte 38/74, Kinder 12 – **105 Zim** 190/390 – ½ P Zuschl. 50.

Elite, Axenstr. 1, (041) 820 10 24, Fax (041) 820 55 65, – . AE VISA
April - Nov. – **Menu** 25 - 32 und à la carte 34/91, Kinder 15 – **42 Zim** 105/18 – ½ P Zuschl. 25.

Schmid und Alfa M, Axenstr. 5, (041) 820 18 82, Fax (041) 820 11 31, – . AE VISA
Hotel : 1. Nov. - 1. März geschl. ; Rest : 1. Nov. - 11. Feb. geschl. – **Menu** *(vom 1. Feb - Ostern Dienstag - Mittwoch geschl.)* 22 und à la carte 30/52 – **28 Zim** 85/18(– ½ P Zuschl. 28.

Weisses Rössli, Bahnhofstr. 8, (041) 820 10 22, Fax (041) 820 11 22, – . AE VISA
von Nov. - Ostern jeweils Montag - Dienstag und 12. - 25. März geschl. – **Menu** 18.5 und à la carte 37/85, Kinder 12 – **17 Zim** 85/160 – ½ P Zuschl. 25.

BUBENDORF 4416 Basel-Landschaft (BL) 216 ④ ⑤ – 3 979 Ew. – Höhe 360.

Bern 78 – Basel 25 – Aarau 44 – Liestal 5 – Olten 31.

Bad Bubendorf, Kantonsstr. 3, (061) 935 55 55, Fax (061) 935 55 66, – – 15/30. AE VISA. Rest
Badhüsli : Menu 42(mittags)/69 und à la carte 41/94 – ***Zum Bott*** : Menu 16 und à la carte 35/73 – **28 Zim** 110/180.

Murenberg, Krummackerstr. 4, (061) 931 14 54, Fax (061) 931 18 46, , – . AE VISA
Mittwoch - Donnerstag, 15. Feb. - 4. März und 29. Sept. - 16. Okt. geschl. – **Menu** - Fischspezialitäten - 30 - 52/100 und à la carte 45/115.

BUCH BEI FRAUENFELD 8524 Thurgau (TG) 216 ⑧ – Höhe 468.

Bern 173 – Zürich 52 – Frauenfeld 8 – Sankt Gallen 46 – Schaffhausen 33 – Winterthur 23.

Schäfli, in Horben, Süd-Ost Richtung Warth, (052) 746 11 58, Fax (052) 746 11 13, , – . AE VISA
Montag - Dienstag und Jan. geschl. – **Menu** 17 - 45 (mittags) und à la carte 57/106.

BUCHBERG 8454 Schaffhausen (SH) 216 ⑦ – 720 Ew. – Höhe 489.

Bern 145 – Zürich 37 – Baden 37 – Schaffhausen 20 – Winterthur 21.

Engel, Dorfstr. 6, (01) 867 19 19, Fax (01) 867 19 44, – . VISA.
Dienstag - Mittwoch und Mitte Jan. - Mitte Feb. geschl. – **Menu** 43 und à la carte 38/75.

BUCHS 9470 Sankt Gallen (SG) 216 ㉑ – 10 001 Ew. – Höhe 451.

Verkehrsbüro, Bahnhofstr. 16, (081) 750 50 70, Fax (081) 750 50 90.

Bern 237 – Sankt Gallen 52 – Bregenz 47 – Chur 46 – Vaduz 6.

Buchserhof, Grünaustr. 2, (081) 756 11 05, Fax (081) 756 47 91, – – 40. AE VISA
Menu 17.50 und à la carte 28/56, Kinder 13 – **59 Zim** 89/175 – ½ P Zuschl. 25.

Schneggen, Fallengässli 6, (081) 756 11 22, Fax (081) 756 32 96, , , auf der Anhöhe im Wald oberhalb von Buchs – . AE VISA
Samstagmittag, Sonn- und Feiertage jeweils abends, Weihnachten, 31. Jan. - 7. Feb. und 13. - 26. Sept. geschl. – **Menu** 36 - 51 (mittags)/105 und à la carte 49/124.

BUCHS *8107 Zürich (ZH)* **216** ⑦ *– 4 029 Ew. – Höhe 424.*
Bern 115 – Zürich 21 – Baden 13 – Schaffhausen 56 – Winterthur 34.

Weinberg, Weinbergstr. 1, ☎ (01) 844 06 60, *Fax (01) 844 48 19,* – AE ⓪ E VISA
Sonntagmittag, Samstag und Feiertage geschl. – **Menu** 27 - 78 und à la carte 38/99.

BUGNAUX *Vaud* **217** ⑫ *– rattaché à Rolle.*

BULLE *1630 Fribourg (FR)* **217** ④ ⑤ *– 10 431 h. – alt. 771.*
Voir : *Musée Gruérien★★.*
Manifestation locale
12.05 - 15.05 : Rencontres théâtrales.
Office du Tourisme, 4 av. de la Gare, ☎ (026) 912 80 22, Fax (026) 912 88 83.
Bern 60 – Fribourg 30 – Gstaad 42 – Montreux 35 – Yverdon-les-Bains 80.

Le Rallye, 8 rte de Riaz, ☎ (026) 919 80 40, *Fax (026) 919 80 44,* – TV ☎ P. AE ⓪ E VISA
Repas 14.50 - 45 (soir) et à la carte 33/74, enf. 10 – **25 ch** 75/195 – ½ P suppl. 22

Buffet de la Gare, 1er étage, ☎ (026) 912 55 05 – E VISA.
fermé dim. soir et lundi – **Repas** 43 (mittags)/70 et à la carte 44/82.

Gruyérien, 2 av. de la Gare, ☎ (026) 912 52 61, *Fax (026) 912 52 62* – AE ⓪ E VISA
fermé dim. soir et lundi – **Repas** 15 - 41 (midi)/70 et à la carte 43/78, enf. 10.

à Morlon *Nord-Est : 2 km – alt. 751 – ✉ 1638 Morlon :*

Le Gruyérien , ☎ (026) 912 71 58, *Fax (026) 912 16 84,* – rest, TV P – 25. AE ⓪ E VISA
fermé 11 au 27 janv., dim. soir de nov. à avril et mardi – **Repas** 22 - 41 (midi)/63 et à la carte 44/79 – **13 ch** 85/160 – ½ P suppl. 35.

à La Tour-de-Trême *Sud-Est : 2 km – alt. 746 – ✉ 1635 La Tour-de-Trême :*

de la Tour (Thürler) avec ch., 57 r. Ancien-Comté, ☎ (026) 912 74 70, *Fax (026) 912 59 98* – AE ⓪ E VISA JCB
fermé 15 au 22 fév., 19 juil. au 3 août, dim. soir et lundi – **Repas** 48 (midi)/98 et à la carte 68/117 – ***Brasserie :*** Repas 15 - et à la carte 45/67 – **3 ch.** 90/160 – ½ P suppl. 48
Spéc. Sandre du lac de la Gruyère au vin rouge (juin à oct.). Millefeuille de foie gras poêlé aux pommes de terre et vinaigre balsamique. Filet de cerf de Marsens aux pommes et épices (fév. et mars).

à Le Pâquier *Sud : 3 km – alt. 748 – ✉ 1661 Le Pâquier :*

Le Castel avec ch, ☎ (026) 912 72 31, ← – P. AE ⓪ E VISA
fermé 2 sem. en janv., 1 sem. en sept., dim. soir et lundi – **Repas** 40/75 et à la carte 73/107 – ***Café :*** Repas 15 et à la carte 52/97 – **6 ch** 80/120.

BUOCHS *6374 Nidwalden (NW)* **217** ⑨ *– 4 518 Ew. – Höhe 435.*
Verkehrsverein, Beckenriederstr. 7, ☎ (041) 622 00 55.
Bern 130 – Luzern 19 – Altdorf 24 – Cham 41 – Engelberg 23 – Stans 5.

Rigiblick am See , am Seeplatz 3, ☎ (041) 620 48 64, *Fax (041) 620 68 74,* ← Vierwaldstättersee, – TV ☎ P – 15/70. AE ⓪ E VISA
Rest. : Montag von Nov. - Jan., Dienstag ausser Juni - Sept. und Feb. geschl. – ***Promenade :*** Menu 32 (mittags)/68 und à la carte 40/103 – ***Buochser Stube :*** Menu 16 und à la carte 29/73 – **16 Zim** 125/300 – ½ P Zuschl. 40.

Krone M garni, Dorfplatz 2, ☎ (041) 620 08 20, *Fax (041) 620 17 29,* – TV ☎ P – 15/40. AE ⓪ E VISA
Montag, Dienstagmittag und März geschl. – **27 Zim** 80/160 – ½ P Zuschl. 25.

an der Autobahn A2 *Ost : 1,5 km Ausfahrt Buochs :*

Mototel Postillon, ☎ (041) 620 54 54, Fax (041) 620 23 34, ← Vierwaldstättersee, – – 15/120. AE VISA
Menu à la carte 38/72 – **58 Zim** 120/180 – ½ P Zuschl. 35.

BUONAS *6343 Zug (ZG) 216 ⑱ – Höhe 417.*

Bern 130 – Luzern 22 – Zug 12 – Zürich 43.

Wildenmann, ☎ (041) 790 30 60, *Fax (041) 790 51 41,* ← Zugersee, , Typisches Zuger Haus – P. AE E VISA
Sonntagabend - Montag und Jan. - Feb. geschl. – **Menu** 90/120 und à la carte 47/102

BÜRCHEN *3935 Wallis (VS) 217 ⑰ – 680 Ew. – Höhe 1 250.*

Bern 185 – Brig 18 – Sierre 37 – Sion 50 – Zermatt 38.

Bürchnerhof, Ronalpstr. 86, ☎ (027) 934 24 34, *Fax (027) 934 34 17,* ←, , , – TV ☎ P. AE E VISA
22. Dez. - 14. April und 7. Juni - 29. Okt. – **Menu** 25 - 58 und à la carte 42/76, Kinder 12 – **20 Zim** 114/194 – ½ P Zuschl. 36.

BÜREN AN DER AARE *3294 Bern (BE) 216 ⑭ – Höhe 443.*

Bern 26 – Biel 14 – Burgdorf 33 – Neuchâtel 50 – Solothurn 15.

Zum Baselstab, Aareweg 1, ☎ (032) 351 12 36, – P. E VISA
Freitagmittag, Donnerstag, 2 Wochen im Feb. und 3 Wochen im Okt. geschl. – **Menu** 14.50 - 50/70 und à la carte 37/84.

BÜREN ZUM HOF *3313 Bern (BE) 216 ⑮ – 386 Ew. – Höhe 506.*

Bern 21 – Biel 30 – Burgdorf 12 – Solothurn 16.

Rössli, Limpachstr. 17, ☎ (031) 767 82 96, – P. AE E VISA
Mittwoch - Donnerstag und 22. Sept. - 22. Okt. geschl. – **Menu** 16 und à la carte 48/88.

BURG IM LEIMENTAL *4117 Basel-Landschaft (BL) 216 ③ ④ – 223 Ew. – Höhe 480.*

Bern 96 – Basel 22 – Delémont 30 – Liestal 37 – Reinach 88.

Bad-Burg (Gianora), Biederthalstr. 1, ☎ (061) 731 21 31, *Fax (061) 731 21 31,* , Gemäldesammlung – P. AE E VISA
Montag, Jan. und Feb. geschl. – **Menu** 68/98 und à la carte 54/117
Spez. Scampis an Currysauce. Steinbutt auf Weissweinsauce. Kalbskutteln Napolitaine.

BURGDORF *3400 Bern (BE) 216 ⑮ – 14 865 Ew. – Höhe 533.*

Ausflugsziel : *Aussichtspunkt Lueg★ Nord-Ost : 8,5 km.*

Verkehrsbüro, Kornhausgasse 16, ☎ (034) 422 24 45, Fax (034) 423 10 13.

Farbweg 11, ☎ (034) 427 44 44, Fax (034) 427 44 45.

Bern 23 – Aarau 63 – Basel 85 – Biel 41 – Brienz 98 – Luzern 67.

Emmenhof (Schürch), Kirchbergstr. 70, ☎ (034) 422 22 75, *Fax (034) 423 46 29* – P. AE E VISA. Rest
Montag - Dienstag und Mitte Juli - Mitte Aug. geschl. – **Menu** 65 (mittags)/130 und à la carte 69/113
Spez. Tronçon de turbot de ligne et millefeuille d'aubergines. Canette de Challans au miel et épices. Gibier (été - automne).

in Heimiswil *Ost : 4 km – Höhe 618 – ✉ 3412 Heimiswil :*

Löwen, Dorfstr. 1, ☎ (034) 422 32 06, *Fax (034) 422 26 35,* , Typisches Berner Haus – P. AE E VISA
Montag - Dienstag, 1. - 16. Feb. und 19. Juli - 10. Aug. geschl. – **Menu** 16.50 - 69 und à la carte 37/85, Kinder 15.

BÜRGENSTOCK *6363 Nidwalden (NW)* **217** ⑨ – *Höhe 874.*

Bürgenstock (Mai - Okt.) ✆ (041) 610 24 34.

Bern 135 – Luzern 23 – Beckenried 11 – Stans 10.

Park Hotel Ⓜ, ✆ (041) 611 05 45, *Fax (041) 610 14 15,* ≤ Luzern und Vierwaldstättersee, Park, – 15/100. AE VISA. Rest
April - Okt. – ***Le Club*** ✆ (041) 610 58 28 *(Montag ausser Juli - Aug. geschl.)(nur für Hotelgäste)* **Menu** 45 (mittags)/125 und à la carte 72/108 – ***da Tintoretto*** - italienische Küche - **Menu** à la carte 55/100 – **58 Zim** 320/520 – ½ P Zuschl. 60.

Waldheim, ✆ (041) 611 03 83, *Fax (041) 610 64 66,* ≤ Bergpanorama, – 15/40. AE VISA
27. Dez. - 10. Jan. (nur Hotel) geschl. – **Menu** *(von Okt. - April Sonntagabend geschl.)* 18 - 48 (mittags) und à la carte 33/85, Kinder 14 – **55 Zim** 95/220 – ½ P Zuschl. 30.

BURIET *Sankt Gallen (SG)* **216** ㉒ – *Höhe 423 – ✉ 9425 Thal :.*

Bern 228 – Sankt Gallen 21 – Bregenz 15 – Dornbirn 20 – Vaduz 47.

Schiff, Burietstr. 1, ✆ (071) 888 47 77, *Fax (071) 888 12 46,* – 40. AE VISA
Rôtisserie Torggel : **Menu** 34 - 68/88 und à la carte 54/94 – ***Fischerstube*** : **Menu** 20 und à la carte 35/75 – **36 Zim** 105/180 – ½ P Zuschl. 30.

BURSINEL *1195 Vaud (VD)* **217** ⑫ – *326 h. – alt. 434.*

Bern 132 – Lausanne 28 – Champagnole 76 – Genève 35.

A la Clef d'Or, ✆ (021) 824 11 06, *Fax (021) 824 17 59,* ≤ lac, – AE VISA
fermé mi-janv. - mi-fév. et lundi sauf mi-juin - mi-août – **Repas** 16 - 46/62 et à la carte 40/81, enf. 15.

BURSINS *Vaud* **217** ⑫ – *rattaché à Rolle.*

BUSSIGNY-PRÈS-LAUSANNE *1030 Vaud (VD)* **217** ③ – *7 128 h. – alt. 407.*

Bern 112 – Lausanne 11 – Pontarlier 63 – Yverdon-les-Bains 31.

Novotel Ⓜ, 35 rte de Condémine, ✆ (021) 701 28 71, *Fax (021) 702 29 02,* ch,, rest, – 15/100. AE VISA. rest
Repas 18.50 - 30 et à la carte 40/67, enf. 17 – 17 – **96 ch** 139/174 – ½ P suppl. 30.

CADEMARIO *6936 Ticino (TI)* **219** ⑧ – *547 ab. – alt. 770.*

Dintorni : *Monte Lema★ : ✳★★ per seggiovia da Miglieglia.*

Bern 278 – Lugano 13 – Bellinzona 34 – Locarno 46 – Varese 34.

Cacciatori, Nord-Est : 1,5 km, ✆ (091) 605 22 36, *Fax (091) 604 58 37,* ≤, « Giardino ombreggiato » – 60. AE VISA. rist
21 marzo - 1º novembre – **Pasto** 25 ed à la carte 45/85, bambini 13 – **30 cam** 82/200 – ½ P sup. 37.

CADRO *6965 Ticino (TI)* **219** ⑧ – *1 573 ab. – alt. 456.*

Bern 287 – Lugano 10 – Bellinzona 35 – Locarno 48 – Como 39.

La Torre del Mangia, via Margherita, ✆ (091) 943 38 35, *Fax (091) 943 38 35,* – AE VISA
chiuso domenica a mezzogiorno da giugno a settembre, martedì e dal 15 luglio al 15 agosto – **Pasto** à la carte 46/68.

CAGIALLO *6955 Ticino (TI)* **219** ⑧ – *538 ab. – alt. 535.*

Bern 266 – Lugano 10 – Bellinzona 24 – Locarno 34.

Osteria San Matteo, ✆ (091) 943 51 97, *Fax (091) 943 23 78,* Ambiente rustico-signorile in un edificio settecentesco in centro paese.
chiuso a mezzogiorno, domenica, lunedì, dal 24 dicembre al 4 gennaio e dal 1º al 22 agosto – **Pasto** (coperti limitati - prenotare) à la carte 47/67.

CAMPESTRO *Ticino (TI)* 219 ⑧ - *alt. 581 - ✉ 6950 Tesserete :*
Bern 282 - Lugano 9 - Bellinzona 26 - Locarno 40.

Grotto della Selva, ✆ (091) 943 57 20, Ambiente familiare, « Servizio estivo sotto un fresco pergolato » - P. E VISA
chiuso domenica e dal 20 giugno all 11 luglio - **Pasto** 15 ed à la carte 35/64.

CAPOLAGO *6825 Ticino (TI)* 219 ⑧ - *708 ab. - alt. 274.*
Bern 288 - Lugano 15 - Bellinzona 43 - Como 16 - Varese 24.

Svizzero con cam, via Scacchi, ✆ (091) 648 19 75, *Fax (091) 648 17 53*, - TV ☎ - 40. AE ① E VISA.
Pasto - pizzeria e specialità fondute - 42 ed à la carte 41/87 - **23 cam** 65/120 - ½ P sup. 25.

CARNAGO *Ticino* 219 ⑧ - *vedere Origlio.*

CAROUGE *Genève* 217 ⑪ - *rattaché à Genève.*

CASLANO *6987 Ticino (TI)* 219 ⑧ - *3 206 ab. - alt. 289.*
18 *a Magliaso ✉ 6983, ✆ (091) 606 15 57, Fax (091) 606 65 58.*
Bern 288 - Lugano 10 - Bellinzona 33 - Locarno 45.

Gardenia, via Valle 20, ✆ (091) 606 17 16, *Fax (091) 606 26 42*, « Edificio del 1800 con grande giardino e » - TV ☎ P. AE ① E VISA. rist
metà marzo - dicembre - ***Bacco*** *(chiuso a mezzogiorno e mercoledì)* **Pasto** 59/85 ed à la carte 59/96 - **26 cam** 200/400 - ½ P sup. 52.

Locanda Estérel con cam, via Cantonale 40, ✆ (091) 611 21 20, *Fax (091) 606 62 02*, - TV ☎ P. AE ① E VISA. rist
chiuso febbraio - **Pasto** *(chiuso lunedì salvo la sera in estate)* (coperti limitati - prenotare) 24 - 42 (mezzogiorno)/90 ed à la carte 67/88 - **9 cam** 110/280 - ½ P sup. 45.

a Magliaso *Nord : 1 km - alt. 290 - ✉ 6983 Magliaso :*

Villa Magliasina, ✆ (091) 611 29 29, *Fax (091) 611 29 20*, « Ampio giardino fiorito con », - TV ☎ P - 30. AE E VISA. rist
1º marzo - 31 ottobre - **Pasto** 25 - 50 (sera) ed à la carte 49/85 - **28 cam** 130/340 - ½ P sup. 45.

CASTAGNOLA *Ticino* 219 ⑧ - *vedere Lugano.*

CASTELROTTO *6980 Ticino (TI)* 219 ⑧ - *alt. 416.*
Bern 293 - Lugano 17 - Bellinzona 48 - Locarno 55.

Ticino, ✆ (091) 608 12 72, Piccolo ritrovo familiare con cucina casalinga
chiuso lunedì, gennaio ed agosto - **Pasto** 15 ed à la carte circa 37.

CAUX *Vaud* 217 ⑭ - *rattaché à Montreux.*

CELERINA (SCHLARIGNA) *7505 Graubünden (GR)* 218 ⑮ - *1 227 Ew. - Höhe 1 730 - Wintersport : 1 730/3 030 m 1 8 .*
Sehenswert : *Lage*★.
Lokale Veranstaltungen
01.03 : "Chalandamarz" alter Frühlingsbrauch und Kinderfest
20.08 - 22.08 : New Orleans Jazz Festival.
Celerina Tourismus, ✆ (081) 830 00 11, Fax (081) 830 00 19.
Bern 332 - Sankt Moritz 3 - Chur 90 - Davos 68 - Scuol 60.

Cresta Palace, via Maistra 91, ✆ (081) 836 56 56, *Fax (081) 836 56 57*, ←, - TV ☎ P - 35. AE ① E VISA
19. Dez. - 10. April und 26. Juni - 10. Okt. - ***Classico*** *(Donnerstagabend geschl.)* **Menu** 40 (mittags)/95 und à la carte 53/97 - **96 Zim** 167/476, Vorsaison 112/294, 3 Suiten - ½ P Zuschl. 40.

Cresta Kulm, ☎ (081) 830 80 80, *Fax (081) 830 80 81*, ←, ⛫, ⛱, ⛬ - 🛗 TV ☎ P. AE ◑ E VISA. ✂ Rest
Mitte Dez. - Mitte April und Mitte Juni - Anfang Okt. – **Menu** *(nur für Hotelgäste)* 30/60 – **45 Zim** ☐ 160/330, Vorsaison ☐ 90/280 – ½ P Zuschl. 30.

Chesa Rosatsch M, via San Gian, ☎ (081) 837 01 01, *Fax (081) 837 01 00*, ←, ⛱, ⛫, ⛬ - 🛗, ✂ Zim, TV ☎ ☏ ⛟ P. AE ◑ E VISA
4. Dez. - 4. April und 11. Juni - 16. Okt. – ***Stüvas*** *(nur Abendessen)* **Menu** 46/70 und à la carte 52/101 – **36 Zim** ☐ 160/420, Vorsaison ☐ 130/260 – ½ P Zuschl. 55.

Saluver, ☎ (081) 833 13 14, *Fax (081) 833 06 81*, ←, ⛱, ⛫ - 🛗 TV ☎ ⛟ P. AE E VISA
Menu *18* und à la carte 34/83, Kinder 17 – **23 Zim** ☐ 115/230, Vorsaison ☐ 93/196 – ½ P Zuschl. 45.

Stüvetta Veglia mit Zim, ☎ (081) 833 80 08, *Fax (081) 833 45 42*, ⛱, « Gemälde von Schweizer Malern » – TV video ☎ ⛟ P. AE ◑ E VISA
Mitte April - Mitte Juni und Nov. geschl. – **Menu** *29* - 38 (mittags)/108 und à la carte 59/109 – **10 Zim** ☐ 280/380, Vorsaison ☐ 200/280 – ½ P Zuschl. 50.

CÉLIGNY *1298 Genève (GE)* **217** ⑪ ⑫ – *671 h.* – *alt. 391.*
Bern 148 – Genève 18 – Saint-Claude 56 – Thonon-les-Bains 53.

Relais de Céligny, 32 ch. du Port (rte bord du lac), ☎ (022) 776 60 61, *Fax (022) 776 09 32*, ←, ⛱, ⛱, ⚓ – TV ☎ P. AE ◑ E VISA
fermé 21 déc. au 10 janv. – **Repas** - cuisine italienne - *17* et à la carte 49/87, enf. 17 – **13 ch** ☐ 220/270 – ½ P suppl. 40.

Buffet de la Gare, 25 rte de Founex, ☎ (022) 776 27 70, *Fax (022) 776 70 54*, ⛱, « Décor de bistrot des années 20 » – AE E VISA
fermé 24 déc. au 1er janv., 7 fév. au 2 mars, 5 au 20 sept., dim. et lundi – **Repas** *16* - 39 (midi) et à la carte 56/93.

à Crans-près-Céligny (GE) *Nord-Est : 1 km – alt. 394 – ✉ 1299 Crans-près-Céligny :*

Cerf ⛔ avec ch, 2 r. Antoine Saladin, ☎ (022) 776 23 23, *Fax (022) 776 02 21*, ⛱, Ancienne mairie du 15e siècle – TV ☎. AE ◑ E VISA
Repas *18* - 45 (midi)/90 et à la carte 60/93, enf. 15 – **9 ch** ☐ 85/140.

CERTOUX *Genève* **217** ⑪ – *rattaché à Genève.*

CHAILLY *Vaud* **217** ⑭ – *voir à Montreux.*

CHAM *6330 Zug (ZG)* **216** ⑱ – *12 148 Ew.* – *Höhe 418.*
Bern 131 – Luzern 20 – Zürich 34 – Aarau 50 – Baden 44 – Wädenswil 27 – Zug 8.

Raben, Luzernerstr. 20, ☎ (041) 780 13 12, *Fax (041) 780 11 38*, ⛱ – P. AE ◑ E VISA – *Sonntag - Montag, 24. Dez. - 5. Jan. und 30. Mai - 21. Juni geschl.* – **Menu** *(1. Etage) 25* - 59 (mittags)/95 und à la carte 54/95, Kinder 15.

CHAMBÉSY *Genève* **217** ⑪ – *rattaché à Genève.*

CHAMBY *Vaud* **217** ⑭ – *rattaché à Montreux.*

CHAMPÉRY *1874 Valais (VS)* **217** ⑭ – *1 086 h.* – *alt. 1 053* – *Sports d'hiver : 1 049/2 300 m* 🚡1 ⛷5 ⛷.
Voir : *Site*★.
Manifestations locales
01.02 - 06.02 : Coupe du monde de ski acrobatique
01.08 - 02.08 : Festival international orgues de Barbarie.
ℹ *Office du Tourisme, Résidence L'Opaline, ☎ (024) 479 20 20, Fax (024) 479 20 21.*
Bern 121 – Martigny 35 – Aigle 26 – Évian-les-Bains 50 – Montreux 37 – Sion 60.

Golden Tulip, Grand Rue, ☎ (024) 479 07 07, *Fax (024) 479 07 09*, ←, ⛱ – 🛗 TV ☎ ⛹ P – 🏛 25. AE ◑ E VISA. ✂ rest
15 déc. - 17 avril et 6 juin - 26 sept. – **Repas** *(fermé lundi de juin à sept.)* à la carte 45/68, enf. 8 – **40 ch** ☐ 170/240, Basse saison ☐ 130/160 – ½ P suppl. 35.

Beau-Séjour sans rest, ☎ (024) 479 17 01, Fax (024) 479 23 06, ≤ – |‡| TV ☎ P AE ⓓ E VISA
16 déc. au 14 avril et 2 juin au 29 sept. – **18 ch** ☐ 125/210, Basse saison ☐ 65/130.

National, Grand Rue, ☎ (024) 479 11 30, Fax (024) 479 31 55, ≤, – |‡| TV ☎ P – 25. E VISA
fermé 11 au 25 avril, 14 nov. au 3 déc. et merc. hors saison – **Repas** 14 - 38 et à la carte 37/62, enf. 13 – **24 ch** ☐ 120/210, Basse saison ☐ 73/170 – ½ P suppl. 30.

Rose des Alpes, ☎ (024) 479 12 18, Fax (024) 479 17 74, ≤, Intérieur de chalet montagnard, – P AE ⓓ E VISA
déc. - avril et juin - sept. – **Repas** (dîner seul.) (résidents seul.) 28 – **17 ch** ☐ 55/180, Basse saison ☐ 45/160 – ½ P suppl. 28.

CHAMPEX 1938 Valais (VS) 219 ② – alt. 1 472.

Environs : La Breya★★ Sud-Ouest par téléphérique.

Office du Tourisme, ☎ (027) 783 12 27, Fax (027) 783 35 27.

Bern 144 – Martigny 17 – Aosta 62 – Chamonix-Mont-Blanc 54 – Sion 47.

Glacier, ☎ (027) 783 14 02, Fax (027) 783 32 02, , , , – |‡| TV ☎ P AE ⓓ E VISA
mi-déc. - mi-avril et fin mai - fin oct. – **Repas** (fermé merc. et jeudi hors saison) 18 - 44/62 et à la carte 41/73, enf. 14 – **28 ch** ☐ 95/165 – ½ P suppl. 30.

Belvédère , ☎ (027) 783 11 14, Fax (027) 783 25 76, ≤ vallée d'Entremont, – TV P E VISA
fermé 1er au 23 déc., 1 sem. mi-mai et merc. hors saison – **Repas** 15 - 35/60 et à la carte 39/87, enf. 10 – **9 ch** ☐ 95/150 – ½ P suppl. 25.

CHAMPFÈR Graubünden 218 ⑮ – siehe St. Moritz.

CHANDOLIN Valais 217 ⑯ – rattaché à Saint-Luc.

CHANDOLIN-PRÈS-SAVIÈSE Valais 217 ⑮ – rattaché à Sion.

CHARDONNE Vaud 217 ⑭ – rattaché à Vevey.

CHARMEY 1637 Fribourg (FR) 217 ⑤ – 1 528 h. – alt. 891 – Sports d'hiver : 891/1 630 m 1 7 .

Manifestations locales
19.07 : Fête alpestre de lutte suisse
25.09 : 19ème Rindyà, Désalpe et marché artisanal.
09.10 - 10.10 : Bénichon de la montagne, célèbres courses de charrettes à foin.

Office du Tourisme, Bâtiment du Musée, ☎ (026) 927 14 98, Fax (026) 927 23 95.

Bern 72 – Fribourg 31 – Bulle 12 – Gstaad 48 – Montreux 47 – Thun 58.

Cailler , ☎ (026) 927 62 62, Fax (026) 927 62 63, ≤, , , – |‡| TV ☎ P – 15/140. AE ⓓ E VISA
Repas 14.50 - 46 et à la carte 37/78, enf. 11 – **50 ch** ☐ 130/190, 9 suites – ½ P suppl. 30.

Le Sapin, ☎ (026) 927 23 23, Fax (026) 927 12 44, – |‡| TV ☎ P – 15/60. AE ⓓ E VISA
Repas 18.50 - 29/45 et à la carte 31/59 – **15 ch** ☐ 85/138 – ½ P suppl. 29.

Auberge du Chêne, route de la Tzintre, ☎ (026) 927 11 34, – P AE ⓓ E VISA.
fermé 4 au 24 janv., lundi soir et mardi sauf en juil. - août – **Repas** 24 - 38/68 et à la carte 41/86.

CHÂTEAU-D'OEX 1837 Vaud (VD) 217 ⑮ – 3 068 h. – alt. 968 – Sports d'hiver : 968/1 700 m 1 15.

Voir : Site★.

Musée : Art populaire du Vieux Pays d'Enhaut★.

Manifestation locale

23.01 - 31.01 : Semaine internationale de ballons à air chaud.

Office du Tourisme, La Place, (026) 924 25 25, Fax (026) 924 25 26.

Bern 87 – Montreux 49 – Bulle 27 – Gstaad 15 – Lausanne 75 – Thun 67.

Hostellerie Bon Accueil, (026) 924 63 20, Fax (026) 924 51 26, ≤, , « Chalet du 18e siècle », – TV P. AE VISA JCB fermé 18 oct. au 17 déc. – **Repas** 22 et à la carte 46/93 – **19 ch** 135/200, Basse saison 125/190 – ½ P suppl. 48.

Résidence La Rocaille, Les Bossons, (026) 924 62 15, Fax (026) 924 52 49, ≤, – TV – 20. AE VISA. rest fermé avril, nov. et merc. hors saison – ***Au Train Bleu* : Repas** 60 et à la carte 42/86 – ***Café des Bossons* : Repas** 15 et à la carte 36/79, enf. 12 – **9 ch** 100/195, Basse saison 85/165, 3 suites – ½ P suppl. 30.

Ermitage, le Petit-Pré, (026) 924 60 03, Fax (026) 924 50 76, ≤, – TV P. AE VISA fermé mardi midi et lundi hors saison (sauf hôtel) – **Repas** 55/85 et à la carte 64/100 – ***Bistrot* : Repas** 18 et à la carte 37/56 – **20 ch** 100/170, Basse saison 80/150 – ½ P suppl. 32.

L'Ours, (026) 924 22 80, Fax (026) 924 22 89, – TV P – 20. VISA JCB **Repas** (fermé nov. et lundi soir) 12.50 et à la carte 29/56 – **43 ch.** 80/180, Basse saison 70/160 – ½ P suppl. 25.

Hôtel de Ville M, (026) 924 74 77, Fax (026) 924 41 21, – TV . AE VISA **Repas** (fermé mardi) 14 et à la carte 33/77, enf. 10 – **12 ch** 85/140, Basse saison 75/120 – ½ P suppl. 28.

La Soldanelle, (026) 924 22 55, Fax (026) 924 22 56, ≤, , , – TV P – 25. AE VISA 20 déc. - 15 mars et 15 mai - 30 oct. – **Repas** (fermé lundi et mardi du 1er mai au 15 juin) 18 - 45/70 et à la carte 42/79 – **48 ch** 180/240, Basse saison 150/180 – ½ P suppl. 32.

à L'Etivaz Sud : 7,5 km par rte d'Aigle – alt. 1 144 – ✉ 1831 L'Etivaz :

Chamois, (026) 924 62 66, Fax (026) 924 60 16, , , – AE VISA fermé 12 au 26 oct., dim. soir et lundi – **Repas** 18 et à la carte 36/64, enf. 10 – **15 ch** 40/96 – ½ P suppl. 15.

CHÂTELAINE Genève 217 ⑪ – rattaché à Genève.

CHÂTEL-ST-DENIS 1618 Fribourg (FR) 217 ⑭ – 4 155 h. – alt. 807.

Bern 75 – Montreux 19 – Fribourg 46 – Gstaad 63 – Lausanne 25.

Buffet de la Gare, (021) 948 70 80, Fax (021) 948 71 09 – VISA. **Repas** (1er étage) (fermé juin à août, sam. midi, dim. soir et lundi) 22 (midi)/68 et à la carte 48/84, enf. 18 – ***Brasserie* : Repas** 14.50 et à la carte 30/63, enf. 15.

CHÂTEL-SUR-MONTSALVENS 1653 Fribourg (FR) 217 ⑤ – 204 h. – alt. 881.

Bern 64 – Fribourg 35 – Bulle 6 – Gstaad 42 – Montreux 41 – Thun 50.

La Tour, (026) 921 15 06, Fax (026) 921 25 54, – AE E VISA
fermé merc. – **Repas** 14.50 et à la carte 46/81, enf. 12.

CHAUMONT 2067 Neuchâtel (NE) 216 ⑬ – alt. 1 087.

18 (avril - nov.) (032) 753 55 50, Fax (032) 753 29 40.
Bern 58 – Neuchâtel 9 – Biel 34 – La Chaux-de-Fonds 30.

Chaumont et Golf, (032) 754 21 75, Fax (032) 753 27 22, ← lac et les Alpes, , parc, , , – , rest, – 15/150. AE E VISA
Repas 17 - 30 et à la carte 47/90 – **65 ch** 138/236, 23 suites – ½ P suppl. 37

La CHAUX-DE-FONDS 2300 Neuchâtel (NE) 216 ⑫ – 37 321 h. – alt. 994.

Musées : International d'horlogerie★★ C – Beaux-Arts★ B.
Environs : Route de la Vue des Alpes★★ par ③ – Tête de Ran★★ par ② : 7 km – Vue des Alpes★ par ② : 10 km.
18 Les Bois, ✉ 2336 (avril - nov.), (032) 961 10 03, par ② rte de Saignelégier : 12 km.

Manifestation locale
03.09 - 05.09 : Braderie et Fête de la Montre.

Tourisme neuchâtelois - Montagnes, Tour Espacité, pl. Le Corbusier (032) 919 68 95, Fax (032) 919 62 97.
88 av. Léopold-Robert, (032) 913 11 22, Fax (032) 913 88 81.
65 r. de la Serre, (032) 913 24 84, Fax (032) 913 78 78.
Bern 74 ② – Neuchâtel 25 ③ – Biel 45 ② – Martigny 163 ② – Montbéliard 67 ① – Pontarlier 54 ④

Plan page ci-contre

Grand Hotel Les Endroits M, 94 bd des Endroits, par rue du Succès : 2,5 km, (032) 925 02 50, Fax (032) 925 03 50, ←, , , – , ch, video – 15/200. AE E VISA JCB
Repas 14.50 - 20/45 et à la carte 36/90, enf. 10 – **38 ch** 150/240, 4 suites – ½ P suppl. 25.

Club M sans rest, 71 r. du Parc, (032) 914 15 16, Fax (032) 914 15 17 – AE E VISA — B c
38 ch 116/186.

Fleur de Lys, 13 av. Léopold-Robert, (032) 913 37 31, Fax (032) 913 58 51 – – 40. AE E VISA — C b
Repas 17 - 54 et à la carte 38/80 – **28 ch** 98/180 – ½ P suppl. 30.

L'Orologio, 1 r. A.-M. Piaget, (032) 968 19 00, Fax (032) 968 19 16 – AE E VISA — A r
fermé 24 au 29 déc., 25 juil. au 2 août et dim. – **Repas** 13.50 - 27 (midi)/76 et à la carte 41/75.

Au Cafignon, 35 Croix-Fédérale (centre des Arêtes par r. de l'Étoile), (032) 968 48 47, Fax (032) 968 48 47, – AE E VISA — A n
fermé lundi – **Repas** 14 - 36/64 et à la carte 53/95.

Le Chevreuil, 13 Grandes-Crosettes, par ③ 3 km, (032) 913 40 92, Fax (032) 913 81 72, ←, – AE E VISA JCB — A d
fermé dim. soir et lundi – **Repas** 14.50 - 34/65 et à la carte 42/84.

Au Capucin Gourmand, 125 Charrière, (032) 968 15 91, Fax (032) 968 15 91, , Intégré au centre équestre, ← manège – AE E VISA — A e
fermé 15 au 31 juil., dim soir et lundi – **Repas** 18 - 37/75 et à la carte 56/97, enf. 14.

Brasserie de la Poste, 60 r. des Musées, (032) 913 19 22, Fax (032) 913 19 22 – E VISA — B k
fermé 18 au 31 juil. et dimanche – **Repas** 41/82 (soir) et à la carte 54/85.

La Cheminée, 91 Charrière (au parc des Sports), (032) 968 62 87, « Ferme du 17e siècle » — A f
fermé 25 juil. au 9 août, dim. et lundi – **Repas** 13.50 et à la carte 38/85.

La CHAUX-DE-FONDS

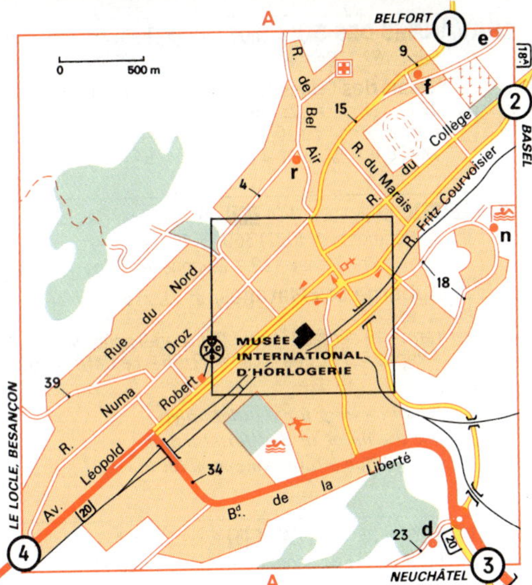

B
C
Bois du Petit Château
R. du Cours-Supérieur
Rue du Doubs
Rue du Progrès
Rue du J.-P. Droz
Rue Numa Droz
Rue du Parc
Rue de la Paix
R. J.-P. Zimmermann
R. du Collège
R. du Docteur Coullery
R. de l'Industriel
Rue de la Serre
Place du Stand
Place du Marché
R. du Versoix
R. de la Balance
Rue du Puits
Pl. du Bois
Rue du Sentier
Rue du Collège
Rue de la Ronde
R. du Pont
Rue Fritz Courvoisier
Rue de l'Étoile
Pl. de l'Hôtel de Ville
Place du Marché
Av. L. Robert
Square de l'Ouest
Rue du Modulor
Av. Léopold Robert
R. Daniel Jean-Richard
Rue Jacquet Droz
R. du Grenier
Rue des Musées
Rue du Midi
R. de la Tranchée
R. du Manège
R. du Rocher
Promenade
Rue de l'Hotel de Ville
Rue du Jura
Rue de Gibraltar
Rue du Crêt
Place d'Armes
R. de l'Avenir
Rue du Balancier
Rue des Régionaux
R. du Commerce
Rue David Pierre Bourquin
R. de Beau-Site
R. du Grenier
MUSÉE INTERNATIONAL D'HORLOGERIE
MUSÉE DES BEAUX-ARTS
Musée d'Histoire Naturelle
0
200 m

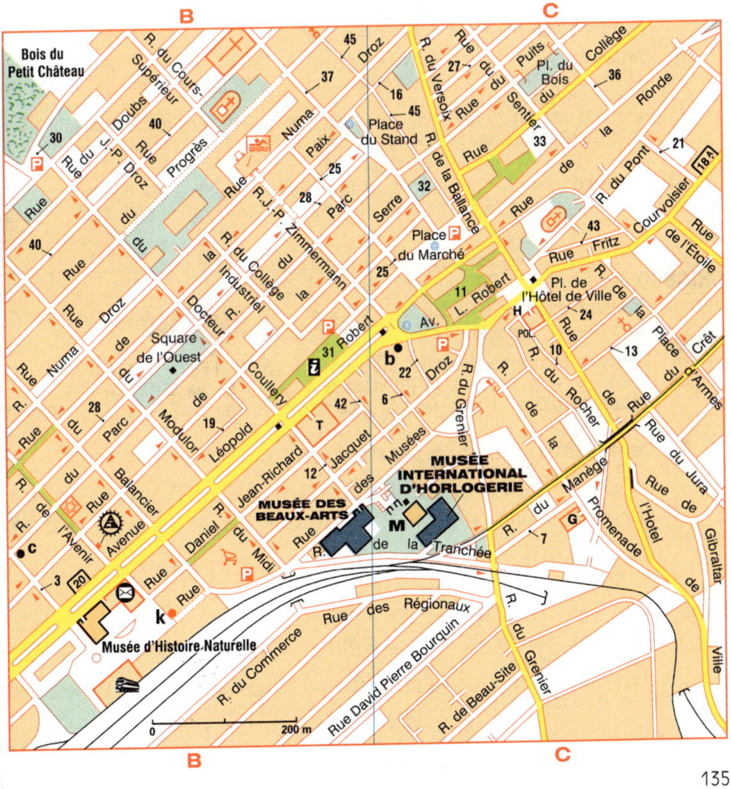

CHAVANNES-DES-BOIS *Vaud (VD)* 217 ⑪ *- 427 h. - alt. 471 - ✉ 1290 Versoix* :.
Bern 162 - Genève 15 - Divonne-les-Bains 6 - Nyon 20.

Relais des Chasseurs, 49 rte de la Branvaude, ✆ (022) 755 37 98, *Fax (022) 779 17 01,* - P. AE ⓓ E VISA
fermé 22 déc. au 10 janv., 29 août au 13 sept., dim. soir, mardi midi et lundi - **Repas** 17 - 28 (midi)/76 et à la carte 54/94.

CHÉSEREX *1275 Vaud (VD)* 217 ⑪ *- 985 h. - alt. 530.*
18 *Bonmont* ✆ *(022) 369 23 45.*
Bern 150 - Genève 28 - Divonne-les-Bains 13 - Lausanne 43 - Nyon 9.

Auberge Les Platanes, ✆ (022) 369 17 22, *Fax (022) 369 30 33,* - P. AE E VISA
fermé 19 déc. au 5 janv., 25 juil. au 9 août, dim. (sauf le midi de sept. à mai) et lundi - **Repas** 45/82 et à la carte 49/96 - ***Le Café* : Repas** 17 et à la carte 42/81, enf. 10.

When looking for a quiet hotel
use the maps in the introduction
or look for establishments with the sign or .

CHEXBRES *1605 Vaud (VD)* 217 ⑭ *- 1923 h. - alt. 580.*
Bern 90 - Lausanne 13 - Montreux 13 - Fribourg 60 - Yverdon-les-Bains 47.

Préalpina M, route de Chardonne, ✆ (021) 946 34 34, *Fax (021) 946 37 50,* ← lac et vignobles, , - , TV P - 15/60. AE E VISA
fermé 14 déc. au 31 janv. - **Repas** *(fermé dim. soir)* 15 - 20 (midi)/50 et à la carte 36/71 - **52 ch** 105/175 - ½ P suppl. 25.

Bellevue , route de la Corniche, ✆ (021) 946 36 81, *Fax (021) 946 36 86,* ← lac Léman, , « Terrasse ombragée face au lac » - TV P - 15. AE ⓓ E VISA. rest
fermé 15 déc. au 28 fév., dim. soir et lundi de mi-sept. à mi-mai - **Repas** 38/85 - ***La Pinte* : Repas** 14.50 - 19 (midi) et à la carte 25/58 - **23 ch** 80/170 - ½ P suppl. 35.

du Nord avec ch, 4 pl. du Nord, ✆ (021) 946 10 26, - ⓓ E VISA
fermé 15 janv. au 15 fév. et lundi - **Repas** 15 - 43 (midi)/105 et à la carte 67/111 - **4 ch** 60/90.

CHIASSO *6830 Ticino (TI)* 219 ⑧ *- 8 221 ab. - alt. 238.*
Morbio Inferiore, ✉ 6836 Serfontana, ✆ (091) 683 66 62, Fax (091) 683 09 01.
Bern 298 - Lugano 26 - Bellinzona 54 - Como 6 - Varese 26.

Touring Mövenpick, piazza Indipendenza, ✆ (091) 682 53 31, *Fax (091) 682 56 61,* - , cam, TV video - 30. AE ⓓ E VISA JCB
***Gabbiano d'Oro* : Pasto** 16 ed à la carte 32/78, bambini 6 - 14 - **60 cam** 102/174.

Centro senza rist, corso San Gottardo 80, ✆ (091) 683 44 02, *Fax (091) 683 44 58* - TV . AE ⓓ E VISA
chiuso dal 24 dicembre al 6 gennaio e dal 31 luglio al 23 agosto - **18 cam** 95/160.

Corso, via Valdani 1, ✆ (091) 682 57 01, *Fax (091) 682 53 08* - . AE ⓓ E VISA. rist
chiuso sabato, domenica, 1 settimana in gennaio e 2 settimana in agosto - **Pasto** 17 - 26/35 (mezzogiorno) ed à la carte 42/61.

a Pedrinate *Sud-Ovest : 4 km - alt. 428 - ✉ 6832 Pedrinate*

Al Ronco Grande, Via Tinelle, ✆ (091) 683 00 13, , « decorazione elegante » - P. AE E VISA.
chiuso sabato a mezzogiorno, mercoledì e dal 25 luglio al 19 agosto - **Pasto** 25 - 80 (sera) ed à la carte 55/77.

CHIPPIS *Valais* 217 ⑯ *- rattaché à Sierre.*

CHUR (COIRE)

7000 Ⓚ Graubünden (GR) 218 ④ – 30 599 Ew. – Höhe 585
Wintersport : 595/2 174 m 2 3

Bern 247 ① – Andermatt 89 ③ – Davos 71 ① – St Moritz 88 ③ – Vaduz 43 ①.

Chur-Tourismus, Grabenstr. 5, ☎ (081) 252 18 18, Fax (081) 252 90 76.
Grabenstr. 34, ☎ (081) 252 30 61, Fax (081) 252 50 09.
Masanserstr. 35, ☎ (081) 252 90 50, Fax (081) 252 02 42.

Lokale Veranstaltung
06.08 – 15.08 : Kino Open-Air Festival.

27 in Domat/Ems, ✉ 7013 (März-Nov.), ☎ (081) 633 32 12, Fax (081) 633 32 18, über ③ : 6 km.

Sehenswert : *Arosastrasse : Blick★ auf die Stadt Z – Schnitzaltar★ der Kathedrale Z*

Ausflugsziele : *Parpaner Rothorn★★ : Blick★★, über ③ : 16 km und Luftseilbahn – Strasse von Chur nach Arosa★ : Strasse durch das Schanfigg★ – Soliser Brücken★, über ③ : 32 km.*

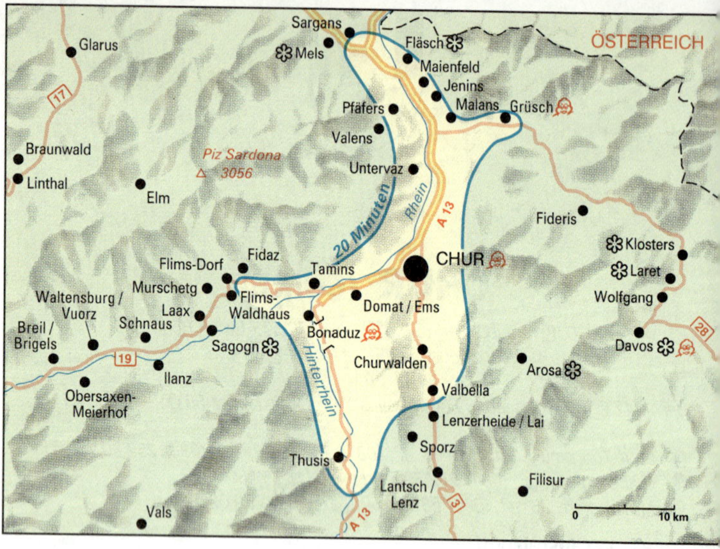

CHUR

Strasse	Feld	Nr.
Alexanderplatz	Y	2
Alexanderstrasse	Y	
Arosastrasse	Z	
Bahnhofstrasse	Y	
Brandisstrasse	Y	
Engadinstrasse	YZ	
Fontanaplatz	Z	
Fontanastrasse	Z	3
Gäuggelistrasse	Y	
Goldgasse	Z	4
Grabenstrasse	YZ	
Gürtelstrasse	YZ	6
Hartbertstrasse	Y	7
Herrengasse	Z	10
Hofstrasse	Z	
Kirchgasse	Z	
Kornplatz	Z	
Kupfergasse	Z	12
Majoranplatz	Z	13
Malixerstrasse	Z	
Masanserstrasse	Y	
Mühleplatz	Z	15
Nikolaigasse	Z	16
Obere Gasse	Z	
Obere Plessurstrasse	Z	18
Ottoplatz	Y	19
Ottostrasse	Y	
Pfisterplatz	Z	21
Planaterrastrasse	YZ	
Plessurquai	Z	
Postplatz	Y	
Poststrasse	YZ	
Quaderstrasse	Y	
Reichsgasse	YZ	
St. Luzistrasse	Z	
Steinbruchstrasse	Y	
Storchengasse	Y	
Untere Gasse	Z	22
Vazerolgasse	YZ	24
Zeughausstrasse	Y	27

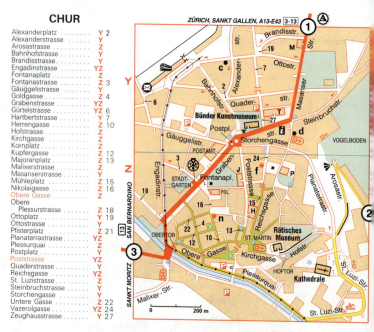

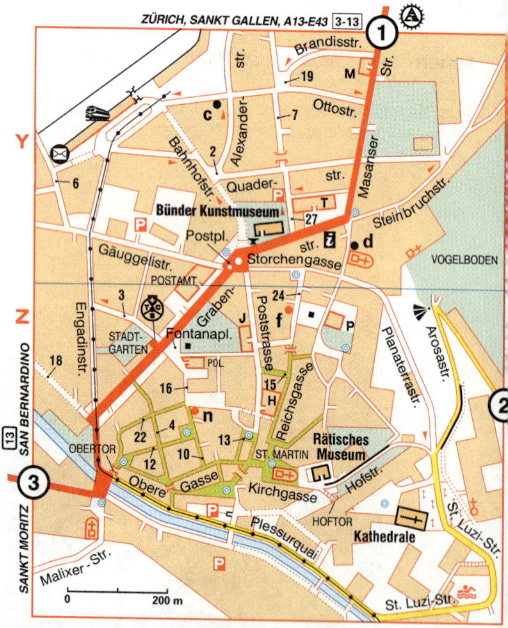

Die Informationen sind in der lokalen Sprache angegeben.

ABC Terminus M garni, Bahnhofplatz, (081) 252 60 33, *Fax (081) 252 55 24*, – – 15/35. AE E VISA Y c
31 Zim 140/230.

Duc de Rohan, Masanserstr. 44 (über ①), (081) 252 10 22, *Fax (081) 252 45 37*, , , , , – – 15/60. AE E VISA JCB
Menu *(im Winter Sonntag geschl.)* 23 - 32 (mittags) und à la carte 53/88 – **35 Zim** 115/200.

Stern M, Reichsgasse 11, (081) 252 35 55, *Fax (081) 252 19 15*, – , Rest, – 15/55. AE E VISA Y d
Menu 18 - 74 und à la carte 33/86, Kinder 12 – **57 Zim** 105/240 – ½ P Zuschl. 40.

Ibis M, Richtstr. 19 (über ③ : 1 km), (081) 252 60 60, *Fax (081) 253 50 22*, – , Zim, . AE E VISA
Menu 16.50 - 29, Kinder 11 – 13 – **57 Zim** 92/120 – ½ P Zuschl. 29.

Basilic, Susenbühlstr. 43, Richtung Lenzerheide : 1 km, (081) 252 35 05, *Fax (081) 252 16 51*, Chur, – AE E VISA
Samstagmittag, Sonntag und 19. Juli - 15. Aug. geschl. – **Menu** 42 (mittags)/95 und à la carte 59/118.

Obelisco, Vazerolgasse 12, (081) 252 58 58, – AE E VISA Z f
Mitte Juli - Mitte Aug. geschl. – **Menu** - italienische Küche - 16.50 - 24 (mittags) und à la carte 45/79.

Zum Kornplatz, Kornplatz 1, (081) 252 27 59 – AE E VISA Z n
Sonntag - Montag und Juli geschl. – **Menu** (Tischbestellung ratsam) 20 - 59/69 und à la carte 38/90.

Süd : *4 km Richtung Lenzerheide – 7074 Malix :*

Belvédère mit Zim, (081) 252 33 78, *Fax (081) 253 52 14*, – AE E VISA
Menu 26/79 und à la carte 46/93 – **8 Zim** 70/120 – ½ P Zuschl. 30.

CHURWALDEN *7075 Graubünden (GR) 218 ④ – 1 299 Ew. – Höhe 1 230 – Wintersport : 1 230/2 865 m 11 .*

Verkehrsverein, (081) 382 14 35, Fax (081) 382 18 25.
Bern 256 – Chur 12 – Andermatt 98 – Davos 48 – Sankt Moritz 66.

Posthotel, Hauptstrasse, (081) 382 11 09, *Fax (081) 382 22 13*, , – AE E VISA
16. Dez. - 11. April und 21. Mai - 24. Okt. – **Menu** *(im Sommer Dienstag geschl.)* 15 - 34 (mittags) und à la carte 37/69, Kinder 10 – **17 Zim** 104/182, Vorsaison 80/140 – ½ P Zuschl. 35.

CLARENS *Vaud 217 ⑭ – rattaché à Montreux.*

Les CLÉES *1356 Vaud (VD) 217 ③ – alt. 610.*

Bern 93 – Lausanne 29 – Neuchâtel 55 – Pontarlier 32 – Yverdon-les-Bains 23.

Croix-Blanche, (024) 441 91 71, *Fax (024) 441 92 01*,
fermé 1 sem. en fév., 12 au 27 sept., dim. soir et lundi – **Repas** 13 - 35/70 à la carte 37/83, enf. 18.

COINSINS *1267 Vaud (VD) 217 ⑫ – 356 h. – alt. 475.*

Bern 139 – Genève 28 – Neuchâtel 98 – Lausanne 35 – Nyon 8 – Saint-Cergue 17.

Auberge de la Réunion M, route du Cordex, (022) 364 23 01, *Fax (022) 364 66 90*, , – E VISA
fermé 23 déc - 12 janv. – **Repas** *(fermé lundi soir et mardi)* 16 - 32/68 et à la carte 43/81, enf. 8 – **15 ch** 100/150.

COINTRIN *Genève 217 ⑪ – rattaché à Genève.*

COIRE *Graubünden 218 ④ – voir à Chur.*

COLLA *6951 Ticino (TI)* **219** ⑧ *- alt. 1 057.*
Bern 246 - Lugano 18 - Bellinzona 34 - Locarno 48 - Varese 59.

Cacciatori, ✆ (091) 944 17 68, *Fax (091) 944 17 07,* « Un piccolo ritrov familiare in posizione panoramica » –
chiuso lunedì, martedì e dal 7 gennaio al 20 marzo – **Pasto** (coperti limitati, prenotare 23 - 39/49 ed à la carte 50/69, bambini 12.

COLLOMBEY-LE-GRAND *Valais* **217** ⑭ *- rattaché à Monthey.*

Les COLLONS *Valais* **217** ⑮ ⑯ *- voir Thyon - Les Collons.*

COLOGNY *Genève* **217** ⑪ *- rattaché à Genève.*

COLOMBIER *2013 Neuchâtel (NE)* **216** ⑫ *- 4 772 h. - alt. 490.*
Bern 55 - Neuchâtel 7 - Biel 42 - La Chaux-de-Fonds 32 - Lausanne 69 - Morteau 52

Robinson, à 1 km au bord du lac, ✆ (032) 841 23 53, *Fax (032) 841 11 70,* – AE E VISA
Repas *(fermé mardi d'oct. à mars, dim. soir, lundi, juil à août)* 58/95 et à la carte 41/87 – ***Brasserie :*** *(fermé mardi d'oct. à mars et lundi sauf juil. - août)* **Repas** 15.50 -31 (midi)/48 et à la carte 35/69, enf. 12 – ***Petit Robinson*** - fondues - *(fermé mardi d'oct à mars et lundi sauf juil. - août)* **Repas** carte environ 32.

Le Lacustre, 3 allée du Port, ✆ (032) 841 34 41, *Fax (032) 841 34 42,* – AE E VISA
fermé Noël - Nouvel An et dim. – **Repas** 14 - 41/92 et à la carte 35/81, enf. 9.

COMANO *6949 Ticino (TI)* **219** ⑧ *- 1 582 ab. - alt. 511.*
Bern 226 - Lugano 5 - Bellinzona 30 - Como 36 - Locarno 42.

La Comanella, via all Ballo, ✆ (091) 941 65 71, *Fax (091) 942 65 13,* « In posizione collinare con giardino fiorito e » – – 60. AE E VISA.
Pasto 36 ed à la carte 39/74 – **17 ch** 135/210 – ½ P sup. 36.

CONCHES *Genève* **217** ⑪ *- rattaché à Genève.*

CONFIGNON *Genève* **217** ⑪ *- rattaché à Genève.*

CONTHEY *Valais* **217** ⑮ *- rattaché à Sion.*

COPPET *1296 Vaud (VD)* **217** ⑪ ⑫ *- 2 298 h. - alt. 394.*
Voir : *Intérieur★ du Château.*
Bern 153 - Genève 13 - Lausanne 49 - Saint-Claude 61 - Thonon-les-Bains 48.

du Lac, Grand-Rue, ✆ (022) 776 15 21, *Fax (022) 776 53 46,* ≤, Relais du 17e siècle, – – 25. AE E VISA JCB
La Rôtisserie : **Repas** 51 (midi)/99 et à la carte 75/120 – 20 – **12 ch** 160/265, 7 suites – ½ P suppl. 60.

CORCELLES *2035 Neuchâtel* **216** ⑫ *- rattaché à Neuchâtel.*

CORIN-DE-LA-CRÊTE *Valais* **217** ⑯ *- rattaché à Sierre.*

CORSEAUX *Vaud* **217** ⑭ *- rattaché à Vevey.*

CORTAILLOD *2016 Neuchâtel (NE)* 217 ④ *- 4 217 h. - alt. 482.*
Bern 58 - Neuchâtel 9 - Biel 44 - La Chaux-de-Fonds 34 - Lausanne 65.

du Vaisseau, à Petit Cortaillod, (032) 842 19 42, *Fax (032) 842 10 92,* ←, - video - 15/100. AE E VISA
fermé 21 déc. au 3 janv. - **Repas** 20 et à la carte 33/75, enf. 15 - **24 ch** 95/210 - ½ P suppl. 30.

Le Chalet, r. Chanélaz 15, (032) 842 40 32, *Fax (032) 842 52 84,* - - 15/60. AE E VISA JCB.
fermé 21 déc. au 10 janv. et dim. - **Repas** 15 - 32/72 et à la carte 33/90 - **17 ch** 80/160 - ½ P suppl. 28.

COSSONAY *1304 Vaud (VD)* 217 ③ *- 2 203 h. - alt. 565.*
Bern 107 - Lausanne 16 - Fribourg 78 - Genève 62 - Yverdon-les-Bains 28.

Cerf (Crisci), 10 r. du Temple, (021) 861 26 08, *Fax (021) 861 26 27,* « Maison du 16e siècle » - AE E VISA
fermé 23 déc. au 4 janv., 10 juil. au 3 août, dim. et lundi - **Repas** 58 (midi)/168 et à la carte 95/155
Spéc. Foie gras lutté aux truffes (déc. - fév.). Truffes blanches et purée de rattes (nov.). Pigeon en vessie parfumé à la benoîte et racines de raiponce.

Auberge de la Couronne, 4 Petite Rue, (021) 861 05 68, *Fax (021) 862 22 51,* - E VISA
fermé 24 juil. au 9 août, dim. et lundi - **Repas** 15 - 40/85 et à la carte 54/95.

COURCHAVON *2922 Jura (JU)* 216 ② *- 308 h. - alt. 406.*
Bern 100 - Delémont 32 - Basel 54 - Belfort 32 - Montbéliard 30 - Porrentruy 4.

à Mormont *Ouest : 2 km - alt. 540 - 2900 Porrentruy :*

Auberge St. Hubert avec ch, (032) 466 35 33, *Fax (032) 466 35 33,* - AE E VISA
fermé fév., mardi soir et merc. - **Repas** 15 - 39/60 et à la carte 34/71, enf. 12 - **7 ch** 64/116 - ½ P suppl. 20.

COURFAIVRE *2853 Jura (JU)* 216 ⑭ *- 1 456 h. - alt. 451.*
Bern 79 - Delémont 7 - Basel 53 - Biel 44 - Montbéliard 61.

Soleil, (032) 426 71 86, *Fax (032) 426 84 07* - E VISA.
fermé 11 juil. au 2 août et merc. - **Repas** 14 - 39 et à la carte 46/84.

COURGENAY *2950 Jura (JU)* 216 ② ⑬ *- 2 122 h. - alt. 488.*
Bern 92 - Delémont 24 - Basel 54 - Biel 57 - Montbéliard 38.

Auberge de la Diligence, 10 Le Bourg, (032) 471 11 65 - AE E VISA
fermé 1er au 25 fév., 26 juil. au 10 août, dim. soir et lundi - **Repas** 15.50 - 39/78 et à la carte 45/84.

Boeuf avec ch, 7 r. de l'Eglise, (032) 471 11 21, *Fax (032) 471 12 89,* - AE E VISA
fermé 2 sem. en fév. et merc. - **Repas** 14 - 42 et à la carte 42/75 - **11 ch** 42/96.

COURTEMAÎCHE *2923 Jura (JU)* 216 ② *- 618 h. - alt. 398.*
Bern 103 - Delémont 35 - Basel 57 - Belfort 31 - Montbéliard 28.

Chez L'Cabri, (032) 466 19 93, *Fax (032) 466 53 71* - E VISA
fermé 3 sem. fin janv. - début fév. et merc. - **Repas** 17 - 29/50 et à la carte 36/81, enf. 14.

COUSSET *1774 Fribourg (FR)* 217 ④ *- alt. 484.*
Bern 47 - Neuchâtel 46 - Fribourg 16 - Lausanne 50 - Yverdon-les-Bains 28.

des Arbognes, Sud-Ouest : 1 km les Arbognes, (026) 660 24 84, - E VISA
fermé 26 juil. au 9 août, 27 au 30 déc., dimanche soir et lundi - **Repas** 13.50 - 35/65 et à la carte 37/90, enf. 12.

COUVET 2108 Neuchâtel (NE) 217 ③ - 2832 h. - alt. 734.

Bern 79 – Neuchâtel 31 – La Chaux-de-Fonds 36 – Morteau 32 – Pontarlier 29 – Yverdon-les-Bains 39.

Aigle, 27 Grand-Rue, (032) 863 26 44, *Fax (032) 863 21 89,* , – 80. AE VISA
Repas *(fermé sam. de fin oct. à mi-mai et dim. sauf en juil. - août)* 18 - 22/46 et à la carte 32/66 – **21 ch** 105/165 – ½ P suppl. 30.

Gare, 14 r. Pierre Dubied, (032) 863 11 16 – VISA
fermé 2 sem. fin juil., dim. soir, mardi soir et merc. – **Repas** 13.50 - 30 et à la carte 42/73.

CRANS-MONTANA *Valais (VS)* 217 ⑯ – *Sports d'hiver : 1 234/3 000 m 7 33*

Voir : *Site★★.*

Environs : *Bella Lui★★★ par télécabine AY.*

(mai - oct.) (027) 481 21 68, Fax (027) 481 95 68 - AZ.

Manifestation locale

05.02 - 07.02 : Rassemblement international de montgolfières.

Bern 182 ② – Sion 29 ② – Brig 52 ① – Martigny 59 ② – Sierre 14 ①

CRANS

Centrale (R.)	AZ	3
Ehanoun (R. de l')	AZ	9
Elysée Bonvin (R.)	AZ	10
Fleurs des Champs (Rte. de)	ABZ	12
Grand-Place (R. du)	AZ	15
Pont du Diable (R. du)	AZ	19
Prado (R. du)	AZ	21
Sommets de Crans (Rte. des)	BZ	22

MONTANA

Chorecrans (Rte. de)	BY	4
Comba (Rte. de la)	BY	6
Crête du Louché (Rte de la)	BY	7
Gare (Av. de la)	BY	13
Louis Antille (R.)	BY	16
Petit Signal (Rte. du)	BY	18
Théodore Stéphani (R.)	BY	24
Transit (Rte. du)	BY	25

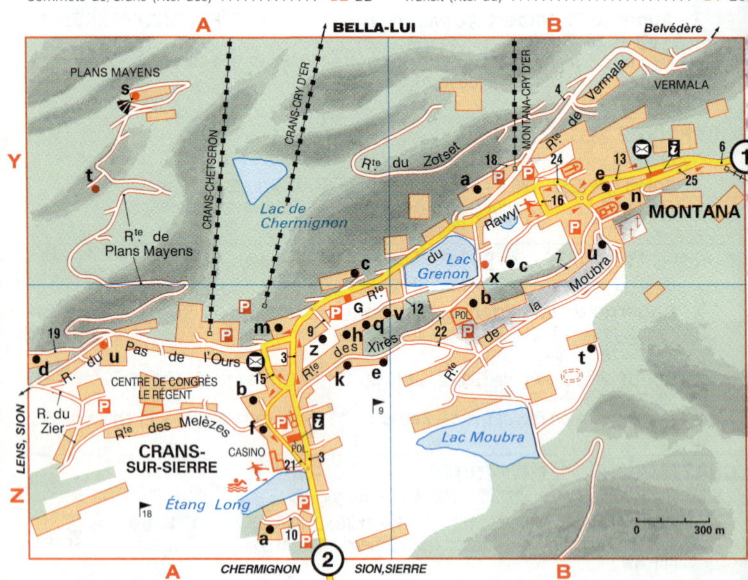

Crans-sur-Sierre 3963 – alt. 1 460.

Crans-Montana Tourisme, (027) 485 08 00, Fax 485 08 11.

Royal (027) 481 39 31, *Fax (027) 481 39 36,* , « Elégantes installations », – 30. AE VISA JCB rest AZ z
21 déc. - 29 avril et 2 juin - 29 sept. – **Repas** 50 (midi)/80 et à la carte 67/140 – **50 ch** 180/470, Basse saison 140/410, 4 suites – ½ P suppl. 45.

Grand Hôtel du Golf, (027) 481 42 42, *Fax (027) 481 97 58*, en bordure du golf, – video – 50. rest AZ a
16 déc. - 14 mars et 16 juin - 30 sept. – **Repas** 60/130 et à la carte 64/154 – **72 ch** 315/550, Basse saison 170/350, 8 suites – ½ P suppl. 60.

Lindner Golf Hôtel Rhodania, (027) 480 11 41, *Fax (027) 481 51 00*, – – 15/60. rest AZ b
19 déc. - 6 avril et 26 juin - 19 sept. – **Repas** 40 (midi)/60 et à la carte 48/85 – **45 ch** 165/430, Basse saison 125/350 – ½ P suppl. 45.

Alpina et Savoy, (027) 481 21 42, *Fax (027) 481 61 75*, – rest AY c
15 déc. - 15 avril et 20 juin - 15 sept. – **Repas** 38/68 et à la carte 52/95, enf. 20 – **47 ch** 180/350, Basse saison 115/290 – ½ P suppl. 35.

Alpha, route du Pont du Diable, (027) 483 31 13, *Fax (027) 483 31 19*, – – 25. rest AZ d
20 déc. - 14 avril et 20 juin - 24 sept. – **Repas** 25 - 40/50 et à la carte 46/90, enf. 17 – **23 ch** 150/280, Basse saison 90/190 – ½ P suppl. 45.

Elite, route des Xirès, (027) 481 43 01, *Fax (027) 481 24 21*, – rest AZ e
mi-déc. - 5 avril et 2 juin - fin sept. – **Repas** 32 – **25 ch** 108/230, Basse saison 71/151 – ½ P suppl. 32.

Miedzor, (027) 485 90 10, *Fax (027) 485 90 30*, face au départ du golf – AZ f
6 déc. - 11 avril et 13 juin - 9 oct. – **Repas** 23 - 36 (midi)/45 et à la carte 42/79 – **22 ch** 90/240, Basse saison 70/200 – ½ P suppl. 35.

Eden, (027) 480 11 71, *Fax (027) 481 41 31*, – rest AZ h
21 déc. - 10 avril et 21 juin - 9 sept. – **Repas** 40 (midi)/50 et à la carte 54/84, enf. 15 – **41 ch** 180/360, Basse saison 130/240 – ½ P suppl. 40.

des Alpes, (027) 481 37 54, *Fax (027) 481 15 52*, – rest AZ k
19 déc. - 9 avril et 28 juin - 9 sept. – **Repas** *(résidents seul.)* 18 - 30 – **30 ch** 130/230, Basse saison 70/120 – ½ P suppl. 30.

National, (027) 481 26 81, *Fax (027) 481 73 81*, – AZ m
16 déc. - 14 avril et 31 mai - 14 sept. – **Repas** *(résidents seul.)* 22 (midi)/38 – **29 ch** 115/250, Basse saison 70/160 – ½ P suppl. 30.

Le Splendide, (027) 481 20 56, *Fax (027) 481 20 08*, – rest AZ q
16 déc. - 19 avril et 16 juin - 24 sept. – **Repas** 25/40 – **25 ch** 85/220, Basse saison 70/195 – ½ P suppl. 30.

Hostellerie du Pas de l'Ours M avec ch, (027) 485 93 33, *Fax (027) 485 93 34*, Belle façade boisée d'un ancien chalet valaisan, élégante installation contemporaine – AZ u
fermé mai et nov. – **Repas** *(fermé dim. soir, mardi midi et lundi hors saison)* 65 (midi)/110 et à la carte 81/128 ***Le Bistrot des Ours*** *(fermé mercredi hors saison)* **Repas** 18 et à la carte 40/81 – **9 ch** 420/620, Basse saison 320/520
Spéc. Tian de sardines grillées au piment d'Espelette et confit de légumes (été). Poêlée de St-Jacques en blanquette de légumes nouveaux au caviar (printemps). Picatta de pigeon toscan et paupiettes de chou vert au foie gras (hiver).

à Plans Mayens *Nord : 4 km* - AY – *3963 Crans-sur-Sierre :*

Le Mont-Blanc avec ch, (027) 481 31 43, *Fax (027) 481 31 46*, « Restaurant panoramique Alpes valaisannes », – AY s
fermé mai et nov. – **Repas** 36 - 60 (midi)/72 et à la carte 54/147, enf. 25 – **15 ch** 95/240, Basse saison 75/190 – ½ P suppl. 60.

La Dent Blanche avec ch, (027) 481 11 79, *Fax (027) 481 66 98*, « Chalet rustique » – AY t
ouvert début déc. - fin avril, début juin - fin sept., en oct. seulement le week-end et fermé lundi hors saison – **Repas** 50/65 et à la carte 50/90 – **8 ch** 75/150.

Montana *3962 – 2 189 h. – alt. 1 234.*
Crans-Montana Tourisme, av. de la Gare, (027) 485 04 04, Fax (027) 485 04 60.

Crans-Ambassador, (027) 481 48 11, *Fax (027) 481 91 55,* ←, , centre de phytothérapie, , , – | video – 15/100. . rest BY a
fermé 5 au 17 déc. – **Repas** 35 - 65 (midi)/75 et à la carte 53/112, enf. 18 – **73 ch** 245/550, Basse saison 155/360, 8 suites – ½ P suppl. 50.

Aïda Castel , (027) 480 11 11, *Fax (027) 481 70 62,* ←, , « Décor valaisan », , , , – | – 25/60. BZ b
Repas à la carte 45/115 – **61 ch** 230/360, Basse saison 110/210 – ½ P suppl. 35.

Grand Hôtel du Parc , (027) 481 41 01, *Fax (027) 481 53 01,* ← montagnes, , parc, , , – | – 15/50. . rest BY c
fermé mai et nov. – **Repas** 20 - 35 et à la carte 35/102 – **71 ch** 170/420, Basse saison 115/260 – ½ P suppl. 45.

St-Georges , rue du Temple, (027) 481 24 14, *Fax (027) 481 16 70,* , , , – . . rest BY n
fermé mai et 1er nov. au 15 déc. – **Repas** 22 - 35 (midi)/50 et à la carte 39/106 – **36 ch** 130/280, Basse saison 85/220 – ½ P suppl. 35.

de la Forêt, par ①, (027) 480 21 31, *Fax (027) 481 31 20,* ←, – | . . rest
20 déc. - 16 avril et 2 juin - 16 oct. – **Repas** 28 (midi)/35 et à la carte 36/87 – **72 ch** 125/280, Basse saison 90/170 – ½ P suppl. 32.

Mont-Paisible , (027) 480 21 61, *Fax (027) 481 77 92,* ← vallée et montagnes, , , , , – | . . rest
13 déc. - 10 avril et 20 juin - 25 sept. – **Repas** 16.50 - 21 (midi)/33 et à la carte 40/82 – **38 ch** 145/240, Basse saison 85/180 – ½ P suppl. 25.

Helvetia Intergolf, route de la Moubra, (027) 485 88 88, *Fax (027) 485 88 99,* ←, , – | . BY u
5 déc. - 10 avril et 30 mai - 29 oct. – **Repas** *(fermé sam. midi et en été aussi dim. soir)* 17 - 38 (abends) et à la carte 35/91, enf. 14 – **17 ch** 161/270, Basse saison 105/190, 36 suites – ½ P suppl. 38.

Primavera, avenue de la Gare, (027) 481 42 14, *Fax (027) 481 74 14,* – | – 40. BY e
Repas 32 et à la carte 43/82, enf. 20 – **32 ch** 91/202, Basse saison 75/160 – ½ P suppl. 30.

Colorado, par ① et rte d'Aminona, (027) 481 32 71, *Fax (027) 481 31 09,* ←, , agréable salle à manger de style montagnard, – | .
1er déc. - 19 avril et 21 juin - 14 oct. – ***Channes de Barzettes*** *(fermé le midi)* **Repas** 16 - 28/45 et à la carte 43/98, enf. 17 – **16 ch** 100/200, Basse saison 80/130 – ½ P suppl. 30.

Eldorado , (027) 481 13 33, *Fax (027) 481 95 22,* ←, , , , – | . . rest AZ v
fermé 15 oct. au 15 déc. – **Repas** 18 - 25/45 et à la carte 31/90, enf. 10 – **35 ch** 104/250, Basse saison 64/160 – ½ P suppl. 20.

La Prairie , route de La Prairie, (027) 481 44 21, *Fax (027) 481 85 86,* , – | – 15/40. BZ t
Repas 15 - 30 (midi)/45 et à la carte 40/88, enf. 12 – **30 ch** 115/200, Basse saison 55/140 – ½ P suppl. 30.

Au Gréni, (027) 481 24 43, cadre rustique montagnard – .
fermé mai, nov. et merc. hors sais. – **Repas** 19 et à la carte 33/94. BY x

à Vermala *Nord-Est : 1,5 km -* BY *– alt. 1 484 – 3962 Montana-Vermala :*

Cervin, (027) 481 21 80, *Fax (027) 480 10 64,* , « Cadre rustique, bergerie avec animaux de la ferme » – .
fermé lundi et mardi hors saison – **Repas** à la carte 60/108 – ***La Bergerie*** *(fermé le midi hors saison)* **Repas** 59 (midi) et à la carte 41/79, enf. 22.

à Bluche *Est : 3 km par ① – alt. 1 263 – 3975 Randogne :*

Petit Paradis , (027) 481 21 48, *Fax (027) 481 02 32,* ← Alpes valaisannes, , décor montagnard – | .
Repas 15.50 et à la carte 27/61, enf. 10 – **12 ch** 65/120.

CRANS-PRÈS-CÉLIGNY *Vaud* 217 ⑪ ⑫ *- rattaché à Céligny.*

CRESSIER *2088 Neuchâtel (NE)* 216 ⑬ *- 1 893 h. - alt. 436.*

Bern 46 - Neuchâtel 11 - Biel 23 - La Chaux-de-Fonds 36.

Croix-Blanche, 12 rte de Neuchâtel, ☎ (032) 757 11 66, *Fax (032) 757 32 15,* - TV P. AE ⓓ E VISA JCB. ch
Repas *(fermé merc.)* 18 - 35/68 et à la carte 35/74 - **14 ch** 70/100 - ½ P suppl. 15.

CRÉSUZ *1653 Fribourg (FR)* 217 ⑤ *- 224 h. - alt. 864.*

Bern 70 - Fribourg 29 - Bulle 10 - Gstaad 46 - Montreux 45 - Thun 60.

Le Vieux Chalet avec ch, ☎ (026) 927 12 86, *Fax (026) 927 22 86,* , « Chalet avec lac et le Moléson » - TV P. AE E VISA
fermé janv. et mardi sauf juil. - août - **Repas** 14.50 - 38/65 et à la carte 36/70, enf. 16 - **5 ch** 75/140 - ½ P suppl. 35.

CRISSIER *1023 Vaud (VD)* 217 ③ *- 5 805 h. - alt. 470.*

Bern 106 - Lausanne 5 - Montreux 28 - Nyon 45 - Pontarlier 64.

Ibis M, 4 chemin de l'Esparcette, ☎ (021) 636 37 38, *Fax (021) 634 62 72,* - ch, TV P - 15/100. AE ⓓ E VISA
Repas 15.50 - 29 et à la carte 30/43, enf. 11 - 13 - **113 ch** 95/149 - ½ P suppl. 29.

Hôtel de Ville (Rochat), 1 r. d'Yverdon, ☎ (021) 634 05 05, *Fax (021) 634 24 64,* « Décor élégant » - AE ⓓ E VISA
fermé 18 déc. au 3 janv., 31 juil. au 23 août, dim. et lundi - **Repas** 195/215 et à la carte 120/240
Spéc. Oeuf en surprise aux truffes blanches d'Alba (automne). Truite du Lac en court-bouillon, mousseline à l'estragon (été). Canard nantais cuit rosé au vin de Brouilly.

CROY *1322 Vaud (VD)* 217 ③ *- 278 h. - alt. 642.*

Bern 99 - Lausanne 31 - Pontarlier 41 - Yverdon-les-Bains 20.

Rôtisserie au Gaulois, rte cantonale, ☎ (024) 453 14 89, *Fax (024) 453 12 27* - P. AE ⓓ E VISA
fermé 4 au 18 janv., 19 juil. au 16 août, dim. soir et lundi - **Repas** - grillades - 15 - 45 (midi)/86 et à la carte 43/96.

CUDREFIN *1588 Vaud (VD)* 217 ④ ⑤ *- 805 h. - alt. 438.*

Bern 52 - Neuchâtel 43 - Biel 49 - Lausanne 71 - Yverdon-les-Bains 44.

à la Sauge *Nord-Est : 3,5 km - alt. 429 - ✉ 1588 Cudrefin :*

Auberge de la Sauge avec ch, ☎ (026) 677 14 20, , « terrasse ombragée », - P. AE ⓓ E VISA. ch
fermé 15 déc. au 1er mars, lundi et mardi - **Repas** 69 et à la carte 65/91 - **7 ch** 70/140.

CULLY *1096 Vaud (VD)* 217 ⑬ *- 1 740 h. - alt. 391.*

Bern 93 - Lausanne 8 - Montreux 15 - Pontarlier 77 - Yverdon-les-Bains 45.

Le Raisin (Blokbergen), 1 pl. de l'Hôtel de Ville, ☎ (021) 799 21 31, *Fax (021) 799 25 01,* - rest, TV . AE ⓓ E VISA
Repas 69 (midi)/160 et à la carte 90/143 - ***La Pinte* : Repas** 45 et à la carte 56/92 - **10 ch** 140/290
Spéc. Gaspacho au homard (été). Coeur de filet de cabillaud aux amandes fraîches (été). Pintade Souvarov.

Buffet de la Gare, ☎ (021) 799 21 24 - E VISA
fermé 15 juil. au 15 août, sam., dim. et fériés - **Repas** (nombre de couverts limité - prévenir) 15 - 60 et à la carte 59/82.

Est *1,5 km sur rte de Vevey :*

XX **Au Vieux Moulin**, ✉ 1098 Epesses, ✆ (021) 799 21 73, *Fax (021) 799 37 93*
<, 🏠 – P. AE E VISA
fermé dim. soir et lundi – **Repas** 16 - 36 et à la carte 40/93.

La CURE *1265 Vaud (VD)* 217 ⑪ – *alt. 1 155.*
Bern 160 – Genève 41 – Lausanne 56 – Nyon 21 – Les Rousses 4.

XX **Arbez Franco-Suisse** M avec ch, ✆ (022) 360 13 96, *Fax (0033) 384 60 08 5*
– TV ☎ P. E VISA. ✂ rest
fermé 15 au 30 nov., lundi soir et mardi sauf du 19 déc. au 15 avril et juil. - aoû
– **Repas** 15 - 33/60 et à la carte 53/97, enf. 20 ***Brasserie :*** **Repas** 20 et à la cart
31/77 – ☕ 10 – **10 ch** 75/90 – ½ P suppl. 15.

CUREGLIA *6944 Ticino (TI)* 219 ⑧ – *1 187 ab. – alt. 433.*
Bern 290 – Lugano 8 – Bellinzona 35 – Locarno 47.

X **Grotto Ticinese,** via ai Grotti 2, ✆ (091) 967 12 26, *Fax (091) 967 42 24*, 🏠
– AE E VISA
chiuso Natale e 31 dicembre – **Pasto** 17 ed à la carte 33/58.

DÄLLIKON *8108 Zürich (ZH)* 216 ⑱ – *Höhe 440.*
Bern 122 – Zürich 15 – Aarau 44 – Baden 20 – Dietikon 18 – Wohlen 29.

XX **Forum Romanum,** Regensdorferstr. 3, ✆ (01) 844 05 50, *Fax (01) 844 39 42*
🏠 – ▤ P. E VISA
Sonntag - Montag, März und Okt. jeweils 2 Wochen geschl. – **Menu** 29 - 39 (mittags)
und à la carte 41/89 – ***Bistro :*** **Menu** 22 und à la carte 30/61.

DÄTTWIL *Aargau* 216 ⑥ – *siehe Baden.*

DAVOS *7270 Graubünden (GR)* 218 ⑤ – *11 424 Ew. – Wintersport : 1 560/2 844 m* 11
24 .
Sehenswert : *Lage★★★ – Weissfluhgipfel★★ mit Standseilbahn* AY – *Schatzalp★* AY
– *Hohe Promenade★* ABY.
Ausflugsziel : *Die Zügenschlucht über ③ und die Flüela★★ über ②.*
9 in Alvaneu Bad, ✉ 7473 (April - Nov.), ✆ (081) 404 10 07, Fax (081) 404 23 82
Süd West : 29 km Richtung Tiefencastel. 18 (Mai - Okt.) ✆ (081) 416 56 34
Fax (081) 416 25 55 - BZ.
Lokale Veranstaltungen
27.01 - 01.02 : Weltwirtschaft Forum
23.07 - 14.08 : Internationales Musik-Festival.
Davos Tourismus, Promenade 67, ✆ (081) 415 21 21, Fax (081) 415 21 00.
Bern 282 ① – Chur 71 ① – Sankt Moritz 71 ③ – Vaduz 78 ①

Stadtplan siehe gegenüberliegende Seite

Davos Dorf – *Höhe 1 560 – ✉ 7260 Davos Dorf :*

Seehof, Promenade 159, ✆ (081) 416 12 12, *Fax (081) 416 61 10*, <, 🏠
« Elegante Einrichtung », Fб, ≘s – |‡| TV ☎ ✆ ⇔ P – 🏠 15/60. AE ⊙ E VISA
JCB BY a
29. Nov. - 10. April und 6. Juni - 9. Okt. – ***Stübli :*** *(im Sommer Montag und Dienstag*
geschl.) **Menu** 17.50 - 26 (mittags)/65 und à la carte 43/87, Kinder 12 – **115 Zim**
☕ 219/487, Vorsaison ☕ 109/256, 4 Suiten – ½ P Zuschl. 28.

Flüela, Bahnhofstr. 5, ✆ (081) 410 17 17, *Fax (081) 410 17 18*, <, 🏠, ≘s,
– |‡| TV ☎ ⇔ P – 🏠 15/150. AE ⊙ E VISA. ✂ Rest BY
Mai und Nov. geschl. – **Menu** 28 - 38 (mittags)/80 und à la carte 55/107, Kinder 1
– **69 Zim** ☕ 320/600, Vorsaison ☕ 160/280, 5 Suiten – ½ P Zuschl. 35.

Derby, Promenade 139, ✆ (081) 417 95 00, *Fax (081) 417 95 95*, <, ≘s, ,
– |‡| TV ☎ P – 🏠 15/200. AE ⊙ E VISA. ✂ Rest BY m
Dez. - April und Juli - September – **Menu** *(Montag geschl.) (nur Abendessen)* à la carte
33/64, Kinder 13 – **97 Zim** ☕ 185/450, Vorsaison ☕ 115/250 – ½ P Zuschl. 30.

DAVOS

obbahnstrasse . . . . BY 3
Guggerbachstrasse . . . . AZ 4
Horlaubenstrasse . . . . BY 6
Kurgartenstrasse . . . . AZ 7
Museumstrasse . . . . BY 9
Promenade . . . . AZ
Salzgäbastrasse . . . . BY 10
Tanzbühlstrasse . . . . AZ 12
Tobelmühlestrasse . . . . AZ 13

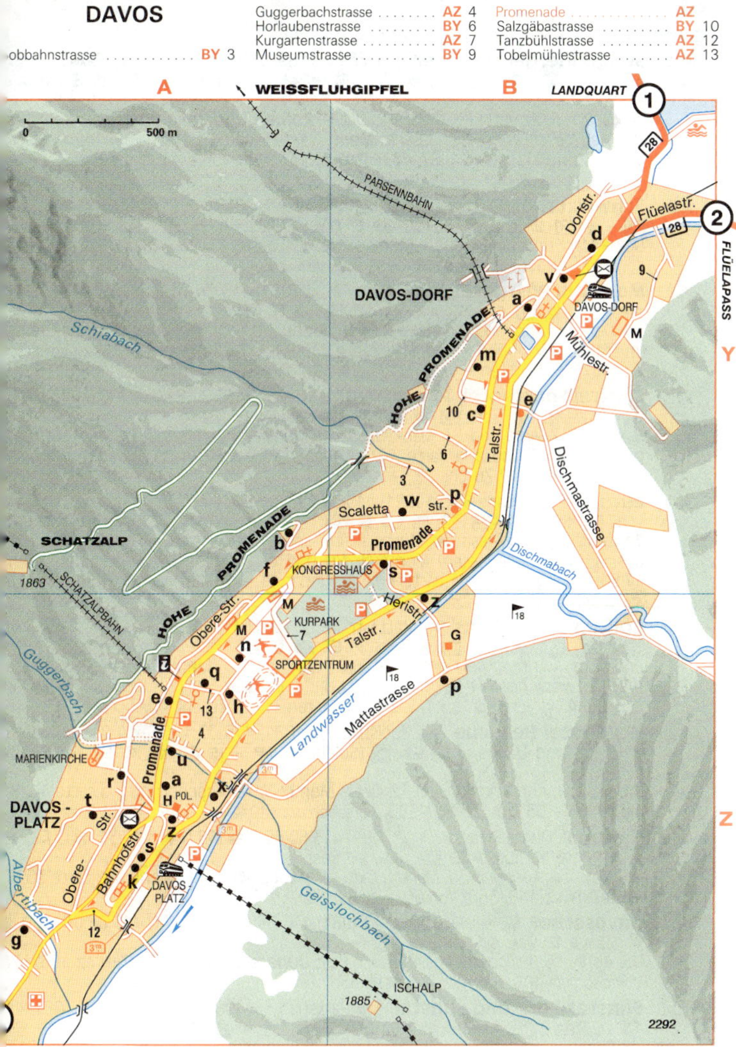

Meierhof, Promenade 135, ✆ (081) 416 82 85, *Fax (081) 416 39 82*, Rest — BY c
5. Dez. - 5. April und 24. Mai - 2. Okt. – **Menu** 16.50 - 40 und à la carte 39/87, Kinder 11 – **72 Zim** 165/410, Vorsaison 110/230, 9 Suiten – ½ P Zuschl. 25.

Cristiana M, Alte Flüelastr. 2, ✆ (081) 417 53 00, *Fax (081) 417 53 80*, Rest — BY d
Ende Nov. - Mitte April und Mitte Mai - Mitte Okt. – **Menu** *(nur Abendessen)* 12.50 und à la carte 39/57 – **45 Zim** 160/330, Vorsaison 95/170 – ½ P Zuschl. 15.

Bündnerstübli, Dischmastr. 8, ✆ (081) 416 33 93 – AE E VISA — BY e
Montag, Mai, Juni und Nov. geschl. – **Menu** - Bündner Spezialitäten - *(nur Abendessen)* (Tischbestellung ratsam) 64 und à la carte 37/81.

Davos Platz – *Höhe 1 540* – ✉ *7270 Davos Platz* :

Steigenberger Belvédère, Promenade 89, ✆ (081) 415 60 00, *Fax (081) 41 60 01*, ≤, , , , – , Zim, , – 15/100. AE ① E VISA JCB ✻ Rest AY
28. Nov. - 5. April und 30. Mai - 9. Okt. – ***Romeo und Julia*** - italienische Küche *(Montag geschl.)(nur Abendessen)* **Menu** 59/125 und à la carte 59/112 – ***Bistr Voilà :*** **Menu** à la carte 34/67 – **133 Zim** 233/496, Vorsaison 140/321, 8 Suite – ½ P Zuschl. 25.

Schweizerhof, Promenade 50, ✆ (081) 413 26 26, *Fax (081) 413 49 66*, , – – 25. AE ① E VISA. ✻ Rest AZ
Dez. - März und Juni - Sept. – **Menu** 22 und à la carte 45/93 – **84 Zim** 215/470 Vorsaison 150/350, 6 Suiten – ½ P Zuschl. 24.

Morosani Posthotel, Promenade 42, ✆ (081) 413 74 74, *Fax (081) 413 70 60* , – – 50. AE ① E VISA AZ
14. Dez. - 4. April und 30. Mai - 2. Okt. – **Menu** *(im Sommer Montag geschl.)* 25 - 3 (mittags)/75 (abends) und à la carte 52/99 – **75 Zim** 161/472, Vorsaiso 113/256, 5 Suiten – ½ P Zuschl. 24.

Central Sporthotel, Tobelmühlestr. 1, ✆ (081) 413 81 81, *Fax (081) 413 52 1* , – , Zim, – 50. AE ① E VISA AZ
8. Nov. - 17. April und 23. Mai - 15. Okt. – **Menu** *(im Sommer Dienstag - Mittwoc geschl.)* 52/62 und à la carte 44/91, Kinder 15 – **95 Zim** 255/470, Vorsaiso 125/250 – ½ P Zuschl. 25.

Europe, Promenade 63, ✆ (081) 413 59 21, *Fax (081) 413 13 93*, , , , – – 30. AE ① E VISA AZ
Zauberberg - chinesische Küche - *(im Sommer Montag - Dienstag und M geschl.) (nur Abendessen)* **Menu** 45/70 und à la carte 46/82 – ***Scala :*** **Men** 17.50 (mittags) und à la carte 40/76, Kinder 11 – **64 Zim** 160/420, Vorsaiso 109/210.

Golfhotel Waldhuus , Mattastr. 58, ✆ (081) 416 81 31, *Fax (081) 416 39 3* , , , – . AE ① E VISA BZ
Ende Nov. - Anfang April und Ende Juni - Anfang Okt. – **Menu** *(im Sommer Diensta und Mittwoch geschl.)* 38 (mittags)/92 und à la carte 56/112, Kinder 20 – **37 Zi** 158/434, Vorsaison 125/218, 10 Suiten – ½ P Zuschl. 40.

Waldhotel Bellevue , Buolstr. 3, ✆ (081) 415 37 47, *Fax (081) 415 37 9* ≤ Berge und Davos, , (Solebad), – . AE ① E VISA ✻ Rest AY
13. Dez. - 9. April und 12. Juni - 2. Okt. – **Menu** 55/70 (abends) und à la carte 44/8 Kinder 16 – **53 Zim** 180/380, Vorsaison 110/240 – ½ P Zuschl. 20.

National, Obere Strasse 31, ✆ (081) 413 60 46, *Fax (081) 413 16 50*, , , – . AE ① E VISA JCB. ✻ Rest AZ
26. Nov. - 4. April und 30. Mai - 1. Okt. – ***Rest. Le Mignon :*** **Menu** à la carte 38/8 – **65 Zim** 140/360, Vorsaison 88/240 – ½ P Zuschl. 10.

Davoserhof M, am Postplatz, ✆ (081) 415 66 66, *Fax (081) 415 66 67* – . AE ① E VISA. ✻ AZ
15. April - 15. Juli geschl. – (siehe auch Rest. ***Jenatschstube***) – **22 Zim** 185/370 Vorsaison 105/220 – ½ P Zuschl. 35.

Sunstar Park und Sunstar , Parkstr. 1, ✆ (081) 413 14 14, *Fax (081) 41 15 79*, , , – – 15/100. AE ① E VISA ✻ Rest AZ
4. Dez. - Mitte April und Mitte Mai - 9. Okt. – **Menu** 45 und à la carte 36/71, Kinder – **217 Zim** 190/400, Vorsaison 90/210 – ½ P Zuschl. 25.

Kongress Hotel Davos, Promenade 94, ✆ (081) 417 11 22, *Fax (081) 41 11 23*, ≤, , , – . AE ① E VISA BY
in Mai - Juni Montag (nur Rest.), 4. April - 4. Mai und 1. - 30. Nov. geschl. – **Menu** (*Pens. für Hotelgäste)* – ***Extrablatt*** **Menu** 18 und à la carte 38/88, Kinder 15 – **80 Zi** 170/350, Vorsaison 110/300 – ½ P Zuschl. 25.

Bethanien, Bahnhofstr. 7, ✆ (081) 415 58 55, *Fax (081) 415 58 56*, , – – 15/40. E VISA. ✻ Zim AZ
Menu 18 - 35 und à la carte 27/60 – **64 Zim** 135/280, Vorsaison 95/190 ½ P Zuschl. 15.

Cresta Sun, Talstr. 52, ✆ (081) 416 46 66, *Fax (081) 416 46 85*, , , . AE ① E VISA. ✻ Rest BYZ
Menu à la carte 30/73 – **45 Zim** 180/400, Vorsaison 90/300 – ½ P Zuschl. 2

Terminus Talstr. 3, (081) 413 25 25, *Fax (081) 413 71 77*, – 15/90. AE VISA JCB AZ s
Mai geschl. – ***Zum Goldenen Drachen*** - chinesische Küche - **Menu** 17.50 und à la carte 35/70 – ***Veltlinerstube :*** **Menu** 17.50 und à la carte 36/75 – **54 Zim** 140/258, Vorsaison 85/150 – ½ P Zuschl. 20.

Bellavista [M], Scalettastr. 21A, (081) 417 56 00, *Fax (081) 417 56 01*, – 25. AE VISA JCB. Rest BY w
5. Dez. - 14. April und 2. Juni - 9. Okt. – **Menu** *(nur Abendessen für Hotelgäste)* 17.50 - 30 – **24 Zim** 220/320, Vorsaison 140/190 – ½ P Zuschl. 30.

Bündnerhof, Sportweg 3, (081) 413 56 30, *Fax (081) 413 11 77* – AE VISA AZ n
5. Dez. - 20. April und 20. Juni - 12. Okt. – **Menu** *(nur Abendessen)* à la carte 36/56, Kinder 12 – **25 Zim** 115/250, Vorsaison 65/170 – ½ P Zuschl. 20.

Larix Obere Albertistr. 9, (081) 413 11 88, *Fax (081) 413 33 49* – VISA AZ g
11. Dez. - 18. April und 5. Juli - 17. Okt. – **Menu** *(Montag - Dienstag geschl.) (nur Abendessen)* 44 und à la carte 58/82 – **20 Zim** 125/250, Vorsaison 85/150 – ½ P Zuschl. 30.

Crystal, Eisbahnstr. 2, (081) 413 57 57, *Fax (081) 413 32 62*, – VISA. Zim AZ h
im Sommer Montag, 10. April - 15. Juni und 31. Okt. - 10. Dez. geschl. – **Menu** *(im Winter nur Abendessen)* 52 (abends) und à la carte 35/89, Kinder 12 – **27 Zim** 160/280, Vorsaison 95/170 – ½ P Zuschl. 25.

Ochsen, Talstr. 10, (081) 413 52 22, *Fax (081) 413 76 71*, – 40. AE VISA AZ x
15. - 26. April und 18. Okt.- 26. Nov. geschl. – **Menu** 17.50 - 26 und à la carte 39/65 – **47 Zim** 166/288, Vorsaison 90/150 – ½ P Zuschl. 29.

Jenatschstube - ***Hotel Davoserhof***, am Postplatz, (081) 415 66 66, *Fax (081) 415 66 67*, – AE VISA AZ z
im Sommer Montag und 15. April - 15. Juli geschl. – **Menu** 49 (mittags)/135 und à la carte 66/150
Spez. Turbot en croûte de sel. Carré d'agneau des Grisons aux herbes. Gibier (Sept. - Nov.).

Vinikus, Promenade 119, (081) 416 59 79, *Fax (081) 416 10 60*, , Restaurant im Bistro-Stil – AE VISA BY p
Sonntag - Montag (ausser im Winter) und 15. April - 15. Juni geschl. – **Menu** 25 - 65 (abends) und à la carte 55/103.

in Wolfgang *über ① : 4 km – Höhe 1629 – ✉ 7265 Davos-Wolfgang :*

Kulm, (081) 417 07 07, *Fax (081) 417 07 99*, ≤, – AE VISA JCB
Menu 20 - 45 (abends) und à la carte 36/69, Kinder 14 – **32 Zim** 100/240, Vorsaison 65/170 – ½ P Zuschl. 25.

in Laret *über ① : 6 km – ✉ 7265 Davos-Wolfgang :*

Hubli's Landhaus, Kantonsstrasse, (081) 416 21 21, *Fax (081) 416 33 42*, , – AE VISA
16. Dez. - 14. April und 2. Juni - 31. Okt. – **Menu** *(Dienstagmittag und Montag geschl.) (im Winter nur Abendessen)* 28 - 44 (mittags)/115 und à la carte 62/126 – **20 Zim** 144/266, Vorsaison 78/160 – ½ P Zuschl. 25
Spez. Gebratenes Steinbuttfilet auf Ingwer - Steinpilzsauce. Davoser Lammkarré mit frischen Gartenkräutern. Ganz gebratene Chalans Ente mit Sesamkruste.

DEGERSHEIM *9113 Sankt Gallen (SG) 216 ⑳ – 3 967 Ew. – Höhe 799.*

Verkehrsverein, (071) 371 12 14.

Bern 211 – Sankt Gallen 18 – Konstanz 50 – Winterthur 62.

Wolfensberg , (071) 371 12 27, *Fax (071) 371 18 02*, , , – – 15/40. VISA
Menu 17 - 38/54 (abends) und à la carte 39/80, Kinder 15 – **27 Zim** 105/178 – ½ P Zuschl. 25.

DELÉMONT *2800 C Jura (JU)* 216 ⑭ *– 11 709 h. – alt. 436.*

Manifestation locale

10.09 - 12.09 : 51ème Fête du peuple jurassien.

Jura Tourisme, 12 pl. de la Gare, (032) 422 97 78, Fax (032) 422 87 81.

1 r. de la Maltière, (032) 422 66 86, Fax (032) 422 37 26.

12 pl. de la Gare, (032) 422 65 22, Fax (032) 422 87 81.

Bern 95 – Basel 46 – Montbéliard 62 – Solothurn 64.

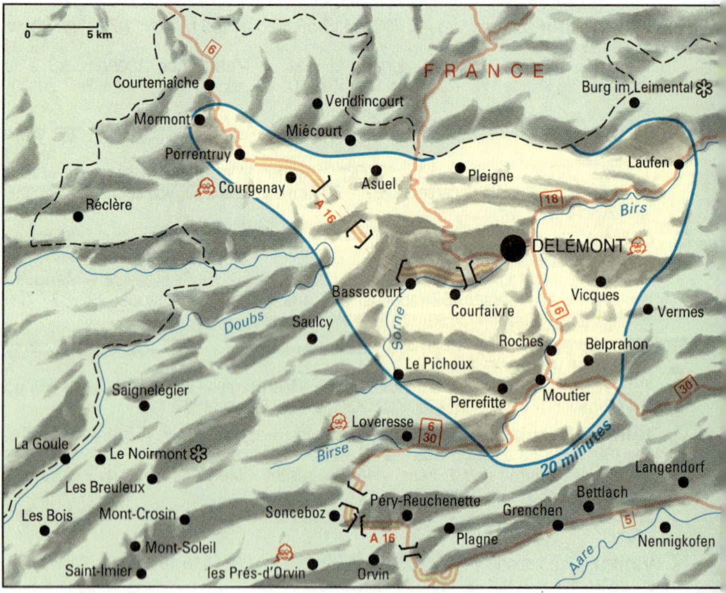

City, 38 rte de Bâle, (032) 422 94 44, *Fax (032) 422 77 49,* – TV P AE VISA
fermé 19 juil. au 1er août, sam. et dim. – **Repas** 16 et à la carte 28/72 – **15 ch** 120/180 – ½ P suppl. 25.

du Midi avec ch, 10 pl. de la Gare, (032) 422 17 77, *Fax (032) 423 19 89* – VISA
fermé 24 mars au 14 avril et merc. – **Repas** 17 - 30 (midi)/100 et à la carte 40/93 – **4 ch** 77/120 – ½ P suppl. 20.

Les DIABLERETS *1865 Vaud (VD)* 217 ⑮ *– alt. 1 155 – Sports d'hiver : 1 155/3 000 m* 9 16.

Voir : *site★.*

Environs : *Sex Rouge★★★ : panorama★★★ Est : 4 km et téléphérique – Glacier des Diablerets★★ Est.*

Manifestations locales

01.01 - fin mars : Festival Musique et Neige

20.09 - 26.09 : Festival international du film alpin.

Office du Tourisme, (024) 492 33 58, Fax (024) 492 23 48.

Bern 122 – Montreux 38 – Aigle 22 – Gstaad 21 – Lausanne 66 – Martigny 54 – Sion 80.

Eurotel Victoria, ch. du Vernex, (024) 492 37 21, *Fax (024) 492 23 71* – TV video P – 15/70. AE VISA
21 déc. - 10 avril et 16 mai - 16 oct. – **Repas** *(fermé le midi)* 45/70 et à la carte 38/70 – **103 ch** 92/318, Basse saison 84/238 – ½ P suppl. 20.

Grand Hôtel, (024) 492 35 51, *Fax (024) 492 23 91*, – 15/80. AE VISA
20 déc. - 4 avril et 1er juin - 16 oct. – **Repas** à la carte 36/92 – **58 ch** 125/250, Basse saison 90/200 – ½ P suppl. 38.

Hostellerie Les Sources, ch. du Vernex, (024) 492 21 26, *Fax (024) 492 23 35*, – ch, – 15/30. AE VISA. rest
20 déc. - 17 avril et 23 mai - 16 oct. – **Repas** *(fermé midi en hiver)* 25 et à la carte 29/55, enf. 9 – **48 ch** 108/176, Basse saison 86/132 – ½ P suppl. 26.

Auberge de la Poste, rue de la Gare, (024) 492 31 24, *Fax (024) 492 12 68*, – E VISA
fermé 19 au 29 avril, 1er nov. au 3 déc., dim. soir et lundi hors saison – **Repas** *18* et à la carte 33/77, enf. 12.

Café de la Couronne, route du Pillon, (024) 492 31 75, *Fax (024) 492 31 75* – E VISA
fermé 30 nov. au 11 déc., 25 mai au 18 juin et mardi – **Repas** *15* et à la carte 31/62.

DIELSDORF *8157 Zürich (ZH) 216 ⑦ – 4 459 Ew. – Höhe 429.*

Bern 122 – Zürich 22 – Baden 20 – Schaffhausen 57 – Winterthur 35.

Löwen, Hinterdorfstr. 21, (01) 853 11 32, *Fax (01) 853 17 24*, – AE E VISA
Sonntag, 14. - 21. Feb. und 24. Juli - 8. Aug. geschl. – **Menu** *18* - 42 (mittags)/55 und à la carte 41/87, Kinder 15 – **17 Zim** 110/175.

Zur Sonne, Bahnhofstr. 1, (01) 853 12 45, *Fax (01) 853 29 55* – AE E VISA
Sonntag und 25. Juli - 9. Aug. geschl. – **Menu** *(Montag geschl.) 29* - 79/105 (abends) und à la carte 52/93 – ***Sonnenbar*** *(nur Abendessen)* **Menu** à la carte 38/68.

Bienengarten mit Zim, Regensbergerstr. 9, (01) 853 12 17, *Fax (01) 853 24 41*, – AE E VISA
über Weihnachten, Ostern und 1. - 18. Okt. geschl. – **Menu** *(Samstagmittag geschl.)* (Tischbestellung ratsam) *20* - 60/85 und à la carte 41/104 – **8 Zim** 155/320.

DIESSBACH BEI BÜREN *3264 Bern (BE) 216 ⑭ – 798 Ew. – Höhe 457.*

Bern 20 – Biel 10 – Burgdorf 34 – Neuchâtel 47 – Solothurn 18.

Storchen, Schmiedgasse 1, (032) 351 13 15, *Fax (032) 351 53 06*, – AE E VISA
Montag - Dienstag und 4. - 14. Jan. geschl. – **Menu** *18* - 42 (mittags)/85 und à la carte 43/92.

DIESSENHOFEN *8253 Thurgau (TG) 216 ⑧ – 3 183 Ew. – Höhe 413.*

Bern 169 – Zürich 57 – Baden 80 – Frauenfeld 22 – Schaffhausen 10.

Schupfen, Steinerstr. 501, Ost : 3 km Richtung Stein am Rhein, (052) 657 10 42, *Fax (052) 657 45 44*, Rhein, Riegelhaus aus dem 15. Jh. – AE E VISA
Dienstag - Mittwoch und 20. Jan. - 20. Feb. geschl. – **Menu** *17* und à la carte 38/81, Kinder 14.

DIETIKON *8953 Zürich (ZH) 216 ⑱ – 20 674 Ew. – Höhe 388.*

Bern 113 – Zürich 13 – Aarau 34 – Baden 11 – Luzern 57 – Schaffhausen 60.

Conti, Heimstr. 41, Industrie Gebiet Nord, Richtung N1, (01) 745 86 86, *Fax (01) 745 86 87*, – Zim, – 15/60. AE E VISA
Le Conte : *(Samstagmittag und Sonntagabend geschl.)* **Menu** 38 (mittags)/80 und à la carte 45/87, Kinder 13 – ***Brasserie :*** **Menu** *20* und à la carte 34/65 – **68 Zim** 177/214, 3 Suiten.

Sommerau Ticino, Zürcherstr. 72, (01) 745 41 41, *Fax (01) 745 44 88*, – 15/60. AE E VISA
Menu - italienische Küche - *19* und à la carte 45/89, Kinder 14 – **85 Zim** 132/216 – ½ P Zuschl. 25.

DIETINGEN *Thurgau (TG)* 216 ⑧ – *Höhe 435* – ✉ *8524 Uesslingen.*
Bern 170 – *Zürich 50* – *Frauenfeld 8* – *Konstanz 38* – *Sankt Gallen 53* – *Schaffhausen 23* – *Winterthur 15.*

Traube, Schaffhauserstrasse, ✆ (052) 746 11 50, *Fax (052) 746 10 14,* ≤, « Gasthaus aus dem 19. Jh. mit eleganter Einrichtung » – P. AE ⓓ E VISA
Mittwoch - Donnerstag, 20. Jan. - 11. Feb. und 16. - 29. Juli geschl. – ***Dietingerstube*** **: Menu** 29 -105 und à la carte 52/98 – ***Buurestube*** **: Menu** 17 und à la carte 46/83.

DISENTIS/MUSTÉR *7180 Graubünden (GR)* 218 ② – *2 252 Ew.* – *Höhe 1 130* – *Wintersport : 1 150/3 000 m* 1 8.
Sehenswert : *Klosterkirche St. Martin★.*
Disentis Tourismus, ✆ *(081) 920 30 20, Fax (081) 920 30 29.*
Bern 198 – *Andermatt 25* – *Altdorf 49* – *Bellinzona 85* – *Chur 64.*

Cucagna, Oberalpstrasse, ✆ (081) 929 55 55, *Fax (081) 929 55 00,* ≤, – TV – 30. AE ⓓ E VISA
20. Nov.- 18. Dez. geschl. – **Menu** 16.50 und à la carte 36/82 – **39 Zim** 115/222 Vorsaison 75/177 – ½ P Zuschl. 35.

Montana, ✆ (081) 947 45 65, *Fax (081) 947 42 77,* ≤, – Zim TV P. AE E VISA. Rest
Mai und Nov. geschl. – **Menu** *(nur Abendessen für Hotelgäste)* – **12 Zim** 83/140 – ½ P Zuschl. 25.

Sax M, Oberalpstrasse, ✆ (081) 947 44 48, *Fax (081) 947 53 68,* ≤ Medels Gletscher, – TV P. AE ⓓ E VISA
in der Zwischensaison Dienstag und Nov. geschl. – **Menu** 15 - 32 und à la carte 31/63 – **19 Zim** 75/136, Vorsaison 60/120 – ½ P Zuschl. 28.

DOMAT/EMS *7013 Graubünden (GR)* 218 ④ – *6 616 Ew.* – *Höhe 581.*
Bern 250 – *Chur 7* – *Andermatt 82* – *Davos 64* – *Sankt Moritz 81.*

Sternen M, via Nova 102, ✆ (081) 633 27 27, *Fax (081) 633 41 32,* – TV P. AE ⓓ E VISA. Zim
Menu 18.50 und à la carte 34/75 – **38 Zim** 75/180 – ½ P Zuschl. 30.

DOMBRESSON *2056 Neuchâtel (NE)* 216 ⑬ – *1 368 h.* – *alt. 743.*
Bern 61 – *Neuchâtel 14* – *Biel 43* – *La Chaux-de-Fonds 30* – *Delémont 61.*

Hôtel de Commune avec ch, 24 Grand'Rue, ✆ (032) 853 24 01, *Fax (032) 853 60 08,* – TV P. AE ⓓ E VISA
fermé 3 au 21 janv., mardi et merc. – **Repas** 26 - 55/110 et à la carte 60/98 – **8 ch** 50/130 – ½ P suppl. 55.

DORNACH *4143 Solothurn (SO)* 216 ④ – *5 700 Ew.* – *Höhe 294.*
Bern 104 – *Basel 14* – *Delémont 33* – *Liestal 24* – *Olten 50* – *Solothurn 73.*

Zum Engel M, Hauptstr. 22, ✆ (061) 701 96 60, *Fax (061) 701 96 64,* – TV – 25. AE ⓓ E VISA
23. - 30. Dez. und 1 Woche über Fasnacht geschl. – ***Benedikt-Hugi-Stube*** **: Menu** 37 - 66/115 und à la carte 56/92, Kinder 14 – ***Gaststube*** **: Menu** 16.50 und à la carte 43/81 – **17 Zim** 130/220.

DÜBENDORF *8600 Zürich (ZH)* 216 ⑲ – *20 911 Ew.* – *Höhe 440.*
Bern 125 – *Zürich 5* – *Baden 23* – *Schaffhausen 45* – *Winterthur 23.*

Sonnental, Zürichstr. 94, ✆ (01) 821 41 81, *Fax (01) 821 41 91,* – TV P. AE ⓓ E VISA
24. Dez. - 4. Jan. und über Pfingsten (nur Hotel) geschl. – **Menu** 36 (mittags) und à la carte 38/94 – **57 Zim** 160/250.

MICHELIN AG Neugutstr. 81, ✆ (01) 821 21 60, Fax (01) 821 22 93

DÜDINGEN *3186 Freiburg (FR)* 217 ⑤ *– 6 601 Ew. – Höhe 596.*
Bern 28 – Neuchâtel 42 – Fribourg 6.

Central M, Hauptstr. 25, ✆ (026) 493 13 48, *Fax (026) 493 34 88* – TV ☎ P. E VISA. Zim
Menu - italienische Küche - *(Sonntagmittag geschl.)* 16.50 - 49 und à la carte 37/85 – **16 Zim** 120/180.

Garmiswil, Süd-West : 1,5 km, ✆ (026) 492 01 30, *Fax (026) 492 01 33,* – P. AE E VISA JCB
Montag geschl. – **Menu** 22 - 35 und à la carte 34/70.

DUILLIER *Vaud* 217 ⑫ *– rattaché à Nyon.*

DÜRNTEN *8635 Zürich (ZH)* 216 ⑲ *– 5 856 Ew. – Höhe 515.*
Bern 157 – Zürich 29 – Rapperswil 8 – Uster 14 – Winterthur 33.

Sonne M, Oberdürntenstr. 1, ✆ (055) 240 85 76, *Fax (055) 240 87 22,* – , Zim,, Zim, TV ☎ P – 40. AE E VISA
Menu 19.50 und à la carte 33/90 – **30 Zim** 105/155.

EBIKON *6030 Luzern (LU)* 216 ⑰ ⑱ *– 11 133 Ew. – Höhe 421.*
Bern 116 – Luzern 5 – Aarau 52 – Schwyz 38 – Zürich 51.

Löwen, Dorfstr. 5, ✆ (041) 445 04 04, *Fax (041) 445 04 40,* – TV ☎ P. AE E VISA
21. Dez. - 8. Jan. geschl. – **Menu** *(Montag geschl.)* 19.50 - 40 und à la carte 40/81 – **18 Zim** 82/140.

EBNAT-KAPPEL *9642 Sankt Gallen (SG)* 216 ⑳ *– 5 092 Ew. – Höhe 630 – Wintersport : 630/1 300 m 4 .*
Verkehrsverein, ✆ (071) 993 29 11, Fax (071) 993 10 10.
Bern 195 – Sankt Gallen 41 – Bregenz 78 – Vaduz 44 – Zürich 63.

Kapplerhof M, Kapplerstr. 111, ✆ (071) 993 91 91, *Fax (071) 993 35 68,* , , , , – TV ☎ P – 15/200. AE E VISA
Menu 18.50 - 41 (abends) und à la carte 42/97 – **49 Zim** 150/250 – ½ P Zuschl. 40.

Post, Ebnaterstr. 6, beim Bahnhof, ✆ (071) 993 17 72, *Fax (071) 993 18 10,* – P. AE E VISA
Montag und 20. Juli - 10. Aug. geschl. – **Menu** 18 - 48 (mittags)/110 (abends) und à la carte 42/98.

ECHALLENS *1040 Vaud (VD)* 217 ③ *– 3 858 h. – alt. 620.*
Bern 88 – Lausanne 15 – Montreux 43 – Yverdon-les-Bains 17.

Hôtel de Ville, 1 pl. de l'hôtel de Ville, ✆ (021) 881 62 63, *Fax (021) 881 62 66,* – AE E VISA
fermé dim. soir et lundi – ***Brasserie* :** **Repas** 17et à la carte 40/76, enf. 14 – ***Le Chinois*** - cuisine chinoise - **Repas** 20 -24(midi)/62 et à la carte 34/65.

ECHANDENS *1026 Vaud (VD)* 217 ⑬ *– 2 058 h. – alt. 434.*
Bern 111 – Lausanne 10 – Pontarlier 65 – Yverdon-les-Bains 34.

Auberge Communale, 8 pl. Saugey, ✆ (021) 702 30 70, *Fax (021) 702 30 71,* – E VISA
fermé 21 fév. au 5 mars, 12 au 24 oct., merc. et mardi soir – **Repas** 15 - 45 (midi)/70 et à la carte 45/88.

EFFRETIKON *8307 Zürich (ZH)* 216 ⑲ *– Höhe 511.*
Bern 153 – Zürich 24 – Rapperswil 27 – Wil 32 – Winterthur 14.

QN-Restaurant, Rikonerstr. 52 - Richtung Autobahn Winterthur, Ost 1 km, ✆ (052) 343 81 14, *Fax (052) 343 51 63,* , Alte Mühle aus dem 17. Jh. – AE E VISA
Samstag und Sonntagmittag geschl. – **Menu** - italienische Küche - 19.50 - 37 (mittags) und à la carte 41/91.

EGERKINGEN *4622 Solothurn (SO)* 216 ⑯ *– 2 472 Ew. – Höhe 435.*
Bern 58 – Basel 44 – Aarau 22 – Luzern 57 – Solothurn 27.

Mövenpick, Höhenstr. 666, ✆ (062) 398 07 07, *Fax (062) 398 22 82,* ←, – – 15/150. AE VISA
La Muetta *(Samstag - Sonntag und Mitte Juli - Mitte Aug. geschl.)* **Menu** 4 (mittags)/79 (abends) und à la carte 50/87 – ***Rest. Mövenpick :*** **Menu** 23 und à la carte 36/73, Kinder 10 – ☐ 21 – **129 Zim** 215/255, 9 Suiten.

SSG Hotel Egerkingen, Oltener Strasse, ✆ (062) 398 21 21, *Fax (062) 39 28 53,* – – 15/80. AE VISA
25. Dez. - 3 Jan. (ausser Hotel) und 25. Juli - 8. Aug. geschl. – **Menu** 25 und à la carte 30/71 – **68 Zim** ☐ 139/187.

Kreuz M mit Zim, ✆ (062) 398 03 33, *Fax (062) 398 43 40,* , Gemäldeausstellung des Künstlers Corpato – – 15/50. AE VISA.
Sonntag - Montag (ausser Hotel), 24. Dez. - 4. Jan. und 28. März - 5. April geschl. – ***Cheminée :*** **Menu** 30 - 110 und à la carte 46/102 – ***Gaststube :*** **Menu** 21 und à la carte 36/82 – **8 Zim** ☐ 110/195.

EGGENWIL *Aargau* 216 ⑱ *– siehe Bremgarten.*

EGGIWIL *3537 Bern (BE)* 217 ⑦ *– 2 769 Ew. – Höhe 741.*
Bern 35 – Burgdorf 35 – Interlaken 55 – Luzern 75.

Hirschen , Heidbühl, ✆ (034) 491 10 91, *Fax (034) 491 17 08,* – – 15/80. AE VISA
Menu à la carte 33/80, Kinder 10 – **31 Zim** ☐ 95/160 – ½ P Zuschl. 29.

EICH *6205 Luzern (LU)* 216 ⑰ *– 1 105 Ew. – Höhe 516.*
Bern 100 – Luzern 19 – Olten 44 – Sursee 14.

im Ortsteil Vogelsang *Nord : 2,5 km :*

Vogelsang mit Zim, ✆ (041) 462 66 66, *Fax (041) 462 66 65,* , « Terrasse ← Suhrtal, Sempachersee und Berge », – – 30. AE VISA Zim
27. Jan. - 17. Feb. geschl. – **Menu** 30 - 43/95 und à la carte 46/113, Kinder 14 – **11 Zim** ☐ 70/190.

EINSIEDELN *8840 Schwyz (SZ)* 216 ⑲ *– 11 183 Ew. – Höhe 881 – Wintersport 900/1 113 m* 8 .
Sehenswert : *Lage★★ – Klosterkirche★★.*
Tourismus Region Einsiedeln, Hauptstr. 85, ✆ (055) 418 44 88, Fax (055) 418 44 80.
Bern 166 – Luzern 51 – Glarus 53 – Schwyz 27.

Drei Könige, Schmiedenstrasse, ✆ (055) 412 24 41, *Fax (055) 412 66 52,* – – 15/70. AE VISA
Jan. geschl. – **Menu** *(im Winter Freitag geschl.)* 28 und à la carte 32/79 – **50 Zim** ☐ 85/190 – ½ P Zuschl. 25.

Schiff, Hauptstr. 50, ✆ (055) 412 51 41, *Fax (055) 412 32 63,* – . AE VISA.
Montag und März geschl. – **Menu** 19.50 - 25 (mittags) und à la carte 35/78, Kinder 12 – **34 Zim** ☐ 75/160 – ½ P Zuschl. 25.

Pfauen, Am Klosterplatz (1. Etage), ✆ (055) 412 81 18, *Fax (055) 412 81 24,* « Terrasse gegenüber dem Kloster » – AE VISA
Montag geschl. – **Menu** 28 - 98 und à la carte 48/118.

Linde mit Zim, Schmiedenstr. 28, ✆ (055) 418 48 48, *Fax (055) 418 48 49,* – AE VISA. Zim
Mittwoch (nur Rest.) und Nov. geschl. – **Menu** 28 - 35 (mittags)/95 und à la carte 48/110, Kinder 17 – **17 Zim** ☐ 100/190 – ½ P Zuschl. 35.

Information is given in the local language.

ELM 8767 Glarus (GL) 218 ③ – 831 Ew. – Höhe 962 – Wintersport : 962/2 105 m 7 .
Verkehrsbüro, Obmoos, (055) 642 60 67, Fax (055) 642 60 61.
Bern 216 – Chur 96 – Altdorf 74 – Andermatt 129 – Glarus 21.

Sardona, (055) 642 68 68, Fax (055) 642 68 69, <, , , – – 15/80. AE E VISA. Rest
Menu (von Mitte März - Ende Dez. Sonntagabend geschl.) 18 - 29/42 (abends) und à la carte 33/74, Kinder 13 – **66 Zim** 120/234 – ½ P Zuschl. 42.

Bergführer, (055) 642 21 06, Fax (055) 642 21 06, – . E
15. April - 15. Mai und 2. Nov. - 2. Dez. geschl. – **Menu** (Dienstag geschl.)(im Winter nur ½ Pens. für Hotelgäste) – **8 Zim** 65/120 – ½ P Zuschl. 24.

Camperdun, Egg, (055) 642 16 88, – . E VISA
Dienstagabend und Mittwoch geschl. – **Menu** 21 und à la carte 32/85, Kinder 13.

EMOSSON (Barrage d') Valais (VS) 219 ① – alt. 1 930 – 1925 Finhaut :.
Voir : vue★★ – Bern 161 – Martigny 34 – Chamonix Mont-Blanc 32 – Sion 64.

du Barrage d'Émosson, (027) 768 12 74, Fax (027) 768 12 74, < massif du Mont-Blanc, . AE E VISA
15 mai - 31 oct. – **Repas** 28 et à la carte 31/50.

ENGELBERG 6390 Obwalden (OW) 217 ⑨ – 3 109 Ew. – Höhe 1 000 – Wintersport : 1 000/3 020 m 7 16 .
Sehenswert : Lage★.
Ausflugsziel : Titlis★★ Süd mit Luftseilbahn – Schwand★ Nord : 4 km.
(Mai - Okt.), (041) 638 08 08.
Tourist Center Engelberg, Klosterstr. 3, (041) 637 37 37, Fax (041) 637 41 56.
Bern 145 – Andermatt 77 – Luzern 32 – Altdorf 47 – Interlaken 83 – Sarnen 36.

Regina Titlis, Dorfstr. 33, (041) 637 28 28, Fax (041) 637 23 92, , , , – video – 15/120. AE E VISA
Menu 38 (abends) und à la carte 40/79, Kinder 10 – **96 Zim** 171/302, Vorsaison 151/262, 32 Suiten – ½ P Zuschl. 38.

Waldegg , (041) 637 18 22, Fax (041) 637 43 21, < Engelberg und Titlis, , , – , Zim, – 15/60. AE E VISA
15. April - 15. Mai und 15. Okt. - 15. Dez. geschl. – **Menu** 68 und à la carte 49/97, Kinder 12 – **65 Zim** 160/250, Vorsaison 135/210 – ½ P Zuschl. 35.

Spannort, Dorfstr. 28, (041) 637 26 26, Fax (041) 637 44 77, – AE E VISA JCB
11. April - 4. Juni geschl. – **Menu** (Montag geschl.) 25 - 58/75 und à la carte 40/93, Kinder 10 – **13 Zim** 115/230, Vorsaison 95/210 – ½ P Zuschl. 35.

Sonnwendhof M, Gerschniweg 1, (041) 637 45 75, Fax (041) 637 42 38, – , Zim, . AE E VISA
Menu (nur Abendessen für Hotelgäste) – **31 Zim** 125/200, Vorsaison 75/180 – ½ P Zuschl. 32.

Schweizerhof, Dorfstr. 42, (041) 637 11 05, Fax (041) 637 41 47, – . AE E VISA JCB. Rest
7. Okt. - 12. Dez. geschl. – **Menu** (nur ½ Pens. für Hotelgäste) (mittags geschl.) – **47 Zim** 90/210, Vorsaison 86/180 – ½ P Zuschl. 30.

Engelberg, Dorfstr. 14, (041) 637 11 68, Fax (041) 637 32 35, – – 15/40. AE E VISA JCB
Ende Okt. - Anfang Dez. geschl. – **Menu** (von Mai - Okt. Donnerstag geschl.) 35 (mittags) und à la carte 38/81, Kinder 11 – ***Dorfstübli*** (1. Etage) (Mittwoch - Donnerstag und von Mai - Nov. geschl.) (nur Abendessen) **Menu** 40 und à la carte 37/69 – **20 Zim** 110/220, Vorsaison 80/160 – ½ P Zuschl. 30.

Sunnmatt garni, Alpenstr. 1, (041) 637 20 45, Fax (041) 637 15 33 – . E VISA.
Nov. geschl. – **18 Zim** 90/190, Vorsaison 72/140.

Crystal, Dorfstrasse, (041) 637 21 22, Fax (041) 637 29 79, – . AE E VISA. Rest
20. Dez. - 10. April und 22. Mai - 16. Okt. – **Menu** (im Sommer mittags geschl.) 18.50 und à la carte 32/67, Kinder 10 – **27 Zim** 106/211, Vorsaison 74/147 – ½ P Zuschl. 28.

in Trübsee *mit Gondelbahn erreichbar – Höhe 1 796 – ✉ 6390 Engelberg :*

Trübsee-Hof, ☎ (041) 637 13 71, *Fax (041) 637 37 20,* < Alpenpanorama un Engelberg, – | TV ☎. AE VISA JCB. Rest
20. Dez. - Ende April – **Menu** *(mittags Selbstbedienung) (nur Abendessen für Hote gäste)* – **25 Zim** 117/234, Vorsaison 100/200 – ½ P Zuschl. 48.

ENGES *2073 Neuchâtel (NE) 216 ⑬ – 274 h. – alt. 820.*
Bern 50 – Neuchâtel 11 – Biel 36 – La Chaux-de-Fonds 36.

Chasseur avec ch, ☎ (032) 757 18 03, *Fax (032) 757 17 98,* – P – 40 AE VISA
fermé 21 fév. au 9 mars – **Repas** *(fermé dim. soir et lundi)* 16 - 50 et à la carte 33/85 enf. 12 – **6 ch** 65/130 – ½ P suppl. 30.

ENNETBADEN *Aargau 216 ⑦ – siehe Baden.*

ENTLEBUCH *6162 Luzern (LU) 217 ⑧ – 3 308 Ew. – Höhe 684.*
Bern 61 – Luzern 33 – Langnau im Emmental 28.

Drei Könige M, ☎ (041) 480 12 27, *Fax (041) 480 28 27,* – TV ☎ P 15/50. AE VISA
Mittwoch und 1. - 14. Jan. geschl. – ***Biedermeier-Stube :*** **Menu** 25 - 38 (mittags)/8 und à la carte 46/89 – **13 Zim** 80/130 – ½ P Zuschl. 35.

Les localités citées dans ce guide sont soulignées de rouge sur les cartes Michelin n° 216. 217. 218. 219.

EPESSES *1098 Vaud (VD) 217 ⑬ – 302 h. – alt. 383.*
Bern 91 – Lausanne 10 – Montreux 13 – Fribourg 62.

Auberge de la Crochettaz, rte de la Corniche vers Chexbres, ☎ (021) 79 34 34, *Fax (021) 799 26 76,* < lac, – AE VISA
fermé janv., lundi d'oct. à mars et mardi – **Repas** - spécialités de poissons - 19 - 3 (midi)/85 et à la carte 53/86.

EPTINGEN *4458 Basel-Landschaft (BL) 216 ⑯ – 585 Ew. – Höhe 567.*
Bern 66 – Basel 36 – Aarau 30 – Liestal 18 – Olten 17.

Bad Eptingen mit Zim, Hauptstr. 25, ☎ (062) 299 19 49, *Fax (062) 299 13 04,* – | TV ☎ P – 25. AE VISA
Menu 19.50 - 42 (mittags)/68 und à la carte 43/102, Kinder 13 – **14 Zim** 90/180

ERLEN *8586 Thurgau (TG) 216 ⑩ – 3 057 Ew. – Höhe 449.*
18 (April - Nov.), ☎ (071) 648 29 30, Fax (071) 648 29 40.
Bern 196 – Sankt Gallen 25 – Bregenz 48 – Frauenfeld 29 – Konstanz 21.

Aachbrüggli mit Zim, Poststr. 8, ☎ (071) 648 26 26, *Fax (071) 648 26 26,* – TV ☎ P. AE VISA
25. Dez. - 5. Jan. und 18. Juli - 2. Aug. geschl. – **Menu** *(Sonntag - Montag geschl.)* 20 - 49 (mittags)/68 und à la carte 49/92, Kinder 15 – **7 Zim** 90/150 – ½ P Zuschl. 30.

ERLENBACH *8703 Zürich (ZH) 216 ⑱ – 4 300 Ew. – Höhe 419.*
Bern 136 – Zürich 10 – Rapperswil 21 – Winterthur 50 – Zug 50.

Erlibacherhof, Seestr. 83, ☎ (01) 910 55 22, *Fax (01) 910 33 25,* – P. AE VISA
Montag, Feb. 2 Wochen und 3. - 26. Okt. geschl. – **Menu** 25 - 75 und à la carte 49/102.

Sinfonia, Bahnhofstr. 29, ☎ (01) 910 04 02, *Fax (01) 910 37 62,* – AE VISA
Samstagmittag, Montag, 23. Dez. - 2. Jan. und 26. Juli - 17. Aug. geschl. – **Menu** - italienische Küche - 26 - 39 (mittags)/75 und à la carte 54/89.

RMATINGEN 8272 Thurgau (TG) 216 ⑨ – 2 429 Ew. – Höhe 402.

Bern 197 – Sankt Gallen 46 – Frauenfeld 30 – Konstanz 11 – Schaffhausen 39.

Ermatingerhof garni, Hauptstr. 82, (071) 663 20 20, Fax (071) 663 20 30, – , Zim, – 20. AE E VISA
20. Dez. - 4. Jan. geschl. – **16 Zim** 125/210.

Fischstube Seetal mit Zim, Untere Seestr. 60, (071) 664 14 14, Fax (071) 664 32 14, , « Gartenterrasse » – AE E VISA
Montag, von Sept. - April auch Dienstag und 25. Okt. - 24. Nov. geschl. – **Menu** - Fischspezialitäten - à la carte 37/102, Kinder 14 – **3 Zim** 120/240, 3 Suiten.

Adler mit Zim, Fruthwilerstr. 2, (071) 664 11 33, Fax (071) 664 30 11, , « Gasthof aus dem 16. Jh. », , – AE E VISA JCB
Menu *(Montagabend - Dienstag geschl.)* 25 - 63/130 (abends) und à la carte 45/104, Kinder 17 – **10 Zim** 85/210 – ½ P Zuschl. 45.

RZENHOLZ Thurgau 216 ⑧ – *siehe Frauenfeld.*

SCHIKOFEN 8554 Thurgau (TG) 216 ⑨ – Höhe 414.

Bern 186 – Sankt Gallen 35 – Arbon 26 – Frauenfeld 19 – Konstanz 20.

Thurtal mit Zim, Hauptstrasse, (052) 763 17 54, Fax (052) 763 16 04, – AE E VISA
Mittwoch, 25. März - 8. April und 3. - 18. Okt. geschl. – **Menu** 18.50 - 34 (mittags)/56 und à la carte 38/72 – 8 – **8 Zim** 70/132.

ESCHLIKON 8360 Thurgau (TG) 216 ⑨ – Höhe 567.

Bern 180 – Sankt Gallen 36 – Frauenfeld 16 – Wil 7 – Winterthur 31.

Löwen, Bahnhofstr. 71, (071) 971 17 83, Fax (071) 971 17 80, – AE E VISA
Montag geschl. – ***Rôtisserie* : Menu** 64 und à la carte 45/94 – ***Rigoletto* :** Menu 16.50 - 30 und à la carte 39/69.

ESCHOLZMATT 6182 Luzern (LU) 217 ⑧ – 3 380 Ew. – Höhe 853.

Bern 43 – Langnau im Emmenthal 13 – Interlaken 53 – Luzern 46 – Thun 37.

Rössli, Hauptstr. 111, (041) 486 12 41, Fax (041) 486 12 41, – AE E VISA
Sonntagabend, Dienstagmittag, Montag, Jan. und Juni jeweils 3 Wochen geschl. – **Menu** 14.50 und à la carte 32/78.

ESSERTINES-SUR-ROLLE 1186 Vaud (VD) 217 ⑫ – 483 h. – alt. 698.

Bern 137 – Lausanne 33 – Pontarlier 67 – Yverdon-les-Bains 57.

Auberge du Chasseur, (021) 828 32 12, Fax (021) 828 31 83 – AE E VISA
fermé merc. et les soirs sauf sam. et dim. – **Repas** 16 - 58 et à la carte 44/84.

ESTAVAYER-LE-LAC 1470 Fribourg (FR) 217 ④ – 4 089 h. – alt. 463.

Voir : *Choeur★ de l'Église St-Laurent.*

Manifestations locales
03.04 : Chant du Surrexit, cortège aux flambeaux, ancienne tradition
28.08 -29.08 : Bénichon Staviacoise, ancienne coutume populaire.

Office du Tourisme, pl. du Midi, (026) 663 12 37, Fax (026) 663 42 07.

Bern 59 – Neuchâtel 49 – Fribourg 28 – Pontarlier 67 – Yverdon-les-Bains 20.

du Lac , 1 pl. du Port, (026) 663 52 20, Fax (026) 663 53 43, ← port de plaisance et lac, , – – 40. AE E VISA
Repas 16 - 42/93 et à la carte 33/91, enf. 20 – **27 ch** 77/135 – ½ P suppl. 20.

du Port, 3 rte du Port, (026) 664 82 82, Fax (026) 664 82 83, , Parc, , – AE E VISA
Repas *(fermé lundi)* 18.50 et à la carte 38/84, enf. 13 – **20 ch** 90/150 – ½ P suppl. 18.

La Gerbe d'Or, 5 r. Camus (1er étage), (026) 663 11 81, Fax (026) 663 39 35 – AE E VISA
fermé 15 au 21 fév., lundi soir et dim. – **Repas** 15.50 - 55 et à la carte 36/85, enf. 13.

L'ETIVAZ *Vaud 217 ⑮ – rattaché à Château-d'Oex.*

EUTHAL *8844 Schwyz (SZ) 216 ⑲ – Höhe 893.*

Bern 173 – Luzern 58 – Einsiedeln 9 – Rapperswil 26 – Schwyz 34.

XX **Bürgi's Burehof,** Euthalerstr. 29, ☎ (055) 412 24 17, *Fax (055) 412 53 32* – TV ☎ P. AE E VISA
Montag - Dienstag (ausser Feiertage) und 5. Juli - 4. Aug. geschl. – **Menu** 35 - 6 (mittags)/125 und à la carte 72/115 –
Spez. Hummer-Menu. Lammrücken "Burehof". Wild (Herbst).

Les ÉVOUETTES *1894 Valais (VS) 217 ⑭ – alt. 375.*

Bern 101 – Montreux 14 – Aigle 13 – Lausanne 38 – Monthey 15 – Sion 63.

X **Aux 7 Nains,** ☎ (024) 481 26 04, *Fax (024) 481 37 97,* – P. E VISA
fermé dim. – **Repas** 16 - 65 et à la carte 50/86, enf. 10.

FAIDO *6760 Ticino (TI) 218 ⑫ – 1 592 ab. – alt. 717.*

Ente Turistico di Leventina, Ufficio informazioni, casa Darani 2 ☎ (091) 866 16 16, Fax (091) 866 23 29.

Bern 206 – Andermatt 43 – Bellinzona 44 – Brig 90.

XX **Faido** con cam, ☎ (091) 866 15 55, *Fax (091) 866 12 62,* « Ristorante classico in centro paese » – TV ☎ – 15/40. AE E VISA. rist
Pasto 18.50 - 29/48 (sera) ed à la carte 41/72 – **16 cam** 80/130 – ½ P sup. 35

FAOUG *1595 Vaud (VD) 217 ⑤ – 544 h. – alt. 434.*

Bern 35 – Neuchâtel 32 – Biel 38 – Fribourg 18 – Lausanne 64.

XX **Les Rochettes** avec ch, ☎ (026) 670 22 77, *Fax (026) 670 12 73,* , « Jardin » – TV P. AE E VISA
fermé 2 sem. en nov., mardi midi et lundi – **Repas** 69/115 et à la carte 59/115 – **3 ch** 180.

FAULENSEE *Bern 217 ⑦ – siehe Spiez.*

FEHRALTORF *8320 Zürich (ZH) 216 ⑲ – 4 583 Ew. – Höhe 531.*

Bern 145 – Zürich 23 – Pfäffikon 29 – Rapperswil 24 – Sankt Gallen 58 – Winterthur 17.

XX **Zum Hecht,** Kempttalstr. 58, ☎ (01) 954 21 21, *Fax (01) 954 23 81,* , Ehemalige Zollstation aus dem 16. Jh. – P. AE E VISA.
Dienstag - Mittwoch und Mitte Juli - Mitte Aug. geschl. – ***Taverne* : Menu** 30 - 85/120 (abends) und à la carte 58/110, Kinder 15.

FELSENAU *5316 Aargau (AG) 216 ⑥ – Höhe 321.*

Bern 90 – Aarau 30 – Baden 20 – Basel 45 – Waldshut-Tiengen 4 – Zürich 44.

X **Bahnhof** mit Zim, Hauptstr. 13, ☎ (056) 246 10 77, *Fax (056) 246 10 74,* , « Terrasse mit auf die Aare » – TV ☎ P – 30. AE E VISA JCB
Menu 16 - 65 und à la carte 39/105, Kinder 12 – **7 Zim** 85/140 – ½ P Zuschl. 35.

FEUSISBERG *8835 Schwyz (SZ) 216 ⑲ – 3 236 Ew. – Höhe 685.*

Bern 160 – Luzern 51 – Zürich 35 – Einsiedeln 12 – Schwyz 26.

Panorama, ☎ (01) 786 00 00, *Fax (01) 786 00 99,* Zürichsee, , , – Zim, TV ☎ P – 15/100. AE E VISA. Zim
Menu 23 - 69 und à la carte 56/105 – **98 Zim** 190/240.

FIDAZ *Graubünden 218 ③ – siehe Flims Dorf.*

FIDERIS *7235 Graubünden (GR) 218 ⑤ – 603 Ew. – Höhe 900.*

Bern 251 – Chur 41 – Bad Ragaz 29 – Davos 34.

XX **Ritterhof,** ☎ (081) 332 32 32, *Fax (081) 332 32 32,* – P. AE E VISA
Mittwoch - Donnerstag, 23. Juni - 16. Juli und 13. Okt. - 4. Nov. geschl. – **Menu** 21 - 74 und à la carte 52/89, Kinder 13.

FIESCH *3984 Wallis (VS)* **217** ⑱ *– 991 Ew. – Höhe 1 062 – Wintersport : 1 062/2 869 m* 3 7.

Ausflugsziel : *Eggishorn*** Nord-West mit Luftseilbahn.*

Fiesch-Fieschertal Tourismus, (027) 970 16 16.

Bern 150 – Brig 17 – Domodossola 83 – Interlaken 93 – Sion 70.

Christania, (027) 970 10 10, *Fax (027) 970 10 15*, – E VISA. Rest
6. April - 8. Mai und 24. Okt. - 20. Dez. geschl. – **Menu** *(im Mai Dienstag - Mittwoch geschl.)* 22 - 35 (abends) und à la carte 38/73, Kinder 16 – **22 Zim** 120/190, Vorsaison 80/140 – ½ P Zuschl. 35.

Derby garni, (027) 971 22 61, *Fax (027) 971 42 82*, – E VISA. Zim
21. Dez. - 14. April und 2. Juni - 30. Okt. – **18 Zim** 85/140, Vorsaison 70/120.

Walliser-Kanne M mit Zim, am Bahnhof, (027) 970 12 40, *Fax (027) 970 12 45* – AE E VISA. Zim
Nov. geschl. – **Menu** 20 und à la carte 39/71, Kinder 12 – **5 Zim** 75/140, Vorsaison 70/130 – ½ P Zuschl. 30.

in Niederernen *Süd-Ost : 3 km Richtung Ernen – 3995 Ernen :*

Gommer-Stuba mit Zim, (027) 971 29 71, *Fax (027) 971 29 71*, – E VISA. Zim
15. April - 15. Mai und 15. Nov. - 15. Dez. geschl. – **Menu** *(Montag geschl.)* 55/75 und à la carte 40/82 – **3 Zim** 100/140 – ½ P Zuschl. 35.

in Fiescheralp/Kühboden *mit Luftseilbahn erreichbar – Höhe 2 214 – 3984 Fiesch :*

Eggishorn, (027) 971 14 44, *Fax (027) 971 36 78*, Berge, – E VISA
19. Dez. - 14. April und 6. Juli - 17. Okt. – **Menu** 16 - 26 und à la carte 27/66, Kinder 9 – **27 Zim** 65/130 – ½ P Zuschl. 26.

FIESCHERALP / KÜHBODEN *Wallis* **217** ⑱ *– siehe Fiesch.*

FIGINO *6918 Ticino (TI)* **219** ⑧ *– alt. 295.*

Bern 248 – Lugano 11 – Bellinzona 38 – Como 36 – Varese 42.

Ceresio, via cantonale 73, (091) 995 11 29, *Fax (091) 995 13 93*, – AE E VISA
chiuso dal 1° novembre al 6 dicembre e mercoledì da dicembre a Pasqua – **Pasto** 18 ed à la carte 43/69, bambini 12 – **16 cam** 110/180 – ½ P sup. 25.

FILISUR *7477 Graubünden (GR)* **218** ⑤ *– 497 Ew. – Höhe 1 084.*

Bern 290 – Chur 49 – Davos 32 – Sankt Moritz 44.

Rätia, Bahnhofstrasse, (081) 404 11 05, *Fax (081) 404 23 53*, – AE E VISA
In der Zwischensaison Montag, Mitte April - Mitte Mai und Mitte Okt. - Mitte Nov. geschl. – **Menu** 19 und à la carte 32/73, Kinder 8 – **15 Zim** 65/140 – ½ P Zuschl. 25.

FILZBACH *8757 Glarus (GL)* **216** ⑳ *– 514 Ew. – Höhe 707.*

Bern 195 – Sankt Gallen 71 – Altdorf 86 – Glarus 16 – Luzern 96 – Vaduz 47 – Zürich 70.

Römerturm M, (055) 614 62 62, *Fax (055) 614 62 63*, Walensee, – – 15/100. AE E VISA
Menu 32 - 46 (mittags)/76 und à la carte 45/85 – **34 Zim** 150/240, 4 Suiten – ½ P Zuschl. 45.

Rössli, Kerenzerbergstrasse, (055) 614 18 32, *Fax (055) 614 17 40*, Churfirsten, – – 15/100. AE E VISA
Montag, 30. Jan. - 14. Feb. und 29. Mai - 13. Juni geschl. – **Menu** 22 - 34 (mittags) und à la carte 40/100, Kinder 10 – **23 Zim** 80/155 – ½ P Zuschl. 35.

FISLISBACH *5442 Aargau (AG)* **216** ⑰ *- 4 439 Ew. - Höhe 429.*
Bern 105 - Aarau 26 - Baden 6 - Luzern 61 - Zürich 28.

Linde, Lindenplatz 1, ✆ (056) 493 12 80, *Fax (056) 493 27 33,* , , - Zim, TV ☎ P. AE ⓓ E VISA
15. - 28. Feb. und Juli geschl. - **Menu** *(Mittwoch geschl.)* 26 - 58 und à la carte 43/88 - **26 Zim** 110/190.

FLAACH *8416 Zürich (ZH)* **216** ⑦ ⑧ *- 1 119 Ew. - Höhe 362.*
Bern 161 - Zürich 40 - Baden 59 - Schaffhausen 22 - Winterthur 21.

Sternen, Hauptstr. 29, ✆ (052) 318 13 13, *Fax (052) 318 21 40,* - P. AE ⓓ E VISA
Dienstag (ausser Mai - Juni), Montag, 18. Jan. - 23. Feb. und 21. Juni - 6. Juli geschl. - **Menu** 28 - 54 und à la carte 37/100, Kinder 19.

Ziegelhütte, West : 1,5 km Richtung Rafz, ✆ (052) 318 15 21, *Fax (052) 318 23 28,* - P. AE ⓓ E VISA
Dienstag - Mittwoch, Ende Dez. - Anfang Jan. und Ende Juli - Anfang Aug. geschl. - **Menu** 31 und à la carte 54/83.

FLAMATT *3175 Freiburg (FR)* **217** ⑥ *- Höhe 532.*
Bern 18 - Biel 54 - Fribourg 20 - Neuchâtel 57 - Thun 48.

Moléson mit Zim, Bernstr. 1, ✆ (031) 741 02 40, *Fax (031) 741 33 76,* - TV P. AE ⓓ E VISA
Sonntagabend und Montag geschl. - **Menu** 15 - 59/82 und à la carte 45/84 - **13 Zim** 65/140 - ½ P Zuschl. 20.

FLÄSCH *7306 Graubünden (GR)* **218** ④ *- 534 Ew. - Höhe 516.*
Bern 223 - Chur 39 - Sankt Gallen 73 - Bad Ragaz 15 - Davos 74.

Zur Mühle (Blum), Richtung Maienfeld : 1 km, ✆ (081) 302 10 54, *Fax (081) 302 71 58,* , Unterhalb der Rebberge - P. AE E VISA.
Sonntag - Montag, 3. - 25. Jan. und 25. Juli - 16. Aug. geschl. - **Menu** 32 - 52 (mittags)/93 und à la carte 60/123
Spez. Gänseleber mit Birnenravioli. Geschmorte Kalbsbacke. Sommerwild (Mai - Sept.).

Adler, ✆ (081) 302 61 64, *Fax (081) 302 73 29,* , « Rustikale Einrichtung » - AE E VISA.
Mittwoch - Donnerstag und Mitte Juli - Mitte Aug. geschl. - **Menu** 22 und à la carte 51/83.

FLAWIL *9230 Sankt Gallen (SG)* **216** ⑳ *- 9 217 Ew. - Höhe 611.*
Bern 194 - Sankt Gallen 16 - Bregenz 53 - Winterthur 45.

Toggenburg, St. Gallerstr. 2, ✆ (071) 393 55 66, *Fax (071) 393 55 70* - TV ☎ . AE ⓓ E VISA
30. Juli - 14. Aug. geschl. - **Menu** 19.50 - und à la carte 30/77 - **27 Zim** 75/145 - ½ P Zuschl. 20.

FLIMS *Graubünden (GR)* **218** ③ *- 2 387 Ew. - Wintersport : 1 103/3 018 m 3 9 .*
Sehenswert : *Cassons Grat★★ - Crap Masegn★.*
Flims Laax Falera Tourismus, Flims-Waldhaus, ✆ (081) 920 92 00, Fax (081) 920 92 01.
Bern 239 - Chur 22 - Andermatt 67 - Bellinzona 118.

Flims-Dorf *7017 - Höhe 1 070.*

Crap Ner, ✆ (081) 911 26 26, *Fax (081) 911 26 75,* ←, , , - TV ☎ . AE ⓓ E VISA
15. April - 31. Mai und 31. Okt. - 15. Dez. geschl. - **Menu** *(im Sommer Montag - Dienstag geschl.) (nur Abendessen)* 55/75 und à la carte 42/97 - **42 Zim** 180/304, Vorsaison 97/194 - ½ P Zuschl. 40.

Curtgin, ✆ (091) 911 35 66, *Fax (091) 911 34 55,* , - TV ☎ . Rest
Mai und Nov. - 18. Dez. geschl. - **Menu** *(nur ½ Pens. für Hotelgäste) (mittags geschl.)* - **25 Zim** 115/224, Vorsaison 83/180 - ½ P Zuschl. 25.

Fidaz *Nord : 1 km – ✉ 7019 Fidaz :*

Fidazerhof mit Zim, ✆ (081) 911 35 03, *Fax (081) 911 21 75*, ≤ Flimsertal, –
7. - 18. Juni und 8. Nov. - 3. Dez. geschl. – **Menu** *(in der Zwischensaison Montag geschl.)* 25 - 47/67 und à la carte 39/91 – **14 Zim** 117/244, Vorsaison 87/194 – ½ P Zuschl. 28.

lims-Waldhaus *7018 – Höhe 1 103.*

Park Hotels Waldhaus, ✆ (081) 911 01 81, *Fax (081) 911 28 04*, ≤, « Lage in einem grossen Park, eigenes Hotelmuseum », – – 15/280.
Mitte Dez. - Mitte April und Ende Mai - Mitte Okt. – ***La Cena*** - italienische Küche - **Menu** 28 -46 (mittags)/65 et à la carte 48/102, Kinder 15 – ***Posthöfli*** *(ganzjährig am Abend geöffnet, Montag geschl.)* **Menu** à la carte ca. 39 – **140 Zim** 230/480, Vorsaison 190/420, 10 Suiten – ½ P Zuschl. 35.

Schweizerhof, ✆ (081) 911 12 12, *Fax (081) 911 31 76*, ≤, – . Rest
Dez. - März und Juni - Sept. – **Menu** 58 (abends) und à la carte 46/80 – **47 Zim** 160/350, Vorsaison 140/300, 3 Suiten – ½ P Zuschl. 40.

Adula, ✆ (081) 928 28 28, *Fax (081) 928 28 29*, « Beeindruckende Sammlung antiker Truhen », – – 15/60. . Rest
18. Okt. - 18. Dez. geschl. – ***Barga*** *(Montag und 10. April - 26. Juni geschl.) (nur Abendessen)* **Menu** 58/95 und à la carte 60/113 – ***La Clav*** - italienische Küche - **Menu** 20 - 85 und à la carte 33/83 – **99 Zim** 220/390, Vorsaison 125/240 – ½ P Zuschl. 25.

des Alpes, ✆ (081) 911 01 01, *Fax (081) 911 31 93*, ≤, – , Zim, – 40. . Rest
Mitte Dez. - 14. April und 16. Mai - 15. Okt. – **Menu** 18 - 25 (mittags)/55 und à la carte 33/84 – **82 Zim** 180/300, Vorsaison 130/240 – ½ P Zuschl. 38.

Sunstar Surselva, ✆ (081) 911 11 21, *Fax (081) 911 36 09*, – , Zim, . Rest
Nov. geschl. – **Menu** à la carte 43/84, Kinder 7 – **82 Zim** 165/300, Vorsaison 135/250 – ½ P Zuschl. 25.

Cresta, via Dils Larischs, ✆ (081) 911 35 35, *Fax (081) 911 35 34*, ≤ Flimserstein, – , Rest, . Rest
21. Dez. - 14. April und 31. Mai - 9. Okt. – **Menu** *(nur für Hotelgäste)* 16 - 30 – **50 Zim** 90/210, Vorsaison 70/140 – ½ P Zuschl. 20.

Waldeck, Hauptstrasse, ✆ (081) 911 12 28, *Fax (081) 911 43 84*, –
4. Dez. - 15. April und 1. Juni - 20. Okt. – **Menu** 18.50 und à la carte 36/80, Kinder 12 – **29 Zim** 94/188 – ½ P Zuschl. 30.

Mira Val, ✆ (081) 911 12 50, *Fax (081) 911 28 10*, ≤ Flimserstein, – . Rest
2. Dez. - 6. April und Ende Mai - 14. Okt. – **Menu** *(nur ½ Pens. für Hotelgäste) (mittags geschl.)* – **22 Zim** 100/200, Vorsaison 85/180 – ½ P Zuschl. 32.

Surpunt, ✆ (081) 911 11 69, *Fax (081) 911 38 17*, ≤, –
14. Dez. - 14. April und 16. Juni - 17. Okt. – **Menu** *(im Sommer Mittwochmittag und Dienstag geschl.)* 51 (abends) und à la carte 40/97, Kinder 9 – **25 Zim** 95/170, Vorsaison 85/150 – ½ P Zuschl. 28.

FLIMS-WALDHAUS *Graubünden* **218** ③ – *siehe Flims.*

FLÜELEN *6454 Uri (UR)* **218** ① – *1 692 Ew. – Höhe 436.*
Bern 152 – Luzern 39 – Altdorf 3 – Andermatt 25 – Schwyz 16.

Hostellerie Sternen, Axenstr. 6, ✆ (041) 875 03 03, *Fax (041) 875 03 05*, – – 25.
Feb. geschl. – **Menu** 26 - 46/82 und à la carte 44/90, Kinder 18 – **19 Zim** 140/210 – ½ P Zuschl. 40.

Flüelerhof, Axenstr. 38, ✆ (041) 871 14 71, *Fax (041) 870 00 14*, ≤, –
15. Dez. - 31. Jan. geschl. – **Menu** à la carte 33/76, Kinder 12 – **24 Zim** 89/160 – ½ P Zuschl. 45.

FLÜH 4112 Solothurn (SO) 216 ④ – Höhe 381.

Bern 114 – Basel 11 – Biel 87 – Delémont 36 – Mulhouse 41 – Olten 60 – Solothurn 6

XX **Martin,** Hauptstr. 94, ✆ (061) 731 10 02, Fax (061) 731 11 03, – P. AE E VISA
✿ Sonntag - Montag, 21. Feb. - 8. März und 3. - 18. Okt. geschl. – **Menu** 20 4 (mittags)/110 à la carte 75/131
Spez. Ravioli aux truffes. Côte de veau de lait. Gibier (automne).

XX **Zur Säge,** Steinrain 5, ✆ (061) 731 15 77, Fax (061) 731 14 63, – P. AE E VISA
Montag - Dienstag, Anfang Jan. 2 Wochen und Mitte Juli - Mitte Aug. geschl. – **Men** 45 (mittags)/110 und à la carte 68/115.

FLUMSERBERG TANNENBODENALP 8898 Sankt Gallen (SG) 216 ㉑ – 790 Ew.

Höhe 1 342 – Wintersport : 1 390/2 222 m 4 14.
Touristikverein, Tannenboden, ✆ (081) 720 18 18, Fax (081) 720 18 19.
Bern 207 – Sankt Gallen 83 – Chur 58 – Vaduz 44 – Zürich 82.

Gamperdon, ✆ (081) 733 16 21, Fax (081) 733 38 44, ← Churfirsten, Rest, TV ☎ P. E VISA
10. April - 20. Mai geschl. – **Menu** 19.50 und à la carte 30/60 – **28 Zim** 105/210 Vorsaison 75/190 – ½ P Zuschl. 30.

Tannenboden garni, ✆ (081) 733 11 22, Fax (081) 733 24 58, ← Churfirsten, – TV P. AE E VISA.
Anfang Dez. - Mitte Mai und Mitte Juni - Mitte Okt. – **20 Zim** 88/176, Vorsaison 70/140.

in Flumserberg Tannenheim Süd-Ost : 1,5 km – Höhe 1 390 – ✉ 8897 Flumserberg Tannenheim :

XX **Cafrida** mit Zim, ✆ (081) 733 11 93, Fax (081) 733 15 55, ← Churfristen und Alvierkette, – TV ☎ P. AE E VISA
Dez. - April und Ende Juni - Ende Okt. geöffnet ; Dienstag (ausser Feb. - Mitte März und in der Zwischensaison auch Montag geschl. – **Stübli** (nur Abendessen) (Tischbestellung erforderlich) **Menu** 44/64 und à la carte 48/104 – ***Tagesrestaurant*** **Menu** 22 - 50 und à la carte 35/92 – **10 Zim** 140/240, Vorsaison 125/220 – ½ P Zuschl. 49.

FORCH 8127 Zürich (ZH) 216 ⑲ – Höhe 689.

Bern 139 – Zürich 14 – Rapperswil 24 – Winterthur 42.

Wassberg M, Wassbergstr. 62, ✆ (01) 980 43 00, Fax (01) 980 43 03 ← Greifensee, – TV video ☎ P – 25. AE E VISA
23. Dez. - 4. Jan. geschl. – **Menu** 19.50 und à la carte 35/82, Kinder 9 – **17 Zim** 148/220.

La FOULY 1944 Valais (VS) 219 ② – alt. 1 605.

Bern 159 – Martigny 32 – Aosta 65 – Chamonix-Mont-Blanc 70 – Sion 60.

Edelweiss, ✆ (027) 783 26 21, Fax (027) 783 28 20, ← glacier de l'A Neuvaz, – TV P. AE E VISA. rest
fermé mai et nov. – **Repas** (fermé lundi de mars à juin et d'oct. à déc.) 15 et à la carte 38/74, enf. 9 – **21 ch** 75/140 – ½ P suppl. 23.

FRAUBRUNNEN 3312 Bern (BE) 216 ⑮ – 1 488 Ew. – Höhe 496.

Bern 19 – Biel 37 – Burgdorf 20 – Olten 50 – Solothurn 16.

XX **Zum Brunnen,** Bernstr. 6, ✆ (031) 767 72 16, Fax (031) 767 82 98, – P. AE E VISA
Montag - Dienstag, 4. - 20. Jan. und 26. Juli - 10. Aug. geschl. – **Menu** 32 - 75 und à la carte 62/97.

Le ottime tavole

Per voi abbiamo contraddistinto alcuni alberghi e ristoranti con ✿, ✿✿ o ✿✿✿.

FRAUENFELD 8500 K Thurgau (TG) 216 ⑧ ⑨ – 20 322 Ew. – Höhe 405.

Verkehrsbüro, Bahnhof SBB, (052) 721 31 28, Fax (052) 722 10 64.
Bern 167 – Zürich 46 – Konstanz 30 – Sankt Gallen 47 – Schaffhausen 29 – Winterthur 17.

Blumenstein, Bahnhofplatz, (052) 721 47 28, *Fax (052) 721 91 35* – Zim, – 30. AE VISA
Menu (alkoholfrei) 17 und à la carte 36/57., Kinder 9 – **29 Zim** 95/160 – ½ P Zuschl. 18.

Zum Goldenen Kreuz mit Zim, Zürcherstr. 134, (052) 720 11 10, *Fax (052) 722 45 94*, , « Holztäfelungen aus dem 17. Jh. » – AE VISA
19. Juli - 10. Aug. geschl. – **Menu** *(Sonntagabend und Montag, in Juli - Aug. auch Sonntagmittag geschl.)* 25 - 39 (mittags)/85 und à la carte 43/86 – **6 Zim** 90/150.

in Erzenholz *West : 4 km Richtung Schaffhausen – Höhe 385 – ✉ 8500 Frauenfeld :*

Zur Hoffnung, Schaffhauserstr. 266, (052) 720 77 22, *Fax (052) 720 77 49*, , Restaurant mit Wintergarten – AE VISA
Montag - Dienstag, 1. - 14. Feb. und 19. Juli - 9. Aug. geschl. – **Menu** 19.50 - 39 (mittags)/82 und à la carte 48/104.

FRENKENDORF 4402 Basel-Landschaft (BL) 216 ④ – 5 810 Ew. – Höhe 311.

Bern 85 – Basel 17 – Aarau 44 – Delémont 53 – Liestal 5 – Olten 31.

Wilder Mann mit Zim, Schulstr. 1, (061) 901 57 17, *Fax (061) 901 58 56*, – AE VISA. Zim
Jan. und Juli jeweils 2 Wochen geschl. – **Menu** *(Dienstagabend und Mittwoch geschl.)* 19 - 68 und à la carte 48/82 – **8 Zim** 100/160.

FRIBOURG (FREIBURG)

1700 Ⓒ Fribourg (FR) 217 ⑤ - 32 703 h. - alt. 640

Bern 34 ① - Neuchâtel 44 ③ - Biel 50 ① - Lausanne 71 ④ - Montreux 61 ④.

Office du Tourisme, 1 av. de la Gare, ☎ (026) 321 31 75, Fax (026) 322 35 27.
21 r. de l'Hôpital, ☎ (026) 322 49 02, Fax (026) 322 10 03.
10 r. de Romont, ☎ (026) 341 80 20, Fax (026) 322 44 37.

Manifestations locales
08.03 - 14.03 : Festival international de films de Fribourg
09.07 - 25.07 : Festival international de Jazz
24.08 - 29.08 : Rencontres folkloriques internationales

18 à Pont-la-Ville, ✉ 1649 (mars-déc.) ☎ (026) 414 94 00, Fax (026) 414 92 20, Sud : 17 km par rte de Bulle.
18 à Wallenried, ✉ 1784, ☎ (026) 684 84 80, Fax (026) 684 84 90, Nord : 10 km par rte de Morat.

Voir : *Site★★ - Vieille ville★ - Ville haute★ : Hôtel de ville★ CY **H**, cathédrale St-Nicolas★ DY : tympan★★, stalles★, église des Cordeliers CY : triptyque★, retable★★, stalles★.*
Musée : *Art et Histoire★ CY : groupe de 14 statues★.*
Environs : *Barrage de Rossens★ Sud : 15 km par ③.*

Au Parc Hotel M, 37 rte de Villars, ✆ (026) 429 56 56, *Fax (026) 429 56 57*, – ‹|›, ch,, rest, TV video ☎ – 15/130. AE ⓓ E VISA JCB
La Coupole : **Repas** à la carte 69/101 – **La Terrasse** (brasserie) **Repas** 15 - 27 à la carte 43/90, enf. 14 – **71 ch** 180/245 – ½ P suppl. 30. AX

Golden Tulip M, 14 Grand-Places, ✆ (026) 351 91 91, *Fax (026) 351 91 92*, – ‹|›, ch, TV ☎ – 15/400. AE ⓓ E VISA JCB CY
California (Snack) **Repas** 19 - 29 et à la carte 33/75 – **130 ch** 165/280.

Au Sauvage M sans rest, 12 Planche-Supérieure, ✆ (026) 347 30 6
Fax (026) 347 30 61, « Maison de caractère au coeur de la vieille ville » – ‹|› TV. AE ⓓ E VISA DY
17 ch 150/240.

Duc Berthold, 5 r. des Bouchers, ✆ (026) 350 81 00, *Fax (026) 350 81 81*, – ‹|› TV video ☎ – 25. AE ⓓ E VISA DY
La Marmite *(fermé mi-juil. à mi-août, sam. et dim.)* **Repas** 46 (midi)/92 et à la cart 61/92 – **L'Escargot** (brasserie) **Repas** 17 (midi) et à la carte 43/64, enf. 15 – **36 c** 130/240.

La Rose, 1 r. de Morat, ✆ (026) 351 01 01, *Fax (026) 351 01 00* – ‹|›, ch, video ☎ – 15/40. AE ⓓ E VISA JCB CY
Repas - cuisine italienne - *(fermé lundi)* 15.50 et à la carte 39/83, enf. 10 – **36 c** 110/210 – ½ P suppl. 26.

Alpha sans rest, 13 r. du Simplon (2ᵉ étage), ✆ (026) 322 72 72, *Fax (026) 32 10 00* – ‹|› TV ☎. AE ⓓ E VISA CZ
fermé 24 déc. au 3 janv. – **27 ch** 130/180.

Auberge de Zaehringen, 13 r. de Zaehringen, ✆ (026) 322 42 36 *Fax (026) 322 69 08*, ≤, « Belle maison du vieux Fribourg dominant la Sarine » – VISA JCB DY
fermé dim. soir et lundi – **La Galerie :** **Repas** 52/105 et à la carte 72/110, enf. 1 – **La Brasserie :** Repas 18.50 (midi)/45 et à la carte 42/76, enf. 10.

Grand Pont "La Tour Rouge", 2 rte de Bourguillon, ✆ (026) 481 32 48 *Fax (026) 481 54 44*, , terrasse surplombant la Sarine et la vieille ville – AE ⓓ E VISA. DY
fermé 15 fév. au 4 mars, 1ᵉʳ au 15 août, dim. soir et merc. – **Repas** 48 (midi)/8 et à la carte 61/104, enf. 18 – **La Galerie** (brasserie) **Repas** 16 - 48 et à la carte 39/96

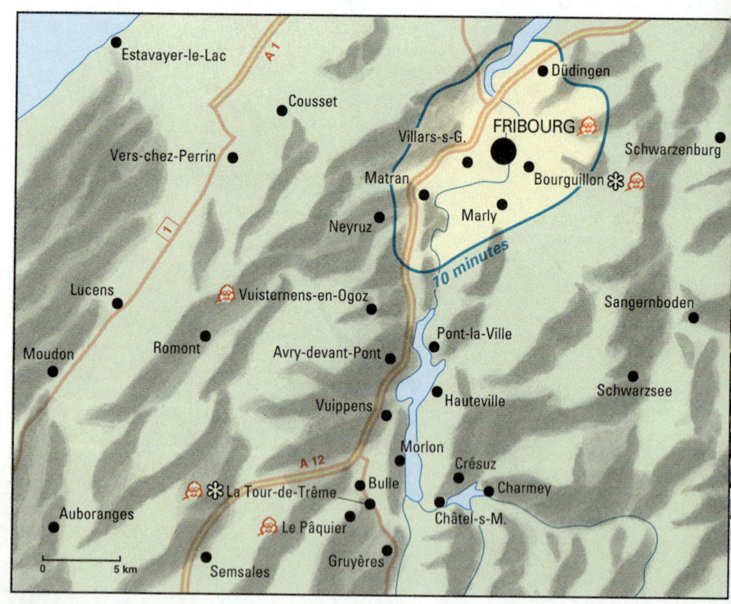

FRIBOURG
pes (Rte des) CY 3
eauregard (Av.) BX 4
erne (Rte de) BX 6
hâteau d'Affry (Rte du) AX 7
are (Av. de la) CY 9
eorges-Python (Pl.) CY 10
rand-Fontaine (R. de la) CY 12
uisan (Av. du Gén.) BX 13
ôpital (R. de l') CY 15
dustrie (R. de l') CZ 16
ura (Rte du) ABX 18
ac Noir (Rte du) BX 19
ausanne (R. de) CY
larly (Rte de) BX 21
lidi (Av. du) BX 22
euveville (R. de la) CY 24
ayerne (Rte de) AX 25
érolles (Bd de) CZ
lanche Supérieure DY 26
réalpes (Rte des) AX 27
omont (R. de) CY 28
amaritaine (R. de la) DY 30
t-Jean (Pont de) DY 31
avel (Rte de) DY 33
ivoli (Av. de) CY 34
MURTEN
BERN
SCHIFFENENSEE
GRANGES-PACCOT
BOIS DE LA FAYE
PAYERNE AVENCHES
Rte de Belfaux
R. Jo Siffert
MICHELIN
GIVISIEZ
A12-E27
R. de Morat
ST-NICOLAS
THUN SCHWARZENBURG
LAUSANNE VEVEY
BOIS DE MONCOR
Rte de Villars
Rte de la Glâne
BOIS DE BELLE CROIX
VILLARS-SUR-GLÂNE
ROMONT
Sarine
SCHWARZSEE
BULLE, ROSSENS VEVEY
BULLE GRUYÈRES
PORTE DE MORAT
Rue de Morat
Route du Jura
Av. L. Weck Reynold
Av. J. Gambach
MUSÉE D'ART ET D'HISTOIRE
Égl. des Cordeliers
SARINE
Route du Stadtberg
Route de Berne
Rte St-Barthélemy
Rte J. Chaley
Pont de Zaehringen
TOUR DES CHATS
TOUR ROUGE
TOUR HENRI
R. de Lausanne
ST-NICOLAS
Grand'Rue
Égl. des Augustins
Pont du Gottéron
Gottéron
R. L. d'Affry
R. St-Pierre
Grand-Places
Pl. de Berne
Pl. du Petit St-Jean
Karrweg
TOUR DÜRRENBUHL
Pont du Milieu
Rte Neuve
CHLLE DE LORETTE
Ch. de Lorette
MONTORGE
PORTE DE BOURGUILLON
Beau-Chemin
Bourguillon
LA MAIGRAUGE
Rte des Arsenaux
Bd de Pérolles
R. Chaillet
Égl. du Christ-Roi
BOIS DE PÉROLLES
LAC DE PÉROLLES
Ch. du Breitfeld
Rte de Bourguillon
Rte de la Fonderie
Musée d'Histoire Naturelle
PÉROLLES
0 300 m

XX **La Fleur-de-Lys,** 18 r. des Forgerons, ✆ (026) 322 79 61, *Fax (026) 322 82 30* AE ⓓ E VISA DY
fermé 15 au 21 fév., 26 juil. au 16 août, dim. et lundi – **Repas** 15 (au café) - 48 (midi)/ et à la carte 73/102.

XX **Rest. Français du Buffet de la Gare,** pl. de la Gare (1er étage), ✆ (026) 32 28 16, *Fax (026) 323 27 45* – AE ⓓ E VISA. CY
fermé 15 - 19 fév., 10 juil. au 16 août, samedi sauf le soir de sept. à avril et di – **Repas** 45/75 et à la carte 47/97.

X **La Cigogne,** 24 r. d'Or, ✆ (026) 322 68 34, *Fax (026) 322 68 41*, . AE VISA DY
fermé lundi midi, sam. midi et dim. – **Repas** 15 - 38 (mittags)/58 et à la carte 46/7

X **L'Epée,** 39 Planche-Supérieure, ✆ (026) 322 34 07, *Fax (026) 322 34 07*, – VISA DY
fermé 26 juil. au 18 août, lundi soir et mardi – **Repas** 14 - 54/64 et à la carte 36/7

X **Auberge du Chasseur,** 10 r. de Lausanne, ✆ (026) 322 56 98, *Fax (026) 32 56 98* – AE ⓓ E VISA CY
fermé lundi – **Repas** - fondue et raclette - 14 et à la carte environ 35.

X **La Cité Impériale,** 26 rte de Villars, ✆ (026) 424 28 31, – P. AE ⓓ VISA AX
Repas - cuisine chinoise - *(fermé sam. midi)* 15 - 39 (soir)/69 et à la carte 37/78.

à Bourguillon *Sud-Est : 2 km* - BX – *alt. 669* – ✉ *1722 Bourguillon :*

XXX **Les Trois Tours** (Bächler), 15 rte de Bourguillon, ✆ (026) 322 30 69, *Fax (026) 32 42 88*, , Maison du 19e siècle aménagée avec élégance – P. AE ⓓ E VISA.
fermé 1er au 18 janv., 11 juil. au 3 août, dim. et lundi – **Repas** (nombre de couvert limité - prévenir) 50 (midi)/100 et à la carte 68/98 – ***Brasserie :*** **Repas** 16 et à carte 48/77 BX
Spéc. Agnelotti de grenouilles aux asperges vertes. Fricassée de sandre à l'ail de ours. Pyramide de chocolat amer aux deux sauces.

à Marly *Sud : par rte de Marly* - BX *: 4 km – alt. 622* – ✉ *1723 Marly :*

Grand-Pré sans rest, impasse du Nouveau-Marché, ✆ (026) 436 50 6 *Fax (026) 436 21 50* – TV . AE ⓓ E VISA
22 ch 120/180.

X **Le Centre,** 1 r. Pralettes (centre commercial), ✆ (026) 436 33 55, *Fax (026) 43 33 56*, – AE ⓓ E VISA.
fermé 20 juil. au 20 août, sam. soir, dim. et fériés – **Repas** 15 - 30/65 et à la carte 46/6

à Villars-sur-Glâne *par rte de Romont : 4 km* - AX – *alt. 689* – ✉ *1752 Villars-sur-Glâne*

XX **Le Grondin,** 1 rte des Préalpes (gare), ✆ (026) 401 19 19, – P. AE ⓓ E VISA
fermé 1er au 15 août et dim. – **Repas** 14 - 45/67 et à la carte 42/71 AX

Société Anonyme des Pneumatiques MICHELIN 36 rte Jo Siffert – ✉ 1762 Givisiez ✆ (026) 467 71 11, Fax (026) 466 16 74 - AX

FRUTHWILEN *8559 Thurgau (TG)* 216 ⑨ *– Höhe 513.*

Bern 199 – Sankt Gallen 48 – Frauenfeld 32 – Konstanz 13 – Schaffhausen 41 – Winterthur 49.

XX **Haldenhof** mit Zim, Hauptstr. 8, ✆ (071) 664 19 64, *Fax (071) 664 19 44* ≤ Bodensee, , – TV P. E VISA
Dienstag und 19. Jan. - 23. Feb. geschl. – **Menu** 36 (mittags)/90 und à la carte 38/105 Kinder 14 – **5 Zim** 80/160.

FRUTIGEN *3714 Bern (BE)* 217 ⑰ *– 6 486 Ew. – Höhe 800 – Wintersport : 779/2 100 m* 1 6 .

Frutigen Tourismus, Dorfstr. 18, ✆ (033) 671 14 21, Fax (033) 671 54 21.
Bern 54 – Interlaken 33 – Adelboden 16 – Gstaad 65.

National, Obere Bahnhofstr. 10, ✆ (033) 671 16 16, *Fax (033) 671 40 15*, ≤, – Rest, TV. AE E VISA
Mittwoch (ausser Hotel) und Nov. geschl. – **Menu** 15.50 und à la carte 34/61 – **20 Zim** 70/150 – ½ P Zuschl. 25.

FTAN *7551 Graubünden (GR)* **218** ⑦ *– 439 Ew. – Höhe 1 648 – Wintersport : 1 650/2 391 m* *3.*
Verkehrsverein, Chasa Bazzell, (081) 864 05 57.
Bern 332 – Scuol 8 – Chur 107 – Davos 50 – Sankt Moritz 63.

Haus Paradies (Hitzberger) M, Süd-West : 1 km Richtung Ardez, (081) 861 08 08, *Fax (081) 861 08 09*, < Inntal und Lischanagruppe, – Rest
19. Dez. - 4. April und 15. Mai - 23. Okt. – **La Bellazza** *(Montag und Dienstag geschl.) (Tischbestellung ratsam)* **Menu** 98/170 und à la carte 84/158 – ***Stüva :*** **Menu** 58 und à la carte 51/92 – **20 Zim** 260/430, Vorsaison 230/400, 6 Suiten – ½ P Zuschl. 75
Spez. Gänseleberterrine vom Holzkohlengrill auf Randensalat. Variation vom Ftaner Milchkalb (Sommer und Winter). Médaillons vom Sommerbock mit Wacholderkruste (Sommer).

Engiadina M, (081) 864 04 34, *Fax (081) 864 86 49*, <, – *20. Dez. - 17. April und 6. Juni - 30. Okt.* – **Menu** 32 - 39 und à la carte 34/112, Kinder 13 – **14 Zim** 109/198, Vorsaison 88/176 – ½ P Zuschl. 35.

FULDERA *7533 Graubünden (GR)* **218** ⑰ *– 123 Ew. – Höhe 1 641 – Wintersport :* .
Bern 344 – Scuol 60 – Chur 119 – Davos 62 – Merano 75 – Sankt Anton am Arlberg 118.

Staila, (081) 858 51 60, *Fax (081) 858 50 21*, <, – Zim, – *19. April - 8. Mai und 8. Nov. - 18. Dez. geschl.* – **Menu** 22 - 39/62 und à la carte 32/78, Kinder 11 – **17 Zim** 75/170 – ½ P Zuschl. 30.

FULLY *1926 Valais (VS)* **219** ② *– 5 353 h. – alt. 465.*
Bern 134 – Martigny 7 – Montreux 50 – Sion 26.

Fully M, (027) 746 30 60 (rest. 746 13 59), *Fax (027) 746 41 33* – rest,
fermé lundi (sauf hôtel) et dim. soir – **Repas** 13.50 - 45/60 et à la carte 58/73 – **20 ch** 70/120 – ½ P suppl. 25.

FÜRIGEN *Nidwalden* **217** ⑨ *– siehe Stansstad.*

GALS *2076 Bern (BE)* **216** ⑬ *– 591 Ew. – Höhe 449.*
Bern 42 – Neuchâtel 14 – Biel 22 – La Chaux-de-Fonds 35 – Murten 21.

Zum Kreuz, Dorfstr. 8, (032) 338 24 14, *Fax (032) 338 24 70*, –
Montag - Dienstag, 21. Dez. - 5. Jan. und ab Mitte Juli 3 Wochen geschl. – **Menu** 15 - 68 und à la carte 45/98.

GANDRIA *6978 Ticino (TI)* **219** ⑧ *– 217 ab. – alt. 274.*
Bern 276 – Lugano 5 – Bellinzona 33 – Locarno 45 – Menaggio 23.

Moosmann, (091) 971 72 61, *Fax (091) 972 71 32*, « Ubicato direttamente in riva al lago con terrazza e giardino » –
aprile - ottobre – **Pasto** *(chiuso a mezzogiorno salvo sabato e domenica)* à la carte 40/80 – **30 cam** 115/200 – ½ P sup. 34.

GATTIKON *8136 Zürich (ZH)* **216** ⑱ *– Höhe 510.*
Bern 136 – Zürich 11 – Luzern 47 – Zug 20.

Sihlhalde, Sihlhaldenstr. 70, (01) 720 09 27, *Fax (01) 720 09 25*, –
Sonntag - Montag, 20. Dez. - 5. Jan. und 18. Juli - 10. Aug. geschl. – **Menu** (Tischbestellung ratsam) 35 - 105 und à la carte 68/112.

GEMPENACH *3215 Freiburg (FR)* **217** ⑤ *– 274 Ew. – Höhe 508.*
Bern 24 – Neuchâtel 30 – Biel 34 – Fribourg 24 – Murten 8.

Zum Kantonsschild mit Zim, Hauptstr. 4, (031) 751 11 11, *Fax (031) 751 23 08*, –
Menu *(Montag - Dienstag und 1. - 21. Feb. geschl.)* 15.50 - 59/78 und à la carte 48/92, Kinder 15 – 13 – **10 Zim** 70/100 – ½ P Zuschl. 25.

GENÈVE (GENF)

1200 Ⓒ Genève (GE) 217 ⑪ - 170 189 h. - alt. 375

Bern 164 ① - Annecy 45 ⑤ - Grenoble 148 ⑤ - Lausanne 60 ① - Lons-le-Saunier 111 ⑦ - Lyon 151 ⑤

Genève Tourisme, 3 r. du Mont-Blanc, ☎ (022) 909 70 00, Fax (022) 909 70 11 FY.
Gare Cornavin, ☎ (022) 909 70 50 FY.
Aéroport, niveau Arrivée, ☎ (022) 717 80 83, Fax (022) 717 80 84 BT.
8, cours de Rive 1204 Genève, 4, ch. de Blandonnet 1214 Vernier ☎ (022) 417 20 30, Fax (022) 417 20 32 BU.
21, rue de la Fontenette 1227 Carouge, ☎ (022) 342 22 33, Fax (022) 301 37 11 CV.
de Genève, ☎ (022) 717 71 11 BT.

Compagnies aériennes
Swissair *Genève-Airport, ☎ 157 15 00, Fax (022) 799 31 38.*
Crossair *Genève-Airport, ☎ (022) 799 52 00, Fax (022) 799 52 10.*
Air France *15 rte de l'Aéroport, ☎ (022) 798 05 05, Fax (022) 788 50 40.*
Alitalia *36 r. Lausanne, ☎ (022) 731 66 50, Fax (022) 732 40 29.*
British Airways *13 Chantepoulet, ☎ (0848) 80 10 10, Fax (022) 906 12 23.*
Lufthansa *1-3 Chantepoulet, ☎ (022) 908 01 80, Fax (022) 908 01 88.*

Manifestations locales
05.08 - 08.08 : "Fêtes de Genève", fête populaire avec feux d'artifice.
Courant octobre : Festival du film "Stars de demain".
10.12 - 12.12 : Fête de l'Escalade, fête historique avec cortège.

18 *à Cologny* DU, *✉ 1223 (mars-déc.), ☎ (022) 707 48 00, Fax (022) 707 48 20.*
18 *à Bossey, ✉ F-74160 (mars-déc.), ☎ (0033) 450 43 95 50, Fax (0033) 450 95 32 57, par rte de Troinex.*
18 *à Esery, ✉ F-74930 Reignier (mars-déc.), ☎ (0033) 450 36 58 70, Fax (0033) 450 36 57 62, Sud-Est : 15 km.*
18 *Maison Blanche à Echenevex-Gex, ✉ F-01170 (1er mars-15 déc.), ☎ (0033) 450 42 44 42, Fax (0033) 450 42 44 43, Nord-Ouest : 17 km.*

Voir : *Rade et les bords du lac★★* FGY *: vues★★★ du quai du Mont-Blanc ; Parcs Mon Repos* GX, *Perle du Lac, Villa Barton★★* CTU *- conservatoire et jardin botanique★ : jardin de rocaille★★* CT **E** *- Parc de la Grange★* CU *- Parc des Eaux-Vives★* CU *- Palais des Nations★★* CT *- Vieille ville★ : Monument de la Réformation★* FZ **D**, *Cathédrale St-Pierre★* FZ *: tour Nord (panorama★★), Site archéologique★, Maison Tavel★* FZ, *Collections Baur★* GZ *- Eglise du Christ-Roi : intérieur★* BV **N** *- Boiseries★ au musée des Suisses à l'étranger* CT **M4**.

Musées : *Ariana★★* CT **M2** *- Art et Histoire★★* GZ *- Histoire naturelle★★* GZ *- International de la Croix-Rouge et du Croissant-Rouge★* CT **M3** *- International de l'automobile★* BT **M1** *- Petit Palais - Art Moderne★★* GZ.

Excursions : *en bateau sur le lac. Renseignements Cie Gén. de Nav. Jardin Anglais, ☎ (022) 312 52 23 - Mouettes genevoises, 8 quai du Mont-Blanc, ☎ (022) 732 29 44 - Swissboat, 4 quai du Mont-Blanc, ☎ (022) 732 47 47.*

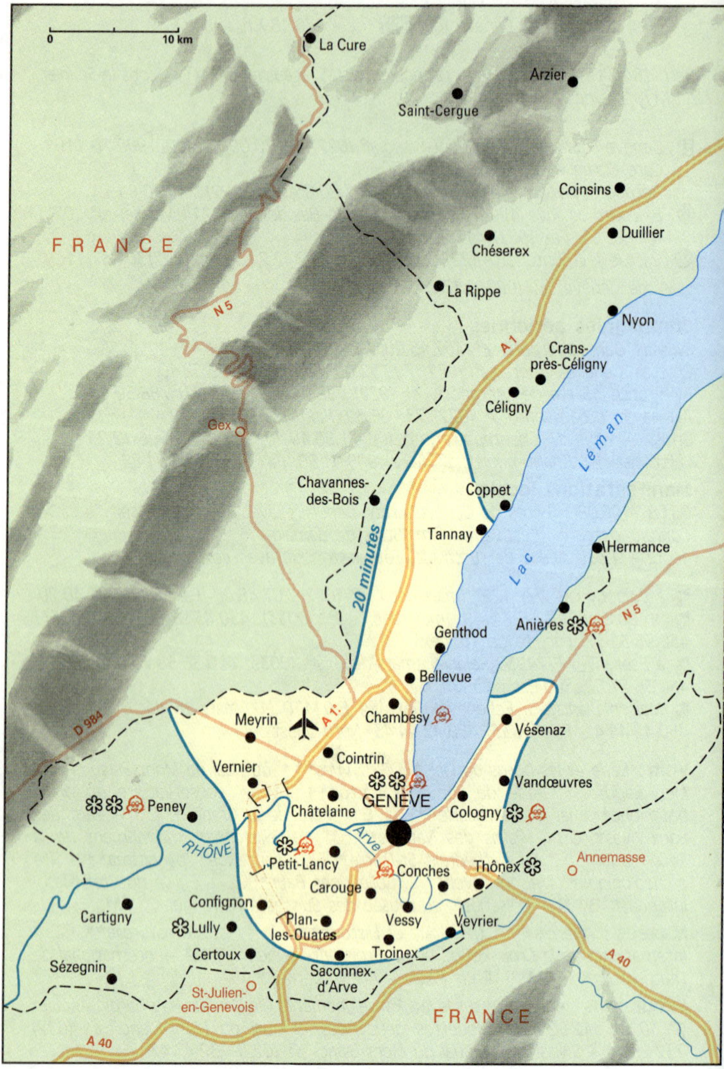
0
10 km
La Cure
Arzier
Saint-Cergue
Coinsins
Duillier
FRANCE
Chéserex
La Rippe
N 5
Nyon
A 1
Crans-
près-Céligny
Céligny
Gex
Léman
Chavannes-
des-Bois
Coppet
20 minutes
Tannay
Lac
Hermance
N 5
Anières
Genthod
Bellevue
D 984
Meyrin
A 1
Chambésy
Vésenaz
Cointrin
Vernier
Vandœuvres
Peney
Châtelaine
GENÈVE
Cologny
RHÔNE
Arve
Petit-Lancy
Conches
Thônex
Annemasse
Carouge
Confignon
Cartigny
Lully
Plan-
les-Ouates
Vessy
Veyrier
Certoux
Troinex
A 40
Sézegnin
Saconnex-
d'Arve
St-Julien-
en-Genevois
FRANCE
A 40

LE GUIDE VERT MICHELIN SUISSE

Paysages, monuments

Routes touristiques

Géographie

Histoire, Art

Itinéraires de visite

Plans de villes et de monuments.

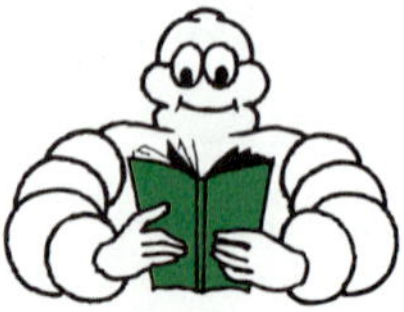

RÉPERTOIRE DES RUES DU PLAN DE GENÈVE

Les plans de villes sont disposés le Nord en haut.

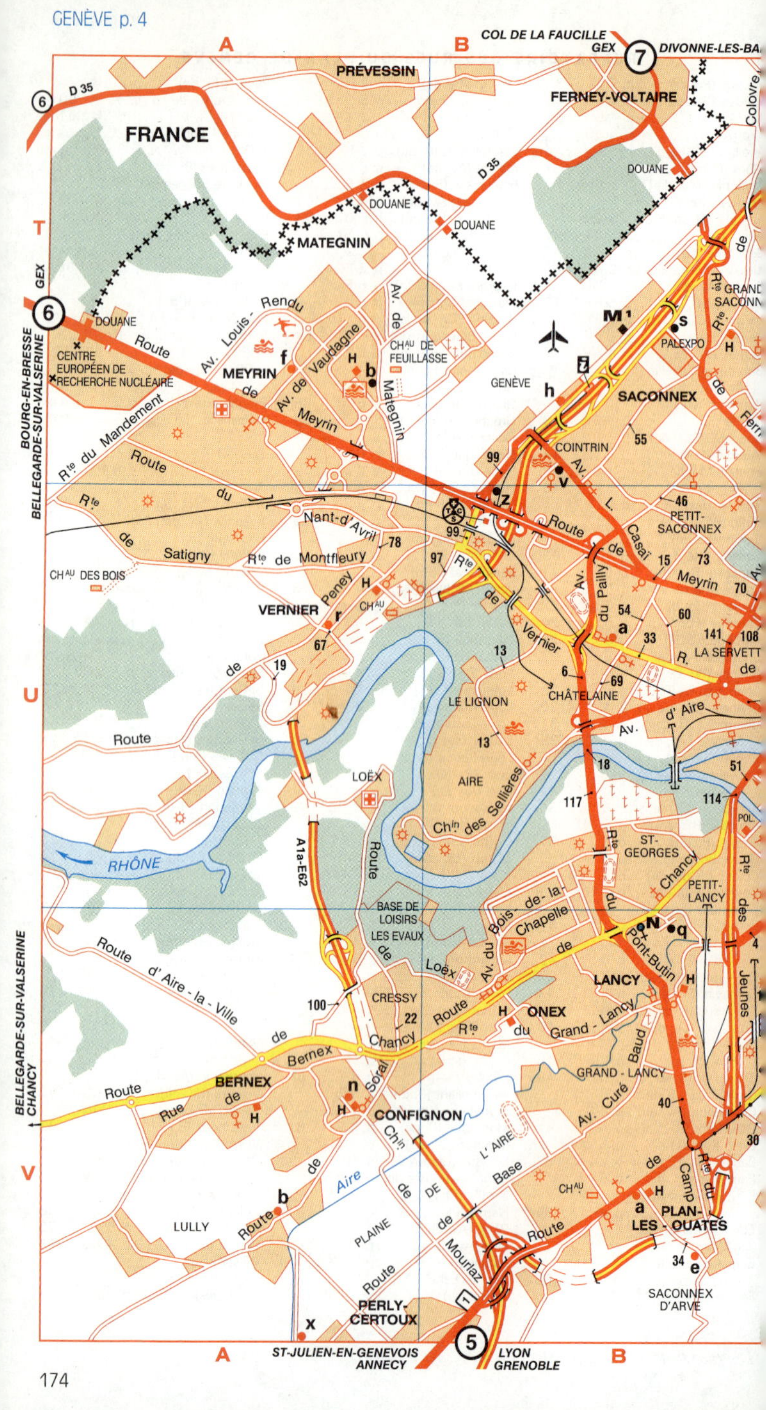

COL DE LA FAUCILLE
GEX
DIVONNE-LES-BAINS
PRÉVESSIN
FERNEY-VOLTAIRE
FRANCE
D 35
DOUANE
MATEGNIN
GEX
DOUANE
CENTRE EUROPÉEN DE RECHERCHE NUCLÉAIRE
BOURG-EN-BRESSE
BELLEGARDE-SUR-VALSERINE
MEYRIN
Av. Louis-Rendu
Route de Meyrin
Av. de Vaudagne
Av. de Mategnin
CH^AU DE FEUILLASSE
GENÈVE
SACONNEX
PALEXPO
COINTRIN
Rte du Mandement
Route du Nant-d'Avril
Rte de Satigny
Rte de Montfleury
CH^AU DES BOIS
VERNIER
Peney
Rte de Vernier
Av. du Pailly
Av. L. Casaï
PETIT-SACONNEX
LA SERVETTE
CHÂTELAINE
LE LIGNON
Av. d'Aire
AIRE
Ch^in des Sellières
LOËX
RHÔNE
A1a-E62
Route de Loëx
ST-GEORGES
Rte de Chancy
PETIT-LANCY
Rte du Pont-Butin
Rte des Jeunes
BASE DE LOISIRS LES EVAUX
Av. du Bois-de-la-Chapelle
LANCY
ONEX
CRESSY
Route d'Aire-la-Ville
Route de Chancy
Rte du Grand-Lancy
Route de Bernex
BERNEX
Rue de Bernex
GRAND-LANCY
Av. Curé Baud
BELLEGARDE-SUR-VALSERINE
CHANCY
CONFIGNON
Ch^in de Soral
L'AIRE
Aire
Route de Base
Rte du Camp
LULLY
PLAINE DE L'AIRE
Route de Mourlaz
PLAN-LES-OUATES
SACONNEX D'ARVE
PERLY-CERTOUX
ST-JULIEN-EN-GENEVOIS
ANNECY
LYON
GRENOBLE
A
B
T
U
V

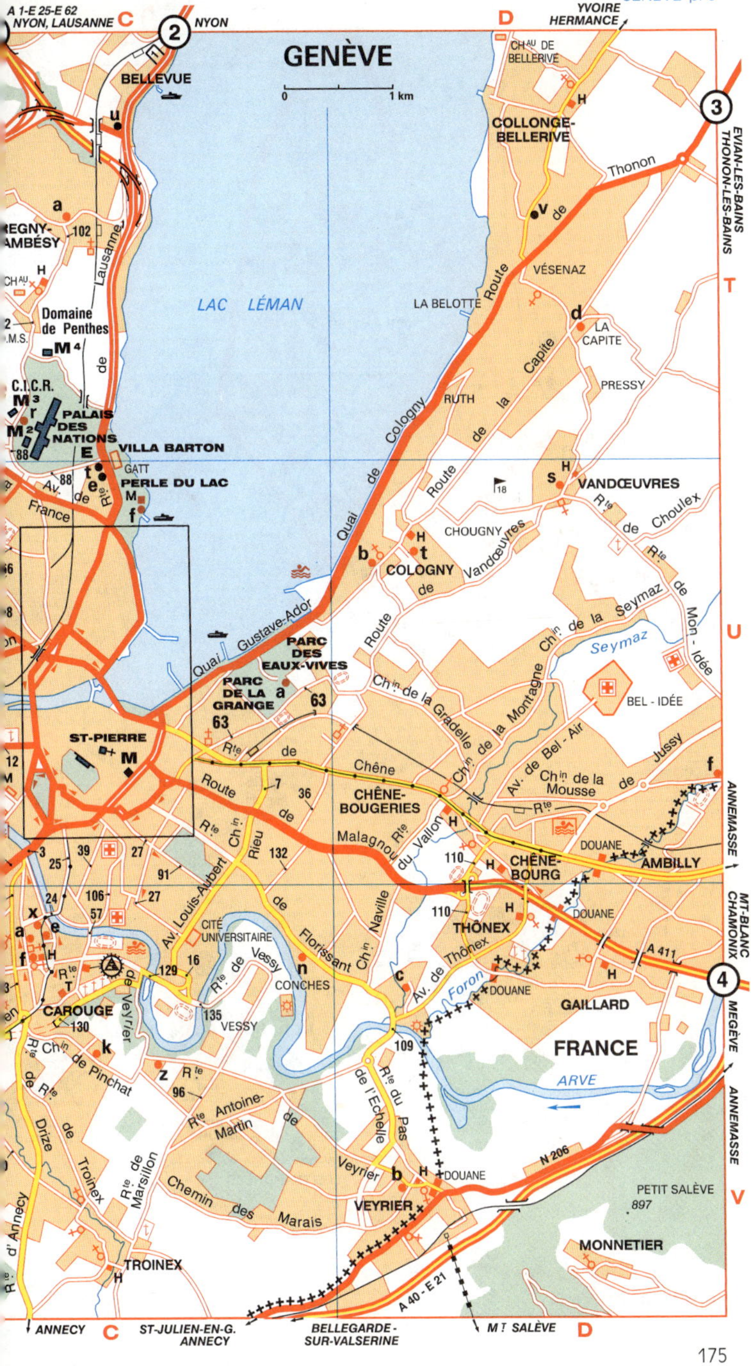

GENÈVE

0 1 km
A 1-E 25-E 62 NYON, LAUSANNE
NYON
YVOIRE HERMANCE
EVIAN-LES-BAINS THONON-LES-BAINS
BELLEVUE
CHAU DE BELLERIVE
COLLONGE-BELLERIVE
LAC LÉMAN
Route de Thonon
VÉSENAZ
LA BELOTTE
LA CAPITE
PRESSY
Route de la Capite
RUTH
Quai de Cologny
Domaine de Penthes
Route de Lausanne
C.I.C.R.
PALAIS DES NATIONS
VILLA BARTON
PERLE DU LAC
GATT
Av. de France
VANDŒUVRES
Rte de Choulex
CHOUGNY
Route de Vandœuvres
COLOGNY
Rte de Mon-Idée
Quai Gustave-Ador
PARC DES EAUX-VIVES
PARC DE LA GRANGE
Chin de la Seymaz
Seymaz
BEL-IDÉE
Chin de la Gradelle
Chin de la Montagne
ST-PIERRE
Rte de Chêne
Av. de Bel-Air
Rte de Jussy
Chin de la Mousse
CHÊNE-BOUGERIES
Route de Malagnou
Rte du Vallon
Chin du Rieu
AMBILLY
DOUANE
CHÊNE-BOURG
ANNEMASSE
MT-BLANC CHAMONIX
THÔNEX
Av. Louis-Aubert
CITÉ UNIVERSITAIRE
Rte de Florissant
Chin Naville
Rte de Vessy
CONCHES
Av. de Thônex
Foron
A 411
GAILLARD
CAROUGE
Rte de Veyrier
VESSY
FRANCE
ARVE
MEGÈVE
Chin de Pinchat
Rte de l'Echelle
Rte du Pas
Rte de Drize
Rte de Troinex
Rte Antoine-Martin
Rte de Marsillon
Rte de Veyrier
N 206
ANNEMASSE
Chemin des Marais
VEYRIER
PETIT SALÈVE 897
Rte d'Annecy
TROINEX
MONNETIER
A 40 - E 21
ANNECY
ST-JULIEN-EN-G. ANNECY
BELLEGARDE-SUR-VALSERINE
MT SALÈVE
C D T U V

F
G
X
Y
Z
PARC MON REPOS
LE PRIEURÉ
LAC LÉMAN
LES PÂQUIS
LES CROPETTES
CORNAVIN
CASINO
Jet d'eau
PIERRE DU NITON
ÎLE J. J. ROUSSEAU
RHÔNE
Jardin Anglais
Quai Gustave Ador
Quai du Mont-Blanc
Quai Wilson
Pt du Mont-Blanc
Quai Gal Guisan
PROM DE ST-JEAN
MAISON TAVEL
CATH. ST-PIERRE
Musée Rath
Pl. Neuve
VIEILLE VILLE
Prom. des Bastions
R. de la Croix Rouge
Grand' Rue
MUSÉE D'ART ET D'HISTOIRE
MUSEUM D'HISTOIRE NATURELLE
Musée de l'Horlogerie
COLLECTIONS BAUR
PETIT PALAIS
LES TRANCHÉES
Bibliothèque Universitaire
PLAINE DE PLAINPALAIS
Rd Point de Plainpalais
Pl. Ed. Claparède
PLAINPALAIS
Bd du Pont d'Arve
Bd des Philosophes
Bd des Tranchées
Rte de Florissant
R. de Contamines
Av. Henri Dunant
Av. du Mail
Bd Georges Favon
Bd James Fazy
R. du Rhône
R. de Rive
Bd Helvétique
R. de Montbrillant
R. des Gares
Rue de Lausanne
R. de Berne
R. des Pâquis
R. des Alpes
R. des Eaux-Vives
R. de la Scie
R. Rousseau
R. Dalcroze
R. F. Hodler
0
200 m

Liste alphabétique des hôtels et restaurants
Alphabetisches Hotel- und Restaurantverzeichnis
Elenco alfabetico degli alberghi e ristoranti
Alphabetical list of hotels and restaurants

PAX 909 6000
9087000

Rive droite (Gare Cornavin - Les Quais) :

Des Bergues, 33 quai des Bergues, ✉ 1201, ✆ (022) 731 50 50, *Fax (022) 732 19 89* – |‡|, ▤ ch, TV video ☎ ✆ ♿ – 🚶 15/190. AE ⓓ E VISA JCB. ✂ rest
Repas (voir aussi rest. ***Amphitryon*** ci-après) – ***Le Pavillon*** **:** Repas *31* - 48 (midi) et à la carte 49/107 – ☐ 35 – **109 ch** 450/750, 9 suites. p. 6 FY k

Le Richemond, Jardin Brunswick, ✉ 1201, ✆ (022) 731 14 00, *Fax (022) 731 67 09*, ≤, 🍴, Ɫ₺ – |‡|, ▤ ch, TV video ☎ 🚗 – 🚶 15/200. AE ⓓ E VISA JCB p. 6 FY u
Le Jardin **:** Repas *28* - 48 et à la carte 70/116 – ☐ 37 – **86 ch** 420/740, 12 suites.

Rhône, 1 quai Turrettini, ✉ 1211, ✆ (022) 909 00 00, *Fax (022) 909 00 10*, ≤ – |‡|, ✂ ch, ▤ TV video ☎ ✆ ♿ 🚗 – 🚶 15/150. AE ⓓ E VISA JCB. ✂ rest
Repas (voir aussi rest. ***Le Neptune*** ci-après) – ***Café Rafael*** **:** Repas *31* - 47 (midi) et à la carte 55/97 – ☐ 30 – **169 ch** 450/520, 20 suites. p. 6 FY r

Noga Hilton, 19 quai du Mont-Blanc, ✉ 1201, ✆ (022) 908 90 81, *Fax (022) 908 90 90*, ≤, 🍴, Ɫ₺, ≘s, ⛱ – |‡|, ✂ ch,, ▤ ch, TV video ☎ ✆ ♿ – 🚶 15/440. AE ⓓ E VISA JCB p. 6 GY y
Repas (voir aussi rest. ***Le Cygne*** ci-après) – ***La Grignotière*** **:** Repas *21* et à la carte 42/82 – ☐ 32 – **390 ch** 405/670, 20 suites.

Président Wilson Ⓜ**,** 47 quai Wilson, ✉ 1211, ✆ (022) 906 66 66, *Fax (022) 906 66 67*, ≤, ≘s, ⛱ – |‡|, ✂ ch, ▤ TV ☎ ✆ 🚗 – 🚶 15/600. AE ⓓ E VISA JCB. ✂ rest p. 6 GX d
Le Cirque **:** *(fermé sam. et dim. en juil. - août)* **Repas** 75 (soir) et à la carte 67/123 – ***L'Arabesque*** - cuisine libanaise - **Repas** à la carte 50/83 – ☐ 32 – **234 ch** 540/800, 21 suites – ½ P suppl. 55.

Beau-Rivage, 13 quai du Mont-Blanc, ✉ 1201, ✆ (022) 716 66 66, *Fax (022) 716 60 60*, ≤, 🍴 – |‡|, ✂ ch,, ▤ ch, TV video ☎ ✆ 🚗 – 🚶 15/250. AE ⓓ E VISA JCB. ✂ p. 6 FY d
Repas (voir aussi rest. ***Le Chat Botté*** ci-après) – ***Le Quai 13*** ✆ (022) 716 69 25, Repas *21* et à la carte 37/83 – ☐ 34 – **91 ch** 430/740, 6 suites.

Angleterre Ⓜ**,** 17 quai du Mont-Blanc, ✉ 1201, ✆ (022) 906 55 55, *Fax (022) 906 55 56*, ≤, « Atmosphère de belle demeure anglaise », Ɫ₺, ≘s – |‡| ▤ TV video ☎ ✆ 🚗 – 🚶 35. AE ⓓ E VISA JCB p. 6 FGY n
Tea Roux **:** Repas *21* - 37 (midi)/50 et à la carte 53/103 – ☐ 32 – **45 ch** 410/750.

Bristol, 10 r. du Mont-Blanc, ✉ 1201, ✆ (022) 732 38 00, *Fax (022) 738 90 39*, Ɫ₺, ≘s – |‡| ▤ TV ☎ ✆ – 🚶 15/90. AE ⓓ E VISA JCB. ✂ rest p. 6 FY w
Repas *19* - 41 et à la carte 45/77 – ☐ 27 – **93 ch** 275/470, 5 suites – ½ P suppl. 41.

Ramada Genève, 19 r. de Zürich, ✉ 1211, ✆ (022) 909 90 00, *Fax (022) 909 90 01* – |‡|, ✂ ch, ▤ TV video ☎ ✆ 🚗 – 🚶 15/80. AE ⓓ E VISA JCB
The Taj - cuisine indienne et internationale - **Repas** *19* - 39 (midi) et à la carte 42/92 – ☐ 28 – **194 ch** 295/510, 11 suites. p. 6 FX s

Sofitel, 18 r. du Cendrier, ✉ 1201, ✆ (022) 908 80 80, *Fax (022) 908 80 81*, 🍴 – |‡|, ✂ ch, ▤ TV ☎ ✆. AE ⓓ E VISA. ✂ rest p. 6 FY t
Repas *(fermé 22 déc. au 4 janv.)* *23* - 43 et à la carte 49/100 – ☐ 31 – **85 ch** 350/390, 10 suites.

Warwick, 14 r. de Lausanne, ✉ 1201, ✆ (022) 731 62 50, *Fax (022) 738 99 35* – |‡|, ✂ ch, ▤ TV video ☎ ✆ – 🚶 15/140. AE ⓓ E VISA JCB. ✂ rest
Les 4 Saisons *(fermé 20 juil. au 10 août, sam. midi et dim.)* **Repas** *27* - 40 (midi)/70 et à la carte 58/98 – ***La Bonne Brasserie*** **:** Repas *15* et à la carte 40/75, enf. 15 – ☐ 27 – **169 ch** 320/480 – ½ P suppl. 35. p. 6 FY c

Grand Pré sans rest, 35 r. du Grand-Pré, ✉ 1202, ✆ (022) 918 11 11, *Fax (022) 734 76 91* – |‡| ▤ TV ☎ ✆ – 🚶 25. AE ⓓ E VISA p. 5 CU s
89 ch ☐ 225/325.

Mon-Repos, 131 r. de Lausanne, ✆ (022) 732 80 10, *Fax (022) 732 85 95* – |‡|, ✂ ch, TV video ☎. AE ⓓ E VISA JCB p. 5 CU e
Repas *(fermé 19 déc. au 4 janv., sam. et dim.)* *17* et à la carte 32/71 – **85 ch** ☐ 183/218 – ½ P suppl. 28.

Eden, 135 r. de Lausanne, ✉ 1202, ✆ (022) 732 65 40, *Fax (022) 731 52 60* – |‡| ▤ TV ☎ ✆. AE ⓓ E VISA JCB p. 5 CU t
Repas *(fermé sam. et dim.)* *17* - 29 et à la carte 30/62 – **54 ch** ☐ 185/245 – ½ P suppl. 28.

Cornavin sans rest, place de la Gare, ✉ 1201, ✆ (022) 732 21 00, *Fax (022) 732 88 43* – 🛗 ▤ 📺 video ☎ 📞. AE ⓓ E VISA p. 6 FY a
☕ 16 – **155 ch** 215/310, 5 suites.

Le Montbrillant, 2 r. de Montbrillant, ✉ 1201, ✆ (022) 733 77 84, *Fax (022) 733 25 11*, 🏞 – 🛗 ⛔ 📺 ☎ 📞 – 🎓 25. AE ⓓ E VISA JCB p. 6 FY b
Repas 15 - 24/35 et à la carte 31/82, enf. 12 – **82 ch** ☕ 180/250 – ½ P suppl. 25.

Du Midi, 4 pl. Chevelu, ✉ 1211, ✆ (022) 731 78 00, *Fax (022) 731 00 20* – 📺 ☎ ♿. AE ⓓ E VISA p. 6 FY v
Repas *(fermé sam. et dim.)* 20 - 39 et à la carte 38/70 – ☕ 15 – **89 ch** 185/260.

Carlton, 22 r. Amat, ✉ 1202, ✆ (022) 908 68 50, *Fax (022) 908 68 68* – 🛗, ▤ rest, 📺 ☎ 📞 🚗. AE ⓓ E VISA JCB p. 6 FX a
Repas 16 et à la carte 40/80 – **121 ch** ☕ 214/268.

Strasbourg sans rest, 10 r. Pradier, ✉ 1201, ✆ (022) 906 58 00, *Fax (022) 738 42 08* – 🛗 📺 ☎ 📞. AE ⓓ E VISA. ✗ p. 6 FY q
51 ch ☕ 170/230.

Suisse sans rest, 10 pl. de Cornavin, ✉ 1201, ✆ (022) 732 66 30, *Fax (022) 732 62 39* – 🛗 📺 ☎ 📞. AE ⓓ E VISA p. 6 FY y
57 ch ☕ 135/205.

Le Cygne - ***Hôtel Noga Hilton***, 19 quai du Mont-Blanc, ✉ 1201, ✆ (022) 908 90 85, *Fax (022) 908 90 90*, ≤ – ▤. AE ⓓ E VISA JCB. ✗ p. 6 GY y
fermé 1er au 9 janv., 2 au 12 avril et 5 au 26 juil. – **Repas** 59 (midi)/108 et à la carte 75/134
Spéc. Ragoût de racines d'hiver aux truffes et foie gras (hiver). Bar cuit à la fumée de bois et vinaigrette aux truffes. Déclinaison de poissons bleus lamparo (printemps - été).

Le Chat Botté - ***Hôtel Beau-Rivage***, 13 quai du Mont-Blanc, ✉ 1201, ✆ (022) 716 69 20, *Fax (022) 716 60 60*, 🏞 – AE ⓓ E VISA JCB. ✗ p. 6 FY d
fermé Noël à Nouvel An, sam., dim. et fériés – **Repas** 60 (midi)/145 et à la carte 78/128
Spéc. Filets de perche du lac en vinaigrette aux appétits (été). Bar grillé aux herbes. Filet d'agneau moutardé en verdure.

Amphitryon - ***Hôtel Des Bergues***, 33 quai des Bergues, ✉ 1201, ✆ (022) 731 50 50, *Fax (022) 732 19 89* – AE ⓓ E VISA JCB. ✗ p. 6 FY k
fermé 24 déc. au 2 janv. et juil. - août – **Repas** 63 (midi)/150 et à la carte 71/126.

Le Neptune - ***Hôtel du Rhône***, 1 quai Turrettini, ✉ 1211, ✆ (022) 909 00 06, *Fax (022) 909 00 10* – ▤. AE ⓓ E VISA JCB. ✗ p. 6 FY r
fermé août, sam., dim. et fériés – **Repas** 65/125 et à la carte 91/137
Spéc. Epicé de rouget Barbet à l'émulsion d'aubergine. Poissons du lac Léman (fév. - oct.). Blanc de turbot poêlé et croustillant d'épinards à l'aneth.

La Perle du Lac, 126 r. de Lausanne, ✉ 1202, ✆ (022) 731 79 35, *Fax (022) 731 49 79*, 🏞, « Chalet dans un parc ≤ lac » – 🅿. AE ⓓ E VISA ✗ p. 5 CU f
fermé 21 déc. au 10 janv. et lundi – **Repas** 21 - 58 (midi)/112 et à la carte 75/149.

Tsé Yang, 19 quai du Mont-Blanc, ✉ 1201, ✆ (022) 732 50 81, *Fax (022) 731 05 82*, ≤, « Décor élégant » – ▤. AE ⓓ E VISA JCB p. 6 GY e
Repas - cuisine chinoise - 42 (midi)/125 et à la carte 64/134.

Brasserie Victoria, 2 r. Bovy Lysberg, pl. du Cirque, ✉ 1204, ✆ (022) 807 11 99, *Fax (022) 807 11 98* – ▤. AE E VISA p. 6 FZ p
Repas (prévenir) 18 - 39/49 (midi) et à la carte 45/89.

Boeuf Rouge, 17 r. Alfred-Vincent, ✉ 1201, ✆ (022) 732 75 37, *Fax (022) 731 46 84* – AE ⓓ E VISA p. 6 FY z
fermé sam. et dim. – **Repas** - cuisine lyonnaise - 45 et à la carte 46/88.

Chez Jacky, 9 r. Necker, ✉ 1201, ✆ (022) 732 86 80, *Fax (022) 731 12 97* – AE ⓓ E VISA p. 6 FY p
fermé 1er au 7 janv., 15 juil. au 7 août, sam. et dim. – **Repas** 16 - 38 (midi)/84 et à la carte 59/79.

Rive gauche (Centre des affaires) :

Métropole, 34 quai Général-Guisan, ✉ 1204, ✆ (022) 318 32 00, *Fax (022) 318 33 00*, 🏞 – 🛗 ▤ 📺 video ☎ 📞 – 🎓 15/120. AE ⓓ E VISA JCB p. 6 GY a
Le Grand Quai : **Repas** 30 et à la carte 44/81 – ☕ 23 – **120 ch** 245/510, 7 suites.

La Cigogne, 17 pl. Longemalle, ✉ 1204, ☎ (022) 818 40 40, *Fax (022) 818 40 50*
« Elégante installation, beau mobilier ancien » – 🛗 ▤ TV video ☎ – 🏛 20. AE ◑ E VISA. rest
p. 6 FGY
Repas *36* - 56 (midi)/90 et à la carte 75/109 – **45 ch** ☕ 325/420, 7 suites.

Les Armures , 1 r. du Puits-Saint-Pierre, ✉ 1204, ☎ (022) 310 91 72
Fax (022) 310 98 46, , « Agencement rustique dans une maison du 17ᵉ siècle » – 🛗, ▤ ch, TV video ☎. AE ◑ E VISA JCB
p. 6 FZ c
Repas *(fermé Noël, Nouvel An et Pâques)* *17* - 45 et à la carte 35/79, enf. 17 – **28 ch** ☕ 290/440.

Century sans rest., 24 av. de Frontenex, ✉ 1207, ☎ (022) 736 80 95
Fax (022) 786 52 74 – 🛗 TV ☎ P – 🏛 35. AE ◑ E VISA JCB
p. 6 GZ p
117 ch ☕ 215/440, 14 suites.

Tiffany M, 18 r. de l'Arquebuse, ✉ 1204, ☎ (022) 329 33 11, *Fax (022) 320 89 91*
– 🛗, ▤ ch, TV video ☎. AE ◑ E VISA JCB
p. 6 FZ v
Repas *(fermé Noël, Nouvel An et Pâques)* *19* et à la carte 40/85 – **28 ch** ☕ 205/350
– ½ P suppl. 38.

Touring Balance sans rest., 13 pl. Longemalle, ✉ 1204, ☎ (022) 310 40 45,
Fax (022) 310 40 39 – 🛗 TV ☎ – 🏛 40. AE ◑ E VISA
p. 6 GY k
– **57 ch** ☕ 190/250.

Bel'Espérance sans rest., 1 r. de la Vallée, ✉ 1204, ☎ (022) 818 37 37,
Fax (022) 818 37 73 – 🛗, ch, TV ☎ – 🏛 25. AE ◑ E VISA.
p. 6 GZ a
38 ch ☕ 75/120.

Le Béarn (Goddard), 4 quai de la Poste, ✉ 1204, ☎ (022) 321 00 28, *Fax (022) 781 31 15* – ▤. AE ◑ E VISA
p. 6 FY x
fermé 14 au 21 fév., 12 juil. au 15 août, sam. (sauf le soir d'oct. à mai) et dim. – **Repas** 53 (midi)/160 et à la carte 91/150
Spéc. Les trois gourmandises de l'été : homard, cappuccino et rillettes de tourteau. Soufflé aux truffes (hiver). Saint-Pierre rôti à la feuille de laurier, pomme verte et céleri (printemps).

Parc des Eaux-Vives, 82 quai G.-Ador, ✉ 1207, ☎ (022) 735 41 40,
Fax (022) 786 87 65, <, , « Agréable situation dans un grand parc » – P. AE E VISA
p. 5 CU a
fermé 26 déc. au 25 janv., 4 au 13 avril, dim. (sauf le midi en été) et lundi – **Repas** *18* - 48 (midi)/132 et à la carte 76/148.

Baron de la Mouette (Mövenpick Fusterie), 40 r. du Rhône, ✉ 1204,
☎ (022) 311 88 55, *Fax (022) 310 93 22* – AE ◑ E VISA JCB
p. 6 FY h
fermé sam., dim., fériés et le soir – **Repas** à la carte 50/106.

Roberto, 10 r. Pierre-Fatio, ✉ 1204, ☎ (022) 311 80 33, *Fax (022) 311 84 66* – ▤. AE E VISA
p. 6 GZ e
fermé sam. soir et dim. – **Repas** - cuisine italienne - *31* 68/93 et à la carte 56/105.

Le Patio, 19 bd Helvétique, ☎ (022) 736 66 75, *Fax (022) 786 40 74* – AE ◑ E VISA
p. 6 GZ b
fermé 18 juil. au 8 août, sam. et dim. – **Repas** *25* - 39 (midi) et à la carte 58/94.

Le Sénat, 1 r. Emile-Yung, ✉ 1205, ☎ (022) 346 58 10, *Fax (022) 347 54 76*, – AE ◑ E VISA
p. 6 FZ r
fermé sam. et dim. – **Repas** *20* - 45/57 et à la carte 62/90.

Cavalieri, 7 r. Cherbuliez, ✉ 1207, ☎ (022) 735 09 56, *Fax (022) 735 85 95* – ▤. AE ◑ E VISA
p. 6 GY g
fermé juil. et lundi – **Repas** - cuisine italienne - 25 (midi) et à la carte 54/97.

L'Esquisse, 7 r. du Lac, ✉ 1207, ☎ (022) 786 50 44, *Fax (022) 786 53 98* – AE ◑ E VISA
p. 6 GY m
fermé 25 juil. au 8 août et dim. – **Repas** *18* - 35 (midi)/85 et à la carte 59/101.

Brasserie Lipp, 8 r. de la Confédération (2ᵉ étage), ✉ 1204, ☎ (022) 311 10 11,
Fax (022) 312 01 04, – ▤. AE ◑ E VISA
p. 6 FY f
Repas *23.50* et à la carte 39/88.

Café de l'Hôtel de Ville, 39 Grand-Rue, ✉ 1204, ☎ (022) 311 70 30,
Fax (022) 312 18 87, – AE ◑ E VISA JCB
p. 6 FZ u
fermé Noël et Nouvel An – **Repas** *17* - 32 (midi)/52 et à la carte 56/88, enf. 15.

La Favola, 15 r. Jean-Calvin, ✉ 1204, ☎ (022) 311 74 37, Maison du 17e siècle. p. 6 FZ s
fermé 26 juil. - 8 août, sam. midi et dimanche – **Repas** - cuisine italienne - (nombre de couverts limité - prévenir) *28* et à la carte 64/81.

Le Perron, 5 r. du Perron, ✉ 1204, ☎ (022) 311 31 08, *Fax (022) 311 31 63*, – E VISA p. 6 FZ n
fermé 24 déc. au 2 janv., et dim. – **Repas** *17* et à la carte 50/86.

Environs

au Nord :

Palais des Nations - CT :

Intercontinental, 7 chemin du Petit-Saconnex, ✉ 1209, ☎ (022) 919 39 39, *Fax (022) 919 38 38*, ←, – 15/400. AE E VISA JCB. rest p. 4 BT d
Repas (voir aussi rest. ***Les Continents*** ci-après) – ***La Pergola*** : **Repas** *24* et à la carte 51/91 – 23 – **285 ch** 420/540, 60 suites.

Les Continents - ***Hôtel Intercontinental***, 7 chemin du Petit-Saconnex, ✉ 1209, ☎ (022) 919 33 50, *Fax (022) 919 38 38* – AE E VISA JCB.
fermé Noël à Nouvel An, sam. et dim. – **Repas** 55 (midi)/112 et à la carte 74/124 p. 4 BT d
Spéc. Raviole de ris de veau aux asperges et champignons. Filets de perche en salade au jambon de Parme et vinaigre au vin vieux. Noisettes d'agneau rôties, gâteau de bettes et chanterelles.

Vieux-Bois, (Ecole Hôtelière), 12 av. de la Paix, ✉ 1202, ☎ (022) 919 24 26, *Fax (022) 919 24 28*, « Pavillon du 18e siècle » – AE E VISA. p. 5 CT r
fermé 21 déc. au 3 janv., 1er au 7 avril, 17 juil. au 15 août, sam. en janv. - fév., dim., fériés et le soir – **Repas** *28* et à la carte 45/88.

à Chambésy *5 km* - CT – *alt. 389* – ✉ *1292 Chambésy* :

Relais de Chambésy, 8 pl. de Chambésy, ☎ (022) 758 11 05, *Fax (022) 758 02 30*, – AE E VISA p. 5 CT a
fermé sam. midi et dim. – **Repas** *17.50* - 29 (midi)/75 et à la carte 41/83.

à Bellevue *par rte de Lausanne : 6 km* - CT – *alt. 380* – ✉ *1293 Bellevue* :

La Réserve, 301 rte de Lausanne, ☎ (022) 959 86 88, *Fax (022) 959 85 88*, ←, , Parc, video – 15/80. AE E VISA JCB p. 5 CT u
Repas (voir aussi rest. ***Tsé Fung*** ci-après) – ***La Closerie*** *(fermé sam.)* **Repas** *25* - 55 (midi)/85 et à la carte 44/103 – ***Mikado*** - cuisine japonaise - *(fermé midi)* **Repas** 70/95 et à la carte 41/110 – ***Chez Gianni*** - cuisine italienne - **Repas** *25* - 55 (midi)/70 et à la carte 45/118 – 28 – **108 ch** 300/500, 6 suites.

Tsé Fung - ***Hôtel La Réserve***, 301 rte de Lausanne, ☎ (022) 959 86 88, *Fax (022) 959 85 88*, – AE E VISA JCB p. 5 CT u
Repas - cuisine chinoise - 80/125 et à la carte 66/108

à l'Est par route d'Evian :

à Cologny *3,5 km* - DU – *alt. 432* – ✉ *1223 Cologny* :

Auberge du Lion d'Or (Byrne/Dupont), 5 pl. Pierre-Gautier, ☎ (022) 736 44 32, *Fax (022) 786 74 62*, « Belle vue panoramique sur le lac et Genève » – AE E VISA p. 5 DU b
fermé 20 déc. au 20 janv., sam. sauf le soir du 15 juin au 15 août et dim. – **Repas** 56 (midi)/140 et à la carte 90/135 – ***Bistro de Cologny*** : **Repas** *22* - 39 (midi) et à la carte 51/74
Spéc. Sashimi de thon rouge saisi aux poivres et herbes, beignets de tourteau. Langoustines poêlées, cannelloni d'aubergines, émulsion de fenouil. Agneau de lait de Sisteron rôti au romarin et ail nouveau.

La Closerie, 14 pl. du Manoir, ☎ (022) 736 13 55, – E VISA p. 5 DU t
fermé 19 juil. au 17 août, lundi et mardi – **Repas** *16.50* et à la carte 48/77.

à Vésenaz *5,5 km* - DT - *alt. 420* - ✉ *1222 Vésenaz :*

La Tourelle sans rest, 26 rte d'Hermance, ☎ (022) 752 16 28, *Fax (022) 752 54 93*, parc - TV ☎ P. E VISA p. 5 DT v
fermé 26 déc. au 1er fév. - **23 ch** 100/190.

La Capite "Chez Ermanno", 182 rte de la Capite, ☎ (022) 752 10 51, 🍴 - AE E VISA p. 5 DT d
fermé 24 déc. au 5 janv., 1er au 23 août, dim. midi et lundi - **Repas** - cuisine italienne - 22 et à la carte 45/111.

à Vandoeuvres *4,5 km* - DU - *alt. 465* - ✉ *1253 Vandoeuvres :*

Cheval Blanc, 1 rte de Meinier, ☎ (022) 750 14 01, *Fax (022) 750 31 01*, 🍴 - AE ⓓ E VISA JCB. p. 5 DU s
fermé 24 déc. au 10 janv., 4 au 25 juil., dim. et lundi - **Repas** - cuisine italienne - 49 (midi) et à la carte 50/98.

à l'Est par route d'Annemasse :

à Thônex *Sud-Est : 5 km* - DU - *alt. 414* - ✉ *1226 Thônex :*

Le Cigalon (Bessire), 39 rte d'Ambilly, à la douane de Pierre-à-Bochet, ☎ (022) 349 97 33, *Fax (027) 349 97 33*, 🍴 - P. AE E VISA p. 5 DU f
fermé 14 au 22 fév., 11 juil. au 3 août, 24 au 28 déc. sam. midi, dim. soir et lundi - **Repas** 22 - 42 (midi)/95 et à la carte 65/111
Spéc. Gaspacho aux médaillons de homard (été). Tartare de thon à la tomate séchée (été). Bar de ligne rôti en écailles.

De Villette, 55 rte de Villette, ☎ (022) 789 04 70, *Fax (022) 789 04 71*, 🍴 - AE ⓓ E VISA. p. 5 DV c
fermé sam. midi et dim. soir - **Repas** 16 - 49/78 et à la carte 42/98.

au Sud :

à Conches *Sud-Est : 5 km* - DV - *alt. 419* - ✉ *1231 Conches :*

Le Vallon, 182 rte de Florissant, ☎ (022) 347 11 04, *Fax (022) 347 63 81*, 🍴, « Décor de bistro » - P p. 5 CV n
fermé 23 déc. au 4 janv., 2 au 10 avril, 21 juin au 12 juil., sam. et dim. - **Repas** 30 et à la carte 41/86.

à Veyrier *6 km* - DV - *alt. 422* - ✉ *1255 Veyrier :*

Café de la Réunion, 2 chemin Sous-Balme, ☎ (022) 784 07 98, *Fax (022) 784 38 59*, 🍴 - AE ⓓ E VISA p. 5 DV b
fermé 19 déc. au 4 janv., 27 mars au 12 avril, 23 oct. au 1er nov. - **Repas** 19 - 41 (midi)/85 et à la carte 74/99.

à Vessy *par rte de Veyrier : 4 km* - CV - *alt. 419* - ✉ *1234 Vessy :*

Alain Lavergnat, 130 rte de Veyrier, ☎ (022) 784 26 26, *Fax (022) 784 13 34*, 🍴 - P. AE E VISA p. 5 CV z
fermé 19 déc. au 4 janv., 25 juil. au 10 août, dim. et lundi - **Repas** 17 - 48 (midi)/90 et à la carte 85/117.

à Carouge *3 km* - CV - *alt. 382* - ✉ *1227 Carouge :*

L'Olivier de Provence, 13 r. Jacques- Dalphin, ☎ (022) 342 04 50, *Fax (022) 342 88 80*, 🍴 - AE ⓓ E VISA JCB p. 5 CV a
fermé 24 déc. au 10 janv., 2 au 11 avril, sam. midi, dim. et fériés - **Repas** 43 (midi)/98 et à la carte 69/94 - ***Le Bistrot*** : **Repas** 16.50 - 27 (midi)/34 et à la carte 36/64.

Auberge de Pinchat avec ch, 33 ch. de Pinchat, ☎ (022) 342 30 77, *Fax (022) 300 22 19*, 🍴 - TV ☎ P. AE E VISA p. 5 CV k
fermé 20 déc. au 4 janv., 28 mars au 5 avril, 31 août au 13 sept., dim et lundi - **Repas** 45 (midi)/90 et à la carte 64/123 - **5 ch** 120/145.

L'Ange du dix vins, 31 r. J. Dalphin, ☎ (022) 342 03 18, *Fax (022) 342 02 05* - AE E VISA p. 5 CV f
fermé Noël, Nouvel An, 2 au 11 avril, sam. (sauf le soir de sept. à déc.) et dim. - **Repas** 35 (midi)/59 et à la carte 48/80.

Le Rest. Français, 8 r. Roi Victor Amé, (022) 342 60 80, – VISA
fermé 23 déc. au 4 janv., 17 juil. au 1er août, sam. (sauf le soir d'oct. à mai) et dim. – **Repas** 16.50 - 41/51 et à la carte 39/77. p. 5 CV e

Auberge du Cheval Blanc, 15 pl. d'Armes, (022) 343 61 61, *Fax (022) 343 60 21,* – . AE VISA p. 5 CV x
fermé 24 déc. au 5 janv., mardi midi et lundi – **Repas** (bistrot) 16 - 34 (midi) et à la carte 34/94.

à Saconnex d'Arve *6 km - BV – alt. 440 – 1212 Grand-Lancy 1 :*

Auberge de la Tour, 76 rte des Chevaliers de Malte, (022) 771 10 49, *Fax (022) 771 33 29,* – P. AE VISA p. 4 BV e
fermé 7 au 28 fév., sam. midi, dim. soir et lundi – **Repas** 18 - 39 (midi)/75 et à la carte 48/83.

à Plan-les-Ouates *5 km - BV – alt. 403 – 1228 Plan-les-Ouates :*

La Place, 143 rte de St-Julien, (022) 794 96 98, *Fax (022) 794 40 09,* – AE VISA p. 4 BV a
fermé 24 déc. au 4 janv., 1er au 12 avril, 25 juil. au 9 août, sam. et dim. – **Repas** (le midi prévenir) 30 - 48 (midi)/105 et à la carte 70/112.

à Certoux *9 km - AV – alt. 425 – 1258 Perly :*

Café de Certoux, 133 rte de Certoux, (022) 771 10 32, *Fax (022) 771 28 43,* – P. AE VISA p. 4 AV x
fermé 23 déc. au 7 janv., 18 juil. au 10 août, dim. et lundi – **Repas** (prévenir) 19 - 43 (midi)/74 et à la carte 65/99.

au Petit-Lancy *3 km - BV – alt. 426 – 1213 Petit-Lancy :*

Hostellerie de la Vendée, 28 chemin de la Vendée, (022) 792 04 11, *Fax (022) 792 05 46,* , Véranda en jardin d'hiver – TV – 15/60. AE VISA p. 4 BV q
fermé 24 déc. au 5 janv. et à Pâques – **Repas** *(fermé sam. midi et dim.)* 50 (midi)/120 et à la carte 72/124 – ***Bistro*** *(fermé sam. et dim.)* Repas 18 - 36 et à la carte 39/60 – **34 ch** 160/275 – ½ P suppl. 40
Spéc. Langoustines grillées, tartare d'avocats à l'huile d'olive vierge (printemps). Loup de ligne en croûte de sel, pousses d'épinards à la crème (été). Côte de veau poêlée aux miettes de truffes (automne - hiver).

à Confignon *7 km - AV – alt. 435 – 1232 Confignon :*

Auberge de Confignon avec ch, 6 pl. de l'Église, (022) 757 19 44, *Fax (022) 757 18 89,* – TV . AE VISA JCB p. 4 AV n
Repas *(fermé dim. soir et lundi)* 15.50 - 39 (midi)/110 et à la carte 57/118 – **12 ch** 103/160.

à Lully *8 km - AV – alt. 430 – 1233 Bernex :*

La Colombière (Lonati), 122 rte de Soral, (022) 757 10 27, *Fax (022) 757 65 49,* – P. AE VISA p. 4 AV b
fermé 20 déc. au 11 janv., 21 août au 21 sept., sam. et dim. – **Repas** (nombre de couverts limité - prévenir) 42 (midi)/82 et à la carte 68/102
Spéc. Tartare de Canard aux épices et ses rôties à l'huile d'olive de Baux. Cannellons de langoustines à l'infusion de thym et huile d'olive toscane. Parmentier de rôti de veau à la truffe noire.

à l'Ouest :

à Châtelaine *3 km - BU – alt. 430 – 1219 Châtelaine :*

La Fenice, 78 av. de Châtelaine, (022) 797 03 70, *Fax (022) 797 01 79,* – P. AE VISA p. 4 BU a
fermé 24 déc. au 4 janv., 1er au 23 août, dim. et lundi – **Repas** - cuisine italienne - à la carte 57/100.

à Vernier *4 km - BU – alt. 448 – 1214 Vernier :*

Au Cheval Blanc, 74 r. du Village, (022) 341 02 80, *Fax (022) 783 09 95,* – AE VISA p. 4 AU r
fermé 24 déc. au 3 janv., 24 juil. au 15 août, sam. et dim. – **Repas** 22 - 46/95 et à la carte 57/96.

à Cointrin *par rte de Meyrin : 4 km* - BTU - *alt. 428* - ✉ *1216 Cointrin :*

Mövenpick Genève Ⓜ, 20 rte de Pré-Bois, ✉ 1215 Genève, ✆ (022) 798 75 75, *Fax (022) 791 02 84*, ≤ - 🛗, ⇹ ch, ▤ 📺 video ☎ ✆ ♿ 🅿 - 🏛 15/250. AE ⓓ E VISA JCB
p. 4 BU z
La Brasserie : **Repas** à la carte 44/115 - ***Kamome*** - cuisine japonaise - *(fermé mi-juil. à mi-août, sam. midi, lundi midi et dim.)* **Repas** *16.50* - 45/105 et à la carte 46/86, enf. 22 - ☕ 25 - **344 ch** 275/395, 6 suites.

Forum Park, 75 av. Louis-Casaï, ✆ (022) 710 30 00, *Fax (022) 710 31 00*, 🏋, ≘s - 🛗, ⇹ ch, ▤ 📺 video ☎ ✆ ♿ 🅿 - 🏛 15/600. AE ⓓ E VISA JCB. ⇹ rest
p. 4 BT v
La Récolte : **Repas** *16* et à la carte 41/90 - ☕ 26 - **302 ch** 280/390, 6 suites.

Canonica, à l'aéroport 2e étage, ✆ (022) 717 76 76, *Fax (022) 798 77 68*, ≤, Restaurants aménagés autour d'une carlingue d'avion - ▤. AE ⓓ E VISA
Plein Ciel *(fermé dim. sauf le midi en hiver et sam.)* **Repas** 47 (midi)/98 et à la carte 61/124 - ***L'Avion*** (brasserie) **Repas** *17* - 29 et à la carte 33/80, enf. 14. p. 4 BT h

à Meyrin *par rte de Meyrin : 5 km* - AT - *alt. 445* - ✉ *1217 Meyrin :*

Mövenpick Cadettt, 21 av. de Mategnin, ✆ (022) 989 90 00, *Fax (022) 989 99 99* - 🛗, ⇹ ch, ▤ 📺 ☎ ✆ 🚗 - 🏛 15/40. AE ⓓ E VISA JCB
Repas 24 (midi) et à la carte 33/77 - ☕ 19 - **189 ch** 185/250. p. 4 AT b

Auberge Communale avec ch, 13 bis av. de Vaudagne, ✆ (022) 782 44 78, *Fax (022) 785 14 81*, 🌳 - 📺 ☎ 🅿. AE ⓓ E VISA
p. 4 AT f
fermé 24 déc. au 4 janv. et 26 juil. au 15 août - **Repas** *(fermé sam. et dim.)* *19* - 29 (midi)/56 et à la carte 40/79 - ☕ 11 - **6 ch** 95/123.

Palais des Expositions : *5 km* - BT - *alt. 452* - ✉ *1218 Grand Saconnex :*

Holiday Inn Crowne Plaza Ⓜ, 26 voie de Moëns, ✆ (022) 791 00 11, *Fax (022) 798 92 73*, 🏋, ≘s, 🏊 - 🛗, ⇹ ch, ▤ 📺 video ☎ ✆ ♿ 🅿 - 🏛 15/140. AE ⓓ E VISA JCB
p. 4 BT s
L'Intervista - cuisine italienne - *(fermé sam. midi)* **Repas** *16* et à la carte 32/88 - ☕ 26 - **305 ch** 290/420.

Restaurants with the mention ✿, ✿✿ or ✿✿✿ : see maps in the introduction.

GENF *Genève* 217 ⑪ - *siehe Genève.*

GENTHOD *1294 Genève (GE)* 217 ⑪ - *2 025 h. - alt. 410.*

Bern 159 - Genève 6 - Gex 18 - Nyon 16.

Château de Genthod, 1 rte de Rennex, ✆ (022) 774 19 72, *Fax (022) 774 21 11*, 🌳 - AE ⓓ E VISA
fermé 23 déc. au 6 janv., 1er au 12 août, lundi soir et dim. - **Repas** *17* - 49/110 et à la carte 51/99.

GERLAFINGEN *4563 Solothurn (SO)* 216 ⑮ - *4 812 Ew. - Höhe 452.*

Bern 32 - Biel 28 - Solothurn 4.

Frohsinn (Nussbaumer), Obergerlafingenstr. 5, ✆ (032) 675 44 77, *Fax (032) 675 44 82*, 🌳 - 🅿. E VISA
Sonntag, Montag und 18. Juli - 8. Aug. geschl. - **Menu** *14.50* - 54/86 und à la carte 46/89
Spez. Wienerschnitzel (original). Tafelspitz mit Semmelkren. Sommerbock (Mai - Juni).

GEROLFINGEN *Bern (BE)* 216 ⑭ - *Höhe 502* - ✉ *2575 Täuffelen :*

Bern 42 - Neuchâtel 29 - Biel 10 - Solothurn 31.

Schwanen, Hauptstr. 30, ✆ (032) 396 11 15, *Fax (032) 396 10 53*, 🌳 - 🅿. AE E VISA
Mittwoch - Donnerstag, in März und Nov. jeweils 2 Wochen geschl. - **Menu** *21* - 36 (mittags) und à la carte 39/88.

GERSAU *6442 Schwyz (SZ)* **218** ① *– 1 924 Ew. – Höhe 435.*

Sehenswert : *Lage*★★.

Verkehrsbüro, Poststr. 1, (041) 828 12 20, Fax (041) 828 22 30.

Bern 162 – Luzern 33 – Altdorf 20 – Einsiedeln 39 – Gersau 12.

Müller M, Seestr. 26, (041) 828 19 19, *Fax (041) 828 19 62,* < Vierwaldstättersee, – 40. AE E VISA
Montag - Dienstag (ausser von Mai - Sept.) und Mitte Jan. - Mitte Feb. geschl. – **Menu** 14 - und à la carte 39/87 – **28 Zim** 150/240 – ½ P Zuschl. 35.

Seehof - Du Lac, Richtung Brunnen, (041) 829 83 00, *Fax (041) 829 83 84,* < Vierwaldstättersee, « Lage am See », – AE VISA. Rest
Mai - Sept. – **Menu** à la carte 31/78 – **24 Zim** 130/175 – ½ P Zuschl. 34.

Schwert M mit Zim, Seestr. 29, (041) 828 11 34, *Fax (041) 828 22 62,* < Vierwaldstättersee, – AE E VISA
Menu 18 und à la carte 44/74, Kinder 9 – **11 Zim** 115/220 – ½ P Zuschl. 35.

West : *3 km Richtung Luzern – 6442 Gersau :*

Rotschuo , (041) 828 22 66, *Fax (041) 828 22 70,* < Vierwaldstättersee, « Lage am See, exotischer Park », – , Zim, – 15/100. AE E VISA
6. Dez. - 15. Feb. geschl. – ***Fischerstube :*** **Menu** 22 - 35/68 und à la carte 48/91, Kinder 9 – **61 Zim** 123/186 – ½ P Zuschl. 32.

GERZENSEE *3115 Bern (BE)* **217** ⑥ *– 928 Ew. – Höhe 647.*

Bern 23 – Fribourg 38 – Langnau im E. 27 – Thun 16.

Bären, Dorfstr. 9, (031) 781 14 21, – AE E VISA
Mittwoch - Donnerstag, Anfang Feb. 2 Wochen und Ende Juli 3 Wochen geschl. – **Menu** 18 und à la carte 48/94, Kinder 14.

GESCHINEN *3981 Wallis (VS)* **217** ⑲ *– Höhe 1 340.*

Bern 132 – Andermatt 56 – Brig 35 – Interlaken 76 – Sion 87.

Baschi, Furkastrasse Nord-Ost : 1 km, (027) 973 20 00, *Fax (027) 973 20 00,* – E VISA
21. Dez. - 5. April und 21. Mai - 31. Okt. geöffnet ; im Sommer Sonntag geschl. – **Menu** (Grill) à la carte 38/69, Kinder 12.

GIESSBACH *Bern* **217** ⑧ *– siehe Brienz.*

GILLY *1182 Vaud (VD)* **217** ⑫ *– 721 h. – alt. 486.*

Bern 135 – Lausanne 31 – Genève 33 – Nyon 13.

Rôtisserie du Central, (021) 824 11 83, – E VISA
fermé 24 déc. au 5 janv., 26 juil. au 10 août, dim. soir et lundi – **Repas** - grillades - 15 - 49 et à la carte 41/75.

GIMEL *1188 Vaud (VD)* **217** ② ⑫ *– 1 343 h. – alt. 736.*

Bern 136 – Lausanne 32 – Genève 42 – Pontarlier 65 – Yverdon-les-Bains 55.

Poste, 1 r. Baudin, (021) 828 31 60, – E VISA
fermé Noël à mi-janv., dim. soir et merc. – **Repas** 48/68 et à la carte 52/81 – ***Café :*** **Repas** 14 et à la carte 39/76, enf. 12.

GIRENBAD BEI TURBENTHAL *Zürich ZH* **216** ⑲ *– Höhe 740 – 8488 Turbenthal.*

Bern 157 – Zürich 36 – Frauenfeld 27 – Rapperswil 35 – Winterthur 17.

Gyrenbad M , (052) 385 15 66, *Fax (052) 385 24 57,* <, – – 15/40
im Feb. 2 Wochen geschl. – **Menu** *(Dienstag geschl.)* 22 und à la carte 33/83, Kinder 12 – **7 Zim** 90/140.

GISIKON 6038 Luzern (LU) 216 ⑱ – 820 Ew. – Höhe 418.

Bern 122 – Luzern 12 – Aarau 54 – Schwyz 31 – Zürich 42.

Motell an der Reuss garni, (041) 450 51 51, Fax (041) 450 30 34 – – 15/30. AE E VISA
30 Zim 88/150.

GISWIL 6074 Obwalden (OW) 217 ⑨ – 3 270 Ew. – Höhe 485 – Wintersport : 485/1 850 5.

Verkehrsverein, Brünigstr. 80, (041) 675 17 60.
Bern 96 – Luzern 29 – Altdorf 53 – Andermatt 73 – Interlaken 39 – Sarnen 11.

Bahnhof mit Zim, Brünigstr. 48, (041) 675 11 61, Fax (041) 675 24 57, – TV AE E VISA JCB
Montag und 21. Dez. - 25. Jan. geschl. – ***Landauer :*** **Menu** 18.50 - 73/90 und à la carte 53/85 – ***Reblaube :*** **Menu** 18.50 und à la carte 32/69 – **10 Zim** 77/132 – ½ P Zuschl. 32.

Süd : 2 km – 6074 Giswil :

Landhaus, Brünigstrasse, (041) 675 13 13, Fax (041) 675 22 32, Pilatus und Sarnersee, – TV – 15/60. AE E VISA JCB
Zum Melchtaler : **Menu** 75 und à la carte 46/98, Kinder 11 – ***Landbeiz :*** **Menu** 16 und à la carte 35/87 – **46 Zim** 120/195 – ½ P Zuschl. 35.

GLARUS (GLARIS) 8750 K Glarus (GL) 216 ⑳ – 5 589 Ew. – Höhe 472.

Sehenswert : *Lage*★.

Verkehrsverein Glarus-Riedern, Schweizerhofstr. 10, (055) 640 15 06, Fax (055) 640 33 03.
Hauptstr. 20, (055) 645 33 76, Fax (055) 645 33 70.
Bern 195 – Chur 75 – Sankt Gallen 71 – Buchs 66 – Schwyz 68 – Zürich 70.

Sonnegg, Asylstr. 30, beim Krankenhaus, (055) 640 11 92, – AE E VISA
Dienstagabend - Mittwoch und im Juli 3 Wochen geschl. – **Menu** 35 - 42 (mittags)/75 und à la carte 58/88.

in Netstal Nord : 2,5 km – Höhe 458 – 8754 Netstal :

Schwert mit Zim, Molliserstr. 7, (055) 640 77 66, Fax (055) 640 90 10 – TV E VISA
Sonntagabend, Mittwoch, 30. Jan. - 7. Feb. und 5. - 25. Juli geschl. – **Menu** 16 - 45 (mittags)/68 und à la carte 56/100, Kinder 15 – **10 Zim** 80/130 – ½ P Zuschl. 40.

GLATTBRUGG Zürich 216 ⑱ – siehe Zürich.

GLION Vaud 217 ⑭ – rattaché à Montreux.

GNOSCA 6525 Ticino (TI) 218 ⑫ – 458 ab. – alt. 259.

Bern 242 – Locarno 25 – Andermatt 79 – Bellinzona 7 – Gordevio 35 – Lugano 35.

Lessy, (091) 829 19 41, , Osteria con cucina casalinga, – AE E VISA
chiuso domenica sera, lunedì, dal 15 al 22 febbraio e dal 1º al 23 agosto – **Pasto** à la carte 31/54.

GOCKHAUSEN Zürich 216 ⑱ – siehe Zürich.

GOLINO 6656 Ticino (TI) 219 ⑦ – alt. 270.

Bern 277 – Locarno 12 – Bellinzona 32 – Lugano 51.

Cà Vegia senza rist, (091) 796 12 67, Fax (091) 796 24 07, « Tipica casa padronale ticinese », – TV
16 marzo - 31 ottobre – **12 cam** 75/150.

Madonna, via Cantonale, (091) 796 16 95, – AE E VISA
6 marzo - 14 novembre – **Pasto** *(chiuso martedì ed a mezzogiorno)* (prenotare) 53.

GONTEN *9108 Appenzell Innerrhoden (AI) 216 ㉑ – 1 527 Ew. – Höhe 902.*
(Mai - Okt.), ✆ (071) 795 40 60, Fax (071) 795 40 61.
Bern 219 – Sankt Gallen 25 – Appenzell 6 – Bregenz 46 – Winterthur 69.

Bären mit Zim, Hauptstrasse, ✆ (071) 795 40 10, Fax (071) 795 40 19, – ☎ P. AE ⓓ E VISA
Sonntagabend - Montag und im März 3 Wochen geschl. – **Menu** 32 - 45 (mittags)/80 und à la carte 39/105 – **15 Zim** 88/158 – ½ P Zuschl. 38.

GOPPENSTEIN *3915 Wallis (VS) 217 ⑰ – Höhe 1 217.*
Goppenstein - Kandersteg, Information ✆ (027) 939 11 69.
Bern 193 – Brig 29 – Interlaken 139 – Sierre 25 – Sion 40.

GORDEVIO *6672 Ticino (TI) 218 ⑪ – 685 ab. – alt. 312.*
Bern 276 – Locarno 10 – Bellinzona 30 – Lugano 50.

Uno Più M con cam, ✆ (091) 753 10 12, Fax (091) 753 26 58, – P. AE ⓓ E VISA.
marzo - metà novembre – **Pasto** *(chiuso lunedì ed a mezzogiorno da martedì a venerdì salvo i festivi)* (prenotare) 34 (mezzogiorno)/51 – **8 cam** 94/156 – ½ P sup. 30.

GOSSAU *9200 Sankt Gallen (SG) 216 ㉑ – 15 865 Ew. – Höhe 638.*
Bern 199 – Sankt Gallen 10 – Bregenz 47 – Konstanz 38 – Vaduz 78.

Ochsen, St. Gallerstr. 31, ✆ (071) 385 25 31, Fax (071) 385 08 23, – P. AE ⓓ E VISA
Müller-Friedberg Stube (1. Etage) *(12. Juli - 8. Aug. geschl.)* **Menu** 44 (mittags)/78 und à la carte 47/96 – ***Triangel :*** **Menu** 19 und à la carte 37/68.

Sonne mit Zim, St. Gallerstr. 22, ✆ (071) 385 16 51, Fax (071) 385 90 22 – TV ☎ P. AE ⓓ E VISA
12. - 26. Juli geschl. – **Menu** *(Sonntagabend geschl.)* 19.50 - 45 (mittags) und à la carte 44/103 – **9 Zim** 75/150 – ½ P Zuschl. 25.

Nord-West : *4 km Richtung Niederbüren :*

Henessenmühle, ✉ 9200 Gossau, ✆ (071) 385 15 09, Fax (071) 385 22 65, E VISA.
Dienstag, Mittwoch, 25. Jan. - 17. Feb. und 9. - 25. Aug. geschl. – ***Ofenstube :*** **Menu** 39 (mittags)/74 und à la carte 45/92 – ***Gaststube :*** **Menu** 19.50 und à la carte 35/61.

GOTTLIEBEN *Thurgau 216 ⑨ – siehe Kreuzlingen.*

La GOULE *Jura 216 ⑬ – rattaché à Le Noirmont.*

GRÄCHEN *3925 Wallis (VS) 217 ⑰ – 1 334 Ew. – Höhe 1 617 – Wintersport : 1 617/2 920 m 2 11 .*
Tourismusverein, Dorfplatz, ✆ (027) 956 27 27, Fax (027) 956 11 10.
Bern 199 – Brig 33 – Sion 67.

Walliserhof, ✆ (027) 956 11 22, Fax (027) 956 29 22, ←, , , – TV ☎ P. AE E VISA
1. Nov. - 10. Dez. geschl. – **Menu** 22 - 32 und à la carte 40/79, Kinder 10 – **25 Zim** 90/190, Vorsaison 70/180 – ½ P Zuschl. 25.

Grächerhof , ✆ (027) 956 25 15, Fax (027) 956 25 42, ←, , , – TV ☎. AE ⓓ E VISA
16. Dez. - 14. April und 16. Juni - 19. Okt. – **Menu** 27 und à la carte 43/106, Kinder 10 – **21 Zim** 101/212, Vorsaison 72/160.

Alpina , ✆ (027) 956 26 26, Fax (027) 956 29 26, , – TV ☎ P. AE ⓓ E VISA JCB. Zim
1. - 15. Dez. geschl. – ***Olympia*** *(von Montag - Freitag mittags geschl.)* **Menu** 23 - 45 und à la carte 39/77 – **22 Zim** 75/190, Vorsaison 60/150 – ½ P Zuschl. 23.

Elite, (027) 956 16 12, *Fax (027) 956 16 82*, – Rest
19. Dez. - 16. April und 13. Juni - 10. Okt. – **Menu** *(nur Abendessen)* 35 et à la carte 37/71, Kinder 13 – **24 Zim** 88/160, Vorsaison 82/150 – ½ P Zuschl. 26.

Hannigalp, (027) 956 25 55, *Fax (027) 956 28 55*, –
20. Dez. - 16. April und 13. Juni - 15. Okt. – **Menu** 19 - 32 und à la carte 29/65 Kinder 10 – **22 Zim** 100/180, Vorsaison 80/140 – ½ P Zuschl. 25.

Bärgji-Alp, in Bärgji, (027) 956 15 77, Rest.
von Mitte April - Mitte Juni und von Ende Okt. - Mitte Dez. nur Samstagabend und Sonntagmittag geöffnet – **Menu** 28 - 42/65 und à la carte 31/78, Kinder 12.

GRANDVAUX *1603 Vaud (VD) 217 ⑬ – 1 849 h. – alt. 565.*

Bern 93 – Lausanne 8 – Montreux 16 – Yverdon-les-Bains 46.

Le Pointu, 10 Grand'Rue, (021) 799 43 33, *Fax (021) 799 43 34* –
fermé 20 déc. au 15 janv., 23 juil. au 15 août, dim. et lundi – **Repas** 15 - 45/87 et à la carte 58/92, enf. 12.

GRANGES *3977 Valais (VS) 217 ⑯ – alt. 507.*

Bern 163 – Sion 12 – Brig 45 – Fribourg 134 – Lausanne 101 – Martigny 40 – Yverdon-les-Bains 135.

Rive Gauche avec ch, rte du Moulin, (027) 458 34 34, *Fax (027) 458 34 74*, –
fermé 23 déc. au 3 janv., dim. soir et lundi – **Repas** 15 - 34/62 et à la carte 46/84, enf. 11 – 13 – **5 ch** 60/90.

GRELLINGEN *4203 Basel-Landschaft (BL) 216 ④ – 1 615 Ew. – Höhe 322.*

Bern 102 – Basel 20 – Delémont 28 – Liestal 30.

Zur Brücke, Bahnhofstr. 4, (061) 741 12 36, *Fax (061) 741 10 82* –
Montag - Dienstag jeweils abends, Mittwoch, 22. - 28. Feb. und 24. Juli - 8. Aug. geschl. – **Menu** 28 - 42/75 und à la carte 40/95.

GRENCHEN *2540 Solothurn (SO) 216 ⑭ – 16 338 Ew. – Höhe 440.*

Grenchen Tourismus, Centralstr. 12, (032) 644 32 11.
Bern 34 – Delémont 58 – Basel 80 – Biel 11 – Solothurn 11.

Krebs, Bettlachstr. 29, (032) 652 29 52, *Fax (032) 652 29 85*, –
Menu *(Samstag - Sonntag, und ab Mitte Juli 3 Wochen geschl.)* 14.50 - 35/49 und à la carte 50/111 – **26 Zim** 60/160 – ½ P Zuschl. 20.

GREPPEN *6404 Luzern (LU) 216 ⑱ – 599 Ew. – Höhe 460.*

Bern 139 – Luzern 19 – Altdorf 42 – Cham 17 – Schwyz 28 – Zürich 50.

Rigi, Dorfstr. 15, (041) 390 31 91, *Fax (041) 390 31 91*, –
Montag - Dienstag, 28. Dez. - 15. Jan. und 6. - 30. Juni geschl. – **Menu** 25 - 39 (mittags)/89 und à la carte 56/108, Kinder 19.

St. Wendelin mit Zim, (041) 390 30 16, *Fax (041) 390 39 16*, Vierwaldstättersee, –
Feb. geschl. – **Menu** *(Dienstag und von Nov. - März auch Montag geschl.)* 23 und à la carte 50/99 – **8 Zim** 80/160.

GRIMENTZ *3961 Valais (VS) 217 ⑯ – 429 h. – alt. 1 570 – Sports d'hiver : 1 570/3 000 m 1 11*

Manifestations locales
21.06 : Inalp d'Avoin, combat de reines
03.07 - 04.07 : 7ème rendez-vous de musique populaire.
Office du Tourisme, (027) 475 14 93, Fax (027) 475 28 91.
Bern 191 – Sion 38 – Brig 55.

Alpina, (027) 475 20 65, *Fax (027) 475 23 85*, ≤, ... ch
20 déc. - 17 avril et 30 mai - 16 oct. – **Repas** 15 - 34/72 et à la carte 40/82, enf. 10 – **28 ch** 108/210, Basse saison 88/136, 4 Suiten – ½ P suppl. 30.

Alamarenda, (027) 475 26 26, *Fax (027) 475 25 27*, ≤, ... ch, ... rest
19 déc. - 18 avril et 12 juin - 16 oct. – **Repas** *(fermé dim. soir et le midi en hiver)* 18 - 39 et à la carte 30/67, enf. 15 – **33 ch** *(en hiver ½ pens. seul.)* 100/220, Basse saison 75/150 – ½ P suppl. 20.

GRINDELWALD

3818 Bern (BE) **217** ⑧ – *3 907 Ew. – Höhe 1 034 – Wintersport : 1 034/2 501 m* 6 11.

Sehenswert : *Lage*★★★.

Ausflugsziel : *Jungfraujoch*★★★ *mit Zahnradbahn – Faulhorn*★★★ *- Männlichen*★★★ *– First*★★ *mit Sessellift – Bachsee*★★ *– Gletscherschlucht*★★.

Lokale Veranstaltungen
17.01 - 23.01 : World Snow Festival (Schneeskulpturen-Wettbewerb)
20.06 : Grosses Alphorntreffen auf dem Männlichen.
27.06 : Bergfrühlingsfest auf dem Männlichen.
25.07 : Trachtenfest auf dem Männlichen.

Grindelwald Tourismus, (033) 854 12 12, Fax (033) 854 12 10.

Bern 77 – Interlaken 20 – Brienz 38 – Spiez 36.

Grand Hotel Regina, (033) 854 54 55, *Fax (033) 853 47 17*, ≤ Eiger, « Sammlung alter Pendeluhren », ... 200. ... Rest
15. Okt. - 15. Dez. geschl. – ***Pendule d'Or*** **: Menu** 50/80 und à la carte 63/116 – 28 – **77 Zim** 295/450, Vorsaison 245/410, 12 Suiten – ½ P Zuschl. 80.

Romantik Hotel Schweizerhof, (033) 853 22 02, *Fax (033) 853 20 04*, ≤ Eiger, ...
20. Dez. - 5. April und 30. Mai - 2. Okt. – ***Schmitte*** **: Menu** 18 - 45/87 (abends) und à la carte 46/83 – **41 Zim** 188/388, Vorsaison 163/344, 9 Suiten – ½ P Zuschl. 20.

Belvedere, (033) 854 54 54, *Fax (033) 853 53 23*, ≤ Eiger, ... Zim, ... 15/40. ... Rest
25. Okt. - 18. Dez. geschl. – **Menu** 22 - 35 (mittags)/110 und à la carte 41/94 – **55 Zim** 220/420, Vorsaison 190/380 – ½ P Zuschl. 35.

Kirchbühl, (033) 853 35 53, *Fax (033) 853 35 18*, ≤ Eiger, ... 15/40. ... Rest
25. Okt. - 17. Dez. geschl. – ***La Marmite*** **: Menu** 53 und à la carte 41/88 – ***Hilty-Stübli*** **: Menu** 21 und à la carte 31/71 – **49 Zim** 155/320, Vorsaison 135/280 – ½ P Zuschl. 35.

Kreuz und Post, (033) 854 54 92, *Fax (033) 854 54 99*, ≤ Eiger, ... 25. ... Rest
10. April - 20. Mai geschl. – **Menu** *(im Sommer Montag geschl.)* 16 - 42 und à la carte 32/83, Kinder 6 – **42 Zim** 145/340, Vorsaison 110/250 – ½ P Zuschl. 40.

Gletschergarten, (033) 853 17 21, *Fax (033) 853 29 57*, ≤, « Heimelige Atmosphäre », ... Rest
21. Dez. - 3. April und 2. Juni - 2. Okt. – **Menu** *(nur Abendessen)* 38 – **26 Zim** 135/260, Vorsaison 120/230 – ½ P Zuschl. 35.

Parkhotel Schoenegg, (033) 853 18 53, *Fax (033) 853 47 66*, ≤ Eiger, ... Rest
21. Dez. - 4. April und 13. Juni - 16. Okt. – **Menu** *(nur ½ Pens.) (mittags geschl.)* – **49 Zim** 135/300, Vorsaison 125/280 – ½ P Zuschl. 25.

Bodmi, Terrassenweg, (033) 853 12 20, *Fax (033) 853 13 53*, ≤ Eiger, ...
19. Dez. - 4. April und 13. Mai - 16. Okt. – **Menu** *(Mai - Mitte Juli Mittwoch geschl.)* à la carte 35/74, Kinder 10 – **20 Zim** 148/268, Vorsaison 119/196 – ½ P Zuschl. 32.

Eiger, (033) 853 21 21, *Fax (033) 853 21 01*, ... Zim
Menu 18 und à la carte 34/82, Kinder 18 – **50 Zim** 160/290, Vorsaison 110/190 – ½ P Zuschl. 35.

Fiescherblick, Hauptstrasse, (033) 853 44 53, *Fax (033) 853 44 57*, <, –
20. Dez. - 6. April und 13. Mai - 23. Okt. – **Menu** 65/95 und à la carte 59/116 – ***Swiss bistro*** **: Menu** *16* - 35 und à la carte 31/72, Kinder 15 – **25 Zim** 110/250, Vorsaison 100/210 – ½ P Zuschl. 35.

Caprice, (033) 853 25 25, *Fax (033) 853 25 20*, , – Rest
20. Okt. - 20. Dez. geschl. – **Menu** *(nur ½ Pens. für Hotelgäste) (mittags geschl.)* – **21 Zim** 143/304, Vorsaison 123/264 – ½ P Zuschl. 20.

Sunstar, Hauptstrasse, (033) 854 77 77, *Fax (033) 854 77 70*, , , , , – – 15/100.
19. Dez. - 10 April und 22. Mai - 16. Okt. – ***Adlerstube*** **: Menu** *19* - 65 und à la carte 38/92, Kinder 9 – **158 Zim** 135/390, Vorsaison 125/280, 9 Suiten – ½ P Zuschl. 30.

Spinne, (033) 854 88 88, *Fax (033) 854 88 89*, < Eiger, , , –
The Chinese - chinesische Küche - *(Montag, im Winter auch Dienstag, Ende Sept. - Mitte Dez. und 5. April - 23. Mai geschl.) (nur Abendessen)* **Menu** à la carte 41/66 – ***Mercato*** - italienische Küche - *(Mitte Okt. - Mitte Dez. und 5. April - 23. Mai geschl.)* **Menu** à la carte 40/87, Kinder 14 – **47 Zim** 146/282, Vorsaison 121/242 – ½ P Zuschl. 30.

Derby, (033) 854 54 61, *Fax (033) 853 24 26*, < Eiger, , –
1. Nov. - 15. Dez. geschl. – **Menu** *16* und à la carte 41/84 – **75 Zim** 128/246, Vorsaison 104/196 – ½ P Zuschl. 32.

Alpenhof M , (033) 853 52 70, *Fax (033) 853 19 15*, < Eiger, –
Menu *(nur Abendessen)* 36 und à la carte 32/92, Kinder 11 – **13 Zim** 121/240, Vorsaison 111/210, 4 Suiten – ½ P Zuschl. 30.

Alpina , (033) 853 33 33, *Fax (033) 853 33 76*, < Eiger, , – . Zim
10. April - 7. Mai geschl. – **Menu** *(Dienstag geschl.)* *16* - 39 (abends) und à la carte 35/74, Kinder 12 – **30 Zim** 120/240, Vorsaison 85/200 – ½ P Zuschl. 30.

Glacier , Endweg, (033) 853 10 04, *Fax (033) 853 50 04*, < Eiger, –
Mitte Mai - Mitte Juni und Mitte Nov. - Mitte Dez. geschl. – **Menu** *(in der Zwischensaison Dienstag geschl.)* *18* und à la carte 27/74 – **17 Zim** 100/190, Vorsaison 80/150 – ½ P Zuschl. 30.

Cabana garni, (033) 854 50 70, *Fax (033) 854 50 77*, < Eiger – .
5. April - 12. Mai und 18. Okt. - 25. Dez. geschl. – **16 Zim** 110/260, Vorsaison 80/200.

GROSSDIETWIL *6146 Luzern (LU)* 216 ⑯ *– 896 Ew. – Höhe 574.*

Bern 61 – Aarau 40 – Burgdorf 37 – Langenthal 13 – Luzern 40 – Olten 33.

Löwen mit Zim, (062) 927 14 24, *Fax (062) 927 26 39*, , « Gasthaus aus dem 15. Jh. » – – 80. . Zim
Sonntagabend, Dienstagmittag und Montag geschl. – ***Löwensäli*** **: Menu** *16* - 25 (mittags)/85 und à la carte 44/85 – ***Gaststube*** **: Menu** *16* und à la carte 33/67 – **7 Zim** 60/110 – ½ P Zuschl. 30.

GROSSHÖCHSTETTEN *3506 Bern (BE)* 217 ⑦ *– 2 967 Ew. – Höhe 743.*

Bern 18 – Burgdorf 22 – Luzern 76 – Thun 21.

Sternen mit Zim, Bernstr. 4, (031) 710 24 24, *Fax (031) 710 24 25*, –
Menu *(Montag, Dienstag und 19. Juli - 3. Aug. geschl.)* *16* und à la carte 28/71, Kinder 10 – **8 Zim** 65/120 – ½ P Zuschl. 35.

in Zäziwil *Ost : 2 km – Höhe 680 – ✉ 3532 Zäziwil :*

Zum Wysse Rössli, Thunstr. 10, (031) 711 15 32, *Fax (031) 711 15 33*, –
Dienstag und im Juli 3 Wochen geschl. – **Menu** *15* 42 und à la carte 32/73, Kinder 11.

GRUB *9035 Appenzell Ausserrhoden (AR)* 216 ㉒ *– 1 037 Ew. – Höhe 813.*
Bern 225 – Sankt Gallen 17 – Altstätten 27 – Bregenz 23 – Herisau 22.

Bären mit Zim, Richtung Eggersriet : 1 km, ☎ (071) 891 13 55, *Fax (071) 891 65 98,* – TV P – 40. AE ⓓ E VISA
Dienstagmittag, Montag und im Juli 3 Wochen geschl. – **Menu** 14 - 85 und à la carte 49/87, Kinder 12 – **5 Zim** 65/120.

GRÜSCH *7214 Graubünden (GR)* 218 ⑤ *– 1 186 Ew. – Höhe 630.*

Krone mit Zim, ☎ (081) 325 24 00, *Fax (081) 325 10 33,* , « Patrizierhaus aus dem 13. Jh. » – TV ☎ P. AE ⓓ E VISA
Menu 16.50 46/71 und à la carte 39/85, Kinder 11 – **5 Zim** 95/180 – ½ P Zuschl. 25.

GRUYÈRES *1663 Fribourg (FR)* 217 ⑤ *– 1 412 h. – alt. 830.*
Voir : *Château★ : chapes★.*
Manifestation locale
19.07 : Journée "Cors des alpes" à Gruyères-Moléson.
Office du Tourisme, ☎ (026) 921 10 30, Fax (026) 921 38 50.
Bern 65 – Fribourg 35 – Gstaad 38 – Lausanne 50 – Montreux 40 – Yverdon-les-Bains 84.

Hostellerie St. Georges, ☎ (026) 921 83 00, *Fax (026) 921 83 39,* , « Terrasse ≤ remparts et montagnes », – TV ☎ – 15/100. ⓓ E VISA
fermé déc. à fin fév. – **Repas** *(fermé dim. soir et lundi d'oct. à juin)* 28 - 47 et à la carte 39/68, enf. 16 – **14 ch** 90/200 – ½ P suppl. 30.

Hôtel de Ville, ☎ (026) 921 24 24, *Fax (026) 921 36 28,* – TV. AE ⓓ E VISA JCB
fermé janv. et jeudi de nov. à mars – **Repas** 15 et à la carte 36/75 – **8 ch** 80/120 – ½ P suppl. 25.

Hostellerie des Chevaliers (en annexe :), ☎ (026) 921 19 33, *Fax (026) 921 25 52,* – TV ☎ P. AE ⓓ E VISA JCB
fermé 4 janv. au 12 fév. – **Repas** *(fermé merc.)* 29 (midi)/68 et à la carte 46/95, enf. 10 – **34 ch** 130/230 – ½ P suppl. 40.

Fleur de Lys avec ch, ☎ (026) 921 21 08, *Fax (026) 921 36 05,* – TV ☎. AE ⓓ E VISA JCB
fermé fév. et mardi de nov. à Pâques – **Repas** à la carte 36/88, enf. 13 – **11 ch** 105/155 – ½ P suppl. 30.

Auberge de la Halle, ☎ (026) 921 21 78, *Fax (026) 921 33 13* – AE ⓓ E VISA
Repas 16 et à la carte 41/73, enf. 10.

Le Chalet, ☎ (026) 921 21 54, *Fax (026) 921 33 13,* – AE ⓓ E VISA
Repas - fondue / raclette - à la carte 30/66.

GSTAAD *3780 Bern (BE)* 217 ⑮ *– 2 000 Ew. – Höhe 1 050 – Wintersport : 1 049/1 940 m* 5 12 .
Sehenswert : *Lage★★★.*
9 (18 *vorgesehen) (Ende Mai - Okt.) ☎ (033) 744 26 36, Fax (033) 744 26 42.*
Lokale Veranstaltung
Ende Juli - Mitte September : Musiksommer.
Gstaad-Saanenland Tourismus, ☎ (033) 748 81 81, Fax (033) 748 81 83.
Bern 88 – Interlaken 68 – Aigle 48 – Fribourg 73 – Lausanne 88 – Montreux 64 – Spiez 59.

Grand Hotel Park M , ☎ (033) 748 98 00, *Fax (033) 748 98 08,* ≤ Les Diablerets, , Park, , , , (Solebad), , – TV video ☎ P – 15/150. AE ⓓ E VISA JCB. Rest
19. Dez. - 20. März und 5. Juni - 25. Sept. – ***Grill*** *(im Sommer geschl.)* **Menu** 85/125 und à la carte 56/130 – ***Greenhouse :*** **Menu** 29 und à la carte 48/109, Kinder 14 – **85 Zim** 430/750, Vorsaison 300/690, 8 Suiten – ½ P Zuschl. 55.

Palace , ☎ (033) 748 50 00, *Fax (033) 748 50 01,* ≤ Les Diablerets, , , , , , , – TV video ☎ P – 15/300. AE ⓓ E VISA. Rest
Mitte Dez. - Ende März und Mitte Juni - Ende Sept. – **Menu** 32 und à la carte 70/156 – **98 Zim** 390/1120, Vorsaison 310/790, 13 Suiten – ½ P Zuschl. 75.

Le Grand Chalet, (033) 748 76 76, *Fax (033) 748 76 77*, Saanenland und Berge, – VISA JCB
19. Dez. - 6. April und 5. Juni - 10. Okt. – **Menu** (siehe auch Rest. ***La Bagatelle***) – **21 Zim** 270/450, Vorsaison 150/280, 4 Suiten – ½ P Zuschl. 35.

Bernerhof, (033) 748 88 44, *Fax (033) 748 88 40*, – AE VISA
29. Nov. - 11. Dez. geschl. – **Menu** *(im Mai und Nov. Dienstag geschl.)* 17 - 44/59 (abends) und à la carte 35/77, Kinder 17 – ***Blun-Chi*** - chinesische Küche - *(im Mai und Nov. Montag geschl.)* **Menu** 17 - 64 und à la carte 40/99, Kinder 19 – **34 Zim** 200/360, Vorsaison 121/202, 12 Suiten – ½ P Zuschl. 32.

Arc-en-ciel, (033) 748 31 91, *Fax (033) 744 36 33*, – – 15/60. AE VISA
Menu 20 und à la carte 30/92, Kinder 11 – **36 Zim** 173/370, Vorsaison 85/225, 6 Suiten – ½ P Zuschl. 35.

Christiania, Hauptstr. 1, (033) 744 51 21, *Fax (033) 744 71 09*, – AE VISA. Rest
Mitte Dez. - Mitte Mai und Mitte Juni - Mitte Nov. geschl. – **Menu** - ägyptische Küche - à la carte 35/107, Kinder 14 – **15 Zim** 185/385, Vorsaison 90/240, 3 Suiten – ½ P Zuschl. 55.

Gstaaderhof, Hauptstrasse, (033) 748 63 63, *Fax (033) 748 63 60*, – – 30. AE VISA. Rest
Mitte Dez. - Mitte April und Mitte Mai - Mitte Okt. – **Menu** 20 und à la carte 38/91, Kinder 12 – ***Saagi-Stübli*** *(Mitte Dez. - Mitte April) (nur Abendessen)* **Menu** à la carte 31/78 – **68 Zim** 155/395, Vorsaison 97/271 – ½ P Zuschl. 32.

Posthotel Rössli, (033) 748 42 42, *Fax (033) 748 42 43* – AE VISA
Menu *(vom 26. Mai - 22. Juni und vom 1. Okt. - 21. Dez. Mittwoch - Donnerstag und 12. April - 19. Mai geschl.)* 16 - 25 und à la carte 34/77, Kinder 12 – **18 Zim** 190/280, Vorsaison 80/220 – ½ P Zuschl. 28.

Chesery (Speth), Lauenenstrasse, (033) 744 24 51, *Fax (033) 744 89 47*, – AE VISA
Mitte Dez. - Mitte April und Mitte Juni - Mitte Okt. geöffnet ; im Winter von Dienstag - Donnerstag nur Abendessen, Montag (ausser Hochsaison) geschl. – **Menu** 49 (mittags)/145 und à la carte 96/154
Spez. Mousse de tomates aux langoustines grillées (été). Filet de veau et saumon sauvage en croûte à l'estragon (été). Brie de Meaux farci aux truffes.

La Bagatelle - ***Hotel Le Grand Chalet***, (033) 748 76 76, *Fax (033) 748 76 77*, Saanenland und Berge, – AE VISA JCB
19. Dez. - 6. April und 5. Juni - 10. Okt. – **Menu** 32 - 45 (mittags)/115 und à la carte 40/120, Kinder 15

Olden mit Zim, (033) 744 34 44, *Fax (033) 744 61 64*, – AE VISA
ab Mitte April 3 Wochen geschl. – **Menu** *(in der Zwischensaison Dienstag geschl.)* 30 und à la carte 67/147 – ***La Cave*** *(20. Dez. - 10. März geöffnet ; mittags und im Jan. Montag - Dienstag geschl.)* **Menu** à la carte 81/154 – **15 Zim** 160/400, Vorsaison 110/250.

Rialto, Hauptstrasse, (033) 744 34 74, *Fax (033) 744 84 54*, – AE VISA
in der Zwischensaison Sonntagabend - Montag, 11. - 30. April und Nov. geschl. – **Menu** - italienische Küche - 27 - 45 (mittags) und à la carte 46/107, Kinder 15.

in Schönried *Nord : 7 km Richtung Zweisimmen – Höhe 1 231 – 3778 Schönried :*

Ermitage-Golf, (033) 744 27 27, *Fax (033) 748 60 67*, Les Diablerets, « Elegant-rustikale Einrichtung », (Solebäder), – AE VISA. Rest
19. Dez. - 5. April und 12. Mai - 24. Okt. – ***Ermitage-Stube*** : **Menu** 28 - 40 (mittags)/110 und à la carte 45/105, Kinder 14 – ***Da Capo*** - italienische Küche - *(Donnerstag geschl.) (nur Abendessen)* **Menu** à la carte 45/92 – **70 Zim** 170/480, Vorsaison 100/290 – ½ P Zuschl. 50.

Alpenrose, (033) 744 67 67, *Fax (033) 744 67 12*, « Rustikal-elegante Einrichtung » – AE VISA. Rest
20. Okt. - 18. Dez. geschl. – **Menu** *(Montag - Dienstag jeweils mittags und in Mai - Juni auch Mittwoch - Donnerstag jeweils mittags geschl.)* 34 - 57/120 und à la carte 69/135, Kinder 24 – **16 Zim** 215/460, Vorsaison 110/260 – ½ P Zuschl. 35.

n Saanenmöser *Nord : 9 km Richtung Zweisimmen – Höhe 1 269 – ✉ 3777 Saanenmöser :*

Golfhotel Les Hauts de Gstaad, ✆ (033) 748 68 68, *Fax (033) 748 68 00,* ≤ Les Diablerets, ☂, ℱ₆, ≘s, ☞, ✗ – |◙| TV ☎ ✆ ⇔ P – ⚐ 15/110. AE ⓓ E VISA
18. Dez. - 11. April und 22. Mai - 17. Okt. – ***Belle Epoque :*** **Menu** 29 - 42 (mittags)/62 und à la carte 48/98, Kinder 12 – ***Bärengraben :*** **Menu** 26 - 36 (mittags)/58 und à la carte 42/76, Kinder 13 – **30 Zim** ☐ 245/510, Vorsaison ☐ 175/410, 5 Suiten – ½ P Zuschl. 35.

Hornberg ⛰, ✆ (033) 744 44 40, *Fax (033) 744 62 79,* ≤, ☂, ⛱, ☐, ☞ – |◙| ☎ ⇔ P. E VISA
1. Dez. - 11. April und 13. Mai - 31. Okt. – **Menu** 22 - 30 (mittags)/80 und à la carte 33/71, Kinder 12 – **40 Zim** ☐ 160/480, Vorsaison ☐ 120/380 – ½ P Zuschl. 30.

n Lauenen *Süd : 6,5 km – Höhe 1 250 – ✉ 3782 Lauenen :*

Alpenland M ⛰, Rohrbrücke, ✆ (033) 765 34 34, *Fax (033) 765 34 64,* ≤ Berge, ☂ – |◙| TV ☎ ⇔ P. AE ⓓ E VISA. ✂ Rest
von April - Mitte Juni Mittwoch und Mitte Nov. - Mitte Dez. geschl. – **Menu** à la carte 36/78 – **16 Zim** ☐ 150/240, Vorsaison ☐ 90/180 – ½ P Zuschl. 30.

n Saanen *Nord-West : 3 km – Höhe 1 010 – ✉ 3792 Saanen :.*
Sehenswert : *Chalets★ – Wandmalereien★ in der Kirche*

Steigenberger, auf der Halten, Ost : 2 km, ✆ (033) 748 64 64, *Fax (033) 748 64 66,* ≤ Saanen und Gstaad, ☂, ℱ₆, ≘s, ☐, ☞ – |◙|, ⇔ Zim, TV ☎ ⚹ ⇔ P – ⚐ 15/120. AE ⓓ E VISA. ✂ Rest
31. Okt. - 17. Dez. geschl. – **Menu** à la carte 39/75, Kinder 16 – **129 Zim** ☐ 255/450, Vorsaison ☐ 168/296, 6 Suiten – ½ P Zuschl. 49.

Saanerhof, ✆ (033) 744 15 15, *Fax (033) 744 13 23,* ☂, ☞ – TV ☎ P. ✂ Rest
Menu 20 - 35 und à la carte 36/75 – **22 Zim** ☐ 130/200, Vorsaison ☐ 90/160 – ½ P Zuschl. 32.

Landhaus, Haupstrasse, ✆ (033) 748 40 40, *Fax (033) 748 40 49,* ☂ – |◙| TV ☎ ⇔. AE ⓓ E VISA
Donnerstag und 20. Mai - 20. Juni geschl. – **Menu** 16 und à la carte 31/85, Kinder 12 – **18 Zim** ☐ 110/200, Vorsaison ☐ 100/140 – ½ P Zuschl. 30.

GUARDA

7545 Graubünden (GR) 218 ⑥ *– 189 Ew. – Höhe 1 653.*
Bern 318 – Scuol 19 – Chur 94 – Davos 42 – Merano 122 – Sankt Anton am Arlberg 107 – Sankt Moritz 51.

Meisser ⛰, Dorfstr. 42, ✆ (081) 862 21 32, *Fax (081) 862 24 80,* ≤, ☂, « Ehemalige Engadiner Bauernhäuser aus dem 17. Jh. », ☞ – ☎ ✆ P. AE ⓓ E VISA
21. Mai - 1. Nov. – **Menu** 28 - 55/72 (abends) und à la carte 41/95, Kinder 18 – **19 Zim** ☐ 125/270, 4 Suiten – ½ P Zuschl. 15.

Piz Buin ⛰, ✆ (081) 862 24 24, *Fax (081) 862 24 04,* ≤ "Unterengadiner Dolomiten", ☂, ≘s, ☞ – ☎ P. ⓓ E VISA
9. - 23. Jan., 6. April - 22. Mai und 1. Nov. - 20. Dez. geschl. – **Menu** *(im Winter Mittwoch geschl.)* 15 - 58 und à la carte 29/69, Kinder 13 – **21 Zim** ☐ 79/168 – ½ P Zuschl. 20.

Val Tuoi, ✆ (081) 862 24 70, *Fax (081) 862 24 07,* ≤ – P. ✂
10. - 17. Jan. und 11. April - 16. Mai geschl. – **Menu** *(nur Abendessen für Hotelgäste)* 18 – **13 Zim** ☐ 60/140 – ½ P Zuschl. 18.

Crusch Alba, ✆ (081) 862 21 33, Bilderaustellung vom Wirt
*Montag, 20. - 25. Jan., 30. Mai - 6. Juli und 15. Nov. - 15. Dez. gesch.***Menu** (Grill) 80 (abends) und à la carte 43/87.

GUDO

6515 Ticino (TI) 218 ⑫ 219 ⑧ *– 542 ab. – alt. 218.*
Bern 265 – Locarno 13 – Bellinzona 7 – Lugano 32.

Osteria Brack ⛰ con cam, via delle vigne, ✆ (091) 859 12 54, *Fax (091) 859 20 98,* ≤, ☂, In zona collinare e verdeggiante con ampio giardino-solarium, ⛱ – TV ☎ P. ⓓ E VISA. ✂ rist
marzo - novembre – **Pasto** *(chiuso martedì, mercoledì ed a mezzogiorno salvo domenica)* à la carte 33/69 – **7 cam** ☐ 90/180 – ½ P sup. 35.

GUNTEN *3654 Bern (BE)* **217** ⑦ *- Höhe 560.*
Bern 36 - Interlaken 15 - Brienz 35 - Spiez 19 - Thun 9.

Hirschen, Seestrasse, (033) 252 92 92, *Fax (033) 252 92 93,* , « Terrasse und Garten ≤ See », , , - - 25. AE E VISA.
28. März - 31. Okt. – **Pavillon : Menu** à la carte 44/86 – **Panorama : Menu** 14.50 und à la carte 33/61 – **68 Zim** 100/310 – ½ P Zuschl. 25.

GURTNELLEN *6482 Uri (UR)* **218** ① *- 759 Ew. - Höhe 738.*
Bern 170 - Andermatt 16 - Altdorf 22 - Chur 104.

Gotthard mit Zim, (041) 885 11 10, *Fax (041) 885 03 10,* - P. AE E VISA
Montag - Dienstag, 22. Dez. - 6. Jan. und 20. Feb. - 20. März geschl. – **Menu** 26 und à la carte 48/85, Kinder 15 – **11 Zim** 85/140 – ½ P Zuschl. 35.

GUTTANNEN *3864 Bern (BE)* **217** ⑨ *- 390 Ew. - Höhe 1 060.*
Bern 100 - Andermatt 67 - Brig 67 - Interlaken 43.

an der Grimselpass Strasse Süd : *6 km*

Handeck mit Zim, (033) 982 66 11, *Fax (033) 982 66 05,* ≤, - P - 30. AE E VISA. Rest
Mai - Okt. – **Menu** 75 und à la carte 46/73 – **27 Zim** 56/112 – ½ P Zuschl. 18

GÜTTINGEN *8594 Thurgau (TG)* **216** ⑩ *- 1 303 Ew. - Höhe 410.*
Bern 205 - Sankt Gallen 30 - Frauenfeld 38 - Konstanz 14 - Romanshorn 8.

Seemöwe, Hauptstr. 54, (071) 695 10 10, *Fax (071) 695 28 74,* ≤, , - P - 25. AE E VISA
im Januar 3 Wochen geschl. – **Menu** 14.50 und à la carte 32/95, Kinder 8 – **11 Zim** 80/160 – ½ P Zuschl. 35.

HABKERN *Bern* **217** ⑦ *- siehe Interlaken.*

HÄGGLINGEN *5607 Aargau (AG)* **216** ⑰ *- 1 907 Ew. - Höhe 475.*
Bern 101 - Aarau 23 - Baden 17 - Wohlen 9 - Zürich 37.

Central, Zentrumstr. 2, (056) 624 11 51, *Fax (056) 624 16 60,* - . AE E VISA.
Sonntag - Montag, 24. Jan. - 8. Feb. und 15. Sept. - 1. Okt. geschl. – **Menu** 14.50 - 45 (mittags)/78 und à la carte 39/87.

HASLIBERG *6084 Bern (BE)* **217** ⑧ *- Höhe 1 230.*
Region Meiringen Hasliberg Tourismus, Bahnhofstr. 22, Meiringen, (033) 972 50 50, Fax (033) 972 50 55.

in Hasliberg Reuti *- Höhe 1 060 - 6086 Hasliberg Reuti :*

Viktoria , (033) 971 11 21, *Fax (033) 971 54 57,* - , Zim, P - 15/80. AE E VISA
1. - 18. Dez. geschl. – **Menu** 18 und à la carte 29/61, Kinder 9 – **87 Zim** 113/270 Vorsaison 97/234 – ½ P Zuschl. 20.

HAUTE-NENDAZ *1997 Valais (VS)* **217** ⑮ *- 5 312 h. - alt. 1 255 - Sports d'hiver 1 255/3 330 m 4 35 .*
Manifestation locale
20.03 - 21.03 : Festival des musiques populaires.
Office du Tourisme, (027) 289 55 89, Fax (027) 289 55 83.
Bern 169 - Sion 16 - Martigny 46 - Montreux 85.

Le Déserteur, (027) 288 24 55, *Fax (027) 288 38 14,* ≤, - P - 30 AE E VISA *- fermé juin et mi-nov. à début déc.* – **Repas** 18 et à la carte 34/92 enf. 15 – **25 ch** 100/180, Basse saison 80/130 – ½ P suppl. 25.

Le Grenier, (027) 288 24 40 – AE E VISA
16 déc. - 19 avril et 16 juin - 19 oct ; fermé dim. en juin, sept. et oct. – **Repas** 15 50/65 et à la carte 33/83, enf. 14.

HAUTERIVE *Neuchâtel 216 ⑬ – rattaché à Neuchâtel.*

HAUTEVILLE *1648 Fribourg (FR) 217 ⑤ – 414 h. – alt. 720.*
Bern 50 – Fribourg 16 – Bulle 12 – Gstaad 54 – Montreux 44 – Vevey 39.

Lion d'Or, au Nord par rte de la Roche 1 km, ☎ (026) 915 15 51, « Chalet du 17e siècle » – P. AE E VISA
fermé 11 janv. au 12 fév. et lundi – **Repas** 13 et à la carte 26/70.

HEIDEN *9410 Appenzell Ausserrhoden (AR) 216 ㉒ – 4 163 Ew. – Höhe 794.*
Verkehrsbüro, Seeallee 2, ☎ (071) 891 10 60, Fax (071) 891 10 70.
Bern 228 – Sankt Gallen 19 – Bregenz 21 – Herisau 25 – Konstanz 49.

Kurhotel Heiden M, Seeallee 8, ☎ (071) 891 91 11, *Fax (071) 891 11 86*, ≤, – Zim, TV ☎ P – 20. AE E VISA
Menu 19 und à la carte 38/84, Kinder 14 – **66 Zim** 160/300 – ½ P Zuschl. 35.

HEILIGKREUZ *6168 Luzern (LU) 217 ⑧ – Höhe 1 127.*
Bern 64 – Luzern 40 – Langnau im Emmental 34 – Olten 58.

Heiligkreuz, ☎ (041) 484 23 09, *Fax (041) 484 10 08*, ≤ Napf und Umgebung, – ☎ P – 15/50. E VISA. Zim
Sonntagabend, Montag und 15. Nov. - 5. Dez. geschl. – **Menu** 17 und à la carte 32/60 – **22 Zim** 75/140 – ½ P Zuschl. 25.

HEILIGKREUZ *Sankt Gallen 216 ㉑ – siehe Mels.*

HEIMISWIL *Bern 216 ⑮ – siehe Burgdorf.*

HEMISHOFEN *8261 Schaffhausen (SH) 216 ⑧ – 326 Ew. – Höhe 420.*
Bern 180 – Zürich 59 – Aarau 101 – Baden 78 – Basel 120.

Landgasthof Bacchus mit Zim, Hauptstr. 78, ☎ (052) 741 24 05, *Fax (052) 741 24 83*, « Fachwerkhaus aus dem 17 Jh. » – TV ☎ P. E VISA
Montag und Feb. geschl. – **Menu** 19.50 und à la carte 25/70, Kinder 10 – **4 Zim.** 77/110 – ½ P Zuschl. 30.

HERBLINGEN *Schaffhausen 216 ⑧ – siehe Schaffhausen.*

HERGISWIL *6052 Nidwalden (NW) 217 ⑨ – 4 688 Ew. – Höhe 449.*
Verkehrsverein, Seestr. 24, ☎ (041) 630 12 58.
Bern 120 – Luzern 7 – Interlaken 63 – Stans 6.

Pilatus, Seestr. 34, ☎ (041) 630 15 55, *Fax (041) 630 38 94*, ≤ Vierwaldstättersee, – TV ☎ P – 15/60. AE E VISA
Menu 17.50 - 33 (mittags) und à la carte 40/105 – **68 Zim** 103/245 – ½ P Zuschl. 26.

Belvédère, Seestr. 18, ☎ (041) 632 33 33, *Fax (041) 632 33 34*, ≤ Vierwaldstättersee, « Seeterrasse », – TV ☎ P – 15/100. AE E VISA
***Chupferpfanne* :** Menu 54/86 und à la carte 47/85 – ***Beljardin* :** Menu 19 - 54 (abends) und à la carte 36/74 – **50 Zim** 128/195 – ½ P Zuschl. 35.

Brünig, Seestr. 13, ☎ (041) 632 42 42, *Fax (041) 632 42 41*, – TV ☎ P – 15/60. AE E VISA. Zim
24. Dez. - 2. Jan. geschl. – **Menu** 16.50 und à la carte 36/81, Kinder 12 – **22 Zim** 95/180 – ½ P Zuschl. 35

du Lac mit Zim, Seestr. 76, ☎ (041) 630 42 42, *Fax (041) 630 42 50*, ≤ Vierwaldstättersee, « Garten am See », – TV ☎ P. AE E VISA
***Rest. Français* :** Menu 85 und à la carte 52/109, Kinder 16 – ***Bistro* :** Menu 20 und à la carte 34/90 – **17 Zim** 80/170.

Da Franco, Dorfplatz 3, (041) 630 12 62, Fax *(041) 630 12 60,* – AE E VISA JCB
Montag geschl. – **Menu** 17.50 60 und à la carte 45/82.

China Restaurant Mr. Ooi, Bahnhofstr. 6, (041) 630 11 48, Fax *(041) 630 41 60,* – P. AE E VISA
Dienstagmittag, Montag, 15. Feb. - 10. März und 9. - 25. Aug. geschl. – **Menu** 19.50 (mittags)/65 und à la carte 32/80, Kinder 11.

HERISAU *9100* K *Appenzell Ausserrhoden (AR)* 216 ㉑ – *15 919 Ew.* – *Höhe 771.*
Touristikinformation, Oberdorfstr. 24,
(071) 353 30 35.
Bern 203 – *Sankt Gallen 10* – *Bregenz 47* – *Konstanz 42* – *Winterthur 54.*

Herisau M, Bahnhofstr. 14, (071) 354 83 83, Fax *(071) 354 83 80,* – Zim, TV P – 15/60. AE E VISA JCB
Menu 11 - 16 (mittags)/58 und à la carte 37/72 – 10 – **33 Zim** 95/140 – ½ P Zuschl. 25.

Bierquelle, Poststr. 39, (071) 352 20 40, Fax *(071) 352 20 90* – P. AE E VISA
Samstagmittag, Montag, Dienstag, 15. Feb. - 5. März und 19. Juli - 4. Aug. geschl. – **Menu** (Tischbestellung ratsam) 34 - 64 (mittags)/117 und à la carte 61/118.

HERMANCE *1248 Genève (GE)* 217 ⑫ – *746 h.* – *alt. 381.*
Bern 180 – *Genève 16* – *Annecy 59* – *Saint-Claude 80* – *Thonon-les-Bains 36.*

Auberge d'Hermance avec ch, 12 r. du Midi, (022) 751 13 68 Fax *(022) 751 16 31,* – TV AE E VISA
Repas 18.50 - 66 et à la carte 54/118 – **4 ch** 120/180.

HERRLIBERG *8704 Zürich ZH* 216 ⑱ ⑲ – *4 909 Ew.* – *Höhe 445.*
Bern 132 – *Zürich 12* – *Rapperswil 19* – *Winterthur 38* – *Zug 36.*

Nord-Ost : *1,5 km Richtung Forch :*

Buech, Forchstr. 267, 8704 Herrliberg, (01) 915 10 10, Fax *(01) 915 20 49* See und Berge, , Rustikale Einrichtung – AE E VISA
Montag - Dienstag, 23. Dez. - 5. Jan., 8. - 24. Feb. und 11. - 27. Okt. geschl. – **Menu** à la carte 46/88, Kinder 18.

HERSCHMETTLEN *Zürich (ZH)* 216 ⑲ – *Höhe 540* – *8626 Ottikon :*
Bern 152 – *Zürich 30* – *Rapperswil 8* – *Uster 18* – *Winterthur 32.*

Weinschenke, (01) 935 12 64, Fax *(01) 935 12 64,* , Rustikales Interieur mit Sichtbalken – P. AE E VISA
Montag - Dienstag, 23. Dez. - 6. Jan. und 12. - 28. Juli geschl. – **Menu** 17 - 50 und à la carte 42/84.

HILDISRIEDEN *6024 Luzern (LU)* 216 ⑰ – *1 611 Ew.* – *Höhe 687.*
27 *Sempachersee (März - Nov.),* *(041) 462 71 71, Fax (041) 462 71 72.*
Bern 100 – *Luzern 13* – *Aarau 36* – *Baden 48* – *Cham 33* – *Sursee 12.*

Zum roten Löwen, (041) 460 33 66, Fax *(041) 460 10 53,* – TV P – 15/200. AE E VISA
18. Juli - 5. Aug. geschl. – **Menu** *(Sonntagabend und Mittwoch geschl.)* 16 - 48 und à la carte 32/76 – **16 Zim** 90/180 – ½ P Zuschl. 35.

Gute Küchen
haben wir durch
✿, ✿✿ oder ✿✿✿ kenntlich gemacht.

HOFSTETTEN BEI BRIENZ *Bern* **217** ⑧ – *siehe Brienz.*

HORGEN *8810 Zürich (ZH)* **216** ⑱ – *16 535 Ew. – Höhe 409.*
Bern 146 – Zürich 21 – Luzern 47 – Schwyz 41.

Seehotel Meierhof M garni, Bahnhofstr. 4, (01) 728 91 91, *Fax (01) 728 92 92,* Zürichsee, – 15/100. AE E VISA
113 Zim 200/250.

HORN *9326 Thurgau (TG)* **216** ⑩ – *2 338 Ew. – Höhe 403.*
Bern 220 – Sankt Gallen 12 – Bregenz 28 – Frauenfeld 50 – Konstanz 33 – Winterthur 71.

Bad Horn, Seestr. 36, (071) 841 55 11, *Fax (071) 841 60 89,* Bodensee, , « Gartenterrasse am See », , – , Rest, – 15/120. AE E VISA. Rest
Captains Grill : **Menu** 37 (mittags)/89 und à la carte 44/91 – ***Glogge-Stube*** : **Menu** 18 und à la carte 39/80, Kinder 14 – **56 Zim** 120/290 – ½ P Zuschl. 45.

HORW *Luzern* **216** ⑰ – *siehe Luzern.*

HÜNIBACH *Bern* **217** ⑦ – *siehe Thun.*

HURDEN *Schwyz (SZ)* **216** ⑲ – *Höhe 411 – ✉ 8640 Rapperswil :*
Bern 162 – Zürich 37 – Rapperswil 2 – Schwyz 32.

Rössli, Hurdnerstr. 137, (055) 410 81 33, *Fax (055) 410 52 20,* , « Gartenterrasse See » – AE E VISA
Menu à la carte 48/88, Kinder 15 – **21 Zim** 110/190.

Zum Adler, Hurdnerstr. 143, (055) 410 45 45, *Fax (055) 410 11 20,* , « Gartenterrasse See » – E
Dienstag und 3 Wochen im Feb. geschl. – **Menu** à la carte 72/126.

HUTTWIL *4950 Bern (BE)* **216** ⑯ – *4 758 Ew. – Höhe 638.*
Bern 48 – Luzern 42 – Olten 38 – Thun 63.

Mohren, Marktgasse 5, (062) 962 20 10, *Fax (062) 962 20 11* – , Zim, – 15/120. AE E VISA
28. Juli - 11. Aug. geschl. – **Menu** *(Montag geschl.)* 22 und à la carte 30/85 – **32 Zim** 85/150 – ½ P Zuschl. 27.

HÜTTWILEN *8536 Thurgau (TG)* **216** ⑧ – *1 393 Ew. – Höhe 455.*
Bern 174 – Zürich 53 – Frauenfeld 8 – Konstanz 38 – Schaffhausen 32 – Winterthur 24.

Sonne, (052) 747 12 32, *Fax (052) 747 12 32* – E VISA
Dienstag - Mittwoch, 28. Feb. - 15. März und 25. Juli - 15. Aug. geschl. – **Menu** 25 - 35 (mittags)/85 und à la carte 43/85.

ILANZ *7130 Graubünden (GR)* **218** ③ – *2 404 Ew. – Höhe 698.*
Bern 203 – Chur 34 – Bad Ragaz 53 – Disentis 32.

Lukmanier M, Via S. Clau Sura 11, (081) 925 61 44, *Fax (081) 925 62 41,* , , – 30. AE E VISA. Rest
Menu *(Montag geschl.)* 19 und à la carte 37/87, Kinder 13 – **32 Zim** 100/180 – ½ P Zuschl. 35.

Casutt, Glennerstr. 20, (081) 925 11 31, *Fax (081) 925 41 47,* – E VISA
Sonntag und 6. Juni - 4. Juli geschl. – **Menu** 17 und à la carte 32/67, Kinder 11 – **15 Zim** 80/140 – ½ P Zuschl. 25.

in Schnaus *Nord-West : 3 km – Höhe 713 – ✉ 7130 Schnaus :*

XXX **Stiva Veglia,** ✆ (081) 925 41 21, ☂, « Modernisiertes Bündner Haus aus dem 18. Jh. » – P. E VISA.
Mittwoch, von Ostern - 6. Juli auch Montag - Dienstag und 10. Nov. - 20. Dez. geschl. – **Menu** (Tischbestellung ratsam) 45 (mittags)/110 und à la carte 49/114.

ILLNAU *8308 Zürich (ZH)* 216 ⑲ *– Höhe 517.*
Bern 145 – Zürich 24 – Rapperswil 26 – Wil 50 – Winterthur 14.

X **Rössli** mit Zim, Kempttalstr. 52, ✆ (052) 346 11 17, *Fax (052) 346 13 07,* ☂ – TV ☎ P – 15/120. AE ⓓ E VISA
17. Juli - 1. Aug. geschl. – **Menu** 16.50 - 45 (mittags)/95 und à la carte 42/97, Kinder 14 – **6 Zim** ☕ 105/170.

IMMENSEE *6405 Schwyz (SZ)* 216 ⑱ *– Höhe 460.*
Bern 138 – Luzern 18 – Cham 16 – Einsiedeln 38 – Schwyz 22.

XX **Zum Schlüssel,** ✆ (041) 850 48 14, *Fax (041) 850 74 14,* ≤ Zugersee, ☂, ⚓ – P. ⓓ E VISA
Donnerstag (ausser April - Sept.), Mittwoch und Februar geschl. – ***Schlüsselstube*** **Menu** 15.50 und à la carte 50/108.

XX **Tells Hohle Gasse,** Artherstr. 38, 1,5 km Richtung Küssnacht a. R., ✆ (041) 850 14 29, *Fax (041) 850 64 19,* ☂ – P. AE ⓓ E VISA
Montag und 8 - 22. Feb. geschl. – **Menu** 16.50 - 28 (mittags) und à la carte 44/88, Kinder 14.

INTERLAKEN *3800 Bern (BE)* 217 ⑦ ⑧ *– 5 176 Ew. – Höhe 564.*

Sehenswert : *Höheweg★★ : Aussicht★★★* ABY *– Ansicht★★ der Kirche von Unterseen* AY B.

Ausflugsziel : *Jungfraujoch★★★ mit Bahn – Schynige Platte★★ über ② : 2,5 km und Zahnradbahn – Harderkulm★★ mit Standseilbahn* BY *– Heimwehfluh★* AZ.

⛳18 *in Interlaken - Unterseen (April - Okt.)* ✆ *(033) 823 60 16, Fax (033) 823 42 03, West : 2 km Richtung Gonten über Seestrasse* AY.

Lokale Veranstaltungen
15.04 - 18.04 : Interlakner Volksmusiktage
17.06 - 04.09 : "Wilhelm Tell" Freilichtspiele.
15.08 - 27.08 : Interlakner Musikfestwochen.

ℹ *Interlaken Tourismus, Höheweg 37,* ✆ *(033) 822 21 21, Fax (033) 826 53 90.*
Bern 59 ③ – Luzern 68 ① – Montreux 149 ③ – Sion 163 ③

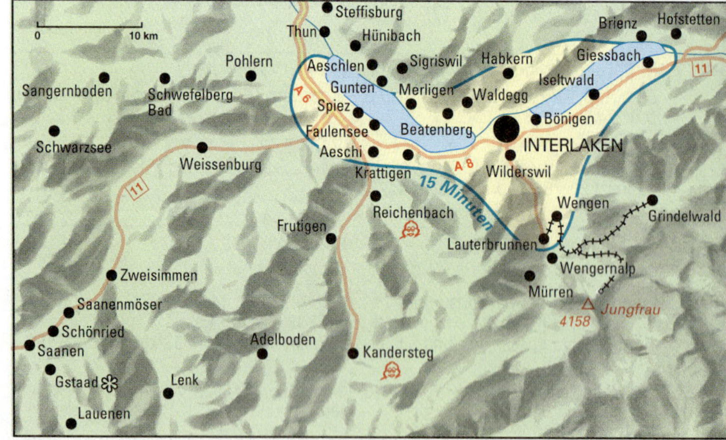

INTERLAKEN

Aarmühlestrasse . . . . AYZ 3
Bahnhofplatz . . . . AZ 4
Beaurivage-Brücke . . . . BY 6
Brienzstrasse . . . . BY 7
Centralplatz . . . . AY 9
Centralstrasse . . . . AY 10
Harderstrasse . . . . AY 12
Höheweg . . . . ABY
Jungfraustrasse . . . . AYZ 13
Marktgasse . . . . AY 15
Obere Bönigstrasse . . . . BY 16
Rothornstrasse . . . . AZ 18
Schlossstrasse . . . . BY 19
Strandbadstrasse . . . . BY 21

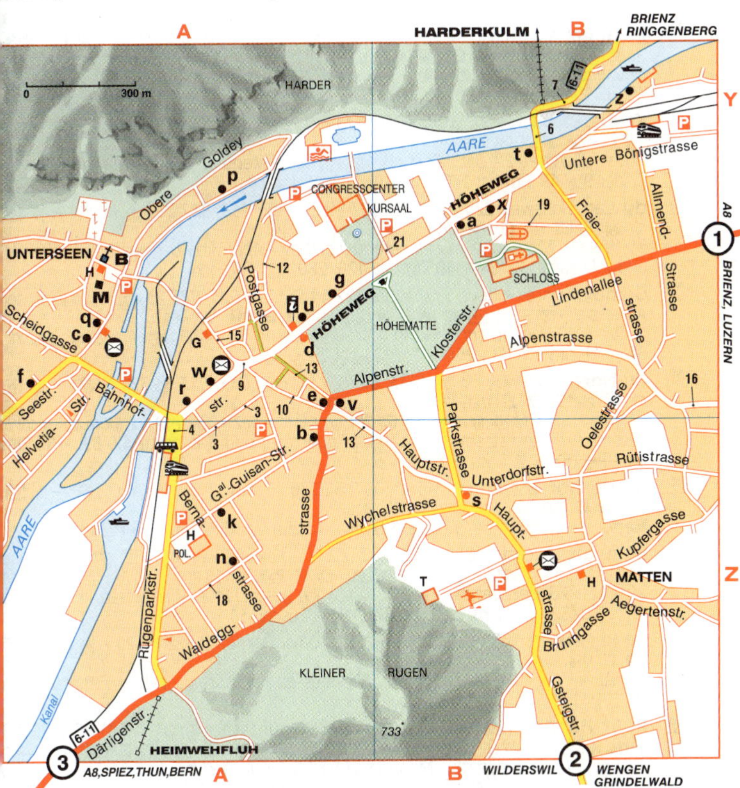

Victoria-Jungfrau, Höheweg 41, (033) 828 28 28, *Fax (033) 828 28 80*, «Health-Fitness-Beauty Center», – 15/180. AE VISA JCB AY g
Menu (siehe auch Rest. ***La Terrasse***) – ***Jungfrau-Stube*** *(von Mitte Dez. - Ende April Sonntagabend, Dienstagmittag, Montag und 1. Nov. - 17. Dez. geschl.)* **Menu** 55 und à la carte 49/83 – 30 – **216 Zim** 350/620, 28 Suiten – ½ P Zuschl. 95.

Grand Hotel Beau Rivage, Höheweg 211, (033) 821 62 72, *Fax (033) 823 28 47*, – Rest, – 15/160. AE VISA. Rest BY t
12. Nov. - 17. Dez. geschl. – ***La Bonne Fourchette :*** **Menu** 21-35 (mittags)/68 und à la carte 56/100 – **96 Zim** 250/440, 3 Suiten – ½ P Zuschl. 60.

Metropole, Höheweg 37, (033) 828 66 66, *Fax (033) 828 66 33*, «Tea-Room in der 18. Etage mit See und Berge», – – 15/80. AE VISA JCB AY u
Il Bellini (1. Etage) - italienische Küche - *(nur Abendessen)* **Menu** 65 und à la carte 42/74 – **97 Zim** 190/290 – ½ P Zuschl. 45.

Interlaken, Höheweg 74, (033) 826 68 68, *Fax (033) 826 68 69*, – – 15/60. AE VISA JCB BY x
Taverne : **Menu** 20-28 (mittags) und à la carte 32/84, Kinder 16 – ***Lotus*** - chinesische Küche - **Menu** 17-33/58 und à la carte 37/66 – **60 Zim** 178/294 – ½ P Zuschl. 40.

Stella, Waldeggstr. 10, (033) 822 88 71, *Fax (033) 822 66 71*, – Zim, . Rest AZ b
Menu 23 - 43/80 und à la carte 45/100, Kinder 16 – **30 Zim** 155/330 – ½ P Zuschl 42.

National Jungfraustr. 46, (033) 822 36 21, *Fax (033) 822 73 61* – – 25. . Rest AY e
Nov. geschl. – **Menu** *(von Okt. - Mai nur für Hotelgäste)* 56 (abends) und à la carte 45/82 – **46 Zim** 180/360 – ½ P Zuschl. 50.

Krebs, Bahnhofstr. 4, (033) 822 71 61, *Fax (033) 823 24 65* – . Rest AY w
Hotel : 25. April - 20. Okt. ; Rest. : 1. Mai - 1. Okt. – **Menu** 17 - 46 und à la carte 44/85, Kinder 9 – **49 Zim** 170/290 – ½ P Zuschl. 40.

du Lac, Höheweg 225, (033) 822 29 22, *Fax (033) 822 29 15*, ≤, – BY z
Mitte Nov. - Mitte März geschl. – **Menu** *(von Nov. - April Mittwoch geschl.)* 35 (abends) und à la carte 32/84 – **40 Zim** 120/280 – ½ P Zuschl. 35.

Goldey, Obere Goldey 85, (033) 822 44 45, *Fax (033) 823 23 45*, ≤, Lage an der Aare, , – – 25. . Rest AY p
1. Dez. - 10. Jan. geschl. – **Menu** *(nur Abendessen für Hotelgäste) (mittags geschl.)* 32 – **41 Zim** 170/254 – ½ P Zuschl. 32.

du Nord, Höheweg 70, (033) 822 26 31, *Fax (033) 823 33 37*, ≤, – . Rest BY a
1. Nov. - 15. Dez. geschl. – ***Im Gade*** *(von Ende Dez. - Ende April Montag geschl.)* (Tischbestellung ratsam) **Menu** 18 - 25 (mittags) und à la carte 42/89 – **56 Zim** 125/288 – ½ P Zuschl. 36.

Bernerhof, Bahnhofstr. 16, (033) 826 76 76, *Fax (033) 826 76 60*, – . AY r
Menu 15.50 - 25 und à la carte 32/75 – **43 Zim** 155/230 – ½ P Zuschl. 32.

Beau Site, Seestr. 16, (033) 826 75 75, *Fax (033) 826 75 85*, , « Schöne Gartenanlage », – . Rest AY f
20. Okt. - 20. Dez. geschl. – **Menu** *(Mittwoch geschl.) (nur Abendessen)* 48 und à la carte 38/89 – **55 Zim** 158/280 – ½ P Zuschl. 34.

de la Paix, Bernastr. 24, (033) 822 70 44, *Fax (033) 822 87 28* – . Rest AZ n
29. April - 31. Okt. – **Menu** *(nur Abendessen für Hotelgäste)* 21 - 30 – **21 Zim** 100/170 – ½ P Zuschl. 26.

Post-Hardermannli, In Unterseen, Hauptstr. 18, (033) 822 89 19 (Rest. (033) 822 22 90), *Fax (033) 822 00 28*, – Zim, AY c
1. Nov. - 15. Dez. geschl. – **Menu** *(Mittwoch ausser abends von Juli - Sept. geschl.)* 13.50 - 48 und à la carte 33/71 – **22 Zim** 90/150 – ½ P Zuschl. 22.

Rössli, Hauptstr. 10, (033) 822 78 16, *Fax (033) 822 96 16*, , – AY q
1. Nov. - 21. Dez. geschl. – **Menu** *(Montagmittag ausser von Juni - Sept. und Sonntag geschl.)* 14 und à la carte 33/68, Kinder 10 – **25 Zim** 85/160 – ½ P Zuschl. 24.

Savoy, Alpenstr. 2, (033) 828 16 70, *Fax (033) 828 16 71* – . . AY v
26 Zim 90/185.

Lötschberg garni, General-Guisanstr. 31, (033) 822 25 45, *Fax (033) 822 25 79* – . AZ k
4. - 31. Jan. geschl. – **19 Zim** 85/180.

La Terrasse - ***Hotel Victoria-Jungfrau***, Höheweg 41, (033) 828 28 28, *Fax (033) 828 28 80*, ≤, – . . AY g
Menu 45 (mittags)/105 und à la carte 95/152.

Hirschen mit Zim, in Matten, Hauptstr. 11, (033) 822 15 45, *Fax (033) 823 37 45*, , « Ehemaliges Bauernhaus aus dem 17. Jh. », – BZ s
1. Nov. - 20. Dez. geschl. – **Menu** *(Mittwochmittag und Dienstag geschl.)* 19.50 und à la carte 51/99, Kinder 11 – **25 Zim** 120/220 – ½ P Zuschl. 35.

Schuh, Höheweg 56, (033) 822 94 41, *Fax (033) 822 94 27*, . AY d
Montag (ausser Feiertage) und 24. Okt. - 2. Dez. geschl. – **Menu** 31 - 36 und à la carte 42/106, Kinder 13.

Bönigen *über ① : 2 km – Höhe 568 – ✉ 3806 Bönigen :*

eiler au Lac, ☎ (033) 822 30 21, *Fax (033) 822 30 01*, ≤ Brienzersee, « Am Seeufer », – Zim, AE E VISA. Rest
1. Nov. - 20. Dez. und 10. Jan. - 15. Feb. geschl. – **Menu** *(Montag geschl.)* 26 - 38 (mittags)/52 und à la carte 41/91, Kinder 10 – **45 Zim** 145/310 – ½ P Zuschl. 30.

Seehotel, Seestr. 22, ☎ (033) 822 07 70, *Fax (033) 822 07 40*, ≤, « Terrasse am Seeufer » – 15/40. AE E VISA
20. Dez. - 20. Feb. geschl. – ***La Terrasse*** *(Donnerstag geschl.)* **Menu** 19 und à la carte 40/91, Kinder 9 – **40 Zim** 92/208 – ½ P Zuschl. 32.

Wilderswil *über ② : 4 km – Höhe 584 – ✉ 3812 Wilderswil :*

Alpenblick, ☎ (033) 828 35 50, *Fax (033) 828 35 51*, – Zim, – 25. AE E VISA JCB
Menu (siehe auch Rest. ***Alpenblick***) – **34 Zim** 96/212 – ½ P Zuschl. 40.

Schlössli, ☎ (033) 822 12 16, *Fax (033) 822 12 69*, « Terrasse ≤ Jungfraumassiv », – AE E VISA
Jan. geschl. – **Menu** 17.50 und à la carte 39/79, Kinder 12 – **20 Zim** 60/160 – ½ P Zuschl. 25.

Berghof, ☎ (033) 822 75 66, *Fax (033) 822 89 68*, ≤ Eiger, Mönch und Jungfrau, – E VISA. Rest
1. April - 19. Okt. – **Menu** *(nur ½ Pens. für Hotelgäste) (mittags geschl.)* – **41 Zim** 85/160 – ½ P Zuschl. 28.

Bären, am Bärenplatz, ☎ (033) 828 31 51, *Fax (033) 828 31 52*, – AE E VISA JCB
Menu 18 - 60 und à la carte 34/71 – **50 Zim** 95/170 – ½ P Zuschl. 28.

Rest. Alpenblick - *Hotel Alpenblick*, ☎ (033) 828 35 50, *Fax (033) 828 35 51*, – AE E VISA JCB
Montag - Dienstag und Mitte Nov. - Anfang Dez. geschl. – **Menu** 16 - 38 (mittags)/139 und à la carte 71/133.

Habkern *Nord-West : 6 km Richtung Beatenberg – Höhe 1 067 – ✉ 3804 Habkern :*

Sporthotel, ☎ (033) 843 13 43, *Fax (033) 843 14 59*, ≤, – AE E VISA
in der Zwischensaison Donnerstag, 8. - 21. März und 1. Nov. - 5. Dez. geschl. – **Menu** 19.50 und à la carte 27/56, Kinder 7 – **20 Zim** 65/140 – ½ P Zuschl. 30.

INTRAGNA *6655 Ticino (TI)* 219 ⑦ *– 894 ab. – alt. 342.*

Bern 276 – Locarno 10 – Bellinzona 30 – Domodossola 39 – Lugano 50 – Verbania 47.

Antico, ☎ (091) 796 11 07, *Fax (091) 796 31 15*, ≤, – AE E VISA
febbraio - ottobre – **Pasto** 28 ed à la carte 29/65 – **38 cam** 90/190 – ½ P sup. 28.

Stazione "da Agnese" con cam, piazzale Fart, ☎ (091) 796 12 12, *Fax (091) 796 31 33*, ≤, – AE E VISA
chiuso martedì - mercoledì in marzo e novembre e dal 30 novembre al 1º marzo – **Pasto** 19 - 40 (mezzogiorno)/65 ed à la carte 46/88, bambini 19 – 17 – **11 cam** 120/170, 4 suites.

IRAGNA *6707 Ticino (TI)* 218 ⑫ *– 467 ab. – alt. 305.*

Bern 230 – Andermatt 67 – Bellinzona 20 – Brig 108 – Lugano 53.

Grotto Angela - da Giacinto, ☎ (091) 862 29 56, *Fax (091) 862 45 98*, Ai margini del paese in zona verdeggiante, – VISA.
chiuso martedì sera e dal 26 dicembre all'11 gennaio – **Pasto** 24 ed à la carte 40/70.

Gli alberghi o ristoranti ameni sono indicati nella guida con un simbolo rosso.
Contribuite a mantenere la guida aggiornata segnalandoci gli alberghi e ristoranti dove avete soggiornato piacevolmente.

ISELTWALD 3807 Bern (BE) 217 ⑧ – 436 Ew. – Höhe 566.
Bern 67 – Interlaken 11 – Brienz 15 – Luzern 59.

Chalet du Lac, (033) 845 11 12, Fax (033) 845 11 44, See und Berg – 25. AE E VISA
Mitte Dez. - Mitte März geschl. – **Menu** (Montag geschl.) à la carte 34/77, Kinder 1 – **21 Zim** 130/220 – ½ P Zuschl. 35.

Bellevue mit Zim, (033) 845 11 10, Fax (033) 845 12 77, « Terrass See », – AE E VISA JCB
4. Jan. - 3. Feb. und Mitte Nov. - Mitte Dez. geschl. – **Menu** - Fischspezialitäten (Dienstag ausser von Mai - Sept. und von Okt. - März auch Mittwoch geschl.) 28 - 64/9 und à la carte 55/102, Kinder 16 – **11 Zim** 80/172 – ½ P Zuschl. 34.

JENINS Graubünden 218 ④ – siehe Maienfeld.

JONA Sankt Gallen 216 ⑲ – siehe Rapperswil.

JONGNY Vaud 217 ⑭ – rattaché à Vevey.

JOUX (Vallée de) Vaud (VD) – Sports d'hiver : 1 015/1 476 m 14.
Voir : Dent de Vaulion★★★ – Route de Burtigny à Begnins : vues★★.
Office du Tourisme de la Vallée de Joux, Centre Sportif, 1347 Le Sentier (021) 845 17 77, Fax (021) 845 50 08.

L'Abbaye 1344 Vaud (VD) 217 ② – 1 126 h. – alt. 1 020.
Bern 121 – Lausanne 40 – Les Rousses 26 – Vallorbe 10.

Hôtel de Ville, (021) 841 13 93, Fax (021) 841 16 86, AE E VISA.
Repas 18 - 42 (soir) et à la carte 35/67 – **14 ch** 100/150 – ½ P suppl. 30.

Les Bioux 1346 Vaud (VD) 217 ② – alt. 1 023.
Bern 126 – Lausanne 45 – Les Rousses 22 – Vallorbe 15.

Trois Suisses, (021) 845 55 08, Fax (021) 845 60 31, – E VISA. rest
fermé 3 sem. en nov. et mardi sauf en été – **Repas** 15 et à la carte 38/73, enf. 1 – **13 ch** 50/120 – ½ P suppl. 30.

Le Brassus 1348 Vaud (VD) 217 ② – alt. 1 058.
Bern 132 – Lausanne 52 – Les Rousses 16 – Vallorbe 21.

de la Lande, (021) 845 44 41, Fax (021) 845 45 40, – 25/80. AE E VISA
Repas 14 - 29 et à la carte 39/61, enf. 10 – **32 ch** 66/190 – ½ P suppl. 32.

de France, 8 rte de France, (021) 845 44 33, Fax (021) 845 44 31, – – 15/40. AE E VISA
Repas 10 - 39/52 et à la carte 41/70 – **35 ch** 82/150 – ½ P suppl. 25.

Le Pont 1342 Vaud (VD) 217 ② – alt. 1 008.
Bern 119 – Lausanne 39 – Les Rousses 29 – Vallorbe 8.

La Truite, (021) 841 17 71, Fax (021) 841 19 29, – – 25. AE E VISA
fermé 1er déc. au 8 janv. et lundi en hiver – **Repas** 15 - 48 (midi) et à la carte 35/83 enf. 12 – **20 ch** 80/190 – ½ P suppl. 30.

Le Sentier 1347 Vaud (VD) 217 ② – alt. 1 024.
Bern 131 – Lausanne 55 – Les Rousses 19 – Vallorbe 20.

Lion d'Or, 17 Grand Rue, (021) 845 55 35, Fax (021) 845 65 16 – 40. AE E VISA
Repas 15 - 32/40 et à la carte 36/85, enf. 12 – **22 ch** 65/150 – ½ P suppl. 28

Bellevue, Le Rocheray (au Lac), (021) 845 57 20, Fax (021) 845 47 20, – E VISA. rest
Repas (fermé 5 au 12 avril, 11 oct. au 8 nov., dim. soir sauf de juil. à mi-août et lund 15 - 47/58 et à la carte 46/86, enf. 16 – **14 ch** 115/160 – ½ P suppl. 37.

KAISERSTUHL *Obwalden* **217** ⑦ ⑧ – *siehe Lungern.*

KANDERSTEG *3718 Bern (BE)* **217** ⑯ ⑰ – *1106 Ew.* – *Höhe 1176* – *Wintersport : 1176/2000 m* 2 4.

Sehenswert : *Lage*★.

Ausflugsziel : *Oeschinensee*★★★ – *Klus*★★.

Lokale Veranstaltung

25.07 : Schäferfest auf dem Gemmipass.

Kandersteg - Goppenstein, Information (033) 675 18 88.

Kandersteg Tourismus, (033) 675 80 80, Fax (033) 675 80 81.

Bern 66 – *Interlaken 45* – *Montreux 156* – *Sion 219.*

Royal Bellevue, (033) 675 88 88, *Fax (033) 675 88 80*, ≤, Park, – AE VISA JCB. Rest
Mitte Dez. - Anfang April und Ende Mai - Anfang Okt. – ***Rôtisserie*** *(abends Tischbestellung erforderlich)* **Menu** 95 (abends) und à la carte 50/131 – ***Taverna Rustica :*** **Menu** à la carte 46/102 – 25 – **24 Zim** 350/580, Vorsaison 200/400, 10 Suiten – ½ P Zuschl. 90.

Waldhotel Doldenhorn, Hauptstrasse, (033) 675 81 81, *Fax (033) 675 81 85*, ≤, – AE VISA
12. Dez. - 10. April und 7. Mai - 30. Okt. – ***Au Gourmet*** *(Dienstag geschl.)* (am Wochenende Tischbestellung ratsam) **Menu** 24 - 50/80 und à la carte 56/115 – **30 Zim** 120/230, Vorsaison 95/210 – ½ P Zuschl. 40.

Alfa Soleil, (033) 675 84 84, *Fax (033) 675 84 85*, ≤, – AE VISA JCB. Rest
Menu *(Donnerstag, 11. April - 7. Mai und 24. Okt. - 17. Dez. geschl.)* 30 (abends) und à la carte 37/91, Kinder 10 – **35 Zim** 105/184, Vorsaison 98/156 – ½ P Zuschl. 30.

Adler, (033) 675 80 10, *Fax (033) 675 80 11*, ≤, – Rest, AE VISA JCB
22. Nov. - 17. Dez. geschl. – **Menu** 17 - 26/75 und à la carte 31/85 – **24 Zim** 105/180, Vorsaison 95/160 – ½ P Zuschl. 25.

Blümlisalp, (033) 675 18 44, *Fax (033) 675 18 09*, – VISA
21. Dez. - 4. April und 16. Mai - 14. Nov. – **Menu** *(Montag geschl.)* 16.50 - 45/75 und à la carte 32/81, Kinder 13 – **22 Zim** 88/170, Vorsaison 70/150 – ½ P Zuschl. 32.

Ruedihus mit Zim, (033) 675 81 82, *Fax (033) 675 81 85*, ≤, « Ehemalige Umspannstelle für Postkutschenpferde aus dem 18. Jh., Biedermeier-Saal » –
Menu - Schweizer Spezialitäten - *(Mittwoch geschl.)* 18 - 25/40 und à la carte 42/63, Kinder 8 – **9 Zim** 115/220 – ½ P Zuschl. 40.

KASTANIENBAUM *Luzern* **217** ⑨ – *siehe Luzern.*

KAUFDORF *3126 Bern (BE)* **217** ⑥ – *751 Ew.* – *Höhe 535.*

Bern 22 – *Fribourg 44* – *Langnau im Emmental 33* – *Thun 18.*

Gutenbrünnen, Gutenbrünnenweg 67, West : 2 km, (031) 809 15 21, ≤ Gürbental und Jungfraumassiv, – VISA
Montag, Dienstag und 11. Jan. - 2. Feb. geschl. – **Menu** 50/79 und à la carte 45/83.

KEMPRATEN *Sankt Gallen* **216** ⑲ – *siehe Rapperswil.*

KERNS *Obwalden* **217** ⑨ – *siehe Sarnen.*

KERZERS *3210 Freiburg (FR)* **217** ⑤ – *3574 Ew.* – *Höhe 443.*

Bern 24 – *Neuchâtel 25* – *Biel 25* – *Fribourg 26* – *Solothurn 41.*

Bären, Burgstatt 7, (031) 755 51 18, *Fax (031) 755 78 93*, – AE VISA
Mittwochabend - Donnerstag (ausser April - Mai), 19. Jan. - 4. Feb. und 15. Juli - 6. Aug. geschl. – **Menu** 15 - 54 und à la carte 36/88, Kinder 16.

KESTENHOLZ *4703 Solothurn (SO)* 216 ⑯ *– 1 387 Ew. – Höhe 453.*
Bern 55 – Basel 54 – Aarau 32 – Luzern 64 – Solothurn 24.

XX **Eintracht** mit Zim, Neue Strasse 109, ☎ (062) 393 24 63, *Fax (062) 393 24 23*, – TV ☎ P. AE ⓓ E VISA
Sonntagabend - Montag, 3. - 19. Feb. und 21. Juli - 8. Aug. geschl. – ***Gourmet-Stübli*** **Menu** 44 (mittags)/88 (abends) und à la carte 51/94 – ***Gaststube* : Menu** 19.50 und à la carte 34/79 – **4 Zim** 70/140.

KILCHBERG *8802 Zürich (ZH)* 216 ⑱ *– 6 979 Ew. – Höhe 424.*
Bern 132 – Zürich 7 – Aarau 53 – Luzern 52 – Rapperswil 35.

XX **Chez Fritz,** Seestr. 195b, ☎ (01) 715 25 15, *Fax (01) 715 25 11*, < Zürichsee, – P. AE ⓓ E VISA
Montag, im Winter auch Sonntag und 11. - 24. Okt. geschl. – **Menu** 24 - 3 (mittags)/57 und à la carte 57/91.

KIRCHBERG *3422 Bern (BE)* 216 ⑮ *– 4 760 Ew. – Höhe 511.*
Bern 23 – Biel 41 – Burgdorf 6 – Solothurn 18.

Sunnehof garni, Hauptstr. 19a, ☎ (034) 445 23 10, *Fax (034) 445 69 03* – TV ☎ P. E VISA
20. Juli - 10. Aug. geschl. – **13 Zim** 100/150.

KIRCHDORF *3116 Bern (BE)* 217 ⑥ *– 815 Ew. – Höhe 610.*
Bern 28 – Fribourg 37 – Langnau im Emmental 28 – Thun 12.

XX **Spycher,** Dorf 48, ☎ (031) 781 18 34, *Fax (031) 781 20 23*, « Sammlung alte Wurlitzer Musikboxen » – P. AE ⓓ E VISA
Sonntag - Montag (von Juni - Sept. auch Dienstag) und Aug. geschl. – **Menu** *(nur Abendessen)* 130 und à la carte 69/102.

KLEINDÖTTINGEN *5314 Aargau (AG)* 216 ⑥ *– Höhe 323.*
Bern 112 – Aarau 32 – Basel 60 – Freiburg im Breisgau 85 – Luzern 76 – Zürich 4C

X **Linde** mit Zim, Hauptstr. 27, ☎ (056) 245 13 50, *Fax (056) 245 12 28*, – P. AE E VISA JCB
Sonntag und 1. - 16. Aug. geschl. – ***Rest. Français* : Menu** 22 - 42 (mittags)/75 und à la carte 43/90 – ***Biedermeierstube* : Menu** 20 - 42 (mittags) und à la carte 39/89 – 11 – **14 Zim** 32/108.

KLOSTERS *7250 Graubünden (GR)* 218 ⑤ *– 3 994 Ew. – Höhe 1 191 – Wintersport 1 191/2 844 m 10 19.*
Sehenswert : *Lage★★.*
Kur- und Verkehrsverein, Alte Bahnhofstrasse, ☎ (081) 410 20 20 Fax (081) 410 20 10.
Bern 268 – Chur 58 – Davos 14 – Vaduz 64.

Pardenn, Monbielerstr. 18, ☎ (081) 422 11 41, *Fax (081) 422 40 06* < Klosters und Berge, – TV ☎ P. AE ⓓ E VISA. Rest
20. Dez. - 5. April und 27. Juni - 11. Sept. – ***Taverna*** - italienische Küche - *(nur Mittagessen)* **Menu** 27 und à la carte 37/87 – ***Grill Room*** *(nur Abendessen)* **Menu** 70 und à la carte 67/116 – **65 Zim** 195/410, Vorsaison 125/290 – ½ P Zuschl. 30

Albeina, ✉ 7252, ☎ (081) 423 21 00, *Fax (081) 423 21 21*, <, – TV ☎ P. AE ⓓ E VISA. Zim
13. Dez. - 10. April und 13. Juni - 16. Okt. – **Menu** 19 - 35 und à la carte 37/84 Kinder 15 – **64 Zim** 95/350, Vorsaison 85/210 – ½ P Zuschl. 20.

Alpina, Bahnhofstr. 1, ☎ (081) 410 24 24, *Fax (081) 410 24 25*, – TV ☎ – 25. AE ⓓ E VISA JCB
18. April - 19. Juni geschl. – **Menu** *(von Anfang Sept. - Mitte Dez. Mittwoch geschl.)* 19 - 42 (mittags)/88 und à la carte 60/113, Kinder 12 – **33 Zim** 167/450, Vorsaison 110/270, 10 Suiten – ½ P Zuschl. 55.

Sport, Landstr. 94, ☎ (081) 422 29 21, *Fax (081) 422 49 53*, <, – ☎ P – 15/65. AE ⓓ E VISA.
Mitte Dez. - Mitte April und Mitte Juni - Mitte Okt. – **Menu** 25 - 35 und à la carte 37/72 – **45 Zim** 135/340, Vorsaison 65/130 – ½ P Zuschl. 15.

Chesa Grischuna, Bahnhofstr. 12, (081) 422 22 22, Fax (081) 422 22 25, « Gemütlich rustikale Einrichtung » – AE E VISA
11. Dez. - 25. Mai und 9. Juli - Mitte Okt. – **Menu** 18 - 35 (mittags)/75 und à la carte 52/106 – **25 Zim** 160/370, Vorsaison 110/285 – ½ P Zuschl. 40.

Rätia, Gäuggeliweg 1, 7252, (081) 422 47 47, Fax (081) 422 47 49, – AE E VISA. Rest
16. Dez. - 24. April und 11. Juni - 14. Okt. – **Menu** *(nur ½ Pens. für Hotelgäste) (mittags geschl.)* – **23 Zim** 85/220, Vorsaison 60/170 – ½ P Zuschl. 25.

Rustico, Landstr. 194, (081) 422 12 12, Fax (081) 422 53 55, – AE E VISA. Rest
Juni und 15. - 30. Nov. geschl. – **Menu** *(von Juli - Nov. Donnerstag geschl.)* 19.50 - 30 (mittags)/110 und à la carte 36/102 – **12 Zim** 160/276, Vorsaison 95/190 – ½ P Zuschl. 30.

Sporthotel Kurhaus, Landstr. 24, 7252, (081) 422 44 41, Fax (081) 422 46 09, – E VISA
Mitte Dez. - Mitte April und Mitte Juni - Mitte Okt. – **Menu** *(im Sommer Mittwochmittag geschl.)* 14.50 - 35 und à la carte 39/96, Kinder 12 – **30 Zim** 93/236, Vorsaison 63/140 – ½ P Zuschl. 20.

Cresta, Landstr. 170, (081) 422 25 25, Fax (081) 422 41 69, – E VISA
17. Dez. - 5. April und 18. Juni - 16. Okt. – **Menu** *(im Sommer Dienstag geschl.)* 17 - 45 (abends) und à la carte 41/72, Kinder 10 – **28 Zim** 115/240, Vorsaison 85/170 – ½ P Zuschl. 35.

Walserhof (Bolliger) mit Zim, Landstr. 141, (081) 422 42 42, Fax (081) 422 14 37, « Rustikale elegante Einrichtung », – AE E VISA
5. Dez. - 18. April und 18. Juni - 16. Okt. – **Menu** 32 - 55 (mittags)/130 und à la carte 68/138 – **11 Zim** 180/360, Vorsaison 125/300, 3 Suiten – ½ P Zuschl. 60
Spez. Foie de canard à la rhubarbe caramelisée. Carré d'agneau des Grisons au thym et coulis de persil. Fricassée de homard aux nouilles et légumes.

Alte Post, Doggilochstr. 136, (081) 422 17 16, Fax (081) 422 38 07, – AE E VISA
Montag, Dienstag, Mai und Nov. geschl. – **Menu** à la carte 47/100.

KLOTEN *Zürich* 216 ⑦ – *siehe Zürich.*

KÖNIZ *Bern* 217 ⑥ – *siehe Bern.*

KONOLFINGEN *3510 Bern (BE)* 217 ⑥ ⑦ – *4 468 Ew. – Höhe 728.*
Bern 24 – Fribourg 57 – Langnau im Emmenthal 15 – Thun 19.

in Stalden *West : 1.5 km – 3510 Konolfingen :*

Schloss Hünigen M, (031) 791 26 11, Fax (031) 791 27 31, – Zim, AE E VISA
24. Dez. - 4. Jan. geschl. – **Menu** *(Sonntagabend und Montag geschl.)* 17 - 27 (mittags) und à la carte 33/65 – **54 Zim** 113/176 – ½ P Zuschl. 31.

KRATTIGEN *3704 Bern (BE)* 217 ⑦ – *826 Ew. – Höhe 742.*
Bern 50 – Interlaken 26 – Kandersteg 26 – Spiez 8 – Thun 19.

Bellevue-Bären, Hauptstrasse, (033) 655 61 44, Fax (033) 654 61 77, Thunersee, – 50. AE E VISA JCB
Dez.- Jan. 2 Wochen geschl. – **Menu** *(Sonntagabend von Dez. - Feb. und Montag ausser abends in Juli - Aug. geschl.)* 14 - 38 und à la carte 34/75, Kinder 12 – **25 Zim** 55/150 – ½ P Zuschl. 25.

KRAUCHTHAL *3326 Bern (BE)* 216 ⑮ – *2 003 Ew. – Höhe 582.*
Bern 17 – Biel 38 – Burgdorf 10 – Solothurn 26 – Thun 38.

Löwen mit Zim, Oberburgstr. 2, (034) 411 14 08, Fax (034) 411 21 05, – 15/80. AE E VISA
Montag geschl. – **Menu** 18.50 - 56 und à la carte 43/89 – **8 Zim** 58/128.

KREUZLINGEN *8280 Thurgau (TG)* **216** ⑨ ⑩ – *18 100 Ew. – Höhe 402.*

Lokale Veranstaltung
14.08 : Seenachtfest.

Kreuzlingen Tourismus, Hauptstr. 39, (071) 672 38 40, Fax (071) 672 17 36

Hauptstr. 39, (071) 672 59 59, Fax (071) 672 17 36.

Hauptstr. 1 a, (071) 672 38 38, Fax (071) 670 04 75.

Bern 194 – Sankt Gallen 38 – Bregenz 56 – Frauenfeld 27 – Konstanz 3.

XX **Seegarten,** Promenadenstr. 40, am Yachthafen, (071) 688 28 77, *Fax (071) 688 29 44,* – P. AE ⓓ E VISA
Montag, von Sept. - März auch Dienstag, 23. - 27. Dez. und 25. Jan. - 14. Feb. gesch. – ***Salon Admiral :*** **Menu** 53 (mittags)/145 und à la carte 64/133 – ***Tagesrestaurant :*** **Menu** 27 und à la carte 35/109.

XX **Schloss Seeburg,** Seeweg 5, (071) 688 47 75, *Fax (071) 688 47 63,* « Seeschloss im Seeuferpark mit Terrasse ≤ Bodensee » – E VISA
Dienstag - Mittwoch (ausser von Juni - Sept.) und 1. - 26. Feb. geschl. – **Menu** 22 - 72 und à la carte 39/84, Kinder 10.

XX **Jakobshöhe,** Bergstr. 46, (071) 670 08 88, *Fax (071) 670 08 89* – P. AE E VISA
Montag - Dienstag und Juli geschl. – **Menu** 35 - 49/70 und à la carte 55/95, Kinder 16.

XX **Schloss Brunnegg,** Brunneggstrasse, (071) 672 36 36, *Fax (071) 672 36 31*, , « Schlösschen aus dem 14. Jh. » – P. E VISA
Sonntagabend, Dienstagmittag, Montag und 15. Jan. - 1. März geschl. – **Menu** 30 - 36 (mittags)/82 und à la carte 51/99.

in Bottighofen *Süd-Ost : 3 km Richtung Romanshorn – Höhe 419 – ✉ 8598 Bottighofen*

Schlössli, Seestrasse, (071) 688 12 75, *Fax (071) 688 15 40,* ≤, , Am Seeufer gelegen, elegante Einrichtung, – TV P. AE ⓓ E VISA
Menu à la carte 45/91 – **11 Zim** 150/270.

in Tägerwilen *Nord-West : 4 km Richtung Schaffhausen – Höhe 420 – ✉ 8274 Tägerwilen :*

Trompeterschlössle M , Konstanzerstr. 123, am Zoll, (071) 669 31 31, *Fax (071) 669 31 33,* – TV P. AE ⓓ E VISA
Menu 15.50 - 22/70 und à la carte 39/77 – **17 Zim** 95/170 – ½ P Zuschl. 30.

XX **Zum Steinbock,** Hauptstr. 85, (071) 669 11 72, *Fax (071) 669 17 52,* – P – 20. AE ⓓ E VISA
Sonntag und Montag geschl. – ***Le Pavillon :*** **Menu** 28 - 39 (mittags)/82 und à la carte 50/89 – ***Gaststube :*** **Menu** 18.50 und à la carte 36/73, Kinder 10.

in Gottlieben *Nord-West : 4 km Richtung Schaffhausen – Höhe 402 – ✉ 8274 Tägerwilen :*

Drachenburg und Waaghaus , Am Schlosspark, (071) 666 74 74, *Fax (071) 669 17 09,* ≤, , « Stilvolle Einrichtung », – TV P – 15/60. AE ⓓ E VISA. Rest
24. - 27. Dez. geschl. – **Menu** 48 und à la carte 39/119 – **60 Zim** 125/320.

Krone , Seestr. 11, (071) 666 80 60, *Fax (071) 666 80 69,* ≤, , « stilvolle Einrichtung » – TV P – 30. AE ⓓ E VISA
4. Jan. - 16. Feb. geschl. – **Menu** 21 - 42 (mittags)/86 und à la carte 62/116, Kinder 18 – **25 Zim** 115/270.

KRIEGSTETTEN *4566 Solothurn (SO)* **216** ⑮ – *1 073 Ew. – Höhe 455.*

Bern 31 – Biel 29 – Solothurn 5.

Sternen, Hauptstr. 61, (032) 675 61 11, *Fax (032) 675 60 25,* , Park, – , Zim, TV P – 15/60. AE ⓓ E VISA
1. - 14. Feb. geschl. – **Menu** 30 - 55 (mittags)/95 und à la carte 37/91, Kinder 20 – **23 Zim** 160/275 – ½ P Zuschl. 55.

KRIENS *Luzern (LU)* **216** ⑰ – *siehe Luzern.*

KÜSNACHT 8700 Zürich (ZH) 216 ⑱ – 12 262 Ew. – Höhe 415.

Bern 133 – Zürich 8 – Aarau 54 – Einsiedeln 43 – Luzern 64.

Sonne M, Seestr. 120, ☎ (01) 914 18 18, Fax (01) 914 18 00, ←, « Seehotel mit eleganter Einrichtung », – | TV ☎ P – 15/50. AE ① E VISA

***Sonnengalerie* : Menu** 27 - 34 (mittags)/50 und à la carte 56/90, Kinder 17 – ***Küsnachterstube* : Menu** 19.50 - 29 und à la carte 32/73 – **28 Zim** 135/295 – ½ P Zuschl. 45.

Ermitage am See M mit Zim, Seestr. 80, ☎ (01) 910 52 22, Fax (01) 910 52 44, ← Zürichsee, « Lage am Seeufer mit Terrasse und Garten », – | TV ☎ P. AE ① E VISA. Rest

Menu 62 (mittags)/150 und à la carte 80/136 – 17 – **22 Zim** 160/340, 4 Suiten

Spez. Pavé de loup à la niçoise, courgettes et leurs fleurs en beignets. Carré d'agneau de Sisteron rôti aux aubergines et tomates (juin - décembre). Dentelle au thym et romarin, sauté d'abricots aux amandes (juin - sept.).

Petermann's Kunststuben, Seestr. 160, ☎ (01) 910 07 15, Fax (01) 910 04 95, – P. AE ① E VISA

Sonntag - Montag, 10. - 24. Feb. und 24. Aug. - 12. Sept. geschl. – **Menu** (am Abend Tischbestellung ratsam) 78 (mittags)/185 und à la carte 113/192

Spez. Noix de St-Jacques grillées, jus de persil et oursins (hiver). Gaspacho d'écrevisses au confit de fenouil (été). Coeur de perdreau et sa jambonnette sur chou aux raisins secs et jambon de Parme (automne).

Zur Trauben, Untere Wiltisgasse 20, ☎ (01) 910 48 55, – P. AE ① E VISA

Montag - Dienstag, 24. Dez. - 5. Jan. und Juli geschl. – **Menu** - italienische Küche - 30 und à la carte 37/100, Kinder 17.

Chez Crettol, Cave Valaisanne, Florastr. 22, ☎ (01) 910 03 15 – AE ① E VISA JCB

Mittwoch ausser abends vom 15. Okt. bis Ostern, Samstag - Sonntag jeweils mittags, 19. Dez. - 3. Jan. und 10. Juli - 25. Aug. geschl. – **Menu** - Walliser Fondue und Raclettespezialitäten - 24 und à la carte 42/91.

Dans ce guide

un même symbole, un même mot,
imprimé en rouge ou en noir,
n'ont pas tout à fait la même signification.

Lisez attentivement les pages explicatives.

KÜSSNACHT AM RIGI 6403 Schwyz (SZ) 216 ⑱ – 9 818 Ew. – Höhe 435.

18 ☎ (041) 850 70 60, Fax (041) 850 70 41.

Bern 136 – Luzern 16 – Schwyz 25 – Zürich 47.

Hörnli, Hörnlistr. 3, ☎ (041) 850 73 50, Fax (041) 850 48 35, – TV ☎ P. AE ① E VISA

24. Dez. - 7. Jan. geschl. – ***Spycher* : Menu** 21 - 62/89 und à la carte 45/104, Kinder 10 – ***Restaurant* : Menu** 15.50 und à la carte 36/80 – **34 Zim** 105/220 – ½ P Zuschl. 35.

du Lac-Seehof, Seeplatz 6, ☎ (041) 850 10 12, Fax (041) 850 10 22, ←, – TV ☎ P. AE ① E VISA

vom 1. Okt. - 15. Mai Dienstag - Mittwoch, 15. - 25. Feb. und 15. Okt. - 1. Dez. geschl. – **Menu** 24 und à la carte 35/79, Kinder 10 – **14 Zim** 90/220 – ½ P Zuschl. 30.

Adler, Hauptplatz 9, ☎ (041) 850 10 25, Fax (041) 850 10 25 – AE ① E VISA

Sonntagabend, Montag, 15. Jan. - 11. Feb. und 7. - 27. Juli geschl.. – **Menu** 15.50 - 54 und à la carte 48/75.

in Merlischachen *Süd-West : 3 km Richtung Luzern – Höhe 436 – ✉ 6402 Merlischachen :*

Schloss Hotel und Rest. Swiss-Chalet, Luzernerstr. 204, ☎ (041) 850 02 50, Fax (041) 850 02 52, « Rustikale Atmosphäre, Park am See », , , , – | TV ☎ P – 15/80. AE ① E VISA

4. Jan. - 23. Feb. geschl. – **Menu** à la carte 43/110 – **51 Zim** 184/254.

LAAX *7031 Graubünden (GR)* **218** ③ – *1 203 Ew. – Höhe 1 023 – Wintersport 1 023/3 018 m* 4 15.

Flims Laax Falera Tourismus, Flims-Waldhaus, (081) 920 92 02 *Fax (081) 920 92 01.*

Bern 234 – Chur 27 – Andermatt 62.

Arena Alva, Hauptstrasse, (081) 927 27 27, *Fax (081) 927 27 00,* – AE VISA
Mitte Dez. - Mitte April und Mitte Mai - Anfang Okt. – **Menu** 38 (abends) und à la carte 32/64, Kinder 15 – **48 Zim** 153/266, Vorsaison 85/170, 10 Suiten – ½ P Zuschl. 38.

Bellaval, via Falera 112, (081) 921 47 00, *Fax (081) 921 48 55,* – VISA
13. Dez. - 10. April und 13. Juni - 9. Okt. – **Menu** *(nur ½ Pens für Hotelgäste)* – **27 Zim** 132/224, Vorsaison 79/185 – ½ P Zuschl. 20.

Posta Veglia mit Zim, (081) 921 44 66, *Fax (081) 921 34 00,* gemütliche Stuben, Wintergarten – VISA
Nov. - April und Juli - Okt. – **Menu** *(nur Abendessen)* (Tischbestellung ratsam) à la carte 44/82 – **6 Zim** 140/260, Vorsaison 90/260.

in Laax-Murschetg *Nord : 2 km* – *7032 Laax :*

Laaxerhof, via Mulania, (081) 920 82 00, *Fax (081) 920 82 10,* – 15/80. AE VISA
Anfang Nov. - Anfang Dez. – **Menu** *18.50* - 25 (mittags)/70 und à la carte 45/86 – **90 Zim** 195/400, Vorsaison 160/300 – ½ P Zuschl. 35.

Sporthotel Signina, (081) 921 22 22, *Fax (081) 921 22 23,* – 15/50. AE VISA. Rest
Anfang Nov. - 16. April und Anfang Juni - Ende Sept. – **Menu** *16* - 55 (abends) und à la carte 36/82 – **69 Zim** 180/330, Vorsaison 130/240 – ½ P Zuschl. 40.

in Sagogn *Süd : 2,5 km – Höhe 779 – 7152 Sagogn :*

Da Veraguth Carnetg, (081) 921 64 64, *Fax (081) 921 36 98,* rustikal-elegante Einrichtung – VISA
Montag - Dienstag, Mai und Nov. geschl. – **Menu** 54 (mittags)/125 und à la carte 60/122
Spez. Bündner-Menu. Langusten auf Spaghetti und Peperoni mit Knoblauch und Olivenöl. Lammrückengulasch mit Bizochels.

LACHEN *8853 Schwyz (SZ)* **216** ⑲ – *5 975 Ew. – Höhe 417.*

Bern 166 – Zürich 41 – Altdorf 57 – Chur 84 – Schwyz 37.

Pöstli, Mittlere Bahnhofstr. 4, (055) 442 12 91, *Fax (055) 442 12 91,* « Jugendstileinrichtung » – AE VISA
Sonntag - Montag und in Feb. und Juli jeweils 2 Wochen geschl. – **Menu** *29* - 48 (mittags)/115 und à la carte 54/118.

LAI *Graubünden* **218** ④ – *siehe Lenzerheide.*

LAMONE *6814 Ticino (TI)* **219** ⑧ – *1 585 ab. – alt. 319.*

Bern 237 – Lugano 6 – Bellinzona 26 – Locarno 39 – Varese 30.

La Rupe di San Zeno da Lucia, via Cantonale, (091) 966 21 40 – AE VISA
chiuso lunedì - martedì e dal 26 luglio al 24 agosto – **Pasto** (prenotare) *18* ed à la carte 42/70.

LANGENBRUCK *4438 Basel-Landschaft (BL)* **216** ⑮ ⑯ – *990 Ew. – Höhe 710.*

Bern 62 – Basel 39 – Liestal 20 – Luzern 69 – Olten 13.

Bären mit Zim (Gästehaus : 12 Zim M), Hauptstr. 10, (062) 390 14 14, *Fax (062) 390 19 71,* – Zim, – 15/40. AE VISA
Menu *25* - 43/89 und à la carte 44/103, Kinder 20 – **25 Zim** 70/180.

LANGENDORF *Solothurn 216 ⑮ – siehe Solothurn.*

LANGENTHAL *4900 Bern (BE) 216 ⑯ – 14 581 Ew. – Höhe 472.*
Bern 46 – Aarau 36 – Burgdorf 24 – Luzern 65 – Olten 23 – Solothurn 24.

Dreilinden, Weststr. 90, ☎ (062) 922 94 22, *Fax (062) 923 24 35,* – Zim, – 15/80. AE ① E VISA
Lindenstübli : **Menu** à la carte 39/76 – ***Racket Club :*** **Menu** 14.50 und à la carte 34/63, Kinder 12 – **36 Zim** 99/185 – ½ P Zuschl. 35.

Roggwil *Nord : 2 km über alte Zürcherstrasse – Höhe 456 – ✉ 4914 Roggwil :*

Kalten Herberge, Landstr. 53, ☎ (062) 929 19 66, *Fax (062) 929 30 48,* – P. AE ① E VISA
Menu 29 - 68/82 (abends) und à la carte 57/99, Kinder 11.

Zum Ochsen, Brennofenstr. 11, ☎ (062) 929 11 35, *Fax (062) 929 11 35,* – P. AE ① E VISA
Dienstagabend - Mittwoch und in Feb. und Juli jeweils 2 Wochen geschl. – **Menu** 18.50 - 49 (mittags)/85 und à la carte 34/97, Kinder 11.

LANGNAU IM EMMENTAL *3550 Bern (BE) 217 ⑦ – 8 569 Ew. – Höhe 673.*
Sehenswert : *Dürsrütiwald★.*
Bern 31 – Interlaken 63 – Luzern 63 – Solothurn 45.

Hirschen, Dorfstr. 17, ☎ (034) 402 15 17, *Fax (034) 402 56 23,* – TV ☎ P. AE ① E VISA
Menu *(Dienstagmittag, Montag und 3. - 26. Jan. geschl.)* 15 - 42 (mittags)/65 und à la carte 40/91 – **18 Zim** 85/150 – ½ P Zuschl. 35.

Zum Goldenen Löwen, Güterstr. 9 (Transitstrasse), ☎ (034) 402 65 55, *Fax (034) 402 11 96,* – P. AE ① E VISA
Samstagmittag, Sonntag und 17. Juli - 8. Aug. geschl. – **Menu** 52/69 und à la carte 37/80.

LANGRICKENBACH *8585 Thurgau (TG) 216 ⑩ – 875 Ew. – Höhe 526.*
Bern 205 – Sankt Gallen 28 – Bregenz 50 – Frauenfeld 37 – Konstanz 12.

Löwen, Hauptstr. 10, ☎ (071) 695 18 67, *Fax (071) 695 18 71,* – P. AE ① E VISA
Sonntagabend - Montag, 1. - 18. Jan. und August 2 Wochen geschl. – **Menu** 29 - 45 (mittags)/105 und à la carte 48/100.

LANTSCH (LENZ) *7083 Graubünden (GR) 218 ④ – 534 Ew. – Höhe 1 294.*
Bern 268 – Chur 25 – Andermatt 111 – Davos 35 – Sankt Moritz 53.

La Tgoma mit Zim, ☎ (081) 681 12 78, *Fax (081) 681 22 79* – TV ☎. AE ① E VISA
Montag - Dienstag (ausser abends in der Saison) und in Juni und Nov. jeweils 3 Wochen geschl. – **Menu** 14 - 45/70 und à la carte 45/110 – **7 Zim** 80/140 – ½ P Zuschl. 35.

LARET *Graubünden 218 ⑤ – siehe Davos.*

LAUENEN *Bern 217 ⑮ – siehe Gstaad.*

LAUERZ *6424 Schwyz (SZ) 216 ⑱ – 722 Ew. – Höhe 460.*
Bern 145 – Luzern 29 – Altdorf 22 – Schwyz 7.

Rigiblick, Seestr. 9, ☎ (041) 811 54 66, *Fax (041) 811 83 13,* ← Lauerzersee, , - Fischspezialitäten -, – P. AE ① E VISA
1. - 25. Feb. geschl. – ***Pavillon :*** **Menu** 56/94 und à la carte 48/99 – ***Restaurant :*** **Menu** 20 und à la carte 40/86.

Rössli, Seestr. 3, ☎ (041) 811 17 02, *Fax (041) 811 17 88* – AE ① E VISA.
Donnerstag, von Dez. - Aug. auch Mittwoch und 14. Juli - 13. Aug. geschl. – **Menu** 17 - 75 und à la carte 36/100.

LÄUFELFINGEN 4448 Basel-Landschaft (BL) 216 ⑯ – 1231 Ew. – Höhe 559.

Bern 71 – Aarau 23 – Basel 36 – Liestal 18 – Luzern 65 – Olten 10.

Bad Ramsach, Nord-Ost : 2 km, (062) 299 23 23, *Fax (062) 299 18 3* ≤ Tal, , , , – – 15/30. AE E VISA
14. Dez. - 13. Jan. geschl. – **Menu** 25 und à la carte 42/97 – **54 Zim** 100/1

Rosengarten, Hauptstr. 16, (062) 299 11 21, *Fax (062) 299 51 31* – E V
Montag - Dienstag, 15. Feb. - 2. März und 12. - 27. Juli geschl. – **Menu** 18.50 und à la carte 33/77.

LAUFEN 4242 Basel-Landschaft (BL) 216 ④ – 4676 Ew. – Höhe 355.

Bern 84 – Basel 28 – Delémont 18 – Liestal 37 – Olten 48 – Solothurn 50.

Central M, Röschenzstr. 3, (061) 761 61 03, *Fax (061) 761 69 81* – AE E VISA
21. Dez. - 3. Jan. geschl. – **Menu** 15 und à la carte 32/66, Kinder 15 – ***Gourmetstü Chez Claude*** *(Sonntagabend geschl.)* **Menu** 40/65 und à la carte 41/69 – **21 Zi** 90/150 – ½ P Zuschl. 15.

LAUSANNE

1000 Ⓒ Vaud (VD) 217 ③ ⑬ - 117 571 h. - alt. 455

Bern 101 ① - Fribourg 71 ② - Genève 60 ⑤ - Montreux 25 ③ - Sion 93 ② - Yverdon-les-Bains 32 ⑦.

Lausanne Tourisme, 4, pl. de la Navigation, (021) 613 73 73, Fax (021) 616 86 47. - Information, 9 pl. de la Gare.
28 av. des Figuiers, (021) 613 52 52, Fax (021) 613 52 51.
9 av. de Rumine, (021) 312 27 22, Fax (021) 320 11 29.

Compagnie aérienne
Swissair 4 Grand-Chêne, (021) 343 22 22, Fax (021) 343 22 29.

Manifestations locales
30.01 - 31.01 : 27e Prix de Lausanne, concours international pour jeunes danseurs.
23.04 - 25.04 : Carnaval de Lausanne, Fête du Soleil, fête populaire.
02.07 - 10.07 : Festival de la Cité, théâtre, musique, jazz, danse.

18 au Chalet-à-Gobet, (avril-nov.) (021) 784 84 84, Fax (021) 784 84 80, Nord-Est 6 km.

Voir : Cathédrale** BCX : vue* de la tour BCX - Le Signal : vue** U - Parc de Montriond : vue** AY - Ouchy** DZ : vues** des quais et du sentier du Bord du Lac - Collection de l'Art brut* AX.

Musée : Olympique** DZ.

Excursions : en bateau sur le lac. Renseignements : Cie Gén. de Navigation, 17 av. de Rhodanie, (021) 614 04 40, Fax (021) 614 04 45

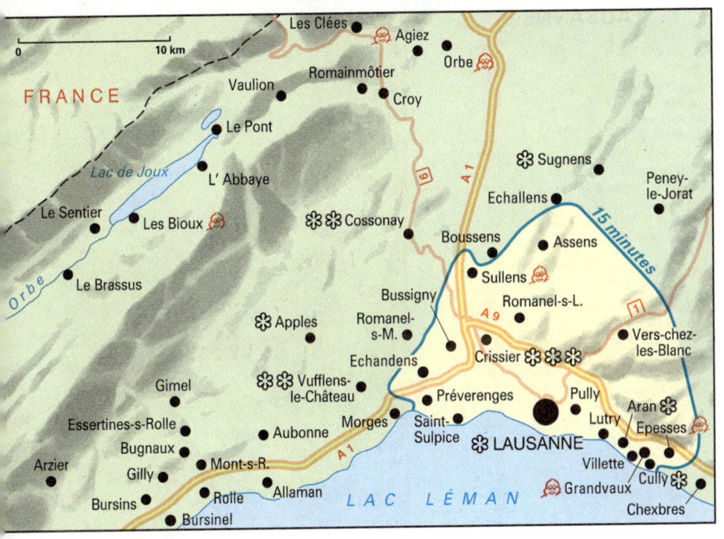

Lausanne-Palace, 7 r. Grand-Chêne, 1002, (021) 331 31 31, *Fax (021) 323 25 71*, lac, « et centre de remise en forme », – ch, – 15/260. AE Dc E VISA JCB — BY b
Repas *(fermé dim.)* à la carte 63/111 – ***Grand-Chêne*** (brasserie) **Repas** 25 - 45 et à la carte 40/93 – 28 – **150 ch** 330/610, 15 suites

Paix, 5 av. Benjamin-Constant, 1003, (021) 310 71 71, *Fax (021) 310 71 72*, – , rest, – 15/100. AE Dc E VISA — CY c
Le Café de la Paix **: Repas** 27 - 36 et à la carte 45/85 – **103 ch** 215/395, 6 suites.

Victoria sans rest, 46 av. de la Gare, 1003, (021) 320 57 71, *Fax (021) 320 57 74* – – 25. AE Dc E VISA JCB — BY m
fermé 24 déc. au 3 janv. – **51 ch** 160/275.

Mirabeau, 31 av. de la Gare, 1003, (021) 320 62 31, *Fax (021) 323 28 87*, – – 15/60. AE Dc E VISA JCB — CY y
Repas 28 - 44 et à la carte 36/62 – **73 ch** 140/250 – ½ P suppl. 65.

Agora M, 9 av. du Rond-Point, 1006, (021) 617 12 11, *Fax (021) 616 26 05* – , ch, – 15/50. AE Dc E VISA JCB — AY n
Repas *(fermé 26 au 31 déc., mi-juil. à mi-août, sam. et dim.)* 15 - 30/68 et à la carte 43/73 – 16 – **83 ch** 142/202 – ½ P suppl. 23.

Alpha, 34 r. du Petit-Chêne, 1003, (021) 323 01 31, *Fax (021) 323 01 45* – , ch, – 15/100. AE Dc E VISA JCB — BY x
Repas 14.50 - 23/61 et à la carte 37/66, enf. 12 – 16 – **133 ch** 142/202 – ½ P suppl. 23.

City M sans rest, 5 r. Caroline, 1003, (021) 320 21 41, *Fax (021) 320 21 49* – – 30. AE Dc E VISA JCB — CX r
16 – **51 ch** 107/182.

Holiday Inn Garden Court M sans rest, 8 chemin du Cerisier, 1004, (021) 646 16 25, *Fax (021) 646 16 37* – – 15. AE Dc E VISA JCB — U a
16 – **61 ch** 150/200.

Elite sans rest, 1 av. Sainte-Luce, 1003, (021) 320 23 61, *Fax (021) 320 39 63*, – . AE Dc E VISA. — BY v
33 ch 125/230.

Voyageurs sans rest, 19 r. Grand St. Jean, 1003, (021) 319 91 11, *Fax (021) 319 91 12* – . AE Dc E VISA JCB — BX a
33 ch 150/180.

LAUSANNE

Rue	Carré	N°
Acacias (Av. des)	BY	3
Ale (R. de l')	ABX	4
Alpes (Av. des)	CY	
Avant-Poste (R. de l')	CY	7
Beau-Séjour (R.)	BCY	
Beaulieu (Av. de)	AX	
Beauregard (Av.)	AY	9
Bellefontaine (R.)	CY	
Benjamin Constant (Av.)	BCY	13
Bergières (Av. des)	AX	
Bessières (Pont)	CX	
Béthusy (Av. de)	CX	
Borde (R. de la)	BX	16
Boston (Ch. de)	AX	19
Bourg (R. de)	BCX	
Bugnon (R. du)	CX	
Calvaire (Ch. du)	CX	
Cèdres (Ch. des)	AX	
César Roux (R. du Dr.)	CX	
Charles Monnard (R.)	CY	22
Château (Pl. du)	CX	23
Chauderon (Pl.)	AX	
Chauderon (Pont)	AX	
Cheneau-de-Bourg	CX	24
Cité-Derrière (R.)	CX	27
Collonges (Av.)	AX	28
Cour (Av. de)	AY	
Croix-Rouges (Ch. des)	AX	30
Davel (Av.)	BX	
Échallens (Av. d')	AX	
Édouard Dapples (Av.)	ABY	
Fleurettes (Ch. des)	AY	
Floréal (Av.)	AY	
Florimont (Av. de)	CY	
France (Av. de)	AX	
Gare (Av. de la)	BCY	
Gare (Pl. de la)	ABY	
Genève (R. de)	ABX	
Georgette (Av.)	CY	33
Grancy (Bd de)	ABY	
Grand Pont	BX	
Grand-Chêne (R. du)	BXY	36
Haldimand (R.)	BX	
Harpe (Av. de la)	AY	
Jomini (Av.)	AX	39
Jules Gonin (Av.)	ABX	
Jura (R. du)	AX	
Jurigoz (Av. de)	CY	42
Jurigoz (Quai de)	BY	43
Juste Olivier (Av.)	CY	
Langallerie (R. de)	CX	45
Longeraie (Ch. de)	CY	48
Louis Ruchonnet (Av.)	AXY	
Louve (R. de la)	BX	49
Lucinge (Ch. de)	CY	
Madeleine (R.)	BX	51
Marc Dufour (Av.)	AX	52
Marterey (R.)	CX	55
Mauborget (R.)	BX	57
Maupas (R. du)	AX	
Mercerie (R.)	BX	
Messidor (Ch.)	CY	
Midi (R. du)	BY	
Milan (Av. de)	AY	
Milan (Pl. de)	AY	
Mon Repos (Av.)	CY	
Mont-d'Or (Av. du)	AY	
Mont-Tendre (Ch. du)	AY	61
Montagibert (Av.)	CX	
Montbenon (Pl. de)	AX	
Montchoisi (Av. de)	BY	
Morges (Av. de)	AX	
Mornex (Ch. de)	ABY	66
Ouchy (Av. d')	BY	
Ours (Pl. de l')	CX	
Paix (R. de la)	CY	69
Palud (Pl. de la)	BX	70
Pépinet (Pl.)	BX	72
Petit-Chêne (R. du)	BY	
Petit-Valentin (R. du)	BX	73
Pierre Decker (Av.)	CX	75
Pierre Viret (R.)	BX	76
Pont (R. du)	BX	78
Riant-Mont (Av. de)	BX	81
Riponne (Pl. de la)	BX	
Rond-Point (Av. du)	AY	82
Rosiers (Ch. des)	AX	84
Rôtillon (R. du)	BCX	
Rue Centrale	BCX	
Rue Neuve	BX	
Rumine (Av. de)	CY	
St-François (Pl.)	BX	85
St-François (R.)	BX	87
St-Laurent (R.)	BX	88

B
C
X
Y
Fondation de l'Hermitage
Av. L. Vulliemin
R. du Vallon
Ch.in du Calvaire
Davel
Rue du Valentin
Pl. du Tunnel
Rue du Tunnel
C. H. U. V.
Av. Montagibert
Rue du Bugnon
Château St-Maire
POL.
Rue César Roux
R. Saint-Martin
Pl. de la Riponne
Palais de Rumine
CITÉ
CATHÉDRALE
R. Pré du Marché
Av. Vinet
R. Neuve
R. Haldimand
R. Mercerie
Centrale
Pont Bessière
Caroline
Pl. de l' Ours
Av. de Béthusy
Av. du Tribunal Fédéral
TRIBUNAL FÉDÉRAL
PARC MON REPOS
Av. Mon Repos
Grand-Pont
Flon
R. du Rôtillon
R. de Bourg
Rue
Chêne
Petit
R. du Midi
Av. Ste-Luce
R. Beau Séjour
Av. du Théâtre
Musée des Arts Décoratifs
Bellefontaine
Av. de la Gare
Av. de Rumine
R. de Lucinge
Ch.in de Lucinge
Av. d' Ouchy
Av. Tissot
Av. Juste Olivier
Av. de Florimont
Ch.in Messidor
B.d de Grancy
Avenue
Av. de Montchoisi
Av. des Alpes
0
200 m

LAUSANNE

Bellerive (Quai de) . . . . V 12
Bergières (Av. des) . . . . U 15
Borde (R. de la) . . . . U 18
Chablais (Av. du) . . . . U 21
Chocolatière (Ch. de la) . . . U 25
Denantou (Av. du) . . . . V 31
Grey (Av. du) . . . . U 37
Levant (Ch. du) . . . . V 46
Marc Dufour (Av.) . . . . V 54
Mont-d'Or (Av. du) . . . . V 60
Montoie (Av. de) . . . . V 63
Morges (Av. de) . . . . U 6
Ouchy (Quai d') . . . . V 6
Provence (Av. de) . . . . U 7
Sallaz (Av. de la) . . . . U 9
Tivoli (Av. de) . . . . U 9
Vallombreuse (Av. de la) . . . . U 1

XXX **La Grappe d'Or** (Baermann), 3 Cheneau de Bourg, ✉ 1003, ☎ (021) 323 07 60
Fax (021) 323 22 30 – AE E VISA. CX
fermé sam. midi et dim. – **Repas** 58 (midi)/165 et à la carte 83/146
Spéc. Filet de loup de mer en écailles de pommes de terre. Pêche du jour du la Léman. Gibier (sept. à déc.).

XXX **San Marino,** 20 av. de la Gare, ✉ 1003, ☎ (021) 312 93 69, *Fax (021) 323 86 64*
– . AE E VISA JCB BY
fermé sam. midi et dim. – **Repas** - cuisine italienne - 48/108 et à la carte 70/127.

XX **Kwong-Ming,** 74 av. de Cour, ✉ 1007, ☎ (021) 617 85 25, *Fax (021) 617 85 2*
– . AE E VISA. V
fermé mi-juil. à mi-août, samedi midi et lundi – **Repas** - cuisine chinoise - 55 (midi)/12 et à la carte 59/106.

XX **Au Canard Pékinois,** 16 pl. Chauderon, ☎ (021) 329 03 23, *Fax (021) 329 03 2*
– AE E VISA AX
fermé dimanche – **Repas** - cuisine chinoise - 17 - 37 (midi)/85 et à la carte 43/98.

Auberge du Lac de Sauvabelin, ch. des Celtes 1, Nord : 5 km, ✉ 1018, ☎ (021) 647 39 29, *Fax (021) 647 44 96*, «Terrasse au bord de l'eau» – AE ① E VISA. U c
Repas *(fermé dim. soir, mardi soir, lundi et 25 déc. au 15 fév.)* 24 - 49/110 et à la carte 60/93 – ***Pinte à fromage*** *(fermé lundi et 25 déc. au 10 janv.)* **Repas** à la carte 35/58.

Maï Thaï, 5 r. Caroline, ✉ 1003, ☎ (021) 323 89 10, *Fax (021) 323 01 13* – AE ① E VISA CX r
fermé mi-juil. à mi-août, sam. midi et dim. – **Repas** - cuisine thaïlandaise - 25 et à la carte 52/108.

Café de la Presse, 2 r. Bellefontaine, ✉ 1003, ☎ (021) 323 41 61, *Fax (021) 323 86 64*, – AE ① E VISA JCB
Repas 16.50 - 35/48 et à la carte 30/73.

A la Pomme de Pin (Croset), 11 r. Cité-Derrière, ☎ (021) 323 46 56, *Fax (021) 323 46 82* – AE ① E VISA CX e
fermé 26 juil. au 20 août, sam. midi et dim. – **Repas** (le soir prévenir) 64/77 et à la carte 49/90 – ***Café* : Repas** 17 - 38 (midi) et à la carte 32/73
Spéc. Filet d'omble rôti au beurre et à la citronnelle. Médaillon de filet de boeuf aux morilles. Crème soufflée au citron et zestes confits.

La Petite Grappe, 15 Cheneau-de-Bourg, ✉ 1003, ☎ (021) 311 84 14, *Fax (021) 323 22 30* – E VISA CX f
fermé dim. – **Repas** 18.50 - 38 (midi)/95 et à la carte 49/96.

Chalet Suisse, Signal de Sauvabelin, Nord : 4 km, ✉ 1018, ☎ (021) 312 23 12, *Fax (021) 312 24 01*, ≤, , «Chalet typique» – AE ① E VISA U f
fermé 2 sem. en fév. – **Repas** 20 et à la carte 32/68, enf. 10.

à Ouchy

Plan page suivante

Beau-Rivage Palace , 17 pl. du Port, ✉ 1006, ☎ (021) 613 33 33, *Fax (021) 613 33 34*, ≤ lac, , Parc, , , , – , ch, – 15/350. AE ① E VISA JCB DZ a
Repas (voir aussi rest. ***La Rotonde*** et ***Café Beau-Rivage*** ci-après) – 32 – **168 ch** 450/670, 6 suites.

Mövenpick Radisson Ⓜ, 4 av. de Rhodanie, ✉ 1006, ☎ (021) 612 76 12, *Fax (021) 612 76 11*, ≤, , , – , ch, – 15/500. AE ① E VISA JCB DZ e
La Pêcherie *(fermé mi-juil. à mi-août)* **Repas** 37 (midi)/58 et à la carte 46/87, enf. 9 – ***Brasserie le Général* :** Repas à la carte 37/78 – 21 – **260 ch** 215/325, 5 suites.

Royal-Savoy, 40 av. d'Ouchy, ✉ 1013, ☎ (021) 614 88 88, *Fax (021) 614 88 78*, ≤, , «Beau jardin fleuri», , , , – – 15/80. AE ① E VISA DZ d
***Le Jardin* :** Repas 19 - 38 et à la carte 41/82 – 22 – **99 ch** 220/360, 9 suites – ½ P suppl. 38.

La Résidence, 15 pl. du Port, ✉ 1006, ☎ (021) 613 34 34, *Fax (021) 613 34 35*, ≤, , , – – 25. AE ① E VISA DZ f
Repas 25 - 52/75 et à la carte 59/100 – **44 ch** 210/360 – ½ P suppl. 52.

Aulac, 4 pl. de la Navigation, ✉ 1006, ☎ (021) 617 14 51, *Fax (021) 617 11 30*, – , ch, – 15/120. AE ① E VISA DZ b
***Le Pirate* :** Repas 15.50 - 39 et à la carte 28/68, enf. 12 – **84 ch** 150/230 – ½ P suppl. 28.

La Rotonde - *Hôtel Beau-Rivage Palace*, 17 pl. du Port, ✉ 1006, ☎ (021) 613 33 39, *Fax (021) 613 33 34*, ≤, accès par ascenseur privé place du Port – AE ① E VISA JCB DZ a
fermé sam. midi – **Repas** 58 (midi)/130 et à la carte 88/124.

Café Beau Rivage - *Hôtel Beau-Rivage Palace*, 17 pl. du Port, ✉ 1006, ☎ (021) 613 33 30, *Fax (021) 613 33 34*, – AE ① E VISA JCB DZ c
Repas 26 - 65 (soir) et à la carte 54/89.

Le Lacustre, Débarcadère, ✉ 1006, ☎ (021) 617 42 00, *Fax (021) 617 42 90*, ≤, – AE ① E VISA JCB DZ r
fermé déc., janv., dim. soir et lundi sauf d'avril à sept. – **Repas** 17.50 - 28/52 et à la carte 35/73, enf. 13.

LAUSANNE
OUCHY

Acacias (Av. des) .... DZ
Auguste Pidou (Ch.) .... DZ 6
Beau-Rivage (Ch. de) ...... DZ
Beauregard (Av.) .... DZ 9
Belgique (Quai de) .... DZ
Bellerive (Ch. de) .... DZ
Cour (Av. de) .... DZ
Edouard Dapples (Av.) ..... DZ
Elysée (Av. de l') .... DZ
Eugène Grasset (Ch.) ...... DZ
Floréal (Av.) .... DZ
Fontenailles (R. des) ...... DZ
Grammont (Av. du) ...... DZ 34
Grancy (Bd de) .... DZ
Harpe (Av. de la) .... DZ
Jordils (Av. des) .... DZ 40
Jurigoz (Quai de) .... DZ
Mon Loisir (Av.) .... DZ 58
Montchoisi (Av. de) ...... DZ
Mouettes (Ch. des) ...... DZ
Navigation (Pl. de la) .... DZ
Ouchy (Av. d') .... DZ
Port (Pl. du) .... DZ
Rhodanie (Av. de) .... DZ
Rod Edouard (Av.) .... DZ
Servan (Av. du) .... DZ
Voltaire (R.) .... DZ 106
Warnery (Av.) .... DZ 108

à Pully *Est : 3 km -* V *– alt. 472 – ✉ 1009 Pully :.*
Voir : *vue★ de la terrasse de l'église St-Germain*

Port de Pully, au port de Pully, ✆ (021) 728 08 80, *Fax (021) 728 20 54,* ≤, – AE ⓓ E VISA V r
fermé 23 déc. au 22 janv. et lundi de mi-oct. à mi-mai – ***Rôtisserie :*** **Repas** 46/90 et à la carte 51/105, enf. 14 – ***Café :*** **Repas** *20* et à la carte 34/66.

I prezzi del pernottamento e della pensione possono subire aumenti in relazione all'andamento generale del costo della vita ; quando prenotate fatevi precisare il prezzo dall'albergo.

LAUTERBRUNNEN *3822 Bern (BE)* **217** ⑰ *– 3 042 Ew. – Höhe 797.*

Sehenswert : *Staubbachfall★★ Nord.*

Ausflugsziel : *Lauterbrunnental★★★ – Trümmelbachfälle★★★ Süd.*

Kur- und Verkehrsverein, ☎ (033) 855 19 55, Fax (033) 855 36 04.

Bern 69 – Interlaken 12 – Brienz 30 – Kandersteg 55.

Jungfrau, ☎ (033) 855 34 34, *Fax (033) 855 25 23,* – P. AE E VISA JCB.
Nov. geschl. – **Menu** 16.50 und à la carte 34/82, Kinder 8 – **20 Zim** 95/160 – ½ P Zuschl. 25.

Silberhorn, ☎ (033) 855 14 71, *Fax (033) 855 42 13,* – TV P. AE E VISA JCB. Rest
1. Nov. - 20. Dez. geschl. – **Menu** 17 - 35 (abends) und à la carte 35/75, Kinder 10 – **30 Zim** 90/180 – ½ P Zuschl. 25.

Schützen, ☎ (033) 855 20 32, *Fax (033) 855 29 50,* – TV P. AE E VISA
20. Nov. - 20. Dez. geschl. – **Menu** 19 und à la carte 34/74, Kinder 9 – **22 Zim** 100/180 – ½ P Zuschl. 24.

LAVERTEZZO *6633 Ticino (TI)* **218** ⑫ *– 873 ab. – alt. 533.*

Bern 273 – Locarno 22 – Andermatt 111 – Bellinzona 26 – Domodossola 70 – Lugano 47.

Della Posta, ☎ (091) 746 16 67, – AE E VISA
chiuso mercoledì (salvo dal 1º luglio al 30 settembre) e dal 7 gennaio al 18 febbraio – **Pasto** 18 - 55 ed à la carte 28/78.

LAVEY-VILLAGE *1892 Vaud (VD)* **217** ⑭ *– alt. 450 – Stat. thermale.*

Bern 114 – Martigny 17 – Aigle 19 – Lausanne 51 – Montreux 30.

Grand Hotel des Bains, à Lavey-les-Bains, Sud : 2 km, ✉ 1892 Lavey-les-Bains, ☎ (024) 485 11 21, *Fax (024) 485 21 29,* parc, (thermales), – TV P – 50. AE E VISA
Repas 19 - 30 (midi)/42 et à la carte 33/75, enf. 12 – **74 ch** 125/300 – ½ P suppl. 30.

LENK *3775 Bern (BE)* **217** ⑯ *– 2 354 Ew. – Höhe 1 068 – Wintersport : 1 068/2 098 m* 3 18 .

Sehenswert : *Iffigenfall★.*

Lokale Veranstaltungen
09.01 - 10.01 : Internationales Schlittenhunderennen
09.07 - 18.07 : New Orleans Jazz Tage.
22.08 - 04.09 : Internationale musikalische Sommer-Akademie.

Tourist Center, ☎ (033) 733 31 31, Fax (033) 733 20 27.

Bern 84 – Interlaken 66 – Montreux 88 – Spiez 55.

Lenkerhof, ☎ (033) 736 31 31, *Fax (033) 733 20 60,* Park (Thermalbad), – TV P. AE E VISA. Rest
24. Okt. - 23. Dez. geschl. – **Menu** 47 und à la carte 37/71, Kinder 18 – **81 Zim** 125/350, Vorsaison 105/290, 6 Suiten – ½ P Zuschl. 30.

Kreuz, ☎ (033) 733 13 87, *Fax (033) 733 13 40,* – Zim, TV P – 40. AE E VISA. Zim
Menu 15 und à la carte 32/65, Kinder 9 – **84 Zim** 121/262, Vorsaison 99/218 – ½ P Zuschl. 39.

Wildstrubel, ☎ (033) 736 31 11, *Fax (033) 733 31 51,* – TV P. AE E VISA
19. Dez. - 11. April und 21. Mai - 19. Okt. – **Menu** 18 - 25 (mittags)/50 und à la carte 37/93, Kinder 8 – **47 Zim** 100/220, Vorsaison 70/180 – ½ P Zuschl. 34.

Sternen, ☎ (033) 733 15 09, *Fax (033) 733 30 88,* – TV P. Zim
April und Nov. geschl. – **Menu** *(Dienstag, geschl.)* 18 - 28 und à la carte 32/74 – **14 Zim** 70/140, Vorsaison 60/120 – ½ P Zuschl. 25.

LENZ *Graubünden* 218 ④ – *siehe Lantsch.*

LENZBURG *5600 Aargau (AG)* 216 ⑰ – *7 226 Ew. – Höhe 406.*
Bern 93 – Aarau 12 – Baden 16 – Luzern 45 – Zürich 36.

Krone, Kronenplatz 20, (062) 886 65 65, *Fax (062) 886 65 00*, – 15/160. VISA
21. - 24. Dez. geschl. – ***Charly*** **: Menu** 24 (mittags)/47 und à la carte 44/96, Kinder 1 – **69 Zim** 155/240 – ½ P Zuschl. 35.

Ochsen, Burghalde 33, (062) 891 37 76, *Fax (062) 891 43 02*, – – 15/60. VISA
Sonntag - Montag (nur Rest.) und 24. Dez. - 4. Jan. geschl. – ***Ochsenstube*** **: Menu** 25 - 35 (mittags) und à la carte 42/90, Kinder 12 – **20 Zim** 105/220.

Haller, Aavorstadt 24, (062) 891 44 51, *Fax (062) 891 25 05*, – – 30. VISA
Menu *(Dienstag geschl.)* 16 und à la carte 50/98 – **23 Zim** 125/220.

LENZERHEIDE (LAI) *7078 Graubünden (GR)* 218 ④ – *Höhe 1 476 – Wintersport 1 476/2 865 m 2 35.*
Sehenswert : *Lage★.*
18 (15. Juni - 31. Okt.) (081) 385 13 13, Fax (081) 385 13 19, Süd : 2 km.
Lokale Veranstaltung
03.01 - 04.01 : Internationales Schlittenhunderennen.
Tourismusverein Lenzerheide-Valbella, voa Principala 68, (081) 385 11 20, Fax (081) 385 11 21.
Bern 263 – Chur 19 – Andermatt 105 – Davos 41 – Sankt Moritz 59.

Schweizerhof M**,** Voa principala, (081) 384 01 11, *Fax (081) 384 52 53*, – , Rest, – 15/80. VISA
11. April - 8. Mai geschl. – ***Allegra*** **: Menu** 15.50 und à la carte 41/80 – ***Boccalino*** - italienische Küche - *(Mitte April - Mitte Juli und Mitte Okt. - Mitte Dez. geschl.) (nur Abendessen)* **Menu** à la carte 31/83 – **32 Zim** 175/370, Vorsaison 135/220 – ½ P Zuschl. 45.

Sunstar, (081) 384 01 21, *Fax (081) 384 24 92*, – VISA
20. Dez. - 9. April und 13. Mai - 15. Okt. – **Menu** 16.50 - 43 (abends) und à la carte 41/71, Kinder 11 – **93 Zim** 155/360, Vorsaison 100/260 – ½ P Zuschl. 25.

Spescha M**,** Hauptstrasse, (081) 384 62 63, *Fax (081) 384 51 40*, – VISA
Mai geschl. – **Menu** 17.50 - 46 und à la carte 37/74, Kinder 14 – **8 Zim** 160/296, Vorsaison 85/140, 4 Suiten – ½ P Zuschl. 35.

Sporthotel Dieschen , (081) 384 12 22, *Fax (081) 384 54 81*, – VISA
10. Dez. - 18. April und 5. Juni - 26. Okt. – **Menu** 20 - 28 (mittags) und à la carte 31/81, Kinder 11 – **42 Zim** 115/250, Vorsaison 70/210 – ½ P Zuschl. 16.

La Palanca M , Val Sporz 33, (081) 384 31 31, *Fax (081) 384 53 64*, – VISA. Rest
Mitte Dez. - Mitte April und Mitte Juni - Ende Okt. – **Menu** à la carte 35/98, Kinder 13 – **29 Zim** 160/274, Vorsaison 110/180, 3 Suiten – ½ P Zuschl. 35.

Collina, val Sporz 9, (081) 384 18 17, *Fax (081) 384 62 09*, – VISA
16. Dez. - 14. April und 6. Juni - 1. Nov. – **Menu** 19.50 - 47 und à la carte 35/73, Kinder 9 – **23 Zim** 95/270, Vorsaison 85/160 – ½ P Zuschl. 30.

in Sporz *Süd-West : 2,5 km – 7078 Lenzerheide/Sporz :*

Guarda Val , voa Sporz, (081) 385 85 85, *Fax (081) 385 85 95*, « Ehemaliges Maiensäss mit dazugehörenden Bauernhäusern », – video – 30. VISA JCB
19. Dez. - 10. April und 7. Juni - 23. Okt. – ***Guarda Val*** *(In der Zwischensaison Montag geschl.) (nur Abendessen)* **Menu** 88/125 und à la carte 62/110 – ***Crap Naros*** *(In der Zwischensaison Dienstag geschl.)* **Menu** 29 und à la carte 33/72, Kinder 10 – **19 Zim** 290/390, Vorsaison 180/270, 14 Suiten – ½ P Zuschl. 60.

Valbella *Nord : 3 km – Höhe 1 546 – ✉ 7077 Valbella :*

Valbella Inn , Voa Selva, *(081) 384 36 36, Fax (081) 384 40 04*, ←, , , , , – ||| TV ☎ , P – 15/130. AE ◑ E VISA
20. Dez. - 17. April und 6. Juni - 17. Okt. – **Menu** 18.50 - 42 und à la carte 40/97 – **28 Zim** 175/270, Vorsaison 120/170, 23 Suiten.

Seehof M , *(081) 384 35 35, Fax (081) 384 34 88*, ←, , – ||| TV ☎ P. AE ◑ E VISA
Mitte Okt. - Ende Nov. geschl. – **Menu** 20 und à la carte 41/95 – **25 Zim** 169/258, Vorsaison 130/198 – ½ P Zuschl. 42.

Waldhaus am See M, *(081) 384 11 09, Fax (081) 384 45 48*, ←, , – ||| TV ☎ P. AE ◑ E VISA
21. Dez. - 10. April und 31. Mai - 25. Okt. – **Menu** 25 und à la carte 39/76, Kinder 12 – **42 Zim** 130/240, Vorsaison 80/160 – ½ P Zuschl. 20.

LEUKERBAD (LOÈCHE-LES-BAINS) *3954 Wallis (VS)* **217** ⑯ ⑰ – *1 598 Ew. – Höhe 1 404 – Wintersport : 1 411/2 700 m 3 15 – Kurort.*

Lokale Veranstaltung
25.07 : Schäferfest auf der Gemmi.

Leukerbad Tourismus, (027) 472 71 71, Fax (027) 472 71 51.

Bern 192 – Brig 44 – Interlaken 154 – Sierre 24 – Sion 39.

Les Sources des Alpes M , Tuftstr. 17, *(027) 470 51 51, Fax (027) 470 35 33*, ←, , « Geschmackvolle Einrichtung », , , (Thermalbäder), , – |||, Zim, TV ☎ . AE ◑ E VISA. Rest
18. Dez. - 2. Mai und 2. Juli - 21. Nov. – ***La Malvoisie :*** **Menu** 90/130 und à la carte 77/147 – **26 Zim** 310/530, Vorsaison 250/430, 4 Suiten – ½ P Zuschl. 55.

Regina Terme , Kliebenstr. 19, *(027) 472 25 25, Fax (027) 472 25 26*, ←, , (Thermalbad), , , – ||| TV ☎ P. AE ◑ E VISA. Rest
18. Okt. - 22. Dez. geschl. – **Menu** *(nur ½ Pens. für Hotelgäste) (nur Abendessen)* – **62 Zim** 120/280, Vorsaison 105/260 – ½ P Zuschl. 25.

Astoria , *(027) 470 14 15, Fax (027) 470 22 18*, ← – ||| TV ☎ . AE ◑ E VISA. Rest
Menu à la carte 50/112 – **29 Zim** 120/230, Vorsaison 95/210 – ½ P Zuschl. 40.

France, Dorfplatz 1, *(027) 470 51 71, Fax (027) 470 20 04*, , direkter Zugang zur Alpentherme – ||| TV ☎. AE ◑ E VISA. Rest
Sacré Bon : **Menu** 19 - 30/65 und à la carte 29/72 – **44 Zim** 110/220, Vorsaison 96/196 – ½ P Zuschl. 28.

Waldhaus-Grichting , *(027) 470 32 32, Fax (027) 470 45 25*, ←, , « Behagliche Atmosphäre » – ||| TV ☎ . E VISA
Mai geschl. – **Menu** *(in Juni, Juli und vom 1. Nov. - 19. Dez. jeweils Mittwoch geschl.)* 18.50 - 42 und à la carte 34/92 – **16 Zim** 210, Vorsaison 190 – ½ P Zuschl. 30.

Beau-Séjour M , *(027) 470 12 38, Fax (027) 470 40 37*, , – |||, Zim, TV ☎ P. E VISA
7. - 19. Dez. und 19. April - 21. Mai geschl. – ***Walliserstube*** *(in der Zwischensaison Montag geschl.)* **Menu** 17 - 25 und à la carte 31/73 – **24 Zim** 135/210, Vorsaison 110/180 – ½ P Zuschl. 30.

Bristol, Rathausstr. 51, *(027) 472 75 00, Fax (027) 472 75 52*, , , (Thermalbäder), , – |||, Zim, TV ☎ P – 30. AE ◑ E VISA. Rest
8. Nov. - 21. Dez. geschl. – **Menu** 42 (mittags)/75 und à la carte 50/79 – **69 Zim** 173/296, Vorsaison 115/274, 4 Suiten – ½ P Zuschl. 52.

Escher , Tuftstr. 7, *(027) 470 14 31, Fax (027) 470 32 22*, ← – |||, Rest, TV ☎. AE ◑ E VISA JCB. Zim
30. Nov. - 19. Dez. geschl. – **Menu** 20 - 34 und à la carte 27/87, Kinder 9 – **18 Zim** 90/200, Vorsaison 80/160 – ½ P Zuschl. 25.

Grichting und Badner-Hof, *(027) 472 77 11, Fax (027) 470 22 69*, Wellness-Center, – ||| TV ☎. AE E VISA. Rest
1. - 20. Dez. geschl. – ***La Terrasse :*** **Menu** 17 - 40 und à la carte 31/82, Kinder 15 – **48 Zim** 110/220, Vorsaison 80/160 – ½ P Zuschl. 45.

Römerhof, Rathausstr. 16, ✆ (027) 470 19 21 (Rest : 470 43 70), *Fax (027) 47 34 92 (Rest : 470 41 71)*, ←, – VISA
1. Mai - 15. Juni geschl. – **Menu** - italienische Küche - 17 - 25 und à la carte 39/7 – **30 Zim** 90/190, Vorsaison 75/180 – ½ P Zuschl. 28.

Walliserhof, ✆ (027) 472 79 60, *Fax (027) 472 79 65*, ←, – VIS
11. April - 22. Mai geschl. – **Menu** *(Dienstag - Mittwoch geschl.)* 22 (abends und à la carte 32/70, Kinder 14 – **25 Zim** 89/200, Vorsaison 76/168 ½ P Zuschl. 20.

in Albinen *Süd : 6 km – Höhe 1 274 – ✉ 3955 Albinen :*

Rhodania, ✆ (027) 473 15 89, *Fax (027) 473 41 40*, , « Terrass ← Rhonetal » – VISA
20. Juni - 10. Juli und 20. Nov. - 20. Dez. geschl. – **Menu** *(Mittwoch geschl.)* 17 - 2 und à la carte 32/70 – **10 Zim** 67/133 – ½ P Zuschl. 25.

LEYSIN *1854 Vaud (VD)* 217 ⑭ *– 2 654 h. – alt. 1 268 – Sports d'hiver : 1 268/2 300 m* 17 .

Voir : *Site★★.*

Office du Tourisme, ✆ (024) 494 22 44, Fax (024) 494 16 16.

Bern 117 – Montreux 33 – Aigle 17 – Genève 118 – Lausanne 59 – Martigny 49 Spiez 93.

Classic Hotel M, ✆ (024) 493 06 06, *Fax (024) 493 06 93*, ←, – ch 15/200. VISA. rest
fermé 15 nov. au 15 déc. – **Repas** 20 - 24 (midi)/36 et à la carte 39/83, enf. 11 **115 ch** 130/250, Basse saison 115/190 – ½ P suppl. 38.

Le Grand Chalet, à Feydey, ouest : 1 km, ✆ (024) 494 11 36, *Fax (024) 494 16 14*, ← Dents du Midi et Les Diablerets, – VISA
21 déc. - 14 avril et 16 mai - 19 oct. – **Repas** 23 - 28/39 et à la carte 39/74 – **30 ch** 107/194, Basse saison 95/150 – ½ P suppl. 25.

La Paix "Au Vieux-Pays", ✆ (024) 494 13 75, *Fax (024) 494 13 75*, ←, Chalet ancien, – VISA
2 déc. - 9 avril et 9 mai - 29 sept. – **Repas** *(fermé lundi)* 15.50 - 24/35 et à la carte 28/57, enf. 12 – **17 ch** 51/114, Basse saison 48/108 – ½ P suppl. 23.

Le Leysin, ✆ (024) 494 22 55, *Fax (024) 494 23 15*, « Fromagerie-musée dans des chalets centenaires » – VISA
fermé mercr., mai et nov. – **Repas** 15 et à la carte 37/83.

au sommet de la Berneuse *accès par télécabine – alt. 2 000*

La Berneuse "Kuklos", (au 1er étage), ✉ 1854 Leysin, ✆ (024) 494 31 41, *Fax (024) 494 31 40*, ← montagnes et vallée du Rhône, « Restaurant panoramique tournant » – VISA
fermé 19 avril au 21 mai et nov. – **Repas** *(fermé le soir sauf vend. et sam. en juil - août)* 21 - 56 et à la carte 30/68, enf. 15.

LEYTRON *1912 Valais (VS)* 217 ⑮ *– 1 904 h. – alt. 497.*

Bern 144 – Martigny 16 – Montreux 62 – Sion 16.

Les Vergers, ✆ (027) 306 30 62, *Fax (027) 306 80 47*, – VISA.
fermé dim. soir et mardi – **Repas** 14 - 49 et à la carte 58/88.

à Montagnon *Nord-Ouest : 3 km par rte d'Ovronnaz – alt. 786 – ✉ 1912 Leytron :*

du Soleil, ✆ (027) 306 25 71, *Fax (027) 306 30 77*, ←, , Auberge familiale, avec terrasse dominant la vallée du Rhône – VISA
fermé 20 déc. au 6 janv., 20 juin au 12 juil., dim. soir, mardi midi et lundi – **Repas** (week-ends - prévenir) 12 - 45/80 et à la carte 43/78.

LIEBEFELD *Bern* 217 ⑥ *– siehe Bern.*

LIECHTENSTEIN *(FÜRSTENTUM)* 216 ㉑ ㉒ *– siehe Seite 377.*

ESTAL 4410 K Basel-Landschaft (BL) 216 ④ – 12 272 Ew. – Höhe 327.

Sehenswert : Altstadt★.

Ausflugsziel : Oltingen★ Süd-Ost : 20 km.

Lokale Veranstaltung

21.02 : "Chienbesenumzug", Volksbrauch.

Tourismus-Information für Liestal und Baselland, Kasernenstr. 10, (061) 921 58 07, Fax (061) 921 23 40.

Bern 82 – Basel 20 – Aarau 41 – Baden 59 – Olten 28 – Solothurn 51.

Schützenstube, Rathausstr. 14, (061) 921 08 08, Fax (061) 921 08 08, – VISA

Sonntag - Montag, 23. - 28. Feb. und 27. Juli - 10. Aug. geschl. – **Menu** 20 und à la carte 41/83.

Bad Schauenburg Nord-West : 4 km – Höhe 486 – 4410 Liestal :

Bad Schauenburg, (061) 906 27 27, Fax (061) 906 27 00, « Reizvolle ländliche Lage, Park » – TV P – 30. AE VISA.

Sonntagabend und 20. Dez. - 18. Jan. geschl. – **Menu** 53 (mittags)/85 und à la carte 72/98 – **34 Zim** 140/200 – ½ P Zuschl. 50.

INDAU 8315 Zürich (ZH) 216 ⑲ – 3 514 Ew. – Höhe 530.

Bern 142 – Zürich 21 – Kloten 9 – Rapperswil 33 – Winterthur 11.

Rössli, Neuhofstr. 3, (052) 345 11 51, Fax (052) 345 11 26, « Zürcher Riegelhaus » – P. AE VISA

Sonntag - Montag und 1. - 17. Jan. geschl. – **Menu** 20 - 98 und à la carte 52/114.

INTHAL 8783 Glarus (GL) 218 ② – 1 400 Ew. – Höhe 648.

Bern 212 – Chur 92 – Glarus 17 – Sankt Gallen 88 – Zürich 87.

Vest 3,5 km Richtung Klausenpass :

Bergli, 8783 Linthal, (055) 643 33 16, Fax (055) 643 33 44, – P. Zim

1. Mai - 31. Okt. geöffnet ; Mittwoch - Donnerstag geschl. – **Menu** 18.50 und à la carte 31/79, Kinder 12 – **4 Zim** 60/95 – ½ P Zuschl. 30.

n Tierfehd Süd : 5 km :

Tödi, Tierfehd, 8783 Linthal, (055) 643 16 27, Fax (055) 643 17 24, – P. AE VISA

1. April - 1. Nov. geöffnet ; Montag - Dienstag ausser Juli - Mitte Aug. geschl. – **Menu** 18 - 46 und à la carte 32/88, Kinder 13 – **14 Zim** 60/150 – ½ P Zuschl. 24.

OCARNO 6600 Ticino (TI) 218 ⑪ ⑫ – 14 099 ab. – alt. 214.

Vedere : Lago Maggiore★★★ – ★★ dall'Alpe di Cardada Nord per funivia – Monte Cimetta★★ : ★★ Nord per seggiovia – Santuario della Madonna del Sasso★ : AY per via ai Monti della Trinità o per funicolare (6 mn).

Dintorni : Circuito di Ronco★★ : ★★ sul lago dalla strada per Losone e Ronco – Itinerario nel Vallemaggia★★ (Maggia : affreschi★ della chiesa di Santa Maria delle Grazie) – Itinerario nel Val Verzasca★ (Corippo★, Brione : affreschi★ della chiesa) – Itinerario nei Centovalli★.

18 ad Ascona - 6612 (marzo-novembre), (091) 791 21 32, Fax (091) 791 07 06, per ② : 6,5 km.

Manifestazioni locali

25.03 - 28.03 : Camelie a Locarno

04.08 - 14.08 : Festival internazionale del Film.

Ente Turistico di Locarno e Valli, largo Zorzi 1, (091) 751 03 33, Fax (091) 751 90 70.

Piazza Grande 5, (091) 751 75 72, Fax (091) 751 95 57.

via Trevani 5, (091) 751 46 71, Fax (091) 751 80 68.

Bern 266 ① – Lugano 40 ① – Andermatt 103 ① – Bellinzona 20 ① – Domodossola 49 ③.

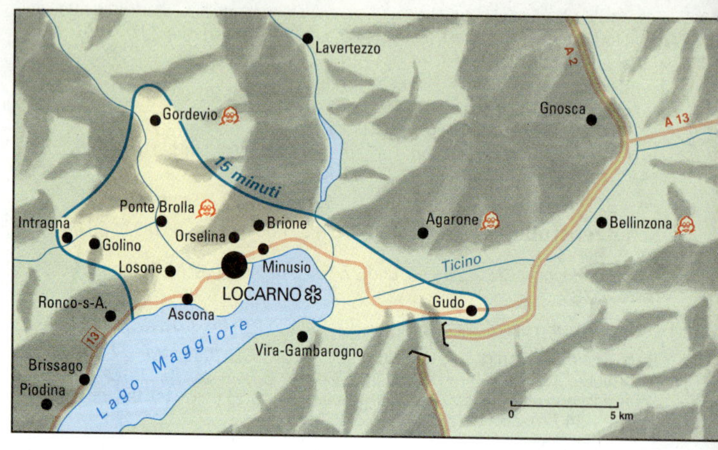

Reber au Lac, viale Verbano 55, ☎ (091) 735 87 00, *Fax (091) 735 87 01*, ←, « Terrazza fiorita », – cam, 15/60. AE VISA. rist BY
1º marzo - 15 novembre – **Pasto** 30 - 40 (mezzogiorno)/77 ed à la carte 53/118 – **67 cam** 230/400 – ½ P sup. 45.

Belvedere M, via ai Monti della Trinità 44, ✉ 6601, ☎ (091) 751 03 6… *Fax (091) 751 52 39*, ←, – cam, – 4… AE VISA. rist AY
L'Affresco (1º piano) **Pasto** 46/72 ed à la carte 46/84, bambini 15 – **52 ca…** 200/320, 12 suites – ½ P sup. 40.

Grand Hotel Locarno, via Sempione 17, ☎ (091) 743 02 82, *Fax (091) 74… 30 13*, ←, « Parco con » – 15/80. AE VISA rist AY
21 marzo - 31 ottobre – ***Alle Grotte*** *(chiuso lunedì)* **Pasto** 18 - 56 ed à la carte 44/9… – **83 cam** 155/350 – ½ P sup. 40.

La Palma au Lac, viale Verbano 29, ☎ (091) 735 36 36, *Fax (091) 735 36 16*, … – cam, – 15/100. AE VISA BY
Coq d'Or *(chiuso a mezzogiorno, dal 1º novembre al 15 dicembre e dal 3 genna… al 28 febbraio)* **Pasto** 48 ed à la carte 45/85 – **61 cam** 155/400 – ½ P sup. 3…

Muralto, piazza Stazione 8, ✉ 6602 Locarno-Muralto, ☎ (091) 743 01 81 *Fax (091) 743 43 15*, « Terrazza con ← Lago Maggiore » – rist, 15/50. AE VISA. rist BY
Pasto *(chiuso dal 2 gennaio al 5 marzo ed a mezzogiorno)* 54 ed à la carte 52/8… – **77 cam** 176/358 – ½ P sup. 43.

Arcadia, lungolago Motta, ☎ (091) 756 18 18, *Fax (091) 756 18 28*, ←, – cam,, cam, – 15/50. AE VISA rist BZ
1º marzo - 31 ottobre – **Pasto** à la carte 42/78 – **90 cam** 160/310 – ½ P sup. 3…

du Lac M senza rist, via Ramogna 3, ☎ (091) 751 29 21, *Fax (091) 751 60 71*, … – AE VISA BZ
30 cam 90/200.

Pestalozzi, via Cattori 4, ☎ (091) 759 95 05, *Fax (091) 751 96 45*, – AE VISA BZ
Universo ☎ (091) 751 95 13 **Pasto** 14.50 ed à la carte 40/72 – **51 cam** 130/21… – ½ P sup. 35.

Piccolo Hotel senza rist, via Buetti 11, ☎ (091) 743 02 12, *Fax (091) 743 21 9…* – AE VISA BY
2 marzo - 29 novembre – **21 cam** 85/190.

Dell'Angelo, Piazza Grande, ☎ (091) 751 81 75, *Fax (091) 751 82 56*, – AE VISA AZ
Pasto 15 ed à la carte 38/79 – **49 cam** 105/195 – ½ P sup. 28.

LOCARNO

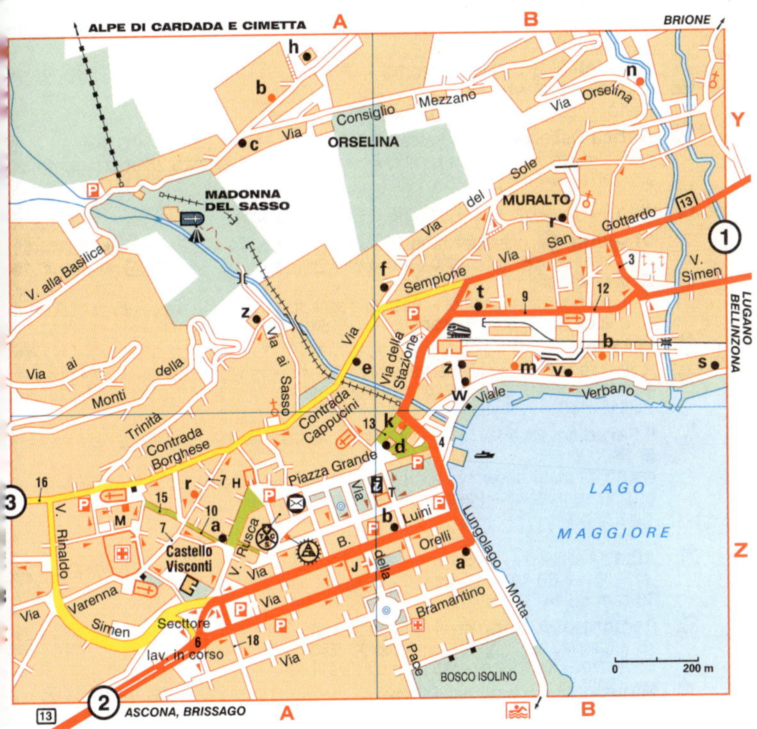

Villa Palmiera, via del Sole 1, ✆ (091) 743 14 41, *Fax (091) 743 03 20*, ≤, « Piccolo giardino fiorito » – 🛗 🅿. ⓔ VISA. ✻ rist BY f
Hotel : 15 marzo - 15 novembre ; rist. : 26 marzo - 24 giugno e 26 luglio - 30 ottobre – **Pasto** *(chiuso a mezzogiorno)* 16.50 - 38 ed à la carte circa 38 – **32 cam** ☕ 80/182 – ½ P sup. 30.

Rio senza rist., via Collegiata 1, ✆ (091) 743 63 31, *Fax (091) 743 63 33* – 🛗 TV 🅿. AE ⓓ ⓔ VISA BY t
14 cam ☕ 90/210.

Zurigo, viale Verbano 9, ✉ 6602 Locarno-Muralto, ✆ (091) 743 16 17, *Fax (091) 743 43 15*, ≤, – 🛗 TV ☎. AE ⓓ ⓔ VISA BY w
Albergo : chiuso dal 20 novembre al 18 dicembre e dal 4 gennaio al 26 febbraio – ***Le Bistro*** *(sempre aperto salvo lunedì in inverno)* **Pasto** 19 - 33/54 ed à la carte 34/85, bambini 10 – **28 cam** ☕ 139/232 – ½ P sup. 32.

Centenario (Perriard), lungolago Motta 17, ✆ (091) 743 82 22, « decorazione elegante » – AE ⓓ ⓔ VISA. ✻ BY m
chiuso domenica, lunedì, dal 31 gennaio al 23 febbraio e dal 26 giugno al 22 luglio – **Pasto** (prenotare) 52/110 ed à la carte 76/125
Spec. Salade tiède de langoustines aux mangues. Pigeon au Porto. Soufflé aux fruits de saison.

Villa Pauliska con cam, Via Orselina 6, ✉ 6600 Locarno-Muralto, ✆ (091) 743 05 41, ≤, « Palazzo restaurato in parco » – TV ☎ 🅿. AE ⓓ ⓔ VISA BY n
chiuso lunedì e dal 7 gennaio al 7 febbraio – **Pasto** *(chiuso mezzogiorno)* (solo menu) 62 – **4 cam** 130/150.

La Cittadella con cam, via Cittadella 18, ✆ (091) 751 58 85, *Fax (091) 751 77 59* – TV ☎. AE ⓓ E VISA JCB AZ r
Rist. : chiuso lunedì ed in giugno - luglio anche domenica – **Pasto** Specialità di pesce (1º piano) à la carte 65/106 – ***La Trattoria*** **: Pasto** 19.50 ed à la carte 53/81 – **11 cam** ☐ 100/160 – ½ P sup. 20.

Da Luigi, via della Dogana Vecchia 1, ✆ (091) 751 97 46, *Fax (091) 751 42 69*, – ▤. AE ⓓ E VISA BZ k
Pasto 15 ed à la carte 36/67, bambini 8.

Antica Osteria, via dei Pescatori 8, ✆ (091) 743 87 94, – E VISA BY b
chiuso martedì ed i mezzogiorni di lunedì e mercoledì – **Pasto** 25 (mezzogiorno) ed à la carte 40/80.

ad Orselina *Nord : 2 km* ABY – *alt. 456* – ✉ *6644 Orselina :*

Orselina , via Santuario 10, ✆ (091) 735 44 44, *Fax (091) 735 44 66*, ≤ Locarnese, , « Giardino esotico con », , , – TV ☎ P. ⓓ E VISA. rist AY c
25 febbraio - 1º novembre – **Pasto** *(la sera solo per clienti alloggiati)* 26 - 55 (sera) ed à la carte 52/86 – **78 cam** ☐ 190/380 – ½ P sup. 24.

Mirafiori, via al Parco 25, ✆ (091) 743 18 77, *Fax (091) 743 77 39*, ≤, , « Servizio rist. estivo all'aperto », , , – TV ☎. AE ⓓ E VISA. rist
11 marzo - 31 ottobre – **Pasto** 22 - 36 (sera) ed à la carte 36/70, bambini 12 – **25 cam** ☐ 115/198 – ½ P sup. 26. AY h

Il Paradiso, via al Parco 7, ✆ (091) 743 46 45, *Fax (091) 743 87 58*, – AE ⓓ E VISA AY b
chiuso da metà novembre a metà dicembre, mercoledì (salvo la sera da luglio ad ottobre) e martedì – **Pasto** 75 ed à la carte 35/78.

a Minusio *per ① : 2 km – alt. 246 –* ✉ *6648 Minusio :*

Alba M senza rist, Via Simen 58, ✆ (091) 735 88 88, *Fax (091) 735 88 99*, ≤, , – ▤ TV ☎ . AE E VISA
36 cam ☐ 140/220.

Remorino senza rist, via Verbano 29, ✆ (091) 743 10 33, *Fax (091) 743 74 29*, ≤, « Giardino con » – TV ☎ P. AE E VISA
13 marzo - 30 ottobre – **25 cam** ☐ 102/228.

Minusio M senza rist, via Esplanade 6, ✆ (091) 743 19 13, *Fax (091) 743 77 04*, ≤ Lago Maggiore, – TV ☎ P. AE ⓓ E VISA
marzo - novembre – **24 cam** ☐ 115/185.

Navegna , ✆ (091) 743 22 22, *Fax (091) 743 31 50*, ≤, , « Terrazza ombreggiata in riva al lago », – TV ☎. E VISA. rist
16 marzo - 30 novembre – **Pasto** *(chiuso martedì salvo dal 15 giugno al 15 settembre)* 50 ed à la carte 48/85 – **22 cam** ☐ 95/220 – ½ P sup. 28.

Campagna, via Rivapiana 46, ✆ (091) 743 20 54, ≤, , « Insieme rustico ticinese, terrazza ombreggiata » – P
28 marzo - 23 ottobre – **Pasto** *(chiuso martedì a mezzogiorno)* à la carte 40/67.

a Brione *per ① : 4,5 km – alt. 450 –* ✉ *6645 Brione :*

Dellavalle , via Contra, ✆ (091) 743 01 21, *Fax (091) 743 35 17*, ≤ lago Maggiore e monti, , « Terrazza panoramica con », , , , – TV video ☎ P. AE E VISA. rist
chiuso dal 15 novembre al 20 dicembre e dal 2 gennaio al 14 marzo – **Pasto** 22 - 32 (mezzogiorno)/58 ed à la carte 45/71, bambini 15 – **46 cam** ☐ 125/310 – ½ P sup. 38.

Besonders angenehme Hotels oder Restaurants sind im Führer rot gekennzeichnet.
Sie können uns helfen, wenn Sie uns die Häuser angeben, in denen Sie sich besonders wohl gefühlt haben.
Jährlich erscheint eine komplett überarbeitete Ausgabe aller Roten Michelin-Führer.

...

XXXXX ... X

Le LOCLE *2400 Neuchâtel (NE)* 216 ⑫ *– 10 937 h. – alt. 925.*

Musée : *Horlogerie★.*

Environs : *Saut du Doubs★★★ Nord.*

Tourisme neuchâtelois - Montagnes, 31 r. Daniel-Jean Richard, (032) 931 43 30, Fax (032) 931 45 06.

Bern 81 – Neuchâtel 32 – Besançon 76 – La Chaux-de-Fonds 9 – Yverdon-les-Bains 62.

Trois Rois M, 29 r. Temple, (032) 932 21 00, *Fax (032) 931 58 72*, – ch, TV. AE VISA
Repas *(fermé dim. soir)* 16 - 25 (midi)/39 et à la carte 48/84 – 12 – **40 ch** 77/109.

La Croisette, 10 r. du Marais, (032) 931 35 30, *Fax (032) 931 35 50* – P. AE VISA
fermé dim. soir – **Repas** 45 (midi)/95 et à la carte 62/100 – ***Brasserie :*** **Repas** 15 et à la carte 37/67, enf. 8.

Chez Sandro, 4 r. de la Gare, (032) 931 40 87, *Fax (032) 931 40 87* – AE VISA
fermé 15 juil. au 15 août et dim. – **Repas** - cuisine italienne - 14 - 53/95 et à la carte 51/87.

au Prévoux *Sud-Ouest : 3,5 km par rte de la Brévine – alt. 1 079 – ✉ 2413 Le Prévoux :*

Auberge du Prévoux, (032) 931 23 13, *Fax (032) 931 50 37*, – P. AE VISA. rest
fermé 22 au 28 fév. – **Repas** 45 (midi)/114 et à la carte 81/128 – ***Brasserie :*** **Repas** 16 et à la carte 28/79.

LOÈCHE-LES-BAINS *Valais* 217 ⑯ ⑰ *– voir à Leukerbad.*

LÖMMENSCHWIL *9308 Sankt Gallen (SG)* 216 ⑩ *– Höhe 543.*

Bern 210 – Sankt Gallen 11 – Bregenz 47 – Konstanz 30 – Winterthur 61.

Thuri's Blumenau (Maag), Romanshornerstr. 2, (071) 298 35 70, *Fax (071) 298 45 90*, – P. VISA
Sonntagabend - Montag und Anfang März 1 Woche geschl. – **Menu** 54 (mittags)/110 und à la carte 68/112
Spez. Lömmenschwiler Spanferkelschwartenmagen mit Pilzen. Bodensee-Eglifilets gebraten auf Fenchelbutter. Thuri's wilder Pilzkopf auf Trüffelrahmnudeln.

LOSONE *Ticino* 218 ⑪, 219 ⑦ *– vedere Ascona.*

LOTZWIL *4932 Bern (BE)* 216 ⑯ *– 2 313 Ew. – Höhe 502.*

Bern 50 – Aarau 40 – Burgdorf 24 – Luzern 65 – Olten 27 – Solothurn 28.

Bad Gutenburg, Huttwilstr. 108, (062) 916 80 40, *Fax (062) 916 80 45* – TV P. – 15/100. AE VISA
19. Juli - 12. Aug. geschl. – **Menu** *(Montag geschl.)* 17.50 - 55 und à la carte 43/66 – **19 Zim** 85/140 – ½ P Zuschl. 30.

LOURTIER *1948 Valais (VS)* 219 ② *– 400 h. – alt. 1 080.*

Environs : *Barrage de Mauvoisin★★★ Sud-Est : 11,5 km.*

Office du Tourisme du Val de Bagnes, (027) 776 16 82, Fax (027) 776 15 41.

Bern 150 – Martigny 23 – Orsières 17 – Sion 53 – Verbier 9.

La Vallée, (027) 778 11 75, *Fax (027) 778 16 04*, – P. AE VISA.
fermé 19 juin au 5 juil., 16 au 25 oct., mardi soir et merc. hors saison – **Repas** 15 - 48/55 et à la carte 30/67, enf. 13 – **18 ch** 50/100 – ½ P suppl. 20.

LOVERESSE *2732 Berne (BE)* 216 ⑭ *– 298 h. – alt. 765.*

Bern 55 – Delémont 32 – Basel 75 – Biel 21 – Saignelégier 21 – Solothurn 37.

du Cerf, au Village, (032) 481 22 32, – P. VISA.
fermé 24 déc. au 1er janv., 13 juil. au 4 août, mardi soir et merc. – **Repas** (prévenir) 11.50 - 60 et à la carte 39/73.

LUCENS *1522 Vaud (VD)* 217 ④ - *2 181 h. - alt. 493.*

Bern 63 - Fribourg 33 - Lausanne 32 - Montreux 43 - Payerne 15 - Yverdon-les-Bains 36.

La Couronne, 1 Grand-Rue, ✆ (021) 906 95 15, *Fax (021) 906 95 40*, - rest

fermé août (sauf hôtel), sam. soir et dim. - **Repas** 16.50 - 40/78 et à la carte 44/90 enf. 13 - **9 ch** 95/145 - ½ P suppl. 27.

Gare avec ch, 13 av. de la Gare, ✆ (021) 906 81 48, *Fax (021) 906 82 04*, -

fermé 23 au 30 déc. et 25 juil. au 18 août - **Repas** *(fermé mardi soir et merc.)* 29 30 (midi)/90 et à la carte 40/82 - **6 ch** 43/130 - ½ P suppl. 20.

LUCERNE *Luzern* 216 ⑰ - *voir à Luzern.*

LÜDERENALP *Bern* 216 ⑯ - *siehe Sumiswal.*

LUGANO

6900 Ticino (TI) **219** ⑧ *- 26 120 ab. - alt. 273*

Bern 271 ① *- Bellinzona 28* ① *- Como 30* ④ *- Locarno 40* ① *- Milano 78* ④

Ente turistico Lugano e dintorni riva Albertolli – Palazzo Civico, ☎ (091) 921 46 64, Fax (091) 922 76 53.
via S. Balestra 3, ☎ (091) 922 84 25, Fax (091) 922 75 53.
via Dufour 1, ☎ (091) 922 01 21, Fax (091) 923 69 69.
di Agno Sud-Ovest : 6 km ☎ (091) 610 12 12.

Compagnie aeree
Swissair *via Pretorio 9, ☎ (091) 923 63 31, Fax (091) 923 19 03.*
Crossair *Aeroporto, Lugano-Agno, ☎ (091) 610 12 12, Fax (091) 610 12 13.*
Alitalia *Via Nassa 40, ☎ (091) 923 45 65, Fax (091) 922 05 65.*

Manifestazioni locali
Di aprile a giugno : Primavera concertistica di Lugano.
Inizio luglio : "Estival Jazz" festival internazionale.

18 *a Magliaso, ✉ 6983, ☎ (091) 606 15 57, Fax (091) 606 65 58, per* ⑤ *: 10 km.*

Vedere : *Lago*★★ BX *– Parco Civico*★★ ABX *– Affreschi*★★ *nella chiesa di Santa Maria degli Angioli* Z *– Villa Favorita*★★ BX.

Dintorni : *Monte San Salvatore*★★★ *15 mn di funicolare* AX *– Monte Generoso*★★★ *15 km per* ③ *e treno – Monte Brè*★★ *Est : 10 km o 20 mn di funicolare – ⋞ ★★ dalla strada per Morcote – Morcote*★★ *: Sud 8 km – Monte Tamaro ⋞ ★ : Nord-Ovest 15 km e cabinovia da Rivera-Monte Lema*★ *Nord-Ovest 17 km e per cabinovia Carona Sud 4 km : affreschi*★ *della chiesa di San Giorgio – Melide Sud 7 km : Swissminiatur*★.

Navigazione : *Informazioni Società Navigazione Lago di Lugano, vl. Castagnola 12, ☎ (091) 971 52 23, Fax (091) 971 27 93.*

- Adamini (Via) . . . . AX 3
- Aldesago (Via) . . . . BV 6
- Bosia (Via) . . . . AX 7
- Calloni (Via S.) . . . . AX 9
- Camara (Via) . . . . AV 10
- Canova (Via) . . . . Y 12
- Cantonale (Via) . . . . Y 13
- Capelli (Via P.) . . . . BV 15
- Cassarate (Viale) . . . . BV 16
- Casserinetta (Via) . . . . AX 18
- Castagnola (Viale) . . . . BX 19
- Cattaneo (Viale C.) . . . . Y 20
- Cattedrale (Via) . . . . Y 21
- Cattori (Via G.) . . . . AX 22
- Ciocarra (Piazza) . . . . Y 23
- Cortivo (Via) . . . . BX 24
- Dante (Piazza) . . . . Y 25
- Franscini (Viale S.) . . . . . . AV 26
- Ginevra (Via) . . . . AV 27
- Indipendenza (Piazza) . . . . . Y 28
- Laghetto (Via al) . . . . AX 30
- Luvini (Via G.) . . . . Y 31
- Maderno (Via C.) . . . . AV 33
- Madonna della Salute (V.) . . AV 34
- Madonnetta (Via) . . . . BV 36
- Manzoni (Piazza A.) . . . . . . Z 37
- Manzoni (Via R.) . . . . AX 39
- Maraini (Via C.) . . . . AX 40
- Monte Ceneri (Via) . . . . AV 42
- Nassa (Via) . . . . Z 43
- Paradiso (Riva) . . . . AX 45
- Peri (Via P.) . . . . Y 46
- Pessina (Via) . . . . Y 48
- Pestalozzi (Corso) . . . . Y 49
- Posta (Via della) . . . . Y 51
- Regazzoni (Via P.) . . . . Y 52
- Rezzonico (Piazza R.) . . . . . Z 54
- Riforma (Piazza della) . . . . . YZ 55
- Riva (Via A.) . . . . AX 57
- San Carlo (Piazzetta) . . . . . . Z 58
- San Giogio (Via) . . . . BX 59
- San Gottardo (Via) . . . . Y 60
- Scuole (Via delle) . . . . AX 61
- Sonvico (Via) . . . . BV 63
- Verla (Contrada di) . . . . Y 66

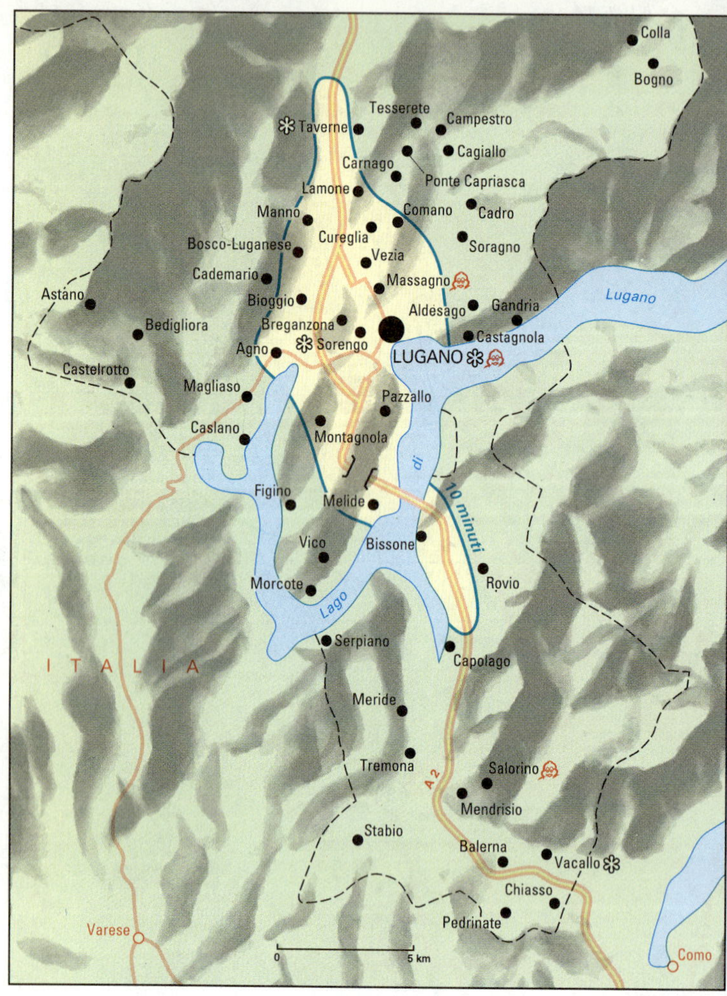

In this guide,
a symbol or a character,
printed in red or black,
does not have the same meaning.

Pay particular attention to the explanatory pages.

Splendide Royal, riva A. Caccia 7, ℘ (091) 985 77 11, *Fax (091) 985 77 22*, € lago e monti, , – 15/200. . rist
Pasto 38 - 54 (mezzogiorno)/68 ed à la carte 62/109 – **97 cam** 280/580, 4 suites – ½ P sup. 60. AX e

Grand Hotel Villa Castagnola , viale Castagnola 31, ⊠ 6906 Lugano-Cassarate, ℘ (091) 971 22 13, *Fax (091) 972 72 71*, €, , « Parco fiorito », , , , , , – 15/40. . rist BX n
***Le Relais* : Pasto** 38 - 64 ed à la carte 74/103 – **87 cam** 270/450, 6 suites – ½ P sup. 60.

Principe Leopoldo e Residence, via Montalbano 5, (091) 985 88 55, *Fax (091) 985 88 25*, lago e monti, « Residenza patrizia fine 19° secolo, ubicata in zona verdeggiante con Lugano e circondario », cam, – 15/100. AX m
Pasto (vedere rist. ***Principe Leopoldo***) – **37 cam** 390/570.

Residence, via Montalbano 19, (091) 985 88 11, *Fax (091) 985 86 25*, « Residenza ubicata in zona verdeggiante ». rist AX m
Café Leopoldo : **Pasto** 56/68 ed à la carte 58/93 – **42 cam** 290/490

Grand Hotel Eden, riva Paradiso 1, 6902 Lugano-Paradiso, (091) 985 92 00, *Fax (091) 985 92 50*, lago e circondario, « Terrazza-solarium al lago con d'acqua salina », – 15/150. rist AX s
L'Oasis : **Pasto** 32 - 58 ed à la carte 65/121 – **120 cam** 260/530, 4 suites – ½ P sup. 58.

De la Paix, via Cattori 18, 6902 Lugano-Paradiso, (091) 960 60 60, *Fax (091) 960 60 66*, – 15/480. rist AX s
Neptune *(chiuso 1° novembre al 15 marzo)* **Pasto** 55 ed à la carte 47/92 – ***Al Barilotto*** (grill/pizzeria) **Pasto** 17.50 ed à la carte 39/88 – **116 cam** 210/320, 15 suites – ½ P sup. 50.

Parco Paradiso, via Carona 27, 6902 Lugano-Paradiso, (091) 993 11 11, *Fax (091) 993 10 11*, lago, monti e città, cam, video – 40. rist AX f
La Favola : **Pasto** 32 (mezzogiorno)/98 ed à la carte 63/107 – **16 cam** 230/320, 49 suites – ½ P sup. 45.

Lugano Dante senza rist, piazza Cioccaro 5, (091) 910 57 00, *Fax (091) 910 57 77* – – 15/230. Y a
80 cam 150/270, 3 suites.

Du Lac, riva Paradiso 3, 6902 Lugano-Paradiso, (091) 994 19 21, *Fax (091) 994 11 22*, lago e monti, « Terrazza sul lago con », – AX u
chiuso gennaio e febbraio – ***L'Arazzo*** : **Pasto** 24 - 54/78 ed à la carte 58/99 – **53 cam** 158/336 – ½ P sup. 50.

Bellevue au Lac, riva A. Caccia 10, 6902 Lugano-Paradiso, (091) 994 33 33, *Fax (091) 994 12 73*, lago e monti, – – 25. rist AX e
albergo : chiuso dal 1° gennaio al 31 marzo ; rist. : aperto dal 1° aprile al 30 ottobre – ***Il Palmeto*** : **Pasto** 22 - 45 (sera) ed à la carte 36/81 – **70 cam** 130/330 – ½ P sup. 45.

Admiral, via Geretta 15, 6902 Lugano-Paradiso, (091) 994 23 24, *Fax (091) 994 25 48*, « su terrazza panoramica », – – 40. rist AX v
Nelson : **Pasto** à la carte 55/99 – **90 cam** 190/320 – ½ P sup. 48.

Ticino, piazza Cioccaro 1, 6901, (091) 922 77 72, *Fax (091) 923 62 78*, « Eleganti decorazioni in un tipico edificio del 14° secolo » – cam, Y z
chiuso dal 20 dicembre al 1° febbraio – **Pasto** *(chiuso domenica a mezzogiorno)* 98 (sera) ed à la carte 60/120 – **20 cam** 290/440 – ½ P sup. 65.

Delfino, via Casserinetta 6, 6902 Lugano-Paradiso, (091) 994 53 33, *Fax (091) 994 55 52*, « Terrazza solarium con » – rist, – 25. rist AX a
21 marzo - fine ottobre – **Pasto** 25 (mezzogiorno)/38 ed à la carte 40/76 – **50 cam** 115/220 – ½ P sup. 30.

Albatro, via Clemente Maraini 8, (091) 921 09 21, *Fax (091) 921 09 27*, – cam, rist Z n
Pasto 22 - 30 ed à la carte 35/69 – **40 cam** 140/220 – ½ P sup. 30.

Parkhotel Villa Nizza, via Guidino 14, 6902 Lugano-Paradiso, (091) 994 17 71, *Fax (091) 994 17 73*, « In posizione collinare e verdeggiante con lago e monti », – rist AX f
21 marzo - 20 ottobre – **Pasto** *(chiuso a mezzogiorno)* 39 – **25 cam** 145/250, 4 suites – ½ P sup. 35.

Alba, via delle Scuole 11, ✉ 6902 Lugano-Paradiso, ☎ (091) 994 37 3
Fax (091) 994 45 23, « Giardino fiorito », – rist, AE E VISA
rist AX
Pasto *(solo per clienti alloggiati) (chiuso a mezzogiorno)* – **21 cam** 170/270
½ P sup. 45.

Walter au Lac senza rist, piazza Rezzonico 7, ☎ (091) 922 74 25, *Fax (091) 92 42 33* – . AE E VISA. Z
chiuso febbraio – **43 cam** 130/190.

Conca d'Oro, riva Paradiso 7, ✉ 6902 Lugano-Paradiso, ☎ (091) 994 31 3
Fax (091) 994 69 82, < lago e monti, , « Terrazza-solarium sul lago »,
. AE E VISA AX
Pasto 28 - 45 ed à la carte 40/88 – **38 cam** 160/260 – ½ P sup. 38.

Nassa senza rist, via Nassa 62, ☎ (091) 910 70 60, *Fax (091) 910 70 61,* < –
. AE E VISA – **21 cam** 145/180. Z

Al Portone (Galizzi), viale Cassarate 3, ☎ (091) 923 55 11, *Fax (091) 971 65 05*
AE E VISA. BX
chiuso dal 2 al 7 gennaio, dal 19 luglio al 15 agosto, domenica e lunedì – **Pasto** (coper
limitati - prenotare) 55 (mezzogiorno)/135 ed à la carte 88/148
Spec. Tartar di formaggini del Ticino su carpaccio di pomodoro. Coscia d'anitra confit
con il sue fegato al merlot rosso. Le tre creme profumate, caramello, rosmarino, tim

Principe Leopoldo - *Hotel Principe Leopoldo,* via Montalbano 5, ☎ (091) 98
88 55, *Fax (091) 985 88 25,* < lago e circondario, – . AE E VISA JCB.
Pasto 46 - 54 (mezzogiorno)/108 ed à la carte 75/131. AX

Parco Saroli, viale Stefano Franscini 6, ✉ 6901, ☎ (091) 923 53 14
Fax (091) 922 88 05, , Moderna architettura d'interni e ambiente elegante –
AE E VISA AV
chiuso sabato a mezzogiorno e domenica – **Pasto** 38 ed à la carte 55/92.

Al Faro, riva Paradiso 36, ✉ 6902 Lugano-Paradiso, ☎ (091) 994 51 41
Fax (091) 993 00 94 – . AE E VISA. AX
chiuso lunedì e dal 1° al 16 agosto – **Pasto** - specialità di mare - 98 ed à la cart
68/115.

La Mouette (Mövenpick), viale Cattaneo 25, ☎ (091) 923 23 33, *Fax (091) 92*
19 18, – . AE E VISA JCB BX
Pasto 18.50 ed à la carte 26/68, bambini 9.

Scala, via Nassa 29, ☎ (091) 922 09 58, *Fax (091) 923 75 42* – . AE E VISA.
chiuso domenica e dal 1° al 15 gennaio – **Pasto** 22 - 33 (mezzogiorno) ed à la cart
51/110. Z

Panoramico, Via Stauffacher 1, ☎ (091) 921 02 03, *Fax (091) 921 02 05,*
. AE E VISA Y
Pasto 25 ed à la carte 50/83.

Tinello del Parco Ciani (Mövenpick), piazza Indipendenza 4, ☎ (091) 92
86 56, *Fax (091) 923 59 74,* – . AE E VISA JCB Y
Pasto 19.50 ed à la carte 36/100, bambini 7.

Osteria Ticinese Da Raffaele, via Pazzalino 19, ✉ 6962 Viganello, ☎ (091) 97
66 14, , « Ambiente caratteristico » – AE E VISA BV
chiuso sabato a mezzogiorno, domenica e dal 28 luglio al 22 agosto – **Pasto** (prenotare) 16 ed à la carte 51/75.

Locanda del Boschetto, via Boschetto 8 (Cassarina), ☎ (091) 994 24 93,
Fax (091) 994 44 95, , rustico caseggiato con ombreggiato servizio estivo –
AE E VISA AX
chiuso lunedì e dal 10 al 25 novembre – **Pasto** à la carte 59/90.

Calprino, Via Carona 28, ✉ 6902 Lugano-Paradiso, ☎ (091) 994 14 80 – E VISA.
chiuso mercoledì – **Pasto** 16.50 - 28/34 ed à la carte 31/60, bambini 12. AX

a Vezia *Nord : 3,5 km* AV *– alt. 368 – ✉ 6943 Vezia :*

Motel Vezia, via San Gottardo 32, ☎ (091) 966 36 31, *Fax (091) 966 70 22,*
– cam,, rist, . AE E VISA AV
albergo : chiuso dal 15 dicembre al 31 gennaio ; rist : chiuso dal 1° novembre al 28 febbraio, domenica (salvo da luglio a settembre) – **Pasto** *(chiuso a mezzogiorno salvo in alta stagione)* 18 - 24 ed à la carte 29/55, bambini 10 – 11 – **50 cam** 88/168
– ½ P sup. 40.

Lugano-Castagnola *Est : 3 km* BX *- alt. 325 - ✉ 6976 Castagnola :*

Aniro, via Violetta 1, ✆ (091) 972 50 31, *Fax (091) 970 23 86*, ≤ lago e monti, , « Giardino fiorita con », - |‡| ☎ P. AE ⓓ E VISA. ✻ rist BX c
aprile - ottobre – **Pasto** 35 ed à la carte 39/81 – **40 cam** ☐ 87/198 – ½ P sup. 27.

d Aldesago *Est : 6 km* BV *verso Brè - alt. 600 - ✉ 6974 Aldesago :*

Colibrì, via Bassone 7, ✆ (091) 971 42 42, *Fax (091) 971 90 16*, ≤ lago e città di Lugano con dintorni, , « e terrazze panoramiche » – |‡| TV ☎ P – 40. AE E VISA. ✻ rist BV a
chiuso gennaio e febbraio – **Pasto** 24 - 33/45 ed à la carte 34/95 – **30 cam** ☐ 110/240 – ½ P sup. 35.

Sorengo *Ovest : 3 km* AX *- alt. 385 - ✉ 6924 Sorengo :*

XXX **Santabbondio** (Dalsass), via Fomelino 10, ✆ (091) 993 23 88, *Fax (091) 994 32 37*, In zona verdeggiante con tranquillo ed ombreggiato servizio estivo in terrazza – P. AE ⓓ E VISA. ✻ AX g
chiuso sabato a mezzogiorno, domenica sera, lunedì e dal 14 al 22 febbraio – **Pasto** (prenotare) 52 (mezzogiorno)/145 ed à la carte 94/147
Spec. Gli spaghettini con scampi e barba di frate (primavera). Il maialino di Ormalingen profumato al cacao. Lepre alla "Royale" (inverno).

Massagno *Nord-Ovest : 2 km* AV *- alt. 349 - ✉ 6900 Massagno :*

XX **Antica Osteria Gerso**, piazzetta Solaro 24, ✆ (091) 966 19 15, , Ambiente rustico-signorile pannelli decorativi in legno alle pareti – AE E VISA AV g
chiuso domenica, lunedì, dal 27 dicembre all'8 gennaio dal 15 al 22 marzo e da l 17 luglio al 16 agosto – **Pasto** (coperti limitati - prenotare) 32 (mezzogiorno) ed à la carte 46/70.

X **Grotto della Salute** via dei Sindacatori 4, ✆ (091) 966 04 76, – P. AE ⓓ E VISA. ✻ AV c
chiuso sabato, domenica, dal 20 dicembre al 20 gennaio e dal 6 al 22 agosto – **Pasto** - cucina ticinese - 24 ed à la carte 35/70.

Nos guides hôteliers, nos guides touristiques et nos cartes routières sont complémentaires. Utilisez-les ensemble.

LULLY *Genève* 217 ⑪ *- rattaché à Genève.*

LUNGERN *6078 Obwalden (OW)* 217 ⑧ *- Höhe 752.*
Bern 86 - Andermat 90 - Brienz 15 - Interlaken 32 - Meiringen 13 - Sarnen 16.

in Kaiserstuhl *Nord : 4 km - Höhe 697 - ✉ 6078 Lungern :*

X **Kaiserstuhl** mit Zim, ✆ (041) 678 11 89, *Fax (041) 678 17 16*, – TV ☎ P. E VISA
Dienstag ausser Juli - Mitte Okt., Mittwoch von Mitte Okt. - Ende April und Jan. geschl. – **Menu** 16.50 - 22 (mittags)/95 und à la carte 42/89, Kinder 11 – **14 Zim** ☐ 75/130 – ½ P Zuschl. 35.

LÜSCHERZ *2576 Bern (BE)* 216 ⑬ *- 411 Ew. - Höhe 446.*
Bern 41 - Neuchâtel 22 - Biel 16 - La Chaux-de-Fonds 42 - Murten 20.

XX **3 Fische**, Hauptstr. 29, ✆ (032) 338 12 21, *Fax (032) 338 12 03*, – P. AE ⓓ E VISA
Mittwoch - Donnerstag, 6. - 29. Jan. und 1. - 14. Sept. geschl. – **Menu** (Tischbestellung ratsam) 14.50 - 74 und à la carte 44/103.

LUTRY *1095 Vaud (VD)* 217 ⑬ *- 8 091 h. - alt. 402.*
Bern 97 - Lausanne 4 - Montreux 19 - Genève 71 - Yverdon-les-Bains 41.

XX **Auberge de Lavaux**, à la Conversion, 97 rte du Landar, ✆ (021) 791 29 09, *Fax (021) 791 68 09*, , « Terrasse fleurie » – P. E VISA
fermé 27 déc. au 4 janv., 9 au 17 mai, 3 au 25 oct., dim. et lundi – **Repas** 78/115 et à la carte 72/96 – ***Le Bistrot*** : **Repas** 16.50 et à la carte 46/92.

LUZERN (LUCERNE)

6000 🄺 Luzern (LU) 216 ⑰ - 59 576 Ew. - Höhe 439

Bern 111 ⑤ - Aarau 47 ⑤ - Altdorf 40 ③ - Interlaken 68 ③ - Zürich 56 ⑤

Tourist-Information Frankenstr.- 1, ✆ (041) 410 71 71, Fax (041) 410 73 34.
Burgerstr. 22, ✆ (041) 229 69 29, Fax (041) 229 69 30.
Schachenweidstr. 46, 6030 Ebikon, ✆ (041) 420 33 33, Fax (041) 422 12 12.

Lokale Veranstaltungen
11.02 - 16.02 : Fasnacht.
14.08 - 11.09 : Internationale Musikfestwochen (Klassik).

18 am Dietschiberg, ✉ 6006 (April-Nov.), ✆ (041) 420 97 87, Fax (041) 420 82 48, Nord-Ost : 4 km über Dietschbergstrasse BX ;
27 Sempachersee in Hildisrieden. ✉ 6024 (März-Nov.), ✆ (041) 462 71 71, Fax (041) 462 71 72. Autobahn Richtung Basel, Ausfahrt Sempach : 18 km.

Sehenswert : Lage★★★ – Altstadt und Seeufer★★ : Altes Rathaus★, Weinmarkt★ CZ, Jesuitenkirche St. Franz Xaver : Innenraum★ CZ, Kapellbrücke★ DZ, Hofkirche★ DY : Innenraum★ – Uferstrassen DY : Ausblicke★★ vom Schweizerhofquai und Nationalquai – Dietschiberg★★ (mit Standseilbahn) BX – Panorama★ DY – Museggmauer : Aussicht★ CDY – Gütsch★ AX.

Museum : Verkehrshaus der Schweiz★★★ über ②.

Ausflugsziele : Pilatus★★★ : 15 km über ③ und Zahnradbahn – Rigi★★★ : 24 km über ② und Zahnradbahn.

Schiffahrten : Informationen bei der Schiffahrtsgesellschaft, Werftestr. 5, ✆ (041) 367 67 67.

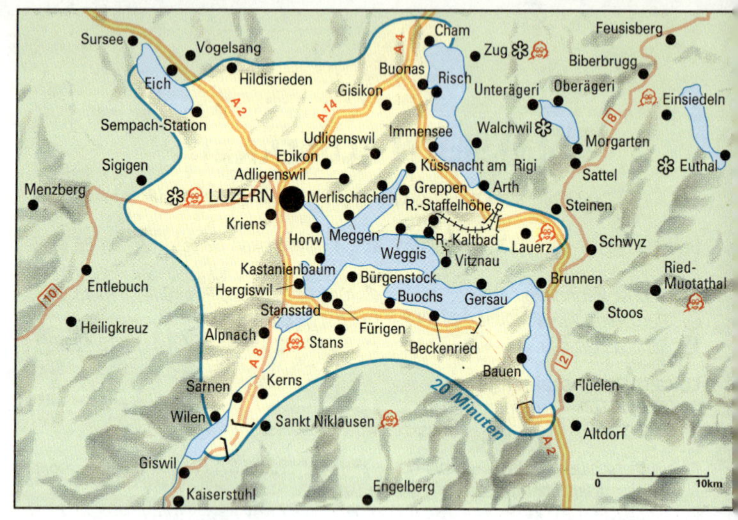

Palace, Haldenstr. 10, 6002, (041) 416 16 16, *Fax (041) 416 10 00*, – Rest, – 15/220. BX v
Menu (siehe auch Rest. ***Mignon***) – 22 – **173 Zim** 345/560, 5 Suiten – ½ P Zuschl. 80.

Grand Hotel National, Haldenstr. 4, 6002, (041) 419 09 09, *Fax (041) 419 09 10*, – Rest, – 15/120. BX a
Menu (siehe auch Rest. ***Trianon und Padrino***) – 25 – **87 Zim** 360/550, 7 Suiten – ½ P Zuschl. 65.

Château Gütsch M, Kanonenstrasse, 2 km über Basler- und Bernstrasse, 6007, (041) 249 41 00, *Fax (041) 249 41 91*, Luzern und Vierwaldstättersee, « Haus aus dem Jahre 1888, Mobiliar und Gebäude aus der Belle Epoque », – Zim, – 15/80. Rest AX z
Menu 94 und à la carte 74/125 – **31 Zim** 190/420 – ½ P Zuschl. 50.

Wilden Mann, Bahnhofstr. 30, 6007, (041) 210 16 66, *Fax (041) 210 16 29*, « Haus aus dem 16. Jh. mit geschmackvoller Einrichtung » – Zim, CZ m
Menu 20 - 45 (mittags)/59 und à la carte 49/92, Kinder 15 – **39 Zim** 190/350, 4 Suiten – ½ P Zuschl. 40.

des Balances, Weinmarkt, 6005, (041) 410 30 10, *Fax (041) 410 64 51*, « Im Stil Hans Holbeins bemalte Fassade » – – 15/45. CZ a
Rotes Gatter : Menu 20 - 34/79 und à la carte 40/91 – **54 Zim** 240/395, 3 Suiten – ½ P Zuschl. 45.

Continental-Park M Murbacherstr. 4, 6002, (041) 228 90 50, *Fax (041) 228 90 59*, – – 15/60.
Locanda Ticinese - italienische Küche - Menu 25 - 32 (mittags)/59 und à la carte 42/79 – **93 Zim** 200/340 – ½ P Zuschl. 35. DZ x

Monopol, Pilatusstr. 1, 6003, (041) 211 00 22, *Fax (041) 210 60 01*, – Rest, – 15/50. DZ t
Menu (siehe auch Rest. ***Arbalète***) – **103 Zim** 200/370.

Montana, Adligenswilerstr. 22, 6002, (041) 410 65 65, *Fax (041) 410 66 76*, Vierwaldstättersee, Zugang zum See mit Standseilbahn – – 15/50. BX d
Scala : Menu 24 - 38 (mittags)/74 (abends) und à la carte 52/91, Kinder 12 – **65 Zim** 170/395 – ½ P Zuschl. 55.

Astoria, Pilatusstr. 29, 6003, (041) 210 22 44, *Fax (041) 210 42 62*, – – 15/80. CZ q
Menu (siehe auch Rest. ***Thaï Garden***) – ***Latino*** : Menu 20 - 31 (mittags)/63 und à la carte 42/80 – **196 Zim** 180/270.

LUZERN

Baselstrasse . . . . AX 3
Bodenhofstrasse . . . . BX 6
Bundesstrasse . . . . AX 7
Kreuzbuchstrasse . . . . BX 24
St-Karli-Brücke . . . . AX 33
Taubenhausstrasse . . . . AX 34
Utenbergstrasse . . . . BX 37
Vallasterstrasse . . . . AX 38
Werkhofstrasse . . . . BX 40
Zinggentorstrasse . . . . BX 42

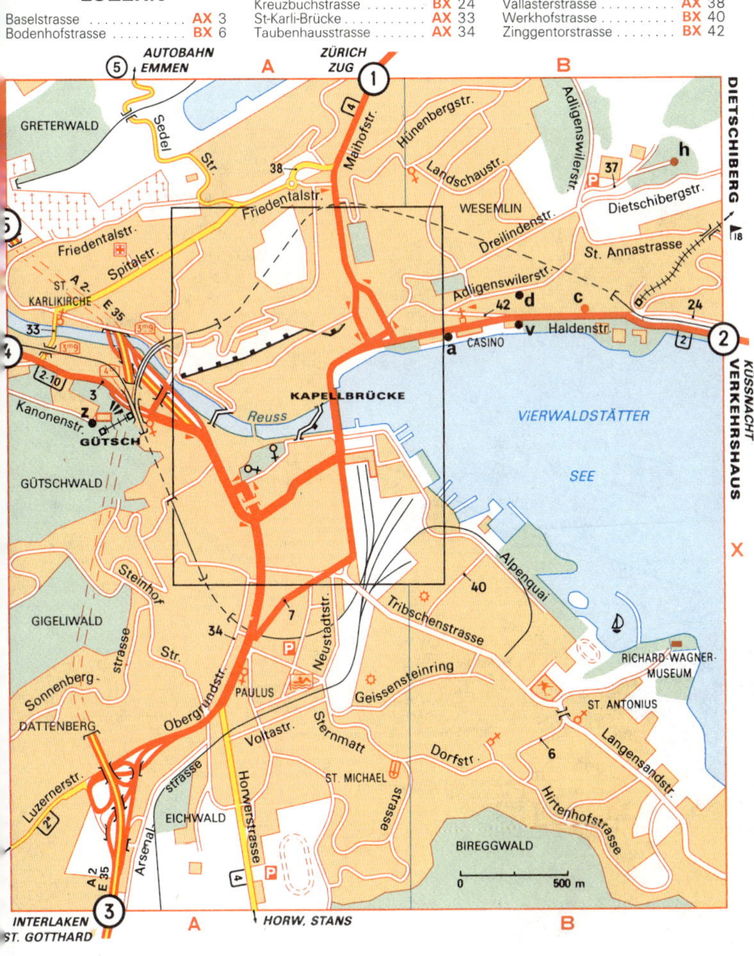

Schiller, Pilatusstr. 15, 6003, (041) 210 55 77, *Fax (041) 210 34 04,* – CZ s
Cucaracha - mexikanische Küche - *(Samstag - Sonntag jeweils mittags geschl.)* **Menu** *15* und à la carte 38/71 – **82 Zim** 170/220.

Johanniter M, Bundesplatz 18, 6003, (041) 210 18 55, *Fax (041) 210 16 50,* – , Zim, – 15/100. DZ a
Bolero - spanische Küche - *(Samstag - Sonntag jeweils mittags geschl.)* **Menu** *18.50* - 46 und à la carte 41/73 – **65 Zim** 135/240 – ½ P Zuschl. 35.

Baslertor garni, Pfistergasse 17, 6003, (041) 240 09 18, *Fax (041) 240 20 30,* – – 15 – **30 Zim** 150/300. CZ z

Krone M, Weinmarkt 12, 6004, (041) 419 44 00, *Fax (041) 419 44 90* – , Zim,, Zim, CZ c
Menu *17* und à la carte 33/52, Kinder 12 – **25 Zim** 160/250 – ½ P Zuschl. 25.

Waldstätterhof, Zentralstr. 4, 6003, (041) 210 54 93, *Fax (041) 210 09 59,* – Rest DZ y
Menu (alkoholfrei) *19* und à la carte 30/57, Kinder 12 – **80 Zim** 140/220 – ½ P Zuschl. 22.

LUZERN

Baselstrasse . . . . CZ 3
Bundesstrasse . . . . CDZ 7
Denkmal Strasse . . . . DY 10
Europaplatz . . . . DZ 12
Gerbergasse . . . . DY 13
Grendelstrasse . . . . DY 15
Hirschenplatz . . . . CZ 16
Kapellgasse . . . . CDZ
Kapellplatz . . . . DZ 18
Kornmarktgasse . . . . CZ 19
Kornmarkt . . . . CZ 21
Kramgasse . . . . CZ 22
Löwengartenstrasse . . . . . . DY 25
Morgartenstrasse . . . . DZ 27
Mühlenplatz . . . . CZ 28
Pfistergasse . . . . CZ 30
Pilatusstrasse . . . . CDZ
Rössligasse . . . . CZ 31
Theilinggasse . . . . CY 36
Weggisgasse . . . . CZ 39

Drei Könige, Bruchstr. 35, ✉ 6003, ✆ (041) 240 88 33, *Fax (041) 240 88 52* – 🛗 TV ☎. AE ⓓ E VISA – ***Hugo's Rest*** *(Samstagmittag, Sonntag und Mitte Juli - Mitte Aug. geschl.)* **Menu** *28* - 85 und à la carte 43/81 – **68 Zim** ☕ 120/260. CZ w

Hofgarten Ⓜ, Stadthofstr. 14, ✉ 6006, ✆ (041) 410 88 88, *Fax (041) 410 83 33*, 🌳, « Moderne, stilvolle Zimmereinrichtung » – 🛗 TV ☎ 📞 🚗. AE ⓓ E VISA JCB **Menu** - vegetarische Küche - *17* und à la carte 37/67, Kinder 12 – **18 Zim** ☕ 160/320. DY d

Rebstock, St. Leodegar-Str. 3, ✉ 6006, ☎ (041) 410 35 81, *Fax (041) 410 39 17*, « moderne Zimmereinrichtung » – AE VISA JCB DY n
Menu 18 und à la carte 36/78, Kinder 12 – **30 Zim** 160/280 – ½ P Zuschl. 25.

Ambassador garni, Zürichstr. 3, ✉ 6004, ☎ (041) 410 82 83, *Fax (041) 410 71 78*, – AE VISA JCB DY k
31 Zim 140/280.

Zum Weissen Kreuz, Furrengasse 19, ✉ 6004, ☎ (041) 410 40 40, *Fax (041) 410 40 60* – AE VISA. DZ v
über Weihnachten geschl. – **Menu** - italienische Küche - à la carte 41/78 – **22 Zim** 100/195.

Alpina garni, Frankenstr. 6, ✉ 6003, ☎ (041) 210 00 77, *Fax (041) 210 89 44* – AE VISA DZ g
15. Dez. - 15. Jan. geschl. – **33 Zim** 120/215.

Goldener Stern, Burgerstr. 35, ✉ 6003, ☎ (041) 227 50 60, *Fax (041) 227 50 61* – AE VISA CZ r
Menu 14 und à la carte 28/68 – **13 Zim** 95/135.

Trianon - *Grand Hotel National*, Haldenstr. 4, ✉ 6002, ☎ (041) 419 09 09, *Fax (041) 419 09 10*, ≤, – AE VISA. BX a
Feb. geschl. – **Menu** 29 - 48 (mittags)/115 und à la carte 57/106.

Mignon - *Hotel Palace*, Haldenstr. 10, ✉ 6002, ☎ (041) 416 16 16, *Fax (041) 416 10 00*, ≤, – AE VISA JCB. BX v
Menu 28 - 43 (mittags)/130 und à la carte 58/114.

Arbalète - *Hotel Monopol*, Pilatusstr. 1, ✉ 6003, ☎ (041) 211 00 22, *Fax (041) 210 60 01*, – AE VISA JCB DZ t
Sonntag geschl. – **Menu** 38 (mittags) und à la carte 50/97.

Old Swiss House, Löwenplatz 4, ✉ 6004, ☎ (041) 410 61 71, *Fax (041) 410 17 38*, « Kachelofen von 1636 » – AE VISA JCB DY w
Montag und 8. - 22. Feb. geschl. – **Menu** 28 - 69 und à la carte 55/110.

Arte (Zuber), Haldenstr. 57, ✉ 6002, ☎ (041) 410 70 20, *Fax (041) 410 70 22*, ≤, – AE VISA BX c
Sonntag, Montag und 14. Feb. - 2. März geschl. – **Menu** (Tischbestellung ratsam) 28.50 - 52 (mittags)/100 und à la carte 60/108
Spez. Trilogie vom Lachs mit süsser Senfsauce und Zwiebelconfit. Saiblingfilet auf Himbeervinaigrette. Lammcarré mit Nusskruste an Schalottensauce, Butterrösti.

Au Premier, im Hauptbahnhof, ✉ 6002, ☎ (041) 210 57 77, *Fax (041) 210 74 20* – AE VISA DZ
Menu 30 - 42 (mittags)/80 und à la carte 45/99, Kinder 14.

Thaï Garden - *Hotel Astoria*, Pilatusstr. 29, ✉ 6003, ☎ (041) 210 61 61, *Fax (041) 210 42 62* – AE VISA. CZ q
Samstag und Sonntag jeweils mittags geschl. – **Menu** - thailändische Küche - (Tischbestellung ratsam) 18 - 30 (mittags)/90 und à la carte 49/80.

La Ratatouille, St. Karli-Quai 9, ✉ 6004, ☎ (041) 410 71 56 – AE VISA CZ f
Sonntag, Montag, Feiertage, 20. Dez. - 4. Jan. und 3. - 26. Juli geschl. – **Menu** à la carte 47/76.

Padrino - *Grand Hotel National*, Haldenstr. 4, ✉ 6006, ☎ (041) 410 41 50, *Fax (041) 410 58 02*, ≤, – AE VISA BX a
von Nov. - Ende März Sonntag und 1. - 18. Jan. geschl. – **Menu** - italienische Küche - 23 und à la carte 50/83.

Galliker, am Kasernenplatz, Schützenstr. 1, ✉ 6003, ☎ (041) 240 10 02 – P. AE VISA JCB CZ b
Sonntag, Montag und 12. Juli - 12. Aug. geschl. – **Menu** (Tischbestellung ratsam) 20 und à la carte 42/87.

Nord-Ost : *4 km Richtung Dietschiberg :*

Schlössli Utenberg, Utenberg 643, ✉ 6006, ☎ (041) 420 00 22, *Fax (041) 420 00 24*, ≤ Luzern und Vierwaldstättersee, , Spätbarockes Landgut aus dem 18. Jh. – P. AE VISA DX h
Montag - Dienstag und 8. - 23. Feb. geschl. – **Menu** 21 - 29 (mittags)/78 und à la carte 48/92, Kinder 19.

Ost *über ② : 4 km Richtung Meggen :*

Hermitage Ⓜ, Seeburgstr. 72, ✉ 6006 Luzern, ✆ (041) 370 37 3 *Fax (041) 370 69 55*, ← Vierwaldstättersee, Pilatus und Luzern, « Seeterrasse », – video – 15/100. AE JCB
***Quatre Saisons* : Menu** 38 - 64 und à la carte 46/75 – ***Hermitage* : Menu** 25 - 4 und à la carte 38/87, Kinder 12 – **20 Zim** 330/390 – ½ P Zuschl. 50.

Seeburg, Seeburgstr. 61, ✉ 6006 Luzern, ✆ (041) 375 55 55, *Fax (041) 37 55 50*, ← See, Pilatus und Luzern, Park, – VISA. Rest
***Ritterstube* : Menu** 89 und à la carte 55/110 – ***Seerestaurant* : Menu** 18 - 2 (mittags) und à la carte 39/95 – **44 Zim** 170/290 – ½ P Zuschl. 30.

in Kastanienbaum *Süd-Ost : 4 km über Langensandstrasse - BX – Höhe 435 – ✉ 604 Kastanienbaum :*

Seehotel Kastanienbaum, St. Niklausenstr. 105, ✆ (041) 340 03 4 *Fax (041) 340 10 15*, ← Vierwaldstättersee, « Seeterrasse », – – 15/60. AE VISA. Rest
7. - 20. Feb. geschl. – **Menu** 25 - 36 (mittags)/65 und à la carte 44/85, Kinder 12 **42 Zim** 190/340 – ½ P Zuschl. 50.

in Horw *Süd : 3 km – Höhe 442 – ✉ 6048 Horw :*

Seehotel Sternen, Winkelstr. 46, ✆ (041) 340 00 22, *Fax (041) 340 66 4* ← Vierwaldstättersee, – – 15/40. AE VIS JCB
8. - 22. Feb. geschl. – ***Venus*** *(Montag ausser Feiertage geschl.)* **Menu** 30 und à la cart 56/110, Kinder 15 – **25 Zim** 170/290 – ½ P Zuschl. 40.

Felmis, Kastanienbaumstr. 91, ✆ (041) 340 70 07, *Fax (041) 340 70 34*, – AE VISA.
Jan. geschl. – **Menu** 15.50 und à la carte 30/82, Kinder 12 – **26 Zim** 115/190

Waldhaus mit Zim, auf Oberrüti, Ost : 3 km Richtung Kastanienbaum ✆ (041) 340 30 44, *Fax (041) 340 30 35*, Park, « Terrasse ← Vierwaldstätterse und Berge » – – 35. AE VISA
Menu 29 - 41 (mittags)/95 und à la carte 58/102 – **5 Zim** 110/210 – ½ P Zuschl. 6

in Kriens *Süd : 4 km – ✉ 6010 Kriens :*

Broadway Ⓜ garni, Kuonimatt-Industriestr. 13, ✆ (041) 349 49 49, *Fax (041) 34 49 00* – – 15/50. AE VISA JCB
19. Dez. - 4. Jan. geschl. – **69 Zim** 130/200.

auf der Autobahn A2 *Nord-West : 10 km – ✉ 6023 Rothenburg :*

Holiday Inn Express Ⓜ garni, Raststätte Luzern-Neuenkirch A2, ✆ (041) 28 28 28, *Fax (041) 288 29 29* – – 15/40. AE VISA JCB
60 Zim 135.

LYSS *3250 Bern (BE)* **216** ⑭ *– 9 802 Ew. – Höhe 445.*
Bern 22 – Biel 10 – Burgdorf 32 – Neuchâtel 40 – Solothurn 26.

Weisses Kreuz, Marktplatz 15, ✆ (032) 387 07 40, *Fax (032) 387 07 49*, AE VISA
Menu 19.50 - 42 (mittags)/76 und à la carte 43/82 – **27 Zim** 75/180 – ½ P Zuschl. 3

Hirschen, Hirschenplatz 2, ✆ (032) 384 13 08, *Fax (032) 385 13 73*, – VISA
Menu 15 - 38 (mittags) und à la carte 45/88, Kinder 12 – ***Hirschenstube* : Menu** 38/110 und à la carte 60/108.

Post, Bahnhofstr. 17, ✆ (032) 384 13 91, *Fax (032) 385 35 05* – AE VISA
Le Gourmet* : Menu** 39 (mittags)/99 und à la carte 44/110 – ***Lotos - chinesische Küche - **Menu** à la carte 37/97.

in Suberg *Süd-Ost : 3 km Richtung Bern – Höhe 470 – ✉ 3262 Suberg :*

Zum Goldenen Krug, Bernstr. 61, ✆ (032) 389 13 30, *Fax (032) 389 13 15*, « Riegelhaus mit rustikaler Einrichtung » – AE VISA
Sonntag und Montag geschl. – **Menu** 32 - 42/100 und à la carte 50/99.

MACOLIN (MAGGLINGEN) *Berne* 216 ⑭ – *voir Magglingen.*

MADISWIL *4934 Bern (BE)* 216 ⑯ – *2031 Ew. – Höhe 534.*

Bern 47 – Luzern 70 – Olten 26 – Solothurn 31.

Bären, Kirchgässli 1, ✆ (062) 965 27 27, *Fax (062) 965 38 81*, , Gewölbekeller aus dem 17. Jh., – TV ☎ P. AE ⓓ E VISA
24. Dez. - 3. Jan. geschl. – **Menu** *(24. dez. - 10. Jan. geschl.)* 25 - 44/85 und à la carte 43/79 – **11 Zim** 95/155 – ½ P Zuschl. 30.

Bahnhof, Steingasse 17, ✆ (062) 965 27 02, *Fax (062) 965 38 65*, – P. AE ⓓ E VISA
Dienstag - Mittwoch und 28. Juli - 11. Aug. geschl. – **Menu** à la carte 37/96.

MADULAIN *7523 Graubünden (GR)* 218 ⑮ ⑯ – *159 Ew. – Höhe 1697.*

Bern 322 – Sankt Moritz 14 – Chur 80 – Davos 57 – Scuol 49.

Stüva Colani (Stöhr) mit Zim, ✆ (081) 854 17 71, *Fax (081) 854 14 85*, ≤, , Engadiner Haus mit Sgraffiti, modernes Interieur – TV ☎ P. AE ⓓ E VISA. Zim
6. April - 4. Juni geschl. – **Menu** *(Mittwoch ausser Saison geschl.)* 29 - 88/135 und à la carte 78/123, Kinder 12 – **16 Zim** 100/245 – ½ P Zuschl. 48
Spez. Ris de veau braisé aux cèpes et petits légumes (Sommer). Noisettes de chevreuil aux baies de genièvre (Herbst). Pot-au-feu de boeuf (Winter).

MAGDEN *4312 Aargau (AG)* 216 ⑤ – *2746 Ew. – Höhe 329.*

Bern 94 – Basel 22 – Aarau 38 – Baden 47 – Rheinfelden 3.

Pöschtli (Rossal) mit Zim, Maispracherstr. 2, ✆ (061) 841 11 25, *Fax (061) 841 11 60*, – Zim, P. AE ⓓ E VISA
Sonntagabend, Montag, 3. - 10. Jan. und 18. Juli - 4. Aug. geschl. – **Menu** 25 - 110/155 und à la carte 69/133 – **4 Zim** 150/230
Spez. Filet de turbot sauté en croustade au céleri. L'agneau du Puschlav rôti. Crème bavaroise à la pélargonie (été).

MAGGLINGEN (MACOLIN) *2532 Bern (BE)* 216 ⑭ – *Höhe 875.*

Bern 43 – Biel 8 – Neuchâtel 42 – Solothurn 28.

Bellevue M, Hauptstr. 232, ✆ (032) 329 17 17, *Fax (032) 329 17 18*, ≤, , – , Zim, TV ☎ P – 15/60. AE ⓓ E VISA
21. Dez. - 3. Jan. geschl. – **Menu** 18 - 22 und à la carte 37/75 – **97 Zim** 115/210 – ½ P Zuschl. 30.

Au Vieux Suisse, Hauptstr. 206, ✆ (032) 322 50 40, *Fax (032) 322 50 40*, – P. AE ⓓ E VISA
Menu 16 - 62 und à la carte 35/84.

MAGLIASO *Ticino* 219 ⑧ – *vedere Caslano.*

MAIENFELD *7304 Graubünden (GR)* 218 ④ – *2075 Ew. – Höhe 504.*

Verkehrsverein, ✆ (081) 302 61 00.

Bern 228 – Chur 25 – Davos 57 – Vaduz 16.

Schloss Brandis, ✆ (081) 302 24 23, *Fax (081) 302 62 21*, Turm Bestandteil des ehemaligen Schlosses – P – 15/80. AE ⓓ E VISA
Montag - Dienstag und 12. Juli - 4. Aug. geschl. – ***Rittersaal :*** **Menu** 80 und à la carte 43/110 – ***Turmrestaurant :*** **Menu** 25 und à la carte 38/101, Kinder 18.

in Jenins *Süd-West : 2 km – Höhe 633 – ✉ 7307 Jenins :*

Zur Bündte, ✆ (081) 302 12 23, *Fax (081) 302 64 85*, ≤ Weinberge und Bündner Herrschaft, – P. AE E VISA
Mitte Nov. - Ende März Montag - Dienstag, 10. - 24. Dez. und 10. - 29. Jan. geschl. – **Menu** 28 und à la carte 40/79 – **8 Zim** 70/140.

MALANS *7208 Graubünden (GR)* **218** ④ – *1 759 Ew. – Höhe 536.*
Bern 232 – Chur 21 – Bad Ragaz 9 – Davos 54.

XXX **Weisskreuz** M mit Zim, ✆ (081) 322 81 61, *Fax (081) 322 81 62,*
« Renovierter Gasthof mit eleganter Einrichtung » – AE E VISA JCB
Bündnerstube : **Menu** 65/92 und à la carte 56/104, Kinder 15 – ***Malanserstube***
Menu 19.50 - 65/92 und à la carte 40/81 – **11 Zim** 110/220.

X **Krone** mit Zim, ✆ (081) 322 14 55, *Fax (081) 322 36 43,* Gasthof aus dem 17. Jh
« Gemütlich - rustikale Gasträume » – P
Mittwoch - Donnerstag, 20. Dez. - 7. Jan. und 5. - 30. Juli geschl. – **Menu** 17.50 und
à la carte 38/82, Kinder 12 – **12 Zim** 70/140.

MALBUN *Fürstentum Liechtenstein* **216** ㉒ – *siehe Seite 379.*

Les prix — Pour toutes précisions sur les prix indiqués dans ce guide, reportez-vous aux pages de l'introduction.

MALOJA *7516 Graubünden (GR)* **218** ⑮ – *Höhe 1 815.*
Sehenswert : *Turm Belvedere : Ausblick★.*
Lokale Veranstaltung
20.03 : Hornusser-Treffen auf Schnee.
Kur- und Verkehrsverein, ✆ (081) 824 31 88, Fax (081) 824 36 37.
Bern 334 – Sankt Moritz 17 – Chur 84 – Davos 83 – Sondrio 95.

Schweizerhaus, ✆ (081) 824 34 55, *Fax (081) 824 33 41,* ≤, « Holzhaus aus dem 19. Jh. », – P AE E VISA
19. Dez. - 11. April und 13. Juni - 16. Okt. – **Menu** à la carte 36/83, Kinder 9 – **26 Zim** 120/250, Vorsaison 85/180 – ½ P Zuschl. 27.

Maloja Kulm, Hauptstr. 1, ✆ (081) 824 31 05, *Fax (081) 824 34 66,* ≤, – P – 25. AE E VISA. Rest
21. Dez. - 11. April und 10. Mai - 22. Okt. – **Menu** 27 - 34 (mittags)/73 und à la carte 38/81, Kinder 15 – **22 Zim** 90/190 – ½ P Zuschl. 28.

MAMMERN *8265 Thurgau (TG)* **216** ⑨ – *544 Ew. – Höhe 412.*
Bern 182 – Zürich 62 – Frauenfeld 17 – Konstanz 25 – Stein am Rhein 5 – Winterthur 33.

XX **Adler** mit Zim, Hauptstr. 4, ✆ (052) 741 24 47, *Fax (052) 741 26 35,* –
P AE E VISA
Mittwoch (ausser März - Okt.) und Donnerstag geschl. – **Menu** 18.50 und à la carte 34/76, Kinder 12 – **4 Zim** 70/130.

XX **Schiff** mit Zim, Seestr. 3, ✆ (052) 741 24 44, « Stube mit Holztäfelung aus dem 18. Jh. », – P
Montag, 23. Dez. - 1. Feb. und 1. - 14. Okt. geschl. – **Menu** à la carte 39/98 – **4 Zim** 80/130.

MÄNNEDORF *8708 Zürich (ZH)* **216** ⑲ – *7 717 Ew. – Höhe 419.*
Bern 145 – Zürich 20 – Luzern 68 – Sankt Gallen 71.

X **Allenberg,** Allenbergstr. 84, über Bergstrasse Ost : 2 km, ✆ (01) 920 02 24
Fax (01) 920 02 74, ≤, – P AE E VISA
Montag - Dienstag, 20. Feb. - 9. März und 11. - 28. Sept. geschl. – **Menu** 19 - 58 und à la carte 37/86, Kinder 15.

MANNENBACH *8268 Thurgau (TG)* **216** ⑨ – *Höhe 400.*
Bern 190 – Sankt Gallen 49 – Frauenfeld 24 – Konstanz 14 – Steckborn 6 – Winterthur 41.

Seehotel Schiff M, ✆ (071) 663 41 41, *Fax (071) 663 41 50,* ≤ Bodensee
– P – 15/60. AE E VISA
18. - 31. Jan. geschl. – **Menu** 25 - 49 und à la carte 49/93, Kinder 15 – **18 Zim** 105/185 – ½ P Zuschl. 40.

LE GUIDE MICHELIN DU PNEUMATIQUE

MICHELIN REIFENFÜHRER

LA GUIDA MICHELIN DEL PNEUMATICO

QU'EST-CE QU'UN PNEU ?

Produit de haute technologie, le pneu constitue le seul point de liaison de la voiture avec le sol.
Ce contact correspond, par roue, à une surface équivalente à celle d'une carte postale. Le pneu doit donc se contenter de ces quelques centimètres carrés de gomme au sol pour remplir un grand nombre de tâches souvent contradictoires :

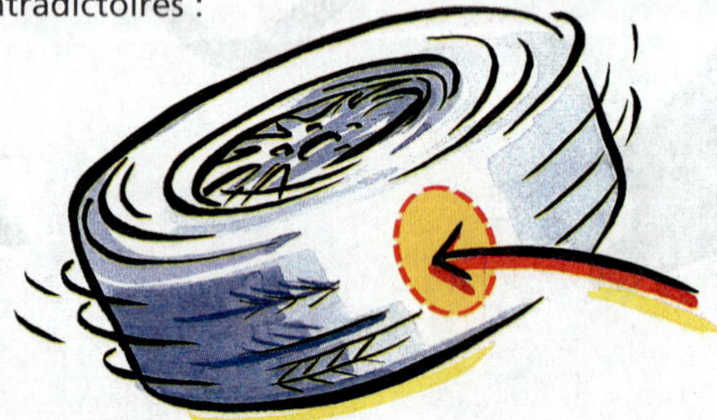

Porter le véhicule à l'arrêt, mais aussi résister aux transferts de charge considérables à l'accélération et au freinage.

Transmettre la puissance utile du moteur, les efforts au freinage et en courbe.

Rouler régulièrement, plus sûrement, plus longtemps pour un plus grand plaisir de conduire.

Guider le véhicule avec précision, quels que soient l'état du sol et les conditions climatiques.

Amortir les irrégularités de la route, en assurant le confort du conducteur et des passagers ainsi que la longévité du véhicule.

Durer, c'est-à-dire, garder au meilleur niveau ses performances pendant des millions de tours de roue.

- Afin de vous permettre d'exploiter au mieux toutes les qualités de vos pneumatiques, nous vous proposons de lire attentivement les informations et les conseils qui suivent.

LE PNEU
EST LE SEUL POINT
DE LIAISON
DE LA VOITURE AVEC LE SOL

COMMENT LIT-ON UN PNEU ?

CODES DE VITESSE MAXIMUM :

		S	*180 km/h*	*V*	*240 km/h*
		T	*190 km/h*	*W*	*270 km/h*
Q	*160 km/h*	*H*	*210 km/h*	*Y*	*300 km/h*
R	*170 km/h*	*VR*	*> 210 km/h*	*ZR*	*> 240 km/h*

(dans la dimension)

POURQUOI VERIFIER LA PRESSION DE VOS PNEUS ?

POUR EXPLOITER AU MIEUX
LEURS **PERFORMANCES** ET ASSURER
VOTRE **SECURITE**

Contrôlez la pression de vos pneus, sans oublier la roue de secours, dans de bonnes conditions.
Un pneu perd régulièrement de la pression.

Les pneus doivent être contrôlés

une fois toutes les 2 semaines

à froid, c'est-à-dire une heure au moins après l'arrêt de la voiture ou après avoir parcouru 2 à 3 kilomètres à faible allure.
En roulage, la pression augmente ; ne dégonflez donc jamais un pneu qui vient de rouler : considérez que, pour être correcte, sa pression doit être au moins supérieure de 0,3 bar à celle préconisée à froid.

VERIFIEZ LA PRESSION DE VOS PNEUS
REGULIEREMENT ET AVANT CHAQUE VOYAGE

LE SURGONFLAGE

Si vous devez effectuer un long trajet à vitesse soutenue, ou si la charge de votre voiture est particulièrement importante, il est généralement conseillé de majorer la pression de vos pneus. Attention : l'écart de pression avant-arrière nécessaire à l'équilibre du véhicule doit être impérativement respecté. Consultez les tableaux de gonflage Michelin chez tous les professionnels de l'automobile et chez les spécialistes du pneu. N'hésitez pas à leur demander conseil.

LE SOUS-GONFLAGE

Lorsque la pression de gonflage est insuffisante, les flancs du pneu travaillent anormalement. Il en résulte une fatigue excessive de la carcasse, une élévation de température et une usure anormale. Le pneu subit alors des dommages irréversibles qui peuvent entraîner sa destruction immédiate ou future.
En cas de perte de pression, il est impératif de consulter un spécialiste qui en recherchera la cause et jugera de la réparation éventuelle à effectuer.

LE BOUCHON DE VALVE

En apparence, il s'agit d'un détail ; c'est pourtant un élément essentiel de l'étanchéité. Aussi, n'oubliez pas de le remettre en place après vérification de la pression, en vous assurant de sa parfaite propreté.

VOITURE TRACTANT CARAVANE, BATEAU...

Dans ce cas particulier, il ne faut jamais oublier que le poids de la remorque accroît la charge du véhicule.
Il est donc nécessaire d'augmenter la pression des pneus arrière de votre voiture, en vous conformant aux indications des tableaux de gonflage Michelin.
Pour de plus amples renseignements, demandez conseil à votre revendeur de pneumatiques, c'est un véritable spécialiste.

COMMENT FAIRE DURER VOS PNEUS ?

Afin de préserver longtemps les qualités de vos pneus, il est impératif de les faire contrôler régulièrement, et avant chaque grand voyage. Il faut savoir que la durée de vie d'un pneu peut varier dans un rapport de 1 à 4, et parfois plus, selon son entretien, l'état du véhicule, le style de conduite et l'état des routes !

L'ensemble roue-pneumatique doit être parfaitement équilibré pour éviter les vibrations qui peuvent apparaître à partir d'une certaine vitesse. Pour supprimer ces vibrations et leurs désagréments, vous confierez l'équilibrage à un professionnel du pneumatique car cette opération nécessite un savoir-faire et un outillage très spécialisé.

LES FACTEURS QUI INFLUENT SUR L'USURE ET LA DUREE DE VIE DE VOS PNEUMATIQUES :

Les caractéristiques du véhicule (poids, puissance...), le profil des routes (rectilignes, sinueuses), le revêtement (granulométrie : sol lisse ou rugueux), l'état mécanique du véhicule (réglage des trains avant, arrière, état des suspensions et des freins...), le style de conduite (accélérations, freinages, vitesse de passage en courbe...), la vitesse (en ligne droite à 120 km/h un pneu s'use deux fois plus vite qu'à 70 km/h), la pression des pneumatiques (si elle est incorrecte, les pneus s'useront beaucoup plus vite et de manière irrégulière).

D'autres événements de nature accidentelle (chocs contre trottoirs, nids de poule...), en plus du risque de déréglage et de détérioration de certains éléments du véhicule, peuvent provoquer des dommages internes au pneumatique dont les conséquences ne se manifesteront parfois que bien plus tard.

LES CHOCS
CONTRE LES TROTTOIRS,
LES NIDS DE POULE...
PEUVENT ENDOMMAGER
GRAVEMENT VOS PNEUS.

Un contrôle régulier de vos pneus vous permettra donc de détecter puis de corriger rapidement les anomalies (usure anormale, perte de pression...). A la moindre alerte, adressez-vous immédiatement à un revendeur spécialiste qui interviendra pour préserver les qualités de vos pneus, votre confort et votre sécurité.

SURVEILLEZ L'USURE DE VOS PNEUMATIQUES :

Comment ? Tout simplement en observant la profondeur de la sculpture. C'est un facteur de sécurité, en particulier sur sol mouillé. Tous les pneus possèdent des indicateurs d'usure de 1,6 mm d'épaisseur. Ces indicateurs sont repérés par un Bibendum situé aux "épaules" des pneus MICHELIN. Un examen visuel suffit pour connaître le niveau d'usure de vos pneumatiques.
Attention : même si vos pneus n'ont pas encore atteint la limite d'usure légale (en France, **la profondeur restante de la sculpture doit être supérieure à 1,6 mm** sur l'ensemble de la bande de roulement), leur capacité à évacuer l'eau aura naturellement diminué avec l'usure.

WAS IST EIN REIFEN ?

Der Reifen, als hochtechnologisches Produkt, bildet den einzigen Verbindungspunkt des Fahrzeuges mit dem Boden. Die Auflagefläche eines Reifens entspricht der Grösse einer Postkarte. Der Reifen muss sich also mit diesen wenigen Quadratzentimetern Auflagefläche begnügen, um eine grosse Anzahl von oft gegensätzlichen Aufgaben zu erfüllen.

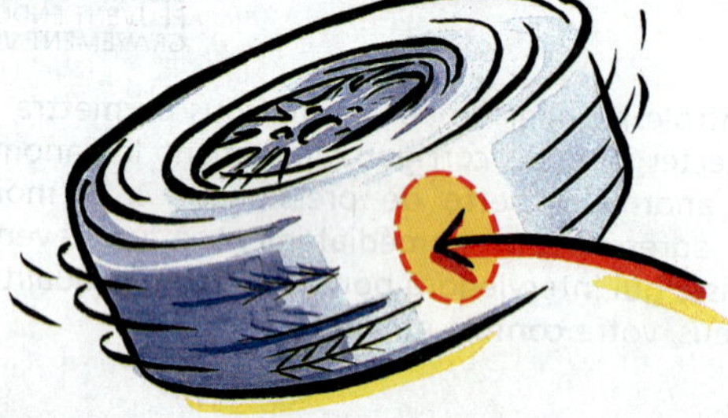

Tragen des stillstehenden Fahrzeuges, jedoch ebenfalls den beträchtlichen Last-verlagerungen beim Beschleunigung und Bremsen zu widerstehen.

Übertragen der Motorkraft, der Bremsleistung, sowie auch bei Kurvenfahrt.

Fahren regelmässig, sicherer, länger, damit es Spass macht.

Lenken eines Fahrzeuges mit Präzision auf jeder Fahrbahn und unter jeglichen klimatischen Verhältnissen.

Abfedern der Unebenheiten der Strasse in dem der Komfort des Lenkers, der Mitfahrer und die Lebensdauer des Fahrzeuges zugesichert sind.

Dauern das heisst den besten Stand ihrer Leistungen während Millionen von Radumdrehungen beizubehalten.

Damit die Qualität Ihrer Reifen optimal ausgenützt wird, raten wir Ihnen die folgenden Informationen und Ratschläge aufmerksam zu lesen.

DER REIFEN IST DIE EINZIGE VERBINDUNG VOM FAHRZEUG ZUR FAHRBAHN.

WIE LIEST MAN EINEN REIFEN ?

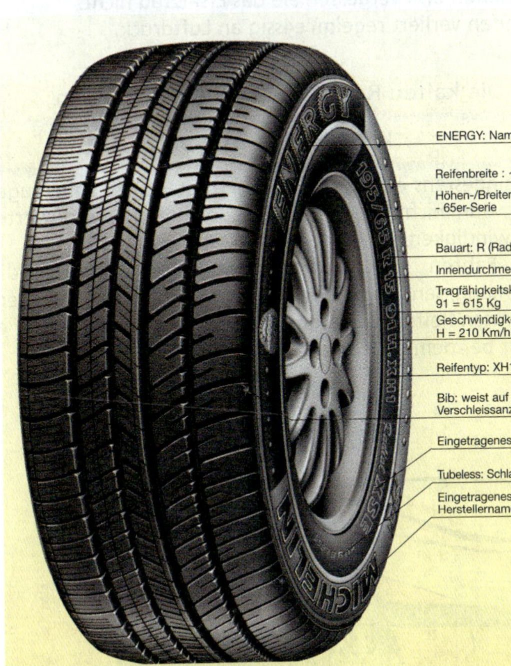

Geschwindigkeitsindex (V-max.):

		S	*180 km/h*	*V*	*240 km/h*
		T	*190 km/h*	*W*	*270 km/h*
Q	*160 km/h*	*H*	*210 km/h*	*Y*	*300 km/h*
R	*170 km/h*	*VR*	*> 210 km/h*	*ZR*	*> 240 km/h*

WARUM DEN LUFTDRUCK IHRER REIFEN KONTROLLIEREN?

UM DIE **LEISTUNGEN** BESSER ZU NÜTZEN UND UM IHRE **SICHERHEIT** ZU GEWÄHREN.

Kontrollieren Sie unter guten Verhältnissen den Luftdruck Ihrer Reifen und vergessen Sie das Ersatzrad nicht.
Ein Reifen verliert regelm\'e4ssig an Luftdruck.

Die kalten Reifen müssen alle 2 Wochen kontrolliert werden,

d.h. mindestens eine Stunde nach Stillstand des Fahrzeuges oder wenn nicht mehr als 2-3 Kilometer mit reduzierter Geschwindigkeit gefahren worden ist.
Beim Fahren erhöht sich der Luftdruck durch die Erwärmung; senken Sie deshalb nie den Luftdruck bei einem erwärmten Reifen. Sie können als richtig erachten, wenn er 0.3 bar ber dem bei kalten Reifen Tabellenwert liegt.

KONTROLLIEREN SIE REGELMÄSSIG UND VOR JEDER REISE IHREN REIFENLUFTDRUCK

ÜBERHÖHTER LUFTDRUCK

Wenn Sie eine lange Strecke mit anhaltender Geschwindigkeit unternehmen müssen, oder wenn die Last Ihres Fahrzeuges speziell hoch ist,wird empfohlen, den Luftdruck der Reifen zu erhöhen. Achtung: der Unterschied des vorne- hinten Luftdruckes, das dem Fahrverhalten des Fahrzeuges dient, muss unbedingt eingehalten werden. Beachten Sie die Michelin Luftdrucktabellen bei allen Professionellen der Automobilbranche und beim Reifenspezialisten. Zögern Sie nicht und lassen Sie sich beraten.

ZU GERINGER LUFTDRUCK

Bei zu niedrigem Luftdruck arbeiten die Reifenflanken abnormal. Es entsteht eine Übermässige Erwärmung und Ermüdung der Karkasse sowie ein abnormaler Abrieb. Beim Reifen können Schäden entstehen die früher oder später zum Ausfall führen.

Im Falle eines Luftdruckverlustes, ist es ausschlaggebend einen Speziallisten aufzusuchen, der nach der Ursache forscht und eine eventuelle Reparatur ausführt.

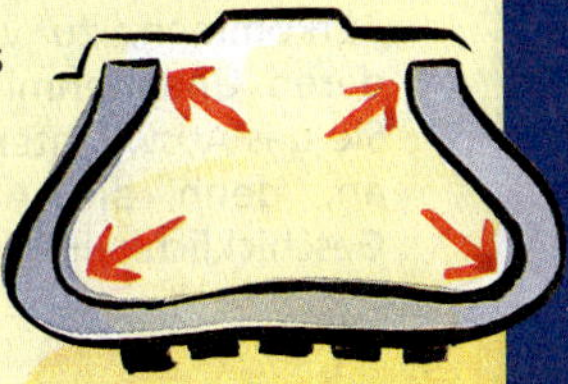

VENTILKAPPE

Dem Anschein nach handelt es sich um ein Detail; es ist aber ein wichtiges Bestandteil der Dichtheit. Vergessen Sie nicht, nach der Luftdruckkontrolle die Ventilkappe zu säubern und diese wieder aufzuschrauben.

PERSONENWAGEN MIT ANHÄNGER WIE: WOHNWAGEN, BOOTSANHÄNGERN...

In diesem speziellen Fall, nicht vergessen, dass das Gewicht des Anhängers die Last des Fahrzeuges erhöht. Es ist daher nötig den Reifenluftdruck der Hinterachse zu erhöhen, indem Sie sich an die Hinweise der Michelin Luftdrucktabelle halten. Für weitere Auskünfte steht Ihnen der Reifenverkäufer mit Rat zur Seite, er ist ein echter Spezialist.

WIE VERLÄNGERN SIE DIE LEBENSDAUER IHRER REIFEN ?

Um die Dauer Ihrer Reifenqualität lange zu erhalten, ist es wichtig diese regelmässig zu kontrollieren und vor jeder grossen Reise. Man sollte wissen, dass die Lebensdauer eines Reifens zwischen einem Verhältnis von 1 bis 4 variieren kann und je nach Unterhalt, Zustand des Fahrzeuges, Fahrverhalten und dem Strassenzustand manchmal sogar mehr.

Die Rad-Reifeneinheit muss perfekt ausgewuchtet sein um die Vibrationen die ab einer gewissen Geschwindigkeit aufkommen, zu verhindern. Um die Vibrationen und deren Unannehmlichkeiten zu beseitigen, anvertrauen Sie das Auswuchten einem Reifenspezialisten an, denn die Ausführung dieser Arbeit benötigt Geschicklichkeit und eine spezielle Ausrüstung.

DIE ELEMENTE DIE EINEN EINFLUSS AUF ABNUTZUNG UND LEBENSDAUER IHRER REIFEN HABEN :

Die Merkmale des Fahrzeuges (Gewicht, Stärke...), das Strassenprofil (geradlinig, gewunden), die Schicht (Kornaufbau: glatter oder rauher Boden), mechanischer Zustand des Fahrzeuges (Einstellung der Lenkgeometrie Vorder- und Hinterachse, Zustand der Federung und der Bremsen...), Fahrweise (Beschleunigung, Bremsen, Kurvengeschwindigkeit...) bei einer Geschwindigkeit (in gerader Linie bei 120 km/h ist die Reifenabnutzung zweimal grösser als bei 70 km/h), Reifenluftdruck (wenn er nicht korrekt ist, entsteht eine schneller und eine unregelmässiger Reifenabrieb).

Andere Arten von Vorfällen (Aufprall gegen Bordsteine, Schlaglöcher...), zudem das Risiko von Unregelmässigkeiten und von Beschädigung gewisser Fahrzeugelemente, können an den Reifen interne Schäden hervorrufen und die erst später zum Vorschein kommen.

DER AUFPRALL
GEGEN DIE BORDSTEINE,
DIE SCHLAGLÖCHER\...
KÖNNEN IHRE REIFEN STARK
BESCHÄDIGEN

Eine regelmässige Kontrolle Ihrer Reifen erlaubt Ihnen die Unregelmässigkeiten wie (abnormaler Reifenabrieb, Luftdruckverlust...), schnellstens festzustellen und zu korrigieren. Beim geringsten Alarm kontaktieren Sie sofort einen Reifenspezialisten der das Nötige unternimmt um die Qualität Ihrer Reifen, den Komfort und Ihre Sicherheit zu bewahren.

ÜBERWACHEN SIE DIE ABNUTZUNG IHRER REIFEN :

Wie? Ganz einfach indem Sie die Tiefe des Laufflächenprofils beachten. Dies ist ein Sicherheitsfaktor, speziell auf nassem Boden. Alle Reifen haben den Abnutzungsanzeiger von 1,6 mm Tiefe. Diese Anzeiger sind mit einem Bibendum der auf der "Schulter" der MICHELIN-Reifen gekennzeichnet ist. Eine visuelle Prüfung genügt um den Abriebszustand Ihrer Reifen zu kennen.
Achtung: auch wenn Ihre Reifen die legale Abnutzungslimite noch nicht erreicht haben **(die noch verbleibende Profiltiefe muss höher als 1,6 mm sein** und auf der ganzen Reifenlauffläche), hat sich die Kapazität der Wasserverdrängung mit der Abnutzung vermindert.

COS'È UN PNEUMATICO ?

Prodotto di alta tecnologia, il pneumatico è l'unico punto di contatto dell'automobile con la strada. Questo contatto corrisponde, per una ruota, ad una superficie equivalente a quella di una cartolina postale. Il pneumatico deve dunque poter riempire, su questi pochi centimetri quadrati di gomma al suolo, un gran numero di funzioni spesso contradditorie : Portare il veicolo in sosta, ma pure resistere ai trasferimenti di carica considerevoli dovuti all'accelerazione e al frenaggio.

Portare il veicolo in sosta, ma pure resistere ai trasferimenti di carica considerevoli dovuti all'accelerazione e al frenaggio.

Trasmettere la potenza utile del motore, gli sforzi al frenaggio e in curva.

Rotolare regolarmente, più sicuramente e più a lungo per un più grande piacere di guida.

Guidare il veicolo con precisione, qualunque siano lo stato della strada e le condizioni climatiche.

Attutire le irregolarità della strada, assicurando il comfort del conducente e dei passeggeri così come la longevità del veicolo.

Durare, vale a dire mantenere al miglior livello le sue prestazioni durante milioni di giri di ruota.

Per permettervi di sfruttare al massimo tutte le qualità dei vostri pneumatici, vi proponiamo di leggere attentamente le informazioni e i consigli che seguono

Il pneumatico è l'unico punto di contatto dell'automobile con la strada.

COME LEGGERE LE INDICAZIONI SU UN PNEUMATICO :

ENERGY : nome del pneumatico

Larghezza del pneumatico : 195 mm

Serie del pneumatico : rapporto altezza su larghezz di sezione H/S :65

Struttura : R (radiale).

Diametro interno : 15 pollici

Indice di carico : 91 (615 kg)

Codice di velocità : H = 210 km/h

Denominazione del pneumatico : XH1

Figura "Bib" che segnala il posizionamento dell'indicatore di usura.

Marca registrata.

Pneumatico per impiego senza camera d'aria: Tubeless.

Nome del fabbricante

Codice di velocità massima :

		S	*180 km/h*	*V*	*240 km/h*
		T	*190 km/h*	*W*	*270 km/h*
Q	*160 km/h*	*H*	*210 km/h*	*Y*	*300 km/h*
R	*170 km/h*	*VR*	*> 210 km/h*	*ZR*	*> 240 km/h*

(indicato nella dimensione)

PERCHÈ VERIFICARE LA PRESSIONE DEI VOSTRI PNEUMATICI ?

PER SFRUTTARE AL MASSIMO
LE LORO PRESTAZIONI E
PROVVEDERE ALLA VOSTRA SICUREZZA.

Controllate la pressione dei vostri pneumatici, in buone condizioni, senza dimenticare la ruota di scorta :
Un pneumatico perde regolarmente della pressione.

I pneumatici devono essere controllati,

ogni due settimane,

ogni due settimane, a freddo, vale a dire almeno un'ora dopo la sosta del veicolo o dopo aver percorso 2 o 3 chilometri a velocità ridotta.
Durante il tragitto, la pressione aumenta; quindi non sgonfiate mai un pneumatico che ha appena viaggiato : considerate che, in questo caso, per essere corretta, la pressione dev'essere almeno 0,3 bar superiore a quella consigliata per il pneumatico a freddo.

VERIFICATE LA PRESSIONE DEI VOSTRI PNEUMATICI **REGOLARMENTE** E PRIMA DI OGNI VIAGGIO.

IL GONFIAGGIO ECCESSIVO

Se dovete viaggiare a lungo ad alta velocità o se il carico del vostro veicolo è particolarmente importante, si consiglia generalmente di aumentare la pressione dei pneumatici. Attenzione : la differenza di pressione anteriore-posteriore necessaria all'equilibrio del veicolo deve essere imperativamente rispettata. Consultate le tabelle di gonfiaggio Michelin presso tutti i professionisti dell'automobile o presso gli specialisti del pneumatico. Non esitate a domandare loro un consiglio.

IL GONFIAGGIO INSUFFICIENTE

Se la pressione di gonfiaggio è insufficiente, i fianchi del pneumatico lavorano in modo anormale. Ne risulta una sollecitazione eccessiva della carcassa, un aumento della temperatura ed un usura anormale. Il pneumatico subisce allora danni irreversibili che possono causare la sua distruzione immediata o futura.

In caso di perdita di pressione, bisogna assolutamente consultare uno specialista che ne ricercherà la causa e giudicherà dell'eventuale riparazione da farsi.

IL TAPPO DELLA VALVOLA

In apparenza, sembra un dettaglio, eppure è un elemento essenziale dell'impermeabiltà. Quindi non dimenticate di rimetterlo a posto dopo aver verificato la pressione, assicurandovi che sia pulito.

AUTOMOBILE TRAINANTE, UNA BARCA, UNA ROULOTTE ...

In questo caso particolare, non bisogna mai dimenticare che il peso del rimorchio aumenta il carico del veicolo, bisogna quindi aumentare la pressione dei pneumatici posteriori della vostra automobile, conformandosi alle indicazioni delle tabelle di gonfiaggio Michelin.

Per più ampie informazioni, domandate consiglio al vostro rivenditore di pneumatici, è un vero specialista.

COME PROLUNGARE LA VITA DEI VOSTRI PNEUMATICI

Per mantenere a lungo la qualità dei vostri pneumatici, bisogna assolutamente farli controllare regolarmente e prima di ogni grande viaggio. Bisogna sapere che la durata di vita di un pneumatico può variare nel rapporto di 1 a 4 e talvolta anche di più, in funzione della manutenzione del veicolo, dello stile di guida e delle condizioni della strada.

L'insieme ruota-pneumatico deve essere perfettamente equilibrato per evitare le vibrazioni che possono apparire a una certa velocità. Per eliminare queste vibrazioni e i loro fastidi, l'equilibratura sarà effettuata da un professionista del pneumatico poichè questa operazione necessita competenza e un'attrezzatura molto specializzata.

I FATTORI CHE INFLUISCONO SULL'USURA E LA DURATA DI VITA DEI VOSTRI PNEUMATICI. :

Le caratteristiche del veicolo (peso, potenza....), il profilo delle strade (rettilineo, sinuoso), il rivestimento (liscio o rugoso), la condizione meccanica del veicolo (regolazione dei treni anteriori, posteriori, lo stato delle sospensioni, dei freni), lo stile di guida (accelerazione, frenate, velocità di passaggio in curva...), la velocità (in ligna retta a 120 km/h, un pneumatico si usa due volte di più che a 70 km/h), la pressione dei pneumatici (se non è corretta, l'usura sarà più rapida).

Certi avvenimenti di natura accidentale (urto contro un marciapiede, cunette), in più del rischo di irregolarità e di deterioramento di certi elementi del veicolo, possono recare dei danni al pneumatico le cui conseguenze si manifesteranno molto più tardi.

Un controllo regolare dei vostri pneumatici vi permetterà quindi di scoprire e correggere rapidamente le anomalie. Al minimo allarme rivolgetevi subito a uno specialista che interverrà per preservare le qualità dei vostri pneumatici, il vostro comfort e la vostra sicurezza.

Pressions de gonflage des pneus MICHELIN

Ce tableau de gonflage ne prétend pas être exhaustif.
Pour plus d'informations, consultez votre Spécialiste Pneu.

Véhicules / Fahrzeuge / Veicoli — Marques et Types / Marken und Modelle / Marche e tipi		Equipements Pneumatiques / Reifendimensionen / Equipaggiamenti pneumatici			Pressions/Luftdruck (bar)* Utilisation Normales / Teillast		Charge/Autoroute / Vollast/AB	
					AV/VA	AR/HA	AV/VA	AR/HA
ALFA - ROMEO								
145 - 146								
45 1.7i 16 V	07/96->	185/60 R 14	MXV3 A ENERGY - CLASSIC	H	2.2	2.0	2.2	2.0
46 1.7i 16 V	07/96->				2.2	2.0	2.4	2.3
45 1.9 TD (Turbo Diesel)	07/96->	175/65 R 14	MXT ENERGY - CLASSIC T2	T	2.3	2.1	2.3	2.1
		185/60 R 14	MXV3 A ENERGY - CLASSIC	H				
45 2.0 TS Quadrifoglio	07/96->	195/55 R 15	HX MXV3 A - SX GT	V	2.3	2.1	2.3	2.1
46 2.0 Ti	07/96->				2.3	2.1	2.5	2.3
46 1.9 TD (Turbo Diesel)	07/96->	175/65 R 14	MXT ENERGY - CLASSIC T2	T	2.3	2.1	2.5	2.3
		185/60 R 14	MXV3 A ENERGY - CLASSIC	H				
155								
.6i 16V Twin Spark	07/96->	185/60 R 14	MXV3 A ENERGY - CLASSIC	H	2.2	2.0	2.5	2.5
.8i 16V Twin Spark	07/96->	185/60 R 14	MXV3 A ENERGY - CLASSIC	H	2.2	2.0	2.5	2.5
		195/60 R 14	HX MXV3 A	V				
.8i 16V Sport	07/96->	205/50 R 15	HX MXV3 A - SX GT	V	2.5	2.3	2.8	2.5
.0 16 V Twin Spark Sport	07/94->	205/45 ZR 16 Renf.	SX MXX3	W				
.0i Turbo 16V Quadrifolio 4 (4x4)	07/96->	205/50 ZR 15	SX MXX3	W	2.5	2.3	2.8	2.5
		205/45 ZR 16 Renf.	SX MXX3	W				
.5i V6	07/94->	205/50 R 15	HX MXV3 A - SX GT	V	2.5	2.3	2.8	2.5
.5 TD	07/94->	205/45 ZR 16 Renf.	SX MXX3	W				
164								
.0i 16V Twin Spark	07/96->	195/65 R 15	HX MXV3 A	V	2.2	2.0	2.5	2.5
.5 TD (Turbo Diesel)	07/96->	195/65 R 15	HX MXV3 A	V	2.2	2.0	2.5	2.5
		205/55 ZR 16	HX MXV3 A		2.5	2.3	2.8	2.8
.0i V6 24V	07/96->	205/55 ZR 16	HX MXV3 A		2.5	2.3	2.8	2.8
.0i V6 24V Quadrifolio 4 (4x4)	07/96->	205/55 ZR 16 Renf.	HX MXM		2.5	2.3	2.8	2.8
AUDI								
A3								
1.8i 20V	10/96->	195/65 R 15	HX MXV3 A	V	1.9	1.9	2.2	2.7
		205/60 R 15	HX MXV3 A	V				
		205/55 R 16	HX MXM	W				
1.9 TDi	10/96->	195/65 R 15	XT2 ENERGY	T	1.9	1.9	2.2	2.7
		205/60 R 15	HX MXV3 A	V				
		205/55 R 16	HX MXM	W				
A4 - A4 Avant (Berline & Break)								
1.6i - 1.8i 20V & Quattro	09/94->	195/65 R 15	HX MXV3 A	V	2.0	2.0	2.3	2.6
		205/60 R 15	HX MXV3 A	V				
		205/55 R 16	HX MXM	W	2.2	2.2	2.3	2.6
1.8i Turbo 20V & Quattro	01/96->	195/65 R 15	HX MXV3 A	V	2.2	2.2	2.8	2.9
2.6i V6 & Quattro		205/60 R 15	HX MXV3 A	V				
2.8i V6 & Quattro		205/55 R 16	HX MXM	W				
1.9 Tdi (110ch) Turbo diesel	01/96->	195/65 R 15	HX MXV3 A	V	2.0	2.0	2.3	2.6
		205/60 R 15	HX MXV3 A	V				
		205/55 R 16	HX MXM	W	2.2	2.2	2.3	2.6
A6 - A6 Avant (Berline & Break)								
1.8 E 20V & Quattro	01/96->	195/65 R 15	HX MXV3 A	V	2.3	2.3	2.7	2.8
		205/60 R 15	HX MXV3 A	V				
		205/55 ZR 16	HX MXM	W				
2.0i E	01/96->	195/65 R 15	MXT ENERGY	T	1.9	1.9	2.2	2.5
		205/60 R 15	HX MXV3 A	V				
		205/55 ZR 16	HX MXM	W	2.2	2.2	2.2	2.5
2.5 TDi (115ch) Turbo diesel	01/96->	195/65 R 15	HX MXV3 A	V	1.9	1.9	2.2	2.5
		205/60 R 15	HX MXV3 A	V				

Véhicules / Fahrzeuge / Veicoli Marques et Types / Marken und Modelle Marche e tipi		Equipements Pneumatiques / Reifendimensionen Equipaggiamenti pneumatici			Pressions/ Luftdruck (bar)			
					Utilisation Normales Teillast		Charge Autorou Vollast/	
					AV/VA	AR/HA	AV/VA	AR/

AUDI (suite)

A6 - A6 Avant (Berline & Break) (suite)

Marques et Types		Dimensions	Equipement		AV/VA	AR/HA	AV/VA	AR/
2.6i E V6 & Quattro	01/96->	195/65 R 15	HX MXV3 A	V	2.3	2.3	2.7	2.
2.8i E V6 & Quattro	01/96->	205/60 R 15	HX MXV3 A	V				
2.5 Tdi & Quattro 140ch Turbo diesel		205/55 ZR 16	HX MXM	W				
S6 2.3i & Quattro S6 4.2i & Quattro	01/96->	225/50 ZR 16	SX MXX3		2.4	2.4	2.7	2.

A8 (Berline)

Marques et Types		Dimensions	Equipement		AV/VA	AR/HA	AV/VA	AR/
2.8i V6 & Quattro	09/94->	225/60 R 16	CXKA	V	2.0	2.0	2.5	2.
2.8i V6 20V & Quattro	01/96->	225/55 R 17	HX MXM	W				
3.7i - 4.2i V8 & Quattro	01/96->				2.2	2.2	2.9	2.

80

Marques et Types		Dimensions	Equipement		AV/VA	AR/HA	AV/VA	AR/
1.9 TD - 1.9 TDi - 2.0	07/92->	195/65 R 15	MXT ENERGY	T	2.0	2.0	2.3	2.
2.0 Avant. - 1.9 TDi - 2.0E Avant	09/94->	205/60 R 15	HX MXV3 A	V				
Quatro 2.0 E - 2.3 E	07/92->	195/65 R 15	HX MXV3 A	V	2.0	2.0	2.3	2.
Quatro 2.3 E Avant	09/94->	205/60 R 15	HX MXV3 A	V				
Quatro S3 2.3i	07/92->	205/55 ZR 16	HX MXV3 A		2.3	2.3	2.7	2.

Coupé

Marques et Types		Dimensions	Equipement		AV/VA	AR/HA	AV/VA	AR/
2.0 E - Quattro 2.3 E	07/92->	195/65 R 15	HX MXV3 A	V	2.0	2.0	2.3	2.
2.0i - 2.3i - 2.6i Cabrio - Quattro	09/94->	205/60 R 15	HX MXV3 A	V				
2.6 E - Quattro - Cabrio	(7/92 à 5/93)	195/65 R 15	HX MXV3 A	V	2.2	2.2	2.4	2.
2.8 E - Quattro - 2.8i Cabrio	09/94->	205/60 R 15	HX MXV3 A	V				
2.6i E V6 2.8i E V6 & Quattro	01/96->	205/60 R 15	HX MXV3 A	V	2.2	2.2	2.4	2.
		205/55 R 16	HX MXV3 A	V	2.4	2.4	2.8	2.
1.9 Tdi (90ch) Turbo diesel	01/96->	195/65 R 15	HX MXV3 A	V	1.8	1.8	2.2	2.
		205/60 R 15	HX MXV3 A	V				

B.M.W.

Série 3 Berline & Coupé

Marques et Types		Dimensions	Equipement		AV/VA	AR/HA	AV/VA	AR/
3.16i - 3.18i	04/94->	185/65 R 15	MXV3 A ENERGY	H	2.0	2.3	2.3	2.8
		205/60 R 15	MXV3 A ENERGY	H	1.8	2.0	2.0	2.5
		225/55 R 15	HX MXM	V				
		225/50 ZR 16	HX MXM					
3.23i	08/95->	205/60 R 15	HX MXV3 A	V	2.0	2.4	2.4	2.9
		225/55 R 15	HX MXM	V				
		225/50 ZR 16	HX MXM					
3.23i Cabriolet	08/95->				2.0	2.2	2.4	2.9
3.28i	02/95->	205/60 R 15	HX MXV3A	W	2.0	2.4	2.4	2.9
		225/50 ZR 16	HX MXM					
3.28i Cabriolet	02/95->				2.0	2.2	2.4	2.9
M3 (3.2i)	11/95->	AV : 225/45 ZR 17	SX MXX3		2.3	-	2.8	-
		AR : 245/40 ZR 17	SX MXX3		-	2.4	-	3.3
3.18 TDS	02/95->	185/65 R 15	MXT ENERGY - CLASSIC	T	2.0	2.3	2.3	2.8
		205/60 R 15	MXV3 A ENERGY	H	1.8	2.0	2.0	2.5
		225/55 R 15	HX MXM	V				
		225/50 ZR 16	HX MXM					
3.25 TD	04/94->	185/65 R 15	MXV3 A ENERGY - CLASSIC	H	2.0	2.4	2.5	3.0
		205/60 R 15	MXV3 A ENERGY	H	1.8	2.1	2.1	2.6
		225/55 R 15	HX MXM	V				
		225/50 ZR 16	HX MXM					

Série 3 Compact

Marques et Types		Dimensions	Equipement		AV/VA	AR/HA	AV/VA	AR/
3.16i	04/94->	185/65 R 15	MXV3 A ENERGY - CLASSIC	H	1.8	2.2	2.2	2.7
		205/60 R 15	MXV3 A ENERGY	H	1.8	2.0	2.0	2.4
3.18 Ti	04/94->	205/60 R 15	HX MXV3 A	V	1.8	2.0	2.0	2.5
3.18 TDS Compact	08/95->	185/65 R 15	MXT ENERGY - CLASSIC	T	1.8	2.2	2.2	2.7
		205/60 R 15	MXV3 A ENERGY	H	1.8	2.0	2.0	2.4

Série Z3 Roadster

Marques et Types		Dimensions	Equipement		AV/VA	AR/HA	AV/VA	AR/
1.8i	08/95->	205/60 R 15	MXV3 A ENERGY	H	2.0	2.0	2.0	2.0
		225/50 ZR 16	HX MXM					
		225/45 ZR 17	SX MXX3					

Véhicules / Fahrzeuge / Veicoli Marques et Types / Marken und Modelle Marche e tipi		Equipements Pneumatiques / Reifendimensionen Equipaggiamenti pneumatici			Pressions/ Luftdruck (bar)*			
					Utilisation Normales Teillast		Charge/ Autoroute Vollast/AB	
					AV/VA	AR/HA	AV/VA	AR/HA
B.M.W. (suite)								
Série Z3 Roadster (suite)								
9i - iA 8i	08/95->	205/60 R 15	HX MXV3A	W	2.0	2.0	2.0	2.0
		225/50 ZR 16	HX MXM		2.0	2.2	2.0	2.2
		225/45 ZR 17	SX MXX3					
Série 5								
.20i - 5.23i - 5.25 Tds (Turbo diesel)	11/95->	205/65 R 15	HX MXV3 A	V				
		225/60 R 15	HX MXM	V	1.9	2.3	2.3	2.8
		225/55 R 16	HX MXM	V				
.28i	11/95->	225/60 R 15	HX MXM	W	1.9	2.3	2.3	2.8
		225/55 R 16	HX MXM	W				
.35i	03/96->	225/60 R 15	HX MXM		2.2	2.5	2.5	3.1
		225/55 R 16	HX MXM					
.40i	03/96->	225/55 R 16	HX MXM		2.3	2.6	2.6	3.2
		235/45 ZR 17	SX MXX3		2.5	2.8	2.8	3.4
.25 TDS	02/95->	205/65 R 15	HX MXV3 A	V	2.0	2.1	2.2	2.7
		225/55 R 16	CX KA	V				
		AV : 235/45 ZR 17	SX MXX3		2.0	-	2.2	-
		AR : 255/40 ZR 17	SX MXX3		-	2.1	-	2.7
.18i - 5.25TD	02/95->	195/65 R 15	MXV3 A ENERGY - CLASSIC	H	2.0	2.3	2.4	2.9
		205/65 R 15	MXV3 A ENERGY	H	2.0	2.1	2.2	2.7
M 5								
.8i	10/93->	AV : 235/45 ZR 17	SX MXX3		2.7	-	3.0	-
		AR : 255/40 ZR 17	SX MXX3		-	2.9	-	3.5
Série 7								
7.25 Tds (Turbo diesel)	03/96->	215/65 R 16	CX KA	V				
.28i .28iAL	08/95->	235/60 R 16	CX KA	W	2.0	2.3	2.3	2.8
		245/55 R 16	HX MXM	W				
7.30i (V8) 7.30i AL (V8)	07/94-> 08/95->	215/65 R 16	CX KA	W				
		235/60 R 16	CX KA	W	2.0	2.2	2.3	2.7
		245/55 R 16	HX MXM	W				
7.35i V8 - 7.35i AL V8 7.40i V8 - 7.40i AL V8	03/96->	235/60 R 16	CX KA	W	2.1	2.4	2.5	3.0
		245/55 R 16	HX MXM	W				
		235/50 ZR 18	SX MXX3		2.3	2.6	2.7	3.2
		AV : 235/50 ZR 18	SX MXX3		2.3	-	2.7	-
		AR : 255/45 ZR 18	SX MXX3		-	2.4	-	3.0
7.40i (V8)	02/95->	215/65 R 16	CX KA	W	2.3	2.5	2.5	3.0
		235/60 R 16	CX KA	W	2.1	2.3	2.3	2.8
		245/55 R 16	HX MXM	W				
		AV : 235/50 ZR 18	SX MXX3		2.3	-	2.5	-
		AR : 255/45 ZR 18	SX MXX3		-	2.3	-	2.8
7.40i (V8) 7.40iAL (V8)	08/95->	215/65 R 16	CX KA	W	2.3	2.6	2.7	3.2
		235/60 R 16	CX KA	W	2.1	2.4	2.5	3.0
		245/55 R 16	HX MXM	W				
		AV : 235/50 ZR 18	SX MXX3		2.3	-	2.7	-
		AR : 255/45 ZR 18	SX MXX3		-	2.4	-	3.0
7.50i A (V12) 7.50i AL (V12)	08/95->	235/60 R 16	CX KA	W	2.2	2.6	2.5	3.0
		245/55 R 16	HX MXM	W				
		AV : 235/50 ZR 18	SX MXX3		2.4	-	2.7	-
		AR : 255/45 ZR 18	SX MXX3		-	2.6	-	3.0
Série 8								
8.40 Ci - 8.50 CiA	10/93->	235/50 R 16	HX MXM	W	2.5	2.5	2.6	3.0
		235/45 ZR 17	SX MXX3		2.7	2.7	2.8	3.2
		AV : 235/45 ZR 17	SX MXX3		2.7	-	2.8	-
		AR : 265/40 ZR 17	SX MXX3		-	2.5	-	2.8
850 CSi	(10/92 à 09/93)	AV : 235/45 ZR 17	SX MXX3		2.7	-	3.0	-
		AR : 265/40 ZR 17	SX MXX3		-	2.5	-	3.1
850 CSi	10/93->	AV : 235/45 ZR 17	SX MXX3		2.9	-	3.2	-
		AR : 265/40 ZR 17	SX MXX3		-	2.9	-	3.5

Véhicules / Fahrzeuge / Veicoli Marques et Types / Marken und Modelle Marche e tipi		Equipements Pneumatiques / Reifendimensionen Equipaggiamenti pneumatici			Pressions/ Luftdruck (bar)*			
					Utilisation Normales Teillast		Charge Autorou Vollast/A	
					AV/VA	AR/HA	AV/VA	AR/
CHRYSLER								
Stratus LX	1995->	185/65 R 15	HX MXV3 A	V	2.2	2.2	2.2	2.
Vision - New Yorker	07/93->	P225/60 R 16	XGTV4 - HX MXM	V	2.4	2.4	2.4	2.
Voyager tous modèles	(01/90 à1995)	P 205/70 R 15 205/70 R 15 4x4 H/W	XZ4 - XGT4 XRH	S T	2.4	2.6	2.4	2.
Grand Voyager tous modèles 4x2 & 4x4 Essence et Diesel	1996->	205/70 R 15 4x4 H/W 215/65 R 15	XRH MXV3 A Reinf.	T H	2.5	2.5	2.5	2.
Voyager 3.3i V6 LX	1996->	P 215/65 R 16 215/65 R 16	MX4 CX KA	T V	2.5	2.5	2.5	2.
CITROEN								
EVASION								
2.0i X	07/96->	195/65 R 15	MXT ENERGY	T	2.3	2.3	2.5	2.5
2.0i SX	07/96->	205/65 R 15	MXT	T	2.3	2.3	2.4	2.5
2.0i Turbo CT SX - VSX - Captain - Chair	07/96->	205/65 R 15	MXV3 A ENERGY	H	2.3	2.3	2.4	2.5
1.9 Turbo Diesel X - SX	07/96->	205/65 R 15	MXT	T	2.3	2.3	2.4	2.5
2.0 Turbo diesel X - SX - VSX - Captain	07/96->	205/65 R 15	MXV3 A ENERGY	H	2.3	2.3	2.4	2.5
SAXO								
1.6i SX - VSX - VTL	02/96->	165/65 R 14	MXV3A ENERGY	H	2.2	2.0	2.2	2.0
1.6i VTL	02/96->	165/65 R 14	MXV3A ENERGY	H	2.2	2.0	2.2	2.0
1.6i VTR, VTS	02/96->	185/55 R 14	SX GT	H	2.5	2.2	2.5	2.2
XANTIA								
1.8i SX - X (7cv - 9cv) 1.8i Autom. SX	05/93-> 07/95->	175/70 R 14 185/65 R 14	MXT ENERGY - CLASSIC MXV3 A ENERGY - CLASSIC	T H	2.3	2.1	2.3	2.1
1.8i SX - X (7cv - 9cv) 16 V	07/95->	185/65 R 14	MXV3 A ENERGY - CLASSIC	H	2.3	2.1	2.3	2.1
2.0i Autom. SX - VSX	07/95->	185/65 R 15	MXV3 A ENERGY - CLASSIC	H	2.3	2.1	2.3	2.1
2.0i Autom. EXCLUSIVE	07/95->	185/65 R 15	HX MXV3 A	V				
2.0i 16V SX - VSX - EXCLUSIVE	07/95->	185/65 R 15	HX MXV3 A	V				
2.0i 16V ACTIVA	07/95->	205/55 R 15	SX GT	V				
2.0 Turbo CT VSX	07/95->	205/60 R 15	HX MXV3 A	V	2.4	2.2	2.4	2.2
2.0 Turbo CT, 3.0/V6 ACTIVA	07/95->	205/60 R 15	SX GT	W	2.5	2.3	2.5	2.3
1.9 Turbo Diesel X - SX	07/95->	185/65 R 14	MXV3 A ENERGY - CLASSIC	H	2.3	2.1	2.3	2.1
2.1 Turbo Diesel SX - VSX - Exclusive	07/95->	205/60 R 15	MXV3 A ENERGY	H	2.4	2.2	2.4	2.2
2.1 Turbo Diesel ACTIVA	07/95->	205/60 R 15	SX GT	W	2.5	2.3	2.5	2.3
Break 2.0i SX - VSX	07/95->	185/65 R 15	MXV3 A ENERGY - CLASSIC	H	2.4	2.2	2.4	2.6
Break 2.0 Turbo CT	07/95->	205/60 R 15	MXV3 A ENERGY - CLASSIC	H	2.4	2.3	2.4	2.3
Break 1.9 TD SX - VSX	07/95->	185/65 R 15	MXT ENERGY - CLASSIC	T	2.3	2.3	2.3	2.6
XM								
2.0i SX - VSX (7CV - 10CV)	07/94->	195/65 R 15	HX MXV3 A	V	2.3	1.9	2.3	1.9
2.0i Turbo CT VSX Exclusive	07/94->	205/60 R 15	HX MXV3 A	V	2.4	2.0	2.4	2.0
2.1 Diesel D 12 SX	07/94->	195/65 R 15	MXT ENERGY	T				
2.1 TD, D 12 : SX - VSX - Exclusive	07/94->	195/65 R 15	MXV3 A ENERGY - CLASSIC	H	2.3	1.9	2.3	1.9
2.1 TD, D 12 Autom. 2.5 TD - VSX Exclusive	07/94->	205/65 R 15	HX MXV3 A	V				
3.0i V6 VSX - Exclusive	07/94->	205/60 R 15	HX MXV3 A	V	2.4	2.0	2.4	2.0
3.0i V6 VSX - Exclusive Autom.	07/94->	205/65 R 15	HX MXV3 A	V	2.3	1.9	2.3	1.9
3.0i V6 24V Exclusive	07/94->	205/60 ZR 15	HX MXV3 A		2.6	1.9	2.6	1.9
Break 2.0i, CT - SX - VSX	07/94->	205/60 R 15	MXV3 A ENERGY - CLASSIC	H	2.3	2.3	2.3	2.3
Break 2.5 TD - 3.0 Autom.	07/94->	205/65 R 15	HX MXV3 A	V	2.3	2.3	2.3	2.3
ZX								
1.6 Aura - Avantage - Fugue 1.8 Aura - Furio	07/92	175/65 R 14	MXT ENERGY - CLASSIC	T	2.2	2.1	2.2	2.1
1.8i Exclusive	07/94	185/60 R 14	MXV3 A ENERGY - CLASSIC	H	2.2	2.2	2.2	2.2
2.0i Volcane	07/96	185/60 R 14	MXV3 A ENERGY - CLASSIC	H	2.2	2.3	2.2	2.3
2.0i 16V (3 portes)	07/96	195/55 R 15	SX XGTV	V	2.4	2.3	2.4	2.3
1.9 Diesel Aura - Avantage - Flash	07/94	175/65 R 14	MXT ENERGY - CLASSIC	T	2.3	2.1	2.3	2.1
Break 1.4. 1.8i, Aura, 1.9 TD	07/94	175/65 R 14	MXT ENERGY - CLASSIC	T	2.4	2.3	2.4	2.8
1.9 Turbo Diesel Exclusive - Aura	07/96	175/65 R 14	MXT ENERGY - CLASSIC	T	2.4	2.2	2.4	2.2
1.9 Turbo Diesel Avantage - Aura - Exclusive	07/96	175/65 R 14	MXT ENERGY - CLASSIC	T	2.4	2.2	2.4	2.2
1.9 Turbo Diesel Volcane	07/92	185/60 R 14	MXV3 A ENERGY - CLASSIC	H	2.4	2.2	2.4	2.2

Véhicules / Fahrzeuge / Veicoli Marques et Types / Marken und Modelle Marche e tipi		Equipements Pneumatiques / Reifendimensionen Equipaggiamenti pneumatici			Pressions/Luftdruck (bar)* Utilisation Normales Teillast AV/VA	AR/HA	Charge/ Autoroute Vollast/AB AV/VA	AR/HA
FERRARI								
48 GTB - GTS - Spider	09/94->	AV : 215/50 ZR 17	SX MXX3		2.4	-	2.4	-
		AR : 255/45 ZR 17	SX MXX3		-	2.6	-	2.6
12 TR	01/92->	AV : 235/40 ZR 18	SX MXX3		2.4	-	2.4	-
512 M	10/94->	AR : 295/35 ZR 18	SX MXX3		-	2.3	-	2.3
355	07/94->	AV : 225/40 ZR 18	SX MXX3		1.9	-	1.9	-
		AR : 265/40 ZR 18	SX MXX3 K1		-	2.1	-	2.1
550 Maranello	09/96->	AV : 235/45 ZR 18	SX MXX3		2.0	-	2.0	-
		AR : 295/35 ZR 18	SX MXX3		-	2.0	-	2.0
Mondial T	02/89->	AV : 205/55 ZR 16	SX MXX3		2.4	-	2.4	-
		AR : 225/55 ZR 16	SX MXX3		-	2.5	-	2.5
Testarossa	10/84->	AV : 225/50 ZR 16	SX MXX3		2.6	-	2.6	-
		AR : 255/50 ZR 16	SX MXX3		-	2.8	-	2.8
FIAT								
BARCHETTA								
1.8i 16 V	07/96->	195/55 R 15	HX MXV3 A - SX GT	V	2.4	2.0	2.4	2.0
BRAVA								
1.6i 12V SX	09/95->	175/65 R 14	MXT ENERGY - CLASSIC T2	T	2.0	2.4	2.2	2.5
	07/96->				2.2	2.2	2.3	2.5
1.6i 12 V ELX	09/95->	185/60 R 14	MXV3 A ENERGY - CLASSIC	H	2.0	2.4	2.2	2.5
	07/96->				2.2	2.2	2.3	2.5
1.8i 16V	09/95->	175/65 R 14	MXV3 A ENERGY	H	2.0	2.4	2.3	2.5
	07/96->				2.2	2.2	2.3	2.5
1.8i 16V ELX	09/95->	185/60 R 14	MXV3 A ENERGY - CLASSIC	H	2.0	2.4	2.3	2.5
	07/96->				2.2	2.2	2.3	2.5
1.9 Diesel DS - DSX	09/95->	175/65 R 14	MXT ENERGY - CLASSIC T2	T	2.0	2.4	2.2	2.5
	07/96->				2.3	2.2	2.3	2.5
BRAVO								
1.6i 12V	09/95->	185/60 R 14	MXV3 A ENERGY - CLASSIC	H	2.0	2.4	2.2	2.5
	07/96->				2.2	2.2	2.3	2.5
1.8i 16V GT	09/95->	185/60 R 14	MXV3 A ENERGY - CLASSIC	H	2.0	2.4	2.2	2.5
		195/50 R 15	SX GT	V	2.1	2.4	2.3	2.5
1.8i 16V GT	07/96->	185/60 R 14	MXV3 A ENERGY - CLASSIC	H	2.2	2.2	2.3	2.5
		195/50 R 15	SX GT	V				
2.0i 20V HGT	09/95->	195/55 R 15	HX MXV3 A - SX GT	V	2.3	2.5	2.4	2.6
		205/50 R 15	HX MXV3 A - SX GT	V				
2.0i 20V HGT	07/96->	195/55 R 15	HX MXV3 A - SX GT	V	2.5	2.2	2.7	2.4
		205/50 R 15	HX MXV3 A - SX GT	V				
1.9 Diesel DS - DSX	09/95->	175/65 R 14	MXT ENERGY - CLASSIC T2	T	2.0	2.4	2.2	2.5
1.9 Diesel DS - DSX	07/96->				2.3	2.2	2.3	2.5
CROMA								
2.0ie Automatique	12/92->	195/60 R 15	MXV3 A ENERGY - CLASSIC	H	2.2	2.2	2.3	2.3
2.0ie Automatique 16 V		205/55 R 15	MXV3 A	H				
2.0ie Turbo	12/92->	205/55 R 15	HX MXV3 A	V	2.2	2.2	2.3	2.3
2.5 TD	12/92->	195/60 R 15	MXV3 A ENERGY - CLASSIC	H	2.2	2.2	2.3	2.3
1.9 TD id		205/55 R 15	MXV3 A	H				
MAREA (Berline+Break)								
1.6i 16V ELX	09/96->	185/65 R 14	MXV3 A ENERGY - CLASSIC	H	2.1	2.3	2.2	2.5
1.8i 16V ELX		195/55 R 15	HX MXV3 A - SX GT	V				
100 ELX (1.9 Turbo diesel)	09/96->	185/65 R 14	MXV3 A ENERGY - CLASSIC	H	2.1	2.3	2.2	2.5
		195/55 R 15	HX MXV3 A - SX GT	V				
PUNTO								
TD S - SX (1.7 Turbo diesel)	09/93->	165/65 R 14	MXT ENERGY	T	2.4	2.0	2.4	2.2
90 SX (1.6i)	09/93->				2.1	2.0	2.2	2.2
1.4i GT	09/95->	185/55 R 14	MXV3 A ENERGY	H	2.4	2.0	2.4	2.2
TEMPRA								
1.8 - 2.0	05/93->	185/60 R 14	MXV3 A ENERGY - CLASSIC	H	2.2	2.2	2.4	2.4
1.9 D - 1.9 TD	05/93->	175/65 R 14	MXT ENERGY - CLASSIC T2	T				
		185/60 R 14	MXV3 A ENERGY - CLASSIC	H				

Véhicules / Fahrzeuge / Veicoli Marques et Types / Marken und Modelle Marche e tipi		Equipements Pneumatiques / Reifendimensionen Equipaggiamenti pneumatici			Pressions/ Luftdruck (bar)*			
					Utilisation Normales Teillast		Charge Autorou Vollast/A	
					AV/VA	AR/HA	AV/VA	AR/
FIAT (suite)								
TIPO								
1.6 Sélecta	05/93->	165/65 R 14	MXT ENERGY	T	2.0	1.9	2.0	2.2
		175/65 R 14	MXT ENERGY - CLASSIC T2	T				
1.9 D	05/93->	165/65 R 14	MXT ENERGY	T	2.2	2.0	2.2	2.2
1.8 - 1.9 T DS - Catalyseur - 2.0 Autom.	05/93->	185/60 R 14	MXV3 A ENERGY - CLASSIC	H	2.2	2.2	2.4	2.4
ULYSSE								
2.0i	07/94->	195/65 R 15	MXT ENERGY	T	2.3	2.3	2.5	2.5
		205/65 R 15	MXT	T	2.3	2.3	2.4	2.5
2.1 Turbo Diesel	07/96->	205/65 R 15	MXV3 A ENERGY	H	2.3	2.3	2.6	2.6
FORD								
ESCORT								
1.4i Ghia	02/96->	175/65 R 14	MXV3 A ENERGY	H	2.2	1.8	2.5	3.1
		185/60 R 14	MXV3 A ENERGY - CLASSIC	H				
		195/50 R 15	HX MXV3A	V	2.4	2.2	2.5	3.1
1.4i - 1.8 D CL - CLX	02/96->	185/60 R 14	MXV3 A ENERGY - CLASSIC	H	2.0	1.8	2.5	3.1
1.8 D Ghia	02/96->	185/60 R 14	MXV3 A ENERGY - CLASSIC	H	2.2	1.8	2.5	3.1
1.8 TD CLX	01/95->	185/60 R 14	MXV3 A ENERGY - CLASSIC	H	2.2	2.0	2.4	2.8
1.6i 16V Ghia - GT	01/95->	185/60 R 14	MXV3 A ENERGY - CLASSIC	H	2.2	2.0	2.4	2.8
1.6i 16V Ghia	02/96->	185/60 R 14	MXV3 A ENERGY - CLASSIC	H	2.2	1.9	2.5	3.1
1.8i 16V CL - CLX - GLX - Ghia	02/96->	195/50 R 15	HX MXV3A	V	2.4	2.2	2.5	3.1
1.8i 16V (105ch) XR3i 16V - Cabrio GLX	02/96->	185/60 R 14	MXV3 A ENERGY - CLASSIC	H	2.2	1.8	2.5	3.1
1.8i 16V (130ch) XR3i 16V - Cabrio GLX	02/96->	185/60 R 14	MXV3 A ENERGY - CLASSIC	H	2.3	1.9	2.5	3.1
1.8 Diesel CL - CLX GLX	01/95->	175/70 R 13	MXT ENERGY - CLASSIC	T	2.2	2.0	2.4	2.8
		185/60 R 14	MXV3 A ENERGY - CLASSIC	H				
1.8 Diesel GHIA 1.8 Turbo Diesel CLX - GLX - GT - GHIA	01/95->	175/65 R 14	MXV3 A ENERGY	H	2.2	2.0	2.4	2.8
		185/60 R 14	MXV3 A ENERGY - CLASSIC	H				
1.8 Turbo Diesel CLX - GLX - GT	02/96->	185/60 R 14	MXV3 A ENERGY - CLASSIC	H	2.2	2.0	2.4	2.8
FIESTA								
1.4i 16V Ghia	02/96->	165/70 R 13	MXT ENERGY - CLASSIC	T	2.2	1.8	2.5	2.8
1.8 Diesel "Studio" - Ghia	02/96->	165/70 R 13	MXT ENERGY - CLASSIC	T	2.4	1.8	2.5	2.8
Futura 1.4i	03/94->	185/55 R 14	MXV3A ENERGY	H	2.1	1.8	2.3	2.8
Futura 16V 1.6i	03/94->		SX GT	V	2.1	2.1	2.4	2.4
Ka								
1.3	10/96->	165/65 R 13	XT1 ENERGY - CLASSIC	T	2.1	1.8	2.5	2.5
MONDEO								
1.8i 16V Saphir	02/96->	195/60 R 15	HX MXV3 A	V	2.1	2.1	2.4	2.8
		205/55 R 15	HX MXV3 A	V				
		205/50 ZR 16	HX MXM					
2.0i 16V Si	07/94->	205/55 R 15	HX MXV3 A	V	2.1	2.1	2.4	2.8
		205/50 ZR 16	HX MXM	W				
1.8 Turbo Diesel "Saphir"	07/95->	195/60 R 15	MXV3 A ENERGY - CLASSIC	H				
		205/55 R 15	HX MXV3 A	V				
1.8 Turbo Diesel "Saphir"	02/96->	195/60 R 15	HX MXV3 A	V	2.1	2.1	2.4	2.8
		205/55 R 15	HX MXV3 A	V				
1.8 Turbo Diesel CLX - GLX - Ghia	02/96->	195/60 R 14	MXV3 A ENERGY - CLASSIC	H	2.1	2.1	2.4	2.8
		205/55 R 15	HX MXV3 A	V				
PROBE (Coupé)								
2.0i 16V	02/96->	205/55 R 15	HX MXV3 A	V	2.2	1.8	2.2	1.8
2.5i V6 24V	02/96->	225/50 R 16	SX XGTV	V	2.2	1.8	2.2	1.8
SCORPIO								
2.5 TD CLX - GLX	01/93->	185/70 R 14	MXT ENERGY	T	1.8	1.8	2.1	3.1
		195/65 R 15	MXV3 A ENERGY - CLASSIC	H				
2.0i 16 V (136ch) CLX - GLX - GHIA 2.0i (115ch) CLX - GLX - GHIA - 2.5 Turbo Diesel	10/94->	195/65 R 15	HX MXV3 A	V	2.0	2.0	2.3	3.1
		205/60 R 15	HX MXV3 A	V				
HONDA								
ACCORD								
1.8i	97->	185/65 R 15	XH1 ENERGY	H	2.2	2.2	2.6	2.6

Véhicules / Fahrzeuge / Veicoli Marques et Types / Marken und Modelle Marche e tipi		Equipements Pneumatiques / Reifendimensionen Equipaggiamenti pneumatici			Pressions/ Luftdruck (bar)*			
					Utilisation Normales Teillast		Charge/ Autoroute Vollast/AB	
					AV/VA	AR/HA	AV/VA	AR/HA
HONDA (suite)								
ACCORD (suite)								
.0i coupé	07/92->	195/60 R 15	HX MXV3 A	V	2.2	2.1	2.7	2.6
.0i (LS)	07/92->	185/70 R 14	MXV3 A ENERGY	H	2.2	2.1	2.6	2.5
.0i (LS/ES)	07/92->	185/65 R 15	MXV3 A ENERGY	H				
.3i SR	07/92->	195/60 R 15	HX MXV3 A	V	2.3	2.2	2.9	2.8
CIVIC								
.6 (125 Ch)	07/92->	185/60 R 14	MXV3 A ENERGY - CLASSIC	H	2.2	2.2	2.4	2.4
.6 (160 Ch)	07/92->	195/55 R 15	HX MXV3 A - SX GT	V	2.4	2.3	2.5	2.4
CONCERTO								
X 1.6i 16S		185/60 R 14	MXV3 A ENERGY - CLASSIC	H	1.9	1.8	2.1	2.0
.6i - 1.6is	07/92->	175/65 R 14	MXV3 A ENERGY	H	2.0	1.9	2.3	2.4
.6i 16	07/92->	185/60 R 14	MXV3 A ENERGY - CLASSIC	H	2.0	1.9	2.4	2.3
LEGEND								
.2	07/92->	205/65 ZR 15	HX MXV3 A		2.5	2.4	2.6	3.0
oupé 3.2	07/92->				2.5	2.4	2.6	2.9
.0 + Coupé	07/93->	215/55 ZR 16	HX MXV3 A		2.3	2.1	2.7	2.5
PRELUDE								
.0 L	07/92->	195/65 R 14	MXV3 A ENERGY	H	2.0	2.0	2.4	2.4
.3 L	07/92->	205/55 R 15	HX MXV3 A	V	2.2	2.2	2.8	2.8
HYUNDAI								
Accent 1.3 - 1.5 GLi, GSi, GLSi	09/94->	175/70 R 13	MXT ENERGY - CLASSIC	T	2.2	2.1	2.2	2.2
Lantra 1.6 GLSi - 1.8 GT 16S	10/92->	185/60 R 14	MXV3 A ENERGY - CLASSIC	H	2.1	2.1	2.1	2.1
Sonata 2.0 GLSi 16S	10/92->	195/70 R 14	MXV3 A ENERGY	H				
JAGUAR								
Daimler								
4.0 Six	08/94->	225/60 ZR 16	HX MXM		1.7	1.9	2.2	2.3
6.0 V16 Double Six	08/94->	225/60 ZR 16	HX MXM		1.9	1.9	2.3	2.3
Sovereign								
3.2i - 4.0i	08/94->	225/60 ZR 16	HX MXM		1.7	1.9	2.2	2.3
XJ 6								
3.2i - "Exécutive"	08/94->	225/60 ZR 16	HX MXM		1.7	1.9	2.2	2.3
3.2i - 4.0i Sport	08/94->	225/55 ZR 16	HX MXM		1.7	1.9	2.2	2.3
XJ R								
4.0i Super Charged (Compresseur)	08/94->	255/45 ZR 17	SX MXX3		1.9	1.9	2.3	2.3
XJ S								
4.0i Cabriolet "Célébration"	08/94->	225/60 ZR 16	HX MXM		1.7	1.9	2.2	2.3
4.0i Coupé "Célébration"	08/94->	225/55 ZR 16	HX MXM		1.7	1.9	2.2	2.3
6.0i Cabriolet - Coupé	08/94->	225/55 ZR 16	HX MXM		1.9	1.9	2.3	2.3
LADA								
Samara tous modèles Essence et Diesel	1986->	165/70 R 13	MXT ENERGY - CLASSIC	T	2.0	2.0	2.0	2.0
		175/70 R 13	MXT ENERGY - CLASSIC	T	1.9	1.9	1.9	1.9
LANCIA								
DEDRA								
1.6ie M. Motronic - Jetronic	04/93->	175/65 R 14	MXT ENERGY - CLASSIC T2	T	2.0	2.0	2.2	2.2
1.6i	10/94->	185/60 R 14	MXV3 A ENERGY - CLASSIC	H				
1.8i LX	02/96->	185/60 R 14	HX MXV3 A	V	2.3	2.2	2.5	2.4
		195/50 R 15	HX MXV3 A	V	2.4	2.2	2.7	2.4
1.9 TDS	10/94->	175/65 R 14	MXT ENERGY - CLASSIC T2	T	2.3	2.1	2.4	2.2
		185/60 R 14	MXV3 A ENERGY - CLASSIC	H				
2.0 16 V	10/94->	185/60 R 14	HX MXV3 A	V	2.3	2.2	2.5	2.4

Véhicules / Fahrzeuge / Veicoli Marques et Types / Marken und Modelle Marche e tipi		Equipements Pneumatiques / Reifendimensionen Equipaggiamenti pneumatici			Pressions/ Luftdruck (bar)*			
					Utilisation Normales Teillast		Charge/ Autoroute Vollast/A	
					AV/VA	AR/HA	AV/VA	AR/H
LANCIA (suite)								
DELTA (suite)								
1.6i HPE	02/96->	185/60 R 14	MXV3 A ENERGY - CLASSIC	H	2.2	2.2	2.4	2.4
1.8i	02/96->							
1.8i HPE	02/96->	195/55 R 15	HX MXV3 A - SX GT	V	2.4	2.2	2.4	2.4
2.0i Turbo HPE	02/96->	205/50 ZR 15	HX MXV3 A		2.5	2.3	2.7	2.5
1.9 Td HPE (Turbo Diesel)	02/96->	185/65 R 14	MXT ENERGY - CLASSIC	T	2.2	2.1	2.2	2.1
KAPPA								
2.0i Turbo	10/94->	205/60 R 15	HX MXV3 A	W	2.2	2.2	2.3	2.3
2.4i	10/94->	205/60 R 15	HX MXV3 A	V	2.2	2.2	2.3	2.3
2.4 TD	10/94->	195/65 R 15	HX MXV3 A	V				
Station Wagon	07/96->	205/60 R 15	HX MXV3 A	V	2.2	2.2	2.5	2.7
THEMA								
ie 2.0 - 16 V Autom. - Turbo DS		195/60 R 15	MXV3 A ENERGY - CLASSIC	H	2.2	2.2	2.3	2.3
Turbo 16V - 3.0 V6	05/94->	195/60 R 15	HX MXV3 A	V	2.2	2.2	2.3	2.3
ZETA								
2.0 Turbo	10/94->	205/65 R 15	MXV3 A ENERGY	H	2.3	2.3	2.4	2.5
MASERATI								
Ghibli GT	04/95->	AV : 215/45 ZR 17	SX MXX3		2.1	-	2.3	-
		AR : 245/40 ZR 17	SX MXX3		-	2.1	-	2.3
Ghibli S	04/95->	AV : 215/45 ZR 17	SX MXX3		2.3	-	2.3	-
Ghibli 2.0 - 2.8	07/96->	AR : 245/40 ZR 17	SX MXX3		-	2.3	-	2.3
Quattroporte 2.0 V6	07/96->	AV : 205/55 ZR 16	SX MXX3		2.3	-	2.5	-
Quattroporte 2.8 V6		AR : 225/50 ZR 16	SX MXX3		-	2.5	-	2.7
Quattroporte 3.2 V8	07/96->	AV : 225/45 ZR 17	SX MXX3		2.3	-	2.5	-
		AR : 245/40 ZR 17	SX MXX3		-	2.5	-	2.7
Shamal	07/94->	AV : 225/45 ZR 16	SX MXX3		2.3	-	2.6	-
		AR : 245/45 ZR 16	SX MXX3		-	2.6	-	2.8
MAZDA								
121								
1.2i 16V - 1.3i 16V	1996->	165/70 R 13	XT1 ENERGY - CLASSIC	T	2.0	2.1	2.0	2.1
1.3i Rainbow	1996->	155/70 R 13	XT1 ENERGY - CLASSIC	T				
323								
1.5i/16V LSX - GSX	1996->	185/65 R 14	XT2 ENERGY - CLASSIC	T	2.1	2.1	2.2	2.7
1.8i Rainbow	1996->	185/65 R 14	XH1 ENERGY - CLASSIC	H				
2.0/V6 24V	1996->	195/60 R 15	HX MXV3 A	V	2.2	2.1	2.4	2.7
626								
1.8i LXi - GLXi, 2.0i LXi - GLXi	02/93->	195/65 R 14	MXV3 A ENERGY	H	2.2	1.8	2.5	2.9
2.0 Diesel Comprex LX - GLX	10/92->	195/65 R 14	MXV3 A ENERGY	H	2.2	1.8	2.5	2.9
XEDOS 6								
1.6i 16V	01/95->	185/65 R 14	MXV3 A ENERGY - CLASSIC	H	2.0	2.0	2.4	2.8
2.0i V6 24V	04/92->	195/60 R 15	HX MXV3 A	V				
XEDOS 9								
2.0i V6 24 V	01/94->	205/65 R 15	HX MXV3 A	V	2.2	2.0	2.4	2.8
MERCEDES								
Classe C - Type 202 (Berline & Break)								
C 180 - C 180 T	09/95->	195/65 R 15	MXV3A ENERGY - CLASSIC	H	2.1	2.3	2.3	2.8
C 200 - C 200 T		205/60 R 15	MXV3A ENERGY - HXMXV3A	H/V				
		225/45 ZR 17	SX MXX3					
C 220	07/96->	195/65 R 15	MXV3A ENERGY - CLASSIC	H	2.1	2.3	2.3	2.8
		195/65 R 15	HX MXV3 A	V				
		205/60 R 15	MXV3A ENERGY - HXMXV3A	H/V				
		225/45 ZR 17	SX MXX3					

Véhicules / Fahrzeuge / Veicoli Marques et Types / Marken und Modelle Marche e tipi		Equipements Pneumatiques / Reifendimensionen Equipaggiamenti pneumatici			Pressions/ Luftdruck (bar)*			
					Utilisation Normales Teillast		Charge/ Autoroute Vollast/AB	
					AV/VA	AR/HA	AV/VA	AR/HA
MERCEDES (suite)								
Classe C - Type 202 (Berline & Break) (suite)								
200 - C 230 Kompressor	07/96->	195/65 R 15	HX MXV3 A	V				
220	09/95->	205/60 R 15	HX MXV3 A	V	2.1	2.3	2.3	2.8
230 - C 230 T	07/96->	225/45 ZR 17	SX MXX3					
280 - C 280 T	07/96->							
36 AMG	09/95->	AV : 225/45 ZR 17	SX MXX3		2.1	-	2.3	-
		AR : 245/40 ZR 17	SX MXX3		-	2.3	-	2.8
200 Diesel		195/65 R 15	MXT ENERGY	T				
220 Diesel	09/95->	205/60 R 15	MXV3A ENERGY - HXMXV3A	H/V	2.1	2.3	2.3	2.8
220 Diesel T		225/45 ZR 17	SX MXX3					
250 Diesel		195/65 R 15	MXV3A ENERGY - CLASSIC	H				
250 Turbo Diesel	09/95->	205/60 R 15	MXV3A ENERGY - HXMXV3A	H/V	2.1	2.3	2.3	2.8
250 Turbo Diesel T		225/45 ZR 17	SX MXX3					
Classe E - Type 210 (Berline)								
		195/65 R 15	MXV3A ENERGY - CLASSIC	H				
E 200	07/95->	215/55 R 16	MXV3 A ENERGY	H	2.0	2.2	2.3	2.8
		235/40 ZR 18	SX MXX3	W				
		195/65 R 15	HX MXV3 A	V				
E 230	07/95->	215/55 R 16	HX MXV3 A	V/W	2.0	2.2	2.3	2.8
		235/40 ZR 18	SX MXX3	W				
E 280	07/95->	215/55 R 16	HX MXV3 A	W	2.2	2.4	2.4	3.1
E 320		235/40 ZR 18	SX MXX3	W	2.0	2.2	2.3	2.8
E 420	07/95->	215/55 R 16	HX MXV3 A	W	2.5	2.5	2.8	3.3
		235/40 ZR 18	SX MXX3	W	2.0	2.2	2.3	2.8
		195/65 R 15	MXT ENERGY	T				
E 220 Diesel	07/95->	215/55 R 16	MXV3 A ENERGY	H	2.0	2.2	2.3	2.8
		235/40 ZR 18	SX MXX3	W				
		195/65 R 15	MXV3A ENERGY - CLASSIC	H				
E 250 Diesel	07/95->	215/55 R 16	MXV3 A ENERGY	H	2.0	2.2	2.3	2.8
		235/40 ZR 18	SX MXX3	W				
E 290 Turbo Diesel	07/95->	205/65 R 15	MXV3 A ENERGY	H				
E 300 Diesel	07/95->	215/55 R 16	MXV3 A ENERGY	H	2.0	2.2	2.3	2.8
E 320 Turbo Diesel	07/96->	235/40 ZR 18	SX MXX3	W				
Classe E - Type 124 (Cabriolet - Coupé)								
E 220 Cabriolet	06/95->	195/65 R 15	HX MXV3 A	V	2.3	2.7	2.4	3.1
		205/60 ZR 15	HX MXV3 A					
E 220 Coupé	06/95->	195/65 R 15	HX MXV3 A	V	2.0	2.0	2.2	2.7
		205/60 ZR 15	HX MXV3 A					
E 320 Coupé	06/95->	195/65 ZR 15	HX MXV3 A		2.4	2.5	2.5	3.2
		205/60 ZR 15	HX MXV3 A					
Classe S - Type 140 (Berline)								
S 280 S 320	09/95->	235/60 ZR 16	HX MXM		2.4	2.5	2.5	3.0
S 420 V8	09/95->	235/60 ZR 16	HX MXM		2.4	2.5	2.5	3.0
Classe SL - Type 129								
		225/55 ZR 16	HX MXM		2.0	2.3	2.0	2.7
SL 280	03/95->	AV : 235/45 ZR 17	SX MXX3		2.0	-	2.0	-
		AR : 245/45 ZR 17	SX MXX3		-	2.3	-	2.7
SL 280 - SL 320 Mile Miglia	03/95->	245/45 ZR 17	SX MXX3		2.0	2.3	2.0	2.7
SL 320	03/95->	225/55 ZR 16	SX MXX3		2.0	2.3	2.0	2.7
SL 500	03/95->	225/55 ZR 16	SX MXX3		2.1	2.3	2.1	2.8
Classe SLK - Type 170 (Roadster)								
		AV : 205/55 R 16	HX MXM G1	V	2.1	-	2.1	-
SLK 200 Kompressor		AR : 225/50 R 16	HX MXV3 A	V	-	2.3	-	2.3
SLK 230 Kompressor	09/96->	AV : 225/45 ZR 17	SX MXX3	W	2.1	-	2.1	-
		AR : 245/40 ZR 17	SX MXX3	W	-	2.3	-	2.3

Véhicules / Fahrzeuge / Veicoli — Marques et Types / Marken und Modelle / Marche e tipi		Equipements Pneumatiques / Reifendimensionen / Equipaggiamenti pneumatici			Pressions/ Luftdruck (bar) — Utilisation Normales Teillast		Charge Autorou Vollast/	
					AV/VA	AR/HA	AV/VA	AR/
MITSUBISHI								
CHARISMA								
1.8 GLX, GLS	11/95->	175/70 R 14 H	MXV3 A ENERGY	H	2.1	1.9	2.1	2
COLT								
1.3 GLi	1991->	155/80 R 13	MXT 80 ENERGY - CLASSIC	T	2.1	2.1	2.1	2.
1.6 GLXi	1991->	175/70 R 13	MXV3 A	H	2.1	2.1	2.4	2.
1.8 GTi	1991->	195/60 R 14	HX MXV3 A	V	2.1	2.0	2.6	2.
GALANT								
1.8 GLSi	1993->	185/70 R 14	MXV3 A ENERGY	H	2.2	2.0	2.3	2.
		195/60 R 15	HX MXV3 A	V				
2.0 Turbo diesel GLS	1993->	185/70 R 14	MXV3 A ENERGY	H	2.2	2.0	2.3	2.
		195/60 R 15	HX MXV3 A	V				
2.5 V6 4 WD - 4 WS	1993->	205/60 R 15	HX MXV3 A	V				
Wagon 2.0i GLS	1997->	195/65 R 14	XH1 ENERGY	H	2.2	2.0	2.2	2.
LANCER								
1.8/16V GLXi	1993->	195/60 R 14	XH1 ENERGY	H	2.1	2.1	2.1	2.
SPACE RUNNER								
1.8 GLXi, 2.0 TD GLX	1991->	185/70 R 14	MXV3 A ENERGY	H	2.2	1.9	2.4	2.
SPACE WAGON								
2.0 GLXi Jubilé	1997->	185/70 R 14	MXV3 A ENERGY	H	2.2	2.0	2.3	2.4
NISSAN								
100 NX : 1.6i 16V SLX	01/90->	175/65 R 14	MXV3 A ENERGY	H	2.2	2.0	2.6	2.4
200 SX : 2.0i Turbo 16V	09/93->	205/55 R 16	HX MXV3 - A	V	2.2	2.2	2.2	2.7
300 ZX : 3.0i Turbo V6 24V	01/90->	AV : 205/55 ZR 16	SX MXX3		2.3	-	2.3	-
		AR : 225/50 ZR 16	SX MXX3		-	2.3	-	2.6
300 ZX : Twin Turbo V6 24V	05/90->	AV : 225/50 ZR 16	SX MXX3 N1		2.3	-	2.6	-
		AR : 245/45 ZR 16	SX MXX3 N1		-	2.5	-	2.8
ALMERA								
1.4i 16V GX	09/95->	175/70 R 13	MXT ENERGY - CLASSIC	T	2.2	2.1	2.4	2.6
1.6i 16V GX - SLX	09/95->	175/65 R 14	MXV3 A ENERGY	H	2.3	2.1	2.5	2.6
2.0 Diesel GX - SLX	09/95->	185/65 R 14	MXV3 A ENERGY - CLASSIC	H	2.3	2.1	2.3	2.3
MAXIMA QX								
2.0i V6 24V SE - SLX	09/94->	195/65 R 15	HX MXV3 A	V	2.4	2.2	2.5	2.5
3.0i V6 24 V SE	07/89->	205/65 R 15	HX MXV3 A	V	2.0	2.0	2.3	2.3
MICRA								
1.0i 16V L - LX	11/92->	155/70 R 13	MXT ENERGY - CLASSIC	T	2.2	1.9	2.5	2.3
1.3i 16V LX - SLX	11/92->	155/70 R 13	MXT ENERGY - CLASSIC	T				
		175/60 R 13	MXV2	H				
PRAIRIE								
2.4 SLX	1988->	195/65 R 14	MXV3 A ENERGY	H	1.9	2.2	2.0	2.3
PRIMERA								
1.6i 16V LX - SLX	09/90->	165/80 R 13	MXT 80 ENERGY - CLASSIC	T	2.0	1.8	2.4	2.6
1.6i 16V LX - SLX	07/94->	175/70 R 14	MXT ENERGY - CLASSIC	T	2.2	2.0	2.5	2.4
1.6i 16V SRi	07/94->	185/65 R 14	MXV3 A ENERGY - CLASSIC	H	2.2	2.0	2.4	2.3
1.6 16V Break LX	09/90->	195/65 R 14	MXV3 A ENERGY	H	2.0	2.0	2.1	2.6
2.0i 16V SLX - SE	09/90->	185/65 R 14	MXV3 A ENERGY - CLASSIC	H	2.4	2.2	2.5	2.5
		195/60 R 14	HX MXV3 A	V	2.6	2.4	2.8	2.6
2.0i 16V GT	09/90->	195/60 R 14	HX MXV3 A	V	2.2	2.0	2.4	2.3
2.0 Diesel LX - SLX	09/90->	185/70 R 13	MXT	T	2.1	1.9	2.2	2.1
2.0 Diesel LX - SLX	07/94->	175/70 R 14	MXT ENERGY - CLASSIC	T	2.4	2.2	2.5	2.5
2.0 Diesel Break	09/90->	195/65 R 14	MXV3 A ENERGY	H	2.0	2.0	2.1	2.6
SERENA								
2.0i SLX - SGX	10/92->	195/70 R 14	MXT	T	2.0	2.6	2.0	2.6

Véhicules / Fahrzeuge / Veicoli Marques et Types / Marken und Modelle Marche e tipi		Equipements Pneumatiques / Reifendimensionen Equipaggiamenti pneumatici			Pressions/ Luftdruck (bar)* Utilisation Normales Teillast AV/VA	AR/HA	Charge/ Autoroute Vollast/AB AV/VA	AR/HA
NISSAN (suite)								
SUNNY								
4i 16V LX - SLX	01/90->	155/80 R 13	MXT 80 ENERGY - CLASSIC	T	2.2	2.0	2.3	2.3
		175/70 R 13	MXT ENERGY - CLASSIC	T				
.6i 16V SLX	01/90->	175/70 R 13	MXV3 A	H	2.2	2.0	2.3	2.1
		175/65 R 14	MXV3 A ENERGY	H				
.6i 16V SR	05/94->	175/65 R 14	MXV3 A ENERGY	H	2.2	2.0	2.4	2.4
0 Diesel LX - SLX	01/90->	175/70 R 13	MXT ENERGY - CLASSIC	T	2.2	2.0	2.3	2.1
0 Diesel Break SLX	01/90->				2.2	2.0	2.3	2.6
VANETTE								
.5 Coach - 1.9 Diesel Coach - Optima	1987->	185/70 R 14	MXT ENERGY	T	2.7	3.7	2.7	3.7
OPEL								
ASTRA								
.4i GL - "Vision" .6i GL - "Vision"	09/95->	175/70 R 13	MXT ENERGY - CLASSIC	T	2.2	1.9	2.2	2.4
		175/65 R 14	MXT ENERGY - CLASSIC T2	T				
		185/60 R 14	MXV3 A ENERGY - CLASSIC	H				
.6 GLS	09/95->	175/65 R 14	MXV3 A ENERGY	H	2.0	1.7	2.2	2.4
		195/60 R 14	MXV3 A ENERGY - CLASSIC	H				
.6i GT	09/95->	185/60 R 14	MXV3 A ENERGY - CLASSIC	H	2.3	2.0	2.3	2.5
		195/60 R 14	MXV3 A ENERGY - CLASSIC	H				
.6 i CD .8 i GL .8 i GLS	09/95->	175/65 R 14	MXT ENERGY - CLASSIC T2	T	2.2	1.9	2.3	2.5
		185/60 R 14	MXV3 A ENERGY - CLASSIC	H				
		195/60 R 14	MXV3 A ENERGY - CLASSIC	H				
.6i Sportive - Elégance	09/95->	185/60 R 14	MXV3 A ENERGY - CLASSIC	H	2.2	1.9	2.2	2.4
.7 Turbo Diesel GLS	09/95->	175/65 R 14	MXT ENERGY - CLASSIC T2	T	2.4	2.1	2.4	2.6
		185/60 R 14	MXV3 A ENERGY - CLASSIC	H				
.6i 16V GLS (100ch)	09/95->	175/65 R 14	MXV3 A ENERGY	H	2.0	1.7	2.2	2.4
		195/60 R 14	MXV3 A ENERGY - CLASSIC	H				
.8 GT 16V (115ch)	09/95->	185/60 R 14	MXV3 A ENERGY - CLASSIC	H	2.5	2.2	2.5	2.7
		195/60 R 14	MXV3 A ENERGY - CLASSIC	H				
.8 GSI 16V	09/95->	195/60 R 14	HX MXV3 A	V	2.5	2.2	2.5	2.7
		205/50 R 15	HX MXV3 A - SX GT	V				
2.0i 16V GSi - CDX	09/95->	205/50 R 15	HX MXV3 A - SX GT	V	2.5	2.2	2.5	2.7
CALIBRA								
2.0i	09/95->	195/60 R 14	MXV3 A ENERGY - CLASSIC	H	2.4	2.2	2.5	2.7
		205/55 R 15	HX MXV3 A	V				
2.0i 16V	09/95->	195/60 R 15	HX MXV3 A	V	2.4	2.2	2.5	2.7
		205/55 R 15	HX MXV3 A	V				
CORSA								
1.5 Diesel "Swing" 1.5 Turbo D. GLS "Swing" - "Joy" - "Sport" - "Viva"	09/95->	165/70 R 13	MXT ENERGY - CLASSIC	T	2.2	2.0	2.2	2.6
		165/65 R 14	MXT ENERGY	T				
1.6i GSi 16V	09/95->	185/60 R 14	MXV3 A ENERGY - CLASSIC	H	2.3	2.1	2.3	2.7
OMEGA								
2.0i GL (115ch)	09/95->	195/65 R 15	MXV3 A ENERGY - CLASSIC	H	2.0	2.0	2.5	2.9
		205/65 R 15	HX MXV3 A	V				
		225/55 R 16	HX MXM	W				
2.0i 16V CD - GL (135ch)	09/95->	195/65 R 15	HX MXV3 A	V	2.0	2.0	2.5	2.9
		205/65 R 15	HX MXV3 A	V				
		225/55 R 16	HX MXM	W				
2.5 V6 CD 2.5 Turbo Diesel CD - GL - MV6	09/95->	205/65 R 15	HX MXV3 A	V	2.2	2.2	2.5	2.9
		225/55 R 16	HX MXM	V				
TIGRA								
1.4i 16V	09/95->	175/65 R 14	MXV3 A ENERGY	H	2.2	2.0	2.3	2.7
		185/55 R 15	MXV3 A ENERGY	H				
1.6i 16V	09/95->	185/55 R 15	MXV3 A ENERGY	H	2.3	2.1	2.4	2.8
VECTRA								
1.6i 16V CD - GL	09/95->	185/70 R 14	MXV3 A ENERGY	H	1.9	1.9	2.1	2.7
		195/65 R 15	HX MXV3 A	V				

Véhicules / Fahrzeuge / Veicoli Marques et Types / Marken und Modelle Marche e tipi		Equipements Pneumatiques / Reifendimensionen Equipaggiamenti pneumatici			Pressions/ Luftdruck (bar)*			
					Utilisation Normales Teillast		Charge/ Autorout Vollast/A	
					AV/VA	AR/HA	AV/VA	AR/H
OPEL (suite)								
VECTRA (suite)								
1.8i 16V CD - GL "Sport"	09/95->	185/70 R 14	MXV3 A ENERGY	H	2.1	2.1	2.2	2.8
		195/65 R 15	HX MXV3 A	V				
1.8 16V CDX 2.0i Sport/CDX	09/95->	195/65 R 15	HX MXV3 A	V	2.1	2.1	2.2	2.8
2.0i 16V GL - CDX - "Sport" - "Riviera"	09/95->	195/65 R 15	HX MXV3 A	V	2.0	2.0	2.2	2.8
		205/60 R 15	HX MXV3 A	V				
CD - GL - GLS - GT 2.0i	04/94->	195/60 R 14	HX MXV3 A	V	2.2	2.0	2.4	2.6
		195/60 R 15	HX MXV3 A	V				
2.5i 16V CD - CDX	09/95->	195/65 R 15	HX MXV3 A	V	2.3	2.3	2.5	3.1
		205/60 R 15	HX MXV3 A	V				
1.7 Turbo Diesel CD	09/95->	185/70 R 14	MXV3 A ENERGY	H	2.1	2.1	2.2	2.8
		195/65 R 15	HX MXV3 A	V				
PEUGEOT								
106								
Diesel XND - XRD - XTD	07/94->	155/70 R 13	MXT ENERGY - CLASSIC	T	2.3	2.3	2.3	2.3
XSi	07/94->	175/60 R 14	MXV3 A ENERGY	H	2.2	2.2	2.2	2.2
Griffe XS - XT 1.6	07/94->	165/65 R 13	MXT ENERGY - CLASSIC	T	2.0	2.2	2.2	2.2
205								
Turbo Diesel (Tous modèles)	07/94->	165/70 R 13	MXT ENERGY - CLASSIC	T	2.0	2.0	2.0	2.0
SACRE NUMERO essence	07/94->	165/70 R 13	MXT ENERGY - CLASSIC	T	1.9	2.1	1.9	2.1
SACRE NUMERO diesel					1.9	2.0	1.9	2.0
GTi 1.6 (115ch) - Cabriolet CTi		185/60 R 14	MXV3 A ENERGY - CLASSIC	H	2.0	2.0	2.0	2.0
GTi 1.9 (130ch)		185/55 R 15	MXVP	V	2.0	2.0	2.0	2.0
		195/45 R 15	SX GT	V	2.3	2.3	2.3	2.3
306								
ST Autom. 1.8	09/95->	185/60 R 14	MXV3 A ENERGY - CLASSIC	H	2.2	2.2	2.2	2.2
SR 1.6 - ST 1.8	09/95->	175/65 R 14	MXT ENERGY - CLASSIC T2	T	2.3	2.3	2.3	2.3
SRDT - STDT 1.9 - ST - ST Autom. 2.0	09/95->	185/60 R 14	MXV3 A ENERGY - CLASSIC	H	2.4	2.4	2.4	2.4
XR (1.6i)	(2/93 à 6/94)	175/70 R 13	MXT ENERGY - CLASSIC	T	2.2	2.3	2.2	2.3
	07/94->				2.0	2.1	2.0	2.1
XND - XRD	(06/93 à 06/94)	175/70 R 13	MXT ENERGY - CLASSIC	T	2.3	2.4	2.3	2.4
XND - XRD 1.9	07/94->	175/70 R 13	MXT ENERGY - CLASSIC	T	2.3	2.4	2.3	2.4
		175/65 R 14	MXT ENERGY - CLASSIC T2	T	2.2	2.3	2.2	2.3
XRDT - XTDT	09/93->	175/65 R 14	MXV3 A ENERGY	H	2.3	2.4	2.3	2.4
XRDT - XTDT GRIFFE TD - D Turbo	07/94->	185/60 R 14	MXV3 A ENERGY - CLASSIC	H	2.3	2.4	2.3	2.4
XSI	09/93->	185/55 R 15	SX XGTV	V	2.2	2.2	2.2	2.2
S 16	09/93->	195/55 R 15	HX MXV3 A - SX GT	V	2.3	2.3	2.3	2.3
309								
XS 1.9 - SX 1.9 - SRD Turbo Diesel	1990->	175/65 R 14	MXV3 A ENERGY	H	2.0	2.0	2.0	2.0
GT					1.9	1.8	1.9	1.8
GTi (130ch)		185/55 R 15	MXVP	V	2.0	2.0	2.0	2.0
		195/45 R 15	SX GT	V	2.3	2.3	2.3	2.3
405								
Mi 16	07/92->	195/55 R 15	HX MXV3 A - SX GT	V	2.2	2.2	2.2	2.2
Signature	07/93->	185/65 R 14	MXV3 A ENERGY - CLASSIC	H	2.1	2.1	2.1	2.1
Signature Climatisée - STI - Autom.	07/93->				2.2	2.2	2.2	2.2
Sillage	07/93->	165/70 R 14	MXT ENERGY	T	2.1	2.1	2.2	2.2
Sillage Diesel	07/93->				2.2	2.2	2.2	2.2
Sillage - Signature - Style Turbo - STDT	07/93->	185/65 R 14	MXV3 A ENERGY - CLASSIC	H	2.2	2.2	2.2	2.2
Style 1.6 - 1.8	07/93->	175/70 R 14	MXT ENERGY - CLASSIC	T	2.1	2.1	2.1	2.1
Style Climatisée - Diesel	07/93->				2.2	2.2	2.2	2.2
406								
1.8i 16V SL - ST	07/95->	185/70 R 14	MXV3 A ENERGY	H	2.3	2.3	2.3	2.3
		195/65 R 15	MXV3 A ENERGY - CLASSIC	H	2.1	2.1	2.1	2.1
2.0i 16V SV	07/95->	195/65 R 15	HX MXV3 A	V	2.2	2.2	2.2	2.2
1.9 Turbo Diesel SL - ST - SV	07/95->	195/65 R 15	MXV3 A ENERGY - CLASSIC	H	2.3	2.3	2.3	2.3
2.1 Turbo Diesel ST - SV	07/95->							
GRIFFE - GRIFFE TD - TURBO 2L - V6	07/96->	205/60 R 15	HX MXV3 A	V	2.4	2.4	2.4	2.4

Véhicules / Fahrzeuge / Veicoli Marques et Types / Marken und Modelle Marche e tipi		Equipements Pneumatiques / Reifendimensionen Equipaggiamenti pneumatici			Pressions/ Luftdruck (bar)*			
					Utilisation Normales Teillast		Charge/ Autoroute Vollast/AB	
					AV/VA	AR/HA	AV/VA	AR/HA
PEUGEOT (suite)								
605								
SLI - SRI Essence - SRI Auto	07/94->	195/65 R 15	MXV3 A ENERGY - CLASSIC	H				
SLI - SRI essence SRI Automat.	07/94->	195/65 R 15 205/60 R 15	MXV3 A ENERGY - CLASSIC MXV3 A ENERGY	H H	2.3	2.3	2.3	2.3
SRTi 2.0i Turbo - Exécutive	07/94->	205/60 R 15	HX MXV3 A	V				
SRDT - SVDT 2.5	07/94->	205/65 R 15	HX MXV3 A	V	2.3	2.3	2.3	2.3
SV 3.0 - Automatic	07/93->	205/65 R 15	HX MXV3 A	V				
SV 24	(90 à 06/94)	205/55 ZR 16	HX MXM					
SV 24	07/94->	225/55 ZR 16	HX MXM		2.3	2.3	2.5	2.5
806								
SR	07/94->	195/65 R 15	MXT ENERGY	T	2.3	2.3	2.5	2.5
ST	07/94->	205/65 R 15	MXT	T	2.3	2.3	2.4	2.5
Turbo ST - SV	07/94->	205/65 R 15	MXV3 A ENERGY	H				
1.8 ST Autom.	07/95->	185/60 R 14	MXV3 A ENERGY - CLASSIC	H	2.2	2.2	2.2	2.2
1.8i cabriolet - Autom.	07/94->				2.2	2.2	2.2	2.2
PONTIAC (GM)								
Trans Sport 2.3i 16V	04/94->	205/65 R 15	MXV3 B	H	2.1	2.1	2.4	2.4
Trans Sport 3.8i V6	04/94->	P205/70 R 15	XGT4	S	2.4	2.4	2.4	2.6
PORSCHE								
911 (964)								
Carrera 2 - 4 Turbo Look 3.3 Speedster 3.6	09/93->	AV : 205/50 ZR 17 AR : 255/40 ZR 17	SX MXX3 N0 SX MXX3 N0		2.5 -	- 2.5	2.5 -	- 2.5
Carrera RS 3.8	09/93->	AV : 235/40 ZR 18 AR : 285/35 ZR 18	SX MXX3 N0 SX MXX3 N0		2.5	2.5	2.5	2.5
911 (993)								
Carrera 2 - 4 3.6	02/95->	AV : 205/55 ZR 16 AR : 245/45 ZR 16	SX MXX3 N1 SX MXX3 N1		2.5 -	- 3.0	2.5 -	- 3.0
RS 3.8	02/95->	AV : 205/50 ZR 17 AR : 255/40 ZR 17	SX MXX3 N0 SX MXX3 N0		2.5 -	- 2.5	2.5 -	- 2.5
928								
S4 5.0	04/91->	AV : 225/50 ZR 16 AR : 245/45 ZR 16 AV : 225/45 ZR 17 AR : 255/40 ZR 17	SX MXX3 N1 SX MXX3 N1 SX MXX3 N0 SX MXX3 N0		2.5 - 2.5 -	- 3.0 - 3.0	2.5 - 2.5 -	- 3.0 - 3.0
GT 5.0	04/91->	AV : 225/45 ZR 17 AR : 255/40 ZR 17	SX MXX3 N0 SX MXX3 N0		2.5 -	- 3.0	2.5 -	- 3.0
GTS 5.4	08/91->	AV : 225/45 ZR 17 AR : 255/40 ZR 17	SX MXX3 N0 SX MXX3 N0		2.5 -	- 2.5	2.5 -	- 2.5
944								
S2 3.0	04/91->	AV : 205/55 ZR 16 AR : 225/50 ZR 16 AV : 225/45 ZR 17 AR : 255/40 ZR 17	SX MXX3 N1 SX MXX3 N1 SX MXX3 N0 SX MXX3 N0		2.5 - 2.5 -	- 2.5 - 2.5	2.5 - 2.5 -	- 2.5 - 2.5
Turbo S		AV : 225/50 ZR 16 AR : 245/45 ZR 16	SX MXX3 N1 SX MXX3 N1		2.5 -	- 2.5	2.5 -	- 2.5
968								
CS - Cabrio	04/91->	AV : 205/55 ZR 16 AR : 225/50 ZR 16	SX MXX3 N1 SX MXX3 N1		2.5 -	- 2.5	2.5 -	- 2.5
Turbo S	07/93->	AV : 235/40 ZR 18 AR : 285/35 ZR 18	SX MXX3 SX MXX3		2.5 -	- 2.5	2.5 -	- 2.5
RENAULT								
TWINGO								
1.2 : Climatisation	10/92->	145/70 R 13	MXT ENERGY - CLASSIC	T	2.1	2.0	2.4	2.0
1.2 Climatisation + Direction Assistée Elec	07/94->	155/70 R 13	MXT ENERGY - CLASSIC	T	2.0	2.0	2.2	2.0

Véhicules / Fahrzeuge / Veicoli Marques et Types / Marken und Modelle Marche e tipi		Equipements Pneumatiques / Reifendimensionen Equipaggiamenti pneumatici			Pressions/ Luftdruck (bar)*			
					Utilisation Normales Teillast		Charge Autorou Vollast/	
					AV/VA	AR/HA	AV/VA	AR/
RENAULT (suite)								
CLIO								
1.4i Automatique RN - RT	07/96->	165/65 R 13	MXT ENERGY - CLASSIC T2	T	2.0	2.1	2.1	2.[illegible]
1.4i Alizée	07/96->	165/65 R 14	MXT ENERGY	T	2.2	2.1	2.3	2.[illegible]
1.4i Automatique Climatisée	07/96->				2.3	2.3	2.4	2.[illegible]
1.4 Automat RT Climatisée "Alizée"	02/91->	165/60 R 14	MXT P	T	2.3	2.3	2.4	2.[illegible]
1.4 Alizée	07/94->				2.2	2.1	2.3	2.[illegible]
1.8i RT	07/96->	165/65 R 14	MXT ENERGY	T	2.1	2.1	2.3	2.[illegible]
1.8 RSI	07/94->	175/60 R 14	MXV3 A ENERGY	H	2.0	2.0	2.2	2.[illegible]
1.9 Diesel RT	05/90->	165/65 R 13	MXT ENERGY - CLASSIC T2	T	2.1	2.1	2.3	2.[illegible]
2.0 Williams	05/93->	185/55 R 15	HX MXV3 A	V	2.0	2.0	2.2	2.[illegible]
19								
RL - RN - RT 1.9 Diesel	08/94->	165/70 R 13	MXT ENERGY - CLASSIC	T	1.8	2.0	2.0	2.[illegible]
RT 1.8	07/94->	175/65 R 14	MXT ENERGY - CLASSIC T2	T	1.8	2.0	2.0	2.[illegible]
Sport Elégance : 1.8 - 1.8i	07/93->	185/60 R 14	MXV3 A ENERGY - CLASSIC	H	1.8	2.0	2.0	2.[illegible]
Sport Elégance : 1.8 Turbo Diesel	07/93->				2.0	2.0	2.2	2.[illegible]
LAGUNA								
1.8i RNA - RNE - RTA - RTE	07/96->	185/65 R 14	MXT ENERGY - CLASSIC	T	2.1	2.1	2.3	2.3
2.0i RTE - RXT	07/96->	185/65 R 14	MXV3 A ENERGY - CLASSIC	H				
2.0i RTA - RTE (Export)	07/96->	185/70 R 14	MXV3 A ENERGY	H				
2.0i 16V RTI - RXI - RXE	07/95->	195/60 R 15	MXV3 A ENERGY - CLASSIC	H	2.2	2.1	2.4	2.3
2.0i 16V RTE - RXT	07/96->							
3.0i V6 RTE - RXT - Baccara	07/96->	205/60 R 15	HX MXV3A	V	2.3	2.1	2.5	2.3
2.2 Diesel RNA - RNE - RTE	07/96->	185/65 R 14	MXT ENERGY - CLASSIC	T	2.3	2.1	2.5	2.3
2.2 Diesel Automat. RTE	07/96->	185/65 R 14	MXT ENERGY - CLASSIC	T	2.1	1.9	2.3	2.1
2.2 Diesel RN Export	07/96->	185/70 R 14	MXV3 A ENERGY	H	2.1	2.1	2.3	2.3
2.2 Turbo Diesel RTA - RTE - RXT	07/96->	195/65 R 15	MXV3 A ENERGY CLASSIC	H	2.3	2.1	2.5	2.3
MEGANE								
1.6i : RT - RXE	11/95->	175/70 R 13	MXT ENERGY - CLASSIC	T	2.1	2.0	2.3	2.2
1.6i RTA - RTE	07/96->	175/65 R 14	MXT ENERGY - CLASSIC	T	2.1	2.0	2.3	2.1
1.6i Autom. : RT - RXE	11/95->	175/70 R 13	MXT ENERGY - CLASSIC	T	2.1	2.0	2.3	2.1
1.6i Autom. RTA - RTE	07/96->	175/65 R 14	MXT ENERGY - CLASSIC T2	T				
2.0i RXE	11/95->	175/65 R 14	MXV3 A ENERGY	H	2.2	2.0	2.4	2.2
2.0i RTE	07/96->	185/60 R 14	MXV3 A ENERGY - CLASSIC	H				
1.9 Turbo Diesel : RT - RXE	11/95->	175/65 R 14	MXT ENERGY - CLASSIC T2	T	2.3	2.0	2.4	2.2
1.9 Turbo Diesel RTA - RTE		185/60 R 14	MXV3 A ENERGY - CLASSIC	H				
MEGANE COUPE								
2.0i	11/95->	175/65 R 14	MXV3 A ENERGY	H	2.2	2.0	2.4	2.2
		185/60 R 14	MXV3 A ENERGY - CLASSIC	H				
2.0i 16S	11/95->	195/50 R 16	SX GT	V	2.2	2.0	2.4	2.2
MEGANE SCENIC								
2.0i RTA - RXT	10/96->	185/70 R 14	MXT ENERGY	T	2.2	2.0	2.4	2.5
1.9 Turbo Diesel RTA - RXT	10/96->							
SAFRANE								
2.0i 16S RTA - RTE	07/96->	195/60 R 15	MXV3 A ENERGY - CLASSIC	H	2.3	2.1	2.5	2.3
2.5i Automat. RTE - RXT	07/96->	195/65 R 15	HX MXV3 A	V	2.3	2.1	2.5	2.3
2.5i RTE - RXT	07/96->	195/65 R 15	HX MXV3 A	V	2.3	2.1	2.5	2.1
2.5 Turbo Diesel	07/94->							
3.0i V6 Automat. RTE - RXT	07/96->	195/65 R 15	HX MXV3 A	V	2.3	2.1	2.5	2.3
2.2 Turbo Diesel RTE - RTX	07/96->	195/65 R 15	MXV3 A ENERGY - CLASSIC	H	2.5	2.3	2.5	2.3
ESPACE								
2.0 RT - RXE	07/96->	195/65 R 15	XT2 ENERGY	T	2.2	2.0	2.3	2.3
3.0i V6 RT - RXE	02/91->	205/65 R 15	XH1 ENERGY - CLASSIC	H	2.5	2.2	2.6	2.4
2.2i, 2.1 RN - RT - RXE TD	07/93->	195/65 R 14	MXT4	T	2.3	1.9	2.5	2.6
ROVER								
Série 200								
214 SEi	01/95->	185/55 R 15	HX MXV3 A	V	2.1	2.1	2.8	2.8
214i - Si	12/95->	175/65 R 14	MXT ENERGY - CLASSIC T2	T	2.1	2.1	2.3	2.3
216 Si	12/95->	175/65 R 14	MXV3 A ENERGY	H	2.1	2.1	2.4	2.4

Véhicules / Fahrzeuge / Veicoli Marques et Types / Marken und Modelle Marche e tipi		Equipements Pneumatiques / Reifendimensionen Equipaggiamenti pneumatici			Pressions/ Luftdruck (bar)*			
					Utilisation Normales Teillast		Charge/ Autoroute Vollast/AB	
					AV/VA	AR/HA	AV/VA	AR/HA
ROVER (suite)								
Série 200 (suite)								
216 SLi	12/95->	185/55 R 15	HX MXV3 A	V	2.1	2.1	2.3	2.3
216 SLi	01/95->	175/65 R 14	MXV3 A ENERGY	H	2.1	2.1	2.5	2.5
		185/55 R 15	HX MXV3 A	V	2.1	2.1	2.8	2.8
220 SLi	01/95->	175/70 R 14	MXV3 A ENERGY	H	2.1	2.1	2.6	2.6
220 Coupé GSi	01/95->	185/55 R 15	HX MXV3A	V	2.1	2.1	2.8	2.8
Diesel 220 D - SD	12/95->	175/65 R 14	MXV3 A ENERGY	H	2.2	2.1	2.6	2.3
Diesel 220 SDi	12/95->	185/55 R 15	HX MXV3 A	V	2.3	2.1	2.6	2.3
Série 400								
414 Si - SLi	10/95->	175/65 R 14	MXT ENERGY - CLASSIC T2	T	2.1	2.1	2.2	2.2
		185/55 R 15	HX MXV3 A	V	2.1	2.1	2.8	2.8
416 SLi	05/95->	185/60 R 14	MXV3 A ENERGY - CLASSIC	H	2.1	2.1	2.4	2.4
		185/55 R 15	HX MXV3 A	V	2.1	2.1	2.6	2.6
420 D - Di - SDi - SLDi - GSDi (Turbo Diesel)	03/96->	185/65 R 14	MXT ENERGY	T	2.1	2.1	2.5	2.4
		195/55 R 15	MXV3 A ENERGY	H	2.2	2.1	2.7	2.5
Série 600								
623 SLi - GSi	01/95->	195/60 R 15	HX MXV3 A	V	2.3	2.2	2.9	2.6
620 Ti (Turbo)	01/95->	205/50 ZR 16	HX MXM		2.4	2.2	2.8	2.6
Série 800								
820i	01/95->	195/65 R 15	HX MXV3 A	V	1.9	1.9	2.3	2.3
820 Si - SLi	01/95->	205/55 ZR 16	HX MXV3 A					
825 SD - SLD (Turbo Diesel)	01/95->	205/55 ZR 16	HX MXV3 A		2.2	2.2	2.5	2.5
827 Si - SLi - Coupé - Sterling	01/95->	205/55 ZR 16	HX MXV3 A					
827i	01/95->	195/65 R 15	HX MXV3 A	V	2.0	2.0	2.7	2.7
SAAB								
900								
2.0 16V S - SE Cabriolet	07/95->	185/65 R 15	MXV3 A ENERGY - CLASSIC	H	2.1	2.1	2.4	2.4
		195/60 R 15	HX MXV3 A	V				
2.0i Turbo SE - Cabriolet	07/95->	195/60 R 15	HX MXV3 A	V	2.3	2.3	2.7	2.7
		205/50 R 16	HX MXM	W				
2.5i V6 SE - Cabriolet	07/95->	195/60 R 15	HX MXV3 A	V	2.2	2.2	2.6	2.6
9000								
2.0i 16V CD - CS	07/95->	195/65 R 15	HX MXV3 A	V	2.1	2.1	2.6	2.6
2.0i LPTurbo CD - CS (150ch)	07/95->	195/65 R 15	HX MXV3 A	V	2.1	2.1	2.6	2.6
2.3i LPTurbo CD - CS (170ch)	07/95->							
2.0i - 2.3 Turbo CD "Griffin"	07/95->	195/65 R 15	HX MXV3 A	V	2.1	2.1	2.6	2.6
2.0i - 2.3i Turbo CS	07/95->	205/60 R 15	HX MXV3 A	W	2.1	2.1	2.6	2.6
2.0i - 2.3i AERO	07/95->	205/55 R 16	HX MXV3 A	W	2.4	2.4	2.8	2.8
AERO 2.0 - 2.3	07/92->	205/55 ZR 16	HX MXV3 A		2.4	2.4	2.8	2.8
AERO 2.0 - 2.3	07/93->				2.4	2.4	3.0	3.0
SEAT								
AROSA								
1.0 MPI, 1.4 MPI	1997->	175/65 R 13	XT1 ENERGY		1.9	1.9	2.1	2.6
CORDOBA								
1.6i CLX	07/95->	175/70 R 13	MXT ENERGY - CLASSIC	T	2.1	1.9	2.2	2.4
1.6i GLX	07/95->	185/60 R 14	MXV3 A ENERGY - CLASSIC	H	2.1	1.9	2.2	2.4
1.8i GTi 16V	07/95->	185/60 R 14	HX MXV3 A	V	2.4	2.2	2.5	2.7
1.8i GLX	07/95->	185/60 R 14	MXV3 A ENERGY - CLASSIC	H	2.2	1.9	2.3	2.4
2.0i GTi	07/95->	185/60 R 14	HX MXV3 A	V	2.4	2.2	2.5	2.7
1.9 Turbo Diesel GT	1997->	185/60 R 14	MXV3 A ENERGY - CLASSIC	H	2.2	2.2	2.2	2.6
IBIZA								
1.6i CLX	07/95->	175/70 R 13	MXT ENERGY - CLASSIC	T	2.1	1.8	2.2	2.4
1.6i GLX	07/95->	185/60 R 14	MXV3 A ENERGY - CLASSIC	H	2.1	1.8	2.2	2.4
1.8i CLX	07/95->	175/70 R 13	MXT ENERGY - CLASSIC	T	2.1	1.8	2.2	2.4
1.8i GLX	07/95->	185/60 R 14	MXV3 A ENERGY - CLASSIC	H	2.1	1.8	2.2	2.4

Véhicules / Fahrzeuge / Veicoli — Marques et Types / Marken und Modelle / Marche e tipi		Equipements Pneumatiques / Reifendimensionen / Equipaggiamenti pneumatici			Pressions/ Luftdruck (bar)*			
					Utilisation Normales Teillast		Charge/ Autorout Vollast/A	
					AV/VA	AR/HA	AV/VA	AR/
SEAT (suite)								
IBIZA (suite)								
1.8i GT 16V	07/95->	185/60 R 14	HX MXV3 A	V	2.4	2.0	2.5	2.6
TOLEDO								
1.6i - 1.8i CL - "Entry"	07/95->	175/70 R 13	MXT ENERGY - CLASSIC	T	2.0	2.2	2.1	2.6
1.8i GL - GLX - SX - SXE - "Majorca"	07/95->	185/60 R 14	MXV3 A ENERGY - CLASSIC	H	2.0	2.2	2.1	2.6
2.0i GL - GLX - GT "Sport" - SE - SXE	07/95->	185/60 R 14	HX MXV3 A	V	2.2	2.2	2.2	2.6
2.0i 16V - "Sport"	07/95->	195/50 R 15	SX GT	V	2.4	2.4	2.5	2.8
1.9 TDi GT "Sport" Turbo Diesel	07/95->	185/60 R 14	HX MXV3 A	V	2.2	2.2	2.2	2.6
SUBARU								
JUSTY								
1.3	1996->	165/70 R 13	XT1 ENERGY - CLASSIC	T	2.1	2.1	2.1	2.1
LEGACY								
2.2	06/94->	185/70 R 14	HX MXV3 A	V	2.2	2.1	2.2	2.1
2.5	1996->	195/60 R 15	MXV3 A ENERGY - CLASSIC	H	2.2	2.1	2.2	2.3
TOYOTA								
CAMRY								
2.2i	10/91->	195/70 R 14	HX MXV3 A	V	2.2	2.0	2.4	2.0
CARINA								
1.6 XLi - 2.0 XL Diesel	1993->	185/65 R 14	MXV3 A ENERGY - CLASSIC	H	2.2	2.0	2.2	2.2
2.0 GLi	1993->	185/65 R 14	HX MXV3 A	V				
2.0 GTi	1993->	195/60 R 15	HX MXV3 A	V	2.1	1.9	2.1	1.9
CELICA								
1.8/16V	03/94->	195/65 R 14	MXV3 A ENERGY - CLASSIC	H	2.1	2.1	2.4	2.4
2.0/16V GTi	03/94->	205/55 R 15	HX MXV3 A - SX GT	V	2.4	2.4	2.7	2.7
COROLLA								
1.3 GLi - XLi - XLiS - 2.0 SL Diesel	1993->	165/70 R 14	MXT ENERGY	T	2.4	2.2	2.4	2.2
1.6 GLi	1993->	175/65 R 14	MXV3 A ENERGY	H	2.3	2.1	2.3	2.1
LEXUS								
GS 300	07/94->	225/55 R 16	HX MXM	V	2.2	2.2	2.4	2.6
LS 400	07/94->	225/60 ZR 16	HX MXM		2.1	2.1	2.3	2.7
LS 400	10/90->	205/65 ZR 15	HX MXV3 A		2.3	2.5	2.5	2.7
SUPRA								
3000 GT Turbo	07/89->	225/50 ZR 16	HX MXM		2.3	2.5	3.0	3.0
3.0 Twin Turbo	1993->	AV : 235/45 ZR 17 AR : 255/40 ZR 17	SX MXX3 SX MXX3		2.5	2.5	2.5	2.5
VOLKSWAGEN								
CORRADO								
2.0i 16V	03/93->	195/50 R 15	HX MXV3 A	V	2.6	2.3	2.8	2.5
		205/50 R 15	HX MXV3 A - SX GT	V	2.3	2.0	2.5	2.2
GOLF								
1.6i CL - GL 1.8i CL - GL	03/93->	175/70 R 13 185/60 R 14 195/50 R 15	MXT ENERGY - CLASSIC MXV3 A ENERGY - CLASSIC HX MXV3 A	T H V	2.1	1.9	2.4	2.6
1.6i CL - GL 1.8i CL - GL 1.9 Diesel D - SD - SDi	01/96->	175/70 R 13 185/60 R 14 195/50 R 15	MXT ENERGY - CLASSIC MXT ENERGY HX MXV3 A	T T V	2.1	1.9	2.4	2.6
1.9 TD CL - GL - GTD (75ch)	01/96->	175/70 R 13 185/60 R 14	MXT ENERGY - CLASSIC MXT ENERGY	T T	2.3	2.1	2.6	2.8
1.9 TDI CL - GL - GTD (110ch)	01/96->	195/50 R 15	HX MXV3 A	V	2.5	2.3	2.6	2.8
		205/50 R 15	HX MXV3 A - SX GT	V	2.2	2.0	2.3	2.5
2.0i CL - GL	01/96->	185/60 R 14 195/50 R 15	MXV3 A ENERGY - CLASSIC HX MXV3 A	H V	2.3	2.1	2.5	2.7

Véhicules / Fahrzeuge / Veicoli Marques et Types / Marken und Modelle Marche e tipi		Equipements Pneumatiques / Reifendimensionen Equipaggiamenti pneumatici			Pressions/ Luftdruck (bar)*			
					Utilisation Normales Teillast		Charge/ Autoroute Vollast/AB	
					AV/VA	AR/HA	AV/VA	AR/HA
VOLKSWAGEN (suite)								
GOLF (suite)								
2.0i GT - GTI (115ch)	01/96->	195/50 R 15	HX MXV3 A	V	2.3	2.1	2.5	2.7
		205/50 R 15	HX MXV3 A - SX GT	V	2.1	1.9	2.3	2.5
2.0 GTi 16V (150ch)	03/93->	195/50 R 15	HX MXV3 A	V	2.6	2.4	2.8	3.0
		205/50 R 15	HX MXV3 A - SX GT	V	2.2	2.0	2.4	2.6
Cabriolet 1.6i GT (100ch)	09/94->	185/60 R 14	MXV3 A ENERGY - CLASSIC	H	2.4	2.2	2.6	2.9
		195/50 R 15	HX MXV3 A	V				
Cabriolet 1.8i (75ch)	01/96->	185/60 R 14	MXT ENERGY	T	2.2	2.0	2.4	2.7
Cabriolet 1.8i (90ch)	01/96->	195/50 R 15	HX MXV3 A	V				
Syncro 2.0i (115ch)	01/96->	195/50 R 15	HX MXV3 A	V	2.5	2.5	2.7	3.1
		205/50 R 15	HX MXV3 A - SX GT	V				
Syncro 2.9i VR6 - Variant	01/96->	205/50 R 15	HX MXV3 A	W	2.4	2.4	2.6	3.0
PASSAT								
1.6i GT (101ch)	01/96->	205/50 R 15	HX MXV3 A	W	2.2	2.2	2.4	2.7
1.8i GT (90ch)	12/91->	205/50 R 15	HX MXV3 A - SX GT	V	2.1	2.1	2.4	2.7
	01/96->				2.0	2.0	2.2	2.6
1.6i CL - GL - GT (101ch)	01/96->	195/60 R 14	MXV3 A ENERGY - CLASSIC	H	2.2	2.2	2.4	2.7
2.0i CL - GL - GT (115ch)		185/65 R 14	MXV3 A ENERGY - CLASSIC	H				
		205/50 R 15	HX MXV3 A	V				
1.8i CL - GT (75ch)	01/96->	185/65 R 14	MXT ENERGY - CLASSIC	T	2.0	2.0	2.2	2.6
1.8i CL - GL - GT (90ch)		195/60 R 14	MXV3 A ENERGY - CLASSIC	H				
1.9 TD CL - GL (75ch)		205/50 R 15	HX MXV3 A	V				
2.0i 16V GL - GT (150ch)	01/96->	205/50 R 15	HX MXV3 A	W	2.6	2.6	2.8	3.1
1.9 TDI : CL - GL (90ch)	01/96->	185/65 R 14	MXT ENERGY - CLASSIC	T	2.2	2.2	2.4	2.7
		195/60 R 14	MXV3 A ENERGY - CLASSIC	H				
		205/50 R 15	HX MXV3 A	V				
1.9 TDi GT (90ch)	01/96->	205/50 R 15	HX MXV3 A	V	2.2	2.2	2.4	2.7
1.9 TDi CL - GL - GT (110ch)	01/96->	205/50 R 15	HX MXV3 A	W	2.4	2.4	2.6	2.9
POLO								
1.6i 75 Servo - Interlagos - 1.9 Diesel	10/94->	175/65 R 13	MXT ENERGY	T	2.1	2.1	2.2	2.5
75 1.6i	07/95->	175/65 R 13	MXT ENERGY	T	2.1	2.1	2.3	2.6
		185/55 R 14	MXV3 A ENERGY	H				
100 1.6i 16V	07/95->	185/55 R 14	MXV3 A ENERGY	H	2.3	2.3	2.5	2.8
VENTO								
1.9 CL - GL - GTD	01/96->	185/60 R 14	MXT ENERGY	T	2.3	2.1	2.6	3.0
		195/50 R 15	HX MXV3 A	V				
1.9 TDi CL - GL - GTD (110cv)	01/96->	185/60 R 14	MXV3 A ENERGY - CLASSIC	H	2.5	2.3	2.6	3.0
		195/50 R 15	HX MXV3 A	V				
2.0i GT - GTi	01/96->	195/50 R 15	HX MXV3 A	V	2.3	2.1	2.5	2.9
		205/50 R 15	HX MXV3 A	V	2.1	1.9	2.3	2.7
VOLVO								
S 40 - V 40								
1.8i - 2.0i	04/96->	195/55 R 15	HX MXV3 A - SX GT	V	2.2	2.0	2.2	2.3
S 70 - V 70								
2.0i - 2.5/20V - 2.5 TDI	04/96->	195/60 R 15	HX MXV3 A - SX GT	V	2.2	2.3	2.5	2.8
2.5 LPTi	04/96->	205/50 R 16	HX MXV3 A - SX GT	W				
2.3i T5	04/96->	205/55 R 16	HX MXV3 A - SX GT	W	2.6	2.7	2.8	3.2
S 90 - V 90								
3.0	1997->	195/65 R 15	HX MXV3 A - SX GT	V	2.0	2.2	2.1	2.8
440 - 460								
1.8i GLE - GLT - SI - "Famille"		185/65 R 14	MXV3 A ENERGY - CLASSIC	H	2.1	1.9	2.3	2.1
1.8i GLE CVT - GLT CVT - SI CVT		185/55 R 15	MXV3 A ENERGY	H				
2.0i GLE - GLT - SI - "Famille"								
1.8i Turbo GLE - GLT - SI "Famille"		185/65 R 14	MXV3 A ENERGY - CLASSIC	H	2.1	1.9	2.3	2.1
1.9 Turbo Diesel GLE - GLT - Si	1993->	185/55 R 15	MXV3 A ENERGY	H				

Véhicules / Fahrzeuge / Veicoli Marques et Types / Marken und Modelle Marche e tipi		Equipements Pneumatiques / Reifendimensionen Equipaggiamenti pneumatici			Pressions/ Luftdruck (bar)*			
					Utilisation Normales Teillast		Charge/ Autorout Vollast/A	
					AV/VA	AR/HA	AV/VA	AR/H
VOLVO (suite)								
480								
2.0S - ES	1993->	185/65 R 14 195/55 R 15	MXV3 A ENERGY - CLASSIC MXV3 A ENERGY	H H	2.1	1.9	2.1	2.1
850								
2.0i 20V GLE - GLT "Gentleman" - "Summum"	07/94->	195/60 R 15	HX MXV3 A	V	2.2	2.0	2.6	2.8
2.0i Turbo 20V	07/94->	205/50 ZR 16	HX MXM	W	2.3	2.1	2.9	2.9
2.3i Turbo T5 GLE - GLT 2.3i Turbo T5R - "Summum"	10/95->	205/50 ZR 16	HX MXM	W	2.3	2.1	2.9	2.9
2.5 20V GLE - GLT 2.5i TDi GLT (Turbo Diesel)	07/94-> 10/95->	195/60 R 15 205/55 R 15	HX MXV3A HX MXV3 A	V V	2.2	2.0	2.6	2.8
940								
2.0i 8V 2.3i 8V GLE	10/95->	185/65 R 15 195/65 R 15	MXT ENERGY - CLASSIC HX MXV3 A	T V	1.9	1.9	2.4	2.9
2.4 Turbo diesel GLE - SE	10/95->	195/65 R 15	HX MXV3 A	V	1.9	1.9	2.4	2.9
2.3	07/94->	185/65 R 15 195/65 R 15	MXT ENERGY - CLASSIC HX MXV3 A	T V	1.9	1.9	2.1	2.8
960								
964 Turbo Diesel	01/94->	195/65 R 15	HX MXV3 A	V	2.0	1.9	2.1	2.6
965 Turbo Diesel	01/94->	195/65 R 15	HX MXV3 A	V	1.9	2.1	2.4	3.1
2.5i 24V SE - Gentleman - Summum 3.0i 20 V - Summum	10/95->	195/65 R 15 205/55 R 16	HX MXV3 A HX MXV3 A	V V	2.0	2.0	2.4	2.9

* Consulter la page conseils qui précéde le tableau. / Bitte auf Seite Empfehlungen nachsehen/Consultare la pagina consigli che precedere.

Tous les renseignements figurant sur ces tableaux sont donnés par Michelin sous réserve des modifications pouvant survenir après édition.

Alle Angaben auf dieser Tabelle sind von Michelin und unter Vorbehalt eventueller Änderungen, die nach dem Druck bekannt werden.

Tutte le informazioni che figurano sui presenti documenti sono date da Michelin con riserva di modificazioni che potrebbero sopraggiungere doppo l'edizione.

MANNO 6928 Ticino (TI) 219 ⑧ – 990 ab. – alt. 344.
Bern 247 – Lugano 6 – Bellinzona 23 – Locarno 47.

Grotto dell'Ortiga, Strada Regina 35, ☎ (091) 605 16 13, « Caseggiato rustico con servizio estivo sotto un fresco pergolato ». E VISA.
chiuso a mezzogiorno, domenica in marzo, aprile e dal ottobre a dicembre, lunedì e dal 20 dicembre al 28 febbraio – **Pasto** à la carte 33/53.

MARBACH 6196 Luzern (LU) 217 ⑧ – 1 366 Ew. – Höhe 874 – Wintersport : 874/1 500 m 1 4.
Ausflugsziel : *Marbachegg★ Süd mit Luftseilbahn – Schallenberg-Strasse★ Süd-West.*
Verkehrsbüro, Dorfmatte 53A, ☎ (034) 493 38 04.
Bern 47 – Langnau im E. 17 – Luzern 54 – Thun 32.

Kreuz, ☎ (034) 493 33 01, *Fax (034) 493 39 29,* , Gasthaus aus dem Jahre 1808 –
Montagabend (ausser Hotel) Dienstag und 6. - 22. Juli geschl. – **Menu** 22 - 35 und à la carte 33/69 – **11 Zim** 60/110 – ½ P Zuschl. 30.

Les MARÉCOTTES Valais 219 ① – *rattaché à Martigny.*

MARLY Fribourg 217 ⑤ – *rattaché à Fribourg.*

MARTIGNY 1920 Valais (VS) 219 ① ② – 13 795 h. – alt. 467.
Voir : *Fondation Pierre Gianadda★★ Z – Verrière★ de l'Hôtel de Ville Y – Tour de la Bâtiaz : vue★ Y.*
Environs : *Pont du Gueuroz★★ par ④ : 5 km.*
Manifestation locale
10.10 : Combat de reines à l'amphithéâtre romain.
Office du Tourisme, 9 pl. Centrale, ☎ (027) 721 22 20, Fax (027) 721 22 24.
Bern 127① – Aosta 69③ – Chamonix-Mont-Blanc 42③ – Montreux 43① – Sion 30①.

Plans pages suivantes

Forum, 74bis av. du Grand Saint-Bernard, ☎ (027) 722 18 41, *Fax (027) 722 79 25* – AE E VISA Z a
Repas (voir aussi rest. ***Le Gourmet*** ci-après) – ***Brasserie*** *(fermé dim. et lundi)* **Repas** 20 - 34 (midi)/44 et à la carte 47/83 – **29 ch** 95/210 – ½ P suppl. 30.

du Parc M, 20 av. des Prés-Beudin par ①, ☎ (027) 720 13 13, *Fax (027) 720 13 14*, , , , – , ch, video – 15/350. AE E VISA
Repas 17.50 et à la carte 32/70 – **118 ch** 130/210.

La Porte d'Octodure, route du Grand-Saint-Bernard par ③, ✉ 1921 Martigny-Croix, ☎ (027) 722 71 21, *Fax (027) 722 21 73*, , , , – , ch, – 15/150. AE E VISA. rest
fermé 5 au 30 janv. – **Repas** 20 et à la carte 32/80 – **56 ch** 100/220 – ½ P suppl. 33.

Poste, 8 r. de la Poste, ☎ (027) 722 14 44, *Fax (027) 722 04 45* – . AE E VISA Y c
Hôtel : fermé dim. de nov. à mai – **Repas** (Brasserie) *(fermé sam. soir, dim. et fériés)* 14 et à la carte 24/57, enf. 8 – **32 ch** 85/160 – ½ P suppl. 20.

Stand, 41 av. du Grand-Saint-Bernard, ☎ (027) 722 15 06, *Fax (027) 722 95 06*, – E VISA Z b
fermé 15 déc. au 15 janv. et merc. sauf de juil. à oct. – **Repas** 16 - 30/44 et à la carte 36/61 – **32 ch** 65/94 – ½ P suppl. 19.

Alpes et Rhône, 11 av. du Grand-Saint-Bernard, ☎ (027) 722 17 17, *Fax (027) 722 43 00* – – 30. AE E VISA JCB. rest Y k
fermé 15 nov. au 15 déc. – **Repas** *(fermé dim. hors saison)* 16 et à la carte 35/63 – **50 ch** 85/145 – ½ P suppl. 25.

Le Gourmet (Vallotton) - ***Hôtel Forum***, 74bis av. du Grand St. Bernard, ☎ (027) 722 18 41, *Fax (027) 722 79 25* – . AE E VISA Z a
fermé dim. soir et lundi – **Repas** 74 (midi)/155 et à la carte 99/123
Spéc. Escalope de foie gras chaud à la rhubarbe fondante et pistache. Rouelles de sole aux petits légumes printaniers à la grecque. Canette de Challans à l'infusion d'épices, galettes aux grains de maïs.

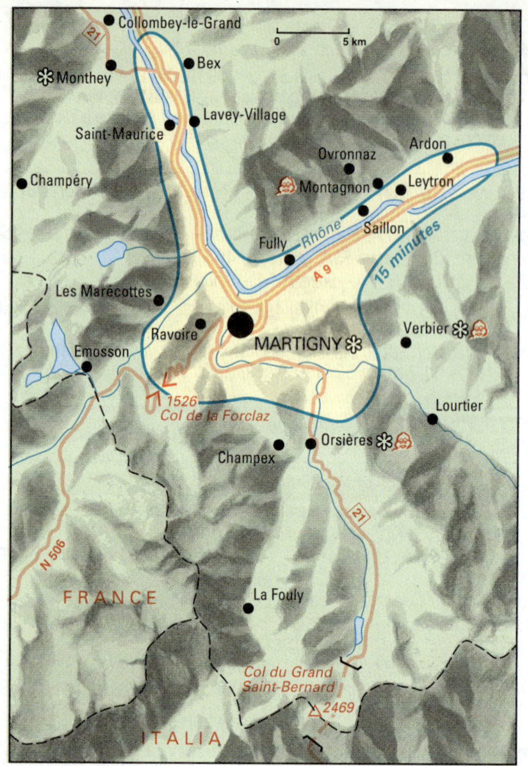

XX **Kwong Ming,** pl. de Rome, ☎ (026) 722 45 15, 🍽 – ▤. AE ⓓ E VISA Y

Repas - cuisine chinoise - 24 - 38 (midi)/88 et à la carte 44/94.

XX **Le Léman,** 19 r. du Léman, ☎ (027) 722 30 75, *Fax (027) 722 30 24,* 🍽 – ⅹ ▤ P – 25. AE ⓓ E VISA Y e

fermé 20 déc. au 10 janv., lundi soir et dim. – **Repas** 15 - 35 (midi)/65 et à la carte 43/92.

X **Au Chapiteau Romain,** 51 r. du Bourg, ☎ (027) 722 00 57 – AE ⓓ E VISA Z g

fermé 1er au 22 août et dim. – **Repas** 25 et à la carte 42/70.

X **Les Touristes,** 1 r. de l'Hôpital, ☎ (027) 722 95 98, 🍽 – AE ⓓ E VISA Y s

fermé du 27 juin au 20 juil. et lundi – **Repas** - cuisine italienne - 16 - 42 et à la carte 33/74.

rte du Grand St. Bernard *Par ③ : 2 km*

Transalpin, ✉ 1921 Martigny-Croix, ☎ (027) 722 16 68, *Fax (027) 722 06 68,* 🍽 – TV ☎ P. AE ⓓ E VISA

fermé nov., lundi et mardi – **Repas** 14 et à la carte 29/70, enf. 10 – **25 ch** ☕ 50/80 – ½ P suppl. 20.

rte du Col de la Forclaz *par ③ : 3 km :*

XX **Sur le Scex "Le Virage",** ✉ 1921 Martigny-Combe, ☎ (027) 722 11 53 *Fax (027) 723 35 10,* ← Martigny et vallée du Rhône – P. E VISA

fermé 9 au 23 fév., 2 sem. en juil., merc. (sauf en été) et mardi de nov. à mars – **Repas** 25 - 48 et à la carte 34/73, enf. 9.

MARTIGNY

·lpes (R. des)	Y 3
·âtiaz (R. de la)	Y 4
·entrale (Pl.)	Y 6
·ollège (R. du)	Y 7
·ully (Av. de)	Y 9
·rand-St-Bernard (Av. du)	Y
·ôpital (R. de l')	Y 10
·laladière (R. de la)	Y 12
·lanoir (R. du)	Y 13
·lidi (Pl. du)	Y 15
·leuvilles (Av. des)	Y 16
·lord (R. du)	Y 18
·etits-Epineys (R. des)	Y 19
·laisance (Pl. de)	Y 21
·laisance (R. de)	Y 22
·oste (R. de la)	Y 24
·ré-Borvey (R. de)	Z 25
·ome (Pl. de)	Y 27
·t-Théodule (R.)	Z 28
·urfrête (R. de)	Z 30

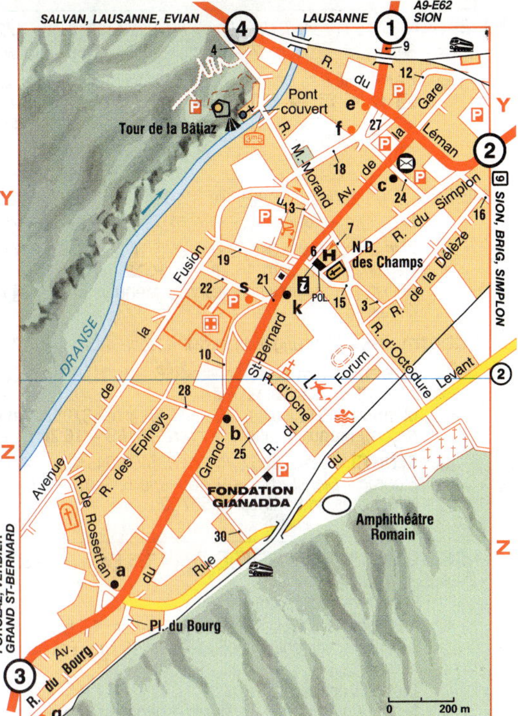

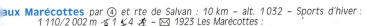

aux Marécottes *par ④ et rte de Salvan : 10 km – alt. 1 032 – Sports d'hiver : 1 110/2 002 m* 🚡 1 ⛷ 4 ⛷ – ✉ 1923 Les Marécottes :

Aux Mille Étoiles 🐴, ✆ (027) 761 16 66, Fax (027) 761 16 00, ≤, 🌳, 🏊, 🏋, 🌲 – |‡|, ⇔ rest, 📺 ☎ 🚸 🅿 – 🏛 35. ⊕ E VISA. ⇔ rest
20 déc. - 9 avril et 14 mai - 30 oct. – **Repas** *(fermé le midi du lundi au jeudi hors saison)* 16 - 27 (midi)/43 et à la carte 37/74 – **25 ch** ☕ 115/290 – ½ P suppl. 35.

MASSAGNO *Ticino* **219** ⑧ – *vedere Lugano.*

MATRAN *1753 Fribourg (FR)* **217** ⑤ – *1 180 h. – alt. 610.*
Bern 38 – Neuchâtel 52 – Biel 55 – Lausanne 64 – Montreux 53.

Auberge du Tilleul avec ch, 12 rte de l'Eglise, ✆ (026) 402 17 45, 🌳 – 🅿. E VISA
fermé 15 fév. au 3 mars, 1er au 16 août, mardi soir et merc. – **Repas** 15 et à la carte 37/73 – **6 ch** ☕ 60/120.

MATZENDORF *4713 Solothurn (SO)* **216** ⑮ – *1 215 Ew. – Höhe 501.*
Bern 58 – Basel 53 – Olten 25 – Solothurn 27.

Sternen mit Zim, Dorfstr. 41, ✆ (062) 394 16 74, Fax (062) 394 18 21, 🌳 – 🅿 – 🏛 40. AE E VISA
26. Juli - 11. Aug. geschl. – **Menu** *(Dienstag - Mittwoch geschl.)* 18 - 35/75 und à la carte 49/93, Kinder 10 – **3 Zim** ☕ 60/100.

Sorgfältig zubereitete, preiswerte Mahlzeiten 😋 : **Menu** 30/50

MEGGEN *6045 Luzern (LU)* 216 ⑱ *– 5 812 Ew. – Höhe 472.*
Bern 118 – Luzern 7 – Cham 19 – Olten 60 – Schwyz 30.

XX **Balm** mit Zim, Balmstr. 3, ✆ (041) 377 11 35, *Fax (041) 377 23 83*, ≤, 🏠,
TV ☎ P. AE ⓓ E VISA JCB
Menu *(Montag und 3. - 31. Jan. geschl.)* 29 - 71 und à la carte 37/97 – **20 Zi**
☐ 120/200.

MEILEN *8706 Zürich (ZH)* 216 ⑲ *– 10 904 Ew. – Höhe 420.*
Bern 141 – Zürich 16 – Luzern 72 – Sankt Gallen 75.

XX **Zur Burg,** Nord-Ost : 2 km, ✆ (01) 923 03 71, *Fax (01) 923 67 44*, 🏠, « Zürche
Riegelhaus aus dem 16. Jh. » – P. AE ⓓ E VISA
Dienstag und Mittwoch geschl. – **Menu** 18.50 - 65/84 (abends) und à la carte 50/8
Kinder 13.

in Obermeilen *Richtung Rapperswil – Höhe 413 – ✉ 8706 Meilen :*

Hirschen am See, Seestr. 856, ✆ (01) 925 05 00, *Fax (01) 925 05 01*, ≤, 🏠
⚓ – TV ☎. AE ⓓ E VISA
Menu 27 - 45 (mittags)/72 und à la carte 48/93 – ***Taverne*** *(von Sept. - Mai Diensta geschl.)* **Menu** 17 und à la carte 38/68 – **16 Zim** ☐ 120/230 – ½ P Zuschl. 45.

XX **Schiffli,** Seestr. 885, ✆ (01) 923 03 04, 🏠 – P. AE ⓓ E VISA
Montag - Dienstag, 1. - 9. Feb. und 6. Sept. - 5. Okt. geschl. – **Menu** - Fischspezialitäten - 25 und à la carte 55/90.

MEIRINGEN *3860 Bern (BE)* 217 ⑧ *– 4 385 Ew. – Höhe 595 – Wintersport : 595/2 433 m*
4 11 .

Sehenswert : *Lage★.*

Ausflugsziel : *Aareschlucht★★ Süd-Ost : 2,5 km – Rosenlauital★★ Süd-West – Rosenlaui : Gletscherschlucht★ Süd-West : 10 km – Reichenbachfälle★ Süd : 1 km und Standseilbahn.*

Lokale Veranstaltung
Mitte Juni - Mitte Juli : Musikfestwochen.

Region Meiringen Hasliberg Tourismus, Bahnhofstr. 22, ✆ (033) 972 50 50, Fax (033) 972 50 55.

Bern 86 – Andermatt 64 – Brienz 15 – Interlaken 29 – Luzern 49.

Parkhotel du Sauvage, ✆ (033) 971 41 41, *Fax (033) 971 43 00*, 🏠, –
TV ☎ P – 15/150. AE ⓓ E VISA JCB. Rest
Menu 15.50 und à la carte 31/76 – **72 Zim** ☐ 123/296 – ½ P Zuschl. 35.

Alpin Sherpa, Bahnhofstr. 3, ✆ (033) 972 52 52, *Fax (033) 972 52 00*, 🏠,
– TV ☎ – 15/100. AE ⓓ E VISA
Menu 15 und à la carte 30/70 – **56 Zim** ☐ 100/210 – ½ P Zuschl. 32.

zum Alpbach, Kirchgasse 17, ✆ (033) 971 18 31, *Fax (033) 971 44 78*, 🏠,
– , Zim, TV ☎ P. E VISA. Zim
13. Nov. - 17. Dez. geschl. – **Menu** *(in der Zwischensaison Dienstag geschl.)* à la carte 33/70 – **35 Zim** ☐ 85/180 – ½ P Zuschl. 24.

MEISTERSCHWANDEN *5616 Aargau (AG)* 216 ⑰ *– 1 810 Ew. – Höhe 505.*
Bern 109 – Aarau 28 – Luzern 32 – Wohlen 10 – Zürich 37.

Seerose, Süd : 1,5 km Richtung Aesch, ✆ (056) 667 12 45, *Fax (056) 667 12 39*
≤ Hallwilersee, 🏠, ⚓ – TV ☎ P – 40. AE ⓓ E VISA
Menu 30 - 40 (mittags)/60 und à la carte 40/91, Kinder 15 – **19 Zim** ☐ 145/200

MELIDE *6815 Ticino (TI)* 219 ⑧ *– 1 485 ab. – alt. 274.*

Vedere : *Svizzera in miniatura★.*

Manifestazione locale
01.07 : XXI. Estival Jazz.

Ente Turistico del Ceresio, via Pocobelli 14, ✆ (091) 649 63 83, Fax (091) 649 56 13.

Bern 278 – Lugano 7 – Bellinzona 35 – Como 24 – Locarno 47.

Del Lago M, Lungolago Motta 9, ✆ (091) 649 70 41, *Fax (091) 649 89 15*, « Terrazza sul lago », – AE E VISA
aprile - ottobre – **Pasto** *(chiuso lunedì)* 26 - 58 (sera) ed à la carte 47/88 – **15 cam** 100/210 – ½ P sup. 35.

Seehotel Riviera, Lungolago Motta 7, ✆ (091) 649 79 12, *Fax (091) 649 67 61*, lago e monti, – AE E VISA
15 marzo - 31 ottobre – **Pasto** 28 (sera) ed à la carte 31/62 – **21 cam** 90/190 – ½ P sup. 20.

Renz M senza rist, Via al Doyro 26, ✆ (091) 640 10 40, *Fax (091) 640 10 49* – video AE E VISA
chiuso gennaio e febbraio – **14 cam** 100/160.

MELS *8887 Sankt Gallen (SG) 216 ㉑ 218 ④ – 6 914 Ew. – Höhe 487.*

Bern 218 – Sankt Gallen 74 – Chur 34 – Davos 69 – Vaduz 21.

Schlüssel (Kalberer), Oberdorfstr. 5, ✆ (081) 723 12 38, *Fax (081) 723 71 33*, – AE E VISA
Sonntag - Montag, 2. - 22. Feb. und 11. Juli - 2. Aug. geschl. – ***Nidbergstube*** (1. Etage) **Menu** 38 - 53 (mittags)/165 und à la carte 64/120 – ***Bistro :*** **Menu** 18.50 - 55 und à la carte 33/96
Spez. Pot-au-feu de tomates aux langoustines. Blanc de turbot à l'ail, pommes de terre sautées. Joues de veau braisées, sauce au vin rouge, purée de pommes de terre au romarin.

Waldheim, West : 4 km über Weisstannenstrasse, ✆ (081) 723 12 56, *Fax (081) 723 25 33*, Alvierkette, – E VISA
Montag - Dienstag, 10. Feb. - 2. März und 7. - 27. Juli geschl. – **Menu** à la carte 47/86.

in Heiligkreuz *Nord : 2 km – Höhe 487 – ✉ 8888 Heiligkreuz :*

Stiva Antica, über Kantonsstrasse : 2 km Richtung Walenstadt, ✆ (081) 723 37 66, *Fax (081) 302 53 80*, , « Ehemaliges Bauernhaus, renoviert im regionalen Patrizierstil » – AE E VISA
Mittwoch - Donnerstag und 1. - 20. Sept. geschl. – **Menu** 29 (mittags)/63 und à la carte 39/80.

MENDRISIO *6850 Ticino (TI) 219 ⑧ – 6 055 ab. – alt. 355.*

Manifestazioni locali
01.04 - 12.04 : Processioni storiche
24.09 - 26.09 : Sagra dell'Uva.

Mendrisio Turismo, via Angelo Maspoli 15, ✆ (091) 646 57 61, Fax (091) 646 33 48.

Bern 295 – Lugano 24 – Bellagio 40 – Bellinzona 48 – Como 14 – Varese 20.

Morgana, v. C. Maderno 12, ✆ (091) 646 23 55, *Fax (091) 646 42 64*, , – AE E VISA.
Pasto - specialità di fondute - à la carte 41/77 – **16 cam** 115/165.

Stazione con cam, piazza Stazione, ✆ (091) 646 22 44, *Fax (091) 646 82 27*, – AE E VISA. rist
chiuso domenica escluso a mezzogiorno da settembre a giugno – **Pasto** 28 - 42 ed à la carte 57/92 – **20 cam** 98/145 – ½ P sup. 35.

sulla strada per il Monte Generoso *Nord : 13 km :*

Grotto La Balduana, ✉ 6872 Salorino, ✆ (091) 646 25 28, , « Rustico caseggiato ed ambiente casalingo con servizio estivo in terrazza-giardino Valiata »
chiuso martedì e dal 15 dicembre al 15 marzo – **Pasto** à la carte 30/53.

MENZBERG *6125 Luzern (LU) 216 ⑯ – Höhe 1 016.*

Bern 78 – Luzern 36 – Brienz 90 – Olten 46 – Thun 86.

Menzberg , ✆ (041) 493 18 16, *Fax (041) 493 14 41*, Napfkette, – – 25. AE E VISA
Montag, 8. - 26. Feb. und 5. - 16. Juli geschl. – **Menu** 24 - 32 (mittags)/69 und à la carte 34/95 – **23 Zim** 99/169 – ½ P Zuschl. 38.

MERIDE *6866 Ticino (TI)* 219 ⑧ *- 311 ab. - alt. 582.*
Bern 310 - Lugano 27 - Bellinzona 55 - Varese 18.

Antico Grotto Fossati, (091) 646 56 06, *Fax (091) 646 56 06*, , Rustic caseggiato ubicato in zona verdeggiante con servizio estivo in terrazza alberata gioco delle bocce - P. AE E VISA.
chiuso martedì da gennaio a marzo, lunedì, dal 21 dicembre al 31 gennaio, e dal al 10 ottobre - **Pasto** à la carte 29/55.

MERLIGEN *3658 Bern (BE)* 217 ⑦ *- Höhe 568.*
Bern 40 - Interlaken 11 - Brienz 31 - Spiez 24 - Thun 13.

Beatus , (033) 252 81 81, *Fax (033) 251 36 76*, Thunersee und Berge, Park, « Seeterrasse », , (Solbad), , - P - 15/5C AE E VISA. Rest
10. Jan. - 31. März geschl. - ***Bel Air*** : **Menu** 89 et à la carte 55/100 - **75 Zin** 235/560 - ½ P Zuschl. 20.

du Lac, (033) 251 37 31, *Fax (033) 251 12 08*, Thunersee, , , - P. AE E VISA
Mitte März - Ende Okt. - **Menu** 19 - 24/48 und à la carte 32/70 - **25 Zim** 95/21(- ½ P Zuschl. 25.

MERLISCHACHEN *Schwyz* 216 ⑱ *- siehe Küssnacht am Rigi.*

MEYRIEZ *Freiburg* 217 ⑤ *- siehe Murten.*

MEYRIN *Genève* 217 ⑪ *- rattaché à Genève.*

MIÉCOURT *2946 Jura (JU)* 216 ③ *- 446 h. - alt. 485.*
Bern 101 - Delémont 31 - Basel 48 - Belfort 36 - Porrentruy 8 - Sainte-Ursanne 14

La Cigogne avec ch, r. Principale, (032) 462 24 24, *Fax (032) 462 24 62* - P - 30. E VISA
Repas *(fermé lundi soir)* 17 - 38/45 et à la carte 30/63 - **13 ch** 70/130 - ½ F suppl. 28.

MINUSIO *Ticino* 218 ⑫, 219 ⑧ *- vedere Locarno.*

MIRALAGO *Grigioni* 218 ⑬ *- vedere Le Prese.*

MOLLIS *8753 Glarus (GL)* 216 ⑳ *- Höhe 450.*
Bern 187 - Sankt Gallen 63 - Chur 68 - Glarus 7 - Vaduz 54.

Zum Löwen mit Zim, Bahnhofstr. 2, (055) 612 13 33, *Fax (055) 612 15 52*, - P. AE E VISA
im Juli 3 Wochen geschl. - **Menu** *(Sonntagabend und Montag geschl.)* 16 - 58/85 und à la carte 40/97 - **3 Zim** 75/160.

MONTAGNOLA *6926 Ticino (TI)* 219 ⑧ *- 1873 ab. - alt. 472.*
Bern 286 - Lugano 4 - Bellinzona 32 - Locarno 44.

Grotto Cavicc, via ai Canvetti (Nord : 1 km), (091) 994 79 95, - P. VISA
aperto dal 2 marzo al 29 novembre ; chiuso lunedì (escluso dal 1° maggio al 31 ottobre) e martedì - **Pasto** 16 ed à la carte 40/54.

MONTAGNON *Valais* 217 ⑮ *- rattaché à Leytron.*

MONTANA *Valais* 217 ⑯ *- voir Crans-Montana.*

MONT-CROSIN *Berne* 216 ⑬ *- rattaché à Saint-Imier.*

MONTEZILLON Neuchâtel (NE) 216 ⑫ – alt. 761 – ✉ 2205 Montmollin :
Bern 59 – Neuchâtel 11 – La Chaux-de-Fonds 32 – Yverdon-les-Bains 50.

L'Aubier, ✆ (032) 730 30 10, Fax (032) 730 30 16, ≤ lac et les Alpes, – ch, – 15/80. AE E VISA
fermé 3 au 19 janv. – **Repas** *(fermé dim. soir et lundi de fin janv. à fin mars)* 15 - 39/69 et à la carte 38/81 – **15 ch** 125/185 – ½ P suppl. 24.

MONTHEY 1870 Valais (VS) 217 ⑭ – 13 683 h. – alt. 420.
Office du Tourisme, 3 pl. Centrale, ✆ (024) 475 79 63, Fax (024) 475 79 49.
Bern 110 – Martigny 23 – Évian-les-Bains 38 – Gstaad 63 – Montreux 26 – Sion 48.

Pierre des Marmettes, 33 av. du Crochetan, ✆ (024) 473 32 33, Fax (027) 473 32 40, – E VISA
Repas *(fermé le midi du 1er au 15 août et dim.)* 14 et à la carte 30/66 – **21 ch** 75/118 – ½ P suppl. 17.

Les Crochets (Guerlavais), 3 ruelle des Anges (près Église), ✆ (024) 471 37 06 – AE E VISA
fermé 1er au 21 août, dim. et lundi – **Repas** (prévenir) 45 (midi)/105 et à la carte 66/106
Spéc. Tarte fine de saumon à la vinaigrette de soja (printemps-été). Foie gras de canard chaud aux raisins et chou rouge (automne-hiver). Noisettes de chevreuil aux champignons des bois (automne-hiver).

à Collombey-le-Grand Nord-Est : 3,5 km par rte d'Aigle – alt. 391 – ✉ 1868 Collombey-le-Grand :

Les Îles, rue de l'Épinette, ✆ (024) 472 70 50, – AE E VISA
fermé 10 au 24 fév., 28 juil. au 11 août, mardi soir et merc. – **Repas** 16 - 45/75 et à la carte 40/79.

LE MONT-PÈLERIN 1801 Vaud (VD) 217 ⑭ – alt. 806.
Voir : vue ★★.
Bern 83 – Montreux 18 – Fribourg 54 – Lausanne 23 – Vevey 11.

Le Mirador , ✆ (021) 925 11 11, Fax (021) 925 11 12, « Elégante installation, ≤ lac et montagnes », – video – 15/60. AE E VISA
fermé mi-déc. à mi-fév. – **Repas** (voir aussi rest. ***Le Trianon*** ci-après) – ***Le Patio*** (brasserie) **Repas** 25 - 42 et à la carte 45/91 – **83 ch** 450/770, 3 suites – ½ P suppl. 80.

Parc , ✆ (021) 921 23 22, Fax (021) 923 52 18, ≤ lac et montagnes, parc, – – 15/100. E VISA. rest
mi-mars à mi-oct. – **Repas** 34 et à la carte 43/89 – **70 ch** 140/260 – ½ P suppl. 39.

Le Trianon - *Hôtel le Mirador*, ✆ (021) 925 11 11, Fax (021) 925 11 12, ≤ – AE E VISA.
fermé mi-déc. à mi-fév. – **Repas** *(fermé le midi)* 130 et à la carte 90/144.

Hostellerie chez Chibrac avec ch, ✆ (021) 922 61 61, Fax (021) 922 93 88, – AE E VISA
fermé janv. – **Repas** *(fermé dim. soir et lundi d'oct. à avril)* 32 - 45/52 et à la carte 48/94, enf. 10 – **9 ch** 145/165 – ½ P suppl. 45.

MONTREUX 1820 Vaud (VD) 217 ⑭ – 20 974 h. – alt. 406.
Voir : Site★★ – Terrasse de l'église paroissiale : vue★★ d'ensemble DZ.
Environs : Rochers de Naye★★★ par train à crémaillère - BV – Château de Chillon★★ : site★★ et vue★★ du donjon BX – Les Pléiades★★ Nord : AV – Col de Sonloup : vue★ Est : 9 km BV.
18 à Aigle, ✉ 1860, ✆ (024) 466 46 16, Fax (024) 466 60 47, par ① : 12 km 9 Les Coullaux, à Chessel, ✉ 1846, ✆ (024) 481 22 46, par ① et rte d'Evian : 13 km.
Manifestations locales
22.04 - 27.04 : Rose d'Or de Montreux
Fin avril - début mai : Festival du Rire.
02.07 - 17.07 : Montreux Jazz Festival.
courant août - sept. : Festival de Musique Montreux-Vevey.
Montreux Tourisme, 5 r. du Théâtre, ✆ (021) 962 84 84, Fax (021) 963 78 95 et pavillon d'information, pl. du Débarcadère, ✆ (021) 962 84 36, Fax (021) 963 81 13.
Bern 90 ③ – Genève 91 ③ – Lausanne 23 ③ – Martigny 43 ①.

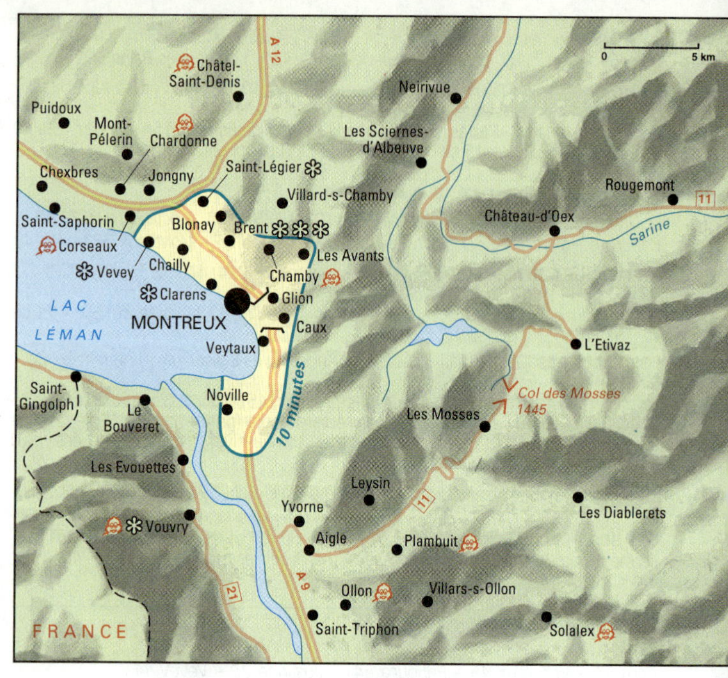

Montreux Palace, 100 Grand-Rue, ☎ (021) 962 12 12, *Fax (021) 962 17 17*, « Salons Belle Époque », – 15/650. VISA. rest CY k
La Véranda : Repas 50 (midi)/75 et à la carte 71/123 – ***Le Grand Café :*** Repas 25 et à la carte 38/84, enf. 10 – 28 – **207 ch** 300/650, 25 suites.

Royal Plaza Inter-Continental M, 97 Grand-Rue, ☎ (021) 962 50 50, *Fax (021) 962 51 51*, lac, ch, – 15/50. VISA CY h
La Croisette *(dîner seul. du 15 sept. au 15 juin)* Repas 95 et à la carte 50/97, enf. 10 – ***Romance*** *(déjeuner seul.)* Repas 19.50 et à la carte 43/89 – **163 ch** 330/640 – ½ P suppl. 50.

Eden au Lac, 11 r. du Théâtre, ☎ (021) 963 55 51, *Fax (021) 963 18 13*, Architecture victorienne, – – 15/120. VISA JCB DZ t
fermé mi-déc. à fin-janv. – ***La Terrasse :*** Repas 23 - 35 (midi)/55 et à la carte 37/87 – **105 ch** 200/380 – ½ P suppl. 45.

Eurotel Riviera, 81 Grand-Rue, ☎ (021) 963 49 51, *Fax (021) 963 53 92*, lac, rest, – 15/150. VISA JCB
Bel Horizon : Repas 25 - 39 et à la carte 44/89 – ***Matara :*** Repas 17 et à la carte 39/81 – **152 ch** 230/320 – ½ P suppl. 45. CY v

Bristol M, à Territet, 63 av. de Chillon, ☎ (021) 962 60 60, *Fax (021) 962 60 70*, lac et Montreux, VISA BX p
Le Pavois : Repas 16 - 45 et à la carte 37/81, enf. 12 – **20 ch** 170/220, 37 suites – ½ P suppl. 43.

Grand Hotel Suisse Majestic, 43 av. des Alpes, ☎ (021) 963 51 81, *Fax (021) 963 35 06*, – – 15/130. VISA DY r
Repas 14.50 et à la carte 33/66 – **145 ch** 180/320 – ½ P suppl. 40.

Villa Toscane sans rest, 2 r. du Lac, ☎ (021) 963 84 21, *Fax (021) 963 84 26*, – video – 30. VISA CY u
fermé janv. – **46 ch** 160/290.

MONTREUX

BLONAY
LES PLÉIADES
VILLARD-S-CHAMBY
Col de Sonloup
LES AVANTS
ROCHERS DE NAYE
CAUX
BRENT
CHAILLY
BAUGY
CHAU DU CHÂTELARD
CHAMBY
CHERNEX
SONZIER
GLION
CLARENS
TERRITET
VEYTAUX
CHÂTEAU DE CHILLON
LAC LÉMAN
Rte de Brent
Route de Chailly
Rte de la Saussaz
Route de Chaulin
Route de Fontanivent
Rte de Colondalles
Rte de Villard
Rte de Chamby
Route des Narcisses
Rte des Avants
Rte de Glion
La Baye de Montreux
La Baye de Clarens
Av. E. Rambert
Av. A. Vinet
Rue du Lac
Av. de Chillon
La Veraye
A 9-E 27-E 62
MARTIGNY, BRIG
EVIAN-LES-BAINS
VILLENEUVE
1188
0
1 km

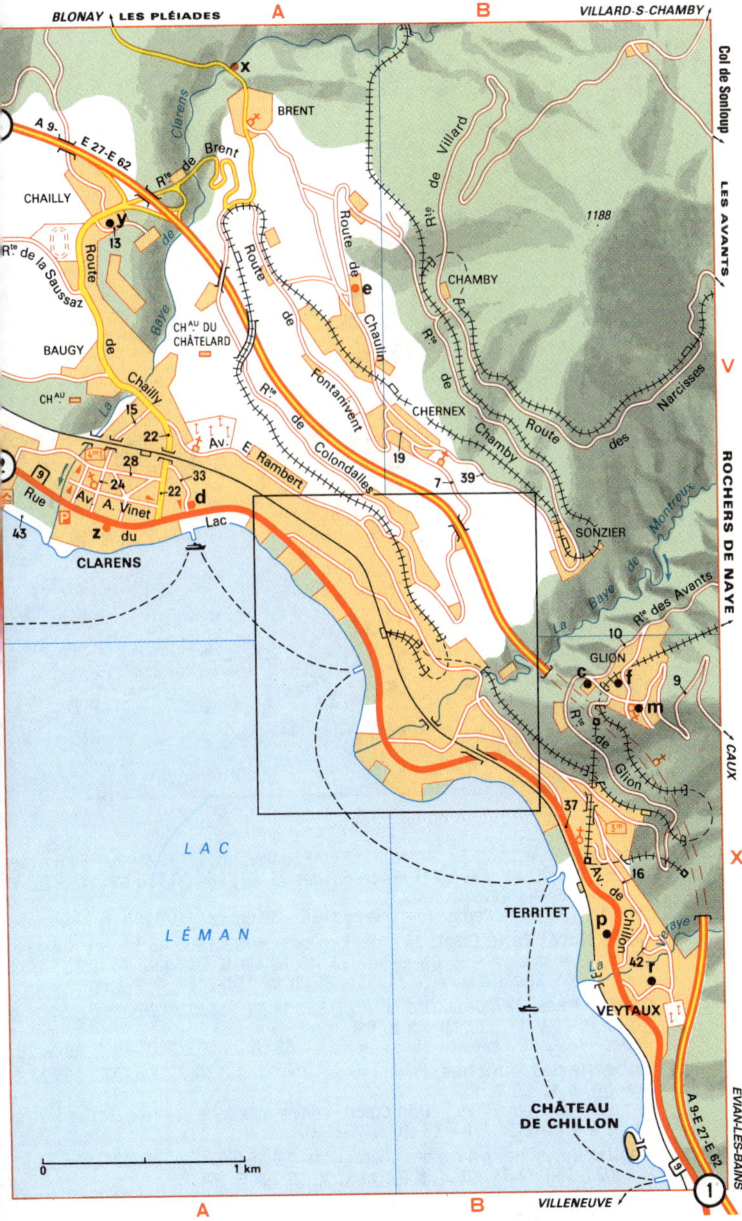

MONTREUX

Alex Emery (R.) . . . . CY 3
Amandiers (Av. des) . . . . . . DZ 4
Anciens Moulins (R. des) . . DZ 6
Chantemerle (Av. de) . . . . . DZ 12
Corsaz (R. de la) . . . . DZ 18
Église Catholique
(R. de l') . . . . DZ 21
Grand-Rue . . . . DYZ
Lac (R. du) . . . . CY 25
Marché (Pl. du) . . . . DZ
National (Ch. du) . . . . DZ
Paix (R. de la) . . . . DZ
Quai (R. du) . . . . DZ
Riviéra (Av. de la) . . . . DZ
Stravinski (Av.) . . . . DZ

Masson, à Veytaux, 5 r. Bonivard, ✉ 1820 Veytaux, ✆ (021) 963 81 61 (dès 03/99 : 966 00 44), *Fax (021) 963 81 66 (dès 03/99 : 966 00 36),* – TV ☎ P. AE ⓓ E VISA JCB. rest BX r
26 mars - 31 oct. – **Repas** *(fermé le midi)* 38 – **30 ch** 150/220 – ½ P suppl. 38.

Golf - Hotel René Capt, 35 r. de Bon Port, ✆ (021) 963 46 31, *Fax (021) 963 03 52,* ≤, « Jardin » – TV ☎ P – 40. AE ⓓ E VISA JCB. rest DZ b
avril - nov. – **Repas** à la carte 31/53 – **60 ch** 134/210 – ½ P suppl. 25.

Golden Pass, 22 r. de la Gare, ✆ (021) 963 12 31, *Fax (021) 963 55 67,* – TV ☎ P – 15/150. AE ⓓ E VISA DY n
Repas *16* - 22 et à la carte 33/65, enf. 11 – **48 ch** 105/210 – ½ P suppl. 28.

Auberge des Planches, 2 r. du Temple, ✆ (021) 963 49 73, *Fax (021) 963 23 11* – TV ☎. AE E VISA DZ e
fermé 10 janv. au 10 fév. – ***Don Chico*** - cuisine mexicaine - *(fermé dim. et le midi)* **Repas** à la carte 51/81 – **36 ch** 75/140.

de Chailly, à Chailly, 1 rte des Châtaigniers, ✉ 1816 Chailly, ✆ (021) 964 21 51, *Fax (021) 964 11 83,* – TV ☎ P. AE ⓓ E VISA AV y
fermé 20 déc. au 15 janv. et dim. soir – **Repas** *18* et à la carte 39/64 – **32 ch** 90/170 – ½ P suppl. 25.

L'Ermitage (Krebs) avec ch, à Clarens, 75 r. du Lac, 1815 Clarens, (021) 964 44 11, *Fax (021) 964 70 02*, lac, « Jardin face au lac », AV z
fermé 21 déc. au 20 janv. – **Repas** *(fermé dim. et lundi sauf juin - sept.)* 28 - 55 (midi)/150 et à la carte 98/120 – **7 ch** 220/280
Spéc. Soupe de courge au sauté de grenouilles (sept. - nov.). Filet d'omble chevalier en émulsion d'artichauts. Bouchons vaudois aux fraises des bois et crème de pralin (juin - sept.).

Kwong Ming, 114 Grand-Rue, (021) 961 21 70, *Fax (021) 961 21 88* – CY a
fermé mardi midi et lundi – **Repas** - cuisine chinoise - 55 (midi)/120 et à la carte 59/106.

Maï Thaï, à Clarens, 40 r. du Lac, 1815 Clarens, (021) 964 25 36, *Fax (021) 964 81 23*, décor thaïlandais – AV d
fermé lundi sauf juil. – **Repas** - cuisine thaïlandaise - 18.50 - 32 (midi)/90 et à la carte 38/94.

à Chamby *Nord : 5 km* AV – *alt. 749* – *1832 Chamby :*

Auberge de Chaulin, 81, rte de Chaulin, (021) 964 46 18, *Fax (021) 964 46 18*, – AV e
fermé 21 déc. à fin fév., dimanche soir et lundi – **Repas** (nombre de couverts limité - prévenir) 22 - 35 (midi)/50 et à la carte 36/74.

à Villard-sur-Chamby *Nord : 7 km – alt. 998 – 1831 Villard-sur-Chamby :*

du Montagnard, (021) 964 36 84, *Fax (021) 964 83 49*, Ambiance folklorique et musicale, « Ferme du 17e siècle » –
fermé janv., fév., lundi et mardi – **Repas** (prévenir) 30/74 (soir) et à la carte 41/87, enf. 9.

aux Avants *Nord : 8 km – alt. 970 – 1833 Les Avants :*

de Sonloup , au Col de Sonloup : 2,5 km, (021) 964 34 31, *Fax (021) 964 34 80*, – – 25.
fermé mi-déc. à mi-mars – **Repas** *(fermé merc. sauf juil. - août et dim. soir)* 16 - 45 et à la carte 38/74, enf. 12 – **23 ch** 55/130 – ½ P suppl. 35.

à Glion *Nord-Est : 5 km -* BX *– alt. 688 – 1823 Glion :*

Victoria , (021) 963 31 31, *Fax (021) 963 13 51*, lac Léman et Montreux, « Parc ombragé et fleuri dominant le lac », – – 15/45. rest BX m
Repas 65 (midi)/70 et à la carte 59/108 – **55 ch** 220/340, 4 suites – ½ P suppl. 70.

Righi Vaudois , route de Caux, (021) 966 18 18, *Fax (021) 961 15 12*, Montreux et lac, « Parc », – – 15/120. rest
fermé déc. et janv. – **Repas** 40/60 et à la carte 46/87, enf. 12 – **54 ch** 165/320, 3 suites – ½ P suppl. 40. BX c

Alpes Vaudoises, (021) 963 20 76, *Fax (021) 963 56 94*, – – 25. BX f
Hôtel : fermé 12 déc. au 21 fév. ; Rest. : fermé 1er nov. au 31 mars – **Repas** 25 et à la carte 29/72, enf. 9 – **48 ch** 80/180 – ½ P suppl. 33.

à Caux *Est : 9 km par rte de Caux -* BX *– alt. 1 054 – 1824 Caux :*

Hostellerie de Caux avec ch, 31 rte des Monts, (021) 963 76 08, *Fax (021) 963 25 00*, – rest
fermé 7 déc. au 24 janv. – **Repas** *(fermé merc. soir et jeudi sauf du 15 juin au 15 sept.)* 17 - 42 et à la carte 35/78 – **10 ch** 60/155 – ½ P suppl. 38.

Buffet de la Gare , 4 r. du Panorama, (021) 963 16 30, *Fax (021) 963 80 61*, –
fermé 10 nov. au 20 déc., lundi et mardi – **Repas** 22 - 29 et à la carte 37/77.

à Brent *Nord-Ouest : 7 km -* AV *– alt. 569 – 1817 Brent :*

Le Pont de Brent (Rabaey), (021) 964 52 30, *Fax (021) 964 55 30*, « Décor élégant » – AV x
fermé 24 déc. au 11 janv., 18 juil. au 9 août, dim. et lundi – **Repas** 80 (midi)/185 et à la carte 98/165
Spéc. Charlotte de grenouilles aux truffes blanches (sept. - déc.). Coeur de cabillaud au genièvre, chou rouge braisé (hiver). Savarin aux cerises, glace pistache (mai - juillet).

MONT-SOLEIL *Berne* **216** ⑬ – *rattaché à Saint-Imier.*

MONT-SUR-ROLLE *Vaud* **217** ⑫ – *rattaché à Rolle.*

MORAT *Fribourg* **217** ⑤ – *voir à Murten.*

MORCOTE *6922 Ticino (TI)* **219** ⑧ – *650 ab. – alt. 272.*

Vedere : *Località★★ – Santuario di Santa Maria del Sasso ; affreschi★.*

Dintorni : *Strada per Lugano : ≤★★.*

Bern 282 – Lugano 11 – Bellinzona 39 – Como 28 – Varese 34.

Olivella au Lac, Nord-Est : 1,5 km, ✆ (091) 996 10 01, *Fax (091) 996 19 60,* ≤ ..., – TV ☎ P – 15/40. AE ⓓ E VISA. rist
chiuso dal 10 gennaio al 9 febbraio – **Pasto** 45/95 (sera) ed à la carte 43/91, bambini 20 – **60 cam** ☐ 130/220 – ½ P sup. 35.

Carina Carlton, via Cantonale, ✆ (091) 996 11 31, *Fax (091) 996 19 29,* ≤ lago, « Terrazza sul lago », ..., – TV ☎. AE ⓓ E VISA
10 marzo - 31 ottobre – **Pasto** à la carte 48/97 – **19 cam** ☐ 135/235, 3 suites – ½ P sup. 43.

a Vico *Nord-Est : 4 km – alt. 432 – ✉ 6921 Vico-Morcote :*

XXX **Bellavista** M con cam, Strada da Vigh 2, ✆ (091) 996 11 43, *Fax (091) 996 12 88,* ..., « Terrazza con ≤ lago e monti » – TV ☎. AE ⓓ E VISA JCB
chiuso dal 15 dicembre al 15 febbraio, in bassa stagione martedì a mezzogiorno e lunedì – **Pasto** (prenotare) 65/85 ed à la carte 57/133 – ☐ 10 – **11 cam** 130/190

MÖREL *3983 Wallis (VS)* **217** ⑱ – *523 Ew. – Höhe 759 – Wintersport : 759/2 335 m* ... *5.*

Verkehrsverein, Furkastrasse, ✆ (027) 927 10 02.

Bern 160 – Brig 7 – Andermatt 84 – Sion 59.

Relais Walker, Furkastr. 14, ✆ (027) 927 24 45, *Fax (027) 927 17 16* – TV ☎ P. E VISA. Rest
Menu 20 - 35/91 und à la carte 44/86, Kinder 10 – **20 Zim** ☐ 85/150 – ½ P Zuschl. 28.

MORGARTEN *Zug* **216** ⑱ ⑲ – *siehe Oberägeri.*

MORGES *1110 Vaud (VD)* **217** ⑬ – *13 500 h. – alt. 380.*

Voir : *Quai : vue★ sur le lac Z.*

Musée : *Alexis-Forel★★ Z* **M.**

Manifestations locales

15.04 - 15.05 : Fête de la Tulipe

15.06 - 20.06 : Morges-sous-Rire, festival international d'humour.

Office du Tourisme, r. du Château, ✆ (021) 801 32 33, Fax (021) 801 31 30.

Bern 117 ① – Lausanne 11 ① – Genève 49 ② – Pontarlier 68 ① – Yverdon-les-Bains 37 ①.

Plan page ci-contre

Fleur du Lac, 70 rte de Lausanne, par ①, ✆ (021) 811 58 11, *Fax (021) 811 58 88,* ≤ lac, ..., « Terrasse et jardin fleuris au bord du lac », – TV ☎ P – 30. AE ⓓ E VISA JCB
Repas 44 (midi)/124 et à la carte 66/127 – ***Café :*** **Repas** 19.50 - 41 – ☐ 18 – **30 ch** 158/348 – ½ P suppl. 67.

Mont-Blanc, quai du Mont-Blanc 1, ✆ (021) 802 30 72, *Fax (021) 801 51 22,* ≤ lac, ... – rest, rest, TV ☎ – 15/60. AE ⓓ E VISA JCB Z a
Les Guérites (1er étage) **Repas** 28 - 49/82 et à la carte 44/83 – ***Le Pavois :*** **Repas** 19 - 38 et à la carte 31/75, enf. 14 – **46 ch** ☐ 130/220 – ½ P suppl. 30.

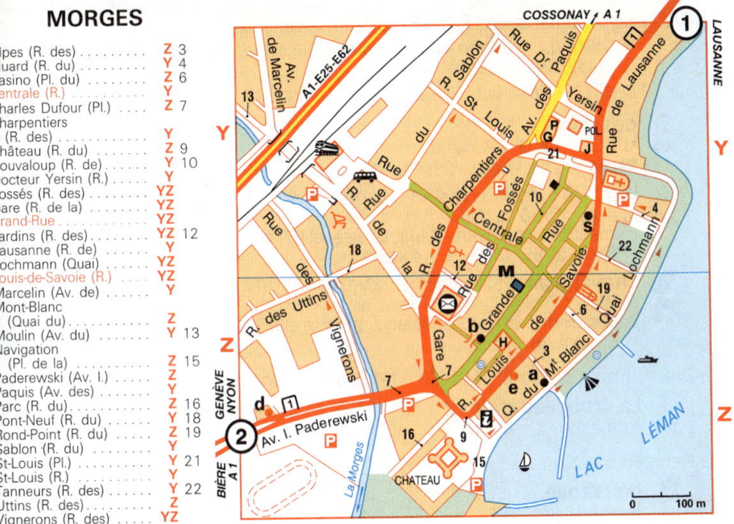

La Couronne, 88 Grand-Rue, (021) 801 40 40, *Fax (021) 802 12 97,* – Z b
– 50. AE E VISA
Le Caveau : Repas 39/64 et à la carte 47/82, enf. 10 – ***Café Grand-Rue :*** Repas 16 et à la carte 36/66 – **33 ch** 98/168 – ½ P suppl. 28.

Savoie, 7 Grand-Rue, (021) 801 21 55, *Fax (021) 801 03 29,* – E Y s
VISA. rest
fermé 24 déc. au 7 janv. – **Repas** *(fermé dim.)* 15 - 22 (midi) et à la carte 35/84 – **14 ch** 115/160 – ½ P suppl. 26.

Le Petit Manoir, 8 av. Paderewski, (021) 802 42 35, *Fax (021) 801 25 08,* , Z d
Maison du 17e siècle, – AE E VISA
fermé 26 déc. au 8. janv., 26. juil. au 18 août, dim. et lundi – **Repas** 44/89.

Le Léman "Chez Racheter", 61 r. Louis-de-Savoie, (021) 801 21 88, Z e
Fax (021) 801 22 37, – AE E VISA
fermé 20 janv. au 20 fév. et mardi – **Repas** 17 - 58/72 et à la carte 55/88.

MORLON *Fribourg* **217** ⑤ – *rattaché à Bulle.*

MORMONT *Jura* **216** ② – *rattaché à Courchavon.*

Les MOSSES *862 Vaud (VD)* **217** ⑮ – *alt. 1 435.*
Bern 132 – Montreux 44 – Aigle 30 – Genève 136 – Lausanne 72 – Martigny 56 – Spiez 73.

Relais Alpin, au col des Mosses, (024) 491 16 31, *Fax (024) 491 20 13,* ←,
– AE E VISA
fermé 1er nov. au 22 déc. et 5 avril au 1er mai – **Repas** 16 - 32 (midi) et à la carte 32/78, enf. 10 – **19 ch** 60/120, Basse saison 50/100 – ½ P suppl. 20.

MOUDON *1510 Vaud (VD)* **217** ④ – *4 276 h. – alt. 510.*
Bern 71 – Fribourg 39 – Lausanne 28 – Montreux 41 – Yverdon-les-Bains 30.

Chemin de Fer, 4 pl. St-Etienne, (021) 905 70 91, *Fax (021) 905 70 92,*
– AE E VISA
fermé 23 déc. au 10 janv., 30 juil. au 16 août, dim. (sauf du 1er oct. au 15 déc.) – **Repas** 20 - 40/57 et à la carte 53/89.

MOUTIER 2740 Berne (BE) 216 ⑭ – 8 029 h. – alt. 536.

Office du Tourisme du Jura bernois, 26 av. de la Liberté, ✆ (032) 493 64 6 Fax (032) 493 61 56.

Bern 79 – Delémont 16 – Biel 38 – Solothurn 48.

des Gorges, 26 r. des Gorges, ✆ (032) 493 16 69, Fax (032) 493 49 59 – P. AE VISA. ch
Repas 14 et à la carte 29/77 – **15 ch** 60/140.

F.i.g., 10 r. des Oeuches, ✆ (032) 493 41 61, Fax (032) 494 64 19 – P – 15/60. E VISA
fermé Noël à Nouvel-An – **Repas** (brasserie) *(fermé sam. et dim.)* 14 et à la carte 35/7 – **17 ch** 85/150 – ½ P suppl. 15.

Cheval Blanc, 52 r. Centrale, ✆ (032) 493 10 44, Fax (032) 493 44 21 – E VISA
Repas *(fermé dimanche)* 18 et à la carte 29/59, enf. 11 – **10 ch** 80/130 ½ P suppl. 18.

à Belprahon Est : 3 km – alt. 630 – ✉ 2744 Belprahon :

La Croix Fédérale, ✆ (032) 493 32 81, Fax (032) 493 27 27, – P
fermé 19 juil. - 4 août, lundi et mardi – **Repas** 12 et à la carte 28/68.

à Perrefitte Ouest : 2,5 km – alt. 578 – ✉ 2742 Perrefitte :

de l'Etoile, ✆ (032) 493 10 17, Fax (032) 493 10 75 – P. AE E VISA
fermé 27 déc. au 10 janv., 25 juil. au 9 août, dim. soir, mardi soir et lundi – **Repa** 20 - 38/68 (soir) et à la carte 41/70, enf. 8.

MÜLLHEIM-WIGOLTINGEN 8554 Thurgau (TG) 216 ⑨ – Höhe 412.

Bern 179 – Sankt Gallen 42 – Frauenfeld 15 – Konstanz 16 – Winterthur 30.

Wartegg, beim Bahnhof, ✆ (052) 763 16 31, Fax (052) 763 17 25, – P. E VISA Zim
Mittwoch, 31. Jan. - 7. Feb. und 20. Juli - 4. Aug. geschl. – **Menu** 25 - 58 (abends)/88 und à la carte 46/111.

MUMPF 4322 Aargau (AG) 216 ⑤ – 795 Ew. – Höhe 310.

Bern 104 – Aarau 26 – Baden 35 – Basel 32 – Olten 39.

Glocke mit Zim, Hauptstr. 36, ✆ (062) 873 11 64, Fax (062) 873 32 72, Rhein – P. AE E VISA. Zim
Dienstag, 27. Feb. - 15. März und 27. Juli - 11. Aug. geschl. – **Menu** 16 - 65 und à la carte 46/105 – **9 Zim** 80/150.

MÜNCHENBUCHSEE 3053 Bern (BE) 216 ⑭ – 8 615 Ew. – Höhe 557.

Bern 9 – Biel 26 – Burgdorf 20 – Neuchâtel 52 – Solothurn 34.

Moospinte, Richtung Wiggiswil : 1 km, ✆ (031) 869 01 13, Fax (031) 869 54 13, – P. AE E VISA
Sonntag - Montag, 7. Feb. - 1. März und 26. Sept. - 11. Okt. geschl. – **Menu** (Tischbestellung ratsam) 20 - 52 (mittags)/140 und à la carte 72/127, Kinder 15 – ***Gaststube :*** Menu à la carte 46/90.

Häberli's Schützenhaus, Oberdorfstr. 10, ✆ (031) 869 02 81, Fax (031) 869 39 81, – P. AE E VISA
Le Gourmet : Menu 52 (mittags)/115 und à la carte 56/87 – ***Brasserie :*** Menu 16.50 /21 und à la carte 34/83.

Verwechseln Sie nicht :

Komfort der Hotels	: ...
Komfort der Restaurants	: XXXXX ... X
Qualität der Küche	: ✿✿✿, ✿✿, ✿

MÜNSINGEN 3110 Bern (BE) 217 ⑥ – 9 553 Ew. – Höhe 531.

Bern 17 – Fribourg 51 – Langnau im Emmental 33 – Thun 15.

Löwen, Bernstr. 28, ✆ (031) 724 31 11, Fax (031) 724 31 10, – TV ☎ P – 15/100. AE ⓓ E VISA
Menu 17.50 - 42 (mittags)/89 und à la carte 40/81, Kinder 10 – **18 Zim** 89/165 – ½ P Zuschl. 25.

Wynhus zum Bären, Bernstr. 26, ✆ (031) 721 11 84, Fax (031) 721 96 59, – P. AE E VISA
Sonntag - Montag und 15. Juli - 15. Aug. geschl. – **Menu** 15 - 38 (mittags)/78 und à la carte 43/86.

MÜNSTER 3985 Wallis (VS) 217 ⑲ – 460 Ew. – Höhe 1 390.

Verkehrsverein, ✆ (027) 973 17 45.

Bern 135 – Interlaken 78 – Andermatt 58 – Bellinzona 99 – Brig 32 – Sion 85.

Landhaus, ✆ (027) 973 22 73, Fax (027) 973 24 64, ←, – TV ☎ P. AE ⓓ E VISA. Zim
Juni geschl. – **Menu** *(in der Zwischensaison Montag geschl.)* 18 und à la carte 33/93, Kinder 17 – **28 Zim** 100/200, Vorsaison 80/170 – ½ P Zuschl. 35.

MUNTELIER Freiburg 217 ⑤ – siehe Murten.

La MURAZ Valais 217 ⑮ – rattaché à Sion.

MURI 5630 Aargau (AG) 216 ⑰ ⑱ – 5 639 Ew. – Höhe 458.

Bern 111 – Aarau 33 – Luzern 32 – Zürich 29.

Ochsen, Seetalstr. 16, ✆ (056) 664 11 83, Fax (056) 664 56 15, – TV ☎ P. AE ⓓ E VISA
Menu *(Montag und 20. Juli - 4. Aug. geschl.)* 21 - 45 und à la carte 48/81 – **11 Zim** 75/170.

MURI BEI BERN Bern 217 ⑥ – siehe Bern.

MÜRREN 3825 Bern (BE) 217 ⑰ – 427 Ew. – Höhe 1 638 – Wintersport : 1 650/2 970 m 4 5.

Sehenswert : *Lage★★.*

Ausflugsziel : *Schilthorn★★★ West mit Luftseilbahn – Sefinenfall★ Süd.*

Mürren Tourismus, ✆ (033) 856 86 86, Fax (033) 856 86 96.

Bern 74 – Interlaken 17 – Grindelwald 21 – Spiez 33.

mit Standseilbahn ab Lauterbrunnen erreichbar

Eiger , ✆ (033) 855 13 31, Fax (033) 855 39 31, ← Eiger, Mönch und Jungfrau, , , – TV ☎. AE ⓓ E VISA. Rest
19. Dez. - 4. April und 12. Juni - 19. Sept. – **Menu** 45 und à la carte 38/91, Kinder 11 – **44 Zim** 170/360, Vorsaison 140/280, 8 Suiten – ½ P Zuschl. 30.

Edelweiss M , ✆ (033) 855 13 12, Fax (033) 855 42 02, ← Eiger, Mönch und Jungfrau, – ☎. E VISA. Rest
14. April - 22. Mai und 2. Okt. - 18. Dez. geschl. – **Menu** *(im Sommer nur Abendessen für Hotelgäste)* 15.50 und à la carte 36/76, Kinder 11 – **24 Zim** 95/240, Vorsaison 85/220 – ½ P Zuschl. 20.

Alpenruh , ✆ (033) 856 88 00, Fax (033) 856 88 88, ← Eiger und Jungfrau, , – TV ☎ . AE ⓓ E VISA JCB. Rest
Menu *(1. Nov. - 10. Dez. geschl.)* 19.50 - 36 (abends) und à la carte 37/73, Kinder 9 – **26 Zim** 120/250, Vorsaison 90/200 – ½ P Zuschl. 30.

MURSCHETG Graubünden 218 ③ – siehe Laax.

MURTEN (MORAT) *3280 Freiburg (FR)* **217** ⑤ – *5 056 Ew. – Höhe 448.*

Sehenswert : *Altstadt★★ – Stadtmauer★.*

Lokale Veranstaltungen

06.03 - 08.03 : Fastnacht

22.06 : Solennität (zur Erinnerung an die Schlacht bei Murten im Jahre 1476).

Murten Tourismus, Franz. Kirchgasse 6, ✆ (026) 670 51 12, Fax (026) 670 49 8.

Bern 31 ① – Neuchâtel 28 ① – Biel 34 ① – Fribourg 16 ②.

MURTEN

Bahnhofstrasse	Z	
Bernstrasse	Y	3
Bubenbergstrasse	Z	4
Burgunderstrasse	Z	6
Deutsche Kirchgasse	YZ	7
Erlachstrasse	Z	9
Franz. Kirchgasse	Y	10
Freiburgstrasse	Z	
Hauptgasse	YZ	
Hôpital (R. de l')	Z	12
Längmatt	Y	13
Lausannestrasse	Z	
Meylandstrasse	YZ	
Pra Pury	Z	
Prehlstrasse	YZ	15
Raffor	Y	
Rathausgasse	Y	16
Ryf	YZ	
Törliplatz	Z	18
Wilerweg	Z	

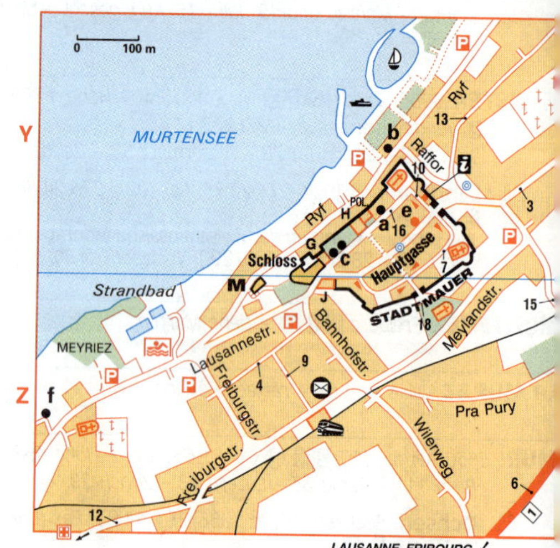

Benachrichtigen Sie sofort das Hotel, wenn Sie ein bestelltes Zimmer nicht belegen können.

Weisses Kreuz, Rathausgasse 31, ✆ (026) 670 26 41, *Fax (026) 670 28 66,* ←, 🍴, « Panoramaterrasse » – ⇔ Zim, TV ☎ – 15/100. AE ⓓ E VISA — Y a
Jan. - Feb. geschl. – **Menu** *(von Nov. - April Sonntagabend geschl.)* 45/60 und à la carte 50/97, Kinder 15 – **27 Zim** 145/240 – ½ P Zuschl. 45.

Schiff, Ryfstr. 53, ✆ (026) 670 27 01, *Fax (026) 670 35 31,* ←, 🍴 – TV ☎ – 35. AE ⓓ E VISA — Y b
März - Okt. – ***Lord Nelson :*** *(Mittwoch - Donnerstag ausser Mai - Sept. geschl.)* **Menu** 42/108 und à la carte 41/103, Kinder 8 – **15 Zim** 140/280 – ½ P Zuschl. 48.

Murtenhof, Rathausgasse 3, ✆ (026) 670 56 56, *Fax (026) 670 50 59,* ←, 🍴 – TV ☎ – 25. AE E VISA — Y c
Menu *(Montag und Jan. geschl.)* 18 und à la carte 30/72 – **19 Zim** 100/260 – ½ P Zuschl. 35.

Krone, Rathausgasse 5, ✆ (026) 670 52 52, *Fax (026) 670 36 10,* 🍴 – TV ☎ – 15/50. AE ⓓ E VISA — Y c
Nov. geschl. – **Menu** (1. Etage) *(Dienstag geschl.)* 15.50 und à la carte 35/79, Kinder 12 – **33 Zim** 90/170 – ½ P Zuschl. 25.

La Channe Valaisanne, Hauptgasse 51, ✆ (026) 670 25 65, *Fax (026) 670 25 77,* Haus aus dem 15. Jh. – — Y e

in Muntelier *Nord-Ost : 1 km – Höhe 438 – ✉ 3286 Muntelier :*

Seepark garni, Muntelierstr. 25, ✆ (026) 672 66 66, *Fax (026) 672 66 77* – TV ☎ – 15/220. AE ⓓ E VISA
34 Zim 95/230.

Bad Muntelier, ✆ (026) 670 22 62, *Fax (026) 670 43 74,* ←, 🍴, – TV ☎ – 15/50. AE ⓓ E VISA
20. Dez. - 1. März geschl. – **Menu** *(Montag geschl.)* 15 - 25 (mittags)/75 und à la carte 48/100, Kinder 12 – **22 Zim** 140/220 – ½ P Zuschl. 38.

in Meyriez *Süd-West : 1 km – Höhe 445 – ✉ 3280 Murten :*

Vieux Manoir au Lac ⑤, Route de Lausanne, ✆ (026) 678 61 61, *Fax (026) 678 61 62*, ≤ See und Park, 🌳, « Elegantes Landhaus in einem Park am See », ⛵, ⚓ – 🛗 📺 ☎ 📞 🅿 – 🏔 15/30. AE ① E VISA
13. Dez. - 26. Feb. geschl. – **Menu** 35 - 45 (mittags)/122 und à la carte 75/135, Kinder 24 – **30 Zim** ☕ 300/450 – ½ P Zuschl. 70. Z f

MÜSTAIR

7537 Graubünden (GR) 218 ⑰ – *865 Ew. – Höhe 1 248 – Wintersport :* ⛷.

Sehenswert : *Wandmalereien★★ in der Klosterkirche St. Johann★.*

Verkehrsverein Val Müstair, ✆ (081) 858 55 66, Fax (081) 858 50 26.

Bern 352 – Scuol 59 – Chur 128 – Landeck 81 – Merano 65 – Sankt Moritz 72.

Liun M, ✆ (081) 858 51 54, *Fax (081) 858 62 93*, ≤, 🌳 – 📺 ☎ 🅿. AE ① E VISA JCB
von Okt. - Juli Montag und 1. Nov. - 1. Dez. geschl. – **Menu** à la carte 27/56 – **13 Zim** ☕ 70/140 – ½ P Zuschl. 25.

Helvetia, via Maistra 62, ✆ (081) 858 55 55, *Fax (081) 858 57 60*, ≤, 🌳, ♨, 🏊 – 📺 ☎ 🅿. AE ① E VISA. ✗ Rest
30. Nov. - 20. Dez. geschl. – **Menu** 19.50 - 26 (mittags)/39 und à la carte 40/71, Kinder 10 – **19 Zim** ☕ 75/150 – ½ P Zuschl. 27.

Chasa Chalavaina, Plaz Grond, ✆ (081) 858 54 68 – 🅿
Menu 19 - 24/42 und à la carte 28/35 – **15 Zim** ☕ 68/190 – ½ P Zuschl. 28.

Münsterhof, ✆ (081) 858 55 41, *Fax (081) 858 50 58*, 🌳 – 📺 🚗 🅿. AE ① E VISA
im Winter Sonntagabend, Mittwoch und 7. Jan. - 7. Feb. geschl. – **Menu** 19.50 und à la carte 29/72, Kinder 10 – **15 Zim** ☕ 75/140 – ½ P Zuschl. 22.

MUTTENZ

Basel-Landschaft 216 ④ – *siehe Basel.*

NÄFELS

8752 Glarus (GL) 216 ⑳ – *3 934 Ew. – Höhe 440.*

Sehenswert : *Prunkgemächer★★ im Freulerpalast★.*

Verkehrsbüro, ✆ (055) 612 21 88, Fax (055) 612 43 25.

Bern 187 – Sankt Gallen 63 – Chur 68 – Glarus 8 – Vaduz 54.

Schwert mit Zim, im Dorf 20, ✆ (055) 618 42 80, *Fax (055) 612 43 53* – 🛗 📺 ☎. AE ① E VISA
Sonntagabend, Montag, im Jan. 2 Wochen und in Juli - Aug. 3 Wochen geschl. – **Menu** 32 - 42 (mittags)/75 und à la carte 55/87, Kinder 16 – **8 Zim** ☕ 70/140 – ½ P Zuschl. 45.

NEIRIVUE

1668 Fribourg (FR) 217 ⑮ – *310 h. – alt. 760.*

Bern 70 – Montreux 48 – Fribourg 40 – Gstaad 26 – Lausanne 60 – Yverdon-les-Bains 73.

Auberge du Lion d'Or avec ch, ✆ (026) 928 11 05, *Fax (026) 928 11 05* – 📺. AE ① E VISA
fermé 11 au 24 janv., 31 mai au 20 juin et merc. – **Repas** 15 et à la carte 29/60 – **7 ch** ☕ 55/94 – ½ P suppl. 17.

NENNIGKOFEN

Solothurn 216 ⑮ – *siehe Solothurn.*

NETSTAL

Glarus 216 ⑳ – *siee Glarus.*

NEUCHÂTEL (NEUENBURG)

2000 Ⓒ Neuchâtel (NE) 216 ⑬ - 31 684 h. - alt. 440

Bern 49 ① - Biel 35 ② - La Chaux-de-Fonds 25 ③ - Pontarlier 59 ③ - Yverdon-les-Bains 40 ②.

Tourisme Neuchâtelois, Hôtel des Postes ☎ (032) 889 68 90, Fax (032) 889 62 96.
1 Pourtalès / av. 1. Mars, ☎ (032) 724 15 31, Fax (032) 725 65 46.
8 Faubourg du Lac, ☎ (032) 725 81 22, Fax (032) 724 78 86.

Manifestations locales
Les jeudis du 08.07 au 12.08 : Sérénades sur l'eau.
24.09 - 26.09 : Fête des vendanges, grand cortège et corso fleuri.

18 à Chaumont, ✉ 2072 Saint-Blaise (avril-nov.), ☎ (032) 753 55 50, Fax (032) 753 29 40, par ① : 9 km.

Voir : *Quai Osterwald : vues★★ BZ - Ville ancienne★ BZ - Collégiale★ BZ.*
Musées : *Art et Histoire★★ : automates★★ ; collection Strübin★ CZ - Ethnographie★ AZ.*
Excursions : *en bateau sur le lac. Renseignements : Société de Navigation sur les lacs de Neuchâtel et Morat, Port de Neuchâtel, ☎ (032) 725 40 12, Fax (032) 724 79 61.*

Beau-Rivage M, 1 Esplanade du Mont-Blanc, ✉ 2001, ☎ (032) 723 15 15, *Fax (032) 723 16 16*, ← lac, 🍴 – |\$|, ⊬ ch, ▤ TV ☎ 📞 P – 🏛 15/110. AE ◑ E VISA
BZ b

Repas *36* - 48 (midi)/85 et à la carte 48/108 – ☕ 20 – **65 ch** 290/410 – ½ P suppl. 35.

Beaulac M, 2 Esplanade Léopold-Robert, ☎ (032) 723 11 11, *Fax (032) 725 60 35*, ← lac, 🍴, ≘s, ⚓ – |\$|, ⊬ ch,, ▤ ch, TV ☎ 📞 ♿ – 🏛 15/200. AE ◑ E VISA JCB
CZ u

Repas *(fermé 2 au 5 janv.)* *18* - 35 et à la carte 38/94, enf. 14 – **73 ch** ☕ 165/290, 8 suites – ½ P suppl. 30.

La Maison du Prussien 🐎, (Sud-Ouest par r. de Saint-Nicolas AZ), ☎ (032) 730 54 54, *Fax (032) 730 21 43*, 🍴, « Ancienne brasserie dans les gorges du Vauseyon, cadre soigné », 🌳 – TV video ☎ P – 🏛 15/40. AE ◑ E VISA

Repas *(fermé 21 déc. au 10 janv. et dim.)* *15* - 21 (midi)/89 et à la carte 61/89, enf. 14 – **10 ch** ☕ 130/250 – ½ P suppl. 40.

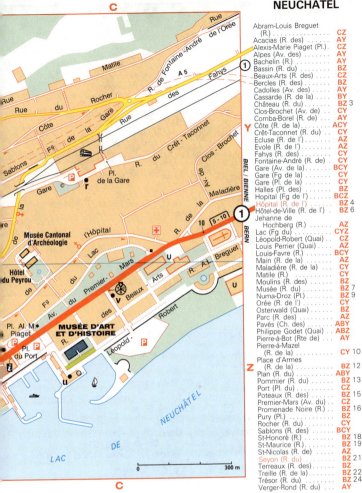

Alpes et Lac [M], 2 pl. de la Gare, ✆ (032) 723 19 19, *Fax (032) 723 19 20*, ≤ ville et lac, 🍽 – |‡| 📺 ☎ 📞 🅿 – 🏛 45. AE ⓓ E VISA — CY r
Repas *(fermé 19 déc. au 20 janv., sam., dim. et le soir)* 16.50 - 35/40 et à la carte 30/60 – ☕ 13 – **30 ch** 95/170.

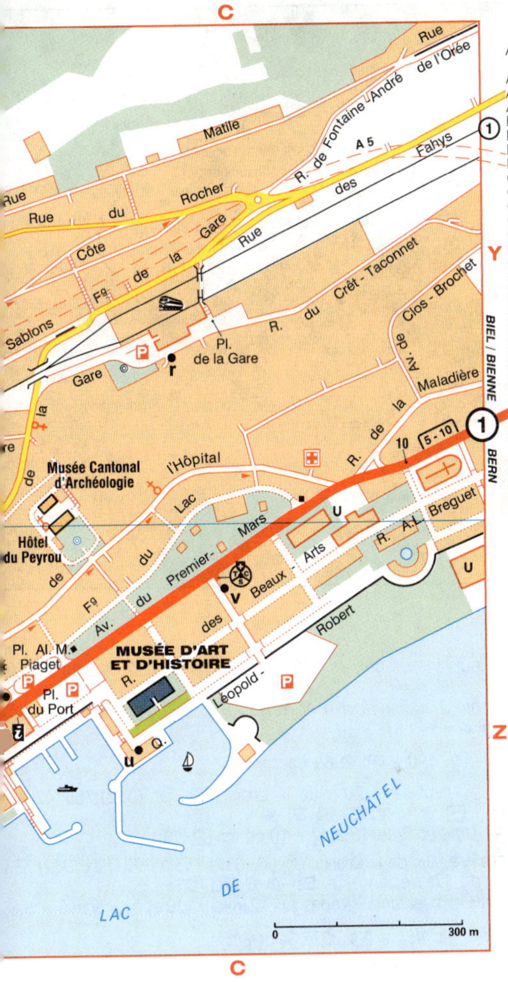

Beaux-Arts, 5 r. Pourtalès, ✆ (032) 724 01 51, *Fax (032) 724 08 30* – |‡| 📺 ☎ – 🏛 15/35. AE ⓓ E VISA — ZC v
Repas *(fermé dim. du 15 sept. au 15 avril)* 17.50 et à la carte 30/61 – **34 ch** ☕ 96/185 – ½ P suppl. 25.

City, 12 pl. A.-M. Piaget, ✆ (032) 725 25 77, *Fax (032) 721 38 69* – |‡|, ⇔ ch, 📺 ☎ 📞 – 🏛 40. AE ⓓ E VISA JCB — CZ x
Repas 18 - 42 et à la carte 34/69 – ***Thaï City*** - cuisine thaïlandaise - *(fermé dim.)* **Repas** 18 - 42 et à la carte 40/67 – **36 ch** ☕ 110/180 – ½ P suppl. 26.

XXX **La Maison des Halles,** 4 r. du Trésor, ✆ (032) 724 31 41, *Fax (032) 721 30 84*, 🍽, « Maison des halles du 16e siècle » – E VISA. ✈ — BZ e
Repas (1er étage) *(fermé juil. - août, sam. midi, dim. et lundi)* 28 - 43/98 et à la carte 56/108 – ***Brasserie* : Repas** 16.50 - 25 (midi)/39 et à la carte 35/74.

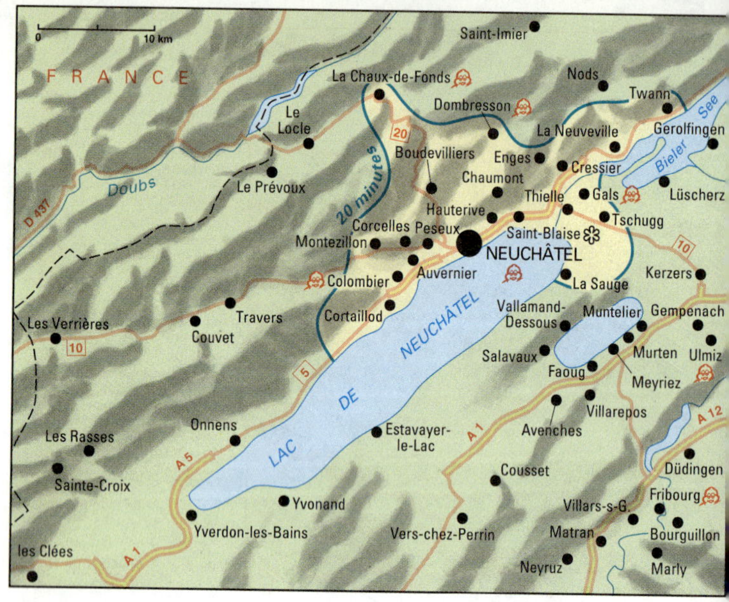

XX **Le Banneret,** 1 r. Fleury (1er étage), ☎ (032) 725 28 61, *Fax (032) 725 46 30,* – AE ⓓ E VISA JCB — BZ a
fermé 20 déc. au 6 janv., 2 au 7 avril, dim. et feriés – **Repas** - cuisine italienne - 15 - 65 et à la carte 46/85.

à Hauterive *par ① : 5 km – alt. 490 – ✉ 2068 Hauterive :*

Les Vieux Toits sans rest, 20 r. de la Croix d'Or, ☎ (032) 753 42 42, *Fax (032) 753 24 52* – TV ☎ P. AE ⓓ E VISA
fermé 19 déc. au 10 janv. et 3 au 18 avril – **10 ch** 90/180.

XX **Auberge d'Hauterive,** 9 r. de la Croix d'Or, ☎ (032) 753 17 98, *Fax (032) 753 02 77,* « Maison du 17e siècle » – P. AE ⓓ E VISA
fermé 24 déc. au 6 janv., dim. et lundi – **Repas** 22 - 42 (midi)/120 et à la carte 64/108.

à Saint-Blaise *par ① : 5 km – alt. 464 – ✉ 2072 Saint-Blaise :*

XXX **Au Boccalino** (Frôté), 11 av. Bachelin, ☎ (032) 753 36 80, *Fax (032) 753 13 23* – P. AE ⓓ E VISA
fermé 24 déc. au 11 janv., mi-juil. à mi-août, dim. et lundi – **Repas** (nombre de couverts limité - prévenir) 54 (midi)/160
Spéc. St-Jacques aux truffes (hiver). Aile de raie au safran (été). Gibier (saison).

à Auvernier *par ② : 5 km – alt. 492 – ✉ 2012 Auvernier :*

XXX **Auberge d'Auvernier,** 36 rte de la Gare, ☎ (032) 731 65 66, *Fax (032) 731 67 21,* ≤ village et lac, – P. AE ⓓ E VISA
fermé dim. (sauf le midi en été) et lundi – **Repas** 18 - 44 (midi)/125 et à la carte 54/102.

XX **du Poisson,** ☎ (032) 731 62 31, *Fax (032) 730 41 90* – AE ⓓ E VISA
Repas (1er étage) *(fermé 21 déc. au 21 janv., dim. soir et lundi)* 48/81 et à la carte 51/90 – ***Brasserie* : Repas** 15 et à la carte 39/63.

à Corcelles *par ⑧ et rte de Pontarlier : 4 km – alt. 540 – ✉ 2035 Corcelles :*

XX **Croix-Blanche,** 39 Grand-Rue, ☎ (032) 731 14 74 – P. AE E VISA
fermé 25 déc. au 4 janv., dim. et lundi – **Repas** 16 - 36 (midi)/98 et à la carte 66/94.

Peseux par ③ et rte de Pontarlier : 3,5 km – alt. 545 – ✉ 2034 Peseux :

Auberge du Grand Pin, 2 pl. de la Fontaine, ☎ (032) 731 77 07, Fax (032) 731 77 07, – P. AE ⓓ E VISA
fermé 26 juil. au 11 août, dim. soir et lundi – **Repas** 43 (midi)/92 et à la carte 41/102
***Café* : Repas** 18 et à la carte 33/95.

NEUHAUSEN AM RHEINFALL *Schaffhausen* 216 ⑦ ⑧ – *siehe Schaffhausen.*

La NEUVEVILLE *2520 Berne (BE)* 216 ⑬ – *3 087 h. – alt. 434.*
Bern 45 – Neuchâtel 16 – Biel 17 – La Chaux-de-Fonds 41.

Hostellerie J.-J. Rousseau, 1 promenade J.-J. Rousseau, ☎ (032) 752 36 52, *Fax (032) 751 56 23,* ←, , « Terrasse face au lac », , – – P. 15/70. AE ⓓ E VISA
fermé 21 déc. - 4 janv. – **Repas** *(fermé lundi de nov. à mars et dim. soir)* 17.50 - 50/110 et à la carte 41/106, enf. 12 – **23 ch** 150/240.

NEYRUZ *1740 Fribourg (FR)* 217 ⑤ – *1 490 h. – alt. 686.*
Bern 41 – Fribourg 12 – Neuchâtel 52 – Montreux 54 – Yverdon-les-Bains 46.

La Chaumière, 17 rte de Fribourg, ☎ (026) 477 10 05, *Fax (026) 477 33 79,* – TV P. E VISA
Repas 14.50 et à la carte 34/62, enf. 12 – **10 ch** 65/100 – ½ P suppl. 15.

NIEDERBÜREN *9246 Sankt Gallen (SG)* 216 ㉑ – *1 320 Ew. – Höhe 497.*
18 *(Feb.-Dez.)* ☎ *(071) 422 18 56, Fax (071) 422 18 25.*
Bern 193 – Sankt Gallen 24 – Bregenz 62 – Frauenfeld 31 – Gossau 12 – Konstanz 29.

Zur Alten Herberge, Staatsstr. 35, ☎ (071) 422 20 91, *Fax (071) 422 20 39,* , « Riegelhaus aus dem 18. Jh. » – P. AE ⓓ E VISA
Montag und 2. - 16. Feb. geschl. – ***Äbtestube*** (1. Etage) **Menu** 43/72 und à la carte 43/88 – ***Dorfrestaurant* : Menu** 16 und à la carte 33/78.

NIEDERERNEN *Wallis* 217 ⑱ – *siehe Fiesch.*

NIEDERGÖSGEN *5013 Solothurn (SO)* 216 ⑯ – *3 667 Ew. – Höhe 382.*
Bern 75 – Aarau 6 – Basel 56 – Olten 10 – Solothurn 44.

Zum Schloss Falkenstein (Eichmann), Hauptstr. 54, ☎ (062) 849 11 26, *Fax (062) 849 51 42,* , « Wintergarten im viktorianischen Stil » – P. AE ⓓ E VISA
Montag - Dienstag und über Weihnachten geschl. – **Menu** 58 (mittags)/158 und à la carte 65/129, Kinder 16
Spez. Austern im Meerwassergelée mit Caviar (Jan.). Tarte Tatin von Kürbis und Gänseleber (Nov. - Dez.). Sommer-Rehrücken mit Aprikosenknödel (Juni - Juli).

NIEDERMUHLERN *3087 Bern (BE)* 217 ⑥ – *513 Ew. – Höhe 845.*
Bern 15 – Fribourg 36 – Langnau im Emmental 43 – Thun 26.

Bachmühle, ☎ (031) 819 17 02, *Fax (031) 819 78 24,* – P. AE E VISA
Montag - Dienstag, mittags ausser an Wochenenden, 1. - 20. Jan. und 18. Juli - 11. Aug. geschl. – **Menu** 63/105 und à la carte 53/97.

NIEDERRÜTI *Zürich* 216 ⑦ – *siehe Winkel.*

NIEDERUZWIL *9244 Sankt Gallen (SG)* 216 ⑳ – *Höhe 514.*
Bern 198 – Sankt Gallen 23 – Bregenz 62 – Konstanz 43 – Winterthur 47.

Ochsen mit Zim, Bahnhofstr. 126, ☎ (071) 951 72 55, *Fax (071) 951 81 73,* – TV ☎ P. AE ⓓ E VISA. ✂ Rest
Bel Etage (1. Etage) **Menu** 45 (mittags)/85 und à la carte 41/91 – ***Gaststube* : Menu** 19.50 und à la carte 36/80 – **9 Zim** 60/130.

NODS 2518 Berne (BE) 216 ⑬ – 544 h. – alt. 892.
Bern 53 – Neuchâtel 20 – Biel 19 – La Chaux-de-Fonds 36.

Cheval Blanc, ✆ (032) 751 22 51, *Fax (032) 751 57 55* – TV ☎ P. E VISA
Repas *(fermé merc. d'oct. à mars et jeudi)* *20* - 33/45 et à la carte 29/78 – **15 ch** 80/110 – ½ P suppl. 28.

Le NOIRMONT 2340 Jura (JU) 216 ⑬ – 1 626 h. – alt. 971.
Bern 77 – Delémont 42 – Biel 42 – La Chaux-de-Fonds 20 – Montbéliard 66.

Soleil, 18 r. de la Rauracie, ✆ (032) 953 11 11, *Fax (032) 953 11 62*, « Collection de pendules anciennes » – TV P. E VISA
Repas *(fermé 15 déc. au 15 janv. et mardi)* *17* et à la carte 34/85 – **19 ch** 75/160 – ½ P suppl. 25.

Georges Wenger avec ch, 2 r. de la Gare, ✆ (032) 953 11 10, *Fax (032) 953 10 59* – rest, TV ☎ P. AE E VISA
fermé 3 au 23 fév. et 14 au 25 juil. – **Repas** *(fermé lundi et mardi)* 60 (midi)/155 et à la carte 75/144 – **3 ch** 200/280 – ½ P suppl. 60
Spéc. Floutes jurassiennes au poireau, saucisson et vin du Jura (hiver). Carré d'agneau en botte de foin (automne). Framboises à la fleur de sureau (été).

à la Goule *Ouest : 8 km – ✉ 2340 Le Noirmont :*

Auberge de la Bouège, Sud-Ouest : 2,5 km par chemin forestier, ✆ (032) 953 11 48, *Fax (032) 953 11 98*, « Au bord du Doubs » – P
fermé 1er janv. au 20 fév. – **Repas** *(fermé lundi)* à la carte 33/67 – **6 ch** 65/110.

NOVILLE 1845 Vaud (VD) 217 ⑭ – 596 h. – alt. 374.
Bern 96 – Montreux 3 – Aigle 12 – Lausanne 37 – Sion 63.

L'Etoile, ✆ (021) 960 10 58, *Fax (021) 960 43 38*, – P. E VISA
fermé 20 janv. au 28 fév., lundi et mardi – **Repas** *15* - 47/68 et à la carte 43/85.

NÜRENSDORF 8309 Zürich (ZH) 216 ⑲ – 4 251 Ew. – Höhe 505.
Breitenloo (April - Okt.) ✆ (01) 836 40 80, Fax (01) 837 10 85.
Bern 140 – Zürich 19 – Bülach 14 – Kloten 6 – Rapperswil 36 – Winterthur 13.

Zum Bären mit Zim, Alte Winterthurerstr. 45, ✆ (01) 838 36 36, *Fax (01) 838 36 46*, – TV ☎ P. AE E VISA. Rest
Sonntag - Montag (ausser Hotel), 24. Dez. - 5. Jan. und 17. Juli - 3. Aug. geschl. – **Menu** 49 (mittags)/104 und à la carte 62/119 – ***Beizli* : Menu** *20* und à la carte 42/80 – **14 Zim** 150/215
Spez. Gebratene Entenlebermedaillons mit Portweinrosinen und karamelisierten Apfelschnitzeln. Pyrenäen Milchlamm mit Bärlauch und Morchelragout (Frühling). Rehfilet im Zimtcrêpemantel an Portweinjus (Herbst).

NYON 1260 Vaud (VD) 217 ⑫ – 15 446 h. – alt. 406.
Voir : *Promenade des vieilles murailles★ A.*
Domaine Impérial, à Gland, ✉ 1196 (avril - déc.), ✆ (022) 999 06 00, Fax(022) 999 06 06, par ① : 4 km,.
Manifestations locales
19.04 - 25.04 : Festival international du cinéma documentaire
20.07 - 25.07 : "Paléo" Festival de rock et de folk international.
Office du Tourisme, 7 av. Viollier, ✆ (022) 361 62 61, Fax (022) 361 53 96.
Bern 144 ③ – Genève 25 ② – Lausanne 40 ① – Lons-le-Saunier 91 ③ – Thonon-les-Bains 60 ②.

Plan page ci-contre

Beau-Rivage, 49 r. de Rive, ✆ (022) 365 41 41, *Fax (022) 365 41 65*, ← – TV ☎ P – 15/80. AE E VISA B x
***La Véranda* : Repas** 62/115 et à la carte 56/109 – **46 ch** 240/380, 4 suites – ½ P suppl. 45.

Alpes, 1 av. Viollier, ✆ (022) 361 49 31, *Fax (022) 362 35 63* – TV ☎ – 15/80. AE E VISA A a
Repas *18* - 38 et à la carte 36/77, enf. 10 – **53 ch** 130/180 – ½ P suppl. 26.

NYON

lfred-Cortot (Av.) . . . . . . A 2
lpes (Quai des) . . . . B
ésar-Soulié (R.) . . . . B
hâteau (Pl. du) . . . . AB 3
lémenty (Rte de) . . . . . A
olombière
(R. de la) . . . . B 4
ombe (R. de la) . . . . . . A 6
ordon (Rte du) . . . . A
rève-Coeur (Ch. de) . . . A 7
are (Pl. de la) . . . . A 9
are (R. de la) . . . . A 10
enève (Rte de) . . . . A 12
rand' Rue . . . . A
ura (Prom. du) . . . . A 13
uste-Olivier (R.) . . . . . . A 15
ausanne (Rte de) . . . . . B 16
ouis-Bonnard (Quai) . . . A
larchandises
(R. des) . . . . AB 17
lorâche (R. de la) . . . . . A 18
erdtemps (Av.) . . . . A 19
erdtemps (Pl.) . . . . AB
orcelaine (R. de la) . . . . B 21
everdil (Av.) . . . . A
ive (R. de) . . . . B
St-Cergue (Rte de) . . . . . A
St-Jean (R.) . . . . B
Viollier (Av.) . . . . A
Vy-Creuse . . . . B

Le Café du Marché, 3 r. du Marché, ✆ (022) 362 35 00, *Fax (022) 362 35 00,* A e
– E VISA
fermé dim. – **Repas** - cuisine italienne - 16 - 32 (midi)/72 et à la carte 52/96.

Auberge du Château, 8 pl. du Château, ✆ (022) 361 63 12, *Fax (022) 361 70 25,* A n
– AE E VISA
fermé merc. d'oct. à avril – **Repas** 15 et à la carte 37/65.

à Duillier *Nord : 3 km par rte d'Aubonne – alt. 469 – ✉ 1266 Duillier :*

Auberge de l'Etoile, 13 r. du Château, ✆ (022) 361 28 12, *Fax (022) 362 23 53,*
– TV P E VISA
fermé 20 déc. au 15 janv. – **Repas** *(fermé sam. midi et dim. soir)* 19 - 35/75 et à la carte 34/84 – **18 ch** 50/145 – ½ P suppl. 45.

OBERÄGERI *6315 Zug (ZG) 216 ⑱ – 4 579 Ew. – Höhe 737.*
Bern 151 – Luzern 40 – Rapperswil 33 – Schwyz 17 – Zug 12.

Seepark, Hauptstr. 47, ✆ (041) 750 18 55, *Fax (041) 750 56 29,* ≤ Ägerisee, , , , , – , Zim, TV P AE E VISA JCB
Menu 32 - 42 (mittags)/102 und à la carte 49/96, Kinder 20 – **18 Zim** 150/240, 4 Suiten – ½ P Zuschl. 42.

Gulm, Gulmstr. 62, ✆ (041) 750 12 48, *Fax (041) 750 42 99,* ≤ Ägerisee, – P AE E VISA
Montag - Dienstag und Feb. geschl. – **Menu** - italienische Küche - 24 - 39 (mittags)/89 und à la carte 62/103.

Hirschen, Morgartenstr. 1, ✆ (041) 750 16 19, *Fax (041) 750 86 19,* – P AE E VISA.
Mittwoch - Donnerstag, 24. Feb. - 11. März und 18. Aug. - 9. Sept. geschl. – **Menu** 17 - 40 (mittags)/85 und à la carte 44/92.

in Morgarten *Süd-Ost : 4 km Richtung Schwyz – Höhe 729 – ✉ 6315 Morgarten :*

Morgarten mit Zim, ✆ (041) 750 12 91, *Fax (041) 750 59 49,* ≤, , – TV P E VISA
Donnerstag (ausser Juli - Sept.), Mittwoch und 23. Dez. - 14. Jan. geschl. – **Menu** 19 - 28 (mittags)/71 und à la carte 30/86, Kinder 11 – **6 Zim** 85/130 – ½ P Zuschl. 20.

OBERBALM *3096 Bern (BE) 217 ⑥ – Höhe 804.*
Bern 11 – Fribourg 28 – Langnau im Emmental 44 – Thun 32.

Bären, ✆ (031) 849 01 60, – P AE E VISA
Dienstag, Mittwoch und 7. - 21. Juli geschl. – **Menu** 16 - 32 (mittags)/75 und à la carte 26/82, Kinder 11.

OBERBIPP *4538 Bern (BE)* 216 ⑮ – *Höhe 490.*
Bern 43 – Basel 58 – Langenthal 18 – Solothurn 12.

Eintracht mit Zim, Oltenstr. 1, (032) 636 12 76, *Fax (032) 636 12 79* – P – 25. AE VISA
Samstagmittag, Sonntag, 23. Dez. - 4. Jan. und 26. Juli - 8. Aug. geschl. – **Menu** 18.50 24 (mittags)/90 und à la carte 38/96, Kinder 11 – **9 Zim** 85/130 – ½ P Zuschl. 2

OBERERLINSBACH *Aargau* 216 ⑯ – *siehe Aarau.*

OBERGESTELN *3981 Wallis (VS)* 217 ⑲ – *218 Ew. – Höhe 1 353.*
Ausflugsziel : *Nufenenpass*★★ *Süd-Ost : 15 km.*
Verkehrsverein Obergoms, (027) 973 27 00, Fax (027) 973 28 18.
Bern 129 – Andermatt 52 – Brig 38 – Interlaken 72 – Sion 91.

St. Hubertus, (027) 973 28 28, *Fax (027) 973 28 69*, – 50. AE VISA
2. Dez. - 19. März und 11. Juni - 19. Okt. – **Menu** à la carte 37/92, Kinder 17 – **20 Zim** 135/220, 10 Suiten – ½ P Zuschl. 30.

Grimsel, (027) 973 11 56, *Fax (027) 973 17 50*, – P. AE VISA
April und Nov. geschl. – **Menu** 18 - 25 und à la carte 33/64, Kinder 12 – **12 Zim** 55/134 – ½ P Zuschl. 25.

OBERMEILEN *Zürich* 216 ⑲ – *siehe Meilen.*

OBERRIET *9463 Sankt Gallen (SG)* 216 ㉒ – *7 054 Ew. – Höhe 421.*
Bern 237 – Sankt Gallen 33 – Altstätten 17 – Bregenz 20 – Dornbirn 11 – Feldkirch 23 – Konstanz 46.

Frohsinn, Staatsstr. 96, (071) 761 11 85, *Fax (071) 761 11 14*, – P. VISA
Sonntagabend, Montag, 1. - 12. Jan., 24. Mai - 8. Juni und 1 Woche im Okt. geschl. – **Menu** 18.50 - 45/95 (abends) und à la carte 39/100.

OBERSAXEN MEIERHOF *7134 Graubünden (GR)* 218 ③ – *916 Ew. – Höhe 1 302 – Wintersport : 1 281/2 310 m* 8.
Verkehrsverein, (081) 933 22 22, Fax (081) 933 11 10.
Bern 241 – Chur 46 – Andermatt 69.

Central, (081) 933 13 23, *Fax (081) 933 10 22*, – P. AE VISA
15. April - 15. Mai und 3. - 30. Nov. geschl. – **Menu** 20 und à la carte 34/80, Kinder 10 – **25 Zim** 75/150, Vorsaison 65/130 – ½ P Zuschl. 27.

OBERSTAMMHEIM *8477 Zürich (ZH)* 216 ⑧ – *1 044 Ew. – Höhe 448.*
Bern 177 – Zürich 56 – Frauenfeld 15 – Konstanz 39 – Schaffhausen 22 – Winterthur 27.

Zum Hirschen, Steigstr. 308, (052) 745 11 24, *Fax (052) 745 11 24*,
« Fachwerkhaus aus dem 17. Jh., geschmackvolle Einrichtung » – P. AE VISA
Montag - Dienstag, 4. - 31. Jan. und 1. - 8. Sept. geschl. – **Menu** 18 - 42 (mittags)/75 und à la carte 57/129.

OBERWALD *3999 Wallis (VS)* 217 ⑲ – *274 Ew. – Höhe 1 370.*
Ausflugsziel : *Gletsch*★★ *Nord : 6 km – Grimselpass*★★ *Nord : 11,5 km – Rhonegletscher*★★ *: Eisgrotte*★ *Nord : 13 km.*
Oberwald - Realp, Information, (027) 973 11 41.
Verkehrsverein Obergoms, Bahnhofplatz 7, (027) 973 32 32, Fax (027) 973 32 33.
Bern 127 – Andermatt 50 – Brig 40 – Interlaken 70 – Sion 93.

Ahorni, (027) 973 20 10, *Fax (027) 973 20 32*, – Zim, P. VISA
4. April - 15. Mai und Nov. geschl. – **Menu** 18 - 72 (abends) und à la carte 37/78, Kinder 14 – **17 Zim** 100/180, Vorsaison 85/140 – ½ P Zuschl. 32.

OENSINGEN *4702 Solothurn (SO)* **216** ⑮ *– 4 038 Ew. – Höhe 462.*

Bern 51 – Basel 50 – Aarau 28 – Luzern 64 – Solothurn 20.

Lindemann zum Kreuz, Hauptstr. 67, ✆ (062) 396 29 88, *Fax (062) 396 30 43,* – – 15/70. AE E VISA

19. Juli - 1. Aug. geschl. – **Menu** 16 - 30 und à la carte 40/82, Kinder 11 – **23 Zim** 85/140 – ½ P Zuschl. 25.

Rondo, Solothurnstr. 34, ✆ (062) 396 21 76, *Fax (062) 396 33 43,* – – 15/80. AE E VISA

24. Dez. - 4. Jan. geschl. – **Menu** *(Sonntagabend geschl.)* 19.50 und à la carte 36/89 – **13 Zim** 90/130 – ½ P Zuschl. 20.

Frohsinn (Derungs), Hauptstr. 29, ✆ (062) 396 11 52, *Fax (062) 396 13 54,* – AE E VISA

Sonntag - Montag, 6. - 25. Feb. und 31. Juli - 19. Aug. geschl. – ***Stübli*** **:** **Menu** 48(mittags)/92 und à la carte 43/103 – ***Gaststube*** **:** Menu 14.50 und à la carte 33/84

Spez. Gebratene Entenleber auf Kartoffelpüree mit schwarzem Trüffeljus. Bündner Tortellini mit Pilzen. Kalbsbacke mit Kartoffelstock und Pilzen.

OERLIKON *Zürich* **216** ⑱ *– siehe Zürich.*

OLIVONE *6718 Ticino (TI)* **218** ⑫ *– 887 ab. – alt. 893.*

Dintorni : *Chiesa del Negrentino★ a Prugiasco : affreschi★★ Sud : 8 km e 30 mn a piedi AR – Strada★ del passo del Lucomagno ovest.*

Bern 248 – Andermatt 65 – Bellinzona 46 – Chur 103.

Olivone e Posta, ✆ (091) 872 13 66, *Fax (091) 872 16 87,* – AE E VISA.

chiuso martedì e marzo – **Pasto** 25 ed à la carte 43/78 – **25 cam** 80/130 – ½ P sup. 25.

OLLON *1867 Vaud (VD)* **217** ⑭ *– 6 055 h. – alt. 468.*

Bern 105 – Montreux 21 – Évian-les-Bains 42 – Gstaad 48 – Lausanne 46 – Martigny 27 – Thonon-les-Bains 51.

Hôtel de Ville avec ch, ✆ (024) 499 19 22, *Fax (024) 499 23 54,* – – 15. E VISA

fermé 2 au 17 fév., mardi et merc. sauf mi-juil. à mi-août – Repas 16 - 38/88 et à la carte 39/86, enf. 10 – **7 ch** 70/100.

OLTEN *4600 Solothurn (SO)* **216** ⑯ *– 17 421 Ew. – Höhe 396.*

Ausflugsziel : *Panorama★ beim Säli-Schlössli Süd-Ost : 5 km über ②.*

Verkehrsbüro, Klosterplatz 21, ✆ (062) 212 30 88, Fax (062) 212 70 18.

Dornacherstr. 10, ✆ (062) 212 82 32, Fax (062) 212 20 77.

Ringstr. 1, ✆ (062) 205 20 55, Fax (062) 205 20 59.

Bern 65 ② – Aarau 13 ① – Basel 46 ③ – Luzern 53 ② – Solothurn 34 ③.

Stadtplan siehe nächste Seite

Arte M, Riggenbachstr. 10, ✉ 4601, ✆ (062) 286 68 00, *Fax (062) 286 68 10,* – – 15/200. AE E VISA Z n

Menu - italienische Küche - 16 - 35 und à la carte 46/88 – **79 Zim** 125/210 – ½ P Zuschl. 20.

Zum Goldenen Ochsen, Ringstr. 23, ✆ (062) 212 19 35, *Fax (062) 212 23 84,* – AE E VISA Z b

Sonntagabend - Montag und 27. Juli - 9. Aug. geschl. – **Menu** (Tischbestellung ratsam) 20 - 46 (mittags)/88 und à la carte 48/88.

Traube, in Trimbach, über ④ Baslerstr. 211, ✉ 4632 Trimbach, ✆ (062) 293 30 50, *Fax (062) 293 01 50* – AE E VISA

Montag - Dienstag, 7. - 17. Feb. und 25. Juli - 17. Aug. geschl. – **Menu** 16 - 49 (mittags)/119 und à la carte 61/113.

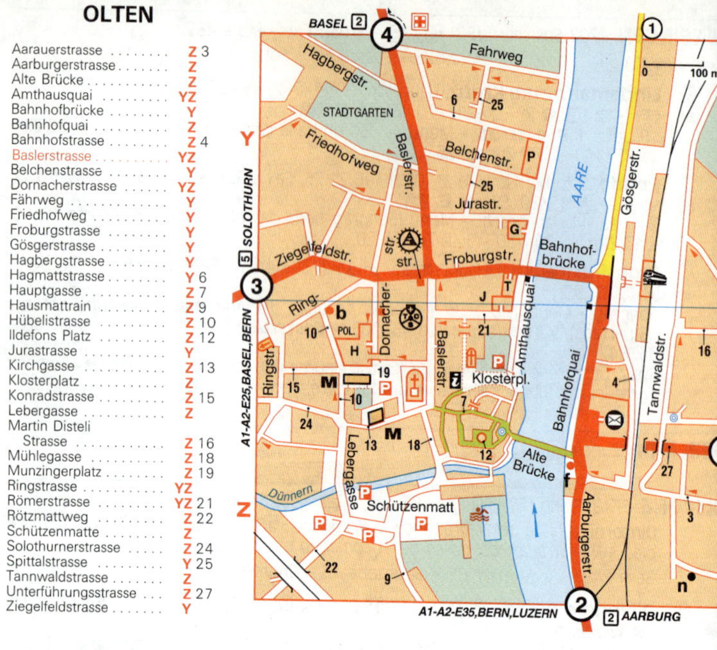

Walliserkanne, Aarburgerstr. 6, ✆ (062) 296 44 76, *Fax (062) 296 44 72*, Terrasse an der Aare – AE E VISA Z f
Samstagmittag, Sonntagabend, Montag, 24. - 28. Dez., 11. - 26. April und 27. Sept. - 12. Okt. geschl. – **Menu** - Fischspezialitäten - *17* - 85 (abends) und à la carte 38/93.

Felsenburg, Aarauerstr. 157 über ①, ✆ (062) 296 22 77, *Fax (062) 296 13 76*, – AE ① E VISA JCB
Dienstag, 8. - 17. Feb. und 12. Juli - 11. Aug. geschl. – **Menu** *19* und à la carte 39/93.

ONNENS *1425 Vaud (VD)* 217 ③ – *392 h. – alt. 477.*

Bern 79 – Neuchâtel 30 – Lausanne 47 – Pontarlier 43 – Yverdon-les-Bains 10.

Bellevue M, ✆ (024) 436 13 26, *Fax (024) 436 13 93*, – TV ☎ P. E VISA
fermé 30 déc. au 20 janv. et sam. – **Repas** *19* - 26/79 et à la carte 32/73, enf. 12 – ☕ 10 – **10 ch** 80/140 – ½ P suppl. 15.

ORBE *1350 Vaud (VD)* 217 ③ – *4 703 h. – alt. 483.*

Office du Tourisme, 19 r. des Terreaux, ✆ (024) 441 31 15, Fax (024) 441 31 23.
Bern 93 – Lausanne 29 – Pontarlier 40 – Yverdon-les-Bains 14.

des Mosaïques M sans rest, Mont-Choisi (Nord : 1 km), ✆ (024) 441 62 61, *Fax (024) 441 15 14* – TV ☎ P. – 15/70. AE ① E VISA
☕ 13 – **37 ch** 86/132.

du Chasseur, place du Marché, ✆ (024) 442 99 00, *Fax (024) 442 99 19* – TV ☎ – 25. AE E VISA
Repas *(fermé lundi soir)* *18* - 28 (midi)/65 et à la carte 23/71 – **9 ch** ☕ 75/128 – ½ P suppl. 16.

Guignard, 17 Grand-Rue (1er étage), ✆ (024) 441 15 24, *Fax (024) 441 79 69*, Jardin d'hiver – AE E VISA
fermé 13 juil. au 10 août, lundi et mardi – Repas *(ouvert le midi seul. sauf vend. et sam. ouvert midi et soir)* *17* - 42 (midi)/94 et à la carte 36/72.

Agiez *Ouest : 2,5 km – alt. 520 – ✉ 1352 Agiez :*

XX **Le Normand** avec ch, ☏ (024) 441 15 45, *Fax (024) 441 75 87*, – TV. AE ⓓ E VISA
fermé 1er au 8 fév, 5 au 27 juil., dim. soir et lundi – **Repas** 28 (midi)/60 et à la carte 42/80, enf. 10 – ***Café* : Repas** 15 et à la carte 35/72, enf. 10 – **6 ch** 55/90 – ½ P suppl. 25.

ORIGLIO *6945 Ticino (TI)* **219** ⑧ – *1 055 ab. – alt. 420.*
Bern 267 – Lugano 9 – Bellinzona 24 – Como 39 – Locarno 36.

a Carnago *Est : 1 km – ✉ 6945 Origlio :*

Origlio Country Club , via Cantonale, ☏ (091) 945 46 46, *Fax (091) 945 10 31*, ←, , , , , , – , rist, TV ☎ P – 15/110. AE ⓓ E VISA. rist
chiuso 6 gennaio al 10 marzo – **Pasto** 35 (mezzogiorno)/68 ed à la carte 50/98, bambini 15 – **58 cam** 160/340 – ½ P sup. 48.

XX **Deserto** con cam, via Tesserete, ☏ (091) 945 12 16, *Fax (091) 945 50 72*, , Locanda con ambiente rustico-signorile, – TV ☎ P. AE ⓓ E VISA
Pasto 18.50 - 50/70 ed à la carte 37/94 – **12 cam** 90/190 – ½ P sup. 30.

ORMALINGEN *4466 Basel-Landschaft (BL)* **216** ⑤ – *1 762 Ew. – Höhe 425.*
Bern 83 – Aarau 24 – Baden 42 – Basel 31 – Liestal 13 – Solothurn 52.

XX **Farnsburg** mit Zim, Nord : 3 km, ☏ (061) 981 11 10, *Fax (061) 981 48 01*, – P – 30.
Sonntagabend, Montag, Dienstag, 22. Dez. - 4. Jan., 1. - 28. Feb. und 21. Juli - 2. Aug. geschl. – **Menu** 39 (mittags)/95 und à la carte 53/84 – **3 Zim** 80/150.

ORSELINA *Ticino* **219** ⑦ ⑧, **218** ⑪ – *vedere Locarno.*

ORSIÈRES *1937 Valais (VS)* **219** ② – *2 659 h. – alt. 902.*
Bern 145 – Martigny 18 – Aosta 51 – Montreux 61 – Sion 48.

Terminus, ☏ (027) 783 20 40, *Fax (027) 783 38 08*, – TV ☎ P. AE ⓓ E VISA.
fermé 4 au 25 janv. et jeudi soir – **Repas** 22 - 49 (midi) et à la carte 35/64, enf. 10 – **27 ch** 70/100 – ½ P suppl. 25.

XX **Les Alpes** (Joris) avec ch, ☏ (027) 783 11 01, *Fax (027) 783 38 78*, – AE ⓓ E VISA
fermé 20 juin au 18 juil., mardi soir et merc. – **Repas** 70/128 – ***Brasserie* : Repas** 15 et à la carte 43/84 – **6 ch** 43/80 – ½ P suppl. 25
Spéc. Timbale d'asperges vertes, coulis de tomates fumées (printemps). Les trois ravioles arlequin, beurre de truffe (automne). Filet de selle de chamois, poire pochée aux airelles épicées (automne).

ORVIN *2534 Berne (BE)* **216** ⑭ – *1 146 h. – alt. 668.*
Bern 40 – Delémont 58 – Biel 9 – La Chaux-de-Fonds 49 – Neuchâtel 38 – Solothurn 28.

X **Cheval Blanc**, rte de Frinvillier 1, ☏ (032) 358 12 82 – P. E VISA
fermé 4 sem. fin juil. - début août, dim. soir et lundi – **Repas** 16 et à la carte 32/73.

aux Prés-d'Orvin *Nord-Ouest : 1,5 km par rte à péage – alt. 1 033 – ✉ 2534 Les Prés-d'Orvin :*

X **Le Grillon**, ☏ (032) 322 00 62, ←, – P
fermé juil., lundi soir et mardi – **Repas** (prévenir) 15 - 48/75 et à la carte 40/74.

OSTERFINGEN *8218 Schaffhausen (SH)* **216** ⑦ – *329 Ew. – Höhe 440.*
Bern 147 – Zürich 50 – Baden 59 – Schaffhausen 20.

X **Bad Osterfingen**, ☏ (052) 681 21 21, *Fax (052) 681 43 01*, , Gasthaus und Weingut aus dem 15. Jh. – P
Montag - Dienstag und 6. Jan. - 5. März geschl. – **Menu** à la carte 44/78.

OSTERMUNDIGEN *Bern* 217 ⑥ – *siehe Bern.*

OTTENBACH *8913 Zürich (ZH)* 216 ⑱ – *2 172 Ew. – Höhe 421.*
Bern 126 – Zürich 24 – Aarau 8 – Luzern 35 – Schwyz 45.

XX **Reussbrücke,** Muristr. 32, ✆ (01) 760 11 61, *Fax (01) 760 12 50,* – P. AE E VISA
Menu 31 - 35 (mittags)/79 und à la carte 57/134, Kinder 16.

OTTIKON BEI KEMPTTHAL *8307 Zürich (ZH)* 216 ⑲ – *Höhe 578.*
Bern 144 – Zürich 23 – Frauenfeld 28 – Schaffhausen 38 – Winterthur 10.

XX **Zur Traube,** Kyburgstr. 17, ✆ (052) 345 12 58, Ehemaliges Bauernhaus aus dem 19. Jh. – P. AE E VISA.
Sonntag - Montag und 23. Aug. - 15. Sept. geschl. – **Menu** 48 (mittags)/105 und à la carte 52/97.

OUCHY *Vaud* 217 ⑬ – *rattaché à Lausanne.*

OVRONNAZ *1911 Valais (VS)* 217 ⑮ – *alt. 1 332 – Sports d'hiver : 1 350/2 080 m 9*
Office du Tourisme, ✆ (027) 306 42 93, Fax (027) 306 81 41.
Bern 149 – Martigny 26 – Montreux 65 – Sion 26.

L'Ardève, à Mayens-de-Chamoson, Est : 2 km, ✆ (027) 305 25 25, *Fax (027) 305 25 26,* vallée, – P – 15/120. AE E VISA
Repas 19 et à la carte 45/82, enf. 12 – **15 ch** 95/170 – ½ P suppl. 42.

Le PÂQUIER *Fribourg* 217 ④ ⑤ – *rattaché à Bulle.*

PAYERNE *1530 Vaud (VD)* 217 ④ – *7 411 h. – alt. 451.*
Voir : *Intérieur★★ de l'Église abbatiale★.*
18 ✆ (026) 660 23 85, Fax (026) 660 46 72.
Manifestations locales
19.02 - 22.02 : Brandons, fête populaire
28.08 : Meeting aérien à l'aérodrome.
Office du Tourisme, Hôtel de Ville, ✆ (026) 660 61 61, Fax (026) 660 71 26.
Bern 53 – Neuchâtel 50 – Biel 56 – Fribourg 23 – Lausanne 47 – Yverdon-les-Bains 28.

à Vers-chez-Perrin *Sud : 2,5 km par rte Fribourg/Romont – alt. 530 – ✉ 1551 Vers-chez-Perrin :*

XX **Aub. de Vers-chez-Perrin** avec ch, ✆ (026) 660 58 46, *Fax (026) 660 58 66,* – P. ch
Repas *(fermé lundi, 24 déc. au 5 janv. et 1er au 17 août)* 16.50 - 55/79 et à la carte 35/72 – **7 ch** 70/130 – ½ P suppl. 25.

PAZZALLO *6912 Ticino (TI)* 219 ⑧ – *1 024 ab. – alt. 426.*
Bern 286 – Lugano 3 – Bellinzona 31 – Locarno 43.

X **Grotto San Salvatore,** via Minudra, ✆ (091) 994 50 96, *Fax (091) 994 36 80,* « Grotto tipico ticinese » – P. AE E VISA
chiuso martedì – **Pasto** 20 ed à la carte 36/64.

PEDRINATE *Ticino* 219 ⑧ – *vedere Chiasso.*

PENEY dessus et dessous *Genève* 217 ⑪ – *rattaché à Satigny.*

PENEY-LE-JORAT *1059 Vaud (VD)* 217 ③ – *288 h. – alt. 845.*
Bern 81 – Lausanne 17 – Montreux 43 – Pontarlier 66 – Yverdon-les-Bains 26.

X **Auberge du Cheval Blanc,** ✆ (021) 903 30 08, *Fax (021) 903 34 68* – P. AE E VISA
fermé 10 au 24 fév., 11 au 25 août, lundi et mardi – **Repas** 15 - 50/86 et à la carte 41/90.

PERREFITTE *Berne* **216** ⑭ – *rattaché à Moutier.*

PÉRY-REUCHENETTE *2603 Berne (BE)* **216** ⑭ – *1 381 h. – alt. 646.*
Bern 47 – Delémont 45 – Biel 12 – Solothurn 28.

La Truite avec ch, (032) 485 14 10, *Fax (032) 485 14 21,* – AE E VISA
fermé 2 au 8 janv., 12 juil. au 10 août, lundi soir et mardi – **Repas** 13.50 - 42 (midi)/52 et à la carte 38/84, enf. 13 – **11 ch** 65/100 – ½ P suppl. 18.

PESEUX *Neuchâtel* **216** ⑫ ⑬ – *rattaché à Neuchâtel.*

PETIT-LANCY *Genève* **217** ⑪ – *rattaché à Genève.*

PFÄFFIKON *8808 Schwyz (SZ)* **216** ⑲ – *Höhe 412.*
Bern 117 – Zürich 36 – Rapperswil 5 – Schwyz 30.

Seedamm Plaza M, Seedammstr. 3, (055) 417 17 17, *Fax (055) 417 17 18,* – Zim, – 15/230. AE E VISA JCB. Rest
Nippon Sun - japanische Küche - *(Samstagmittag und Sonntag geschl.)* **Menu** à la carte 52/88 – ***Plätzli* : Menu** à la carte 33/69 – 20 – **139 Zim** 120/240, 3 Suiten.

Schiff mit Zim, Unterdorfstr. 21, (055) 410 49 50, *Fax (055) 410 60 93,* – AE E VISA
Menu 18 und à la carte 41/94 – **16 Zim** 80/175 – ½ P Zuschl. 38.

PFÄFFIKON *8330 Zürich (ZH)* **216** ⑲ – *9 043 Ew. – Höhe 547.*
Bern 151 – Zürich 30 – Rapperswil 20 – Sankt Gallen 60 – Winterthur 20.

Seerose, Usterstr. 39, (01) 950 01 01, *Fax (01) 950 01 09,* – Zim, video – 15/40. AE E VISA. Zim
Menu 28 - 40 und à la carte 43/99, Kinder 14 – **16 Zim** 150/220.

Krone, Seestr. 1, (01) 950 52 53, *Fax (01) 951 13 66,* – AE E VISA
Sonntag - Montag und 26. Juli - 9. Aug. geschl. – **Menu** - italienische Küche - 18.50 - 46 (mittags)/86 und à la carte 52/90.

LE PICHOUX *Berne (BE)* **216** ⑭ – *alt. 728 – ✉ 2716 Sornetan :*
Bern 67 – Delémont 19 – Biel 32 – Solothurn 48.

La Couronne avec ch, (032) 484 91 28, « Joli décor rustique » – E VISA.
fermé 21 déc. au 16 janv., mardi soir et merc. – **Repas** 46/95 et à la carte 42/85 – **5 ch** 55/140.

PIODINA *Ticino* **219** ⑦ – *vedere Brissago.*

PLAGNE *2536 Berne (BE)* **216** ⑭ – *347 h. – alt. 869.*
Bern 43 – Delémont 52 – Biel 8 – Solothurn 24.

Au Vieux Grenier, (032) 358 15 30, – E VISA.
fermé 5 au 26 juil., lundi et mardi – **Repas** 18 et à la carte 24/70, enf. 10.

PLAMBUIT *Vaud* **217** ⑭ – *rattaché à Villars-sur-Ollon.*

PLAN-LES-OUATES *Genève* **217** ⑪ – *rattaché à Genève.*

PLANS-MAYENS *Valais* **217** ⑯ – *rattaché à Crans-Montana.*

PLAUN DA LEJ *Graubünden* **218** ⑮ – *siehe Sils Maria.*

PLEIGNE *2807 Jura (JU)* 216 ③ *- 396 h. - alt. 814.*
Bern 94 - Delémont 13 - Basel 40 - Porrentruy 30.

Haut-Plateau, (032) 431 13 67, *Fax (032) 431 14 92,* - P. E VISA
fermé 1er au 15 fév., 1er au 15 oct., mardi soir et merc. - **Repas** 14 et à la carte 30/65

POHLERN *3638 Bern (BE)* 217 ⑥ *- Höhe 710.*
Bern 39 - Interlaken 31 - Fribourg 47 - Spiez 15 - Thun 16.

Landhaus Rohrmoos, (033) 356 24 34, *Fax (033) 356 33 92,* , « Berner Bauernhaus aus dem 18. Jh. » - P. AE E VISA
Montag - Dienstag geschl. - **Menu** 14 und à la carte 41/94.

Le PONT *Vaud* 217 ② *- voir à Joux (Vallée de).*

PONT-DE-LA-MORGE *Valais* 217 ⑮ *- rattaché à Sion.*

PONTE BROLLA *Ticino (TI)* 219 ⑦ *- alt. 258 - ✉ 6652 Tegna :*
Bern 271 - Locarno 5 - Bellinzona 25 - Lugona 45 - Verbania 42.

Da Enzo, (091) 796 14 75, *Fax (091) 796 14 75,* , - P. AE E VISA
chiuso giovedì a mezzogiorno, mercoledì e dal 10 gennaio al 28 marzo - **Pasto** 38 (mezzogiorno)/72 ed à la carte 57/93.

Centovalli M con cam, (091) 796 14 44, *Fax (091) 796 31 59,* - TV P. AE E VISA.
chiuso dal 1º gennaio al 3 marzo - **Pasto** *(chiuso lunedì e martedì)* (prenotare) 29 ed à la carte 30/74 - **9 cam** 125/166.

PONTE CAPRIASCA *6946 Ticino (TI)* 219 ⑧ *- 1 284 ab. - alt. 453.*
Bern 280 - Lugano 9 - Bellinzona 25 - Locarno 38.

Oxalis, (091) 945 12 14, *Fax (091) 945 12 42,* - P. AE E VISA
chiuso lunedì - **Pasto** 53/64 ed à la carte 45/70.

Del Cenacolo, Via alla Chiesa, (091) 945 14 76, , Di fronte alla chiesa di Sant'Ambrogio - AE E VISA
chiuso lunedì, martedì, dal 28 dicembre al 21 gennaio e dal 19 giugno al 6 luglio - **Pasto** 17 ed à la carte 41/71

PONT-LA-VILLE *1649 Fribourg (FR)* 217 ⑤ *- 444 h. - alt. 774.*
18, (mars - déc.), (026) 414 94 10, Fax (026) 414 92 20.
Bern 51 - Fribourg 17 - Bulle 15 - Montreux 46.

Royal Golf , (026) 414 92 42, *Fax (026) 414 92 20,* lac de la Gruyère et massif du Moléson, , en bordure du golf, , , - TV P - 25. AE E VISA
fermé janv. - fév. - **Repas** 46 (midi)/95 et à la carte 63/92, enf. 25 - **13 ch** 170/250 - ½ P suppl. 45.

PONTRESINA *7504 Graubünden (GR)* 218 ⑮ *- 1 952 Ew. - Höhe 1 774 - Wintersport : 1 800/2 978 m 3 8.*
Sehenswert : *Lage★★.*
Ausflugsziel : *Belvedere di Chünetta★★★ Süd-Ost : 5 km - Diavolezza★★★ Süd-Ost : 10 km und Luftseilbahn - Muottas Muragl★★ Nord : 3 km und Standseilbahn - Piz Lagalb★★ Süd-Ost : 11 km und Luftseilbahn.*
Lokale Veranstaltung
01.03 : "Chalandamarz" alter Frühlingsbrauch und Kinderfest.
Kur- und Verkehrsverein, (081) 838 83 00, Fax (081) 838 83 10.
Bern 336 - Sankt Moritz 7 - Chur 78 - Davos 66 - Merano 136.

Grand Hotel Kronenhof , via Maistra, (081) 842 01 11, *Fax (081) 842 60 66,* Berge, , « Gebäude aus dem 19. Jh. neubarocker Prägung, elegante Salons mit Deckenmalereien », , , , , - TV P - 15/60. AE E VISA. Rest
20. Dez. - 4. April und 27. Juni - 29. Sept. - ***Kronenstübli :*** **Menu** 67/86 und à la carte 60/116 - **89 Zim** 215/580, Vorsaison 185/540, 4 Suiten - ½ P Zuschl. 50.

Walther, (081) 842 64 71, *Fax (081) 842 79 22,* ←, – **P.** AE VISA. Rest
20. Dez. - 7. April und 16. Juni - 9. Okt. – ***Stüva Bella :*** **Menu** 28 - 40 (mittags)/75 und à la carte 60/114 – **73 Zim** 265/550, Vorsaison 140/430 – ½ P Zuschl. 40.

Saratz M, via Maistra, (081) 839 40 00, *Fax (081) 839 40 40,* ←, Park, – video **P.** AE VISA
11. Dez. - 10. April und 12. Juni - 9. Okt. – **Menu** *(nur Abendessen)* à la carte 47/74 – ***Pitschua Scena :*** **Menu** 15 und à la carte 37/52, Kinder 10 – **89 Zim** 200/340, Vorsaison 154/260, 3 Suiten.

Schweizerhof, via Maistra, (081) 842 01 31, *Fax (081) 842 79 88,* – . AE VISA
Anfang Dez. - Mitte April und Mitte Juni - Mitte Okt. – **Menu** 26 - 45 und à la carte 45/83, Kinder 11 – **70 Zim** 146/352, Vorsaison 116/292 – ½ P Zuschl. 40.

Rosatsch und Residence, via Maistra, (081) 842 77 77, *Fax (081) 842 77 78,* – – 30. VISA
5. Dez. - 18. April und 13. Juni - 16. Okt. – ***Bündnerstube*** *(nur Abendessen)* **Menu** à la carte 37/79, Kinder 11 – **84 Zim** 180/390, Vorsaison 115/232, 5 Suiten – ½ P Zuschl. 20.

Sporthotel, via Maistra, (081) 842 63 31, *Fax (081) 842 01 29,* – **P** – 15/80. AE VISA
11. Dez. - 14. April und 11. Juni - 14. Okt. – ***Sport-Stübli*** *(in April - Mai und Okt. - Nov. jeweils Samstag - Sonntag geschl.)* **Menu** 15 - 35 (abends) und à la carte 33/82, Kinder 10 – **85 Zim** 107/264, Vorsaison 87/234 – ½ P Zuschl. 26.

Müller, via Maistra 100, (081) 842 63 41, *Fax (081) 842 68 38,* – **P.** AE VISA JCB
20. Dez. - 5. April und 1. Juni - 20. Okt. – ***Arvenstübli :*** **Menu** 40(abends) und à la carte 36/97 – **36 Zim** 130/230, Vorsaison 90/160 – ½ P Zuschl. 40.

Steinbock, (081) 842 63 71, *Fax (081) 842 75 45,* – **P.** AE VISA. Rest
Colani Stübli : **Menu** 25 - 38/46(abends) und à la carte 34/82, Kinder 10 – **29 Zim** 155/305, Vorsaison 110/240 – ½ P Zuschl. 20.

Albris, via Maistra, (081) 838 80 40, *Fax (081) 838 80 50,* – **P.** AE VISA
6. Dez. - 14. April und 6. Juni - 19. Okt. – ***Kochendörfer :*** **Menu** 23 - 39/55 und à la carte 33/87, Kinder 14 – **34 Zim** 135/270, Vorsaison 108/216 – ½ P Zuschl. 25.

Bernina, via Maistra, (081) 842 62 21, *Fax (081) 842 70 32,* – **P.** AE VISA
Mitte Dez. - Mitte April und Mitte Juni - Mitte Okt. – **Menu** 18 - 45 (abends) und à la carte 28/75, Kinder 11 – **47 Zim** 110/250, Vorsaison 80/220 – ½ P Zuschl. 30.

Post, Hauptstr. 74, (081) 842 63 18, *Fax (081) 842 79 58,* – . AE VISA. Rest
16. April - 10. Juni geschl. – **Menu** 17 - 38 – **37 Zim** 125/270, Vorsaison 95/220 – ½ P Zuschl. 25.

Süd-Ost *5 km Richtung Berninapass :*

Morteratsch , ✉ 7504 Pontresina, (081) 842 63 13, *Fax (081) 842 72 58,* ←, – **P.** AE VISA
21. Dez. - 19. April und 15. Juni - 29. Okt. geschl. – **Menu** 21 und à la carte 33/92, Kinder 15 – **18 Zim** 64/168 – ½ P Zuschl. 20.

PORRENTRUY *2900 Jura (JU)* 216 ② *- 6 928 h. - alt. 445.*

La Largue à F-Mooslargue, ✉ 68580, (mars - nov.), ☎ (0033) 389 07 67 67 Fax (0033) 389 25 62 83, Nord-Est : 21 km.

Jura Tourisme Porrentruy et Ajoie, 5 Grand-Rue, ☎ (032) 466 59 59 Fax (032) 466 50 43.

Bern 96 - Delémont 28 - Basel 50 - Belfort 37 - La Chaux-de-Fonds 64 - Solothurn 77.

Bellevue M, 46 rte de Belfort, ☎ (032) 466 55 44, *Fax (032) 466 71 91*, - TV ☎ P. AE ⓓ E VISA.
Repas 15 - 45/80 et à la carte 40/80 - **7 ch** 80/130 - ½ P suppl. 30.

Belvédère, 61 rte de Bure (près Hôpital), ☎ (032) 466 25 61, *Fax (032) 466 25 53* ←, - TV ☎ P. E VISA.
fermé 6 au 23 janv. et 28 août au 10 sept. - **Repas** *(fermé mardi)* 18 - 30/38 et à la carte 34/76 - **8 ch** 60/130 - ½ P suppl. 25.

POSCHIAVO *7742 Grigioni (GR)* 218 ⑯ *- 3 626 ab. - alt. 1 014.*

Dintorni : *Alp Grüm★★★ Nord : 18 km e treno.*

Ente Turistico Valposchiavo, ☎ (081) 844 05 71, Fax (081) 844 10 27.

Bern 369 - Sankt Moritz 40 - Chur 111 - Davos 99 - Merano 143 - Sondrio 40.

Suisse, ☎ (081) 844 07 88, *Fax (081) 844 19 67*, - TV ☎ P - 15/80. AE ⓓ E VISA
chiuso dal 1° novembre al 20 dicembre - **Pasto** 28 ed à la carte 45/84, bambini 15 - **23 cam** 96/190 - ½ P sup. 30.

Le PRESE *7746 Grigioni (GR)* 218 ⑯ *- alt. 965.*

Bern 373 - Sankt Moritz 44 - Chur 115 - Davos 103 - Merano 147 - Sondrio 36.

Le Prese, ☎ (081) 844 03 33, *Fax (081) 844 08 35*, ←, , « Parco ombreggiato in riva al lago », , , - TV ☎ P. AE ⓓ E VISA. rist
metà maggio - metà ottobre - **Pasto** 50 ed à la carte 48/85 - **28 cam** 149/294 - ½ P sup. 40.

La Romantica, ☎ (081) 844 03 83, *Fax (081) 844 10 33*, , , - TV ☎ P. AE ⓓ E VISA
chuiso lunedì e martedì dal 1° novembre al 30 aprile e dal 10 gennaio al 15 febbraio - *Giardino* : **Pasto** 35/45 ed à la carte 35/64, bambini 12 - **28 cam** 91/160 - ½ P sup. 23.

a Miralago *Sud-Est : 3 km - alt. 965 - ✉ 7743 Miralago :*

Miralago, ☎ (081) 839 20 00, *Fax (081) 839 20 01*, - TV video ☎. E VISA.
chiuso novembre e gennaio, domenica sera, lunedì e martedì in inverno - **Pasto** 24 - 35/45, bambini 11 - **7 cam** 60/200 - ½ P sup. 28.

Les PRÉS-D'ORVIN *Berne* 216 ⑬ *- rattaché à Orvin :*

PRÉVERENGES *1028 Vaud (VD)* 217 ⑬ *- 3 981 h. - alt. 411.*

Bern 119 - Lausanne 9 - Genève 51 - Montreux 32 - Pontarlier 70.

Auberge du Chasseur, 10 rte d'Yverdon, ☎ (021) 802 43 33, *Fax (021) 802 43 75*, - ch, TV ☎. E VISA
Repas *(fermé sam.)* 15 et à la carte 46/86 - **12 ch** 95/170 - ½ P suppl. 15.

La Plage avec ch, 5 av. de la Plage, ☎ (021) 803 07 93, *Fax (021) 801 25 35*, ←, , - TV ☎. AE ⓓ E VISA JCB. rest
fermé 21 déc. au 12 janv., 19 fév. au 1er mars, dim. soir et lundi d'oct. à avril - **Repas** 15 - 48 (midi)/89 et à la carte 67/114 - **8 ch** 160/180 - ½ P suppl. 35.

Le PRÉVOUX *Neuchâtel* 216 ⑫ *- rattaché à Le Locle.*

PUIDOUX *1604 Vaud (VD)* **217** ⑭ *– 2 322 h. – alt. 667.*
Bern 91 – Montreux 18 – Fribourg 61 – Lausanne 14 – Yverdon-les-Bains 48.

Lac de Bret, 1 r. du Lac, Nord : 1 km, ✆ (021) 946 11 26, *Fax (021) 946 34 78,* – P. AE ⓓ E VISA
Repas 28/68 et à la carte 41/95, enf. 14.

Auberge de la Tonnelle, à la Gare, ✆ (021) 946 11 06, – P. AE ⓓ E VISA
fermé 24 déc. au 7 janv., 30 mars au 7 avril, 13 au 21 oct., mardi et merc. – **Repas** 15 - 45/98 et à la carte 46/91.

à Puidoux-Gare *Sud-Ouest – ✉ 1604 Puidoux-Gare :*

Signal de Chexbres, chemin du Signal, 1 km par route zone industrielle, ✆ (021) 946 05 05, *Fax (021) 946 05 15,* ← lac, , « parc », , , , – TV ☎ P – 15/50. AE ⓓ E VISA
mi-mars - nov. – **Repas** 19 - 49/69 et à la carte 45/82 – **78 ch** 170/280 – ½ P suppl. 30.

PULLY *Vaud* **217** ⑬ *– rattaché à Lausanne.*

La PUNT-CHAMUES-CH. *7522 Graubünden (GR)* **218** ⑮ *– 670 Ew. – Höhe 1 697.*
Bern 315 – Sankt Moritz 14 – Chur 66 – Davos 53 – Scuol 48.

Chesa Pirani (Bumann), ✆ (081) 854 25 15, *Fax (081) 854 25 57,* « Elegant-rustikal eingerichtetes Patrizierhaus aus dem Jahre 1750 %2" – P. AE ⓓ E VISA
Anfang Dez. - 14. April und Anfang Juni - Mitte Okt. geöffnet ; in der Zwischensaison Sonntag - Montag geschl. – **Menu** 33 - 68 (mittags)/168 und à la carte 67/109
Spez. Hors d'oeuvre aux trois délices. Menu au safran de Mund en Valais. Agneau des Grisons au lait de brebis.

RAFZ *8197 Zürich (ZH)* **216** ⑦ *– 3 107 Ew. – Höhe 424.*
Bern 155 – Zürich 35 – Baden 54 – Konstanz 71 – Schaffhausen 17.

Zum Goldenen Kreuz mit Zim, Landstr. 15, ✆ (01) 869 04 24, *Fax (01) 869 04 23,* , « Riegelhaus aus dem 17. Jh. » – TV ☎ P. AE E VISA
Menu 33 - 45 (mittags) und à la carte 55/101, Kinder 25 – **12 Zim** 110/170 ½ P Zuschl. 35.

Bahnhöfli, Bahnhofstr. 90, ✆ (01) 869 25 00, *Fax (01) 869 33 30,* – P. AE ⓓ E VISA
Montag - Dienstag, 8. - 16. Feb. und im Juli 2 Wochen geschl. – **Menu** 26 - 45 (mittags)/78 und à la carte 49/89.

RAPPERSWIL *8640 Sankt Gallen (SG)* **216** ⑲ *– 7 284 Ew. – Höhe 409.*
Tourist Information, Fischermarktplatz 1, ✆ (055) 220 57 57, Fax (055) 220 57 50.
Seestr. 6, ✆ (055) 210 25 91, Fax (055) 210 77 38.
Bern 164 – Zürich 39 – Sankt Gallen 59 – Schwyz 34 – Winterthur 40.

Schwanen M, Seequai 1, ✆ (055) 220 85 00, *Fax (055) 210 77 77,* ← Zürichsee, – TV ☎ – 15/150. AE ⓓ E VISA
3. - 28. Jan. geschl. (nur Rest.) – ***Le Jardin*** **: Menu** 28 - 32 (mittags)/85 und à la carte 52/112 – ***Boulevard*** **: Menu** 23 und à la carte 35/82 – 20 – **19 Zim** 180/300 – ½ P Zuschl. 50.

Hirschen M garni, Fischmarkplatz, ✆ (055) 220 61 80, *Fax (055) 220 61 81* – TV ☎ . AE ⓓ E VISA
14 Zim 140/210.

Speer M, Bahnhofstr. 5, ✆ (055) 220 89 00, *Fax (055) 220 89 89,* – , Zim, TV ☎ . AE ⓓ E VISA
Back + Brau **: Menu** 20 und à la carte 29/66 – **56 Zim** 135/190 – ½ P Zuschl. 30.

Schloss Rapperswil, im Schloss Rapperswil, ✆ (055) 210 18 28, *Fax (055) 210 90 49,* , In einem Schloss aus dem 13. Jh. – AE ⓓ E VISA
Sonntagabend, Montag und 24. Jan. - 17. Feb. geschl. – **Menu** 38 - 58 (mittags)/110 und à la carte 68/117.

XX **Bellevue** mit Zim, Marktgasse 21, ✆ (055) 220 66 30, *Fax (055) 220 66 33*, ≤, – TV ☎. AE ⊕ E VISA
Mittwoch und 20. Dez. - 15. Jan. geschl. – ***Tante Charlotte*** (1. Etage) - Fischspezialitäten - **Menu** 23 und à la carte 40/86, Kinder 14 – **8 Zim** ▭ 95/190.

X **Rössli,** Hauptplatz 5, ✆ (055) 211 13 45, *Fax (055) 210 85 70*, , Kellergewölbe lockere Bistro-Ambiente – AE ⊕ E VISA
Sonntagmittag, Montag und 24. Dez. - 5. Jan. geschl. – **Menu** 20 - 65 (abends) und à la carte 52/90.

in Kempraten *Nord : 1 km Richtung Rüti – Höhe 412 – ✉ 8640 Kempraten :*

XX **Weinhalde** mit Zim, Rebhalde 9, ✆ (055) 210 66 33, *Fax (055) 211 17 72*, ≤, , – TV ☎ P. AE E VISA
im Feb. 3 Wochen geschl. – **Menu** 22 - 41/92 und à la carte 47/99, Kinder 15 – **11 Zim** ▭ 95/180.

in Jona *Ost : 1 km – Höhe 433 – ✉ 8645 Jona :*

XX **Kreuz** mit Zim, St. Gallerstr. 30, ✆ (055) 212 28 26, *Fax (055) 212 54 36*, – TV ☎ P – 15/150. AE ⊕ E VISA
Atrium *(Samstagmittag geschl.)* **Menu** 47/67 und à la carte 47/96 – ***Ofemaxx*** : **Menu** 17 und à la carte 34/71 – **8 Zim** ▭ 105/200 – ½ P Zuschl. 35.

Les RASSES *Vaud* **217** ③ *– rattaché à Sainte-Croix.*

RAVOIRE *1928 Valais (VS)* **219** ① *– alt. 1 172.*
Bern 136 – Martigny 9 – Chamonix Mont-Blanc 42 – Sion 38.

Ravoire , ✆ (027) 722 23 02, *Fax (027) 723 21 60*, ≤ Alpes et vallée, – TV ☎ P. AE ⊕ E VISA
Repas (brasserie) 14 - 38/55 et à la carte 31/49, enf. 9 – **20 ch** ▭ 82/135 – ½ P suppl. 25.

REALP *6491 Uri (UR)* **217** ⑳ *– Höhe 1 538.*
Realp - Oberwald, Information, ✆ (041) 887 14 46.
Bern 183 – Altdorf 44 – Andermatt 10 – Bellinzona 94 – Interlaken 84.

RECKINGEN *3998 Wallis (VS)* **217** ⑱ ⑲ *– 380 Ew. – Höhe 1 315.*
Verkehrsbüro, ✆ (027) 974 12 16, Fax (027) 974 12 15.
Bern 137 – Andermatt 61 – Brig 30 – Interlaken 81 – Sion 82.

Blinnenhorn, ✆ (027) 974 25 60, *Fax (027) 974 25 65*, ≤, – TV ☎ P. E VISA
5. - 25. Dez. und 1. April - 20. Mai geschl. – **Menu** 18 und à la carte 30/74, Kinder 12 – **17 Zim** ▭ 78/130 – ½ P Zuschl. 30.

RÉCLÈRE *2912 Jura (JU)* **216** ⑬ *– 193 h. – alt. 590.*
Bern 110 – Delémont 42 – Montbéliard 33 – Porrentruy 14.

X **Les Grottes** avec ch, aux Grottes : Sud : 2 km, ✆ (032) 476 61 55, *Fax (032) 476 62 33*, – P. AE E VISA. rest
fermé 12 mars - 6 déc. – **Repas** à la carte 34/62 – **14 ch** ▭ 55/95 – ½ P suppl. 18.

REGENSDORF *8105 Zürich (ZH)* **216** ⑱ *– 13 514 Ew. – Höhe 443.*
Bern 121 – Zürich 11 – Baden 19 – Luzern 63 – Schaffhausen 56 – Winterthur 34.

Trend M, ✆ (01) 870 88 88, *Fax (01) 870 88 99*, – , Zim, TV video ☎ P – 15/35. AE E VISA
Menu 19 und à la carte 36/86 – ▭ 22 – **48 Zim** 215/260, 3 Suiten.

Mövenpick, ✆ (01) 871 51 11, *Fax (01) 871 50 11*, – , Zim,, Zim, TV ☎ P – 15/800. AE ⊕ E VISA JCB
Menu 18.50 - 32 (mittags) und à la carte 32/74, Kinder 10 – ***Schmitte Grill*** *(Sonntagabend und Montag geschl.)* **Menu** 28 und à la carte 43/87 – ***Ciao*** *(Samstag und Sonntag jeweils mittags geschl.)* **Menu** à la carte 29/53 – ▭ 20 – **149 Zim** 256/270.

Hirschen M, Watterstr. 9, ✆ (01) 843 22 22, *Fax (01) 843 22 33*, – TV ☎ P. AE E VISA
Menu à la carte 31/77 – **25 Zim** ▭ 95/170.

REHETOBEL *9038 Appenzell Ausserrhoden (AR)* **216** ㉑ – *Höhe 958.*
Bern 224 – Sankt Gallen 19 – Appenzell 27 – Bregenz 28 – Konstanz 51.

Zum Gupf mit Zim, Nord-Ost : 2 km, (071) 877 11 10, *Fax (071) 877 15 10,* < Appenzellerland, Berge und Bodensee, – AE E VISA. Zim
Montag - Dienstag und Febr. geschl. – **Menu** 24 - 62 (abends) und à la carte 41/78 – **5 Zim** 80/220.

REICHENBACH *3713 Bern (BE)* **217** ⑦ – *3 401 Ew.* – *Höhe 706.*
Bern 47 – Interlaken 26 – Gstaad 58 – Kandersteg 19.

Bären mit Zim, Dorfplatz, (033) 676 12 51, *Fax (033) 676 27 44,* , « Altes Berner Haus, behaglich-ländliche Einrichtung » – video AE E VISA
Montag - Dienstag, 10. - 21. Jan., 1. - 16. Juni und 1. - 18. Nov. geschl. – **Menu** 18 - 66/105 und à la carte 46/101 – **3 Zim** 80/150 – ½ P Zuschl. 40.

REIDEN *6260 Luzern (LU)* **216** ⑯ – *3 775 Ew.* – *Höhe 458.*
Bern 75 – Aarau 24 – Baden 46 – Luzern 38 – Olten 17.

Lerchenhof, Mehlsecken, Wiggermatte 2, (062) 758 12 22, *Fax (062) 758 15 83,* – – 15/50. AE E VISA
Montag - Dienstag, 8. - 18. Feb. und 12. Juli - 4. Aug. geschl. – **Menu** 18.50 und à la carte 42/76.

in Wikon *Nord : 3 km – Höhe 463 – 4806 Wikon :*

Bahnhof, Bahnhofstr. 44, (062) 751 03 13, *Fax (062) 751 33 45,* – AE E VISA
Sonntag geschl. – **Menu** 15.50 - 40 (mittags)/95 und à la carte 51/98.

REINACH *5734 Aargau (AG)* **216** ⑰ – *7 150 Ew.* – *Höhe 532.*
Bern 105 – Aarau 20 – Luzern 27 – Zürich 54.

Zum Schneggen mit Zim, Hauptstr. 72, (062) 771 10 35, *Fax (062) 771 79 31,* , Patrizierhaus aus dem 16. Jh. – – 15/60. AE E VISA.
3 Wochen Ende Juli geschl. – **Menu** *(Sonntag - Montag geschl.)* 19.50 - 32 (mittags)/89 und à la carte 43/97, Kinder 15 – **10 Zim** 95/160 – ½ P Zuschl. 25.

RHEINAU *8462 Zürich (ZH)* **216** ⑧ – *1 263 Ew.* – *Höhe 372.*
Bern 152 – Zürich 43 – Baden 63 – Schaffhausen 13 – Winterthur 25.

Hirschen, Sandackerstr. 1, (052) 319 12 62, – AE E VISA
Montag - Dienstag, Ende Feb. - Anfang März 2 Wochen und ab Mitte Sept. 3 Wochen geschl. – **Menu** - Fischspezialitäten - 48/62 und à la carte 42/81, Kinder 19.

RHEINECK *9424 Sankt Gallen (SG)* **216** ㉒ – *3 250 Ew.* – *Höhe 400.*
Bern 230 – Sankt Gallen 21 – Bregenz 15 – Vaduz 45.

Hecht, Hauptstr. 51, (071) 888 29 25, *Fax (071) 888 43 25,* – AE E VISA. Zim
Mittwoch und 30. Sept. - 14. Okt. geschl. – **Menu** 16 - 41 und à la carte 40/78, Kinder 11 – **12 Zim** 70/110 – ½ P Zuschl. 22.

RHEINFELDEN *4310 Aargau (AG)* **216** ⑤ – *9 896 Ew.* – *Höhe 285* – *Kurort.*
Tourismus Rheinfelden, Rindergasse 1, (061) 833 05 25, Fax (061) 833 05 29.
Bern 93 – Basel 21 – Aarau 37 – Baden 46.

Park-Hotel am Rhein , Roberstenstr. 31, (061) 836 66 33, *Fax (061) 836 66 34,* < Rhein, , Direkter Zugang zum Kurzentrum, Park – – 30. AE E VISA
Bellerive **: Menu** 36/58 und à la carte 54/98, Kinder 12 – ***Park-Café*** **: Menu** 18 - 58 und à la carte 30/59 – **50 Zim** 155/300, 3 Suiten – ½ P Zuschl. 38.

Eden , Froneggweg 3, (061) 831 54 04, *Fax (061) 831 68 67,* , (Solbad), – AE E VISA. Rest
18. Dez. - 17. Jan. geschl. – **Menu** 23 - 42 (mittags)/49 und à la carte 52/92 – **50 Zim** 205/300 – ½ P Zuschl. 39.

Schützen, Bahnhofstr. 19, (061) 836 25 25, *Fax (061) 836 25 36,* (Sol bad), – , Zim, P. AE E VISA
Menu 19 - 23 (mittags)/56 und à la carte 40/110, Kinder 10 – **35 Zim** 160/250

Schiff am Rhein, Marktgasse 58, (061) 831 60 87, *Fax (061) 831 18 88* Rhein, – – 15/50. AE E VISA
Menu 20 und à la carte 34/86, Kinder 15 – **46 Zim** 130/185 – ½ P Zuschl. 35

Ochsen, Kaiserstr. 2, (061) 831 51 01, *Fax (061) 831 51 66,* – . AE E VISA
20. Dez. - 5. Jan. geschl. – **Menu** *(Samstag und Sonntag geschl.)* 20 - 68 (abends) und à la carte 53/125 – **8 Zim** 130/220.

RICKEN *8726 Sankt Gallen (SG) 216 ⑳ – Höhe 792.*

Bern 173 – Sankt Gallen 42 – Glarus 32 – Rapperswil 19.

Zum Schweizerhaus mit Zim, Wattwilerstr. 2, (055) 284 10 22, *Fax (055) 284 10 22,* – P. AE E VISA
Dienstagabend, Mittwoch, von Nov. - März auch Sonntagabend, 30. Jan. - 7. Feb. und 29. Juni - 18. Juli geschl. – **Menu** 20 - 58 (abends) und à la carte 39/73 – **3 Zim** 60/130.

RICKENBACH *9532 Thurgau (TG) 216 ⑳ – 4 118 Ew. – Höhe 556.*

Bern 186 – Sankt Gallen 31 – Frauenfeld 19 – Konstanz 33 – Winterthur 37.

Sternen, Toggenburgerstr. 54, (071) 923 10 20, *Fax (071) 923 10 20* – P. E VISA
Sonntag - Montag und Mitte Juli - Mitte Aug. geschl. – **Menu** - Grilladen und Fernost Spezialitäten - à la carte 37/81.

RIED BEI BRIG *Wallis 217 ⑱ – siehe Brig.*

RIED-MUOTATHAL *6436 Schwyz (SZ) 218 ① – Höhe 567.*

Bern 159 – Luzern 45 – Altdorf 28 – Einsiedeln 35 – Glarus 77 – Schwyz 9.

Adler, Hauptstrasse, (041) 830 11 37, *Fax (041) 830 27 13* – P. AE E VISA
Montag, Dienstag, 21. - 31. Dez. und 19. Juli - 11. Aug. geschl. – **Menu** 16.50 - 39 und à la carte 31/82.

RIEDERALP *3987 Wallis (VS) 217 ⑱ – Höhe 1 930 – – Wintersport : 1 930/2 335 m 2 8.*

Sehenswert : *Lage★.*

Ausflugsziel : *Aletschgletscher★★★ Nord-Ost mit Sessellift – Moosfluh★★ Nord-Ost mit Gondelbahn.*

9 (Juni - Okt.) (027) 927 29 32, Fax (027) 927 29 32.

Lokale Veranstaltungen
01.08 : Grosses Aelplerfest mit Folklore-Umzug
08.08 : Casselfest Folklorefest (Fest des Pro Natura Zentrums Aletsch).

Riederalp-Tourismus, (027) 927 13 65, Fax (027) 927 33 13.

Bern 164 – Brig 11 – Andermatt 88 – Sion 63.

mit Luftseilbahn ab Mörel erreichbar

Valaisia M garni, (027) 928 44 88, *Fax (027) 928 44 99,* Berge, , – . AE E VISA.
16. Dez. - 14. April und 21. Juni - 24. Okt. – **20 Zim** 150/430, Vorsaison 110/320 – ½ P Zuschl. 35.

Walliser Spycher , (027) 927 22 23, *Fax (027) 927 31 49,* Berge und Tal, , – . VISA
16. Dez. - 14. April und 16. Juni - 30. Okt. – **Menu** 24 - 34 (mittags)/66 (abends) und à la carte 36/98, Kinder 14 – **18 Zim** 190/360, Vorsaison 95/240 – ½ P Zuschl. 35.

Art Furrer , (027) 928 44 88, *Fax (027) 928 44 99,* , , – . AE E VISA.
16. Dez. - 14. April und 21. Juni - 24. Okt. geöffnet ; Rest. : 15. April - 15. Dez. geschl. – **Menu** 16 - 30 (mittags)/48 und à la carte 41/87 – **24 Zim** 135/330, Vorsaison 80/220 – ½ P Zuschl. 35.

Alpenrose, (027) 928 45 45, Fax (027) 928 45 55, Berge und Tal, – . *16. Dez. - 14. April und 21. Juni - 24. Okt.* – ***Walliser Kanne*** *(nur Abendessen)* **Menu** 45 und à la carte 41/83 – ***Pizzeria :*** **Menu** à la carte 35/69, Kinder 12 – ***Röstikeller*** *(nur Abendessen)* **Menu** à la carte 27/60 – **18 Zim** 100/300, Vorsaison 85/200 – ½ P Zuschl. 25.

Edelweiss, (027) 927 37 37, Fax (027) 927 37 39, – . Zim *16. Dez. - 13. April und 1. Juli - 14. Nov.* – ***Da Vinci*** - italienische Küche - **Menu** 19.50 - 39/57 und à la carte 40/67, Kinder 14 – **11 Zim** 130/300, Vorsaison 75/190 – ½ P Zuschl. 35.

RIEDHOLZ *4533 Solothurn (SO) 216 ⑮ – 1 534 Ew. – Höhe 474.*

Bern 38 – Basel 66 – Langenthal 22 – Olten 31 – Solothurn 6.

Post, Baselstr. 23, (032) 622 27 10, Fax (032) 621 50 76, – *Donnerstagmittag, Mittwoch, 28. Jan. - 9. Feb. und 15. Juli - 3. Aug. geschl.* – **Menu** 14 und à la carte 32/69, Kinder 10.

RIEHEN *Basel-Stadt 216 ④ – siehe Basel.*

RIGI KALTBAD *6356 Luzern (LU) 216 ⑱ – Höhe 1 440 –*

Ausflugsziel : *Rigi-Kulm★★★ – Felsenweg★★.*

Rigi-Tourismus/Verkehrsbüro Rigi, (041) 397 11 28, Fax (041) 397 19 82.

Bern 142 – Luzern 22 – Cham 20 – Schwyz 31.

mit Zahnradbahn ab Vitznau oder mit Luftseilbahn ab Weggis erreichbar

Bergsonne, (041) 399 80 10, Fax (041) 399 80 20, Vierwaldstättersee und Alpen, , – . *19. Dez. - 28. März und 29. Mai - 31. Okt.* – **Menu** 24 - 45/95 und à la carte 50/103 – **17 Zim** 100/190 – ½ P Zuschl. 40.

in Rigi Staffelhöhe *mit Zahnradbahn ab Vitznau erreichbar – Höhe 1 552 – 6356 Rigi Kaltbad :*

Edelweiss, (041) 399 88 00, Fax (041) 397 11 36, Vierwaldstättersee und Alpen, , – Zim, – 15/80. **Menu** 22 - 34 (mittags)/52 und à la carte 41/96, Kinder 13 – **27 Zim** 95/240 – ½ P Zuschl. 35.

RIKEN *4857 Aargau (AG) 216 ⑯ – Höhe 441.*

Bern 55 – Aarau 26 – Burgdorf 38 – Luzern 54 – Olten 13 – Solothurn 31.

Rössli, Gass 1, (062) 926 14 21, Fax (062) 926 43 67, – . *Montag, 1 Woche Anfang Feb. und 3 Wochen im Okt. geschl.* – ***Arvenstube :*** **Menu** 39 (mittags)/115 und à la carte 48/109 – ***Beizli :*** **Menu** 15 - 45 und à la carte 42/80.

La RIPPE *1278 Vaud (VD) 217 ⑪ – 813 h. – alt. 530.*

Bern 152 – Genève 24 – Divonne-les-Bains 7 – Lausanne 48 – Nyon 9.

Auberge de l'Etoile avec ch, 4 rue des 4 Fontaines, (022) 367 12 02, – ch *fermé 1 sem. en fév., 14 juil. au 3 août, mardi midi et lundi* – **Repas** 16 - 68/75 et à la carte 42/81 – 9 – **3 ch** 50/82.

RISCH *6343 Zug (ZG) 216 ⑱ – 6 324 Ew. – Höhe 417.*

Bern 131 – Luzern 20 – Zug 14 – Zürich 40.

Waldheim, Rischerstr. 27, (041) 799 70 70, Fax (041) 799 70 79, Zugersee, , « Gartenterrasse », , , – , Zim, – 15/50. **Menu** *(Feb. geschl.)* 45 - 108 (abends) und à la carte 57/99 – **34 Zim** 105/260 – ½ P Zuschl. 65.

RITZINGEN *Wallis (VS)* 217 ⑲ – *Höhe 1 323 – ✉ 3989 Biel :*
Bern 137 – Andermatt 49 – Brig 26 – Interlaken 83 – Sion 79.

Weisshorn, Furkastr. 12, ✆ (027) 973 24 24, *Fax (027) 973 28 16*, ≤, 🌳, 🅂 TV ☎ P. E VISA
April, Nov. und Mittwoch in der Zwischensaison geschl. – **Menu** 16 und à la carte 36/68, Kinder 11 – **13 Zim** ☐ 65/130 – ½ P Zuschl. 25.

ROCHES *2762 Berne (BE)* 216 ⑭ – *237 h. – alt. 498.*
Bern 75 – Delémont 12 – Biel 41 – Solothurn 27.

Auberge du Cheval Blanc, 15 rue principale, ✆ (032) 493 11 80, *Fax (032) 493 62 27* – P. E VISA
fermé 25 au 29 déc., 19 juil. au 10 août, lundi soir et mardi – **Repas** 14 - 32 (midi)/56 et à la carte 41/68, enf. 10.

ROGGWIL *Bern* 216 ⑯ – *siehe Langenthal.*

ROHR *Argau* 216 ⑰ – *siehe Aarau.*

ROLLE *1180 Vaud (VD)* 217 ⑫ – *4 031 h. – alt. 402.*
Manifestation locale
14.08 - 15.08 : Fête des Canots.
Office du Tourisme, 1bis Grand-Rue, ✆ (021) 825 15 35, Fax (021) 825 11 31.
Bern 132 – Lausanne 28 – Champagnole 76 – Genève 35.

RivesRolle, 42 rte de Lausanne, ✆ (021) 825 34 91, *Fax (021) 825 33 09*, ≤, 🌳, ⛵, 🅂, ⚓, 🌿 – |‡| TV ☎ ✆ P – 🎤 15/50. AE ① E VISA
Repas 23 - 52 et à la carte 56/90 – ☐ 15 – **32 ch** 195/340 – ½ P suppl. 52.

Hostellerie du Château, 16 Grand-Rue, ✆ (021) 822 32 62, *Fax (021) 822 32 70*, 🌳 – TV ☎. AE ① E VISA
fermé 22 déc. au 12 janv. – **Repas** *(fermé dim. sauf du 15 juin au 15 sept.)* 21 - 38 (midi)/70 et à la carte 44/78 – **9 ch** ☐ 140/250.

à Mont-sur-Rolle *Nord : 2 km – alt. 460 – ✉ 1185 Mont-sur-Rolle :*

La Jeune Suisse, 6 rte de l'Etraz, ✆ (021) 825 15 98, 🌳 – P. AE E VISA. ✂
fermé 20 déc. au 31 janv. – **Repas** *(fermé sam., dim. et le midi)* à la carte 25/66 – **14 ch** ☐ 65/110.

à Allaman *Est : 5 km par rte Lausanne – alt. 422 – ✉ 1165 Allaman :*

Chasseur, ✆ (021) 807 30 73, *Fax (021) 807 30 73*, 🌳 – E VISA
fermé 20 déc. au 20 janv., mardi et merc. – **Repas** (grillades) 15 - 57 (midi) et à la carte 47/92.

à Bursins *Ouest : 4,5 km – alt. 473 – ✉ 1183 Bursins :*

Auberge du Soleil, ✆ (021) 824 13 44, *Fax (021) 824 18 44*, ≤ – P. E VISA. ✂ rest
fermé 23 déc. au 11 janv., 1er au 23 août, dim. et lundi – **Repas** 76/98 et à la carte 74/134 – ***Le Café*** **: Repas** 16 et à la carte 44/88.

à Bugnaux *Nord-Ouest : 4 km – alt. 605 – ✉ 1180 Rolle :*

Auberge de Bugnaux, route du vignoble, ✆ (021) 825 16 82, *Fax (021) 825 50 04*, 🌳, « Terrasse ≤ lac Léman » – P
fermé 20 déc. au 20 janv., lundi et mardi – **Repas** (prévenir) 50/110.

Pleasant hotels or restaurants
are shown in the Guide by a red sign.
Please send us the names
of any where you have enjoyed your stay.
Your **Michelin Guide** will be even better.

ROMAINMÔTIER 1323 Vaud (VD) 217 ② ③ – 382 h. – alt. 673.

Voir : *Église★.*

Environs : *Dent de Vaulion★★★ Est : 22 km.*

Bern 100 – Lausanne 33 – Champagnole 69 – Pontarlier 43 – Yverdon-les-Bains 22.

Saint-Romain, (024) 453 11 20, *Fax (024) 453 18 38*, , « Maison du 15e siècle » – . AE E VISA
fermé merc. et jeudi de nov. à avril – **Repas** 24 - 47 et à la carte 42/83 – **9 ch** 58/140 – ½ P suppl. 34.

Au Lieutenant Baillival sans rest, (024) 453 14 58, *Fax (024) 453 18 30*, ambiance guest-house, « Demeure du 17e siècle à l'aménagement d'époque », – P. E VISA
fermé 15 au 28 fév. – **6 ch** 75/138.

ROMANEL-SUR-LAUSANNE 1032 Vaud (VD) 217 ③ – 2 977 h. – alt. 591.

Bern 106 – Lausanne 7 – Genève 65 – Montreux 33 – Yverdon-les-Bains 26.

A la Chotte, 19 ch. du Village, (021) 646 10 12, *Fax (021) 648 54 74*, – P. VISA
fermé mi-juil. à mi-août – **Repas** *(fermé dim. et lundi)* 16 et à la carte 32/72 – 13 – **14 ch** 79/110 – ½ P suppl. 20.

ROMANEL-SUR-MORGES 1122 Vaud (VD) 217 ③ – 418 h. – alt. 454.

Bern 121 – Lausanne 17 – Morges 6 – Nyon 35.

Auberge de la Treille, rte de Cossonay, (021) 869 91 19, *Fax (021) 869 83 38*, – P. AE E VISA
fermé 4 au 14 avril, 1er au 22 sept., lundi et mardi – **Repas** 15 - 48 (midi)/85 et à la carte 34/89.

ROMANSHORN 8590 Thurgau (TG) 216 ⑩ – 9 388 Ew. – Höhe 399.

18 *in Erlen, 8586 (April - Nov.), (071) 648 29 30, Fax (071) 648 29 40, West : Richtung Frauenfeld : 12 km.*

Verkehrsverein, Tourist-Information, im Bahnhof, (071) 463 32 32.

Bern 211 – Sankt Gallen 20 – Bregenz 38 – Frauenfeld 42 – Konstanz 21.

Inseli , (071) 463 53 53, *Fax (071) 463 14 55*, , , , , – , Rest, P – 15/50. AE E VISA.
Menu 56/95 (abends) und à la carte 35/100, Kinder 14 – **39 Zim** 130/235 – ½ P Zuschl. 48.

Schloss , Schlossbergstr. 26, (071) 463 10 27, *Fax (071) 463 55 43*, , , Ehemalige Vogtei der Fürstäbte von Sankt Gallen – P – 15/50. AE E VISA
Menu 17 - 45 und à la carte 37/87, Kinder 13 – **20 Zim** 110/200 – ½ P Zuschl. 35.

ROMBACH Aargau 216 ⑯ – *siehe Aarau.*

ROMONT 1680 Fribourg (FR) 217 ④ – 4 026 h. – alt. 764.

Voir : *Site★ – Choeur★ de la Collégiale N.-D.-de-l'Assomption.*

Manifestations locales

02.04 : Procession des Pleureuses

12.05 - 16.05 : Fête cantonale des coutumes et costumes.

27.08 - 29.08 : Bénichon, fête traditionnelle.

Office du Tourisme, 112 r. du Château, (026) 652 31 52, Fax (026) 652 47 77.

Bern 56 – Fribourg 26 – Lausanne 37 – Montreux 39 – Yverdon-les-Bains 45.

Auberge Le Lion d'Or, 38 Grand-Rue, (026) 652 22 96, *Fax (026) 652 18 40*, – . AE E VISA
Repas 22 - 38/68 et à la carte 42/72.

RONCO SOPRA ASCONA *6622 Ticino (TI)* 219 ⑦ *– 764 ab. – alt. 355.*

Vedere : *Posizione pittoresca★★.*

Dintorni : *Circuito di Ronco★★ : ≤★★ sul lago Maggiore dalla strada di Losone, verso Locarno.*

Ente Turistico, ☎ (091) 791 46 50, Fax (091) 792 19 18.

Bern 274 – Locarno 9 – Bellinzona 29 – Lugano 48 – Stresa 49.

La Rocca M, Sud : 1 km, ✉ 6613 Porto Ronco, ☎ (091) 791 53 44, *Fax (091) 791 40 64,* ≤ lago Maggiore e Isole di Brissago, – AE E VISA.
marzo - ottobre – **Pasto** 49 ed à la carte 45/80 – **21 cam** 190/360 – ½ P sup. 25.

Ronco, ☎ (091) 791 52 65, *Fax (091) 791 06 40,* ≤ Lago Maggiore, « Terrazza panoramica », – AE E VISA. cam
16 marzo - 14 novembre – **Pasto** 48 ed à la carte 41/86 – **20 cam** 100/250 – ½ P sup. 35.

Della Posta con cam, ☎ (091) 791 84 70, *Fax (091) 791 45 33,* ≤, « Terrazza panoramica » – AE E VISA
chiuso dal 20 novembre al 3 febbraio – **Pasto** *(chiuso mercoledì da ottobre al febbraio)* 21 - 43 (mezzogiorno) ed à la carte 49/89, bambini 12 – **4 cam** 120/210.

RORBAS *8427 Zürich (ZH)* 216 ⑦ *– 2 146 Ew. – Höhe 380.*

Bern 152 – Zürich 31 – Baden 50 – Bülach 8 – Schaffhausen 30 – Winterthur 13.

Adler, Postgasse 19, ☎ (01) 865 01 12, *Fax (01) 876 02 16,* , Altes Zürcher Riegelhaus – AE E VISA
Montag - Dienstag, 25. Jan. - 3. Feb. und 26. Juli - 14. Aug. geschl. – **Menu** 24 - 54 (mittags)/92 und à la carte 52/100, Kinder 18.

RORSCHACH *9400 Sankt Gallen (SG)* 216 ⑩ ⑪ *– 9 606 Ew. – Höhe 398.*

Tourist Information, Hauptstr. 63, ☎ (071) 841 70 34, Fax (071) 841 70 36.

Bern 221 – Sankt Gallen 12 – Bregenz 25 – Konstanz 33.

Parkhotel Waldau, Ost : 1 km Richtung Rheineck, ☎ (071) 855 01 80, *Fax (071) 855 10 02,* ≤, , Park, (Solbad) – – 15/80. AE E VISA JCB
Menu 19.50 - 26 (mittags) und à la carte 37/94 – **42 Zim** 120/195 – ½ P Zuschl. 25.

Mozart M, Hafenzentrum, ☎ (071) 841 06 32, *Fax (071) 841 99 38,* – – 30. AE E VISA JCB
24. Dez. - 4. Jan. geschl. – **Menu** - Snack - 18 und à la carte 29/43 – **33 Zim** 115/190 – ½ P Zuschl. 30.

Pfeffermühle, Bellevuestr. 1b, ☎ (071) 841 16 59 –
Sonntag - Montag, über Weihnachten - Neujahr 2 Wochen und Mitte Juli - Mitte Aug. 3 Wochen geschl. – **Menu** à la carte 45/93.

in Rorschacherberg *Süd : 3 km Richtung Lindau und Spital – Höhe 470*

Rebstock M, Thalerstr. 57, ☎ (071) 855 24 55, *Fax (071) 855 73 20,* ≤ Bodensee, – E VISA
24. Dez. - 10. Jan. geschl. – **Menu** *(Sonntag und 21. Dez. - 17. Jan. geschl.)* 23 und à la carte 36/84, Kinder 11 – **23 Zim** 100/165.

RORSCHACHERBERG *Sankt Gallen* 216 ㉑ ㉒ *– siehe Rorschach.*

ROSSRÜTI *Sankt Gallen* 216 ⑨ *– siehe Wil.*

ROTHENBURG *Luzern* 216 ⑰ *– siehe Luzern.*

ROTHRIST *4852 Aargau (AG)* 216 ⑯ *– 6 824 Ew. – Höhe 407.*

Bern 66 – Aarau 20 – Basel 54 – Luzern 49.

Ibis, Helblingstr. 9, ☎ (062) 794 06 66, *Fax (062) 794 23 20,* – – 15/80. AE E VISA
Menu 15.50 - 29 und à la carte 27/48, Kinder 11 – 13 – **64 Zim** 95/105 – ½ P Zuschl. 29.

ROUGEMONT *1838 Vaud (VD)* 217 ⑮ *– 916 h. – alt. 992 – Sports d'hiver : 992/2 156 m* 3 3.

Office du Tourisme, Bâtiment Communal, (026) 925 83 33, Fax (026) 925 89 67.

Bern 95 – Montreux 57 – Bulle 35 – Gstaad 8 – Lausanne 82 – Thun 59.

Rougemont, (026) 925 80 80, *Fax (026) 925 91 85*, – AE VISA JCB
Repas *(fermé 15 oct. au 15 déc., lundi et le midi)* 40 et à la carte 52/91 – **38 ch** 175/350, Basse saison 125/250, 4 suites – ½ P suppl. 40.

Valrose, (026) 925 81 46, *Fax (026) 925 88 54*, – . AE VISA
fermé 4 au 25 mai, 26 oct. au 6 déc. et mardi – **Repas** 15 - 22 (midi)/40 et à la carte 24/72 – **16 ch** 65/148, Basse saison 58/127 – ½ P suppl. 20.

ROVIO *6821 Ticino (TI)* 219 ⑧ *– 597 ab. – alt. 498.*

Bern 289 – Lugano 16 – Bellinzona 45 – Como 21.

Park Hotel Rovio, (091) 649 73 72, *Fax (091) 649 79 63*, lago e monti, , « Parco ombreggiato con », , – – 50. AE VISA. rist
8 marzo - 4 novembre – **Pasto** 22 - 30/55 ed à la carte 41/62 – **50 cam** 120/220 – ½ P sup. 20.

RÜMLANG *8153 Zürich (ZH)* 216 ⑦ ⑱ *– 5 245 Ew. – Höhe 430.*

Bern 129 – Zürich 14 – Baden 27 – Schaffhausen 49 – Winterthur 27.

Rümlang garni, Glattalstr. 178, (01) 817 77 55, *Fax (01) 817 77 95* – AE VISA JCB
34 Zim 140/190.

RÜSCHLIKON *8803 Zürich (ZH)* 216 ⑱ *– 4 597 Ew. – Höhe 433.*

Bern 133 – Zürich 8 – Wädenswil 20 – Zug 24.

Belvoir, Säumerstr. 37, (01) 704 64 64, *Fax (01) 704 64 65*, Zürichsee, – , Rest, – 15/140. AE VISA. Rest
24. Dez. - 4. Jan. geschl. – ***Säumergrill* : Menu** 36 - 50 (mittags)/82 und à la carte 53/91 – ***Rüschlikerstube* : Menu** 23 und à la carte 36/72, Kinder 15 – **26 Zim** 205/300.

RÜTI *8630 Zürich (ZH)* 216 ⑲ *– 10 673 Ew. – Höhe 482.*

in Bubikon, 8608, (055) 243 34 80, Fax (055) 243 26 14, West : 4 km Richtung Hombrechtikon.

Bern 162 – Zürich 32 – Rapperswil 5 – Uster 17 – Winterthur 34.

Laufenbach, Gmeindrütistr. 1b, (055) 241 39 22, *Fax (055) 240 14 54*, , , , – – 15/40. AE VISA
Menu *(Montagmittag, 15. - 22. Feb. und 19. Juli - 10. Aug. geschl.)* 25 - 38 (mittags) und à la carte 38/72, Kinder 9 – **94 Zim** 90/160 ½ P Zuschl. 30.

SAANEN *Bern* 217 ⑮ *– siehe Gstaad.*

SAANENMÖSER *Bern* 217 ⑮ *– siehe Gstaad.*

SAAS ALMAGELL *3905 Wallis (VS)* 219 ⑤ *– 422 Ew. – Höhe 1 672 – Wintersport : 1 672/2 300 m* 6.

Verkehrsbüro, Dorfplatz, (027) 957 26 53, Fax (027) 957 14 64.

Bern 202 – Brig 35 – Sierre 55 – Sion 71 – Zermatt 41.

Sport, (027) 957 20 70, *Fax (027) 957 33 70*, , – . VISA
21. Dez. - 19. April und 11. Juni - 9. Okt. – **Menu** à la carte 28/73 – **19 Zim** 85/150, Vorsaison 75/130 – ½ P Zuschl. 20.

SAAS FEE 3906 Wallis (VS) 219 ④ – 1 567 Ew. – Höhe 1 798 – – Wintersport 1 800/3 600 m 6 19 .

Sehenswert : Höhenlage★★★ – Mittelallalin★★★ – Längfluh★★ – Egginerjoch★★ – Hannig★.

Lokale Veranstaltung

28.06 - 03.07 : International Alpine Music Festival.

Tourismusorganisation Saas-Fee, (027) 958 18 58, Fax (027) 958 18 60.

Bern 201 – Brig 34 – Sierre 54 – Sion 70 – Zermatt 40.

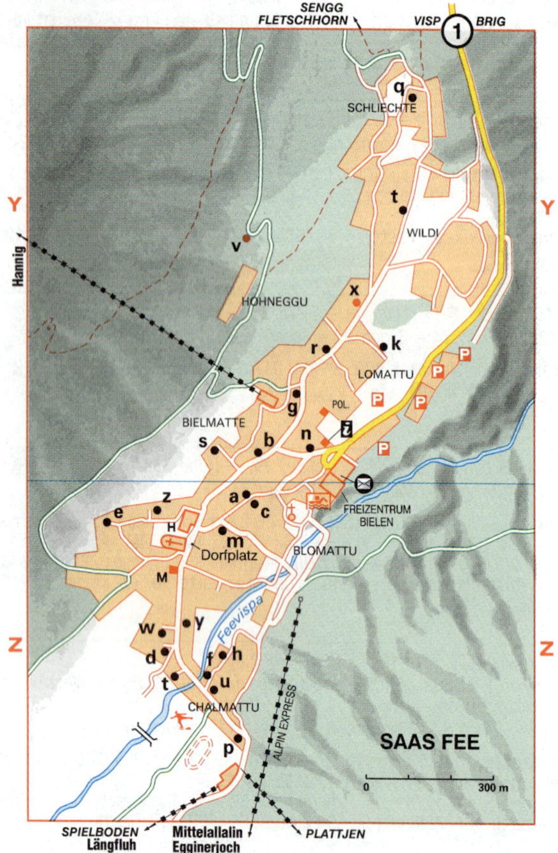

Ferienart Walliserhof, (027) 958 19 00, *Fax (027) 958 19 05,* « Rustikale Einrichtung », , – . AE VISA. Rest Z a *2. Mai - 12. Juni geschl.* – ***Le Gourmet*** *(Dienstag geschl.) (nur Abendessen)* **Menu** 65/98, Kinder 12 – ***Del Ponte*** - italienische Küche - *(in Juni - Nov. jeweils Dienstag und 3. Mai - 12. Juni geschl.* **Menu** 18 und à la carte 40/83 – ***Le Mandarin*** - thailändische Küche - *(Montag und 18. April - 9. Juli geschl.)(nur Abendessen)* **Menu** 45/79 und à la carte 41/78 – **51 Zim** 327/562, Vorsaison 218/396 – ½ P Zuschl. 20

Schweizerhof M , (027) 957 51 59, *Fax (027) 957 51 10,* , , , – 60. AE VISA JCB. Rest Z z *Mai - Juni und Nov. geschl.* – ***Hofsaal*** *(Mai - Nov. geschl.)* **Menu** à la carte 41/97 – **38 Zim** 225/450, Vorsaison 145/270 – ½ P Zuschl. 25.

Beau-Site, (027) 958 15 60, *Fax (027) 958 15 65,* <, « Renoviertes Hotel aus dem 19. Jh., mit behaglicher Atmosphäre, Restaurant mit Saaser Möbeln », – TV. AE E VISA. Y b
5. Dez. - 23. April und 20. Juni - 22. Okt. – **Menu** *(nur Abendessen für Hotelgäste)* 45/70 – **29 Zim** 174/318, Vorsaison 124/218, 3 Suiten – ½ P Zuschl. 25.

Metropol, (027) 957 10 01, *Fax (027) 957 20 85,* – TV – 35. AE E VISA. Rest Z c
30. April - 15. Juni und 8. - 25. Okt. geschl. – **Menu** 27 - 42 (mittags)/49 und à la carte 49/89, Kinder 12 – **52 Zim** *(nur ½ Pens.)* 165/360, Vorsaison 102/230 – ½ P Zuschl. 20.

Allalin, (027) 957 18 15, *Fax (027) 957 31 15,* <, , Salon und Restaurant mit Saaser Möbeln, – TV. AE E VISA Y r
Walliserkanne *(Mai - Juni und vom 15. Okt. - 15. Dez. geschl.)* **Menu** 26 - 45 und à la carte 40/87, Kinder 11 – **17 Zim** 144/308, Vorsaison 95/238, 10 Suiten – ½ P Zuschl. 25.

Glacier M, (027) 958 16 00, *Fax (027) 958 16 05,* <, – Zim, TV. AE E VISA Z m
Mai - Juni geschl. – ***Glacier-Stube*** *(Mittwoch ausser von Ende April - Mitte Juni, Mitte Juni bis Mitte Juli und Mitte Nov. bis Mitte Dez. geschl.)* **Menu** 19 - und à la carte 32/73, Kinder 9 – ***Fee Loch*** - Walliser Spezialitäten - *(Sonntag, Mai und Juni geschl.) (nur Abendessen)* **Menu** à la carte 30/56 – ***Aquarium*** *(nur Abendessen)* **Menu** 42 und à la carte 36/84 – **28 Zim** 147/284, Vorsaison 96/254 – ½ P Zuschl. 30.

Chalet Cairn , (027) 957 15 50, *Fax (027) 957 33 80,* <, « Gemütlich - rustikale Inneneinrichtung, behagliche Atmosphäre », – Zim, TV. AE E VISA. Z e
Mai und Okt. geschl. – **Menu** *(nur ½ Pens. für Hotelgäste) (mittags geschl.)* – **16 Zim** 90/240, Vorsaison 80/170 – ½ P Zuschl. 25.

Berghof M garni, (027) 957 24 84, *Fax (027) 957 46 72,* – TV – 60. E VISA Z w
30 Zim 100/260, Vorsaison 60/150.

Ambassador, (027) 957 14 20, *Fax (027) 957 34 20,* <, – TV. AE E VISA. Rest Z u
Dez. - April und Juli - Sept. – **Menu** *(nur ½ Pens. für Hotelgäste) (mittags geschl.)* – **19 Zim** 145/290, Vorsaison 120/220 – ½ P Zuschl. 30.

Gletscherblick M garni, (027) 958 16 30, *Fax (027) 958 16 35,* <, – TV. E VISA. Y g
19 Zim 85/150, Vorsaison 60/100.

Artemis M garni, (027) 957 32 01, *Fax (027) 957 60 00,* < – TV. AE E VISA. Y g
Mai und Juni geschl. – **26 Zim** 95/180, Vorsaison 85/130.

Saaserhof, (027) 957 35 51, *Fax (027) 957 28 83,* <, – TV. AE E VISA. Rest Z d
1. Mai - 10. Juli geschl. – **Menu** *(im Sommer Dienstag geschl.)* 39 (abends) und à la carte 37/96 – **39 Zim** 205/400, Vorsaison 95/220 – ½ P Zuschl. 25.

Mistral M, (027) 957 11 64, *Fax (027) 957 32 08,* <, – TV. AE E VISA Z f
10. Mai - 25. Juni und 17. Okt. - 27. Nov. geschl. – **Menu** 21 - 37 und à la carte 32/74, Kinder 12 – **13 Zim** 130/250, Vorsaison 95/216 – ½ P Zuschl. 25.

Waldesruh, (027) 957 22 32, *Fax (027) 957 14 47,* <, , – TV. AE E VISA. Rest Z p
Anfang Dez. - Ende April und Anfang Juli - Mitte Okt. – **Menu** 19 und à la carte 37/79, Kinder 12 – **25 Zim** 125/230, Vorsaison 80/170 – ½ P Zuschl. 25.

Imseng M garni, (027) 958 12 58, *Fax (027) 958 12 55,* < – TV. AE E VISA
12 Zim 108/204, Vorsaison 77/144. Z y

Alphubel , (027) 957 11 12, *Fax (027) 957 17 69,* < Saas Fee und Berge, , – , Rest, TV. AE E VISA Y k
Mai und Nov. geschl. – **Menu** *(nur ½ Pens. für Hotelgäste) (mittags geschl.)* – **34 Zim** 125/230, Vorsaison 75/130 – ½ P Zuschl. 25.

Bristol, (027) 957 24 34, *Fax (027) 957 34 22,* <, , – TV. AE E VISA JCB Z t
15. Mai - 1. Juli geschl. – **Menu** 22 - 38/42 und à la carte 38/85, Kinder 10 – **19 Zim** 120/240, Vorsaison 80/120 – ½ P Zuschl. 25.

Etoile, (027) 958 15 50, *Fax (027) 958 15 55,* ←, – VISA. Rest
20. Dez. - 16. April und 20. Juni - 9. Okt. – **Menu** *(nur ½ Pens. für Hotelgäste)* – **22 Zim** 87/200, Vorsaison 67/150 – ½ P Zuschl. 23.

Touring garni, (027) 957 13 33, *Fax (027) 957 14 37,* ←, – VISA
20. Dez. - 17. April und 26. Juni - 2. Okt. – **18 Zim** 120/240, Vorsaison 85/180

Condor, (027) 957 12 52, *Fax (027) 957 32 52,* ← – video. VISA.
10. Mai - 25. Juni geschl. – **Menu** *(nur ½ Pens. für Hotelgäste) (mittags geschl.)* – **17 Zim** 120/220, Vorsaison 85/170 – ½ P Zuschl. 25.

Mischabel, (027) 957 21 18, *Fax (027) 957 24 61,* – VISA JCB. Zim
25. April - 1. Juni geschl. – **Menu** 20 und à la carte 32/88, Kinder 12 – **23 Zim** 115/222, Vorsaison 90/174 – ½ P Zuschl. 24.

Waldhotel Fletschhorn (Irma Dütsch) mit Zim, (über Wanderweg Richtung Sengg : 30 Min.), (027) 957 21 31, *Fax (027) 957 21 87,* ← Berge und Saas-Tal, , « Wechselnde Ausstellungen moderner Kunst » – VISA
Mitte Dez. - Mitte April und Mitte Juni - Ende Okt. – **Menu** *(mittags auch kleine Karte)* 120/160 und à la carte 77/120 – **15 Zim** 150/270 – ½ P Zuschl. 80
Spez. Tartare de poissons au caviar, sauce safranée. Poularde de Gruyères en cocotte. Parfait à l'huile de courge, coulis de fruits.

Hohnegg M mit Zim, (von der Kirche aus über Wanderweg : 20 Min.), (027) 957 22 68, *Fax (027) 957 12 49,* , « Heimelige Einrichtung, Terrasse ← Berge », – VISA
Menu *(Sonntagabend, Montag, 20. Okt. - 15. Dez. und 20. April - 15. Juni geschl.)* 45 (mittags)/120 und à la carte 49/99, Kinder 24 – **8 Zim** 106/244, Vorsaison 90/180 – ½ P Zuschl. 54.

Swiss Chalet, (027) 957 35 35, *Fax (027) 957 15 07,* – VISA
16. Dez. - 30. April und 16. Juni - 31. Okt. – **Menu** *(Montag geschl.)* 75/115 und à la carte 52/93, Kinder 15.

SAAS GRUND

3910 Wallis (VS) 219 ⑤ – *1 067 Ew. – Höhe 1 562 – Wintersport 1 560/3 100 m* 2 3 .
Sehenswert : *Mattmark★★.*
Verkehrsverein, *(027) 957 24 03, Fax (027) 957 11 43.*
Bern 198 – Brig 31 – Sierre 51 – Sion 67 – Zermatt 37.

Touring, (027) 957 21 27, *Fax (027) 957 15 19,* ←, – VISA.
21. Dez. - 9. April und 13. Juni - 30. Sept. – **Menu** *(nur ½ Pens. für Hotelgäste)(nur Abendessen)* **20 Zim** 85/160, Vorsaison 65/140 – ½ P Zuschl. 20.

Dom, (027) 957 22 33, *Fax (027) 957 33 31,* – VISA
1. Nov. - 15. Dez. und 30. April - 1. Juni geschl. – **Menu** 20 und à la carte 34/79, Kinder 12 – **18 Zim** 85/170, Vorsaison 60/130 – ½ P Zuschl. 30.

SACONNEX D'ARVE

Genève 217 ⑪ – *rattaché à Genève.*

SAGOGN

Graubünden 218 ③ – *siehe Laax.*

SAIGNELÉGIER

2350 Jura (JU) 216 ⑬ – *1 900 h. – alt. 982 – Sports d'hiver :* .
Manifestations locales
27.02 - 28.02 : Courses internationales de chiens de traineaux
07.08 - 08.08 : Marché concours national de chevaux, courses campagnardes, cortège folklorique.
Jura Tourisme, 1 r. de la Gruère, *(032) 952 19 52, Fax (032) 952 19 55.*
Bern 72 – Delémont 36 – Biel 37 – La Chaux-de-Fonds 26 – Montbéliard 60.

de la Gare et du Parc, Gruère 4, (032) 951 11 21, *Fax (032) 951 12 32,* , – – 30. VISA
fermé 25 mars au 25 avril – **Repas** *(fermé mardi et merc. de nov. à avril)* 19 - 65/105 et à la carte 46/92, enf. 9 – **17 ch** 94/208, 4 suites – ½ P suppl. 40.

à l'Est *10 km par le Bémont, Montfaucon et Pré Petitjean :*

Voyageurs, à Bois-Derrière, ✉ 2877 Le Bémont, ☎ (032) 955 11 71, *Fax (032) 955 11 71,* – P. E VISA
fermé 4 au 22 avril, 2 au 24 nov., mardi et merc. – **Repas** 16.50 et à la carte 35/61, enf. 10.

SAILLON *1913 Valais (VS) 217 ⑮ – 1 297 h. – alt. 522 – Stat. thermale.*

Voir : *Ancien donjon : point de vue★.*
Bern 143 – Martigny 13 – Montreux 59 – Sion 20.

Bains de Saillon M, ☎ (027) 743 11 12, *Fax (027) 744 32 92,* ←, (thermales), – TV P – 15/70. AE E VISA
Repas 18 - 40 et à la carte 37/93, enf. 10 – **70 ch** 110/210 – ½ P suppl. 40.

Vieux-Bourg, ☎ (027) 744 18 98, *Fax (027) 306 57 34,* – E VISA
fermé 11 au 26 janv. et lundi – **Repas** - cuisine fromagère - 35/64 et à la carte 33/69, enf. 8.

SAINT-BLAISE *Neuchâtel 216 ⑬ – rattaché à Neuchâtel.*

SAINT-CERGUE *1264 Vaud (VD) 217 ⑪ – 1 581 h. – alt. 1 047.*

Bern 160 – Genève 41 – Lausanne 56 – Nyon 21.

Poste avec ch, route de Nyon, ☎ (022) 360 12 05, *Fax (022) 360 27 12,* – ☎.
AE E VISA
fermé 14 avril au 5 mai – **Repas** *(fermé mardi sauf le midi durant les vacances scolaires)* 52 et à la carte 38/71 – **8 ch** 66/117 – ½ P suppl. 30.

SAINTE-CROIX *1450 Vaud (VD) 217 ③ – 4 198 h. – alt. 1 066.*

Voir : *Les Rasses★ : site★★.*
Environs : *Le Chasseron★★★ Nord-Ouest : 8,5 km – Mont de Baulmes★★ Sud : 4,5 km – L'Auberson : Collection★ de pièces à musique anciennes au musée Baud, Ouest : 4 km.*

Manifestation locale
30.01 - 31.01 : Course internationale de chiens de traineaux à L'Auberson.
Office du Tourisme, 2 rue de l'Industrie, ☎ (024) 454 27 02, Fax (024) 454 32 12.
Bern 98 – Neuchâtel 50 – Lausanne 54 – Pontarlier 21 – Yverdon-les-Bains 20.

France M, 25 r. Centrale, ☎ (024) 454 38 21, *Fax (024) 454 43 66,* – ch, TV ☎ P – 30. AE E VISA. rest
Repas 15 - 37 et à la carte 28/58, enf. 16 – **28 ch** 90/160 – ½ P suppl. 30.

à Les Rasses *Nord-Est : 3 km – alt. 1 183 – ✉ 1452 Les Rasses :*

Grand Hôtel , ☎ (024) 454 19 61, *Fax (024) 454 19 42,* ← Alpes, – TV ☎ P – 15/80. AE E VISA. rest
fermé 5 au 17 avril et 6 au 20 nov. – **Repas** 25 - 35/44 et à la carte 44/77, enf. 10 – **40 ch** 110/220 – ½ P suppl. 30.

SAINT-GALL *St. Gallen 216 ㉑ – voir à Sankt Gallen.*

SAINT-GINGOLPH *1898 Valais (VS) 217 ⑭ – 674 h. – alt. 385.*

Bern 107 – Montreux 20 – Aigle 19 – Évian-les-Bains 18 – Martigny 44 – Sion 69.

Le Rivage , ☎ (024) 481 82 14, *Fax (024) 481 80 78,* ←, – TV ☎ P.
AE E VISA.
hotel : fermé 1er nov. au 1er avril ; Rest. : fermé 20 déc. au 6 fév. et lundi soir du 1er sept. au 30 avril – **Repas** 18 - 45/55 et à la carte 42/75, enf. 14 – **14 ch** 85/140 – ½ P suppl. 25.

Villa Eugénie, bord du lac, Est : 2 km, ☎ (024) 481 21 76, *Fax (024) 481 22 85,* « Terrasse surplombant le lac, belle vue », – P. AE E VISA
fermé janv. à mi-fév., lundi et mardi sauf mi-juin à mi-sept. – **Repas** 44 (midi)/95 et à la carte 57/101.

SAINT-IMIER *2610 Berne (BE)* 216 ⑬ *– 4 954 h. – alt. 793.*

Environs : *Chasseral★★★ Sud-Est : 13 km.*

Office du Tourisme du Vallon de Saint-Imier, 6 r. du Marché, (032) 941 26 63, Fax (032) 941 14 35.

Bern 64 – Delémont 50 – Neuchâtel 28 – Biel 29 – La Chaux-de-Fonds 16 – Montbéliard 78.

Erguël, rue Dr. Schwab 11, (032) 941 22 64, *Fax (032) 941 22 64* – TV. E VISA
fermé 10 au 30 août, dim soir et lundi – **Repas** 16.50 - 29/75 et à la carte 51/80 – **8 ch** 60/120 – ½ P suppl. 30.

au Mont-Soleil *Nord : 5 km – alt. 1 173 – 2610 Mont-Soleil :*

Auberge de la Crémerie , (032) 941 23 69, *Fax (032) 941 23 69*, ←, – TV P. E VISA
fermé 12 au 26 avril et 17 nov. au 4 déc. – **Repas** *(fermé dim. soir et lundi)* 16 et à la carte 30/63, enf. 11 – **4 ch** 75/120.

Le Manoir, (032) 941 23 77, *Fax (032) 941 23 77*, ←, – P. AE E VISA
fermé dim. soir et lundi – **Repas** 15 - 38 (midi)/86 et à la carte 58/89.

au Mont-Crosin *Nord-Est : 5 km – alt. 1 180 – 2610 Mont-Crosin :*

Auberge Vert Bois avec ch, (032) 944 14 55, *Fax (032) 944 19 70*, ←, – TV P – 25. AE E VISA
fermé janv. – **Repas** *(fermé dim. soir et lundi)* 28 - 50/110 et à la carte 41/96 – **5 ch** 85/135 – ½ P suppl. 35.

à Villeret *Est : 2 km – alt. 763 – 2613 Villeret :*

L' Eléphant, 9 r. Principale, (032) 941 72 41 – . AE E VISA
fermé 25 au 30 déc., 15 juil. au 15 août et mercredi – **Repas** - cuisine thaïlandaise - 14 - 40/55 et à la carte 42/79.

SAINT-LÉGIER *Vaud* 217 ⑭ *– rattaché à Vevey.*

SAINT-LÉONARD *Valais* 217 ⑯ *– rattaché à Sion.*

SAINT-LUC *3961 Valais (VS)* 217 ⑯ *– 292 h. – alt. 1 650 – Sports d'hiver : 1 650/3 026 m* 1 7 .

Voir : *Vue★★.*

Office du Tourisme, (027) 475 14 12, Fax (027) 475 22 37.

Bern 188 – Sion 35 – Brig 52 – Martigny 65 – Montreux 104.

Bella Tola , r. principale, (027) 475 14 44, *Fax (027) 475 29 98*, ←, atmosphère d'hôtel du début du siècle, , – TV P. E VISA. rest
21 déc. - 10 avril et 27 juin - 8 oct. – **Repas** 16 - 39/78 et à la carte 47/87, enf. 10 – **33 Zim** 85/220 – ½ P suppl. 35.

Favre , Place de l'Église, (027) 475 11 28, *Fax (027) 475 29 01* – TV . AE E VISA. ch
6 déc. - 15 avril et 11 juin - 14 oct. – **Repas** 20 - 36 et à la carte 32/70, enf. 16 – **15 ch** 95/160, Basse saison 80/136 – ½ P suppl. 32.

La Poste, route principale, (027) 475 15 08, *Fax (027) 475 15 08*, – AE E VISA
fermé 15 avril au 30 mai et 15 nov. au 15 déc. – **Repas** 24 - 42 et à la carte 29/83, enf. 14.

à Chandolin *Nord : 6 km – alt. 1 936 – Sports d'hiver : 1 936/2 715 m 6 – 3961 Chandolin :.*

Voir : *Panorama★★.*

Office du Tourisme, (027) 475 18 38, Fax (027) 475 46 60

Plampras, (027) 475 12 68, *Fax (027) 475 50 05*, ←, , Auberge de montagne, ambiance familiale, – P. E VISA. rest
fermé 20 avril au 20 mai, 20 oct. au 20 nov. et jeudi hors saison – **Repas** 19 - 27 et à la carte 42/86, enf. 15 – **16 ch** 77/154 – ½ P suppl. 30.

SAINT-MAURICE 1890 Valais (VS) 217 ⑭ - 3 595 h. - alt. 422.

Voir : *Trésor★★ de l'abbaye - Clocher★ de l'Église abbatiale - Grotte aux Fées : vue★ de la terrasse du restaurant - Site★.*

Office du Tourisme, 1 av. des Terreaux, (024) 485 40 40, Fax (024) 485 40 80.

Bern 112 - Martigny 16 - Montreux 28 - Sion 42.

Dent-du-Midi, 1 av. Simplon, (024) 485 12 09, - - 50. VISA
fermé janv. - **Repas** 14 - 18 et à la carte 43/76 - **15 ch** 75/140 - ½ P suppl. 20.

Lafarge, pl. de la Gare, (024) 485 13 60, *Fax (024) 485 19 11,* - AE VISA
fermé 24 au 31 déc., 1er au 17 août, dim. et lundi - **Repas** 16 - 50/95 et à la carte 40/97.

Casabaud, Les Cases sud : 1 km, (024) 485 11 85 - VISA
fermé 2 sem. en août, mardi soir et mercredi - **Repas** 15 - 38 (midi)/60 et à la carte 44/68.

rte de Martigny *Sud : 3 km*

Rôtisserie du Bois-Noir, 1890 Saint-Maurice, (027) 767 11 53, *Fax (027) 767 11 38,* - AE VISA
Repas 16 et à la carte 52/89, enf. 9.

En complément à ce guide :

- *La carte* 427 *à 1/400 000.*
- *Les cartes* 216, 217, 218, 219 *à 1/200 000.*
- *Le guide Vert touristique Michelin « Suisse » :*
  Itinéraires de visite,
  musées,
  monuments et merveilles artistiques.

SAINT-SAPHORIN *Vaud* 217 ⑭ - *rattaché à Vevey.*

SAINT-SULPICE 1025 Vaud (VD) 217 ⑬ - 2 669 h. - alt. 397.

Voir : *Église★ et son site★.*

Bern 123 - Lausanne 7 - Genève 54 - Pontarlier 73 - Yverdon-les-Bains 43.

Pré Fleuri, 1 r. du Centre, (021) 691 20 21, *Fax (021) 691 20 20,* , « Beau jardin fleuri avec piscine », , - AE VISA
26 avril - 23 oct. - **Repas** *(fermé le midi, dim. et lundi d'avril à mai)* 41 et à la carte 41/70 - **17 ch** 120/230 - ½ P suppl. 36.

Hostellerie du Débarcadère avec ch, 7 chemin du Crêt, (021) 691 57 47, *Fax (021) 691 50 79,* , , , - rest, - 15. AE VISA
fermé 20 déc. au 20 janv. et dim. de nov. à fin fév. - **Repas** 22 - 42 (midi)/95 et à la carte 55/101 - 21 - **15 ch** 130/360 - ½ P suppl. 52.

SAINT-TRIPHON 1855 Vaud (VD) 217 ⑭ - alt. 405.

Bern 104 - Montreux 20 - Aigle 7 - Lausanne 46 - Martigny 23.

Auberge de la Tour, (024) 499 12 14, *Fax (024) 499 12 18,* - AE VISA
fermé lundi et mardi - **Repas** 56/85 et à la carte 56/94.

SALAVAUX 1585 Vaud (VD) 217 ⑤ - alt. 439.

Bern 41 - Neuchâtel 31 - Fribourg 24 - Lausanne 64 - Yverdon-les-Bains 37.

du Pont, (026) 677 13 09, *Fax (026) 677 30 09,* - AE VISA.
fermé 20 déc. - 13 janv., lundi et mardi - **Repas** 18 - 50/66 et à la carte 56/81, enf. 12.

SALGESCH (SALQUENEN) *Valais* 217 ⑯ - *rattaché à Sierre.*

SALORINO *Ticino* 219 ⑧ - *vedere Mendrisio.*

7

SAMEDAN *7503 Graubünden (GR)* 218 ⑮ *– 2 734 Ew. – Höhe 1 709 – Wintersport 1 720/2 276 m 1 4.*

Sehenswert : *Lage★.*

(Juni - Okt.), (081) 852 52 26, Fax (081) 852 46 82.

Samedan - Thusis, Information (081) 852 54 04.

Verkehrsverein, Plazzet 21, (081) 852 54 32, Fax (081) 852 53 88.

Bern 336 – Sankt Moritz 7 – Chur 74 – Davos 61.

Bernina, Plazzet 20, (081) 852 12 12, *Fax (081) 852 36 06,* ≤, Park, , – TV P. AE VISA JCB
Hotel : Ende April - Anfang Juni und Mitte Okt. - Mitte Dez. geschl. ; Rest. : Mai, 2 Wochen im Nov. und in der Zwischensaison Dienstag - Mittwoch geschl. – **Menu** - italienische Küche - à la carte 46/97 – **57 Zim** 119/298, Vorsaison 102/244 – ½ P Zuschl. 40.

Quadratscha, (081) 852 42 57, *Fax (081) 852 51 01,* ≤, , , , – , Zim, TV P. VISA. Rest
Mitte Dez. - Mitte April und Mitte Juni - Mitte Okt. – **Menu** *(nur Abendessen)* à la carte 39/96 – **32 Zim** 130/280, Vorsaison 115/240 – ½ P Zuschl. 25.

Donatz, via Plazzet 15, (081) 852 46 66, *Fax (081) 852 54 51,* – TV . AE VISA
20. April - 8. Juni geschl. – ***La Padella*** *(Dienstagmittag und Montag geschl.)* **Menu** 45 und à la carte 54/94, Kinder 13 – **30 Zim** 85/220, Vorsaison 75/200 – ½ P Zuschl. 32.

Golf Hotel des Alpes, San Bastiaun 25, (081) 852 52 62, *Fax (081) 852 33 38,* , – TV P – 30. AE VISA
1. Nov. - 15. Dez. geschl. – **Menu** 18 - 30 und à la carte 34/112 – **40 Zim** 95/200, Vorsaison 80/170 – ½ P Zuschl. 35.

SAMNAUN *7563 Graubünden (GR)* 218 ⑦ *– 800 Ew. – Höhe 1 846 – Wintersport : 1 846/2 872 m 5 36 .*

Lokale Veranstaltung
24.04 - 02.05 : Frühlingsschneefest.

Samnaun Tourismus, (081) 868 58 58, Fax (081) 868 56 52.

Bern 385 – Scuol 38 – Chur 142 – Landeck 52 – Sankt Anton am Arlberg 80.

Chasa Montana M, (081) 861 90 00, *Fax (081) 861 90 02,* ≤, , « Hallenbad im römischen Stil », , , – TV P – 40. AE VISA. Rest
Menu *(2. Mai - 26. Juni und 17. Okt. - 19. Dez. geschl.)* 24 - 60 (abends) und à la carte 35/90 – **46 Zim** 166/564, Vorsaison 103/184, 7 Suiten – ½ P Zuschl. 39.

Post, (081) 861 92 00, *Fax (081) 861 92 93,* ≤, , , – TV P. AE VISA. Rest
Menu *(Mai - Juni und Nov. nur Mittagessen)* 20 - 30 und à la carte 33/61 – **52 Zim** 159/298, Vorsaison 62/158 – ½ P Zuschl. 25.

Silvretta, (081) 868 54 00, *Fax (081) 868 54 05,* ≤, , , , – TV P. AE VISA. Rest
Bündnerstübli *: (28. Juni - 24. Juli geschl.)* **Menu** 50 und à la carte 41/83 – **40 Zim** *(im Winter nur ½ Pens.)* 150/400, Vorsaison 70/240 – ½ P Zuschl. 40.

Waldpark M garni, (081) 861 83 10, *Fax (081) 861 83 11,* ≤, , – TV P. AE VISA
Mai - Juni und Nov. geschl. – **20 Zim** 144/250, Vorsaison 60/196.

des Alpes, (081) 868 52 73, *Fax (081) 868 53 38,* ≤, , – TV P. AE VISA JCB
Mitte Dez. - Anfang Mai und Mitte Juni - Anfang November – **Menu** 17 - 22 (mittags) und à la carte 31/73, Kinder 12 – **19 Zim** *(im Winter nur ½ Pens.)* 95/192, Vorsaison 50/86 – ½ P Zuschl. 35.

in Samnaun-Ravaisch *Nord-Ost : 1,5 km – Höhe 1 800 – 7563 Samnaun :*

Homann, (081) 868 51 30, *Fax (081) 868 56 25,* ≤, , – TV P. Rest
1. Dez. - 1. Mai und 16. Juni - 19. Okt. – **Menu** 15 - 26/59 und à la carte 34/68, Kinder 11 – **30 Zim** *(im Winter nur ½ Pens.)* 100/210, Vorsaison 45/120 – ½ P Zuschl. 20.

n Samnaun-Laret *Nord-Ost : 3,5 km – Höhe 1 747 – ✉ 7562 Samnaun-Compatsch :*

Laret Ⓜ, ☎ (081) 868 51 29, *Fax (081) 868 52 59*, ←, – TV ☎. AE ⓓ E VISA. Rest
Mai - Juni und Nov. geschl. – **Menu** 29 (abends) und à la carte 32/62, Kinder 9 – **10 Zim** 103/182, Vorsaison 42/86 – ½ P Zuschl. 15.

SAN BERNARDINO *6565 Grigioni (GR)* 218 ⑬ – *alt. 1 607 – Sport invernali : 1 607/2 525 m* 1 7.
Ente Turistico, ☎ (091) 832 12 14, Fax (091) 832 11 55.
Bern 286 – Sankt Moritz 107 – Bellinzona 48 – Chur 70.

Albarella, ☎ (091) 822 88 88, *Fax (091) 822 88 77*, ←, , , , – ☎ P – 15/100. AE ⓓ E VISA. rist
25 dicembre - 5 aprile e 30 maggio - 1° ottobre – ***La Rotonda*** *(chiuso a mezzogiorno salvo in alta stagione)* **Pasto** 28/38 ed à la carte 36/88 – **65 cam** 120/220, Bassa stagione 95/190 – ½ P sup. 38.

Brocco e Posta, ☎ (091) 832 11 05, *Fax (091) 832 13 42*, , , , – TV ☎ P. AE ⓓ E VISA. rist
21 dicembre - 5 aprile e 12 giugno - 17 ottobre – **Pasto** 20 - 30 (mezzogiorno)/38 ed à la carte 37/89 – **37 cam** 108/196, Bassa stagione 78/186 – ½ P sup. 34.

SANGERNBODEN *1738 Bern (BE)* 217 ⑥ – *Höhe 1 005.*
Bern 50 – Fribourg 24 – Interlaken 67 – Thun 41.

Hirschen, ☎ (026) 419 11 58, *Fax (026) 419 39 58* – P. AE E VISA.
Montag - Dienstag und Jan. - Feb. geschl. – **Menu** 25 - 62 (midi)/85 und à la carte 45/84, Kinder 15.

SANKT GALLEN (SAINT-GALL)

9000 K Sankt Gallen (SG) 216 ㉑ – 72 023 Ew. – Höhe 668

Bern 209 ④ – Bregenz 36 ① – Konstanz 40 ① – Winterthur 59 ④.

Tourist Information, Bahnhofplatz 1a, ✆ (071) 227 37 37, Fax (071) 227 37 67.
Poststr. 18, ✆ (071) 227 19 60, Fax (071) 222 28 82.
Sonnenstr. 6, ✆ (071) 244 63 24, Fax (071) 244 52 54.

Fluggesellschaft
Swissair Marktplatz 25, ✆ (071) 227 39 39, Fax (071) 227 39 49.

18 in Niederbüren, ✉ 9246 (Feb.-Dez.), ✆ (071) 422 18 56, Fax (071) 422 18 25, West : 24 km.

Sehenswert : Stiftsbibliothek★★★ C – Kathedrale★★ C : Chor★★★ – Altstadt★ : Spisergasse★ C, Gallusstrasse : Haus "Zum Greif"★ BC, Schmiedgasse : Haus "Zum Pelikan"★ BC.

Museen : Textilmuseum B : Sammlung Iklé und Jacoby★★ – Historisches Museum★ C.

Ausflugsziele : Freudenberg★ A – Wildpark Peter und Paul : Aussicht★ auf Sankt Gallen, Nord über Tannenstrasse 3 km A.

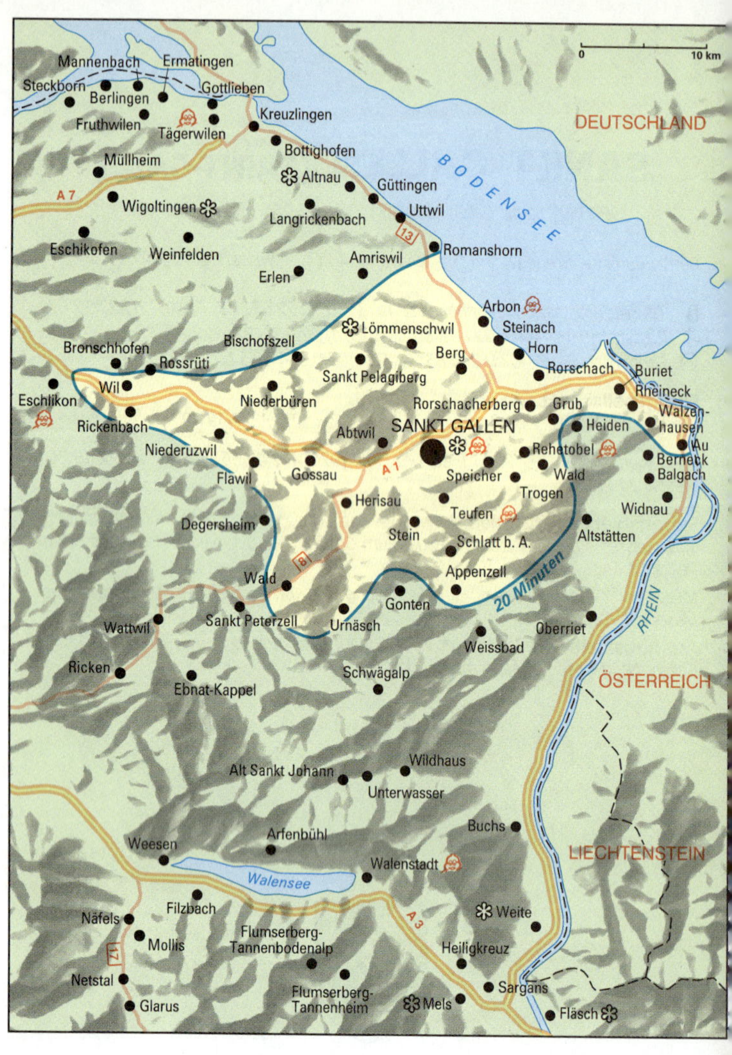

Einstein M, Berneggstr. 2, ✉ 9001, ☎ (071) 227 55 55, *Fax (071) 227 55 77,* – ▯, ✕ Zim, TV ☎ 📞 🚗 P – 15/50. AE ⦿ E VISA. ✕ Rest — B a
Menu 32 - 39 (mittags)/78 und à la carte 48/110 – ☕ 20 – **65 Zim** 210/330 – ½ P Zuschl. 40.

Ekkehard M, Rorschacherstr. 50, ☎ (071) 222 47 14, *Fax (071) 222 47 74,* – ▯ TV ☎ 📞 – 15/250. AE ⦿ E VISA — C v
23. - 30. Dez. geschl. ; Sonn- und Feiertage und 10. Juli - 8. Aug. (nur Rest.) geschl.
– ***Schalander :*** **Menu** 38 (mittags)/78 und à la carte 45/98 – ***Beizli :*** **Menu** 19.50 und à la carte 33/70 – **29 Zim** ☕ 150/240 – ½ P Zuschl. 35.

Walhalla, Bahnhofplatz, ✉ 9001, ☎ (071) 222 29 22, *Fax (071) 222 29 66,* – ▯, ✕ Zim, TV ☎ 📞 ♿ – 35. AE ⦿ E VISA JCB — B e
Wal-Halla : **Menu** 29 - 45 (mittags)/58 und à la carte 37/98 – ***Brasserie :*** **Menu** à la carte 31/64 – **56 Zim** ☕ 165/260 – ½ P Zuschl. 45.

SANKT GALLEN
ahnhofplatz B 3
ankgasse B 4
tzistrasse A 6
ogenstrasse A 7
ierauerstrasse B 8
ngelgasse B 9
eudenbergstrasse A 10
ongartenstrasse B 12
allusplatz B 13
eltenwilenstrasse A 15
erhaldenstrasse A 16
arfenbergstrasse C 17
interlauben B 18
nsebühlstrasse A 19
larktgasse BC
eugasse B
eter-und-Paul-Strasse A 21
osenbergstrasse A 22
otachstrasse C 24
ankt-Leonhard-Strasse A 25
onnenstrasse C 27
plügenstrasse A 28
annenstrasse A 30
ntere Büschenstrasse C 31
nterer Graben B 32
arnbüelstrasse A 33
onwilstrasse A 34
Vebergasse B 36
ürcher Strasse A 37
winglistrasse A 39
Wildpark
ARBON
0 500 m
HÄTTERENWALD
SITTERWALD
Sitter
A 1-E 60
A 1, WINTERTHUR, ZÜRICH
GOSSAU HERISAU
BRUGGEN
SANKT MARGRETHEN, RORSCHACH, KREUZLINGEN
Guisanstr.
Wartensteinstr.
Sankt Jakob Str.
Langgasse
Rorschacher Str.
Flurhofstr.
Speicherstr.
Dufour-strasse
KATHEDRALE
FREUDENBERG
884
Burgstr.
Ober-strasse
Teufenerstr.
Schneebergstrasse
BERNEGG-WALD
Demut strasse
FALKENWALD
St. Georgen Strasse
ALTSTÄTTEN, APPENZELL
0 200 m
KONGRESSHAUS
Spelterini-platz
HISTORISCHES MUSEUM
Notkerstrasse
Museumsstr.
STADTPARK
UNTERER BRÜHL
ST. MAGNI
Brühltor
Rorschacher-strasse
BRÜHLGARTEN
KLEINER BRÜHL
Blumenberg-platz
Markplatz
Bohl
Marktgasse
Spisergasse
Brühlgasse
Burggraben
Spisertor
Neugasse
POL.
Multergasse
Schmiedgasse
Gallusstr.
ST. LAURENZEN
KLOSTERHOF
KATHEDRALE
STIFTSBIBLIOTHEK
Textilmuseum
Bahnhofstrasse
Poststrasse
Kornhaus
Vadianstr.
Vadianpl.
Sankt Leonhardstr.
Oberer Graben
Gartenstr.
Berneggstr.
Felsenstr.
St. Georgenstr.
Moosbruggstr.
Linsebühlstr.
Speicherstr.
Wildeggstr.
Gesshalden
Lämmlisbrunnenstr.
Konkordiastr.
MÜHLEGG TUNNELBAHN
Steinach
Buchstr.
Kapellenstr.
Keller-strasse
Gottfried-
Wassergasse
Davidstr.
Teufener-strasse
Tellstr.
Rosenbergstr.
Zwinglistr.
Winkelriedstr.
Dufourstr.
Reding
Tigerberg
Höhenweg
Müller-Friedberg-Str.
Böcklin str.
Metzgergasse
Goliathg.
Torstr.

Gallo, Sankt-Jakobstr. 62, (071) 245 27 27, *Fax (071) 245 45 93* – AE E VISA A
1. - 10. Jan. geschl. – ***Galletto*** - italienische Küche - *(Sonntag geschl.)* **Menu** 22 - 68/8 und à la carte 45/89 – **24 Zim** 155/225.

Metropol garni, Bahnhofplatz 3a, 9001, (071) 228 32 32, *Fax (071) 228 32 0* – AE E VISA – *24. Dez. - 2. Jan. geschl.* – **34 Zim** 138/230. B

Weissenstein M garni, Davidstr. 22, (071) 228 06 28, *Fax (071) 228 06 30* AE E VISA. B
18. Dez. - 3. Jan. geschl. **20 Zim.** 115/185.

Im Portner und Pförtnerhof, Bankgasse 12, (071) 222 97 44 *Fax (071) 222 98 56* – – 25. AE E VISA B
Mitte Juli - Mitte Aug. geschl. – **Menu** 22 und à la carte 35/70, Kinder 15 – **24 Zim** 170/240 – ½ P Zuschl. 35.

Am Gallusplatz, Gallusstr. 24, (071) 223 33 30, *Fax (027) 223 49 87*, , Ehemaliges Nebengebäude des Klosters – AE E VISA B
Samstagmittag, Montag und 1. - 15. Aug. geschl. – **Menu** 25 - 54 (mittags)/84 und à la carte 50/116.

Neubad (Nett), Bankgasse 6, (071) 222 86 83, *Fax (071) 222 80 68*, « Schräge gotische Holzdecke im 1. Stock » – AE E VISA B
Samstag - Sonntag, und 17. Juli - 9. Aug. geschl. – **Menu** (1. Etage) (Tischbestellung erforderlich) 32 - 52 (mittags)/110 und à la carte 69/121 – ***Bistro*** : **Menu** 25 und à la carte 44/110
Spez. Riesencrevetten im Kartoffelmantel mit Tomatenchutney. Seezungenfilets mit Morcheln an Champagneressigsauce. Kalbsfiletpiccata an Basilikumsauce mit Pilzrisotto

Zum Schlössli, Zeughausgasse 17, am Spisertor, (071) 222 12 56 *Fax (071) 222 12 06*, , « Bürgerhaus aus dem 16. Jh. mit historischen Sälen » – AE E VISA C
Samstag - Sonntag und Mitte Juli - Mitte Aug. geschl. – ***Gaststube*** : **Menu** 17 und à la carte 31/56 – ***Zilistuben*** : **Menu** 44 (mittags) und à la carte 50/99.

Schoren, Dufourstr. 150, (071) 277 08 51, *Fax (071) 277 58 60*, , « Moderne und afrikanische Kunstobjekte » – AE E VISA A
Sonntag und Mitte Juli - Mitte Aug. geschl. – **Menu** 39 und à la carte 50/104.

Alt Guggeien, Kesselhaldenstr. 85 (über ①: 5 km), 9016, (071) 288 12 10, *Fax (071) 288 18 11*, Bodensee und Umgebung – E VISA
Montag - Dienstag, 2 Wochen Ende Jan., 2. - 9. März und 2 Wochen im Juli geschl. – **Menu** 29 - 43 (mittags)/95 und à la carte 38/104.

Bel Etage, Engelgasse 12 (1.Etage), (071) 222 29 70, *Fax (071) 223 78 30* – AE E VISA. B
Samstagmittag, Sonntag, und 19. Juli - 7. Aug. geschl. – **Menu** 19.50 - 49 (mittags)/99 und à la carte 52/103.

Nord-Ost : 3,5 km *am Wildpark :*

Peter & Paul, Kirchlistr. 99, (071) 245 56 25, *Fax (071) 245 56 26*, Bodensee, , « Panoramaterrasse » – E VISA
Montag von Sept. - April geschl. – **Menu** 33 und à la carte 35/87, Kinder 12.

SANKT MORITZ

SANKT MORITZ *7500 Graubünden (GR)* 218 ⑮ – *5 381 Ew. – Höhe 1 775 – Wintersport : 1 856/3 030 m 5 18 – Kurort.*
Sehenswert : *Lage★★★.*
Museen : *Engadiner Museum★* X **M¹** – *Segantini Museum : Werden, Sein, Vergehen★* X **M².**
Ausflugsziel : *Piz Nair★★ – Julier- (über ②) und Albulastrasse★ (über ①) : Bergüner Stein★ ; Samedan★ ; Celerina/Schlarigna★.*
18 *in Samedan, 7503 (Juni - Okt.), (081) 852 52 26, Fax (081) 852 46 82, Nord-Ost : 5 km.*
Lokale Veranstaltungen
07.02, 14.02 und 21.02 : "White turf" internationale Pferderennen
01.03 : "Chalandamarz" alter Frühlingsbrauch und Kinderfest.
26.03 - 04.04 : Snow und Symphonie Musik-Festival.
Kur- und Verkehrsverein, via Maistra 12, (081) 837 33 33, Fax (081) 837 33 66.
Bern 329 – Chur 88 – Davos 71 – Scuol 63.

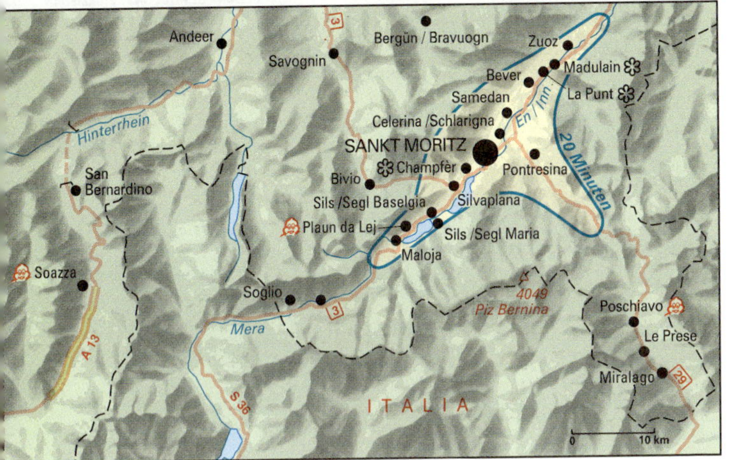

Kulm , via Veglia 18, (081) 832 11 51, *Fax (081) 833 27 38*, ≤ Berge, , « Park », , , , – , Zim, – 15/150. AE VISA JCB. Rest Z b
13. Dez. - 6. April und 27. Juni - 6. Sept. – ***Rôtisserie des Chevaliers*** **Menu** à la carte 57/132 – ***The Pizzeria*** **Menu** à la carte 47/98 – **182 Zim** 465/1060, Vorsaison 190/510, 3 Suiten – ½ P Zuschl. 25.

Suvretta House , via Chasellas 1 (Süd West : 2 km über via Somplaz Y), (081) 832 11 32, *Fax (081) 833 85 24*, ≤ Berge, , « Angenehme Lage in Park- und Berglandschaft », , , , – – 200. AE VISA. Rest
11. Dez. - 10. April und 26. Juni - 4. Sept. – **Menu** *(nur Abendessen)* 70 und à la carte 50/109 – **210 Zim** 315/1140, Vorsaison 185/690 – ½ P Zuschl. 35.

Badrutt's Palace, via Serlas 27, (081) 837 10 00, *Fax (081) 837 29 99*, ≤ Berge, , Park, , , , , , – – 15/200. AE VISA JCB. Rest Z a
Mitte Dez. - Mitte April und Ende Juni - Mitte Sept. – ***Grill-Room :*** **Menu** à la carte 69/151 – ***Trattoria*** *(Mitte Dez. - Mitte April geöffnet)(nur Abendessen)* **Menu** à la carte 54/137 – **220 Zim** *(nur ½ Pens.)* 610/1720, Vorsaison 250/670, 20 Suiten.

Carlton M , (081) 832 11 41, *Fax (081) 833 20 12*, ≤ Berge, , , – – 15/160. AE VISA JCB. Rest X c
10. Dez. - 5. April und 19. Juni - 18. Sept. – **Menu** *(nur Abendessen)* 60/105 – ***Tschinè*** *(im Sommer Freitagabend geschl.)* **Menu** 65 (abends) und à la carte 59/115 – **99 Zim** 370/630, Vorsaison 220/540, 6 Suiten – ½ P Zuschl. 25.

Schweizerhof M, via dal Bagn 54, (081) 837 07 07, *Fax (081) 837 07 00*, ≤, , – , Zim, – 30. AE VISA JCB. Rest Z d
Acla : **Menu** 16 und à la carte 44/92, Kinder 12 – **85 Zim** 225/580, Vorsaison 120/345 – ½ P Zuschl. 20.

Posthotel, via dal Vout 3, (081) 832 21 21, *Fax (081) 833 89 73*, ≤, – , Zim, . AE VISA Z x
Anfang Dez. - Mitte April und Mitte Juni - Mitte Okt. – **Menu** *(nur Abendessen für Hotelgäste)* – **60 Zim** 185/530, Vorsaison 110/360 – ½ P Zuschl. 40.

Steffani, (081) 832 21 01, *Fax (081) 833 40 97*, , , , – video – 15/90. AE VISA JCB Z e
Le Lapin bleu : **Menu** 25 - 30/40 und à la carte 43/102, Kinder 9 – ***Le Mandarin*** - chinesische Küche - *(nur Abendessen) (Mai, Okt. und Nov. geschl.)* **Menu** 46/72 und à la carte 41/83 – **64 Zim** 260/480, Vorsaison 150/310, 5 Suiten – ½ P Zuschl. 30.

SANKT MORITZ

Arona (Via) X
Aruons (Via) . . . . XY 3
Bagn (Via dal) . . . . XY 4
Dim Lej (Via) . . . . X 5
Grevas (Via) . . . . XY 6
Ludains (Via) . . . . Y 7
Maistra (Via) . . . . Z
Mezdi (Via) . . . . Y
Mulin (Pl. dal) . . . . Z
Mulin (Via) . . . . Z 9
Posta Veglia (Pl. da la) . . . . Z 10
Quadrellas (Via) . . . . Z
Rosatsch (Via) . . . . Y 12
San Gian (Via) . . . . Y 13
Scoula (Pl. da) . . . . Z 15
Sela (Via) . . . . Y 16
Seepromenade . . . . XY
Serlas (Via) . . . . Z
Serletta . . . . Z
Somplaz (Via) . . . . XY
Stredas (Via) . . . . Z 18
Surpunt (Via) . . . . Y
Tinus (Via) . . . . Z
Traunter Plazzas (Via) . . . . Z 19
Veglia (Via) . . . . Z
Vout (Via) . . . . Z 21

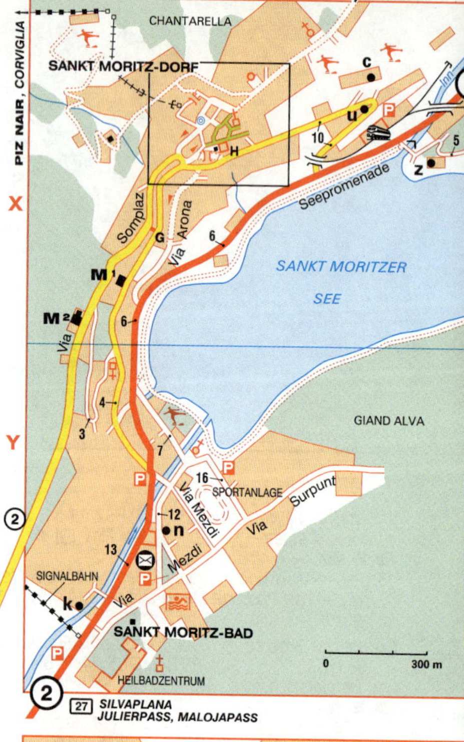

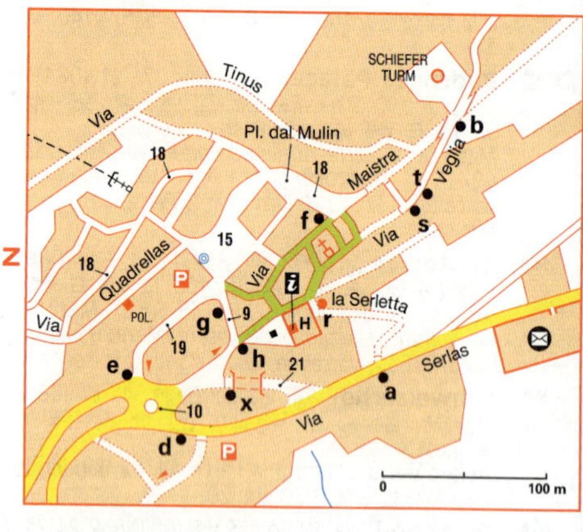

Ferienreisen wollen gut vorbereitet sein. Die Strassenkarten und Führer von Michelin geben Ihnen Anregungen und praktische Hinweise zur Gestaltung Ihrer Reise : Streckenvorschläge, Auswahl und Besichtigungsbedingungen der Sehenswürdigkeiten, Unterkunft, Preise... u. a. m.

Monopol, via Maistra 17, ☎ (081) 837 04 04, *Fax (081) 837 04 05*, ... – ... TV ☎. AE ① E VISA. ✻ Rest Z f
15. Dez. - 3. April und 16. Mai - 14. Okt. – ***Grischuna*** - italienische Küche - *(Tischbestellung ratsam) (im Sommer Sonntag geschl.)* **Menu** 25 - 88 (abends) und à la carte 61/112 – **67 Zim** ☐ 250/480, Vorsaison ☐ 170/360 – ½ P Zuschl. 30.

La Margna, via Serlas 5, ☎ (081) 832 21 41, *Fax (081) 833 16 72*, ←, ..., ... – ... TV ☎ ... – ... 15/40. AE E VISA. ✻ Rest X u
20. Dez. - 5. April und 30. Mai - 2. Okt. – ***Stüvetta :*** **Menu** 45/70 (abends) und à la carte 48/106 – **62 Zim** ☐ 180/420, Vorsaison ☐ 130/320 – ½ P Zuschl. 30.

Crystal, via Traunter Plazzas 1, (081) 836 26 26, *Fax (081) 836 26 27*, – 15/50. AE E VISA JCB. Rest Z g
18. Dez. - 10. April und 29. Mai - 2. Okt. – **Menu** *(nur Abendessen)* 35/70 und à la carte 45/103, Kinder 10 – **82 Zim** 190/500, Vorsaison 150/320 – ½ P Zuschl. 37.

Waldhaus am See, via Dim Lej 6, (081) 833 76 76, *Fax (081) 833 88 77*, See und Berge, « Lage am See », – video AE E VISA. Rest X z
Il Spedun **: Menu** à la carte 41/91, Kinder 10 – **51 Zim** 180/330, Vorsaison 125/220 – ½ P Zuschl. 20.

Albana, via Maistra 6, (081) 833 31 21, *Fax (081) 833 31 22*, « Private Jagdtrophäen-Ausstellung », – AE E VISA JCB Z h
Menu *(Nov. geschl.) (im Sommer nur Abendessen)* 65 und à la carte 61/111 – **73 Zim** 190/470, Vorsaison 130/300 – ½ P Zuschl. 30.

Eden garni, via Veglia 12, (081) 833 61 61, *Fax (081) 833 91 91*, Berge – Z s
Mitte Dez. - Mitte April und Mitte Juni - Mitte Okt. – **35 Zim** 187/340, Vorsaison 87/236.

Nolda und Noldapark, via Crasta 3, (081) 833 05 75, *Fax (081) 833 87 51*, – AE E VISA. Rest Y k
Mitte Dez. - Mitte April und Mitte Juni - 16. Okt. – **Menu** 32 - 40 (abends) à la carte 35/65 – **73 Zim** 120/330, Vorsaison 90/260, 10 Suiten – ½ P Zuschl. 45.

Languard garni, via Veglia 14, (081) 833 31 37, *Fax (081) 833 45 46*, Berge – AE E VISA JCB Z t
12. Dez. - 17. April und 13. Juni - 23. Okt. – **22 Zim** 120/310, Vorsaison 80/220.

Corvatsch, via Tegiatscha 1, (081) 833 74 75, *Fax (081) 833 57 50*, – AE E VISA JCB. Zim Y n
Anfang Dez. - Mitte April und Ende Mai - Ende Okt. – **Menu** 22 - 39 (abends) und à la carte 40/73 – **26 Zim** 140/240, Vorsaison 95/180 – ½ P Zuschl. 33.

Chesa Veglia, (081) 837 10 00, *Fax (081) 837 29 99*, , « Engadiner Bauernhaus aus dem 17. Jh. » – AE E VISA JCB Z r
Mitte Dez. - Mitte April und Ende Juni - Ende Sept. – ***Chadafö Grill*** *(im Sommer geschl.) (nur Abendessen)* **Menu** à la carte 67/157 – ***Patrizier Stuben*** **: Menu** 23 - 35 (mittags) und à la carte 60/141 – ***Pizzeria*** *(nur Abendessen)* **Menu** à la carte 46/113, Kinder 18.

Meierei mit Zim, Nord-Ost : über Seepromenade und Spazierweg (via Dim Lej X), (081) 833 20 60, *Fax (081) 833 88 38*, Berge, , – AE E VISA
Mitte Dez. - Mitte April und Mitte Juni - Mitte Okt. – **Menu** *(Montag geschl.)* à la carte 35/99 – **11 Zim** 90/250, Vorsaison 85/240 – ½ P Zuschl. 39.

Chasellas, via Suvretta 22 (Süd-West : 2,5 km über via Somplaz Y), (081) 833 38 54, *Fax (081) 834 43 00*, – AE E VISA
11. Dez. - 10. April und 26. Juni - 4. Sept. – **Menu** *(mittags nur kleine Karte)* (Tischbestellung ratsam) 93 (abends) und à la carte 48/119.

auf der Corviglia *mit Standseilbahn erreichbar :*

Mathis Food Affairs, (Höhe 2488 m), (081) 833 63 55, *Fax (081) 833 85 81*, Berge und Tal – . AE E VISA
Ende Nov. - Mitte April und Mitte Juni - Mitte Okt. ; nur Mittagessen – ***La Marmite*** **: Menu** à la carte 55/161 – ***Brasserie*** *(im Sommer geschl.)* **Menu** 28 und à la carte 40/73, Kinder 15.

in Champfèr *Süd-West : 3 km – Höhe 1 820 – 7512 Champfèr :*

Chesa Guardalej, (081) 836 63 00, *Fax (081) 836 63 01*, , , , , , – – 15/40. AE E VISA. Rest
19. Dez. - 4. April und 26. Juni - 10. Okt. geschl. – ***Jenatsch*** *(nur Abendessen)* **Menu** 69 und à la carte 48/91, Kinder 9 – ***Stüva dal Postigliun*** **: Menu** 19.50 und à la carte 33/72 – **109 Zim** 225/530, Vorsaison 130/320 – ½ P Zuschl. 58.

Europa , (081) 839 55 55, *Fax (081) 839 55 56*, Berge, , , , , – , Zim, – 15/60. AE E VISA
7. Dez. - 24. April und 14. Juni - 3. Okt. – **Menu** à la carte 44/95 – **110 Zim** 170/460, Vorsaison 115/280 – ½ P Zuschl. 30.

XXX **Jöhri's Talvo,** via Gunels 15, ✆ (081) 833 44 55, *Fax (081) 833 05 69,* – P AE ⦿ E VISA.
Mitte Dez. - Mitte April und Mitte Juni - Mitte Okt. geöffnet ; Montag (ausser Feiertage) und in der Zwischensaison auch Dienstag geschl. – **Menu** 58 (mittags)/178 und à la carte 76/154
Spez. Raviolini "maison". L'assiette du pêcheur. Variation de l'agneau de l'Engadine (Frühling und Herbst).

SANKT NIKLAUSEN *6066 Obwalden (OW)* 217 ⑨ *– Höhe 839.*

Bern 107 – Luzern 24 – Altdorf 48 – Cham 46 – Engelberg 34 – Sarnen 6 – Stans 12

XX **Alpenblick,** ✆ (041) 660 15 91, ≤ Bergpanorama, – P. AE ⦿ E VISA
Dienstagmittag, Montag, 24. - 31. Dez., im Feb. 1 Woche und 25. Juli - 17. Aug geschl. – **Menu** (Tischbestellung ratsam) 54 (mittags)/110 und à la carte 57/99 – ***Gaststube* : Menu** *16* - 54 und à la carte 39/68.

SANKT PELAGIBERG *9225 Thurgau (TG)* 216 ⑩ *– Höhe 570.*

Bern 207 – Sankt Gallen 16 – Bregenz 50 – Frauenfeld 44 – Konstanz 31 – Winterthur 57.

XX **St. Pelagius,** St. Pelagibergstr. 17, ✆ (071) 433 14 34, *Fax (071) 433 14 34* – P. AE ⦿ E VISA
Montag - Dienstag und 2 Wochen Anfang Juli geschl. – **Menu** (Tischbestellung erforderlich) 58 (mittags)/118 und à la carte 62/114.

SANKT PETERZELL *9127 Sankt Gallen (SG)* 216 ⑳ *– 1 186 Ew. – Höhe 701.*

Bern 207 – Sankt Gallen 24 – Appenzell 23 – Buchs 54 – Rapperswil 35 – Winterthur 58.

X **Rössli,** ✆ (071) 377 12 15, *Fax (071) 377 17 59,* – P. AE ⦿ E VISA JCB
Montag, Dienstag, 25. Jan. - 17. Feb. und 7. - 17. Juli geschl. – **Menu** *15* - 49/79 und à la carte 43/111.

SANTA MARIA i. M. *7536 Graubünden (GR)* 218 ⑰ *– 420 Ew. – Höhe 1 388 – Wintersport :*

Kurverein, ✆ (081) 858 57 27, Fax (081) 858 62 97.
Bern 348 – Scuol 63 – Chur 138 – Davos 73 – Merano 69 – Sankt Moritz 69.

Schweizerhof, ✆ (081) 858 51 24, *Fax (081) 858 50 09,* ≤, , – , Rest, P. AE ⦿ E VISA
30. Jan. - 5. April und 1. Mai - 13. Nov. – **Menu** *25* und à la carte 39/66, Kinder 11 – **27 Zim** 105/240 – ½ P Zuschl. 30.

Alpina, ✆ (081) 858 51 17, *Fax (081) 858 56 97,* , Ehemaliges Patrizierhaus, – TV P. E VISA
Nov. geschl. – **Menu** *17.50* - 25 und à la carte 26/52, Kinder 9 – **18 Zim** 70/130 – ½ P Zuschl. 25.

Crusch Alba, ✆ (081) 858 51 06, *Fax (081) 858 61 49,* , – Zim, TV P. E
1. Nov. - 26. Dez. geschl. – **Menu** *(vom 27. Dez. - 31. Mai Samstag - Sonntag geschl.)* *15* und à la carte 27/48 – **11 Zim** 72/124 – ½ P Zuschl. 20.

XX **Piz Umbrail** mit Zim, ✆ (081) 858 55 05, *Fax (081) 858 61 50,* « Alte Cuschina Naira mit offenem Kamin » – Rest, TV . AE E VISA. Rest
im Winter Sonntag - Montag und Ende Okt. - 20. Dez. geschl. – **Menu** *(nur Abendessen)* (Tischbestellung ratsam) 75 und à la carte 42/92 – **3 Zim** 90/150 – ½ P Zuschl. 45.

SARGANS *7320 Sankt Gallen (SG)* 216 ㉑ 218 ④ *– 4 835 Ew. – Höhe 482.*

Verkehrs- und Verschönerungsverein, Städtchenstr. 1, ✆ (081) 723 53 30, Fax (081) 723 53 30.
Bern 218 – Chur 31 – Sankt Gallen 71 – Davos 66 – Vaduz 18.

Zum Ritterhof, Bahnhofstr. 12, ✆ (081) 723 77 77, *Fax (081) 723 77 79,* – P. ⦿ E VISA
Menu *16.50* und à la carte 30/74 – **15 Zim** 55/126 – ½ P Zuschl. 22.

SÄISWIL *3044 Bern (BE)* **216** ⑭ – *Höhe 640.*

Bern 15 – Biel 27 – Fribourg 40 – Neuchâtel 47.

Zum Rössli, Staatsstr. 125, ✆ (031) 829 33 73, *Fax (031) 829 38 73*, ≤, , Berner Bauernhaus aus dem 19. Jh. – P. AE ⓓ E VISA
von Okt. - Juni Mittwoch - Donnerstag, von Juli - Sept. Sonntag - Montag, 10. - 28. Feb. und 19. Sept. - 9. Okt. geschl. – **Menu** 22 - 69 und à la carte 38/89, Kinder 14.

SARNEN *6060* K *Obwalden (OW)* **217** ⑨ – *8 613 Ew. – Höhe 473.*

Lokale Veranstaltung

25.04 : Landsgemeinde.

Sarnen Tourismus, Hofstr. 2, ✆ (041) 666 50 40, Fax (041) 666 50 45.

Bern 106 – Luzern 20 – Altdorf 44 – Brienz 34.

Krone, Brünigstr. 130, ✆ (041) 660 66 33, *Fax (041) 660 82 34*, – TV ☎ P – 15/100. AE ⓓ E VISA. Rest
Huang Guan - chinesische Küche - *(Montag und Mitte Juli - Mitte Aug. geschl.)* **Menu** 16 - 35/90 und à la carte 39/80, Kinder 12 – ***Gaststube :*** **Menu** 19.50 - 30 und à la carte 31/81 – **52 Zim** 100/190 – ½ P Zuschl. 35.

in Kerns *Ost : 3 km – Höhe 569 – ✉ 6064 Kerns :*

Kernserhof , Obermattli, ✆ (041) 660 68 68, *Fax (041) 660 85 69*, ≤, – TV ☎ P – 30. AE ⓓ E VISA
Mitte Jan. - Mitte Feb. geschl. – **Menu** 23 - 30 und à la carte 37/75, Kinder 17 – **35 Zim** 100/180 – ½ P Zuschl. 25.

in Wilen *Süd-West : 3 km – Höhe 506 – ✉ 6062 Wilen :*

Wilerbad M , ✆ (041) 660 00 15, *Fax (041) 660 12 92*, ≤ Sarnersee, , , – TV ☎ P – 15/130. AE ⓓ E VISA
Taptim Thai - thailändische Küche - **Menu** 69 und à la carte 45/78 – ***Vivaldi :*** **Menu** 19 - 32 und à la carte 43/81 – **57 Zim** 100/240 – ½ P Zuschl. 38.

SATIGNY *1242 Genève (GE)* **217** ⑪ – *2 480 h. – alt. 485.*

Bern 170 – Genève 11 – Bellegarde-sur-Valserine 33 – Divonne-les-Bains 23 – Oyonnax 63.

à Peney-Dessus *Sud : 3 km par rte de Dardagny et voie privée – ✉ 1242 Satigny :*

Domaine de Châteauvieux (Chevrier) avec ch, ✆ (022) 753 15 11, *Fax (022) 753 19 24*, ≤, , « Ancienne ferme aménagée en hostellerie campagnarde » – TV ☎ P – 15. AE E VISA
fermé 24 déc. au 8 janv. et 1er au 15 août – **Repas** *(fermé dim. et lundi)* 72 (midi)/180 et à la carte 126/186 – **19 ch** 175/275
Spéc. Filets de rouget de roche en papillote aux champignons et thym citronné (avril - sept.). Carré d'agneau d'Ecosse cuit dans le foin et les herbes aromatiques en cocotte lutée (mai - oct.). Gibier à plumes (début oct. à fin nov.).

à Peney-Dessous *Sud : 3 km – ✉ 1242 Satigny*

Café de Peney, 130 rte d'Aire-la-Ville, ✆ (022) 753 17 55, *Fax (022) 753 17 60*, – AE ⓓ E VISA
fermé 22 déc. - 3 janv. et mardi – **Repas** (prévenir) 18 - 45 et à la carte 48/82, enf. 10.

SATTEL *6417 Schwyz (SZ)* **216** ⑱ ⑲ – *1 319 Ew. – Höhe 780.*

Bern 156 – Luzern 33 – Einsiedeln 18 – Schwyz 9.

Bären, Dorfstr. 26, ✆ (041) 835 11 33, *Fax (041) 835 17 46* – P. E VISA
Donnerstagmittag, Mittwoch und 15. - 30. Juli geschl. – **Menu** 14.50 - 23/98 und à la carte 42/104.

La SAUGE *Vaud* **216** ⑬ – *rattaché à Cudrefin.*

SAULCY *2873 Jura (JU)* 216 ⑬ ⑭ *– 258 h. – alt. 910.*
Bern 75 – Delémont 21 – Basel 67 – Biel 40 – La Chaux-de-Fonds 42.

Bellevue, ✆ *(032) 433 45 32, Fax (032) 433 46 93,* ≤, – TV P – 25. E VISA
fermé fév. et merc. en hiver – **Repas** 18 et à la carte 43/72, enf. 14 – **10 ch**
70/150 – ½ P suppl. 20.

SAVOGNIN *7460 Graubünden (GR)* 218 ⑭ *– 1 173 Ew. – Höhe 1 210 – Wintersport 1 210/2 713 m* 2 15 .
Lokale Veranstaltung
01.03 : "Chalandamarz" alter Frühlingsbrauch und Kinderfest.
Kur- und Verkehrsverein, Stradung, ✆ (081) 684 22 22, Fax (081) 684 28 21.
Bern 290 – Sankt Moritz 39 – Chur 49 – Davos 40.

Alpina , ✆ *(081) 684 14 26, Fax (081) 684 29 60,* ≤, – TV P AE E VISA
Mitte Dez. - Mitte April und Mitte Mai - Ende Okt. – **Pataterria** *(nur Abendessen)* **Menu** à la carte 30/78 – **48 Zim** 115/270, Vorsaison 75/156 – ½ P Zuschl. 30.

Bela Riva, *veia Grava 1,* ✆ *(081) 684 24 25, Fax (081) 684 35 05,* – TV ☎ P AE E VISA
in der Zwischensaison Mittwoch und Juni geschl. – **Menu** 16.50 und à la carte 35/76, Kinder 13 – **13 Zim** 95/216, Vorsaison 85/190 – ½ P Zuschl. 30.

Romana, ✆ *(081) 684 15 44, Fax (081) 684 37 07,* – TV ☎ P E VISA
in der Zwischensaison Dienstag, Juni und 1. Nov. - 10. Dez. geschl. – **Menu** à la carte 42/73, Kinder 12 – **13 Zim** 98/196, Vorsaison 60/120 – ½ P Zuschl. 30.

SCHAAN *Fürstentum Liechtenstein* 216 ㉒ *– siehe Seite 380.*

SCHAANWALD *Fürstentum Liechtenstein* 216 ㉒ *– siehe Seite 380.*

SCHAFFHAUSEN *(SH)*

SCHAFFHAUSEN (SCHAFFHOUSE)

8200 [K] Schaffhausen (SH) 216 ⑦ ⑧ – 33 936 Ew. – Höhe 403

Bern 158 ④ – Zürich 50 ④ – Baden 69 ④ – Basel 99 ④ – Konstanz 56 ② – Tuttlingen 53 ①.

Tourist-Service, Fronwagturm, ✆ (052) 625 51 41, Fax (052) 625 51 43.
Vordergasse 32, ✆ (052) 630 00 00, Fax (052) 630 00 09.
Vordergasse 28 ✆ (052) 624 28 74, Fax (052) 630 07 40.

18 Rheinblick, ✉ 8455 Rüdlingen (März-Nov.) ✆ (0049) 77 45 51 30, Fax (0049) 77 45 56 67, über ④ : 19 km
27 Obere Alp, in D-Stühlingen, ✉ 79780 (April-Nov.) ✆ (0049) 77 03 92 030, Fax (0049) 77 03 92 03 18, über ① : 20 km.

Sehenswert : *Altstadt★ : Aussichtspunkt★, Vordergasse★ B.*
Museum : *Museum zu Allerheiligen★ B* **M** *– Hallen für neue Kunst B* **M2**.
Ausflugziel : *Rheinfall★★ über ③ oder ④.*

SCHAFFHAUSEN

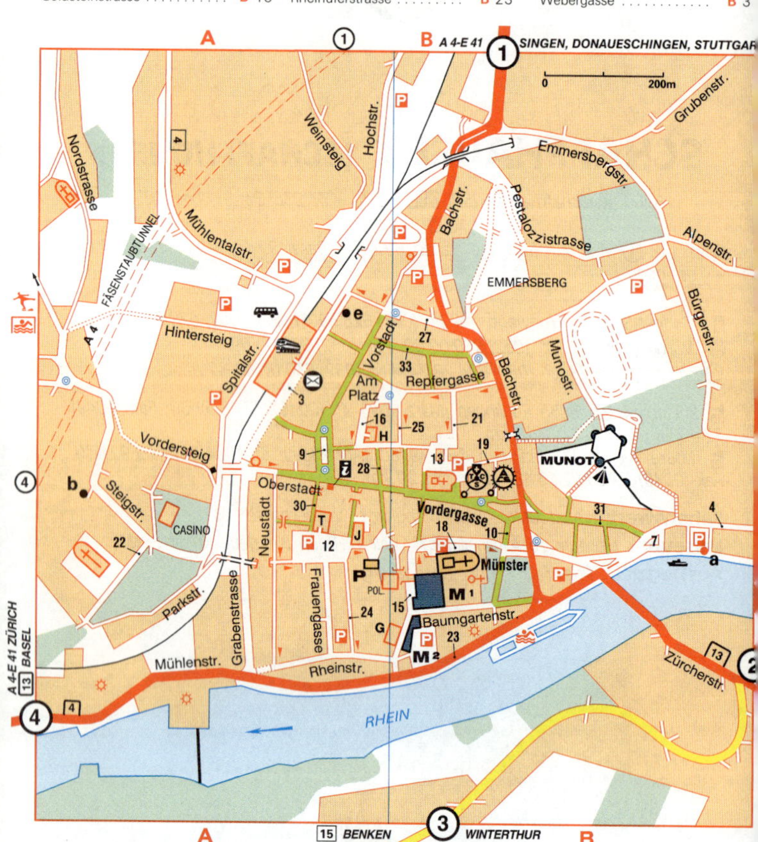

Bahnhof, Bahnhofstr. 46, ⊠ 8201, ☎ (052) 624 19 24, *Fax (052) 624 74 79* – TV ☎ – 15/60. AE ① E VISA — A e
Menu *(25. Jan. - 28. Feb. geschl.)* *15.50* und à la carte 35/68 – **50 Zim** 140/240 – ½ P Zuschl. 35.

Promenade, Fäsenstaubstr. 43, ☎ (052) 624 80 04, *Fax (052) 624 13 49*, – TV ☎ P – 30. AE ① E VISA — A b
22. Dez. - 5. Jan. geschl. – **Menu** à la carte 31/77 – **37 Zim** 115/200 – ½ P Zuschl. 25.

Rheinhotel Fischerzunft (Jaeger) mit Zim, Rheinquai 8, ☎ (052) 625 32 81, *Fax (052) 624 32 85*, ≤, – TV ☎. AE ① E VISA — B a
Dienstag geschl. – **Menu** 165/195 und à la carte 124/184 – **10 Zim** 190/310
Spez. Bento Box mit vier chinesischen Köstlichkeiten. Komposition von Steinbutt. US Rindsfilet mit Bohnen und Gewürzsauce.

in Herblingen *über ① : 3 km – ⊠ 8207 Schaffhausen 7 :*

Hohberg, Schweizersbildstr. 20, ☎ (052) 643 42 49, *Fax (052) 643 14 00*, – TV ☎ P. AE E VISA
Menu *18* und à la carte 34/81 – **19 Zim** 130/180.

in Neuhausen am Rheinfall *über ④ : 2 km – Höhe 397 – ✉ 8212 Neuhausen am Rh. :*

XX **Rosenburg,** Schaffhauserstr. 27, ☎ (052) 672 26 44, *Fax (052) 672 36 05,* – P. AE ① E VISA
Sonntagabend, Montag und im Juli 2 Wochen geschl. – **Menu** (Tischbestellung ratsam) 36 (mittags)/96 und à la carte 51/95, Kinder 18.

SCHEUNENBERG *Bern (BE)* 216 ⑭ – *Höhe 487 – ✉ 3251 Wengi b. Büren.*
Bern 21 – Biel/Bienne 14 – Burgdorf 28 – Neuchâtel 42 – Solothurn 26.

XX **Sonne,** ☎ (032) 389 15 45, *Fax (032) 389 15 36,* , « Altes Berner Bauernhaus » – P. AE E VISA
Montag - Dienstag und Feb. geschl. – **Menu** 78 und à la carte 47/98.

SCHLARIGNA *Graubünden* 218 ⑮ – *siehe Celerina.*

SCHLATT B. APPENZELL *Appenzell Innerrhoden* 216 ㉑ – *siehe Appenzell.*

SCHNAUS *Graubünden* 218 ③ – *siehe Ilanz.*

SCHNEISINGEN *5425 Aargau (AG)* 216 ⑦ – *1 196 Ew. – Höhe 485.*
Bern 127 – Aarau 47 – Baden 10 – Schaffhausen 61 – Zürich 32.

XX **Leuehof,** Dorfstr. 58, ☎ (056) 241 19 41, *Fax (056) 241 19 61,* , « Renoviertes Wirtschaftsgebäude des aus dem 14. Jh. stammenden Schlössli » – P. AE ① E VISA.
Sonntag - Montag, Anfang Feb. und Anfang Sept. jeweils 2 Wochen geschl. – ***Gourmet :*** **Menu** 58 (mittags)/120 und à la carte 57/116 – ***Bistrot :*** **Menu** *19* und à la carte 29/73.

X **Alpenrösli,** Dorfstr. 46, ☎ (056) 241 19 01, *Fax (056) 241 19 14,* – P. E VISA
Dienstag - Mittwoch, 15. - 29. April und 7. - 21. Okt. geschl. – **Menu** *23* - 69 und à la carte 45/90.

SCHÖNBÜHL *3322 Bern (BE)* 216 ⑮ – *Höhe 526.*
Bern 12 – Biel 30 – Burgdorf 12 – Neuchâtel 50 – Solothurn 26.

Schönbühl, Bernstr. 11, ☎ (031) 859 69 69, *Fax (031) 859 69 05,* , – , TV ☎ P – 15/80. AE ① E VISA
über Weihnachten geschl. – **Menu** *(Mittwoch geschl.)* *21* - 55 und à la carte 35/73, Kinder 15 – **12 Zim** 95/145 – ½ P Zuschl. 25.

SCHÖNENWERD *5012 Solothurn (SO)* 216 ⑯ – *4 683 Ew. – Höhe 379.*
Museum : *Schuhmuseum★★.*
Bern 74 – Aarau 5 – Baden 31 – Basel 55 – Luzern 52 – Solothurn 43 – Zürich 43.

Storchen, ☎ (062) 849 47 47, *Fax (062) 849 52 69,* – TV ☎ P – 15/80. AE ① E VISA
24. Dez. - 2. Jan. geschl. – ***La Terrine :*** **Menu** à la carte 48/96 – ***Giardino :*** **Menu** *22* und à la carte 38/86 – **24 Zim** 110/215.

SCHÖNRIED *Bern* 217 ⑮ – *siehe Gstaad.*

SCHWÄGALP *Appenzell Ausserrhoden (AR)* 216 ㉑ – *Höhe 1 352 – ✉ 9107 Urnäsch.*
Ausflugsziel : *Säntis★★★ Ost mit Luftseilbahn.*
Bern 212 – Sankt Gallen 31 – Appenzell 22 – Buchs 42 – Herisau 21 – Rapperswil 48.

Schwägalp , ☎ (071) 365 66 00, *Fax (071) 365 66 01,* < Säntis, , Lage bei der Talstation der Säntisbahn – TV ☎ P – 30. AE ① E VISA
Menu *20* und à la carte 30/56, Kinder 12 – **30 Zim** 84/140 – ½ P Zuschl. 25.

SCHWARZENBURG 3150 Bern (BE) 217 ⑤ ⑥ – 5 878 Ew. – Höhe 792.

Schwarzenburgerland Verkehrsbüro, Dorfplatz 22, (031) 731 13 9 Fax (031) 731 32 11.

Bern 19 – Fribourg 17 – Thun 31.

Sonne, Dorfplatz 3, (031) 731 21 21, Fax (031) 731 16 51 – AE E VISA
Sonntag und 3. - 19. Juli geschl. – **Menu** 25 und à la carte 39/86, Kinder 10 – **19 Zi** 85/150 – ½ P Zuschl. 30.

SCHWARZSEE 1711 Freiburg (FR) 217 ⑤ – Höhe 1 050 – Wintersport : 1 050/1 750 10.

Sehenswert : Lage★.

Lokale Veranstaltung

20.06 : Schwingfest Schwarzsee.

Verkehrsbüro, (026) 412 13 13, Fax (026) 412 13 39.

Bern 42 – Fribourg 27 – Montreux 75 – Thun 54.

Primerose au Lac, Hauptstrasse, (026) 412 16 32, Fax (026) 412 12 6 ≤ Schwarzsee und Berge, – 15/8 AE E VISA. Rest
1. - 20. Dez. geschl. – **Menu** 18.50 - 27 (mittags) und à la carte 39/87, Kinder 13 **50 Zim** 130/220 – ½ P Zuschl. 40.

Bad, (026) 412 11 04, Fax (026) 412 18 22, ≤, AE E VISA JCB
Menu 16.50 und à la carte 30/87 – **20 Zim** 80/140 – ½ P Zuschl. 35.

SCHWEFELBERG BAD Bern (BE) 217 ⑥ – ✉ 1738 Sangernboden.

Bern 61 – Interlaken 58 – Fribourg 35 – Thun 31.

Romantik Hotel Schwefelberg-Bad, (026) 419 33 66, Fax (026) 41 24 08, ≤, Park, – E.
Jan. - Mitte April und Mitte Mai - Mitte Okt. – **Menu** 15.50 - 39 (mittags)/65 und à l carte 39/81 – **40 Zim** 100/280.

SCHWYZ 6430 K Schwyz (SZ) 218 ① – 12 994 Ew. – Höhe 517 – Wintersport : 516/1 570 m 2 7.

Sehenswert : Bundesbriefarchiv★ A – Kanzel★ der Pfarrkirche St. Martin B.

Ausflugsziel : Rigi-Scheidegg★★ über ② : 12 km und Luftseilbahn – Strasse zum Ibergeregg-Pass★ : Ibergeregg : Aussicht★ Ost über Rickenbachstrasse Ost 11,5 km – Höllochgrotte★ Süd-Ost über Grundstrasse : 16 km.

Bahnhofstr. 3, (041) 811 32 55, Fax (041) 811 39 55.

Strehlgasse 12, (041) 818 35 50, Fax (041) 818 35 59.

Bern 154 ② – Luzern 37 ② – Altdorf 19 ① – Einsiedeln 27 ③ – Glarus 68 ③.

SCHWYZ

Bahnhofstrasse	A	
Grundstrasse	B	
Hauptplatz	B	3
Herrengasse	A	
Hirzengasse	B	4
Maria Hilfestrasse	A	6
Postplatz	B	7
Reichsgasse	B	8
Reichsstrasse	B	9
Rickenbachstrasse	B	
Riedstrasse	AB	
St. Martinsstrasse	A	
Schmiedgasse	A	10
Schulgasse	B	11
Schützenstrasse	B	12
Sedlerengasse	B	13
Sonnenplätzli	B	
Strehlgasse	B	15

Die Stadtpläne sind eingenordet (Norden = oben).

Wysses Rössli, Hauptplatz 3, (041) 811 19 22, *Fax (041) 811 10 46,* – 15/40. AE VISA — B b
23. Dez. - 10. Jan. geschl. – ***Turmstube*** **: Menu** 34/68 und à la carte 40/102 – ***Wirtschaft*** **: Menu** 22 - und à la carte 36/96, Kinder 14 – **27 Zim** 120/200 – ½ P Zuschl. 30.

Ratskeller, Strehlgasse 3, (041) 811 10 87, *Fax (041) 810 03 03* — B a
Sonntag - Montag, 17. - 22. Feb. und Mitte Juli - Mitte Aug. geschl. – **Menu** 18 - 120 und à la carte 62/102, Kinder 15.

Les SCIERNES-D'ALBEUVE *1831 Fribourg (FR)* 217 ⑭ – *alt. 881.*

Bern 90 – Montreux 50 – Bulle 15 – Gstaad 27 – Lausanne 63.

De Lys avec ch, (026) 928 11 31, ≤ massif alpin, – VISA
fermé 20 nov. au 10 déc. et lundi – **Repas** 14 - 42 et à la carte 30/69 – **8 ch** 45/90 – ½ P suppl. 16.

SCUOL (SCHULS) *7550 Graubünden (GR)* 218 ⑦ – *2 146 Ew. – Höhe 1 244 – Wintersport : 1 244/2 800 m 2 15 – Kurort.*

Sehenswert : *Lage★.*

Ausflugsziel : *Strasse nach Ardez★ West – Kreuzberg★ : Ansicht★★ von Schloss Tarasp über ② : 6 km.*

9 in Vulpera, ✉ 7552 (Ende Mai - Anfang Okt.), (081) 864 96 88.

Lokale Veranstaltungen

01.03 : "Chalandamarz" alter Frühlingsbrauch und Kinderfest

28.07 - 31.07 : Margess International (Konzerte mit jungen Solisten).

Scuol Tourismus, Stradun, (081) 861 22 22, Fax (081) 861 22 23.

Bern 330 ② – Chur 106 ② – Davos 49 ① – Landeck 614 ① – Merano 105 ② – Sankt Moritz 62 ②.

SCUOL

Bagnera . . . . . B 2
Bahnhofstrasse . . . . . A 3
Bogns (Via dals) . . . . . B 4
Büglgrond . . . . . B 6
Ftan (Via da) . . . . . A 7
Gurlaina . . . . . B 9
Ospidal (Via da l') . . . . . B 10
Punt . . . . . B
Stradun . . . . . AB
Suiamaint (Via da) . . . . . AB

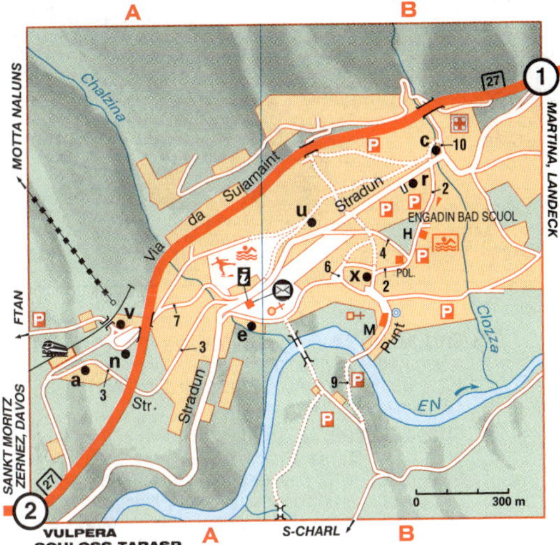

Guardaval, (081) 864 13 21, *Fax (081) 864 97 67,* ≤, « Engadiner Haus aus dem 17. Jh. », – VISA. Rest — B u
19. Dez. - 6. April und 23. Mai - 24. Okt. – **Menu** à la carte 42/72 – **42 Zim** 130/260, Vorsaison 115/240 – ½ P Zuschl. 30.

Altana M, Via Staziun 496, (081) 861 11 11, *Fax (081) 861 11 12,* ≤, – AE VISA — A a
Mitte Dez. - Mitte April und Anfang Juni - Mitte Okt. – **Menu** 18.50 - 44 (abends) und à la carte 39/87, Kinder 14 – **24 Zim** 145/280, Vorsaison 120/230 – ½ P Zuschl. 25.

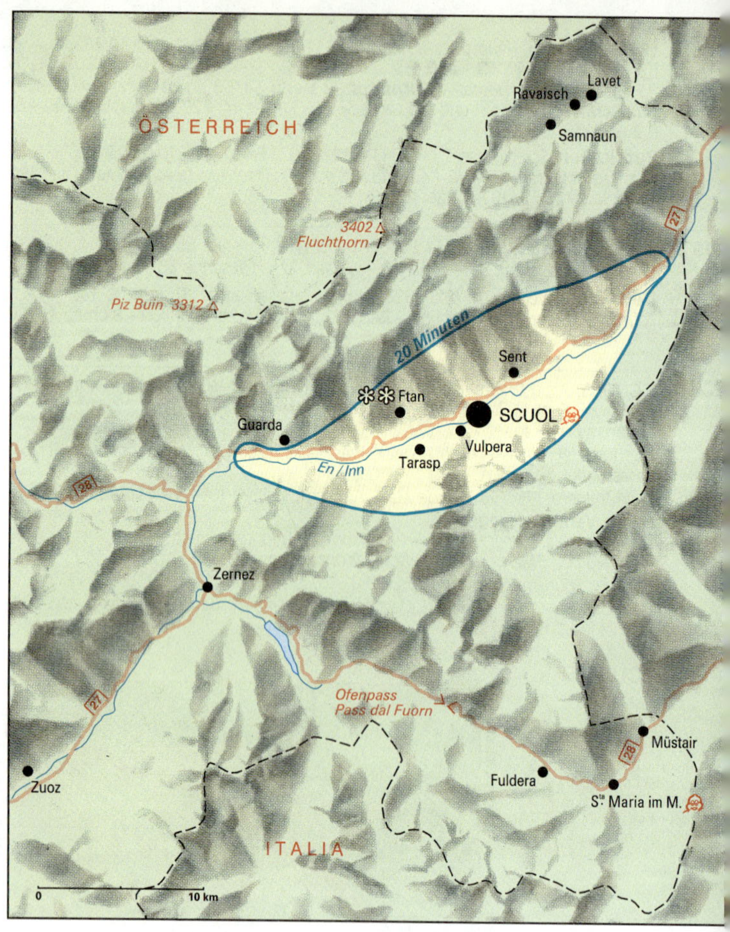

Engiadina M garni, Rablüzza 152, ☎ (081) 864 14 21, *Fax (081) 864 12 45*, « Behagliches Engadiner Haus aus dem 16. Jh. », – TV ☎ . B x
Mitte Dez. - Mitte April und Mitte Juni - Mitte Okt. – **15 Zim** 130/260, Vorsaison 100/240.

Chasa Belvair M, Stradun, ☎ (081) 864 93 94, *Fax (081) 864 99 82*, – TV ☎ . AE E VISA. Rest B r
Mitte Nov. - Mitte Dez. geschl. – **Menu** *(Mitte April - Mitte Juni und Ende Okt. - Mitte Dez. geschl.)* 23 und à la carte 39/84, Kinder 15 – ***Schü-San*** - chinesische Küche - *(von Mitte Mai - Mitte Dez. Montag geschl.)* **Menu** 21 und à la carte 40/93 – **33 Zim** 135/250, Vorsaison 105/200 – ½ P Zuschl. 15.

Bellaval, Ftanerstrasse, ☎ (081) 864 14 81, *Fax (081) 864 00 10*, , , – TV ☎ P. E VISA A v
12. Dez. - 17. April und 6. Juni - 18. Okt. – **Menu** 16.50 - 34 (abends) und à la carte 39/75, Kinder 10 – **26 Zim** 130/200, Vorsaison 70/180 – ½ P Zuschl. 28.

Traube, ☎ (081) 864 12 07, *Fax (081) 864 84 08*, , – TV ☎ P. AE E VISA B c
13. Dez. - 9. April und 21. Mai - 24. Okt. – **Menu** *(in Mai und Juni Dienstag geschl.)* 24 - 39/58 und à la carte 44/76, Kinder 12 – **17 Zim** 90/180, Vorsaison 70/140, 3 Suiten – ½ P Zuschl. 30.

Filli, (081) 864 99 27, Fax (081) 864 13 36, ≤, – TV ☎ P. E VISA A e
6. Dez. - 4. April und 10. Mai - 9. Okt. – **Menu** - italienische Küche - à la carte 46/80 – **22 Zim** 95/230, Vorsaison 82/200 – ½ P Zuschl. 25.

Panorama garni, (081) 864 10 71, Fax (081) 864 99 35, ≤, – TV ☎ P. A n
Montag und Mai geschl. – **13 Zim** 74/156, Vorsaison 66/140.

in Sent über ①: 3,5 km – Höhe 1 440 – ✉ 7554 Sent :

Rezia, (081) 864 12 92, Fax (081) 864 93 98, – E VISA
Mitte Dez. - Mitte April und Ende Mai - Anfang Nov. – **Menu** 19 - 38 und à la carte 31/78 – **17 Zim** 60/140 – ½ P Zuschl. 30.

in Vulpera über ②: 3 km – Höhe 1 268 – ✉ 7552 Vulpera :

Villa Post M, (081) 864 11 12, Fax (081) 864 95 85, ≤, , – TV ☎ P. – 100. AE E VISA
24. Dez. - 5. April und 12. Juni - 9. Okt. – **Menu** 45/53 (abends) und à la carte 45/97, Kinder 12 – **25 Zim** 140/300, Vorsaison 125/270 – ½ P Zuschl. 20.

Villa Maria, (081) 864 11 38, Fax (081) 864 91 61, ≤, , – TV ☎ P. AE E VISA
21. Dez. - 10. April und 21. Mai - 31. Okt. – **Menu** 26 - 58/98 und à la carte 47/104, Kinder 23 – **15 Zim** 100/240, Vorsaison 90/208 – ½ P Zuschl. 40.

in Tarasp über ②: 6 km – Höhe 1 414 – ✉ 7553 Tarasp :.
Sehenswert : Schloss Tarasp★.
Kur- und Verkehrsverein, (081) 864 09 44, Fax (081) 864 09 45

Schlosshotel Chastè M, Sparsels, (081) 864 17 75, Fax (081) 864 99 70, ≤ Schloss von Tarasp und Berge, , « Behagliches Engadiner Haus », , – TV video ☎ P. AE E VISA. Rest
20. Dez. - 5. April und 1. Juni - 18. Okt. – **Menu** (Montag - Dienstag geschl.) à la carte 58/123 – **20 Zim** 115/320 – ½ P Zuschl. 70.

SEDRUN 7188 Graubünden (GR) 218 ① ② – Höhe 1 441 – Wintersport : 1 441/3 000 m 13 .

9 (Mai - Okt.) (081) 949 23 24, Fax (081) 949 23 26, 6 km Richtung Andermatt.
Sedrun - Andermatt, Information (081) 949 11 37.
Sedrun Tourismus, via Alpsu 62, (081) 920 40 30, Fax (081) 920 40 39.
Bern 190 – Andermatt 18 – Altdorf 42 – Bellinzona 102 – Chur 71.

Oberalp, via Principale 42, (081) 949 11 55, Fax (081) 949 19 94, ≤ Berge, , , , – TV ☎ P. AE E VISA
16. Dez. - 29. April und 1. Juni - 29. Okt. – **Menu** à la carte 40/77, Kinder 10 – **30 Zim** 110/200, Vorsaison 70/140 – ½ P Zuschl. 25.

Soliva M, Oberalpstrasse, (081) 949 11 14, Fax (081) 949 21 00, ≤, , , – TV ☎ P. AE E VISA
Menu 16.50 und à la carte 37/85 – **20 Zim** 80/170, Vorsaison 75/160 – ½ P Zuschl. 25.

Mira, (081) 949 11 82, Fax (081) 949 23 71, ≤, – TV ☎ P. AE E VISA
20. Dez. - 9. April und 22. Mai - 14. Nov. – **Menu** (in der Zwischensaison Dienstag geschl.) 18.50 und à la carte 38/89 – **21 Zim** 95/170, Vorsaison 75/130 – ½ P Zuschl. 33.

La Cruna, (081) 920 40 40, Fax (081) 920 40 45, – ☎ P. – 15/50. AE E VISA
in der Zwischensaison Dienstag, Juni und Nov. geschl. – **Menu** 14.50 - 53 und à la carte 39/80, Kinder 12 – **28 Zim** 95/203, Vorsaison 65/140 – ½ P Zuschl. 25.

SEEBACH Zürich 216 ⑱ – siehe Zürich.

SEEDORF 3267 Bern (BE) 216 ⑭ – Höhe 565.

Bern 22 – Biel 17 – Fribourg 38 – Neuchâtel 40 – Solothurn 34.

in Aspi bei Seedorf Nord-West : 1,5 km – Höhe 520 – ✉ 3267 Seedorf :

Kreuz, Bernstr. 147, (032) 392 13 63, Fax (032) 392 46 47, – P. AE E VISA
Montag - Dienstag geschl. – **Menu** 14.50 und à la carte 35/78, Kinder 15.

in Baggwil *Süd : 0,5 km – Höhe 605 – ✉ 3267 Seedorf :*

Curtovino, ✆ (032) 392 55 32, – P. AE E VISA
Sonntag - Montag und 11. - 31. Juli geschl. – **Menu** 18.50 - 58/78 und à la carte 43/76
Kinder 10.

SEENGEN *5707 Aargau (AG)* 216 ⑰ *– 2 122 Ew. – Höhe 477.*

Bern 104 – Aarau 23 – Baden 27 – Luzern 36 – Zürich 47.

Burgturm, Schulstr. 2, ✆ (062) 777 12 07, *Fax (062) 777 39 24.* AE E VISA.
Sonntag Abend - Montag geschl. – **Menu** *(nur Abendessen)* à la carte 45/107.

Hallwyl mit Zim, Boniswilerstr. 17, ✆ (062) 777 11 14, *Fax (062) 777 15 98,* – TV ☎ P
Menu 22 - 70 und à la carte 39/81 – **8 Zim** 88/150 – ½ P Zuschl. 20.

SEMPACH STATION *6203 Luzern (LU)* 216 ⑰ *– 3 183 Ew. – Höhe 515.*

Sehenswert : *Aussicht★ bei der Dorfkirche in Kirchbühl.*

Bern 101 – Luzern 11 – Olten 43 – Sursee 11.

Sempacherhof M mit Zim, Bahnhofstr. 13, ✆ (041) 469 70 10, *Fax (041) 469 70 11,* – TV ☎ P. AE E VISA
Samstagmittag, Sonntag und 31. Juli - 9. Aug. geschl. – **Menu** 42 (mittags)/96 und à la carte 47/101 – **5 Zim** 85/130.

SENT *Graubünden* 218 ⑦ *– siehe Scuol.*

Le SENTIER *Vaud* 217 ② *– voir à Joux (Vallée de).*

SERPIANO *6867 Ticino (TI)* 219 ⑧ *– alt. 655.*

Bern 312 – Lugano 25 – Bellinzona 53 – Varese 14.

Serpiano , ✆ (091) 986 20 00, *Fax (091) 986 20 20,* , « parco e giardino fioriti, ≤ lago e circondorio », , , , – ☎ P. AE E VISA.
chiuso dicembre e gennaio – **Pasto** 35 (mittags) ed à la carte 41/86 – **90 cam** 85/230 – ½ P sup. 35.

SÉZEGNIN *Genève (GE)* 217 ⑪ *– alt. 420 – ✉ 1285 Athénaz :*

Bern 178 – Genève 15 – Gex 30 – St-Julien-en-Genevois 18.

Au Renfort, 19 rte Creux du Loup, ✆ (022) 756 12 36, *Fax (022) 756 33 37,* – P. AE E VISA
fermé 20 déc. au 20 janv., dim. soir et lundi – **Repas** 15 et à la carte 46/83, enf. 12.

SIERRE *3960 Valais (VS)* 217 ⑯ *– 14 004 h. – alt. 534.*

Voir : *Site★ – Intérieur★ de l'Hôtel de Ville.*

à Granges ✉ 3977 (fév - déc.), ✆ (027) 458 49 58, Fax (027) 458 47 58.

Manifestation locale

03.06 -06.06 : Festival international de la bande dessinée.

Office du Tourisme, pl. de la Gare, ✆ (027) 455 85 35, Fax (027) 455 86 35.

Bern 168 – Sion 15 – Brig 38.

Terminus, 1 r. du Bourg, ✆ (027) 455 11 40, *Fax (027) 455 23 14,* – TV ☎ P – 15/200. AE E VISA. rest
Repas 18 - 28/48 et à la carte 37/78 – **25 ch** 110/170 – ½ P suppl. 35.

Casino sans rest, 19 av. Général Guisan, ✆ (027) 451 23 93, *Fax (027) 451 23 99* – TV ☎ . AE E VISA
30 ch 85/150.

Relais du Château de Villa, 4 r. Sainte-Catherine, ✆ (027) 455 18 96, *Fax (027) 456 24 45,* , « Gentilhommière du 16e siècle, dégustation de vins valaisans autour de spécialités régionales » – AE E VISA
fermé Noël et Nouvel-An – **Repas** 52 et à la carte 36/61.

à Veyras *Nord : 2 km par rte de Crans-Montana – alt. 660 – ✉ 3968 Veyras :*

XX **Noble-Contrée,** rte de Montana, ✆ (027) 455 67 74, ☂ – P. AE ⓓ E VISA
fermé dim. soir et lundi – **Repas** 15 - 56/69 et à la carte 45/83.

à Salgesch *Est : 4 km – alt. 576 – ✉ 3970 Salgesch :*

Rhône, Bahnhofstr. 80, ✆ (027) 455 18 38, *Fax (01) 455 12 59* – |‡| ☎ ♿ P. AE ⓓ E VISA
Repas *20* et à la carte 40/83, enf. 15 – **26 ch** ☐ 80/120 – ½ P suppl. 30.

X **Zur Sonne,** rte de Varen, ✆ (027) 455 14 27, auberge rustique familiale – P. AE E VISA
fermé merc. – **Repas** (prévenir) 55/80 et à la carte 43/87.

à Chippis *Sud : 2 km – alt. 527 – ✉ 3965 Chippis :*

Les Berges M, 2 r. de Bellerive, ✆ (027) 452 21 00, *Fax (027) 452 21 29*, ☂ – |‡|, ▤ rest, TV ☎ ✆ ♿ P – 🏛 15/30
fermé 25 juil. au 8 août – **Repas** *(fermé samedi midi, dim. soir et jeudi)* 16 - 38/68 et à la carte 39/88, enf. 10 – **18 ch** ☐ 100/160 – ½ P suppl. 30.

à Corin-de-la-Crête *Ouest : 2 km par rte Crans-Montana – ✉ 3960 Sierre*

XXX **La Côte** (De Courten), ✆ (027) 455 13 51, *Fax (027) 456 44 91*, < vignoble et vallée – P. AE E VISA
✿✿ *fermé 5 juil. au 4 août, lundi et mardi* – **Repas** 65 (midi)/135 et à la carte 93/114
Spéc. Petites morilles farcies à la crème, asperges vertes et noix de pétoncles rôties (printemps). Perdreau sauvage aux baies de sorbier et pruneaux confits (automne). Tarte fine feuilletée amandine aux abricots (été).

SIGIGEN *6019 Luzern (LU) 216 ⑰ – Höhe 760.*

Bern 82 – Luzern 18 – Olten 51 – Wolhusen 11.

XXX **Pony,** ✆ (041) 495 33 30, *Fax (041) 495 13 37*, ☂ – P. AE VISA
Montag - Dienstag, in Feb. und Aug. jeweils 2 Wochen geschl. – **Menu** 29 - 48 (mittags)/105 und à la carte 40/100.

SIGRISWIL *3655 Bern (BE) 217 ⑦ – 4 207 Ew. – Höhe 800.*

ℹ Tourismus Information, ✆ (033) 251 12 35, Fax (033) 251 09 10.

Bern 41 – Interlaken 19 – Brienz 39 – Spiez 22 – Thun 11.

Solbadhotel ⛰, ✆ (033) 252 25 25, *Fax (033) 252 25 00*, <, ☂, ≘s, ▢ (Solbad), ⚘ – |‡| TV ☎ ✆ 🚗 P – 🏛 15/50. AE ⓓ E VISA
10. - 20. Jan. geschl. – **Menu** 16.50 - 27 (mittags)/45 und à la carte 41/79, Kinder 12 – **56 Zim** ☐ 120/260 – ½ P Zuschl. 40.

Bären, ✆ (033) 251 23 23, *Fax (033) 251 38 54*, <, ☂ – |‡| TV ☎ P – 🏛 15/60. AE ⓓ E VISA
Jan. und Feb. geschl. – **Menu** *(Sonntagabend und Montag in der Zwischensaison geschl.)* 19.50 und à la carte 35/64 – **34 Zim** ☐ 95/200 – ½ P Zuschl. 28.

SIHLBRUGG *8944 Zürich (ZH) 216 ⑱ – Höhe 538.*

Bern 144 – Zürich 20 – Cham 14 – Einsiedeln 31 – Rapperswil 28.

XX **Krone** mit Zim, ✆ (01) 729 83 33, *Fax (01) 729 93 32*, ☂, Rustikaler Landgasthof aus dem 18. Jh. – TV ☎ P. AE ⓓ E VISA
Montagabend - Dienstag, 21. Feb. - 9. März und 18. Juli - 10. Aug. geschl. – **Menu** 55 (mittags)/120 und à la carte 46/120, Kinder 14 – ☐ 15 – **5 Zim** 70/135.

Les hôtels ou restaurants agréables
sont indiqués dans le Guide par un signe rouge.
Aidez-nous en nous signalant les maisons où,
par expérience, vous savez qu'il fait bon vivre.
Votre **Guide Michelin** sera encore meilleur.

SILS MARIA (SEGL MARIA) *7514 Graubünden (GR)* **218** ⑮ – *626 Ew. – Höhe 1815 –*
Wintersport : 1 815/3 303 m 1 7.

Lokale Veranstaltungen
01.03 : "Chalandamarz" alter Frühlingsbrauch und Kinderfest
Mitte Juli - Mitte August : Engadiner Konzertwochen.

Verkehrsverein, *(081) 838 50 50, Fax (081) 838 50 59.*

Bern 328 – Sankt Moritz 11 – Chur 86 – Sondrio 89.

Waldhaus, (081) 838 51 00, *Fax (081) 838 51 98,* Berge, , Park, , , , – 15/60. *VISA*.
18. Dez. - 18. April und 11. Juni - 24. Okt. – **Menu** 27 - 38 (mittags)/90 und à la carte 45/95, Kinder 19 – **140 Zim** 235/530, Vorsaison 178/404, 10 Suiten – ½ P Zuschl. 50.

Edelweiss, Dorfstrasse, (081) 826 66 26, *Fax (081) 826 66 55,* , , – *VISA*
21. Dez. - 5. April und 19. Juni - 17. Okt. – **Menu** 39 (mittags) und à la carte 45/88 – **77 Zim** 170/450, Vorsaison 120/315 – ½ P Zuschl. 20.

Post, (081) 838 44 44, *Fax (081) 838 44 00,* – *VISA* Zim
19. Dez. - 11. April und 4. Juni - 24. Okt. – **Menu** 22 - 40 und à la carte 31/88, Kinder 20 – **37 Zim** 128/344, Vorsaison 98/280 – ½ P Zuschl. 25.

Chesa Margun, (081) 826 50 50, *Fax (081) 826 59 41,* – *VISA*. Zim
12. Dez. - 10. April und 4. Juni - 24. Okt. – **Menu** 22 - 30/46 und à la carte 34/69, Kinder 16 – **22 Zim** 75/256, Vorsaison 65/246 – ½ P Zuschl. 25.

Privata, (081) 826 52 47, *Fax (081) 826 61 83* – .
18. Dez. - 14. April und 5. Juni - 10. Okt. – **Menu** *(nur ½ Pens. für Hotelgäste)* – **26 Zim** 125/230, Vorsaison 110/200 – ½ P Zuschl. 25.

in Sils Baselgia (Segl Baselgia) *Nord-West : 1 km – Höhe 1 802 – 7515 Sils Baselgia :*

Margna, (081) 826 53 06, *Fax (081) 826 54 70,* , , Park, , – *VISA*
19. Dez. - 5. April und 6. Juni - 10. Okt. – ***Grill* : Menu** à la carte 44/98 – ***Stüva* : Menu** 24 und à la carte 32/91 – **69 Zim** 210/460, Vorsaison 180/400, 3 Suiten – ½ P Zuschl. 35.

Chesa Randolina, (081) 826 51 51, *Fax (081) 826 56 00,* Berge, , , , – Rest
19. Dez. - 10. April und 6. Juni - 17. Okt. – **Menu** *(nur ½ Pens. für Hotelgäste)* – **33 Zim** 130/280, Vorsaison 115/250, 8 Suiten – ½ P Zuschl. 20.

Sporthotel Grischa, (081) 826 51 16, *Fax (081) 826 50 49,* , , – *VISA*. Rest
19. Dez. - 10. April und 14. Mai - 23. Okt. – **Menu** *(nur für Hotelgäste) (mittags geschl.)* – **26 Zim** *(nur ½ Pens.)* 136/290, Vorsaison 106/234.

in Plaun da Lej *Süd-West : 3 km – Höhe 1 802 – 7517 Plaun da Lej :*

Murtaröl, (081) 826 53 50, *Fax (081) 826 59 59* – *VISA*
10. Nov. - 24. Dez. geschl. – **Menu** - Fischspezialitäten - (Tischbestellung ratsam) 39 und à la carte 40/100.

SILS BASELGIA (SEGL BASELGIA) *Graubünden* **218** ⑮ – *siehe Sils Maria.*

SILVAPLANA *7513 Graubünden (GR)* **218** ⑮ – *896 Ew. – Höhe 1816 – Wintersport : 1 816/3 303 m* 2 5.

Ausflugsziel : *Piz Corvatsch★★★ Ost : 2 km und Luftseilbahn – Silvaplaner und Silser See★★ Süd.*

Lokale Veranstaltungen
23.01 : Schlitteda da Silvaplana, alter Brauch
01.03 : "Chalandamarz", alter Frühlingsbrauch und Kinderfest.

Kur- und Verkehrsverein, Plazza dal Mastrel, *(081) 838 60 00, Fax (081) 838 60 09.*

Bern 323 – Sankt Moritz 6 – Chur 82 – Sondrio 85.

Albana M, via Vers Mulins, ☎ (081) 828 92 92, *Fax (081) 828 81 81*, ← Berge, ,
, , – , TV ☎ – 25. AE ⓓ E VISA
im Nov. Montag - Dienstag (nur Rest.) und Mitte April - Mitte Juni geschl. – ***Le Gourmet :*** *(nur Abendessen)* **Menu** 65/85 und à la carte 62/109 – ***Spunta :*** **Menu** 25 - 43 (abends) und à la carte 44/82, Kinder 14 – **34 Zim** 190/380, Vorsaison 165/270 – ½ P Zuschl. 55.

Julier - Chesa Arsa, ☎ (081) 828 96 44, *Fax (081) 828 81 43* – TV ☎
P. AE E VISA
Mitte Dez. - Mitte April und Mitte Juni - Mitte Okt. – **Menu** *(in der Zwischensaison im Sommer Dienstag geschl.)* 16 - 60 (abends) und à la carte 45/84 – **34 Zim** 90/240, Vorsaison 70/140 – ½ P Zuschl. 32.

Chesa Silva garni, Via Munterots, ☎ (081) 838 61 00, *Fax (081) 838 61 99*,
– ☎ . AE ⓓ E VISA
2. Mai - 30. Juni und 30. Okt. - 20. Dez. geschl. – **12 Zim** 115/165, Vorsaison 95/140.

La Staila, via Maistra, ☎ (081) 828 81 47, *Fax (081) 828 91 51*, – ☎
P. ⓓ E VISA
6. Dez. - 17. April und 13. Juni - 16. Okt. – **Menu** *(im Winter nur Abendessen)* à la carte 31/60 – **18 Zim** 90/240, Vorsaison 70/180 – ½ P Zuschl. 25.

SION (SITTEN) *1950* C *Valais (VS)* 217 ⑮ – *25 354 h. – alt. 491.*

Voir : *Site★★ – Valère★ : Stalles★★ de l'église N.-D.-de-Valère★ ; Musée cantonal d'Histoire et d'Ethnographie★* Y *– Clocher★ et triptyque★ de la cathédrale N.-D.-du-Glarier* Y *– Porte★ et salle du Conseil bourgeoisial★ de l'Hôtel de Ville* Y **H** *– Grande salle★ de la maison Supersaxo* Y **B** *– Majorie : vue★* Y **M¹**.

Environs : *Barrage de la Grande Dixence★★★ Sud-Est : 24 km – Route du Sanetsch★★ par ② – Route de Derborence★ par ② – Route de Tseuzier★ Nord par rte de Crans-Montana – Anzère★ par ① : 15 km.*

9 ☎ *(027) 203 79 00, Fax (027) 203 79 01.*

Manifestation locale

13.05 : Finale cantonale des combats de reines à Aproz.

Sion Tourisme, pl. de la Planta, ☎ (027) 322 85 86, Fax (027) 322 18 82.

3 r. des Cèdres, ☎ (027) 329 28 28, Fax (027) 329 28 29.

45 r. du Scex, ☎ (027) 322 11 15, Fax (027) 322 33 21.

Bern 153 ② – Brig 53 ① – Aosta 99 ② – Lausanne 93 ② – Martigny 30 ②.

Plans pages suivantes

Europa M sans rest, 19 rue de l'Envol, par ②, ☎ (027) 322 24 23, *Fax (027) 322 25 35* – TV ☎ – 15/100. AE ⓓ E VISA
65 ch 130/180.

Rhône, 10 r. du Scex, ☎ (027) 322 82 91, *Fax (027) 323 11 88* – TV ☎ – 15/60. AE ⓓ E VISA — Z a
Repas 18 - 27 et à la carte 31/88, enf. 12 – **45 ch** 99/170 – ½ P suppl. 27.

Ibis, 21 av. Grand-Champsec, (Sud-Est : par r. de la Dixence - Z), ☎ (027) 203 81 91, *Fax (027) 203 13 20*, – TV ☎ – 15/80. AE ⓓ E VISA
Repas 15 - 29, enf. 10 – 13 – **71 ch** 85/105 – ½ P suppl. 21.

Le Jardin Gourmand, 22 av. de la Gare, ☎ (027) 323 23 10, *Fax (027) 323 23 21* — Z r
– . AE ⓓ E VISA
fermé 20 juil. au 25 août, lundi soir et dim. – **Repas** 20 - 48 (midi)/98 et à la carte 61/93.

La Planta, 33 av. de la Gare, ☎ (027) 322 60 34, *Fax (027) 323 58 26* – AE ⓓ E. — Z c
fermé dim. et fériés – **Repas** 20 - 36/65 et à la carte 48/91.

Enclos de Valère, 18 r. des Châteaux, ☎ (027) 323 32 30, *Fax (027) 323 32 30*, — Y d
« Terrasse ombragée » – AE ⓓ E VISA
fermé 1er janv. au 9 fév. et dim. - lundi d'oct. à avril – **Repas** 15 - 35 (midi)/88 et à la carte 42/78, enf. 10.

Cheval Blanc, 23 Grand-Pont, ☎ (027) 322 18 67, – AE ⓓ E VISA — Y e
fermé 22 déc. au 6 janv., lundi soir et dim. – **Repas** 17 - 48 (midi) et à la carte 41/95.

Croix Fédérale, 13 Grand-Pont, ☎ (027) 322 16 95, Petite auberge rustique dans la vieille ville – AE ⓓ E VISA JCB — Y n
fermé 25 juin au 20 juil. et lundi – **Repas** 16 - 48/90 et à la carte 53/90.

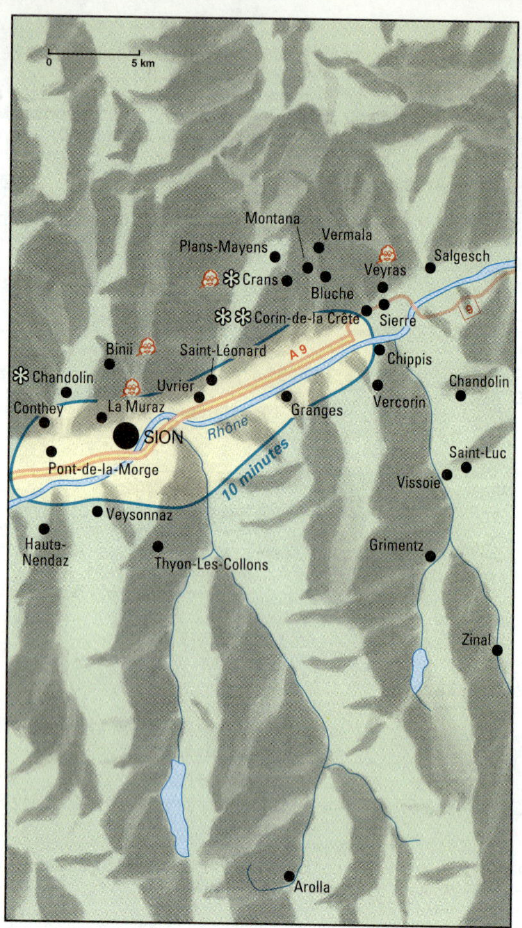

à Uvrier *par ① : 5 km – alt. 498 – ✉ 1958 Uvrier :*

Des Vignes Ⓜ, 9 r. du Pont, ✆ (027) 203 16 71, *Fax (027) 203 37 27*, ←, ☂, ≋s, ⛩, 🌳, 🎾 – 🛗, ⚡ ch, 📺 ☎ ♿ 🅿 – 🏋 15/60. AE E VISA. ✂

fermé 4 au 31 janv. – **Repas** *(fermé dim. soir et lundi)* 20 - 46 et à la carte 44/93 – **38 ch** ☕ 125/215, 4 suites – ½ P suppl. 35.

à Saint-Léonard *par ① : 6 km – alt. 505 – ✉ 1958 Saint-Léonard :*

Buffet de la Gare, avenue de la Gare, ✆ (027) 203 22 12, *Fax (027) 203 22 12* – 🅿. AE ⓓ E VISA

fermé 24 au 31 déc., 1er au 15 août, dim. soir et lundi – **Repas** 18 - 48/75 et à la carte 45/84.

à Pont-de-la-Morge *par ② : 2,5 km – alt. 510 – ✉ 1962 Pont-de-la-Morge :*

Relais du Simplon, rte Cantonale, ✆ (027) 346 20 30, *Fax (027) 346 69 24*, ☂ – 🅿. AE ⓓ E VISA

fermé 24 au 31 déc., 1er au 15 août, mardi soir et merc. soir – **Repas** 21 - 65/109 et à la carte 59/107.

SION

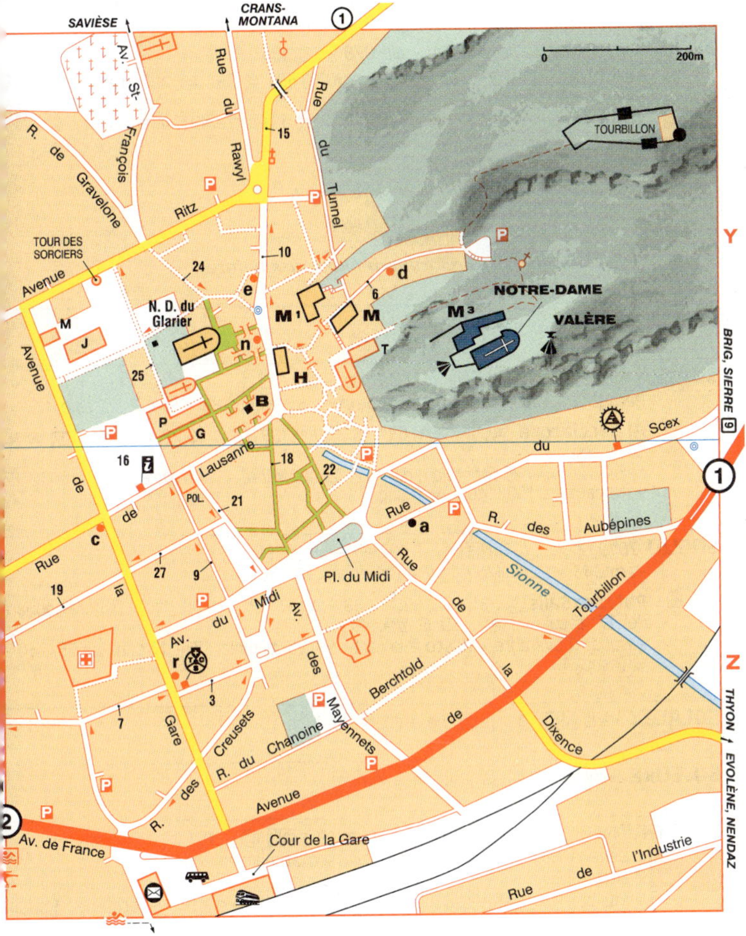

à Conthey *par ② : 3 km – alt. 500 – ✉ 1964 Conthey :*

Pas-de-Cheville, 21 rte de la Morge, ✆ (027) 346 51 51, *Fax (027) 346 43 87,* – rest, video ☎ P. AE ⓓ E VISA
Repas 16 - 50 et à la carte 42/88 – **20 ch** ☐ 80/110 – ½ P suppl. 28.

à la Muraz *Nord-Ouest par rte Savièse : 2 km – alt. 657 – ✉ 1950 La Muraz :*

Relais du Mont d'Orge, ✆ (027) 395 33 46, *Fax (027) 395 33 46,* – P. E VISA.
fermé 23 déc. au 11 janv., 29 août au 13 sept., dim et lundi – **Repas** (nombre de couverts limité - prévenir) 16 - 37/89 et à la carte 54/100.

à Chandolin *Nord-Ouest par rte de Savièse, puis rte du Col de Sanetsch : 8 km – alt. 83 – ✉ 1965 Savièse :*

Pont du Diable (Le Deunff), ☎ (027) 395 30 30, *Fax (027) 395 30 30,* « Terrasse ≤ vallée du Rhône et vignoble » – P. AE E VISA
fermé 3 au 13 janv., août, dim. soir, lundi et mardi – **Repas** 52 (midi)/125 et à carte 64/100
Spéc. Roulade de truite saumonée et fumée parfumée au fenouil (juin à sept). Tou nedos de selle de chamois du Valais bardé de jambon cru au jus de sureaux noir (oct. - nov.). Crème brûlée aux cinq menthes de Chandolin (mai - juil.).

à Binii *Nord par rte Savièse : 9 km – alt. 978 – ✉ 1965 Savièse :*

Le Chalet, ☎ (027) 395 12 17, *Fax (027) 395 40 29,* , « Terrasse ≤ vallée – P. E VISA
fermé janv. et merc. – **Repas** 16 - 35/98 et à la carte 48/94, enf. 21.

Die im Michelin-Führer
verwendeten Zeichen und Symbole haben
- rot oder schwarz -
jeweils eine andere Bedeutung.

Lesen Sie daher die Erklärungen aufmerksam durch.

SITTEN *Wallis* 217 ⑮ *– siehe Sion.*

SOAZZA *6562 Grigioni (GR)* 218 ⑬ *– 397 ab. – alt. 623.*
Bern 279 – Sankt Moritz 125 – Bellinzona 32 – Chur 88 – San Bernardino 13.

Al Cacciatore, ☎ (091) 831 18 20, *Fax (091) 831 19 79,* , – TV
AE E VISA
chiuso dal 14 al 28 febbraio e dal 15 al 30 novembre – **Pasto** 20 ed à la carte 42/83 – **16 cam** 100/140 – ½ P sup. 35.

SOGLIO *7610 Grigioni (GR)* 218 ⑭ *– 197 ab. – alt. 1 095.*
Bern 343 – Sankt Moritz 38 – Chiavenna 16 – Chur 104.

Palazzo Salis, ☎ (081) 822 12 08, *Fax (081) 822 16 00,* , « Dimora nobiliare del 17° secolo », – AE E VISA. rist
Pasqua - novembre – **Pasto** à la carte 51/95, bambini 17 – **17 cam** 75/230 – ½ P sup. 40.

SOLALEX *Vaud* 217 ⑮ *– rattaché à Villars-sur-Ollon.*

SOLEURE *Solothurn* 216 ⑮ *– voir à Solothurn.*

SOLOTHURN (SOLEURE) *4500* K *Solothurn (SO)* 216 ⑮ *– 15 592 Ew. – Höhe 432.*

Sehenswert : *Altstadt★ YZ – St. Ursenkathedrale★ Y – Schiff★ der Jesuitenkirche Y.*

Museum : *Kunstmuseum : Madonna in den Erdbeeren★ ; Solothurner Madonna★ Y.*

Ausflugsziel : *Weissenstein★★★ über ⑤ : 10 km.*

18 *Wylihof in Luterbach, ✉ 4542, ☎ (032) 682 28 28, Fax (032) 682 65 17.*

Lokale Veranstaltungen
26.01 - 31.01 : Solothurner Filmtage
09.07 - 18.07 : Classic Openair.

Region Solothurn Tourismus, Hauptgasse 69, ☎ (032) 626 46 46, Fax (032) 626 46 47.

Westbahnhofstr. 12, ☎ (032) 625 90 60, Fax (032) 625 90 61.

Hauptgasse 69, ☎ (032) 626 46 26, Fax (032) 626 46 27.

Bern 37 ② – Basel 69 ② – Biel 22 ⑤ – Luzern 80 ② – Olten 34 ②.

SOLOTHURN

Street	Grid	No.
Amthausplatz	Y	3
Barfüssergasse	Y	4
Friedhofplatz	Y	6
Goldgasse	Y	7
Gurzelngasse	Y	
Hauptbahnhofstrasse	Z	9
Hauptgasse	Y	
Klosterplatz	Y	10
Kreuzackerstrasse	Z	12
Kronengasse	Y	13
Löwengasse	Y	15
Nictumgässlein	Y	16
Rathausplatz	Y	18
Theatergasse	Y	19
Weberngasse	Y	21
Werkstrasse	Y	22
Westbahnhof Strasse	Y	24
Westringstrasse	Y	25
Zeughausplatz	Y	27
Zuchwilerstrasse	Z	28

Krone, Hauptgasse 64, (032) 622 44 12, *Fax (032) 622 37 24,* – – 15/200. AE E VISA — Y a
Menu 25 - 58/80 und à la carte 39/92 – **42 Zim** 160/260 – ½ P Zuschl. 45.

Astoria, Wengistr. 13, (032) 622 75 71, *Fax (032) 623 68 57,* – AE E VISA — Y b
Menu 14 - 22 (mittags)/42 und à la carte 30/79 – **40 Zim** 105/175 – ½ P Zuschl. 25.

Tour Rouge, Hauptgasse 42, (032) 622 96 21, *Fax (032) 622 98 65* – , Zim, . AE E VISA — Y c
Menu 17.50 und à la carte 41/80 – **35 Zim** 145/230 – ½ P Zuschl. 30.

Zum Alten Stephan, Friedhofplatz 10, (032) 622 11 09, *Fax (032) 623 70 60,* « Haus aus dem 11. Jh. » – AE E VISA — Y f
Sonntag, Montag und 24. Dez. - 10. Jan. geschl. – **Menu** 16 und à la carte 35/110, Kinder 13 – ***Gourmet-Narrenstübli*** (1. Etage) **Menu** 50 (mittags)/125 und à la carte 56/125.

in Zuchwil *Süd-Ost : 2,5 km über Zuchwilerstrasse – Höhe 435 – ✉ 4528 Zuchwil :*

Martinshof, Hauptstr. 81, ✆ (032) 686 26 26, *Fax (032) 686 26 00* – AE ⓓ E VISA
Paradiso : **Menu** 20 und à la carte 33/59 – ***Thaï Garden*** - thailändische Küche - *(nur Abendessen) (in Juli - Aug. Montag geschl.)* **Menu** 68/80 und à la carte 47/87 – ***Cucaracha*** - mexikanische Küche - *(nur Abendessen)* **Menu** à la carte 36/64 – **22 Zim** 85/140 – ½ P Zuschl. 35.

in Nennigkofen *Süd-West : über ④ : 4 km – Höhe 458 – ✉ 4574 Nennigkofen :*

Weyeneth, Dorfstr. 40, ✆ (032) 622 21 60, , Ehemaliger Bauernhof – P. E VISA
Montag, Dienstag, in Feb. und Juli jeweils 2 Wochen geschl. – **Menu** 48/74 und à la carte 32/76.

in Langendorf *Nord-West : über ⑤ : 2,5 km – Höhe 470 – ✉ 4513 Langendorf :*

Chutz, Weissensteinstr. 26, ✆ (032) 622 34 71, *Fax (032) 622 58 51*, « typisches Berner Bauernhaus » – P. AE ⓓ E VISA
Sonntag - Montag und Mitte Juli - Anfang Aug. geschl. – **Menu** 16.50 - 66 und à la carte 41/83.

Keine Aufnahme in den ***Michelin-Führer*** *durch*
– Beziehungen oder
– Bezahlung

SONCEBOZ *2605 Berne (BE)* 216 ⑭ *– 1 540 h. – alt. 653.*
Bern 49 – Delémont 40 – Biel 14 – La Chaux-de-Fonds 31.

Fédéral, 14 r. de la Gare, ✆ (032) 489 10 34, *Fax (032) 489 10 11* – P
fermé 22 fév. - 4 mars, 19 juil. - 11 août, mardi soir et merc. – **Repas** (sur réservation seul.) 13 - 95/115 (soir) et à la carte 25/65.

Pierre-Pertuis, 10 r. Pierre-Pertuis, ✆ (032) 489 10 22 – P. E
fermé 21 au 27 déc., août, merc. et jeudi – **Repas** 14 et à la carte 33/76.

SORAGNO *Ticino (TI)* 219 ⑧ *– alt. 393 – ✉ 6964 Davesco-Soragno.*
Bern 286 – Lugano 6 – Bellinzona 31 – Locarno 44.

Osteria Gallo d'Oro, via cantonale 3a, ✆ (091) 941 19 43, *Fax (091) 941 00 45*, , Servizio estivo sotto un fresco pergolato in legro e glicine – P. AE ⓓ E VISA
chiuso domenica, lunedì, dal 20 dicembre al 10 gennaio e dal 20 giugno al 7 luglio – **Pasto** à la carte 36/75.

SORENGO *Ticino* 219 ⑧ *– vedere Lugano.*

SPEICHER *9042 Appenzell Ausserrhoden (AR)* 216 ㉑ *– 3 888 Ew. – Höhe 924.*
Bern 218 – Sankt Gallen 5 – Altstätten 14 – Bregenz 34.

Appenzellerhof, Trogenerstrasse, ✆ (071) 344 13 21, *Fax (071) 344 10 38* – Zim, P. AE ⓓ E VISA
7. - 21. Feb. und 7. - 21. Nov. geschl. – **Menu** 20 - 72 und à la carte 33/84 – **19 Zim** 90/180 – ½ P Zuschl. 30.

Krone, Hauptstr. 34, ✆ (071) 344 18 40, *Fax (071) 344 18 46*, – P. E VISA
Montag, Donnerstag und Mitte Juli - Mitte Aug. geschl. – **Menu** 18 und à la carte 34/74.

SPIEZ *3700 Bern (BE)* 217 ⑦ *– 11 026 Ew. – Höhe 628.*
Sehenswert : *Schloss : Rundblick★★ vom Turm – Lage★.*
Ausflugsziel : *Fahrt auf den Niesen★★★ Süd : 7 km und Standseilbahn – Stockhorn★★★ West : 12 km und Luftseilbahn.*
Lokale Veranstaltung
12.05 - 15.05 : Film- und Videofestival.
Spiez Tourismus, Bahnhof, ✆ (033) 654 20 20, Fax (033) 654 21 92.
Bern 41 – Interlaken 18 – Bulle 70 – Kandersteg 28.

Belvédère, Schachenstr. 39, (033) 654 33 33, *Fax (033) 654 66 33*, ← Thunersee und Berge, Park, – Zim, – 25. AE E VISA
März - Okt. – **Menu** (an Wochenenden Tischbestellung ratsam) 35/98 und à la carte 45/89 – **29 Zim** 120/320 – ½ P Zuschl. 35.

Eden, Seestr. 58, (033) 654 11 54, *Fax (033) 654 11 94*, ←, – AE E VISA. Rest
Juni - Sept. – **Menu** 45 (abends) und à la carte 41/73 – **47 Zim** 105/250 – ½ P Zuschl. 35.

des Alpes, Seestr. 38, (033) 654 33 54, *Fax (033) 654 88 50*, ←, – AE E VISA. Rest
Menu *(von Okt. - April Montag - Dienstag, Jan. und 12. - 27. April geschl.)* 16.50 und à la carte 39/65, Kinder 18 – **38 Zim** 75/180 – ½ P Zuschl. 28.

in Faulensee *Ost : 2 km – Höhe 603 – 3705 Faulensee :*

Seerose M, Interlakenstr. 87, (033) 654 10 25, *Fax (033) 654 10 23*, ← Thunersee, – AE E VISA. Zim
15. März - 31. Okt – **Menu** *(Mittwoch und Donnerstag ausser Juni - Sept. geschl.)* 17.50 - 26 und à la carte 34/73, Kinder 14 – **13 Zim** 100/185 – ½ P Zuschl. 30.

Nord-West *2 km Richtung Thun :*

Perle, Hauptstr. 6, 3646 Einigen, (033) 654 22 15, *Fax (033) 654 22 16*, ←, – AE E VISA
Montag geschl. – **Menu** 18.50 - 30 (mittags)/79 und à la carte 37/96.

SPORZ *Graubünden* 218 ④ *– siehe Lenzerheide.*

SPREITENBACH *8957 Aargau (AG)* 216 ⑱ *– 8 577 Ew. – Höhe 424.*
Bern 119 – Aarau 40 – Baden 5 – Dietikon 6 – Luzern 64 – Zürich 20.

Arte M, Wigartestr. 10, (056) 418 42 42, *Fax (056) 418 43 43*, – 15/50. AE E VISA
Menu 18.50 - 36 (mittags) und à la carte 42/81, Kinder 11 – **66 Zim** 125/195.

STABIO *6855 Ticino (TI)* 219 ⑧ *– 3 244 ab. – alt. 347 – Stazione termale.*
Bern 295 – Lugano 24 – Bellinzona 51 – Como 18 – Milano 65 – Varese 14.

Montalbano, località San Pietro Nord : 1 km, 6854 San Pietro di Stabio, (091) 647 12 06, *Fax (091) 647 40 25*, , Rist. elegante ubicato fuori paese in zona collinare e verdeggiante, – AE E VISA
chiuso sabato a mezzogiorno, domenica sera, lunedì, dal 27 dicembre al 15 gennaio e dal 1º al 20 agosto – **Pasto** 38 - 58 (mezzogiorno)/90 ed à la carte 60/102.

STÄFA *8712 Zürich (ZH)* 216 ⑲ *– 10 885 Ew. – Höhe 414.*
Bern 148 – Zürich 23 – Einsiedeln 28 – Luzern 73 – Rapperswil 9.

Hurter's Seehus, Seestr. 4, (01) 926 23 03, *Fax (01) 926 73 06*, ← Zürichsee, – AE E VISA
Sonntag (ausser von Mai - Aug.), Montag, 24. Dez. - 11. Jan. und 3. - 18. Okt. geschl. – **Menu** 29 - 39 (mittags)/85 und à la carte 67/110.

Im Kehlhof, Seestr. 191, (01) 926 11 55, *Fax (01) 926 80 49*, – AE E VISA
Dienstag - Mittwoch, Ende Feb. und Ende Aug. jeweils 2 Wochen geschl. – **Menu** 59 (mittags)/135 und à la carte 69/131.

Zur alten Krone, Goethestr. 12, (01) 926 40 10, *Fax (01) 926 62 31*, – AE E VISA
Montag geschl. – ***Itschner Stube* : Menu** 18.50 - 65 und à la carte 43/80.

STALDEN *Bern* 217 *J07 – siehe Konolfingen.*

STALDEN *3922 Wallis (VS)* 217 ⑰ *– 1 265 Ew. – Höhe 799.*
Bern 172 – Brig 14 – Saas Fee 30 – Sierre 34 – Sion 49.

Ackersand M, in Ackersand, Nord : 2 km Richtung Visp, (027) 953 15 00, *Fax (027) 953 15 05,* – AE E VISA
von Nov. - Ende April Sonntag geschl. – **Menu** 20 - 29 und à la carte 26/57 – **31 Zim** 85/130 – ½ P Zuschl. 18.

STANS *6370* K *Nidwalden (NW)* 217 ⑨ *– 6 363 Ew. – Höhe 451.*
Sehenswert : *Glockenturm★ der Kirche.*
Ausflugsziel : *Stanserhorn★★ Süd mit Standseil- und Luftseilbahn – Strasse nach Seelisberg★ Ost.*
Tourismus Stans, Bahnhof 1, (041) 610 88 33, Fax (041) 610 88 66.
Bern 125 – Luzern 12 – Altdorf 30 – Cham 36 – Engelberg 20.

Motel Stans-Süd garni, Rieden 4 (an der A2, Ausfahrt Stans-Süd), (041) 618 07 77, *Fax (041) 618 07 78* – AE E VISA
38 Zim 65/90.

Zur Linde mit Zim, Dorfplatz 7, (041) 619 09 30, *Fax (041) 619 09 48,* – AE E VISA.
Sonntag - Montag und Mitte Juli - Mitte Aug. nur Rest. geschl. – ***Stanserstube*** (1. Etage) **Menu** 72/108 (abends) und à la carte 57/113, Kinder 10 – ***Feldschlöschen* : Menu** 16.50 und à la carte 32/72 – **9 Zim** 75/160.

Zur Rosenburg, im Höfli, alter Postplatz 3, (041) 610 24 61, *Fax (041) 610 93 56,* – AE E VISA
Montag - Dienstag und 30. Juni - 18. Juli geschl. – **Menu** 18 - 62 und à la carte 42/85, Kinder 14.

STANSSTAD *6362 Nidwalden (NW)* 217 ⑨ *– 4 055 Ew. – Höhe 438.*
in Bürgenstock – 6363 (Mai - Okt.), (041) 610 24 34.
Bern 123 – Luzern 9 – Altdorf 32 – Sarnen 14 – Stans 4.

Winkelried M, am Hafen, (041) 610 99 01, *Fax (041) 610 96 31,* < Pilatus und Vierwaldstättersee, – 40. AE E VISA
***Seeblick* : Menu** 21 - 52 und à la carte 45/90 – ***Winkelriedstübli* : Menu** 21 und à la carte 37/80, Kinder 14 – **26 Zim** 140/250, 4 Suiten – ½ P Zuschl. 38.

in Fürigen *Nord-Ost : 3,5 km Richtung Bürgenstock – 6363 Obbürgen :*

Fürigen, (041) 610 00 60, *Fax (041) 610 27 24,* < Bergpanorama und Vierwaldstättersee, , Zugang zum See mit privater Standseilbahn, – 15/150. AE E VISA. Rest
***Sans-Souci* : Menu** 68 und à la carte 40/90 – ***Panorama* : Menu** à la carte 34/80 – **82 Zim** 155/280 – ½ P Zuschl. 35.

STECKBORN *8266 Thurgau (TG)* 216 ⑨ *– 4 113 Ew. – Höhe 404.*
Verkehrsverein, (052) 761 10 55.
Bern 185 – Sankt Gallen 65 – Frauenfeld 18 – Konstanz 19 – Radolfzell 31 – Schaffhausen 31.

Feldbach M, (052) 762 21 21, *Fax (052) 762 21 91,* < Bodensee, , Modernes Restaurant in einem ehemaligen Kloster aus dem 13. Jh., « Seeterrasse », Zim, – 15/40. AE E VISA
20. Dez. - 10. Jan. geschl. – **Menu** 22 - 29 (mittags) und à la carte 41/90 – **36 Zim** 175/210.

Frohsinn, Seestr. 62, (052) 761 11 61, *Fax (052) 761 28 21,* <, – AE E VISA JCB
Jan. geschl. – **Menu** *(Donnerstag, von Okt. - April auch Freitag geschl.)* 18.50 und à la carte 41/75, Kinder 15 – **11 Zim** 90/160.

STEFFISBURG *Bern* 217 ⑦ *– siehe Thun.*

STEIN *9063 Appenzell Ausserrhoden (AR)* **216** ㉑ *– 1 360 Ew. – Höhe 827.*
Bern 204 – Sankt Gallen 11 – Bregenz 56 – Herisau 10.

Schäfli, Im Störgel Nord : 3 km Richtung Teufen, ☎ (071) 367 11 90, *Fax (071) 367 11 90,* , Appenzellerhaus, in unmittelbarer Nähe der höchsten Fussgängerbrücke Europas – P
Feb. und Aug. jeweils 2 Wochen geschl. – **Menu** - Grillspezialitäten - *(nur Freitag - Samstag jeweils abends und Sonntag geöffnet)* à la carte 42/93.

STEINACH *9323 Sankt Gallen (SG)* **216** ⑩ *– 2 693 Ew. – Höhe 400.*
Bern 213 – Sankt Gallen 14 – Bregenz 31 – Konstanz 28.

Blume, Hauptstr. 45, ☎ (071) 446 22 01, *Fax (071) 446 23 20,* – TV ☎ P. AE ⓓ E VISA
8. - 28. März geschl. – **Menu** *(Donnerstag geschl.)* à la carte 29/82 – **13 Zim** 65/110 – ½ P Zuschl. 15.

STEIN AM RHEIN *8260 Schaffhausen (SH)* **216** ⑧ *– 2 899 Ew. – Höhe 413.*
Sehenswert : *Altstadt★★ : Museum★ im ehemaligen Benediktinerkloster St. Georgen.*
Ausflugsziel : *Burg Hohenklingen★ Nord : 2,5 km.*
Tourist Service, Oberstadt 9, ☎ (052) 741 28 35, Fax (052) 741 51 46.
Bern 177 – Zürich 58 – Baden 77 – Frauenfeld 16 – Schaffhausen 22 – Singen 18.

Chlosterhof M, ☎ (052) 742 42 42, *Fax (052) 741 13 37,* Rhein, , , – , Zim, TV ☎ – 15/200. AE ⓓ E VISA. Rest
Le Bateau : **Menu** 80/92 und à la carte 65/106 – ***Le Jardin :*** **Menu** 22 und à la carte 44/104, Kinder 8 – **44 Zim** 198/295, 26 Suiten – ½ P Zuschl. 44.

Rheinfels, Rhygasse 8, ☎ (052) 741 21 44, *Fax (052) 741 25 22,* Rhein, – TV ☎. AE E VISA
Hotel : 20. Dez. - 4. März geschl. ; Rest. : 20. Dez. - 4. März und Mittwoch (ausser Juli - Aug.) geschl. – **Menu** à la carte 41/89 – **17 Zim** 130/180 – ½ P Zuschl. 35.

Adler, Rathausplatz 2, ☎ (052) 742 61 61, *Fax (052) 741 44 40* – , Rest, TV ☎. AE ⓓ E VISA
30. Jan. - 14. Feb. und 9. - 25. Okt. geschl. – **Menu** *(Donnerstag geschl.)* 24 - 78 (abends) und à la carte 39/95, Kinder 17 – **13 Zim** 110/180 – ½ P Zuschl. 35.

Sonne (Combe), Rathausplatz 13 (1. Etage), ☎ (052) 741 21 28, *Fax (052) 741 50 86,* , « Haus aus dem 15. Jh. » – AE ⓓ E VISA
Dienstag - Mittwoch und 22. Dez. - 6. Jan. geschl. – **Menu** 30 - 80 und à la carte 65/106
Spez. Bärlauchravioli (Frühling). Fische vom Bodensee (Frühling - Herbst). Weisseinkuchen.

STEINEN *6422 Schwyz (SZ)* **216** ⑱ *– 2 537 Ew. – Höhe 467.*
Bern 155 – Luzern 38 – Altdorf 22 – Brunnen 10 – Schwyz 5.

Rössli, Dorfplatz 1, ☎ (041) 832 13 20, *Fax (041) 832 13 13* – AE E VISA
Dienstag - Mittwoch, 15. Feb. - 4. März und 13. Juli - 6. Aug. geschl. – **Menu** (Tischbestellung ratsam) 29 - 76/98 und à la carte 49/108, Kinder 13.

auf Kantonsstrasse 8, *über Schwyz und Richtung Sattel : 10 km*

Adelboden, Schlagstrasse, ☎ (041) 832 12 42, *Fax (041) 832 19 42,* – P. AE ⓓ E VISA
Sonntag - Montag, 7. - 22. Feb. und 11. - 23. Juli geschl. – **Menu** 28 - 42 (mittags)/98 und à la carte 70/113, Kinder 22.

STEINHAUSEN *6312 Zug (ZG)* **216** ⑱ *– 7 939 Ew. – Höhe 424.*
Bern 134 – Zürich 32 – Aarau 53 – Luzern 22 – Zug 7.

Zur Linde mit Zim, Bahnhofstr. 28, ☎ (041) 748 81 18, *Fax (041) 748 81 19,* – TV ☎ P – 30. AE E VISA. Zim
Dienstag, Mittwoch, 1. - 6. Jan. und 5. - 20. Okt. geschl. – **Menu** 19.50 - 60/90 und à la carte 36/90 – **10 Zim** 55/160 – ½ P Zuschl. 25.

STOOS *6433 Schwyz (SZ)* 218 ① *– 120 Ew. – Höhe 1 256 – – Wintersport 1 256/2 000 m 1 6.*
Sehenswert : *Ausblicke★★.*
Verkehrsverein, (041) 811 15 50, Fax (041) 811 84 30.
Bern 159 – Luzern 42 – Altdorf 16 – Brunnen 3 – Schwyz 5.
mit Luftseilbahn ab Morschach erreichbar

Sporthotel Stoos, Ringstrasse, (041) 810 45 15, *Fax (041) 811 70 93*, ≤ Berge, , , , , – – 15/45. AE E VISA. Rest *21. Nov. - 14. Dez. und 5. April - 20. Mai geschl.* – **Menu** 40/89 (abends) und à la carte 36/76 – **52 Zim** 175/290 – ½ P Zuschl. 40.

STUDEN *2557 Bern (BE)* 216 ⑭ *– 2 361 Ew. – Höhe 440.*
Bern 30 – Aarberg 10 – Biel 7 – Neuchâtel 40 – Murten 30 – Solothurn 24.

Florida garni, Grienweg 14, (032) 374 28 28, *Fax (032) 374 28 29*, – AE E VISA
49 Zim 108/190.

STÜSSLINGEN *4655 Solothurn (SO)* 216 ⑯ *– 911 Ew. – Höhe 465.*
Bern 76 – Aarau 7 – Olten 11 – Solothurn 45.

Jura, Hauptstr. 48, (062) 298 11 55, *Fax (062) 298 20 06*, – AE E VISA
Montag und Dienstag geschl. – **Menu** 22 - 62 und à la carte 41/96, Kinder 12.

SUBERG *Bern* 216 ⑭ *– siehe Lyss.*

SUGNENS *1043 Vaud (VD)* 217 ③ *– 206 h. – alt. 648.*
Bern 83 – Lausanne 20 – Montreux 46 – Moudon 12 – Yverdon-les-Bains 18.

Auberge de Sugnens (Sidi-Ali), (021) 881 45 75, *Fax (021) 881 45 35*, – AE E VISA
fermé 15 au 22 fév., 12 - 26 juil., dim. soir et lundi – **Repas** 54 (midi)/96 et à la carte 58/103
Spéc. Charlotte d'artichauts aux écrevisses. Pigeonneau aux épices dans son nid de couscous. Carré d'agneau rôti aux gousses d'ail et cumin.

SUHR *5034 Aargau (AG)* 216 ⑰ *– 7 767 Ew. – Höhe 397.*
Bern 82 – Aarau 4 – Baden 31 – Basel 60 – Luzern 43 – Solothurn 51.

Bären, Bernstr. West 56, (062) 855 25 25, *Fax (062) 855 25 91*, – – 15/70. AE E VISA
Bärenstube : **Menu** 45 und à la carte 44/84 – ***Suhrerstübli*** : **Menu** 20 und à la carte 36/77, Kinder 9 – **31 Zim** 140/220 – ½ P Zuschl. 24.

SULLENS *1036 Vaud (VD)* 217 ③ *– 744 h. – alt. 600.*
Bern 112 – Lausanne 13 – Cossonay 19 – Yverdon-les-Bains 25.

Auberge Communale, (021) 731 11 97 – E VISA
fermé 21 fév. au 1er mars, 25 juil. au 16 août, dim., lundi et fériés – Repas 15 et à la carte 35/79.

SUMISWALD *3454 Bern (BE)* 216 ⑮ *– 5 445 Ew. – Höhe 700.*
Bern 40 – Burgdorf 17 – Luzern 57 – Olten 46 – Thun 48.

Bären M, Marktgasse 1, (034) 431 10 22, *Fax (034) 431 23 24*, – – 25. AE E VISA
Menu *(Montag und 15. Feb. - 9. März geschl.)* 14.50 - 46 und à la carte 37/80, Kinder 12 – **17 Zim** 85/140 – ½ P Zuschl. 30.

Zum Kreuz, Marktgasse 9, (034) 431 15 26, *Fax (034) 431 32 27*, , Ehemalige Umspannstelle aus dem 17. Jh. für Postkutschenpferde – AE E VISA JCB
Dienstagabend, Mittwoch, 8. - 24. Feb. und 13. - 27. Juli geschl. – **Menu** 14.50 - 28/68 und à la carte 34/69.

n Lüderenalp *Süd-Ost : 10 km über Wasen – ✉ 3457 Wasen :*

Lüderenalp , ✆ (034) 437 16 76, *Fax (034) 437 19 80*, < Berner Alpen und Jurakette, , , , – – 25. AE VISA
4. - 22. Jan. geschl. – **Menu** 24 und à la carte 45/88, Kinder 10 – **19 Zim** 110/205 – ½ P Zuschl. 38.

SURSEE *6210 Luzern (LU)* 216 ⑰ – *7 929 Ew. – Höhe 504.*

Sehenswert : *Rathaus★ – Wallfahrtskirche Mariazell : Aussicht★.*

Bern 90 – Luzern 23 – Aarau 26 – Baden 48 – Olten 32.

Sursee, Bahnhofstr. 15, ✆ (041) 921 50 51, *Fax (041) 921 00 50*, – – 15/50. AE VISA
24. Dez. - 4. Jan. geschl. – **Menu** *(Sonntag geschl.)* 18.50 - 26 (mittags) und à la carte 28/67, Kinder 12 – **28 Zim** 110/160 – ½ P Zuschl. 25.

SUSTEN-LEUK *3952 Wallis (VS)* 217 ⑯ – *Höhe 627.*

Bern 178 – Brig 29 – Leukerbad 14.

Anna, Ost : 1 km Richtung Simplon, ✆ (027) 474 96 96, *Fax (027) 474 96 99*, , , – – 15/70. AE VISA. Rest
4. - 27. Jan. geschl. – **Menu** 15 - 42 (midi) und à la carte 34/82, Kinder 13 – **31 Zim** 87/145 – ½ P Zuschl. 20.

SUTZ-LATTRIGEN *2572 Bern (BE)* 216 ⑭ – *951 Ew. – Höhe 450.*

Bern 38 – Biel 6 – Neuchâtel 33 – Solothurn 27.

Anker, Hauptstr. 4, ✆ (032) 397 11 64, *Fax (032) 397 11 74*, – . AE VISA
Dienstag, von Jan. - April auch Montag, Ende Feb. und Anfang Okt. jeweils 2 Wochen geschl. – **Menu** 14 - 50/73 und à la carte 39/86.

TÄGERWILEN *Thurgau* 216 ⑩ – *siehe Kreuzlingen.*

TAMINS *Graubünden (GR)* 218 ④ – *1 212 Ew. – Höhe 640 – ✉ 7015 Reichnau-Tamins :.*

Bern 248 – Chur 11 – Andermatt 78 – Davos 60 – Vaduz 49.

Adler, ✆ (081) 641 10 44, *Fax (081) 641 24 96*, , Zollhaus aus dem 16. Jh., , , – – 50. AE VISA
Montag - Dienstag und 4. Okt. - 10. Nov. geschl. – ***Schlossparkstübli*** **: Menu** 42 (mittags)/82 und à la carte 46/109 – ***Buurestübli*** **: Menu** 19.50 und à la carte 34/83 – **14 Zim** 85/150 – ½ P Zuschl. 30.

TANNAY *1295 Vaud (VD)* 217 ⑪ – *1 168 h. – alt. 392.*

Bern 154 – Genève 11 – Divonne-les-Bains 13 – Lausanne 52 – Thonon-les-Bains 44.

Au Lion d'Or M avec ch, 2 r. du Village, ✆ (022) 776 04 23, *Fax (022) 776 04 23*, – . VISA
fermé 7 au 17 fév. et 11 au 28 juil. – **Repas** *(fermé dim. soir et lundi)* 25 - 55 et à la carte 35/89, enf. 13 – **6 ch** 70/160 – ½ P suppl. 39.

TARASP *Graubünden* 218 ⑦ – *siehe Scuol.*

TÄSCH *3929 Wallis (VS)* 219 ④ – *670 Ew. – Höhe 1 438.*

Bern 204 – Brig 38 – Sierre 57 – Sion 74 – Zermatt 6.

Täscherhof, Bahnhofstrasse, ✆ (027) 967 18 18, *Fax (027) 967 58 20*, <, , , – . AE VISA JCB
im Nov. 3 Wochen geschl. – **Menu** 18 - 28 und à la carte 27/77, Kinder 15 – **35 Zim** 100/160 – ½ P Zuschl. 24.

TAVERNE 6807 Ticino (TI) 219 ⑧ – 2 377 ab. – alt. 364.

Bern 265 – Lugano 8 – Bellinzona 21 – Locarno 33 – Varese 35.

Motto del Gallo (De La Iglesia) con cam, (091) 945 28 71, Fax (091) 945 27 23, « Rustica atmosfera in un piccolo nucleo di case del 15° secolo » – TV P. AE ⊙ E VISA

chiuso domenica e dal 23 dicembre al 20 gennaio – **Pasto** (coperti limitati - prenotare) 55 (mezzogiorno)/120 ed à la carte 87/116 – **3 cam** 115/230

Spec. Carpaccio di giovane pescatrice e salmone con tartare di branzino. Cannellini di crespella con coregone e salmerino in crema di peperoni dolci e basilico. Piccione disossato in manto di crusca, crespelle mandorlate.

TESSERETE 6950 Ticino (TI) 219 ⑧ – 1 270 ab. – alt. 517.

Manifestazione locale

03.07 : Estival Jazz.

Ente Turistico Valli di Lugano, piazza Stazione, (091) 943 18 88, Fax (091) 943 42 12.

Bern 271 – Lugano 12 – Bellinzona 27 – Locarno 39 – Varese 39.

Stazione con cam, (091) 943 15 02, Fax (091) 943 55 69, – TV P. AE ⊙ E VISA

chiuso dal 23 dicembre al 21 gennaio e dal 14 al 27 giugno – **Pasto** *(chiuso mercoledì salvo la sera da luglio a metà agosto)* 18 ed à la carte 40/74 – **8 cam** 75/150.

Storni, V. Luigi Canonica, (091) 943 40 15, Fax (091) 943 40 15, – AE ⊙ E VISA.

chiuso domenica e dal 26 luglio al 26 agosto – **Pasto** - cucina italiana - 16 - 52 ed à la carte 41/67.

TEUFEN 9053 Appenzell Ausserrhoden (AR) 216 ㉑ – 5 329 Ew. – Höhe 837.

Verkehrsbüro, im Bahnhof, (071) 333 38 73, Fax (071) 333 38 09.

Bern 217 – Sankt Gallen 8 – Bregenz 44 – Buchs 44 – Herisau 17 – Konstanz 48.

Zur Linde, Bühlerstr. 87, (071) 333 28 22, Fax (071) 333 41 20, – TV P – 25. AE ⊙ E VISA. Zim

12. - 25. Juli geschl. – **Menu** *(Mittwoch geschl.)* 25 - 35 (mittags)/65 und à la carte 45/84, Kinder 15 – **16 Zim** 85/190 – ½ P Zuschl. 28.

Säntis, Speicherstr. 28, (071) 333 33 55, Fax (071) 333 49 36, < Alpstein und Säntis – TV P. E VISA

Menu *(nur ½ Pens. für Hotelgäste) (mittags geschl.)* – **11 Zim** 110/180 – ½ P Zuschl. 25.

Sternen, in Niederteufen, Hauptstr. 55, (071) 333 24 66, Fax (071) 333 34 11, < Alpstein und Säntis, – P. AE ⊙ E VISA

Montag - Dienstag geschl. – **Menu** 18 - 33 (mittags)/78 und à la carte 37/103.

Waldegg, Richtung Speicher und Waldeggstr : 3 km, (071) 333 12 30, Fax (071) 333 46 61, – P. AE ⊙ E VISA

Donnerstag und 22. Feb. - 25. März geschl. – **Menu** (Tischbestellung ratsam) 20 - 59 und à la carte 34/86, Kinder 10.

TEUFENTHAL 5723 Aargau (AG) 216 ⑰ – 1 667 Ew. – Höhe 447.

Bern 88 – Aarau 10 – Baden 36 – Luzern 37 – Zürich 56.

Zur Herberge mit Zim, Wynentalstr. 9, (062) 776 12 20, Fax (062) 776 15 17, – P. AE E VISA

Sonntagabend - Montag, 29. Jan. - 8. Feb. und 24. Juli - 9. Aug. geschl. – **Menu** 19.50 - 45 (mittags)/92 (abends) und à la carte 40/102 – **4 Zim** 90/140.

THALWIL 8800 Zürich (ZH) 216 ⑱ – 15 512 Ew. – Höhe 435.

Bern 137 – Zürich 12 – Aarau 58 – Baden 35 – Einsiedeln 35.

Alexander M, Seestr. 182, (01) 720 97 01, Fax (01) 720 98 83, < Zürichsee, , « Modern-provenzalische Einrichtung », – TV P – 15/40. AE E VISA. Zim

Ile de Provence : **Menu** 30 - 45 (mittags) und à la carte 66/118 – **22 Zim** 225/380.

a THEURRE *Jura* **216** ⑬ – *rattaché à Saignelégier.*

'HIELLE *2075 Neuchâtel (NE)* **216** ⑬ – *480 h. – alt. 438.*
Bern 38 – Neuchâtel 11 – Biel 27 – La Chaux-de-Fonds 36.

Novotel, rte de Berne, ✆ (032) 755 75 75, *Fax (032) 755 75 57,* – ch, TV ☎ P – 15/120. AE ① E VISA
Repas 16 et à la carte 26/55 – 18 – **60 ch** 127/169.

'HÔNEX *Genève* **217** ⑪ – *rattaché à Genève.*

'HÖRIGEN *3367 Bern (BE)* **216** ⑮ – *949 Ew. – Höhe 488.*
Bern 41 – Aarau 44 – Basel 71 – Luzern 72 – Solothurn 17.

XXX **Löwen** (Gygax), Langenthalstr. 1, ✆ (062) 961 21 07, *Fax (062) 961 16 72,* – P AE ① E VISA
Sonntag - Montag und 19. Sept. - 11. Okt. geschl. – **Menu** (Tischbestellung ratsam) 65 (mittags)/170 und à la carte 82/133, Kinder 20
Spez. Turban de spaghetti aux truffes d'Alba (Nov. - Dez.). Langoustines à l'huile vierge et au caviar d'aubergines (Sommer). Turbot à la pulpe de petits pois et jus de carottes (Frühling).

THUN *3600 Bern (BE)* **217** ⑦ – *38 481 Ew. – Höhe 560.*
Sehenswert : *Blick★★ vom Kirchenvorplatz* Z – *Seeufer : Jakobshübeli★★* Z – *Park vom Schloss Schadau : Aussicht★★* BY – *Altstadt : Obere Hauptgasse★* Z **28** – *Rathausplatz★* Z **30** – *Schloss Museum★ ; Blick von den Ecktürmen* Z.
Lokale Veranstaltung
11.06 - 27.06 : Schlosskonzerte.
Thun Tourismus-Organisation, Seestr. 2, ✆ *(033) 222 23 40, Fax (033) 222 83 23.*
Aarestr. 14, ✆ *(033) 225 76 76, Fax (033) 225 76 75.*
Bern 30 ① – Interlaken 29 ③ – Gstaad 58 ③ – Langnau im Emmental 32 ① – Spiez 11 ②.

Stadtplan siehe nächste Seite

Seepark M, Seestr. 47, ✉ 3602, ✆ (033) 226 12 12, *Fax (033) 226 15 10,* – Zim, TV ☎ – 15/350. AE ① E VISA. Rest BY s
24. Dez. - 3. Jan. geschl. – ***La Voile :*** **Menu** 21 - 27 (mittags)/68 und à la carte 49/93 – **84 Zim** 133/233 – ½ P Zuschl. 53.

Freienhof, Freienhofgasse 3, ✆ (033) 227 50 50, *Fax (033) 227 50 55,* – TV ☎ – 15/300. AE ① E VISA Z b
Menu 13.50 - 42 und à la carte 35/75 – **63 Zim** 120/250 – ½ P Zuschl. 38.

Krone M, Rathausplatz 2, ✆ (033) 227 88 88, *Fax (033) 227 88 90,* – TV ☎ – 15/50. AE E VISA JCB Z e
Le Bistro : **Menu** à la carte 34/66, Kinder 12 – ***Wong Kun*** - chinesische Küche - **Menu** à la carte 36/87 – **27 Zim** 125/210 – ½ P Zuschl. 35.

Alpha, beim Strandbad Dürrenast : 1 km, ✉ 3604, ✆ (033) 336 93 93, *Fax (033) 336 93 01,* – Zim, TV ☎. AE ① E VISA BY r
Menu 18 - 48/72 (abends) und à la carte 36/80, Kinder 11 – **34 Zim** 110/190 – ½ P Zuschl. 30.

XX **Arts Schloss Schadau,** Seestr. 45, ✆ (033) 222 25 00, *Fax (033) 222 15 80,* « Schloss aus dem 19 Jh. in einem Park, Terrasse ≤ Thunersee » – AE E VISA
Montag und Feb. geschl. – **Menu** 46/94 und à la carte 59/116 – ***Bistro :*** **Menu** à la carte 37/68. BY a

in Steffisburg *Nord-West : 2 km - AX – Höhe 599 – ✉ 3612 Steffisburg :*

XX **Schützen** mit Zim, Alte Bernstr. 153, ✆ (033) 437 31 62, Fax (033) 437 69 62, – TV ☎ P AE ① E VISA AX v
Sonntag geschl. – **Menu** 25 - 55 und à la carte 30/97 – **12 Zim** 95/140.

in Hünibach *Süd-Ost : 3 km - BY – Höhe 572 – ✉ 3626 Hünibach :*

XX **Chartreuse** mit Zim, Staatsstr. 142, ✆ (033) 243 33 82, Fax (033) 243 33 59, – TV ☎ P AE ① E VISA BY p
25. Okt. - 15. Nov. geschl. – **Menu** *(Sonntag geschl.)* 17.50 - 30 (mittags)/38 und à la carte 29/71 – **13 Zim** 90/170 – ½ P Zuschl. 30.

THUN

Allmendingenstrasse	AY	3
Allmendstrasse	Z	4
Bahnhofbrücke	Z	6
Bahnhofplatz	Z	7
Bälliz	Z	
Berntorplatz	Z	10
Buchholzstrasse	AY	12
Grabenstrasse	Z	13
Guisanplatz	Z	15
Gwattstrasse	BY	16
Hauptgasse	Z	
Jungfraustrasse	ABY	18
Kirchtreppe	Z	19
Kuhbrücke	Z	21
Lerchenfeld Strasse	AXY	22
Marktgasse	Z	24
Maulbeerplatz	Z	25
Obere Hauptgasse	Z	28
Rathausplatz	Z	30
Schadaustrasse	BY	31
Stockhornstrasse	AY	36
Waisenhausstrasse	Z	40

STEFFISBURG

Bernstrasse alte	AX	9
Oberdorfstrasse	BX	27
Schwäbisstrasse	AX	33
Schwarzeneggstrasse	BX	34
Stockhornstrasse	BX	37
Unterdorfstrasse	BX	39
Ziegeleistrasse	BX	42

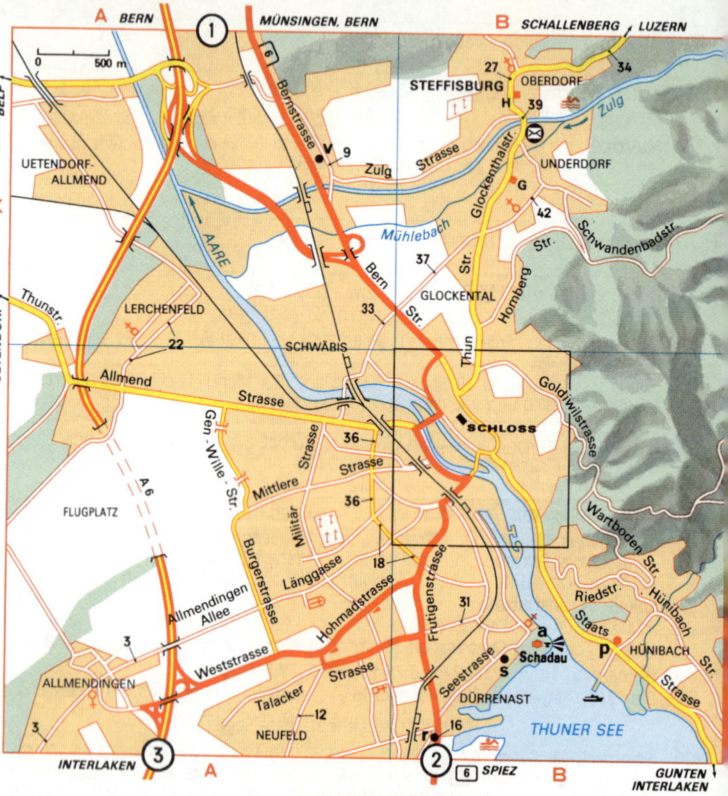

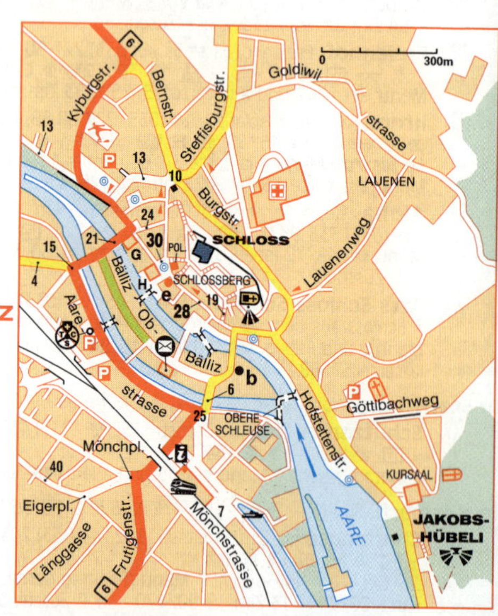

HUSIS 7430 Graubünden (GR) 218 ④ – 2 673 Ew. – Höhe 697.
Ausflugsziel : Zillis Holzdecke★★ der Kirche Süd : 8 km – Via Mala★★ Süd : 4 km.
Thusis - Samedan, Information (081) 651 11 13.
Verkehrsverein, Neudorfstr. 70, (081) 651 11 34, Fax (081) 651 25 63.
Bern 269 – Chur 28 – Bellinzona 89 – Davos 47 – Sankt Moritz 64.

Weiss Kreuz, Neudorfstr. 81, (081) 651 29 55, Fax (081) 651 48 65, , Dachwintergarten – TV P – 15/100. E VISA
26. Okt. - 25. Nov. geschl. – **Menu** 18 und à la carte 36/80 – **33 Zim** 80/125 – ½ P Zuschl. 23.

HYON-LES COLLONS 1988 Valais (VS) 217 ⑮ ⑯ – alt. 2 187 – Sports d'hiver : 1 802/2 413 m 11.
Manifestation locale
Juillet - août : Animations folkloriques les mercredis.
Bern 169 – Sion 16 – Brig 67 – Martigny 46.

ux Collons – alt. 1 802 – ✉ 1988 Thyon-Les Collons :
Office du Tourisme, (027) 281 27 27, Fax (027) 281 27 83

La Cambuse , (027) 281 18 83, Fax (027) 281 32 22, , Situation agréable au pied des pistes Val d'Hérens – TV – 35. AE E VISA
12 déc. - 17 avril et 27 juin - 16 oct. – **Repas** (fermé jeudi hors saison) 16 - 25 (midi)/65 et à la carte 33/75, enf. 12 – **10 ch** 105/145, Basse saison 85/135 – ½ P suppl. 32.

Maya Village, (027) 281 13 13, Fax (027) 281 31 72, « Terrasse vallée » – E VISA
fermé 12 avril au 8 juil., 1er nov. au 16 déc., mardi midi et lundi – **Repas** 16.50 et à la carte 40/82, enf. 16.

La TOUR-DE-TRÊME Fribourg 217 ⑤ – rattaché à Bulle.

TRAVERS 2105 Neuchâtel (NE) 217 ③ – 1 242 h. – alt. 748.
Bern 71 – Neuchâtel 22 – La Chaux-de-Fonds 31 – Pontarlier 31 – Yverdon-les-Bains 41.

Crêt de l'Anneau avec ch, Est : 1 km rte Neuchâtel, (032) 863 11 78, Fax (032) 863 40 38, , – P. E VISA. ch
fermé fin déc. à mi- janv., 2 sem. en juin, dim. soir et lundi – **Repas** 15 - 35/50 et à la carte 25/70, enf. 8 – **8 ch** 55/100 – ½ P suppl. 25.

TREMONA 6865 Ticino (TI) 219 ⑧ – 381 ab. – alt. 574.
Bern 310 – Lugano 30 – Bellinzona 58 – Como 25 – Varese 20.

Antica Osteria, (091) 646 75 45, Fax (091) 646 75 45, . AE E VISA
chiuso giovedì a mezzogiorno, mercoledì, dal 15 febbraio al 15 marzo e dal 5 al 20 novembre – **Pasto** 30 - 45 ed à la carte 34/70.

TRIESEN Fürstentum Liechtenstein 216 ㉒ – siehe Seite 380.

TRIESENBERG Fürstentum Liechtenstein 216 ㉒ – siehe Seite 380.

TRIMBACH Solothurn 216 ⑯ – siehe Olten.

TROGEN 9043 Appenzell Ausserrhoden (AR) 216 ㉑ – 1 968 Ew. – Höhe 903.
Bern 218 – Sankt Gallen 9 – Altstätten 13 – Bregenz 31 – Herisau 18.

Zum Bach, Ost : 3 km Richtung Wald, (071) 344 11 70, Fax (071) 344 28 92, , Appenzellerhaus – AE E VISA.
Mittwoch, Donnerstagmittag und Mitte Feb. 2 Wochen geschl. – **Menu** (Tischbestellung ratsam) 14.50 und à la carte 30/78.

TRÜBSEE Obwalden 217 ⑨ – siehe Engelberg.

TSCHUGG 3233 Bern (BE) 216 ⑬ – 396 Ew. – Höhe 470.

Bern 38 – Neuchâtel 16 – Biel 23 – La Chaux-de-Fonds 36 – Murten 17.

Rebstock, Hauptstr. 12, (032) 338 11 61, Fax (032) 338 13 73, , Umg bauten, ländliches Weingut – P. AE VISA
Dienstag (ausser abends in Juli - August), Montag und Feb. geschl. – **Menu** 4 (mittags)/85 und à la carte 48/95.

TWANN 2513 Bern (BE) 216 ⑬ – 806 Ew. – Höhe 434.

Bern 44 – Neuchâtel 26 – Biel 10 – La Chaux-de-Fonds 51 – Solothurn 31.

Fontana (Gästehaus :), Moos 34-46, (032) 315 03 03, Fax (032) 315 03 1 <, , – P. AE VISA
Nov. - März Donnerstag und Freitag und 17. Dez. - 30. Jan. geschl. – **Menu** 19.50 50/75 und à la carte 46/101, Kinder 15 – **21 Zim** 140/190 – ½ P Zuschl. 35

Zur Ilge, Kleintwann 8, (032) 315 11 36, – P. AE VISA
Montag - Dienstag geschl. – **Menu** 59/70 und à la carte 43/90.

UDLIGENSWIL 6044 Luzern (LU) 216 ⑱ – 1 746 Ew. – Höhe 625.

Bern 121 – Luzern 10 – Aarau 57 – Schwyz 29 – Zürich 51.

Frohsinn, Dorfstr. 13, (041) 371 13 16, Fax (041) 371 06 16, – P. AE VISA
Mittwoch, 17. - 24. Feb. geschl. – **Menu** 15.50 - 57 und à la carte 47/108, Kinder 16

UETIKON AM SEE 8707 Zürich (ZH) 216 ⑲ – 4 056 Ew. – Höhe 414.

Bern 143 – Zürich 18 – Rapperswil 11.

Alpenblick M , Bergstr. 322, Nord-Ost : 3 km Richtung Uster, (01) 920 47 22, Fax (01) 920 62 54, <, , – P. AE VISA
21. Dez. - 4. Feb. geschl. – **Menu** *(Montag - Dienstag geschl.)* 24 - 38 (mittags) und à la carte 36/92, Kinder 13 – **12 Zim** 95/230.

Wirtschaft zum Wiesengrund (Hussong), Kleindorfstr. 61, (01) 920 63 60 Fax (01) 921 17 09, – P. AE VISA.
Sonntag - Montag, 1. - 16. Feb. und 1. - 23. Aug. geschl. – **Menu** (Tischbestellung ratsam) 55 (mittags)/135 und à la carte 91/140
Spez. Langustinen in Olivenöl gebraten auf Auberginenkaviar. Millefeuille von roh mariniertem Blue-Marlin an Olivenöl-Zitronensauce. Ganze Ente gefüllt mit Zitronen an Sesamsauce.

UETLIBERG Zürich 216 ⑱ – *siehe Zürich.*

ULMIZ 3214 Freiburg (FR) 217 ⑤ – 312 Ew. – Höhe 500.

Bern 27 – Neuchâtel 31 – Biel 35 – Fribourg 20 – Murten 9.

Zum Jäger, Dorfstr. 22, (031) 751 02 72, Fax (031) 751 09 99 – P. VISA
Donnerstagmittag, Mittwoch und 10. Juli - 5. Aug. geschl. – **Menu** 24 - 49/72 und à la carte 40/74, Kinder 12.

Zum Bauernhof, (031) 751 10 09, Fax (031) 751 23 38, , Gartenterrasse – P. AE VISA
Menu *(Feb. und Montag - Dienstag ausser abends in Juli - Aug. geschl.)* 15 - 44 (mittags)/89 und à la carte 42/100 – ***Longchong*** - chinesische Küche - *(Mittwoch - Donnerstag und Aug. geschl.)* **Menu** à la carte 40/79.

UNTERÄGERI 6314 Zug (ZG) 216 ⑱ – 6 697 Ew. – Höhe 725.

Bern 150 – Luzern 45 – Einsiedeln 31 – Rapperswil 38 – Schwyz 22 – Zug 10.

Seminarhotel M, Seestr. 10, (041) 754 61 61, Fax (041) 750 38 94, <, , – , Zim, – 15/100. AE VISA JCB
Menu 14.50 und à la carte 46/85, Kinder 13 – **69 Zim** 175/240 – ½ P Zuschl. 35.

UNTERBÄCH *3944 Wallis (VS)* 217 ⑰ *– 424 Ew. – Höhe 1 229 – Wintersport : 1 228/2 550 m 1 5.*

Unterbäch Tourismus, Dorfplatz, (027) 934 56 56, Fax (027) 934 56 57.

Bern 186 – Brig 20 – Sierre 38 – Sion 53 – Zermatt 39.

Alpenhof, (027) 935 88 44, *Fax (027) 935 88 40,* – 30. Rest
15. April - 15. Mai und 20 Nov. - 20 Dez. geschl. – **Menu** 24 - 35/59 und à la carte 46/88, Kinder 20 – **40 Zim** 140/220, Vorsaison 70/160 – ½ P Zuschl. 35.

Walliserhof, (027) 934 28 28, *Fax (027) 934 28 29,* –
15. Nov. - 15. Dez. und 20. April - 2. Mai geschl. – **Menu** 18.50 - 35 und à la carte 35/75, Kinder 14 – **16 Zim** 55/130, Vorsaison 50/120 – ½ P Zuschl. 29.

Die unentbehrlichen Ergänzungen zum Roten Hotelführer :

- *Die **Michelin-Karte** 427 (1:400 000).*
- *Die **Michelin-Karten** 216. 217. 218. 219 (1/200 000).*
- *Der Grüne **Michelin-Reiseführer** "Schweiz" :*
  Streckenvorschläge,
  Museen,
  Baudenkmäler und Kunstwerke.

UNTERENGSTRINGEN *8103 Zürich (ZH)* 216 ⑱ *– 2 688 Ew. – Höhe 405.*

Bern 120 – Zürich 10 – Aarau 42 – Baden 19 – Dietikon 10 – Winterthur 32.

Witschi's, Zürcherstr. 55, (01) 750 44 60, *Fax (01) 750 19 68,* « Modern-elegante Einrichtung » –
Sonntag - Montag, 20. Dez. - 5. Jan. und 27. Juli - 10. Aug. geschl. – **Menu** 69 (mittags)/195 und à la carte 111/155
Spez. Lasagnes de primeurs aux ris de veau et langoustines (Frühling). Bouchées de sandre à la mousseline de céleri et petits légumes à l'huile vierge (Sommer). Perdreau rôti au chou vert à l'ananas et jus de truffes (Herbst).

UNTERSIGGENTHAL *5417 Aargau (AG)* 216 ⑥ *– 5 629 Ew. – Höhe 379.*

Bern 109 – Aarau 28 – Baden 8 – Brugg 8 – Schaffhausen 55 – Waldshut-Tiengen 19.

Chämihütte, Rooststr. 15, Richtung Koblenz, (056) 288 10 35, *Fax (056) 288 10 08,* –
Samstagmittag, Dienstag und im Feb. 3 Wochen geschl. – **Menu** (Tischbestellung ratsam) 86 (abends) und à la carte 56/114.

UNTERVAZ *7201 Graubünden (GR)* 218 ④ *– 1 871 Ew. – Höhe 537.*

Bern 238 – Chur 13 – Bad Ragaz 19 – Davos 51.

Sportcenter Fünf-Dörfer M, Nahe der Autobahnausfahrt Zizers-Untervaz, (081) 322 69 00, *Fax (081) 322 69 03,* – – 15/40.
Menu 17 und à la carte 38/86 – **34 Zim** 86/130 – ½ P Zuschl. 27.

UNTERWASSER *9657 Sankt Gallen (SG)* 216 ㉑ *– Höhe 906 – Wintersport : 910/2 262 m 1 4.*

Tourist-Info, Postplatz, (071) 999 19 23, Fax (071) 999 20 85.

Bern 212 – Sankt Gallen 51 – Altstätten 40 – Buchs 20 – Rapperswil 48.

Iltios , Süd : 2 km, (071) 999 39 69, *Fax (071) 999 37 94,* Säntis und Berge, –
April und Nov. geschl. – **Menu** *(nur ½ Pens. für Hotelgäste) (mittags geschl.)* – **20 Zim** 74/128, Vorsaison 60/100 – ½ P Zuschl. 20.

URNÄSCH *9107 Appenzell Ausserrhoden (AR)* 216 ㉑ *– 2 452 Ew. – Höhe 826.*

Bern 213 – Sankt Gallen 20 – Altstätten 26 – Herisau 10 – Rapperswil 53 – Rapperswil 64.

Sonne, Schwägalpstrasse, (071) 364 11 05, *Fax (071) 364 22 41,* –
Montag - Dienstag und in März und Juli jeweils 2 Wochen geschl. – **Menu** 68/98 und à la carte 45/104, Kinder 13.

URSENBACH *4937 Bern (BE)* 216 ⑮ ⑯ *– 914 Ew. – Höhe 588.*

Bern 43 – Burgdorf 20 – Langnau im Emmental 29 – Olten 33 – Luzern 51.

XX **Hirsernbad,** ✆ (062) 965 32 56, *Fax (062) 965 03 06,* « Behaglich - rustikales Restaurant » – P. AE ⓓ E VISA
Menu 18.50 - 73/104 und à la carte 31/96, Kinder 15.

XX **Zum Araber,** Hauptstr. 34, ✆ (062) 965 25 33, *Fax (062) 965 25 11,* , Stilvolles Gasthaus im Oberaargau – P. AE E VISA
Montag - Dienstag, 20. - 27. Feb. und 19. Sept. - 10. Okt. geschl. – **Menu** 16 - 52 (mittags)/88 und à la carte 38/102, Kinder 16.

USTER *8610 Zürich (ZH)* 216 ⑲ *– 26 580 Ew. – Höhe 464.*

18 *in Hittnau, ✉ 8335, (April - Okt.), ✆ (01) 950 24 42, Fax (01) 951 01 66, Ost : 10 km.*

Bern 145 – Zürich 25 – Rapperswil 22 – Winterthur 27.

Ochsen, Zentralstr. 23, ✆ (01) 940 12 17, *Fax (01) 941 67 90,* – TV ☎ P. AE E VISA JCB. Zim
12. Juli - 2. Aug. (nur Rest.) und 21. Dez. - 3. Jan. geschl. – **Menu** *(Montag geschl.)* 20 und à la carte 39/90 – **17 Zim** 114/165 – ½ P Zuschl. 30.

X **Krone,** in Nossikon, Burgstr. 81, ✆ (01) 940 16 49, *Fax (01) 940 16 54,* , « Altes Zürcher Steinhaus » – P. AE E VISA
Montag - Dienstag und 3 Wochen im Juli geschl. – **Menu** 19.50 - 52/69 und à la carte 42/92, Kinder 14.

UTTWIL *8592 Thurgau (TG)* 216 ⑩ *– 1 272 Ew. – Höhe 406.*

Bern 208 – Sankt Gallen 23 – Bregenz 41 – Frauenfeld 42 – Konstanz 18.

XX **Frohsinn,** Romanshornerstr. 3, ✆ (071) 463 44 84, *Fax (071) 463 44 81,* « Riegelhaus aus dem 18. Jh. » – P. AE ⓓ E VISA
Dienstag - Mittwoch, 10. - 25. Jan. und 5. - 18. Juli geschl. – **Menu** - Fischspezialitäten - (an Wochenenden Tischbestellung ratsam) 25 - 39 (mittags)/82 und à la carte 37/91.

UTZENSTORF *3427 Bern (BE)* 216 ⑮ *– 3 442 Ew. – Höhe 474.*

Sehenswert : *Schloss Landshut★.*

Bern 26 – Biel 35 – Burgdorf 12 – Olten 47 – Solothurn 13.

XX **Bären,** Hauptstr. 18, ✆ (032) 665 44 22, *Fax (032) 665 29 69,* – P. AE ⓓ E VISA.
Montag - Dienstag, Ende Jan. - Mitte Feb. und Mitte Juli - Anfang Aug. geschl. – **Menu** 24 - 39 (mittags)/90 und à la carte 48/98.

UVRIER *Valais* 217 ⑯ *– rattaché à Sion.*

VACALLO *6833 Ticino (TI)* 219 ⑧ *– 2 918 ab. – alt. 375.*

Bern 299 – Lugano 27 – Bellinzona 55 – Como 9.

XX **Conca Bella** con cam, via Concabella 2, ✆ (091) 683 74 74, *Fax (091) 683 74 29* – TV ☎ AE ⓓ E VISA.
chiuso una settimana a carnevale e 3 settimane in agosto – **Pasto** *(chiuso domenica e lunedì)* (coperti limitati - prenotare) 28 - 45 (mezzogiorno)/106 ed à la carte 81/117 – **9 cam** 98/160 – ½ P sup. 32
Spec. Insalatina di patate e merluzzetto alle olive e affiorato di Lenno (maggio - luglio). Paste fresche e risotti. Agnello di Sisteron gratinato alle erbette aromatiche.

VADUZ *Fürstentum Liechtenstein* 216 ㉒ *– siehe Seite 381.*

VALBELLA *Graubünden* 218 ④ *– siehe Lenzerheide.*

VALENS *Sankt Gallen* 218 ④ *– siehe Bad Ragaz.*

VALLAMAND-DESSOUS 1586 Vaud (VD) 217 ⑤ – 304 h. – alt. 438.
Bern 40 – Neuchâtel 24 – Biel/Bienne 41 – Lausanne 65 – Yverdon-les-Bains 38.

du Lac, (026) 677 13 15, Fax (027) 677 34 15, – P. E VISA
fermé 27 janv. au 3 mars, mardi soir (sauf 21 juil. au 18 août) et merc. – **Repas** 15 - 42/52 et à la carte 47/90, enf. 15.

VALS 7132 Graubünden (GR) 218 ⑬ – 1 012 Ew. – Höhe 1 248 – Kurort.
Kur- und Verkehrsverein, Poststrasse, (081) 920 70 70, Fax (081) 920 70 77.
Bern 250 – Chur 55 – Andermatt 78 – Davos 106.

Rovanada, (081) 935 13 03, Fax (081) 935 17 35, , , , – TV P. AE E VISA. Rest
18. Dez. - 4. April und 13. Juni - 14. Okt. – **Menu** 42 (abends) und à la carte 38/82 – **26 Zim** 89/170 – ½ P Zuschl. 39.

VANDOEUVRES Genève 217 ⑪ – rattaché à Genève.

VAULION 1325 Vaud (VD) 217 ② – 460 h. – alt. 939.
Bern 108 – Lausanne 40 – Champagnole 77 – Pontarlier 46 – Yverdon-les-Bains 29.

du Nord, (021) 843 28 16, – P. AE E VISA
fermé 6 au 20 fév., mardi et merc. – **Repas** 15 - 80 et à la carte 39/76.

VENDLINCOURT 2943 Jura (JU) 216 ② ③ – 583 h. – alt. 448.
Bern 101 – Delémont 33 – Basel 48 – Belfort 38 – Biel 66.

Le Lion d'Or avec ch, Le Breuille 58a, (032) 474 47 02, Fax (032) 474 47 03, – TV P. E VISA
fermé 25 janv. au 8 fév. – **Repas** (fermé lundi) 16.50 - 45/75 et à la carte 31/86, enf. 9 – **9 ch** 50/120 – ½ P suppl. 25.

VERBIER 1936 Valais (VS) 219 ② – 2 163 h. – alt. 1 500 – Sports d'hiver : 1 526/3 330 m 13 36 .
Voir : Site★★ – Mont Gelé★★ par téléphérique - BZ – Mont Fort★★★.
(juin - nov.) (027) 771 53 14, Fax (027) 771 60 93 - BY.
Manifestation locale
16.07 - 01.08 : Verbier Festival et Academy (concerts classiques).
Office du Tourisme, (027) 775 38 88, Fax (027) 775 38 89.
Bern 146 ① – Martigny 19 ① – Lausanne 88 ① – Sion 49 ①.

Plan page suivante

Rosalp M, rue de Medran, (027) 771 63 23, Fax (27) 771 10 59, , , , – TV P. AE E VISA BZ s
début déc. - fin avril et début juil. - fin sept. – **Repas** (voir aussi rest. ***Roland Pierroz*** ci-après) – ***La Pinte :*** *(fermé en été)* **Repas** à la carte 57/100 – **18 ch** 285/440, Basse saison 195/300, 3 suites – ½ P suppl. 75.

Montpelier M, Rue du Centre sportif, (027) 771 61 31, Fax (027) 771 46 89, , , , – TV P – 25/70. AE E VISA AZ a
21 déc. - 17 avril et 13 juin - 3 oct. – **Repas** (fermé le midi en hiver sauf Noël à Nouvel An) 55 (midi)/130 et à la carte 80/120 – **32 ch** 200/500, Basse saison 125/270, 15 suites – ½ P suppl. 30.

Les Rois Mages M sans rest, ch. de la Vella, (027) 771 63 64, Fax (027) 771 33 19, , , – TV . AE E VISA BY v
1er déc. - 14 avril et 1er juil. - 29 sept. – **16 ch** 240/299, Basse saison 185/225.

Les 4 Vallées sans rest, (027) 771 60 66, Fax (027) 771 67 72, , – TV P. AE E VISA. BZ q
1er déc. - 30 avril et 1er juil. - 30 août – **20 ch** 240/315, Basse saison 210/260.

Verluisant, (027) 775 37 75, Fax (027) 771 46 74, station et montagnes, – TV P. AE E VISA. ch AY z
fermé 15 avril au 15 juin, mardi soir et merc. de fin août à mi-déc. – **Repas** 18 - 69 et à la carte 55/88 – **30 ch** 135/260, Basse saison 90/180 – ½ P suppl. 55.

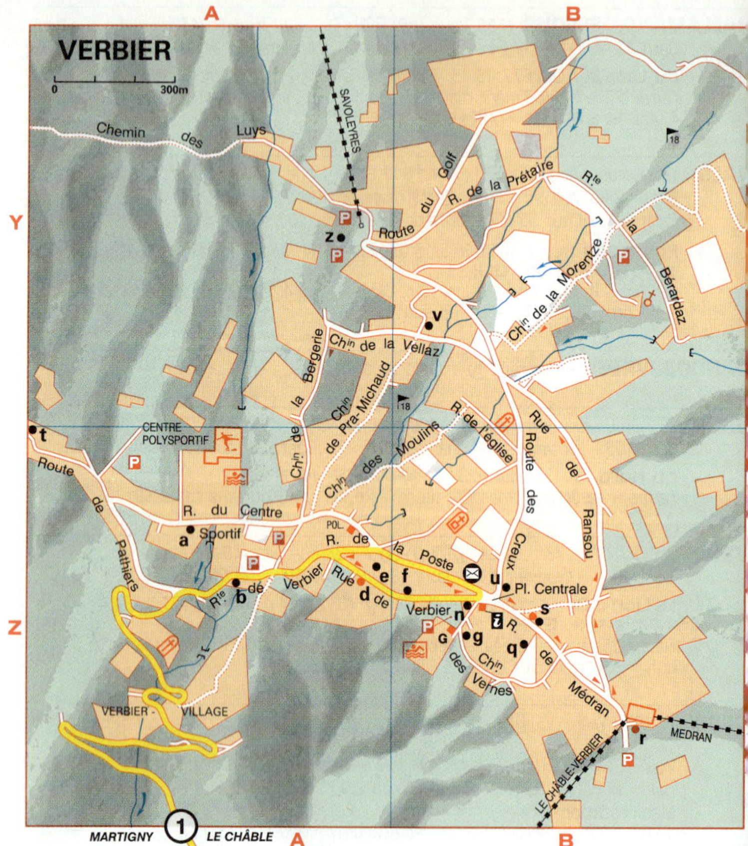

Golf, ✆ (027) 771 65 15, *Fax (027) 771 14 88*, ♿, 🏊, 🌳 – 🛗 📺 ☎ 🅿. AE ⊙ E VISA JCB. ✂ AZ e
déc. - fin avril et juil. - sept. – **Repas** *(½ pens. seul.) (fermé le midi en hiver)* – **30 ch** ☐ 130/280, Basse saison ☐ 100/180 – ½ P suppl. 35.

Rhodania, ✆ (027) 771 61 21, *Fax (027) 771 52 54* – 🛗 📺 ☎ 🅿. AE ⊙ E VISA. ✂ rest BZ f
mi-déc. - mi-avril et fin juin - mi-sept. – **Repas** 17 et à la carte 33/66 – **44 ch** ☐ 90/260, Basse saison ☐ 80/140 – ½ P suppl. 30.

Le Mazot ⛰, 44 ch. des Vernes, ✆ (027) 775 35 50, *Fax (027) 775 35 55*, 🏊 – 🛗 📺 video ☎ 📞 🅿. AE ⊙ E VISA. ✂ BZ g
déc. - avril et juil. - sept. – **Repas** *(résidents seul.) (fermé mai - nov. et le midi)* – **27 ch** ☐ 250/350, Basse saison ☐ 170/260 – ½ P suppl. 20.

La Rotonde sans rest, rue de la Barmète, ✆ (027) 771 65 25, *Fax (027) 771 33 31* – 🛗 📺 ☎ 🅿. E VISA BZ u
15 nov. - 30 avril et 1er juil. - 14 sept. – **30 ch** ☐ 120/230, Basse saison ☐ 105/210.

Ermitage sans rest, place centrale, ✆ (027) 771 64 77, *Fax (027) 771 52 64* – 🛗 📺 ☎ 🅿. AE ⊙ E VISA BZ n
fermé fin avril à mi-juil. et 1er au 20 nov. – **25 ch** ☐ 115/250, Basse saison ☐ 95/210.

Relais de Pachou ⛰, rte de Pathiers, ✆ (027) 771 63 49, *Fax (027) 771 77 34*, ≤, 🌳 – ✂ ch, ☎ 🅿. AE E VISA AZ t
fermé mai, lundi en juin et de sept. à nov. – **Repas** 17 et à la carte 40/78 – **14 ch** ☐ 95/190, Basse saison ☐ 65/160 – ½ P suppl. 30.

XXX **Roland Pierroz** - ***Hôtel Rosalp***, rue de Medran, ✆ (027) 771 63 23, *Fax (027) 771 10 59*, « Élégante atmosphère » - P. AE ① E VISA BZ s
début déc. - fin avril et début juil. - fin sept. – **Repas** (prévenir) 135/185 et à la carte 107/156
Spéc. Feuillantine d'asperges vertes au sabayon truffé. Rouget croustillant aux artichauts violets et poivrons doux. Carré d'agneau de lait rôti aux légumes de Provence.

XX **La Grange,** ✆ (027) 771 64 31, *Fax (027) 771 15 57*, - P. AE ① E VISA.
fermé juin, lundi et mardi de mi-avril à mi-mai et du 1er sept. au 15 déc. – **Repas** 68/115 et à la carte 50/100 – ***Café :*** Repas 15 - 20/48. AZ d

XX **L'Écurie,** pl. centrale, ✆ (027) 771 27 60 – AE ① E VISA BZ n
fermé mi-juin à mi-juil., 1 sem. en sept., nov., mardi soir et merc. hors saison – **Repas** 17 et à la carte 42/89.

X **Au Vieux Valais** avec ch, ✆ (027) 775 35 20, *Fax (027) 775 35 35*, ←, , cadre rustique, spécialités valaisannes – TV ☎ P. AE ① E VISA JCB AZ b
déc. - avril et juil. - sept. – **Repas** *(fermé dim. de fin août à fin sept.)* 30 - 60 et à la carte 44/71, enf. 15 – **10 ch** 100/240, Basse saison 65/150 – ½ P suppl. 35.

X **Le Sonalon,** par rte du Golf et rte de la Marlénaz, ✆ (027) 771 72 71, *Fax (027) 771 73 71*, ← massif des Combin, – P. AE ① E VISA
*fermé mai, nov. (sauf week-end) et lundi - mardi hors saison***Repas** 18 et à la carte 38/75, enf. 7.

X **Au Vieux Verbier,** gare de Médran, ✆ (027) 771 16 68, *Fax (027) 771 78 88*, – AE ① E VISA BZ r
fermé 1er mai au 15 juil., sept. et lundi sauf en hiver – **Repas** 18 et à la carte 40/89, enf. 14.

VERCORIN *3967 Valais (VS)* **217** ⑯ – *alt. 1 341 – Sports d'hiver : 1 341/2 374 m 2 7.*
Office du Tourisme, ✆ (027) 455 58 55, Fax (027) 455 87 20.
Bern 178 – Sion 25 – Brig 54 – Martigny 55 – Sierre 16.

Victoria, 1 pl. centrale, ✆ (027) 455 40 55, *Fax (027) 455 40 57*, ←, , – TV ☎ P. AE ① E VISA JCB
22 déc. - 9 avril et 16 juin - 4 oct. – **Repas** *(fermé le midi en hiver)* 17 - 27/40 et à la carte 48/75 – **13 ch** 80/220 – ½ P suppl. 35.

VERMALA *Valais* **217** ⑯ – *rattaché à Crans-Montana.*

VERMES *2829 Jura (JU)* **216** ⑮ – *347 h. – alt. 568.*
Bern 103 – Delémont 10 – Basel 54 – Olten 70 – Solothurn 72.

Auberge de la Gabiare, 21 r. principale, ✆ (032) 438 87 77, *Fax (032) 438 88 67*, , « cadre rustique » – ☎. E VISA.
fermé 15 au 28 mars et 4 au 22 oct. – **Repas** *(fermé jeudi midi et merc.)* 18 et à la carte 38/70 – 9 – **8 ch** 40/120 – ½ P suppl. 18.

VERNIER *Genève* **217** ⑪ – *rattaché à Genève.*

Les VERRIERES *2126 Neuchâtel (NE)* **217** ③ – *alt. 931.*
Bern 95 – Neuchâtel 43 – La Chaux-de-Fonds 42 – Pontarlier 12 – Yverdon-les-Bains 39.

Auberge des Cernets, Les Cernets, Nord Ouest 3,5 km, ✆ (032) 866 12 65, *Fax (032) 866 13 20*, ←, , – P. E VISA
fermé 23 nov. au 14 déc., 1er au 20 avril, mardi soir et merc. de mars à juin et de sept. à déc. – **Repas** 15 - 32/42 et à la carte 32/61, enf. 10 – **5 ch** 45/116 – ½ P suppl. 17.

VERS-CHEZ-LES-BLANC *Vaud (VD)* **217** ③ – ✉ *1000 Lausanne 26 :*
Bern 89 – Lausanne 10 – Montreux 34.

Hostellerie Les Chevreuils, 80 rte du Jorat, ✆ (021) 784 20 21, *Fax (021) 784 15 45*, ←, , – TV ☎ P. AE ① E VISA
fermé 20 déc. au 10 janv. – **Repas** *(fermé dim. soir et lundi)* 23 - 43/89 et à la carte 51/94 – **30 ch** 130/215 – ½ P suppl. 36.

VERS-CHEZ-PERRIN *Vaud* **217** ④ *– rattaché à Payerne.*

VÉSENAZ *Genève* **217** ⑪ *– rattaché à Genève.*

VESSY *Genève – rattaché à Genève.*

VEVEY *1800 Vaud (VD)* **217** ⑭ *– 15 697 h. – alt. 386.*
Voir : *Site★ – Église St-Martin : vue★* **B.**
Environs : *Le Mont-Pèlerin ★★ par rte de Châtel-Saint-Denis.*
Manifestations locales
29.07 - 15.08 : Fête des vignerons, spectacle historique sur les divinités, les saisons et les mythes, 5 fois par siècle
27.08 - 28.08 : Festival des artistes de rue.
Office du Tourisme, 29 Grande-Place, ☎ (021) 922 20 20, Fax (021) 922 20 24
Bern 85 ② – Montreux 7 ③ – Lausanne 16 ① – Yverdon-les-Bains 53 ①.

VEVEY

Rue	Carreau	N°
Anciens-Fossés (Ruelle des)	A	3
Centre (R. du)	B	
Châtel St-Denis (Rte de)	A	4
Collet (R.)	B	6
Communaux (R. des)	B	7
Conseil (R. du)	A	9
Crosets (Av. des)	B	10
Crottaz (Rte de la)	A	12
Deux-Marchés (R. des)	AB	13
Entrepôts (Rte des)	A	15
Espérance (Ch. de l')	B	16
Gare (Av. de la)	A	18
Gare (Pl. de la)	A	19
Hôtel-de-Ville (R. de)	B	21
Lac (R. du)	AB	
Panorama (R. du)	B	22
Paul Céresole (Av.)	A	24
Ste-Claire (R.)	B	25
Simplon (R. du)	AB	
Théâtre (R. du)	A	27

Trois Couronnes, 49 r. d'Italie, ☎ (021) 921 30 05, *Fax (021) 922 72 80*, ≤, 🏵, « Agréable terrasse face au lac » – 🛗 TV ☎ P – 🏛 15/100. AE ① E VISA
Repas 28 - 35 (midi)/60 et à la carte 48/99 – **55 ch** ☕ 270/450, 10 suites – ½ P suppl. 50. B s

du Lac, 1 r. d'Italie, ☎ (021) 921 10 41, *Fax (021) 921 75 08*, ≤, 🏵, « Agréable terrasse face au lac », 🏊, – 🛗 TV ☎ P – 🏛 15/100. AE ① E VISA JCB. rest B v
Repas 25 - 44 (midi) et à la carte 41/93, enf. 12 – **55 ch** ☕ 190/360 – ½ P suppl. 40.

Pavillon et Résidence M, 4 pl. de la Gare, ☎ (021) 923 61 61, *Fax (021) 921 14 77* – 🛗, ch, TV ☎ – 🏛 50. AE ① E VISA A n
Repas 21 - 35/45 et à la carte 39/88 – **83 ch** ☕ 190/350, 5 suites – ½ P suppl. 40.

Taverne du Château (Martin), 2 r. du Château, ☎ (021) 921 12 10, *Fax (021) 921 45 52*, 🏵, « Terrasse fleurie face au lac » – AE ① E VISA B u
fermé 15 oct. au 1er nov., dim. soir et lundi – **Repas** 45 (midi)/148 et à la carte 79/107
Spéc. Vinaigrette de ris de veau à l'huile de pistache. Saumon sauvage en croûte de coques et anis (mai - sept.). Bar de ligne aux chanterelles et huile de persil (oct.).

du Raisin, 3 pl. du Marché, ☎ (021) 921 10 28, *Fax (021) 922 43 03*, 🏵 – AE ① E VISA JCB. A r
Repas (1er étage) *(fermé dim. et lundi)* 48/58 et à la carte 73/105 – ***Brasserie*** **Repas** 18 - 35 et à la carte 38/78.

Saint-Légier *Est : 5 km – alt. 553 – ✉ 1806 Saint-Légier :*

Le Petit (Minder), 74 rte des Deux Villages, ☎ (021) 943 11 85, *Fax (021) 943 11 17*, 🏵 – E VISA
fermé 25 juil. au 16 août, dim. et lundi – **Repas** 87 et à la carte 67/93
Spéc. Ris de veau au gingembre. Cabillaud aux épices. Filet de veau aux chanterelles.

Auberge Communale avec ch, 78 rte des deux-Villages, ☎ (021) 943 11 77, 🏵 – TV P. AE ① E VISA
fermé 29 déc. au 25 janv. – **Repas** *(fermé dim. soir d'oct. à avril et lundi)* 19 - 55/75 et à la carte 49/94 – ☕ 14 – **6 ch** 60/150.

Blonay *Est : 6 km – alt. 620 – ✉ 1807 Blonay :*

Bahyse, 11 rte du Village, ☎ (021) 943 13 22, *Fax (021) 943 48 10*, 🏵, – TV P. AE ① E VISA
fermé 20 déc. au 20 janv. – **Repas** 16 - 53 et à la carte 39/100 – **13 ch** ☕ 100/160 – ½ P suppl. 35.

Saint-Saphorin *par ① : 4 km – alt. 376 – ✉ 1813 Saint-Saphorin :*

Auberge de l'Onde, ☎ (021) 921 30 83, *Fax (021) 922 16 92*, cadre rustique – AE E VISA
fermé jeudi midi et merc. – **Repas** 15 - 39/69 et à la carte 44/92, enf. 15.

Corseaux *Nord-Ouest : 3 km – alt. 441 – ✉ 1802 Corseaux :*

Hôtellerie de Châtonneyre, 8 r. du Village, ☎ (021) 921 47 81, *Fax (021) 921 62 80*, ≤, 🏵 – 🛗 TV ☎ P – 🏛 15/500. AE E VISA
fermé 20 déc. au 5 janv. et merc. – **Repas** 16 - 29 (midi)/57 et à la carte 38/72 – **12 ch** ☕ 120/170 – ½ P suppl. 30.

La Terrasse, 8 ch. du Basset, ☎ (021) 921 31 88, 🏵 – E VISA
fermé 22 déc. au 1er fév., dim. et lundi – **Repas** 25 (midi)/83 et à la carte 44/85.

Jongny *par ② et rte de Châtel-St-Denis : 6 km – ✉ 1805 Jongny :*

Les 3 Suisses, 42, rte de Châtel, ☎ (021) 921 13 96, *Fax (021) 921 13 96*, ≤, 🏵, auberge familiale dominant le lac – P. AE ① E VISA
fermé 28 déc. au 12 janv., lundi et mardi – **Repas** 15 - 52/75 et à la carte 46/88.

Chardonne *par ② : 5 km – alt. 592 – ✉ 1803 Chardonne :*

A la Montagne, 21 rue du Village, ☎ (021) 921 29 30, ≤, 🏵 – P. AE E VISA
fermé 21 déc. au 9 janv., mardi et merc. – **Repas** 17 - 70 et à la carte 39/111.

VEYRAS *Valais* 217 ⑯ *– alt. 592 – rattaché à Sierre.*

VEYRIER *Genève* 217 ⑪ *– rattaché à Genève.*

VEYSONNAZ *1993 Valais (VS)* 217 ⑮ *– 474 h. – alt. 1 233 – Sports d'hiver : 1 235/2 413 m 2 8.*
Office du Tourisme, (027) 207 10 53, Fax (027) 207 14 09.
Bern 166 – Sion 13 – Martigny 43 – Montreux 82.

Chalet Royal , (027) 208 56 44, *Fax (027) 208 56 00,* vallée du Rhône et montagnes, – , ch, . AE E VISA.
fermé 18 avril au 1er mai et 17 au 27 oct. – **Repas** 17.50 - 42/54 et à la carte 44/75 enf. 10 – **56 ch** 105/220, Basse saison 80/160 – ½ P suppl. 32.

VEYTAUX *Vaud* 217 ⑭ *– voir à Montreux.*

VEZIA *Ticino* 219 ⑧ *– vedere Lugano.*

VICO-MORCOTE *Ticino* 219 ⑧ *– vedere Morcote.*

VICQUES *2824 Jura (JU)* 216 ⑭ *– 1 403 h. – alt. 453.*
Bern 100 – Delémont 5 – Basel 49 – Olten 67 – Solothurn 70.

Le Bambou, 15 rte principale, (032) 435 65 63, *Fax (032) 435 65 63* – AE E VISA JCB
fermé 3 sem. en juil. et merc. – **Repas** - cuisine chinoise - 14 - 45/65 et à la carte 38/68.

VIÈGE *Valais* 217 ⑰ *– voir à Visp.*

VILLARD-SUR-CHAMBY *Vaud* 217 ⑭ *– rattaché à Montreux.*

VILLAREPOS *1583 Fribourg (FR)* 217 ⑤ *– 439 h. – alt. 498.*
Bern 44 – Neuchâtel 41 – Biel 47 – Fribourg 18 – Murten 13.

Auberge de la Croix Blanche avec ch, Au Village 5, (026) 675 30 75, *Fax (026) 675 50 30,* – AE E VISA
fermé 13 au 27 fév. – **Repas** *(fermé lundi et mardi)* 15 - 49 (midi)/95 et à la carte 57/118 – **3 ch** 90/145 – ½ P suppl. 45.

VILLARS-SUR-GLÂNE *Fribourg* 217 ⑤ *– rattaché à Fribourg.*

VILLARS-SUR-OLLON *1884 Vaud (VD)* 217 ⑭ ⑮ *– 1 208 h. – alt. 1 253 – Sports d'hiver 1 253/2 217 m 2 23.*
Voir : *Site★★.*
Environs : *Les Chaux★ Sud-Est : 8 km – Refuge de Solalex★ Sud-Est : 9 km – Pont de Nant★ Sud : 22 km.*
18 *(juin - oct.)* *(024) 495 42 14, Fax (024) 495 42 18, (par rte du Col de la Croix 8 km).*
Manifestation locale
09.07 - 11.07 : Rendez-vous folklorique.
Office du Tourisme, r. Centrale, (024) 495 32 32, Fax (024) 495 27 94.
Bern 115 – Montreux 31 – Lausanne 56 – Martigny 37 – Sion 63.

Grand Hôtel du Parc , (024) 495 21 21, *Fax (024) 495 33 63,* , « Parc », , , , – – 15/50. AE E VISA JCB. rest
20 déc. - 12 avril et 15 juin - 14 oct. – ***Le Mazarin :*** **Repas** 47 (midi)/80 et à la carte 62/128 – ***La Taverne*** - fondue et raclette - *(fermé merc. hors saison)(dîner seul.)* **Repas** à la carte 56/115 – **54 ch** 135/420, Basse saison 110/340, 5 suites – ½ P suppl. 55.

Bristol, (024) 496 36 36, *Fax (024) 496 36 37,* , , , , , – – 15/50. AE E. rest
L'Arc en Ciel : **Repas** 45 et à la carte 50/109 – ***Le Chalet :*** **Repas** 22 et à la carte 50/109 – **110 ch** 220/370, Basse saison 180/290, 5 suites – ½ P suppl. 45.

Du Golf, ✆ (024) 495 24 77, *Fax (024) 495 39 78*, ←, - - 40. AE ① E VISA. rest
fermé 1er au 15 déc. et mai (sauf hôtel) – ***Au Feu de Bois*** *(fermé lundi, mardi et le midi)* **Repas** 20-45/55 et à la carte 40/87, enf. 16 – ***Au Coin du Feu*** - fondue et raclette - *(ouvert en hiver et fermé lundi, mardi et le midi)* **Repas** 40 et à la carte 35/69 – **70 ch** 165/290, Basse saison 72/190 – ½ P suppl. 30.

Eurotel Victoria, rte des Layeux, ✆ (024) 495 31 31, *Fax (024) 495 39 53*, ←, - - 15/100. AE ① E VISA JCB. rest
fermé 1er nov. au 15. déc. – ***Peppino*** - cuisine italienne - **Repas** 16 et à la carte 39/76 – **165 ch** 145/330, Basse saison 115/220 – ½ P suppl. 20.

Alpe Fleurie, rue Centrale, ✆ (024) 495 34 64, *Fax (024) 496 30 77*, ←, - AE ① E VISA
fermé 18 mai au 18 juin, 15 nov. au 15 déc., mardi soir hors saison et merc. – **Repas** 50 et à la carte 39/99, enf. 17 – **20 ch** 100/210, Basse saison 75/170 – ½ P suppl. 40.

Ecureuil, rue Centrale, ✆ (024) 495 27 95, *Fax (024) 495 42 05*, - E VISA
16 déc. - 14 avril et 2 juin - 31 oct. – **Repas** *(fermé mardi)* 25 et à la carte 38/89, enf. 20 – **27 ch** 96/216, Basse saison 67/128 – ½ P suppl. 28.

La Renardière sans rest., rte des Layeux, ✆ (024) 495 25 92, *Fax (024) 495 39 15*, - AE ① E VISA
19 déc. - 10 avril et 22 mai - 30 sept. – **20 ch** 85/160, Basse saison 78/146, 4 suites.

Mon Repos, à Arveyes, Sud : 1 km, ✆ (024) 495 23 04, ←, - AE E VISA
fermé 3 sem. fin nov., 2 sem. début mai et merc. hors saison – **Repas** 15 - 29 (midi) et à la carte 50/107, enf. 15.

à Plambuit *Nord : 6 km par rte des Ecovets – alt. 798 – ✉ 1858 Panex :*

Plambuit, ✆ (024) 499 13 56, - E VISA
fermé 10 janv. au 12 fév., dim soir et lundi – **Repas** (nombre de couverts limité - prévenir) 17 et à la carte 43/85, enf. 15.

à Solalex *Est : 8 km – alt. 1 461 – ✉ 1882 Gryon :*

Miroir d'Argentine, ✆ (024) 498 14 46, *Fax (024) 498 41 20*, ←, -
fermé 2 nov. au 8 mai, mardi sauf juil. - août, dim. soir en juil. - août et lundi – **Repas** (nombre de couverts limité - prévenir) 22 et à la carte 40/70.

VILLERET *Berne 216 ⑬ – rattaché à Saint-Imier.*

VILLETTE *Vaud (VD) 217 ⑬ – 538 h. – alt. 387 – ✉ 1096 Cully.*

Bern 94 – Lausanne 7 – Montreux 17 – Yverdon-les-Bains 44.

Le Villette, 199 rte de Lausanne, ✆ (021) 799 21 83, *Fax (021) 799 21 82*, ←, - AE E VISA
fermé 21 déc. au 13 janv., dim. soir et lundi – **Repas** 22 - 52/72 et à la carte 54/106.

VIRA-GAMBAROGNO *6574 Ticino (TI) 219 ⑧ – 643 ab. – alt. 209.*

Gambarogno Turismo, via Cantonale, ✆ (091) 795 18 66, Fax (091) 795 33 40.
Bern 262 – Locarno 13 – Bellinzona 18 – Lugano 36.

Viralago, ✆ (091) 795 15 91, *Fax (091) 795 27 91*, ← lago e monti, « Terrazza fiorite degassanti sul lago », - - 40. AE ① E VISA
4 marzo - 9 novembre – **Pasto** 24 - 49 ed à la carte 44/84, bambini 7 – **55 cam** 100/240 – ½ P sup. 27.

Bellavista , Sud : 1 km, ✆ (091) 795 11 15, *Fax (091) 795 25 18*, ← lago e monti, « Parco e terrazza con » - AE ① E VISA. rist
13 marzo - 10 novembre – **Pasto** 38 ed à la carte 44/70, bambini 18 – **62 cam** 115/230 – ½ P sup. 30.

Rodolfo, ✆ (091) 795 15 82, *Fax (091) 795 27 72*, « Servizio estivo sotto un fresco portico » - AE ① E VISA.
chiuso lunedì, dal 8 febbraio al 3 marzo e dal 31 ottobre al 8 novembre – **Pasto** 58 ed à la carte 41/95.

VISP (VIÈGE) *3930 Wallis (VS)* 217 ⑰ *- 6 133 Ew. - Höhe 651.*

Verkehrsverein, (027) 946 61 61, Fax (027) 946 23 53.

Bern 176 - Brig 9 - Saas Fee 25 - Sierre 29 - Sion 44.

Visperhof garni, Bahnhofstr. 2, (027) 946 34 91, *Fax (027) 946 10 36* – AE E VISA.
27 Zim 80/180.

in Visperterminen *Süd-Ost : 10 km - Höhe 1 340 - 3932 Visperterminen :*

Rothorn, (027) 946 30 23, *Fax (027) 946 76 48*, – P. AE E VISA
Nov. geschl. – **Menu** 16 und à la carte 32/66 – **21 Zim** 57/114 – ½ P Zuschl. 26

VISPERTERMINEN *Wallis* 217 ⑰ *- siehe Visp.*

VISSOIE *3961 Valais (VS)* 217 ⑯ *- 436 h. - alt. 1 204.*

Office du Tourisme, (027) 475 13 38, Fax (027) 475 20 82.

Bern 183 - Sion 30 - Brig 47 - Martigny 60 - Montreux 99.

Manoir de la Poste avec ch, (027) 475 12 20, *Fax (027) 475 40 03*, – P. E VISA.
fermé juin et 15 nov. au 15 déc. – **Repas** 49/79 et à la carte 47/93, enf. 13 – **8 ch** 45/128 – ½ P suppl. 30.

VITZNAU *6354 Luzern (LU)* 217 ⑨ ⑩ *- 1 079 Ew. - Höhe 435.*

Ausflugsziel : *Rigi-Kulm★★★ mit Zahnradbahn.*

Vitznau Tourismus, Tourist Information, Hauptstrasse, (041) 398 00 35, Fax (041) 398 00 33.

Bern 147 - Luzern 27 - Cham 25 - Schwyz 18.

Park Hotel Vitznau, (041) 397 01 01, *Fax (041) 397 01 10*, Vierwaldstättersee, – Rest, P – 15/100. AE E VISA JCB. Rest
21. April - Mitte Okt. – **Menu** 34 - 51 (mittags)/118 und à la carte 59/127 – **97 Zim** 340/620, 7 Suiten – ½ P Zuschl. 70.

Vitznauerhof und Alpenrose, Seestrasse, (041) 399 77 77, *Fax (041) 399 76 66*, « Lage am See », – P. AE E VISA
Menu 25 - 69 und à la carte 39/87, Kinder 11 – **78 Zim** 110/240, 3 Suiten – ½ P Zuschl. 35.

VOGELSANG *Luzern* 216 ⑰ *- siehe Eich.*

VOLKETSWIL *8604 Zürich (ZH)* 216 ⑲ *- 13 106 Ew. - Höhe 475.*

Bern 141 - Zürich 19 - Pfäffikon 33 - Rapperswil 29 - Sankt Gallen 62 - Winterthur 23.

Wallberg, Eichholzstr. 1, (01) 945 52 22, *Fax (01) 945 52 25*, – P – 15/150. AE E VISA
23. - 27. Dez. geschl. – **Menu** 14.50 - 45 (mittags)/57 und à la carte 37/101 – 16.50 – **17 Zim** 110/190.

Zur Alten Post, Brugglenstr. 1, (01) 945 41 39, *Fax (01) 945 41 37*, , Zürcher Riegelhaus – P. AE E VISA
Samstag - Sonntag und Mitte Juli - Mitte Aug. geschl. – **Menu** 62 (mittags)/96 und à la carte 53/111.

VOUVRY *1896 Valais (VS)* 217 ⑭ *- 2 582 h. - alt. 381.*

Bern 100 - Montreux 13 - Aigle 11 - Évian-les-Bains 26 - Monthey 12 - Sion 60.

Aub. de Vouvry (Braendle) avec ch, 2 av. du Valais, (024) 481 12 21, *Fax (024) 481 17 54*, , cadre classique élégant – P. E VISA
fermé 1er au 15 janv., dim. soir et lundi – **Repas** 54 (midi)/160 et à la carte 84/140 – **Café :** Repas 16 - 35 et à la carte 30/85 – **15 ch** 70/140
Spéc. Asperges du Valais (printemps). Fleurs de courgettes farcies (été). Selle de chevreuil "Grand Veneur" (automne).

VUFFLENS-LE-CHÂTEAU 1134 Vaud (VD) 217 ⑫ – 576 h. – alt. 471.

Bern 119 – Lausanne 13 – Morges 2.

XXXX **L'Ermitage** (Ravet) avec ch, ✆ (021) 804 68 68, *Fax (021) 802 22 40*, « Belle demeure dans un jardin avec pièce d'eau » – TV ☎ P. AE E VISA
fermé 24 déc. au 11 janv., 1er au 24 août, dim. et lundi – **Repas** 78 (midi)/185 et à la carte 142/196 – **9 ch** 300
Spéc. Dinette de foies gras d'oie et de canard. Fraîcheur de homard bleu, millefeuille de bricelets au tourteau. Canard de Barbarie doré à la broche et confit au jus de pamplemousse et gentiane.

VUIPPENS 1641 Fribourg (FR) 217 ⑤ – 231 h. – alt. 709.

Bern 56 – Fribourg 21 – Bulle 6 – Montreux 38 – Yverdon-les-Bains 60.

X **Hôtel de Ville,** ✆ (026) 915 15 92, *Fax (026) 915 30 92* – P. E VISA
fermé 10 au 25 fév., 14 au 29 juil., mardi soir et merc. – **Repas** 15 - 45 et à la carte 45/90.

VUISTERNENS-EN-OGOZ 1696 Fribourg (FR) 217 ④ ⑤ – 640 h. – alt. 801.

Bern 51 – Fribourg 19 – Montreux 43 – Murten 34 – Thun 81.

X **Hostellerie des Chevaliers d'Ogoz** avec ch, ✆ (026) 411 11 05, *Fax (026) 411 45 05*, – TV P. AE E VISA
fermé 25 juil. au 9 août, dim. soir et lundi – **Repas** 15 - 34 (midi)/68 et à la carte 39/80 – **5 ch** 65/120 – ½ P suppl. 30.

VULPERA Graubünden 218 ⑦ – siehe Scuol.

WABERN Bern 217 ⑥ – siehe Bern.

WÄDENSWIL 8820 Zürich (ZH) 216 ⑲ – 19 217 Ew. – Höhe 408.

Verkehrsverein, Zugerstr. 27, ✆ (01) 780 97 79, Fax (01) 780 64 60.
Bern 149 – Zürich 24 – Aarau 71 – Baden 48 – Luzern 50 – Schwyz 34.

du Lac M, Seestr. 100, ✆ (01) 780 00 31, *Fax (01) 780 05 70*, – TV ☎. AE E VISA
Menu 18.50 und à la carte 32/79, Kinder 11 – **31 Zim** 120/175 – ½ P Zuschl. 20.

XX **Eichmühle,** Neugutstr. 933, Richtung Einsiedeln : 3 km, ✆ (01) 780 34 44, *Fax (01) 780 48 64*, – P. AE E VISA JCB
Sonntagabend und Montag geschl. – **Menu** 39 - 52 (mittags)/115 und à la carte 69/129.

WALCHWIL 6318 Zug (ZG) 216 ⑱ – 3 107 Ew. – Höhe 449.

Bern 147 – Luzern 27 – Aarau 67 – Einsiedeln 34 – Schwyz 18 – Zug 9 – Zürich 38.

XX **Sternen** (Weder), Dorfstr. 1, ✆ (041) 759 04 44, *Fax (041) 759 04 40*, « Renoviertes Holzhaus aus dem Jahre 1830 » – P. AE E VISA
Dienstag - Mittwoch, 1. - 17. März und 19. Juli - 4. Aug. geschl. – **Menu** 38 - 50 (mittags)/120 und à la carte 60/111
Spez. Röteli vom Zugersee (Mitte Nov. - Mitte Dez.). Wild (Mitte Sept. - Mitte Dez.). Gebratene Entenleber und Wachtelbrüstchen mit Lasagne an balsamicoessig.

XX **Hörndli,** Zugerstr. 80, ✆ (041) 758 11 15, *Fax (041) 758 27 07*, Zugersee, , – P. AE E VISA
Dienstag - Mittwoch und Feb. geschl. – **Menu** - Fischspezialitäten - à la carte 49/92.

X **Zugersee,** Artherstr. 6, ✆ (041) 758 17 77, Zugersee, , Modernes Bistro am See, – P. AE E VISA
Montag und Mitte Jan. - Mitte Feb. geschl. – **Menu** 17.50 - 32 (mittags)/54 und à la carte 45/89, Kinder 13.

WALD 9044 Appenzell Ausserrhoden (AR) 216 ㉑ ㉒ – 851 Ew. – Höhe 962.

Bern 221 – Sankt Gallen 12 – Altstätten 13 – Herisau 22.

XX **Harmonie,** ✆ (071) 877 11 73, *Fax (071) 877 27 73*, , « Appenzellerstube aus dem 18. Jh. » – P. AE E VISA
Montag - Dienstag geschl. – **Menu** 50/70 und à la carte 50/89.

WALD BEI ST. PETERZELL *Appenzell Ausserrhoden (AR) und Sankt Gallen (SG)* 216 ②
– ✉ 9105 Schönengrund :.
Bern 196 – Sankt Gallen 19 – Appenzell 18 – Buchs 59 – Herisau 10 – Rapperswil 4 – Winterthur 62.

Chäseren M, Nord-Ost : 1,5 km, (071) 361 17 51, *Fax (071) 361 17 59*, < Berge, – TV P. AE E VISA
30. Nov. - 24. Dez. geschl. – **Menu** à la carte 35/81 – **18 Zim** 130/240 – ½ P Zuschl. 22.

WALDEGG *Bern* 217 ⑦ *– siehe Beatenberg.*

WALDENBURG *4437 Basel-Landschaft (BL)* 216 ⑮ ⑯ *– 1 361 Ew. – Höhe 518.*
Bern 67 – Basel 34 – Liestal 14 – Luzern 72 – Olten 18.

Zum Schlüssel, Hauptstr. 58, (061) 961 81 31, *Fax (061) 961 81 31*, « Haus aus dem 15. Jh. » – E VISA
Montag und 21. Feb. - 14. März geschl. – **Menu** 25 - 48 (mittags)/84 und à la carte 58/97.

WALENSTADT *8880 Sankt Gallen (SG)* 216 ㉑ *– 4 326 Ew. – Höhe 427.*
Sehenswert : *Walensee★★.*
Tourist Information, Bahnhofstr. 19, (081) 735 22 22, Fax (081) 735 22 22.
Bern 205 – Sankt Gallen 84 – Bad Ragaz 24 – Buchs 34 – Herisau 72 – Rapperswil 47

Seehof, (081) 735 12 45, *Fax (081) 735 11 79*, < Walensee, – TV P – 15/60. E VISA
Mitte Dez. - Mitte Jan. geschl. – **Menu** à la carte 32/85 – **27 Zim** 80/130 – ½ P Zuschl. 25.

Heiniger's Ochsen, Seestr. 8, (081) 735 11 27, *Fax (081) 735 31 65*, – AE E VISA
Montag - Dienstag geschl. – **Menu** à la carte 45/78.

Post mit Zim, Bahnhofstr. 10, (081) 735 12 28, *Fax (081) 735 23 67*, – TV P – 80. AE E VISA
Menu *(Sonntag und Montag geschl.)* 15 und à la carte 31/89 – **9 Zim** 62/114 – ½ P Zuschl. 15.

WALKRINGEN *3512 Bern (BE)* 217 ⑦ *– 1 849 Ew. – Höhe 691.*
Bern 20 – Burgdorf 14 – Langnau im E. 19 – Thun 27.

Süd-West : *3,5 km über Wikartswil und Richtung Enggistein*

Rüttihubelbad M, (031) 700 81 81, *Fax (031) 700 81 90*, <, – Zim, P – 15/120. AE E VISA
Menu *(Sonntagabend und Montag geschl.)* 16.50 - 34 (mittags)/62 und à la carte 32/79, Kinder 14 – **38 Zim** 120/185 – ½ P Zuschl. 34.

WALLISELLEN *8304 Zürich* 216 ⑱ *– siehe Zürich.*

WALTENSBURG/VUORZ *7158 Graubünden (GR)* 218 ③ *– 431 Ew. – Höhe 1 000.*
Bern 228 – Chur 44 – Bad Ragaz 64.

Ucliva, (081) 941 22 42, *Fax (081) 941 17 40*, < Berge, , ökologisch geführtes Hotel, , – P. E VISA. Rest
Anfang Nov. - Mitte Dez. geschl. – **Menu** 18 - 36 (abends) und à la carte 31/63, Kinder 12 – **22 Zim** 120/216 – ½ P Zuschl. 20.

WALZENHAUSEN *9428 Appenzell Ausserrhoden (AR)* 216 ㉒ *– 2 168 Ew. – Höhe 672.*
Bern 234 – Sankt Gallen 25 – Altstätten 17 – Bregenz 19 – Herisau 36 – Lustenau 13.

Walzenhausen, (071) 886 21 21, *Fax (071) 888 10 84*, < Bodensee, , , , – , Rest, TV P. AE E VISA
Menu 22 - 30 (mittags)/65 und à la carte 38/83 – **75 Zim** 140/260 – ½ P Zuschl. 20.

WANGEN AN DER AARE *3380 Bern (BE) 216 ⑮ – 1 784 Ew. – Höhe 423.*

Bern 42 – Aarau 38 – Basel 60 – Luzern 71 – Solothurn 11.

Al Ponte, Wangenstr. 55, Richtung Wiedlisbach : 1,5 km, ✆ (032) 636 54 54, *Fax (032) 636 54 55* – Zim, – 15/200. AE VISA
Menu 23 und à la carte 39/77, Kinder 9 – 16 – **54 Zim** 130/170.

WATTWIL *9630 Sankt Gallen (SG) 216 ⑳ – 8 077 Ew. – Höhe 614.*

Bern 189 – Sankt Gallen 35 – Bad Ragaz 68 – Rapperswil 24.

Löwen, Ebnaterstr. 55, ✆ (071) 988 51 33, *Fax (071) 988 51 07,* , – AE VISA. Zim
Rôtisserie : **Menu** à la carte 38/84 – ***Löwenstube :*** **Menu** 15 - und à la carte 35/68 – **44 Zim** 72/115 – ½ P Zuschl. 20.

Krone, Ebnaterstr. 136, ✆ (071) 988 13 44, *Fax (071) 988 67 44,* – AE VISA
Montagabend, Dienstag, 30. Jan. - 9. Feb. und 19. Juli - 3. Aug. geschl. – **Menu** 15.50 - 45/95 und à la carte 40/103.

WEESEN *8872 Sankt Gallen (SG) 216 ⑳ – 1 217 Ew. – Höhe 424.*

Bern 186 – Sankt Gallen 60 – Bad Ragaz 43 – Glarus 15 – Rapperswil 28.

Parkhotel Schwert, Hauptstr. 23, ✆ (055) 616 14 74, *Fax (055) 616 18 53,* , – . AE VISA
4. Jan. - 14. Feb. (ausser Hotel) geschl. – ***Gourmetstübli :*** **Menu** 59 (abends) und à la carte 41/83 – ***Gaststube :*** **Menu** 17 und à la carte 33/73 – **19 Zim** 90/190 – ½ P Zuschl. 30.

Fischerstube, Marktgasse 9, ✆ (055) 616 16 08, *Fax (055) 616 12 39* – AE VISA
Montag - Dienstag und 2 Wochen im Jan. geschl. – **Menu** - Fischspezialitäten - 22 - 75 und à la carte 59/112, Kinder 17.

WEGGIS *6353 Luzern (LU) 216 ⑱ 217 ⑨ ⑩ – 3 126 Ew. – Höhe 435.*

Ausflugsziel : *Rigi-Kulm★★★ mit Luftseilbahn und ab Rigi-Kaltbad mit Zahnradbahn.*

Lokale Veranstaltungen
02.07 - 04.07 : Rosenfest
25.09 : Alpabfahrt mit Markt.

Weggis Tourismus, Seestr. 5, ✆ (041) 390 11 55, Fax (041) 391 00 91.

Bern 142 – Luzern 21 – Cham 19 – Schwyz 30.

Beau Rivage, Gotthardstr. 6, ✆ (041) 392 79 00, *Fax (041) 390 19 81,* Vierwaldstättersee, , « Gepflegter Garten mit Seeterrasse », , , , – AE VISA
April - Okt. – **Menu** 48/65 und à la carte 54/108 – **41 Zim** 160/310 – ½ P Zuschl. 50.

Albana, Luzernerstr. 26, ✆ (041) 390 21 41, *Fax (041) 390 29 59,* Vierwaldstättersee, Park, – – 50. AE VISA. Rest
Mitte Dez. - Mitte Jan. geschl. – **Menu** 87 (abends) und à la carte 38/103 – **57 Zim** 160/290 – ½ P Zuschl. 45.

Gerbi, Hertensteinstr. 48, ✆ (041) 390 27 27, *Fax (041) 390 01 29,* Vierwaldstättersee, , , – AE VISA
Jan. - Feb. geschl. – **Menu** 22 - 59/63 und à la carte 45/93 – **20 Zim** 135/280, 4 Suiten.

Alexander, Hertensteinstr. 42, ✆ (041) 390 22 22, *Fax (041) 390 24 88,* Vierwaldstättersee, , , , – – 15/60. AE VISA. Rest
März - Nov. – **Menu** 25 und à la carte 43/91 – **50 Zim** 125/280 – ½ P Zuschl. 42.

Central, Seestr. 25, ✆ (041) 392 09 09, *Fax (041) 392 09 00,* Vierwaldstättersee, , , – . AE VISA. Rest
10. Nov. - 10. Jan. geschl. – **Menu** 19.50 - 27 (mittags)/41 und à la carte 35/74, Kinder 11 – **42 Zim** 130/240 – ½ P Zuschl. 32.

du Lac, Gotthardstr. 4, (041) 390 11 51, *Fax (041) 390 11 19*, Vierwaldstättersee, , – AE E VISA
M1. Dez. - 15. Jan. und Nov. geschl. – **Menu** *(Donnerstag geschl.)* 19 und à la carte 30/98, Kinder 11 – **25 Zim** 95/215 – ½ P Zuschl. 32.

Frohburg garni, Seestr. 21, (041) 392 00 60, *Fax (041) 392 00 66*, Vierwaldstättersee, – . AE E VISA
April - Okt. – **12 Zim** 140/200.

Bühlegg, Gotthardstr. 30, (041) 390 21 23, *Fax (041) 390 21 82*, Vierwaldstättersee, , « Seeterrasse » – . AE E VISA
Montag (ausser abends in Juli - Aug.), Jan. - Feb. und Nov. geschl. – **Menu** à la carte 46/100.

WEINFELDEN *8570 Thurgau (TG) 216 ⑨ – 9 258 Ew. – Höhe 429.*

Bern 186 – Sankt Gallen 35 – Arbon 26 – Frauenfeld 19 – Konstanz 20.

Thurgauerhof, Thomas-Bornhauser-Str. 10, (071) 626 33 33, *Fax (071) 626 34 34*, – , Zim, – 15/450. AE E VISA
24. Dez. - 4. Jan. geschl. – ***Au Premier*** *(Samstag - Sonntag geschl.)* **Menu** à la carte 36/79 – ***Roter Öpfel* : Menu** 15 und à la carte 27/52, Kinder 8 – **75 Zim** 130/220.

Zum Löwen, Rathausstr. 8, (071) 622 54 22, , Riegelhaus aus dem 15. Jh – AE E VISA
Mittwoch - Donnerstag, 14. Juli - 5. Aug. und 13. - 21. Okt. geschl. – **Menu** 15.50 - 43 (mittags)/88 und à la carte 44/89.

WEININGEN *8104 Zürich (ZH) 216 ⑱ – 3 584 Ew. – Höhe 413.*

Bern 117 – Zürich 13 – Aarau 39 – Luzern 60 – Schaffhausen 63.

Winzerhaus, Haslernstr. 28, Nord : 1 km, (01) 750 40 66, *Fax (01) 750 40 95*, Limmattal, , « Haus im Weinberg » – . AE E VISA
Dienstag und 24. Dez. - 6. Jan. geschl. – **Menu** 28 - und à la carte 50/110.

WEISSBAD *Appenzell Innerrhoden 216 ㉑ – siehe Appenzell.*

WEISSENBURG *3764 Bern (BE) 217 ⑥ – Höhe 782.*

Bern 52 – Interlaken 21 – Fribourg 85 – Spiez 17 – Thun 22.

Alte Post mit Zim, Simmentalstrasse, (033) 783 15 15, *Fax (033) 783 15 78*, , Typischer Landgasthof – . AE E VISA
Mittwoch- Donnerstag, im April 2 Wochen und 27. Okt. - 5. Dez. geschl. – **Menu** 17 und à la carte 38/83, Kinder 12 – **10 Zim** 40/150 – ½ P Zuschl. 25.

WEITE *9476 Sankt Gallen (SG) 216 ㉑ – Höhe 469.*

Bern 227 – Sankt Gallen 63 – Bad Ragaz 16 – Buchs 11 – Feldkirch 24 – Rapperswil 68.

Heuwiese (Real), Nord Ost : 1,5 Km, (081) 783 10 55, *Fax (081) 783 31 86*, – . AE E VISA
von Mai - Sept. Montag - Dienstag, von Okt. - April Sonntag - Montag, im Feb. 2 Wochen und im Okt. 3 Wochen geschl. – **Menu** à la carte 58/104
Spez. Forellenfilets in Kartoffelkruste mit Sauerrahm. Schottischer Lachs vom Holzofen. Ganze Ente am Spiess gebraten.

WENGEN *3823 Bern (BE) 217 ⑧ – 1 100 Ew. – Höhe 1 275 – – Wintersport : 1 275/2 440 m 2 16 .*

Sehenswert : *Lage★★★.*

Ausflugsziel : *Jungfraujoch★★★ mit Bahn – Trümmelbachfälle★★★ – Kleine Scheidegg★★ Süd-Ost mit Bahn.*

Lokale Veranstaltung
16.01 - 17.01 : Internationale Lauberhornrennen.

Verkehrsverein, Wengiboden, (033) 855 14 14, Fax (033) 855 30 60.

Bern 69 – Interlaken 12 – Grindelwald 16 – Luzern 78.

mit Zahnradbahn ab Lauterbrunnen erreichbar

Regina ⛰, ☎ (033) 855 15 12, *Fax (033) 855 15 74*, < Jungfrau, 🏞, 🌳 - 🛗 📺 ☎ - 🏛 15/60. AE ⓓ E VISA JCB. ✱ Rest
Chez Meyer's *(15. Dez. - 14. April und 25. Mai - 14. Okt. geöffnet)* **Menu** 68 (abends) und à la carte 48/125 - **94 Zim** ☐ 230/400, Vorsaison ☐ 160/260 - ½ P Zuschl. 25.

Wengener Hof ⛰, ☎ (033) 855 28 55, *Fax (033) 855 19 09*, < Tal, Jungfrau und Berge, « Stilvolle Einrichtung », 🛁, 🌳 - 🛗 📺 ☎. AE ⓓ E VISA. ✱ Rest
21. Dez. - 3. April und 30. Mai - 1. Okt. - **Menu** *(nur ½ Pens. für Hotelgäste)* 50 - **40 Zim** ☐ 104/290, Vorsaison ☐ 87/250 - ½ P Zuschl. 25.

Silberhorn, ☎ (033) 856 51 31, *Fax (033) 855 22 44*, < Berge, 🏞, 🛁, 🌳 - 🛗 📺 ☎ 🏃 - 🏛 15/100. AE ⓓ E VISA JCB
Mitte April - Mitte Mai und Anfang Okt. - Mitte Dez. geschl. - **Menu** 17.50 und à la carte 29/70, Kinder 13 - **64 Zim** ☐ 157/314, Vorsaison ☐ 93/208, 4 Suiten - ½ P Zuschl. 35.

Caprice M, ☎ (033) 855 41 41, *Fax (033) 855 41 44*, < Jungfrau-Massiv, 🏞, Modern-rustikale Einrichtung, 🏋, 🛁 - 🛗 📺 ☎. AE E VISA
Nov. geschl. - **Menu** 16 und à la carte 41/80, Kinder 11 - **20 Zim** ☐ 165/380, Vorsaison ☐ 105/270 - ½ P Zuschl. 25.

Schönegg M, ☎ (033) 855 34 22, *Fax (033) 855 42 33*, <, 🏞 - 🛗 ☎. AE ⓓ E VISA JCB
19. Dez. - 9. April und 7. Juni - 14. Okt. - **Menu** 14.50 - 21 (mittags)/79 und à la carte 49/90, Kinder 12 - **28 Zim** ☐ 131/290, Vorsaison ☐ 95/234 - ½ P Zuschl. 21.

Sunstar, ☎ (033) 856 51 11, *Fax (033) 855 32 72*, <, 🛁, 🏊, 🌳 - 🛗 📺 ☎. AE ⓓ E VISA
19. Dez. - 5. April und 12. Mai - 16. Okt. - **Menu** 45 (abends) à la carte 41/85 - **78 Zim** ☐ 175/350, Vorsaison ☐ 90/210 - ½ P Zuschl. 25.

Victoria-Lauberhorn, ☎ (033) 856 51 51, *Fax (033) 855 33 77*, <, 🏞 - 🛗 📺 ☎. AE ⓓ E VISA JCB. ✱ Rest
19. Dez. - 5. April und 16. Mai - 8. Okt. - **Menu** 16.50 und à la carte 36/65, Kinder 9 - **62 Zim** ☐ 150/300, Vorsaison ☐ 85/175 - ½ P Zuschl. 30.

Alpenrose ⛰, ☎ (033) 855 32 16, *Fax (033) 855 15 18*, < Jungfrau-Massiv, 🌳 - 🛗 ☎. AE ⓓ E VISA. ✱ Rest
Mitte Dez. - Mitte April und Mitte Mai - Anfang Okt. - **Menu** *(nur Abendessen)* 40 - **45 Zim** ☐ 114/280, Vorsaison ☐ 71/186 - ½ P Zuschl. 25.

Eiger, ☎ (033) 855 11 31, *Fax (033) 855 10 30*, <, 🏞 - 🛗 ☎. AE ⓓ E VISA JCB
15. April - 30. Mai und Nov. geschl. - **Menu** 16 - 48 (abends) und à la carte 40/94, Kinder 14 - **33 Zim** ☐ 104/316, Vorsaison ☐ 91/218 - ½ P Zuschl. 21.

Berghaus ⛰, ☎ (033) 855 21 51, *Fax (033) 855 38 20*, < Jungfrau, 🏞 - 🛗 📺 ☎. AE ⓓ E VISA JCB
Dez. - März und Juni - Sept. - **Menu** 19 - 40 (abends) und à la carte 42/80 - **19 Zim** ☐ 116/260, Vorsaison ☐ 74/174 - ½ P Zuschl. 25.

in Wengernalp *mit Zug ab Interlaken, Lauterbrunnen oder Wengen erreichbar - Höhe 1874 - ✉ 3823 Wengen :*

Jungfrau ⛰, ☎ (033) 855 16 22, *Fax (033) 855 30 69*, < Jungfrau-Massiv, 🏞, Berghotel mit Einrichtung im Stil der Jahrhundertwende, 🛁 - ☎
Hotel : 21. Dez. - 12. April ; Rest. : 21. Dez. - 12. April und Juli - Mitte Sept. - **Menu** *(abends nur ½ Pens. für Hotelgäste)* à la carte 32/70 - **26 Zim** *(nur ½ Pens.)* ☐ 180/440.

WENGERNALP *Bern* 217 ⑱ - *siehe Wengen.*

WERMATSWIL 8615 Zürich (ZH) 216 ⑲ – Höhe 560.

Bern 145 – Zürich 24 – Rapperswil 25 – Uster 4 – Winterthur 32.

Puurehuus M mit Zim, Fehraltorferstr. 9, (01) 941 66 33, Fax (01) 94 66 40, – – 30. AE E VISA. Rest
Menu 17.50 - 39 (mittags) und à la carte 40/91, Kinder 11 – **8 Zim** 140/180.

WERNETSHAUSEN 8342 Zürich (ZH) 216 ⑲ – Höhe 730.

Bern 120 – Zürich 29 – Rapperswil 18 – Uster 24 – Winterthur 43.

Hohes Schlössli, Bachtelstr. 63, (01) 938 13 13, Fax (01) 938 13 10, – AE E VISA
Sonntag und Montag geschl. – **Menu** 19.50 - 57/90 (abends) und à la carte 40/102 Kinder 11.

WETTINGEN 5430 Aargau (AG) 216 ⑦ – 17 561 Ew. – Höhe 388.

Verkehrsverein, Alberich Zwyssigstr. 81, (056) 426 22 11, Fax (056) 427 16 47
Bern 110 – Aarau 31 – Baden 3 – Schaffhausen 67 – Zürich 22.

Zwyssighof M, Alberich Zwyssig-Str. 78, (056) 426 86 22, Fax (056) 426 86 26 – – 60. AE E VISA
Mittwoch (nur Rest.) geschl. – **Menu** 20 und à la carte 31/68 – ***Gourmet-Stübli*** **Menu** 30 und à la carte 44/79 – **33 Zim** 105/175 – ½ P Zuschl. 25.

Klosterstübli, Klosterstr. 13, (056) 426 06 88, Fax (056) 426 02 43, , Kleines, elegantes Restaurant in einem ehemaligen Nebengebäude des Klosters – E
Sonntag - Montag geschl. – **Menu** (Tischbestellung erforderlich) 98 (abends) und à la carte 66/96.

Sternen, Klosterstr. 9, (056) 427 14 61, Fax (056) 427 14 62, , Ehemaliges Nebengebäude des Klosters – AE E VISA. Rest
Samstagmittag und 22. Dez. - 4. Jan. geschl. – ***Spörristube :*** **Menu** 53 (mittags)/120 und à la carte 65/103, Kinder 17 – ***Kloster Taverne :*** **Menu** 19 und à la carte 45/97.

WIDEN 8967 Aargau (AG) 216 ⑱ – 3 892 Ew. – Höhe 548.

Bern 114 – Aarau 35 – Baden 15 – Dietikon 14 – Wohlen 12 – Zürich 18.

Zum Stutz, Bremgartenstr. 64, (056) 633 13 14, Fax (056) 633 72 85, – AE E VISA.
Montag - Dienstag geschl. – **Menu** 18 - 53/75 und à la carte 53/75.

Heinrüti-Rank mit Zim, Wolfeggstr. 1, (056) 633 22 88, Fax (056) 633 92 82, , , – E VISA
Menu *(Freitagmittag und Donnerstag, 3. - 23. Jan. und 2. - 18. Okt. geschl.)* 24 und à la carte 46/82 – **10 Zim** 90/140.

WIDNAU 9443 Sankt Gallen (SG) 216 ㉒ – 6 608 Ew. – Höhe 406.

Bern 242 – Sankt Gallen 36 – Altstätten 11 – Bregenz 21 – Dornbirn 16 – Feldkirch 24.

Forum M garni, Bahnhofstr. 24, (071) 722 88 66, Fax (071) 722 88 67, – . AE E VISA
Weihnachten - Neujahr geschl. – **36 Zim** 120/190.

WIGOLTINGEN 8556 Thurgau (TG) 216 ⑨ – 2 103 Ew. – Höhe 435.

Bern 182 – Sankt Gallen 48 – Frauenfeld 15 – Konstanz 18 – Winterthur 33.

Taverne zum Schäfli (Kuchler) mit Zim, Oberdorfstr. 8, (052) 763 11 72, Fax (052) 763 37 81, , « Dorfhaus aus dem 17. Jh. » – Zim, E VISA
Sonntag - Montag, 24. Jan. - 1. Feb und 25. Juli - 16. Aug. geschl. – **Menu** (Tischbestellung ratsam) 29 - 69 (mittags)/150 und à la carte 60/138 – **3 Zim** 150/220
Spez. Carpaccio von Jakobsmuscheln an einer Olivenölvinaigrette mit Bratkartoffeln. In Merlot geschmorte Kalbsbacke, Rosmarinpolenta (Winter). Gebrannte Lavendelcreme mit weissen Himbeeren (Juni - Juli).

WIKON Luzern 216 ⑯ – *siehe Reiden.*

VIL *9500 Sankt Gallen (SG)* **216** ⑨ *– 16 189 Ew. – Höhe 571.*

Sehenswert : *Aussicht★ vom Vorplatz der Stadtkirche.*

Verkehrsbüro, Tonhallestr. 29, (071) 913 89 30, Fax (071) 913 89 31.

Bern 184 – Sankt Gallen 29 – Glarus 57 – Konstanz 31 – Winterthur 34.

Schwanen, obere Bahnhofstr. 21, (071) 911 01 55, *Fax (071) 911 66 27,* – 30. AE VISA.
Schwanenstube (1. Etage) *(Samstagmittag, Sonntag und 18. Juli - 8. Aug. geschl.)* **Menu** 34 - 48/80 und à la carte 51/115, Kinder 15 – ***Boulevard* : Menu** 16.50 und à la carte 39/68, Kinder 10 – **19 Zim** 95/190 – ½ P Zuschl. 36.

Rössli M mit Zim, Toggenburgerstr. 59, (071) 913 97 50, *Fax (071) 913 97 51,* – . AE VISA
18. - 31. Jan. und 26. Juli - 8. Aug. geschl. – **Menu** *(Sonntag geschl.)* 17 und à la carte 50/101 – **6 Zim** 95/130.

n Bronschhofen *Nord : 1,5 km – Höhe 563 – 9552 Bronschhofen :*

Burghalde mit Zim, Hauptstr. 24, (071) 911 51 08, *Fax (071) 911 51 76,* , Fachwerkhaus in einem gepflegten Garten, – P. AE VISA
Samstag und Montag jeweils mittags, Sonntag, Feb. und Okt. jeweils 2 Wochen geschl. – **Menu** 36 - 88 (abends)/118 und à la carte 66/116 – **7 Zim** 140/200.

in Rossrüti *Nord-Ost : 1 km – Höhe 610 – 9512*

Waldrose, Baxloo, 2 km Richtung Braunau, (071) 911 18 51, *Fax (071) 911 68 98,* , « Gartenterrasse mit < Fürstenland und Berge », – P. VISA
Donnerstag ausser Juli - Aug., Mittwoch, April und Okt. jeweils 2 Wochen geschl. – **Menu** 75 (abends) und à la carte 46/110.

Places listed in the ***Michelin*** *Red Guide*
are underlined in red on ***maps*** *no* **216**. **217**. **218**. **219**.

WILDEGG *5103 Aargau (AG)* **216** ⑰ *– Höhe 354.*

Sehenswert : *Schloss★.*

Bern 92 – Aarau 11 – Baden 15 – Luzern 56 – Zürich 35.

Aarhof, Bahnhofstr. 5, (062) 893 23 23, *Fax (062) 893 15 04,* , – , Zim, P – 15/80. AE VISA
Menu *(über Weihnachten geschl.)* 26 und à la carte 45/95 – **65 Zim** 103/190 – ½ P Zuschl. 40.

WILDERSWIL *Bern* **217** ⑦ *– siehe Interlaken.*

WILDHAUS *9658 Sankt Gallen (SG)* **216** ㉑ *– 1 175 Ew. – Höhe 1 098 – Wintersport : 1 098/2 076 m 11 .*

Sehenswert : *Lage★.*

Tourist-Info, Lisighaus, (071) 999 27 27, Fax (071) 999 29 29.

Bern 218 – Sankt Gallen 60 – Altstätten 35 – Bad Ragaz 40 – Rapperswil 53.

Alpenrose , Süd : 2,5 km, (071) 998 52 52, *Fax (071) 998 52 53,* < Säntis und Churfirsten, , , , – P – 15/80. VISA
Menu 21 - 38 (mittags)/65 und à la carte 35/96, Kinder 14 – **52 Zim** 92/230 – ½ P Zuschl. 31.

Sonne, (071) 999 23 33, *Fax (071) 999 23 57,* , , – P. AE VISA
Mitte Nov. - Mitte Dez. geschl. – ***Rôtisserie* : Menu** à la carte 45/84, Kinder 11 – ***Tagesrestaurant* : Menu** 22 und à la carte 33/61 – **24 Zim** 95/200, Vorsaison 80/170 – ½ P Zuschl. 25.

Alpenblick, (071) 999 13 43, *Fax (071) 999 90 40,* – P – 30. AE VISA. Zim
Montag (ausser Hotel im Winter), Mitte Nov. - Mitte Dez. und Mai geschl. – **Menu** 16.50 - 40 (abends) und à la carte 26/79 – **20 Zim** 90/160 – ½ P Zuschl. 25.

WILEN *Obwalden* **217** ⑨ *– siehe Sarnen.*

WINKEL *8185 Zürich (ZH)* **216** ⑦ *– 3 001 Ew. – Höhe 450.*

Bern 134 – Zürich 25 – Baden 30 – Winterthur 16.

in Niederrüti *Süd : 1 km – Höhe 443 – ✉ 8185 Winkel :*

XX **Wiesental,** Zürichstr. 25, ☎ (01) 860 15 00, *Fax (01) 862 18 02,* – P. AE ⓪ E VISA

Samstag - Sonntag und 21. Dez. - 10. Jan. geschl. – ***Arte :*** **Menu** *32* - 55/85 und à la carte 64/105 – ***Gaststube :*** **Menu** *18.50* - und à la carte 39/80.

WINTERTHUR *8400 Zürich (ZH)* **216** ⑧ *– 87 467 Ew. – Höhe 439.*

Sehenswert : *Sammlung Oskar Reinhart "Am Römerholz"★★.*

Museum : *Kunstmuseum★* B **M²** *– Villa Flora★★.*

18 *Schloss Goldenberg in Dorf, ✉8458 (März - Dez.) ☎ (052) 317 30 00 Fax(052) 317 30 04, Nord-West : 13 km Richtung Flaach.*

Lokale Veranstaltungen

25.06 - 27.06 : "Albanifäscht" Stadtfest

20.08 - 05.09 : Musikfestwochen (pop, rock, jazz).

Tourist Service, im Hauptbahnhof, ☎ (052) 212 00 88, Fax (052) 212 00 72.

Wartstr. 50, ☎ (052) 224 04 04, Fax (052) 224 04 00.

Bern 148 ④ – Zürich 28 ④ – Baden 47 ④ – Konstanz 47 ① – Schaffhausen 27 ①.

WINTERTHUR

Strasse	Planquadrat	Nr.
Archplatz	A	3
Bahnhofplatz	A	4
Gertrudstrasse	A	6
Holderplatz	B	7
Kasinostrasse	B	9
Marktgasse	B	
Meisenstrasse	A	10
Merkurstrasse	B	12
Metzggasse	B	13
Nelkenstrasse	B	15
Neumarkt	B	16
Römer Strasse	B	18
Rychenbergstrasse	B	19
Stadthausstrasse	B	
Steinberggasse	B	
St. Galler Strasse	B	21
St. Georgen-Platz	AB	22
Sulzbergstrasse	B	24
Turnerstrasse	A	25
Zeughausstrasse	B	27

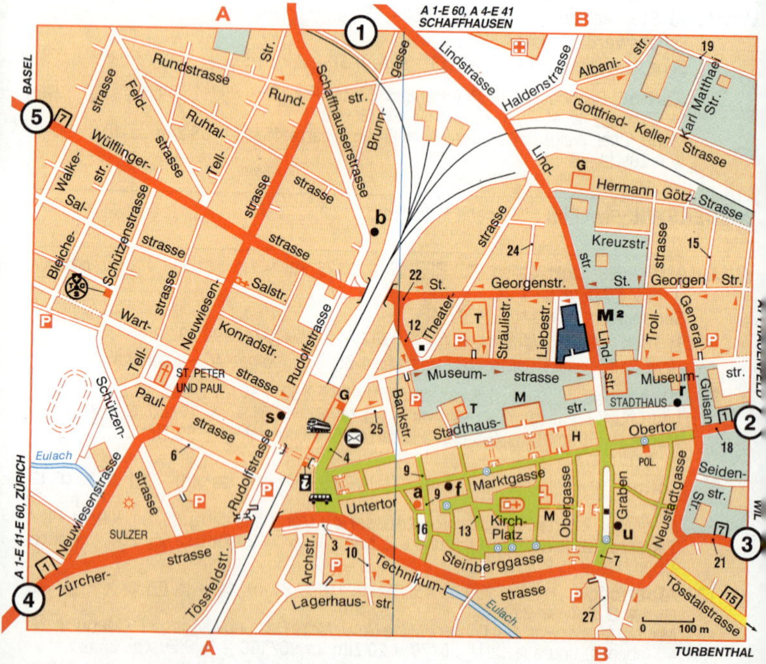

Garten Hotel M, Stadthausstr. 4, ☎ (052) 265 02 65, *Fax (052) 265 02 75*, – 15/40. AE VISA. Rest B r
***Ellipse* : Menu** *26* und à la carte 50/108, Kinder 12 – **53 Zim** 230/315, 5 Suiten – ½ P Zuschl. 40.

Banana City M garni, Schaffhauserstr. 8, ☎ (052) 268 16 16, *Fax (052) 268 16 00* – Zim, – 15/50. AE VISA JCB A b
72 Zim 140/195.

Wartmann, Rudolfstr. 15, ☎ (052) 212 84 21, *Fax (052) 213 30 97*, – Rest, – 15/80. AE VISA A s
Grill* : Menu** *19* und à la carte 36/70 – ***Vegi zur Waage - vegetarische Küche - *(Samstag - Sonntag geschl.)* **Menu** *16* und à la carte 29/56 – **72 Zim** 104/220 – ½ P Zuschl. 28.

Krone, Marktgasse 49, ✉ 8401, ☎ (052) 213 25 21, *Fax (052) 213 48 08*, – Zim, – 40. AE VISA B f
Menu *(Sonntag geschl.)* *19* und à la carte 38/72, Kinder 15 – **37 Zim** 131/210.

Loge, Oberer Graben 6, ✉ 8402, ☎ (052) 213 91 21, *Fax (052) 212 09 59*, – Zim, – 25. AE VISA JCB B u
Menu *17.50* und à la carte 36/74 – **17 Zim** 145/175.

Trübli, Bosshardengässchen 2, ☎ (052) 212 55 36, *Fax (022) 212 55 36*, – AE VISA B a
Montagmittag, Sonntag und 2. - 18. April geschl. – **Menu** *19.50* - 39/74 und à la carte 52/89.

in Wülflingen *über ⑤ : 2,5 km – ✉ 8408 Winterthur :*

Schloss Wülflingen, Wülflingerstr. 214, ☎ (052) 222 18 67, *Fax (052) 222 03 71*, « Stilvolle Holztäfelungen, bemerkenswerte Kachelöfen », – AE VISA
Montag - Dienstag und 18. Juli - 11. Aug. geschl. – **Menu** *29* - 120 (abends) und à la carte 58/123.

Taggenberg, Taggenbergstr. 79, via Strassenverkehrsamt Nord : 1,5 km, ☎ (052) 222 05 22, *Fax (052) 222 05 24*, ←, – AE VISA
Montag - Dienstag, 23. Dez. - 5. Jan. und Feb. geschl. – **Menu** (Tischbestellung ratsam) 49 (mittags)/90 und à la carte 80/137
Spez. Terrine von der Entenleber mit glasierten Apfelscheiben und Sauternesgelée, Cassissauce. Knusprig gebratene Miéral-Perlhuhn-Brust aus der Bresse, klarer Jus mit weissem Portwein (Sommer - Herbst). "Süsse Dekadenz", Dessertauswahl (Sommer).

WISEN *4634 Solothurn (SO)* 216 ⑯ *– 389 Ew. – Höhe 685.*

Bern 71 – Aarau 23 – Basel 36 – Liestal 18 – Luzern 65 – Olten 10.

Sonne, Hauptstr. 62, ☎ (062) 293 23 32, *Fax (062) 293 23 71*, –
Montag, Dienstag und 17. Feb. - 10. März geschl. – **Menu** *14* und à la carte 32/78.

Benutzen Sie auf Ihren Reisen in EUROPA :

die Michelin-Länderkarten (1:400 000 bis 1:1 000 000) ;

die Michelin-Abschnittskarten (1:200 000) ;

die Roten Michelin-Führer (Hotels und Restaurants)
Benelux, Deutschland, España Portugal, Europe, France, Great Britain and Ireland, Italia, Schweiz

die Grünen Michelin-Führer (Sehenswürdigkeiten und interessante Reisegebiete)
Deutschland – Frankreich, Italien – Österreich, Schweiz – Spanien

die Grünen Regionalführer von Frankreich
(Sehenswürdigkeiten und interessante Reisegebiete)
Paris, Atlantikküste, Auvergne Périgord, Bretagne, Burgund Jura, Côte d'Azur (Französische Riviera) Elsaß Vogesen Champagne, Korsika, Provence, Schlösser an der Loire, Oberrhein, Pyrenäen, Roussillon, Gorges du Tarn

WOHLEN BEI BERN *3033 Bern (BE)* 217 ⑥ – *Höhe 549.*
Bern 10 – Biel 32 – Burgdorf 31 – Solothurn 43.

Kreuz, Hauptstr. 7, ✆ (031) 829 11 00, *Fax (031) 829 19 02,* – AE VISA
Montag - Dienstag, 1. - 9. Feb. und Juli geschl. – **Menu** 15 - 85 und à la carte 37/8

WOLFGANG *Graubünden* 218 ⑤ – *siehe Davos.*

WOLLERAU *8832 Schwyz (SZ)* 216 ⑲ – *5 305 Ew. – Höhe 504.*
Bern 152 – Zürich 29 – Glarus 40 – Rapperswil 9 – Schwyz 28.

Chrueg mit Zim, Bellevueweg 3, ✆ (01) 784 02 33, *Fax (01) 784 15 18* Zürichsee, – TV AE VISA JCB
24. - 28. Dez. und 6. Feb. - 1. März geschl. – **Menu** *(Sonntag - Montag geschl.)* 30 39 (mittags)/81 und à la carte 58/104, Kinder 13 – **6 Zim** 125/192.

WORB *3076 Bern (BE)* 217 ⑥ – *Höhe 585.*
Bern 11 – Burgdorf 20 – Langnau im Emmental 20 – Thun 28.

Zum Löwen, Enggisteinstr. 3, ✆ (031) 839 23 03, *Fax (031) 839 58 77,* « Täfelung aus dem 17. Jh., ehemaliger Gerichtssaal » – Rest, TV – 40 AE VISA
Menu *(Samstag - Sonntag und im Juli 2 Wochen geschl.)* 23 - 59 und à la carte 41/80 – **13 Zim** 98/165.

WORBEN *3252 Bern (BE)* 216 ⑭ – *1 808 Ew. – Höhe 442.*
Bern 28 – Aarberg 8 – Biel 6 – Murten 28 – Solothurn 29.

Worbenbad, Hauptstrasse, ✆ (032) 384 67 67, *Fax (032) 384 79 06,* , , , – , TV video – 15/100. AE VISA
Menu *(Sonntagabend geschl.)* 15 und à la carte 39/92 – 18 – **29 Zim** 95/163.

WÜLFLINGEN *Zürich* 216 ⑧ – *siehe Winterthur.*

WÜRENLOS *5436 Aargau (AG)* 216 ⑱ – *4 136 Ew. – Höhe 420.*
Bern 110 – Aarau 31 – Baden 8 – Luzern 59 – Zürich 17.

Rössli mit Zim, Landstr. 77, ✆ (056) 424 13 60, *Fax (056) 424 38 50,* , Ehemalige Umspannstation aus dem 19. Jh. – TV AE VISA
Sonntag - Montag geschl. – **Menu** à la carte 58/121 – **3 Zim** 100/180.

YVERDON-LES-BAINS *1400 Vaud (VD)* 217 ③ – *23 235 h. – alt. 435 – Stat. thermale.*
Environs : *Château de Grandson★★ : site★★ par ① : 3,5 km.*
Office du Tourisme et du Thermalisme, pl. Pestalozzi, ✆ (024) 423 62 90, Fax (024) 426 11 22.
Bern 79 ② – Neuchâtel 40 ① – La Chaux-de-Fonds 65 ① – Lausanne 32 ③ – Pontarlier 48 ③.

Plan ci-contre

Grand Hôtel des Bains M, 22 av. des Bains, ✆ (024) 425 70 21, *Fax (024) 425 21 90,* parc, , (thermale), – , ch, TV – 15/150. AE VISA. rest — BZ a
Le Pavillon : Repas 24 - 45(midi)/75 et à la carte 64/102 – **125 ch** 230/330 – ½ P suppl. 54.

La Prairie, 9 av. des Bains, ✆ (024) 425 19 19, *Fax (024) 425 00 79,* , parc, – TV – 15/80. AE VISA — BZ b
Rest. Français : Repas 58 (midi)/120 et à la carte 71/107 – ***Le Café :*** Repas 23 - 40 et à la carte 44/73 – **36 ch** 122/195 – ½ P suppl. 40.

L'Ecusson Vaudois, 29 r. de la Plaine, ✆ (024) 425 40 15, *Fax (024) 425 44 85,* – AE VISA — AZ e
Repas *(fermé dim.)* 16 et à la carte 34/64, enf. 14 – 9 – **9 ch** 62/120 – ½ P suppl. 25.

'VERDON-LES-BAINS

Les plans de villes sont disposés le Nord en haut.

YVONAND *1462 Vaud (VD)* 217 ③ ④ – *2 176 h. – alt. 434.*
Bern 70 – Neuchâtel 48 – Lausanne 41 – Yverdon-les-Bains 9.

Gare, 11 r. du Temple, (024) 430 24 04, *Fax (024) 430 24 06,* – – 40. AE E VISA
fermé janv. – **Repas** 14.50 - 52 et à la carte 30/68, enf. 11 – **14 ch** 75/110 ½ P suppl. 20.

YVORNE *1853 Vaud (VD)* 217 ⑭ – *1 036 h. – alt. 395.*
Bern 99 – Montreux 15 – Aigle 2 – Lausanne 36 – Martigny 31.

Le Torrent, (024) 466 19 28, *Fax (024) 466 64 32,* – P. AE E VISA.
fermé 23 déc. au 5 janv. et mardi – **Repas** 18 - 48 (midi)/80 et à la carte 56/96

ZÄZIWIL *Bern* 217 ⑦ – *siehe Grosshöchstetten.*

ZELL *6144 Luzern (LU)* 216 ⑯ – *1 903 Ew. – Höhe 588.*
Bern 55 – Langnau im Emmental 38 – Luzern 35 – Olten 35.

Lindengarten mit Zim, St. Urbanstr. 4, (041) 988 22 55, *Fax (041) 988 11 24* – P. AE E VISA
in Feb. und Aug. jeweils 2 Wochen geschl. – **Menu** 18 - 50 (mittags)/100 und à la carte 52/70 – **5 Zim** 70/130.

ZERMATT *3920 Wallis (VS)* 219 ④ – *4 896 Ew. – Höhe 1 616 – – Wintersport 1 620/3 820 m 12 22 .*

Sehenswert : *Lage★★★.*

Ausflugsziel : *Gornergrat★★★ Süd-Ost mit Zahnradbahn* BZ – *Klein Matterhorn★★★ Süd-West mit Luftseilbahn* AZ – *Theodulgletscher★★ Süd mit Luftseilbahn – Unter Rothorn★★ Ost mit Standseilbahn* BY – *Schwarzsee★ Süd-West mit Luftseilbahn* AZ.

Lokale Veranstaltung
15.08 : Grosser Folkloreumzug (1400 Teilnehmern).

Kurverein, Bahnhofplatz, *(027) 967 01 81, Fax (027) 967 01 85.*
Bern 204 – Brig 38 – Sierre 57 – Sion 72.

mit dem Zug ab Täsch erreichbar

Stadtplan siehe gegenüberliegende Seite

Grand Hotel Zermatterhof, (027) 966 66 00, *Fax (027) 966 66 99,* ←, , , , , – – 15/80. AE E VISA JCB. Rest AZ w
10. Okt. - 27. Nov. geschl. – ***Rôtisserie La Broche*** *(13. Dez. - 18. April geöffnet ; Sonntag geschl.) (nur Abendessen)* **Menu** 75/105 und à la carte 69/110 – ***Prato Borni :*** **Menu** 95 (abends) und à la carte 70/140 – **74 Zim** 310/670, Vorsaison 195/390, 12 Suiten – ½ P Zuschl. 50.

Mont Cervin und Residence, Bahnhofstrasse, (027) 966 88 88, *Fax (027) 967 28 78,* ←, « Grosszügige, moderne Suiten in der Residence », , , , – – 15/220. AE E VISA JCB. Rest AY b
Mitte Nov. - 24. April und 13. Juni - 9. Okt. – **Menu** 58 (abends) und à la carte 57/114, Kinder 20 – ***Le Cervin*** *(Mitte Dez. - 17. April und 19. Juni - 2. Okt. geöffnet ; in der Zwischensaison Montag geschl.)* **Menu** 60 (abends) und à la carte 59/108 – **123 Zim** 325/670, Vorsaison 175/510, 20 Suiten – ½ P Zuschl. 55.

Alpenhof M, (027) 966 55 55, *Fax (027) 966 55 56,* ←, , , – . AE E VISA. Rest BY m
28. Nov. - 24. April und 12. Juni - 10. Okt. – **Menu** (siehe auch Rest. ***Alpenhof***) – **53 Zim** 322/624, Vorsaison 150/280, 8 Suiten – ½ P Zuschl. 10.

Alex M, (027) 966 70 70, *Fax (027) 966 70 90,* ←, , , , , , – – 15/60. AE E VISA JCB. Rest AY n
Anfangs Mai - Mitte Juni und Mitte Okt. - Mitte Nov. geschl. – **Menu** 58 und à la carte 49/99 – **67 Zim** 250/480, Vorsaison 170/320, 8 Suiten – ½ P Zuschl. 20.

La Ginabelle M, (027) 967 45 35, *Fax (027) 967 61 31,* ←, « Geschmackvolle Einrichtung », , – . AE E VISA. BY y
19. April - 10. Mai und 17. Okt. - 13. Nov. geschl. – **Menu** *(nur Abendessen)* 55/86 und à la carte 47/81 – **43 Zim** *(im Winter nur ½ Pens.)* 206/360, Vorsaison 165/288, 3 Suiten – ½ P Zuschl. 40.

ZERMATT

achstrasse	AZ	
ahnhofstrasse	AYZ	
etwingstrasse	ABY	
ofmattstrasse	AY	3
rchstrasse	AZ	4
attertalstrasse	BY	
bere Mattenstrasse	BY	6
iedstrasse	BZ	7
chluhmattenstrasse	AZ	
pissstrasse	BY	
teinmattenstrasse	AZ	9
fferstrasse (linke)	AYZ	10
fferstrasse (rechte)	AYZ	12
ntere Mattenstrasse	BY	13
Viestistrasse	BY	14

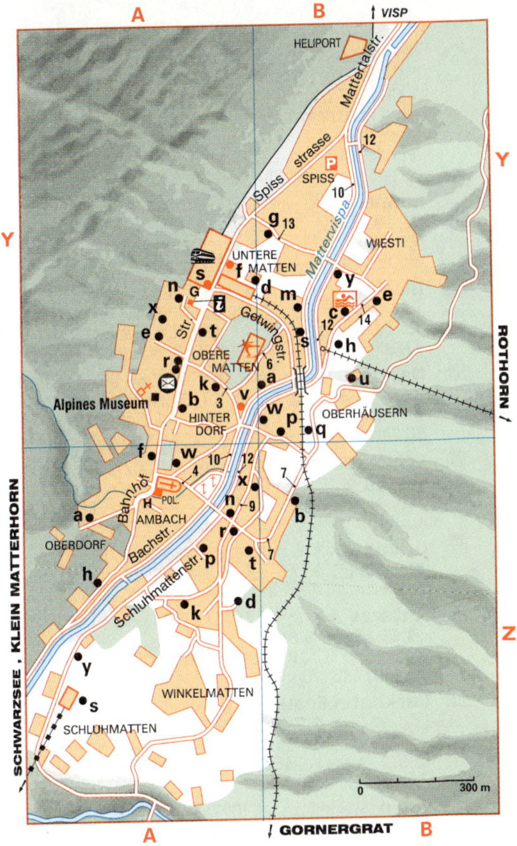

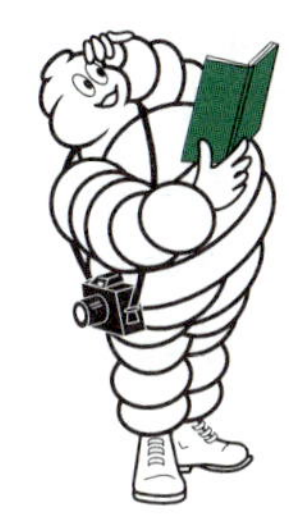

Bei Übernachtungen in kleineren Orten oder abgelegenen Hotels empfehlen wir, hauptsächlich in der Saison, rechtzeitige telefonische Anmeldung.

Monte Rosa, Bahnhofstrasse, ✆ (027) 967 33 33, *Fax (027) 967 11 60*, Einrichtung im Stil der Jahrhundertwende – 🛗 TV ☎. AE ① E VISA JCB. ✗ Rest *30. - 20. Dez. - Mitte April und Mitte Juni - Ende Okt.* – **Menu** *(nur Abendessen)* 30 - 62/77 und à la carte 52/101 – **46 Zim** ☕ 225/446, Vorsaison ☕ 145/286, 4 Suiten – ½ P Zuschl. 45. AZ f

Berghof M ✎, ✆ (027) 967 54 00, *Fax (027) 967 54 52*, ≤, « Schöne rustikale Einrichtung », ⌂s, ⌂, – 🛗, ✗ Zim, TV ☎. AE ① E VISA. ✗ Rest AZ s *25. Mai - 28. Juni geschl.* – **Menu** *(nur Abendessen)* 46/68 – **28 Zim** ☕ 220/390, Vorsaison ☕ 130/270 – ½ P Zuschl. 30.

Albana Real M ✎, ✆ (027) 967 13 03, *Fax (027) 967 56 30*, ≤, ⌂s – 🛗 TV ☎. AE ① E VISA JCB AZ p
Fuji of Zermatt - japanische Küche - *(nur Abendessen)* **Menu** à la carte 41/81 – ***Rua Thai*** - thailändische Küche - *(nur Abendessen)* **Menu** à la carte 46/84 – **31 Zim** ☕ 237/450, Vorsaison ☕ 145/260, 5 Suiten – ½ P Zuschl. 25.

Mirabeau ✎, ✆ (027) 966 26 60, *Fax (027) 966 26 65*, ≤, ⌂s, ⌂, ✗, – 🛗 TV ☎. AE ① E VISA BY g *15. Nov. - 1. Mai und 13. Juni - 3. Okt.* – **Menu** (siehe auch Rest. ***Le Corbeau d'Or***) – **44 Zim** ☕ 200/440, Vorsaison ☕ 118/310 – ½ P Zuschl. 25.

Schönegg M ✎, ✆ (027) 967 44 88, *Fax (027) 967 58 08*, « Terrasse mit ≤ Zermatt und Matterhorn », ⌂s – 🛗 TV ☎. AE ① E VISA. ✗ Rest BY u *Hotel : 9. Okt. - 27. Nov. geschl. ; Rest. : 10. April - 26. Juni und 25. Sept. - 18. Dez. geschl.* – ***Gourmetstübli*** **: Menu** 55/125 (abends) und à la carte 61/106 – **36 Zim** ☕ 249/494, Vorsaison ☕ 151/280 – ½ P Zuschl. 55.

Schweizerhof, Bahnhofstrasse, (027) 967 67 67, *Fax (027) 967 67 69,* , – – 35. AE VISA AY
1. Okt. - 17. Dez. (ausser Rest. Schwyzer Stübli) geschl. – **Da Mario** - italienische Küche - *(nur Abendessen)* **Menu** 52 und à la carte 41/78 – ***Prato Borni*** - Käse Spezialitäten - *(nur Abendessen)* **Menu** à la carte 35/79 – ***Schwyzer Stübli*** *(vom 9. Mai - 11. Juli und 17. Okt. - 11. Dez. jeweils Sonntag geschl.)* **Menu** 16 - 22 (mittags)/28 und à la carte 33/63 – **95 Zim** 285/630, Vorsaison 175/320, 8 Suiten – ½ P Zuschl. 45

Sonne M , (027) 966 20 66, *Fax (027) 966 20 65,* , – AE VISA. Rest AZ
Menu *(nur ½ Pens. für Hotelgäste) (mittags geschl.)* – **39 Zim** 152/366, Vorsaison 95/240 – ½ P Zuschl. 35.

Nicoletta M, (027) 967 01 51, *Fax (027) 967 52 15,* ←, (nur im Winter), , , – . AE VISA JCB. Rest AY
19. Dez. - 9. April und 11. Juni - 14. Okt. – **Menu** *(nur Abendessen)* 70 und à la carte 42/87 – **59 Zim** 220/490, Vorsaison 180/360, 3 Suiten – ½ P Zuschl. 45.

National, Uferstrasse, (027) 966 99 66, *Fax (027) 967 59 07,* ← Matterhorn , , – . AE VISA. Rest BY
17. April - 15. Mai und 15. Okt. - 1. Dez. geschl. – **Menu** *(nur Abendessen)* 54/62 – **50 Zim** 215/504, Vorsaison 130/414, 4 Suiten – ½ P Zuschl. 40.

Schlosshotel Alex Tenne, (027) 967 18 01, *Fax (027) 967 18 03,* , – . AE VISA JCB ABY
15. Dez. - 15. April und 1. Mai - 30. Sept. – **Menu** *(nur Abendessen)* à la carte 39/87 – **38 Zim** 200/400, Vorsaison 150/300 – ½ P Zuschl. 20.

Urania M garni, Untere Steinmatte, (027) 967 44 22, *Fax (027) 967 34 22,* , – . AE VISA. AZ
19. Dez. - 24. April und 26. Juni - 3. Okt. – **23 Zim** 141/294, Vorsaison 86/186.

Antares , (027) 967 36 64, *Fax (027) 967 52 36,* ←, , – . VISA. Rest AZ
8. Okt. - 11. Nov. geschl. – **Menu** 58 (abends) und à la carte 41/91 – **36 Zim** 178/380, Vorsaison 98/216 – ½ P Zuschl. 30.

Parkhotel Beau-Site , (027) 967 41 41, *Fax (027) 967 23 28,* ←, , , , – . AE VISA JCB. Rest BY
*25. April - 21. Mai und 17. Okt. - 27. Nov. geschl.***Menu** *(Nur Abendessen)* 45 und à la carte 36/88 – **65 Zim** 180/390, Vorsaison 125/290 – ½ P Zuschl. 25.

Julen, Steinmatte, (027) 966 76 00, *Fax (027) 966 76 76,* ←, , , , , – . AE VISA AZ
Menu 20 - 27 (mittags) und à la carte 30/77 – ***Schäferstübli*** - Käsespezialitäten - *(nur Abendessen)* **Menu** à la carte 30/77 – **35 Zim** 170/340, Vorsaison 110/220 – ½ P Zuschl. 25.

Christiania, (027) 967 19 07, *Fax (027) 967 26 35,* ←, , , , , , – . AE VISA. Rest BY
Dez. - April und Juni - Sept. – **Menu** 68 (abends) und à la carte 53/98 – **72 Zim** 170/410, Vorsaison 100/250 – ½ P Zuschl. 35.

Walliserhof, (027) 966 65 55, *Fax (027) 966 65 50,* , – . AE VISA AY
Menu 35/60 und à la carte 39/74 – **30 Zim** 155/310, Vorsaison 95/210 – ½ P Zuschl. 25.

Simi, (027) 966 46 00, *Fax (027) 966 46 05,* , – . AE VISA JCB AY
Hotel : 20. Okt. - 28. Nov. geschl. ; Rest. : 20. Okt. - 20. Dez. geschl. – **Menu** *(nur Abendessen)* 23 - 40 und à la carte 32/74, Kinder 10 – **41 Zim** 150/290, Vorsaison 120/210 – ½ P Zuschl. 30.

Europe , (027) 966 27 00, *Fax (027) 966 27 05,* ← Matterhorn, – . VISA. Rest AZ
1. - 20. Mai geschl. – **Menu** *(nur Abendessen für Hotelgäste)* 30 - 42 – **22 Zim** 110/290, Vorsaison 70/200 – ½ P Zuschl. 30.

Riffelberg , in Riffelberg : 2 582 m Höhe (mit Zahnradbahn Gornergrat erreichbar), (027) 966 65 00, *Fax (027) 966 65 05,* ← Bergpanorama, , – . AE VISA JCB.
2. Dez. - 25. April und 21. Juni - 9. Okt. – **Menu** à la carte 32/80, Kinder 14 – **29 Zim** *(nur ½ Pens.)* 163/306, Vorsaison 125/220.

Astoria, (027) 967 52 22, *Fax (027) 967 56 72*, – AE VISA JCB. Rest AZ n
Mai geschl. – **Menu** *(nur Abendessen für Hotelgäste)* – **21 Zim** 130/300, Vorsaison 80/170 – ½ P Zuschl. 30.

Abendruh-Ambiance, (027) 967 23 38, *Fax (027) 967 59 01*, – E VISA. Rest BZ b
Hotel : im Okt. 2 Wochen geschl. ; Rest. : Mitte April - Mitte Juni und im Okt. 2 Wochen geschl. – **Menu** *(im Winter nur Abendessen)* 55 (abends) und à la carte 46/75 – **26 Zim** 133/248, Vorsaison 83/149 – ½ P Zuschl. 35.

Bella Vista garni, (027) 966 28 10, *Fax (027) 966 28 15*, Zermatt und Matterhorn – Zim, E VISA BY q
20. Dez. - 2. Mai und 29. Mai - 29. Okt. – **21 Zim** 99/194, Vorsaison 69/158.

Alpenblick, Oberdorfstrasse, (027) 966 26 00, *Fax (027) 966 26 05*, – AE E VISA. Rest AZ h
Hotel : 20. Sept. - 20. Dez. geschl. ; Rest. : 20. April - 20. Juni und 20. Sept. - 20. Dez. geschl. – **Menu** 17 - 24/36 und à la carte 29/74, Kinder 10 – **32 Zim** 130/250, Vorsaison 85/160 – ½ P Zuschl. 36.

Pollux, Bahnhofstrasse, (027) 966 40 00, *Fax (027) 966 40 01*, – AE E VISA. Zim AY r
Menu 19 - 27 (mittags)/45 und à la carte 33/78 – **33 Zim** 119/290, Vorsaison 91/220 – ½ P Zuschl. 45.

Silvana, in Furri : 1 864 m Höhe (mit Gondelbahn erreichbar), (027) 966 28 00, *Fax (027) 966 28 05*, – E VISA
20. Dez. - 1. Mai und 27. Juni - 29. Okt. – **Menu** 17 - 50 (abends) und à la carte 28/68 – **21 Zim** *(nur ½ Pens.)* 115/230, Vorsaison 70/150 – ½ P Zuschl. 25.

Welschen garni, (027) 967 54 22, *Fax (027) 967 54 23*, – AE E VISA JCB. BY h
Dez. - April und Juni - Sept. – **16 Zim** 88/196, Vorsaison 78/156.

Butterfly, (027) 966 41 66, *Fax (027) 966 41 65*, – AE E VISA. Rest AY x
20. Dez. - 17. April und 20. Mai - 16. Okt. – **Menu** *(nur Abendessen)* 39 – **39 Zim** 155/310, Vorsaison 105/210 – ½ P Zuschl. 25.

Holiday, (027) 967 12 03, *Fax (027) 967 50 14*, – AE E VISA JCB BY e
Anfang Mai 2 Wochen und Nov. geschl. – **Menu** *(nur Abendessen)* 30 und à la carte 35/70 – **33 Zim** 162/294, Vorsaison 102/188 – ½ P Zuschl. 30.

Jägerhof, Steinmatte, (027) 967 88 88, *Fax (027) 967 45 45*, – AE E VISA. Rest AZ d
Menu *(nur Abendessen)* 30 und à la carte 30/75 – **48 Zim** 99/198, Vorsaison 72/150 – ½ P Zuschl. 30.

Metropol garni, (027) 966 35 66, *Fax (027) 966 35 65*, – AE E VISA JCB BY a
Mai und Nov. geschl. – **24 Zim** 120/260, Vorsaison 77/220.

Parnass, (027) 967 11 79, *Fax (027) 967 45 57*, – AE E VISA. BY w
Mai und Mitte Okt. - Mitte Dez. geschl. – **Menu** *(nur Abendessen für Hotelgäste)* 45 – **32 Zim** 90/220, Vorsaison 75/180 – ½ P Zuschl. 35.

Adonis garni, (027) 966 25 00, *Fax (027) 967 22 33*, – AE E VISA. AZ k
Juni und Nov. geschl. – **26 Zim** 100/220, Vorsaison 55/120.

Alpenhof - ***Hotel Alpenhof,*** (027) 966 55 55, *Fax (027) 966 55 56* – AE E VISA. BY m
4. Dez. - 18. April und 24. Juni - 3. Okt. geöffnet ; Mittwoch geschl. – **Menu** *(nur Abendessen)* (Tischbestellung ratsam) 84/145 und à la carte 68/131
Spez. Crème de gombos au curry et fines tranches de pigeon de Toscane. Joue de veau braisée à la Dôle et queue de langoustines. Queue de boeuf en croûte de pommes de terre, sauce au thym.

Le Corbeau d'Or - ***Hotel Mirabeau,*** (027) 966 26 60, *Fax (027) 966 26 65* – AE E VISA. BY g
5. Dez. - 16. April und 11. Juli - 18. Sept. geöffnet ; Montag geschl. – **Menu** *(nur Abendessen)* 58/80 und à la carte 62/121.

Casa Rustica, (027) 967 48 58, *Fax (027) 967 37 72,* – AE E VISA
Menu (Tischbestellung ratsam) à la carte 34/93, Kinder 12. AY

Bahnhofbuffet, (027) 968 19 68, *Fax (027) 968 19 86,* – . AE E VISA JCB AY
***Panorama* :** Menu 45 und à la carte 43/83 – ***Buffet* :** Menu 19 und à la carte 30/6

Le Mazot, (027) 967 27 77, *Fax (027) 967 62 74* – AE E VISA AY
1. Mai - 15. Juni und 15. Okt. - 20. Nov. geschl. – **Menu** *(nur Abendessen)* (Tischbestellung ratsam) à la carte 48/84.

Zum See, mit Gondelbahn bis Furri und Spazierweg (15 Min.) erreichbar, oder übe Schwarzseepromenade (40 Min.), (027) 967 20 45, *Fax (027) 967 18 70,*
« Gemütliches Bergrestaurant » – E VISA
16. Dez. - 18. April und 26. Juni - 5. Okt. – **Menu** *(nur Mittagessen)* (Tischbestellun ratsam) à la carte 41/75.

Findlerhof, in Findeln : 2 069 m Höhe (mit Sunnegga Express und Spazierweg (2 Min.) erreichbar), (027) 967 25 88, Bergpanorama, , Bergrestaurant
1. Dez. - 24. April und 13. Juni - 14. Okt. – **Menu** *(nur Mittagessen)* (im Winter Tischbestellung ratsam) à la carte 36/71.

ZERNEZ *7530 Graubünden (GR)* 218 ⑥ – *1 047 Ew. – Höhe 1 464.*

Sehenswert : *Ofenstrasse★.*

Lokale Veranstaltung
01.03 : "Chalandamarz" alter Frühlingsbrauch und Kinderfest.

Verkehrsverein, Chasa Fuschina, (081) 856 13 00, Fax (081) 856 11 55.
Bern 313 – Scuol 29 – Chur 90 – Davos 37 – Merano 34 – Sankt Moritz 34.

Bär-Post, (081) 851 55 00, *Fax (081) 851 55 99,* , , , , –
 – 15/40. AE E VISA
1. Nov. - 20. Dez. geschl. – **Menu** 20 und à la carte 28/82, Kinder 10 – **46 Zim** 85/150, Vorsaison 80/130 – ½ P Zuschl. 25.

ZETZWIL *5732 Aargau (AG)* 216 ⑰ – *1 199 Ew. – Höhe 509.*

Bern 94 – Aarau 16 – Baden 38 – Luzern 31 – Olten 29.

Bären M mit Zim, Hauptstr. 13, (062) 773 12 06, *Fax (062) 773 19 40,* –
 . AE E VISA. Rest
Freitagmittag, Donnerstag und im Okt. 1 Woche geschl. – **Menu** 20 - 51 (mittags)/100 und à la carte 56/109 – **4 Zim** 80/140 – ½ P Zuschl. 35.

ZINAL *3961 Valais (VS)* 219 ③ – *alt. 1 671 – Sports d'hiver : 1 671/2 900 m 1 8 .*

Office du Tourisme, (027) 475 13 70, Fax (027) 475 29 77.
Bern 195 – Sion 42 – Brig 60 – Sierre 27.

Europe M, (027) 475 44 04, *Fax (027) 475 44 14,* , , , –
 . AE E VISA
6 déc. au 14 avril et 2 juin au 15 oct. – **Repas** 16 - 30 (midi)/50 et à la carte 32/73, enf. 12 – **34 ch** 82/200, Basse saison 59/144 – ½ P suppl. 20.

Le Besso avec ch, (027) 475 31 65, *Fax (027) 475 49 82,* – – 30.
AE E VISA. rest
fermé mai, nov., dim. soir et lundi en juin, sept. et oct. – **Repas** 18 - 87 et à la carte 46/88 – **10 ch** 78/168, Basse saison 64/108 – ½ P suppl. 30.

La Ferme, (027) 475 13 63, *Fax (027) 475 13 63,* , – AE E VISA
fermé 15 mai au 15 juin, 10 nov. au 15 déc. et mardi hors saison – **Repas** 18 et à la carte 31/78.

Die in diesem Führer angegebenen Preise können
der Entwicklung der allgemeinen Lebenshaltungskosten folgen.
Lassen Sie sich bei der Zimmerreservierung
den endgültigen Preis vom Hotelier mitteilen.

ZOFINGEN *4800 Aargau (AG)* 216 ⑯ *– 8 610 Ew. – Höhe 432.*

Verkehrsbüro, Marktgasse 10, (062) 745 00 05, Fax (062) 745 00 02.

Bern 70 – Aarau 19 – Luzern 43 – Olten 12 – Solothurn 39.

Zofingen, Kirchplatz 30, (062) 752 30 30, *Fax (062) 752 22 08,* – , Zim, – 15/60. AE VISA
Thutstube : **Menu** 52 und à la carte 33/94, Kinder 15 – ***Bögli :*** **Menu** 18.50 und à la carte 34/67 – **45 Zim** 120/240.

Schmiedstube, Schmiedgasse 4, (062) 751 10 58, *Fax (062) 751 18 60,* – AE VISA
Samstagabend, Sonntag, Feiertage, über Weihnachten und Neujahr geschl. – ***Schmiedstube*** (1. Etage) **Menu** 53/98 und à la carte 54/97 – ***Restaurant :*** **Menu** 18.50 und à la carte 38/89.

ZOLLIKON *Zürich* 216 ⑱ *– siehe Zürich.*

ZUCHWIL *Solothurn* 216 ⑮ *– siehe Solothurn.*

ZUG *6300* K *Zug (ZG)* 216 ⑱ *– 22 859 Ew. – Höhe 425.*

Sehenswert : *Zuger See★★ – Die Quais★ : Ausblicke★ – Altstadt★* Z.

Ausflugsziel : *Zugerberg★ über ② : 7,5 km – Ehemalige Zisterzienserabtei Kappel★ : Glasgemälde★ über ①.*

18 in Schönenberg, 8824 (April - Nov.), (01) 788 90 40, Fax (01) 788 90 45, über ① Nord-Ost : 14 km 18 Ennetsee, in Holzhäusern, 6343 Rotkreuz (März - Nov.), (041) 799 70 10, Fax (041) 799 70 15.

Lokale Veranstaltung

19.06 : Seefest.

Zug Tourismus, Alpenstrasse, (041) 711 00 78, Fax (041) 710 79 20.

Baarerstr. 21, (041) 711 23 30 Fax (041) 711 82 19.

Baarerstr. 22, (041) 729 14 19, Fax (041) 729 14 01.

Bern 139 ④ – Luzern 28 ④ – Aarau 58 ④ – Schwyz 27 ③ – Zürich 31 ①.

Stadtplan siehe nächste Seite

Parkhotel Zug M, Industriestr. 14, (041) 711 66 11, *Fax (041) 710 66 11,* , , , – , Zim,, Rest, – 15/160. AE VISA
A point : **Menu** 25 und à la carte 40/90 – **104 Zim** 280/380, 5 Suiten – ½ P Zuschl. 35. Y b

City-Hotel Ochsen, Kolinplatz 11, (041) 729 32 32, *Fax (041) 729 32 22* – AE VISA. Rest Z a
Au Premier *(17. Juli - 14. Aug. geschl.)* **Menu** 28 - 58/98 und à la carte 53/119 – **46 Zim** 160/260 – ½ P Zuschl. 40.

Zugertor, Baarerstr. 97 (über ①), (041) 729 38 38, *Fax (041) 711 32 03,* – AE VISA
24. Dez. - 3. Jan. geschl. – ***Le Jardin*** *(Samstag - Sonntag geschl.)* **Menu** 19.50 - 37 und à la carte 35/80, Kinder 12 – **27 Zim** 135/180 – ½ P Zuschl. 30.

Rosenberg garni, Rosenbergstr. 33 (über ②), (041) 711 43 43, *Fax (041) 711 72 78,* , – AE VISA.
24. Dez. - 10. Jan. und 14. Juli - 15. Aug. geschl. – **38 Zim** 115/198.

Central, Grabenstr. 9, (041) 710 39 60, *Fax (041) 711 21 65* – AE VISA Z c
20. Dez. - 11. Jan. geschl. – **Menu** *(Samstag und Sonntag geschl.) (nur Abendessen für Hotelgäste)* – **21 Zim** 135/190 – ½ P Zuschl. 35.

Rathauskeller (Meier), Ober-Altstadt 1, (041) 711 00 58, *Fax (041) 710 49 77,* , « Schönes Altstadthaus mit moderner Einrichtung » – AE VISA Z d
Sonntag - Montag, 24. Dez. - 4. Jan., 4. - 12. April und 1. - 16. Aug. geschl. – ***Zunftstube*** (1. Etage) (Tischbestellung erforderlich) **Menu** 76 (mittags)/146 und à la carte 81/135 – ***Bistrot :*** Menu 29 und à la carte 42/93
Spez. Eglifilets gebraten, braune Butter. Felchenfilets Zugerart, Reis mit Gemüse. Vercelli Taube, Portweinsauce mit Trüffelessenz (Herbst - Winter).

ZUG

Aabachstrasse	Y	
Aegeristrasse	Z	
Alpenquai	Y	
Alpenstrasse	Y	
Artherstrasse	Z	
Baarerstrasse	Y	
Bahnhofstrasse	YZ	
Bundesplatz	Y	
Bundesstrasse	Y	
Chamerstrasse	Y	
Dammstrasse	Y	
Fischmarkt	Z	3
Gartenstrasse	Y	4
Gotthardstrasse	Y	
Grabenstrasse	Z	
Guggiweg	YZ	
Hirschenplatz	Z	
Hofstrasse	Z	6
Industriestrasse	Y	7
Kirchenstrasse	Z	9
Kolinplatz	Z	
Landsgemeindeplatz	Z	10
Metallstrasse	Y	
Neugasse	Z	
Ober-Altstadt	Z	12
Postplatz	Z	
Poststrasse	YZ	
Registrasse	Y	13
St. Oswalds-Gasse	Z	15
Schmidgasse	Y	16
Seestrasse	Z	
Unter-Altstadt	Z	18
Vorstadt	YZ	
Vorstadtquai	YZ	
Zeughausgasse	Z	19
Zugerbergstrasse	Z	

Aklin, Kolinplatz 10, ✆ (041) 711 18 66, *Fax (041) 710 87 52,* Restaurant beim Zytturm – AE ⓓ E VISA Z e
Sonntag, von April - Aug. auch Montag und 18. Juli - 9. Aug. geschl. – ***Aklin Stübli :*** **Menu** 65/92 und à la carte 61/114 – ***Bistro :*** **Menu** 19 und à la carte 40/93.

Hecht, Fischmarkt 2, ✆ (041) 729 81 30, *Fax (041) 729 81 47,* ≤ Zugersee, 🍴, Haus in der Unter-Altstadt mit schöner Seesicht – AE ⓓ E VISA Z f
Mittwoch (ausser von April - Sept.), Donnerstag und 22. Dez. - 7. Jan. geschl. – **Menu** - Fischspezialitäten - 89 (abends) und à la carte 60/98, Kinder 21.

Rosenberg, Rosenbergstr. 30 (über ②), ✆ (041) 711 71 71, *Fax (041) 710 40 48,* ≤ Stadt Zug und Zugersee, 🍴 – P. AE ⓓ E VISA
Samstag - Sonntag und 23. Dez. - 4. Jan. geschl. – **Menu** 22 und à la carte 56/108.

ZUMIKON *8126 Zürich (ZH)* 216 ⑲ – *4 597 Ew. – Höhe 659.*
Bern 140 – Zürich 10 – Rapperswil 24 – Winterthur 35.

Triangel, Ebmatingerstr. 3, ✆ (01) 918 04 54, *Fax (01) 919 07 55,* 🍴 – P. AE ⓓ E VISA
Samstagmittag und Sonntag geschl. – **Menu** - italieniche Küche - 27 - 43 (mittags)/84 und à la carte 47/106.

A good moderately priced meal : Repas 30/50

ZUOZ *7524 Graubünden (GR)* 218 ⑯ *– 1 377 Ew. – Höhe 1 695 – Wintersport : 1 750/2 590 m* 4.

Sehenswert : *Lage★★ – Hauptplatz★★ – Engadiner Häuser★.*

Lokale Veranstaltung

01.03 : "Chalandamarz", alter Frühlingsbrauch und Kinderfest.

Tourismusverein, via Maistra, (081) 854 15 10, Fax (081) 854 33 34.

Bern 329 – Sankt Moritz 17 – Scuol 46 – Chur 69 – Davos 50 – Merano 120.

Posthotel Engiadina, San Bastiaun, (081) 854 10 21, *Fax (081) 854 33 03,* – 15/50. AE VISA
13. Dez. - 11. April und 15. Mai - 16. Okt. – ***Posta Veglia :*** **Menu** *18* und à la carte 48/77, Kinder 15 – **42 Zim** 152/310, Vorsaison 128/260 – ½ P Zuschl. 35.

Alpenschloss - Hotel Castell, (081) 854 01 01, *Fax (081) 854 31 20,* Berge und Tal, – 15/60. AE E VISA. Rest
17. Dez. - 4. April und 23. Mai - 16. Okt. – **Menu** 52 (abends) und à la carte 31/81, Kinder 12 – **82 Zim** 98/296, Vorsaison 78/256 – ½ P Zuschl. 38.

Klarer, Hauptstrasse, (081) 854 13 21, *Fax (081) 854 12 14,* Engadiner Haus aus dem 16. Jh. – , Rest, AE E VISA
von Mitte Okt. - Dezember und April jeweils Dienstag und Mai geschl. – **Menu** *18* - 50/68 (abends) und à la carte 29/80 – **17 Zim** 85/180, Vorsaison 75/140 – ½ P Zuschl. 35.

Bellaval, Bahnhofstr. 63A, (081) 854 14 81, *Fax (081) 854 31 41,* – . AE E VISA
Mai und Nov. geschl. – **Menu** *(nur Abendessen)* 53 – **13 Zim** 110/190, Vorsaison 75/170 – ½ P Zuschl. 40.

Crusch Alva mit Zim, Hauptstr. 26, (081) 854 13 19, *Fax (081) 854 24 59* – . AE E VISA
Hotel : 21. Dez. - 29. April geöffnet ; Rest. : in der Zwischensaison Mittwoch geschl. – ***Stüva*** (1. Etage) **Menu** 85/118 – ***Cruschetta :*** **Menu** *20* - 35 (mittags)/45 und à la carte 33/78 – **13 Zim** 90/240, Vorsaison 70/220 – ½ P Zuschl. 50.

ZÜRICH

8000 🄺 *Zürich (ZH)* **216** ⑱ *- 345 235 Ew. - Höhe 409*

Bern 125 ⑦ *- Aarau 47* ⑦ *- Baden 24* ⑦ *- Chur 122* ⑤ *- Winterthur 28* ②.

Zürich Tourismus, Bahnhofbrücke 1, ☎ (01) 215 40 00, Fax (01) 215 40 44.
Alfred Escher-Str. 38, ☎ (01) 286 86 86, Fax (01) 286 86 87.
Forchstr. 95 ☎ (01) 422 15 00, Fax (01) 422 15 37.
Zürich-Kloten, ☎ (01) 816 22 11.

Fluggesellschaften
Swissair *Hirschengraben 84, ☎ (0848) 80 07 00, Fax (01) 258 34 40.*
Crossair *Zürich-Airport, ☎ (01) 816 41 70.*
Air France *Kanalstr. 31, 8152 Glattbrugg, ☎ (01) 809 46 46, Fax (01) 809 46 11.*
Alitalia *Forchstr. 51, ☎ (01) 389 61 11.*
Austrian Airlines *Talstr. 66, ☎ (01) 212 12 00, Fax (01) 212 18 83.*
British Airways *Zürich-Airport, ☎ (01) 215 66 66.*
Lufthansa *Gutenbergstr. 10, ☎ (01) 447 99 66, Fax (01) 286 72 07.*

Lokale Veranstaltungen
18.04 - 19.04 : "Sechseläuten" Frühlingsfest.
11.09 - 13.09 : Knabenschiessen, Schützenfest für Jugendliche.

9 Dolder TU F *(April–15 Nov.) ☎ (01) 261 50 45, Fax (01) 261 53 02 ;*
18 in Zumikon, ✉ 8126 (April-Okt.) ☎ (01) 918 00 50, Fax (01) 918 00 37, Süd-Ost : 9 km ;
18 in Hittnau, ✉ 8335 (April-Okt.) ☎ (01) 950 24 42, Fax (01) 951 01 66, Ost : 33 km ;
18 in Breitenloo, ✉ 8309 Nürensdorf (April-Okt.) ☎ (01) 836 40 80, Fax (01) 837 10 85, Nord über ① *: 22 km.*

Sehenswert : *Die Quais★★ : Ausblicke★* FZ *- Mythenquai : Ausblicke★* CX *- Kunsthaus★★* FZ *- Stiftung Sammlung E. G. Bührle★★* BU **M³** *- Fraumünster : Kreuzgang★, Fenster★* EZ *- Felix-und-Regula-Kirche★* AT **E** *- Zoo Dolder★* BT *- Grossmünster★.*

Museen : *Schweizerisches Landesmuseum★★★* EY *- Museum Rietberg★★* CX **M²**.

Ausflugsziele : *Uetliberg★★ mit Bahn* AU *- Albisstrasse★ über* ⑥ *- Ehem. Kloster Kappel★ Süd-West : 22 km über* ⑥ *- Eglisau : Lage★ Nord : 27 km über* ①.

Schiffahrten : *Informationen bei der Zürichsee-Schiffahrtsgesellschaft - Mythenquai 333, ☎ (01) 487 13 33, Fax (01) 487 13 20.*

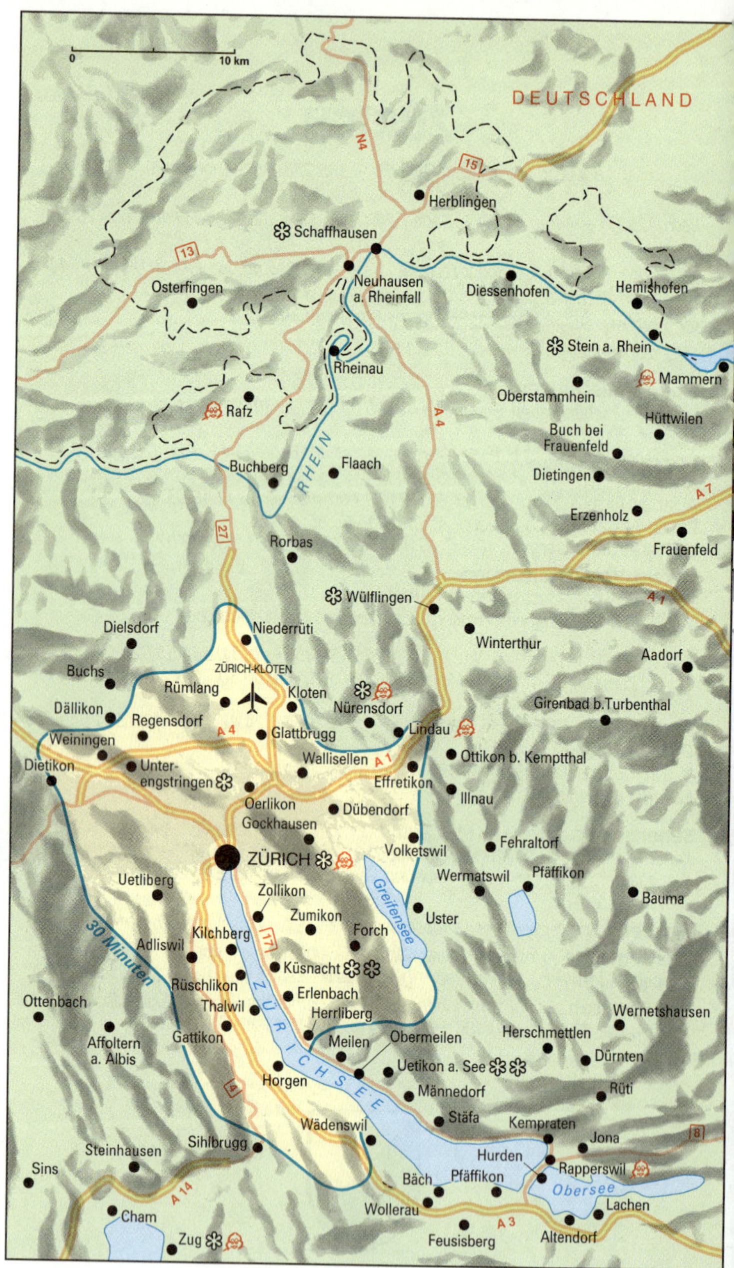

Alle Michelin-Strassenkarten werden ständig überarbeitet und aktualisiert.

ZÜRICH

Die in diesem Führer angegebenen Preise folgen der Entwicklung der allgemeinen Lebenshaltungskosten. Lassen Sie sich bei der Zimmerreservierung den endgültigen Preis vom Hotelier mitteilen.

ZÜRICH

Allmendstrasse .... CX 6
Augustinergasse .... EZ 9
Bahnhofstrasse .... EYZ
Bärengasse .... EZ 10
Beethovenstrasse .... EZ 12
Bellevueplatz .... FZ
Birmensdorfer Strasse .... CX 15
Claridenstrasse .... EZ 18
Clausiusstrasse .... FY 19
Culmannstrasse .... FY 21
Dufourstrasse .... DX 24
Feldstrasse .... CV 27
Fraumünsterstrasse .... EZ 28
Freiestrasse .... DVX 30
Gablerstrasse .... CX 31
General Wille-Strasse .... CX 33
Hafnerstrasse .... EY 36
Kantonsschulstrasse .... FZ 39
Konradstrasse .... EY 40
Kreuzstrasse .... DX 42
Limmatquai .... FYZ
Löwenstrasse .... EY
Manessestrasse .... CX 45
Marktgasse .... FZ 46
Münsterhof .... EZ 48
Museumstrasse .... EY 49
Nelkenstrasse .... FY 52
Neumarkt .... FZ 54
Nordstrasse .... DV 55
Paradeplatz .... EZ
Poststrasse .... EZ 58
Rathausbrücke .... EFZ 60
Rennweg .... EYZ 63
Rindermarkt .... FZ 64
Schimmelstrasse .... CX 69
Seebahnstrasse .... CX 72
Selnaustrasse .... CX 75
Sihlhölzlistrasse .... CX 76
Stadelhoferstrasse .... FZ 78
Stampfenbachplatz .... FY 79
Stampfenbachstrasse .... EFY 81
Stauffacherplatz .... CX 82
Stauffacherstrasse .... CVX 84
Storchengasse .... EZ 85
Strehlgasse .... EZ 87
Sumatrastrasse .... FY 88
Talacker .... EZ 90
Tannenstrasse .... FY 91
Theaterstrasse .... FZ 93
Toblerstrasse .... DV 96
Tunnelstrasse .... CX 97
Uraniastrasse .... EYZ
Usteristrasse .... EY 10
Waffenplatzstrasse .... CX 10
Weinbergfussweg .... FY 10
Zollikerstrasse .... DX 10

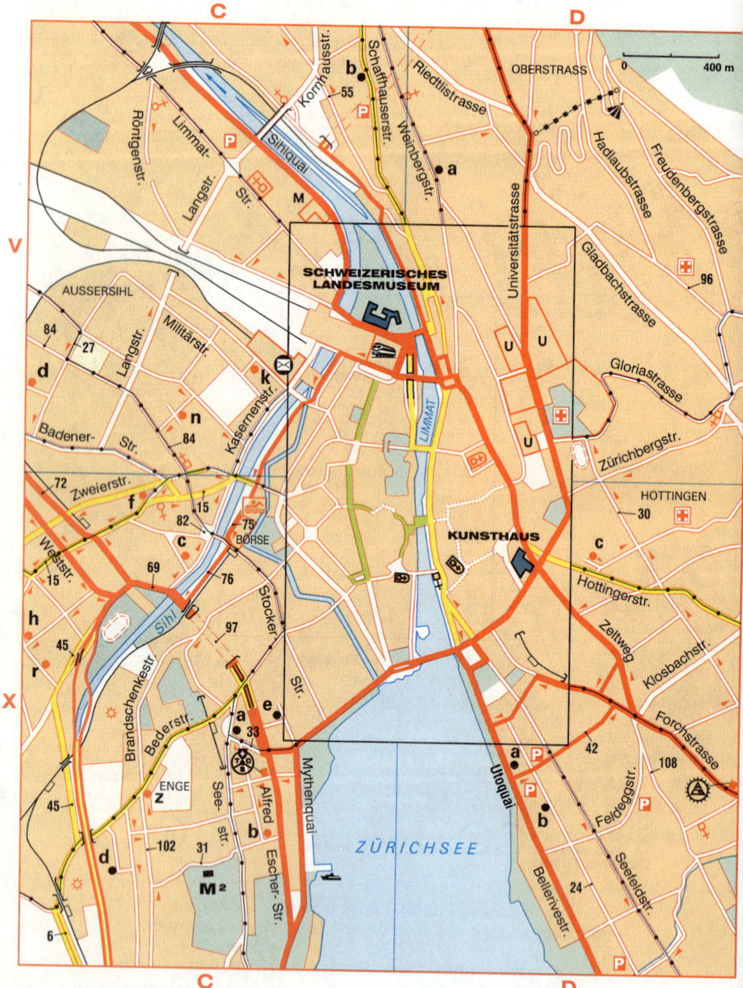

SCHWEIZERISCHES LANDESMUSEUM
HAUPTBAHNHOF
LIMMAT
Sihl
Walchebrücke
Bahnhofbrücke
Rudolf Brun-Brücke
Lindenhof
Weinpl.
Münsterbr.
Fraumünster
Wasserkirche
GROSSMÜNSTER
KUNSTHAUS
EIDG. TECHN. HOCHSCHULE
PREDIGER-KIRCHE
Wohnmuseum
Paradeplatz
STADTHAUS-ANLAGE
Quaibrücke
Bürklipl.
Bellevuepl.
Sechseläutenplatz
STADELHOFEN
Stadelhoferpl.
KONGRESSGEB.
ZÜRICHSEE
0 200 m

Liste alphabétique des hôtels et restaurants
Alphabetisches Hotel- und Restaurantverzeichnis
Elenco alfabetico degli alberghi e ristoranti
Alphabetical list of hotels and restaurants

Rechtes Ufer der Limmat (Universität, Kunsthaus)

Dolder Grand Hotel, Kurhausstr. 65, 8032, (01) 269 30 00, *Fax (01) 269 30 01*, Park, « Lage mit Zürichsee, Stadt und Berge », – , Rest, – 15/250. AE VISA JCB. Rest **La Rotonde : Menu** *45* - 85/125 (abends) und à la carte 60/138 – **173 Zim** 390/580, 11 Suiten – ½ P Zuschl. 85. S. 3 BU f

Zürich Marriott, Neumühlequai 42, 8001, (01) 360 70 70, *Fax (01) 360 77 77*, – , Zim,, Zim, video – 15/250. AE VISA. Rest S. 5 EY c
White Elephant - thailändische Küche - *(Sonntag geschl.)* **Menu** 38/85 und à la carte 48/87 – ***La Brasserie*** **: Menu** *24* und à la carte 43/90 – 31 – **251 Zim** 305, 9 Suiten.

Eden au Lac, Utoquai 45, 8023, (01) 266 25 25, *Fax (01) 266 25 00*, – AE VISA JCB. Rest S. 4 DX a
Menu *42* - 105 und à la carte 48/138 – **56 Zim** 330/610.

Dolder Waldhaus, Kurhausstr. 20, 8032, (01) 269 10 00, *Fax (01) 269 10 01*, Zürich und See, – , Rest, – 35. AE VISA JCB S. 3 BU r
Menu *26* - 49 und à la carte 41/94 – 16 – **71 Zim** 220/430.

Sofitel, Stampfenbachstr. 60, 8035, (01) 360 60 60, *Fax (01) 360 60 61* – , Zim, – 15/30. AE VISA JCB. Rest
Diff *(Samstag - Sonntag jeweils mittags geschl.)* **Menu** *24* - 58 (mittags)/87 und à la carte 58/133 – 29 – **168 Zim** 320/400. S. 5 FY b

Central Plaza M, Central 1, 8001, (01) 251 55 55, *Fax (01) 251 85 35* – , Zim,, Zim, video – 35. AE VISA JCB S. 5 FY z
Cascade **: Menu** *35* und à la carte 46/86 – 24 – **94 Zim** 320/380, 6 Suiten.

Florhof, Florhofgasse 4, 8001, (01) 261 44 70, *Fax (01) 261 46 11*, « Geschmackvolle Einrichtung » – , Zim, . AE VISA JCB
Menu *(Samstag, Sonntag, Feiertage und 24. Dez. - 10. Jan. geschl.)* *28* - 75 (abends) und à la carte 59/99 – **33 Zim** 225/340. S. 5 FZ k

Europe, Dufourstr. 4, 8008, (01) 261 10 30, *Fax (01) 251 03 67*, – , Zim, . AE VISA S. 5 FZ u
Quaglinos **: Menu** *18.50* und à la carte 44/88 – 17 – **40 Zim** 180/280.

Opera garni, Dufourstr. 5, 8008, (01) 251 90 90, *Fax (01) 251 90 01* – video . AE VISA JCB S. 5 FZ b
22. Dez. - 4. Jan. geschl. – **66 Zim** 220/360.

Ambassador, Falkenstr. 6, 8008, (01) 261 76 00, *Fax (01) 251 23 94* – , Zim,, Zim, video . AE VISA JCB S. 5 FZ a
Menu *23* und à la carte 44/107 – **46 Zim** 210/360.

Krone Unterstrass, Schaffhauserstr. 1, 8006, (01) 360 56 56, *Fax (01) 360 56 00* – , Zim, – 15/90. AE VISA
Grill **: Menu** *26* und à la carte 41/77 – ***Wirtschaft*** **: Menu** *17* und à la carte 35/71 – **57 Zim** 158/225. S. 4 CV b

Zürichberg M, Orellistr. 21, 8044, (01) 268 35 35, *Fax (01) 268 35 45*, Zürich und Berge, , ehemaliges Kurhaus aus dem Jahre 1900 – , Zim, – 15/60. AE VISA S. 3 BTU h
Menu (alkoholfrei) *18.50* und à la carte 33/75 – **67 Zim** 150/250.

Adler M, Rosengasse 10, am Hirschplatz, (01) 266 96 96, *Fax (01) 266 96 69*, Wandbilder mit Zürcher Altstadtansichten von Heinz Blum in den Zimmern – , Zim, . AE VISA JCB S. 5 FZ w
Menu *16.50* und à la carte 35/91 – **52 Zim** 130/200 – ½ P Zuschl. 25.

Wellenberg M garni, Niederdorfstr. 10, 8001, (01) 262 43 00, *Fax (01) 251 31 30* – . AE VISA S. 5 FZ s
45 Zim 250/340.

Helmhaus garni, Schifflände 30, 8001, (01) 251 88 10, *Fax (01) 251 04 30* – . AE VISA JCB S. 5 FZ v
25 Zim 220/330.

Rütli garni, Zähringerstr. 43, 8001, (01) 251 54 26, *Fax (01) 261 21 53* – . AE VISA S. 5 FY a
62 Zim 180/260.

Seegarten, Seegartenstr. 14, ✉ 8008, ✆ (01) 388 37 37, *Fax (01) 383 37 38,* – video. AE VISA S. 4 DX
Latino - italienische Küche - *(Samstag und Sonntag jeweils mittags geschl.)* **Men**[u] *25* und à la carte 40/78 – **28 Zim** 168/288.

Rex M, Weinbergstr. 92, ✉ 8006, ✆ (01) 360 25 25, *Fax (01) 360 25 52,* Zim, AE VISA JCB S. 4 DV
Blauer Apfel *(Samstagmittag und Sonntag geschl.)* **Menu** *17.50* und à la carte 35/8[...] – **37 Zim** 140/190.

Altstadt garni, Kirchgasse 4, ✉ 8001, ✆ (01) 250 53 53, *Fax (01) 250 53 54* AE VISA S. 5 FZ
23 Zim 153/262.

Kronenhalle, Rämistr. 4, ✉ 8001, ✆ (01) 251 02 56, *Fax (01) 251 66 81* « Bemerkenswerte Kunstsammlung » – AE VISA S. 5 FZ
Menu *34* und à la carte 59/140.

Jacky's Stapferstube, Culmannstr. 45, ✉ 8006, ✆ (01) 361 37 48 *Fax (01) 364 00 60,* « Rustikale Einrichtung » – P. AE VISA
Sonntag - Montag und Mitte Juli - Mitte Aug. geschl. – **Menu** - Kalbs- und Rinds-spezialitäten - (Tischbestellung ratsam) *32* und à la carte 72/146. S. 5 FY c

Königstuhl, Stüssihofstatt 3, ✉ 8001, ✆ (01) 261 76 18, *Fax (01) 262 71 23,* – AE VISA S. 5 FZ
Menu *(1. Etage) (Sonntag - Montag und 12. Juli - 15. Aug. geschl.)* 39 (mittags)/95 und à la carte 59/121.

Wirtschaft Flühgass, Zollikerstr. 214, ✉ 8008, ✆ (01) 381 12 15, *Fax (01) 422 75 32,* « Gasthaus aus dem 16. Jh. » – P. AE VISA S. 3 BU s
Samstag (ausser abends von Nov. - Dez.), Sonntag, 23. Dez. - 3. Jan. und 10. Juli - 8. Aug. geschl. – **Menu** (Tischbestellung erforderlich) *21* - 52 (mittags)/115 und à la carte 54/109.

Haus zum Rüden, Limmatquai 42 (1. Etage), ✉ 8001, ✆ (01) 261 95 66, *Fax (01) 261 18 04,* « Zunfthaus aus dem 13. Jh. » – AE VISA JCB S. 5 FZ c
Samstag - Sonntag geschl. – **Menu** 52 (mittags)/93 und à la carte 68/112.

Zunfthaus zur Zimmerleuten, Limmatquai 40 (1. Etage), ✉ 8001, ✆ (01) 252 08 34, *Fax (01) 252 08 48,* « Zunfthaus aus dem 18. Jh. » – AE VISA S. 5 FZ z
Sonn- und Feiertage, 18. Juli - 15. Aug. geschl. – **Menu** *22* und à la carte 43/102.

Conti-da Bianca, Dufourstr. 1, ✉ 8008, ✆ (01) 251 06 66, *Fax (01) 251 06 86* – AE VISA S. 5 FZ y
Samstagmittag, Sonntag und Mitte Juli - Mitte Aug. geschl. – **Menu** - italienische Küche - *26* - 52/89 und à la carte 51/105.

Riesbächli, Zollikerstr. 157, ✉ 8008, ✆ (01) 422 23 24, *Fax (01) 422 29 41* – AE VISA S. 3 BU k
Samstagmittag (ausser von Nov. - März), Sonntag, 24. Dez. - 5. Jan. und 24. Juli - 15. Aug. geschl. – **Menu** *30* - 55 (mittags)/135 und à la carte 58/136.

Guggach, Am Bucheggplatz, Rötelstr. 150, ✉ 8057, ✆ (01) 363 32 10, *Fax (01) 361 11 86,* « Rustikale Einrichtung » – AE VISA
Samstag, Sonntag, Feiertage und 24. Dez. - 3. Jan. geschl. – **Menu** *18* und à la carte 35/70, Kinder 14. S. 3 AT d

Casa Ferlin, Stampfenbachstr. 38, ✉ 8006, ✆ (01) 362 35 09, *Fax (01) 362 35 34* – AE VISA S. 5 FY c
Samstag - Sonntag und Mitte Juli - Mitte Aug. geschl. – **Menu** - italienische Küche - (Tischbestellung ratsam) *27* - 48 (mittags) und à la carte 61/128.

Oepfelchammer, Rindermarkt 12, ✉ 8001, ✆ (01) 251 23 36, *Fax (01) 262 75 33,* « Gasthaus aus dem 14. Jh. mit original Weinstube » – AE VISA S. 5 FZ n
22. - 31. Dez. und 19. Juli - 11. Aug. geschl. – **Menu** *19.50* - 98 und à la carte 49/93.

Blaue Ente, Seefeldstr. 223 (Mühle Tiefenbrunnen), ✉ 8008, ✆ (01) 388 68 40, *Fax (01) 422 77 41,* – AE VISA S. 3 BU e
24. Dez. - 5. Jan. und 19. Juli - 11. Aug. geschl. – **Menu** à la carte 56/92.

Kantorei, Neumarkt 2, ✉ 8001, ✆ (01) 252 27 27, *Fax (01) 252 27 28,* – . AE VISA S. 6 FZ d
Menu *19.50* - 40 (abends) und à la carte 34/86, Kinder 13.

Wolfbach, Wolfbachstr. 35, ✉ 8032, ✆ (01) 252 51 80, *Fax (01) 252 55 54*, – AE ⓓ E VISA S. 4 DX c
Sonntag - Montag, 24. Dez. - 5. Jan. und 1. - 24. Aug. geschl. – **Menu** - Fischspezialitäten - 30 - 49/63 und à la carte 53/92.

Rosaly's, Freieckgasse 7, ✆ (01) 261 44 30, *Fax (01) 261 44 13* – AE ⓓ E VISA S. 5 FZ e
Samstag und Sonntag jeweils mittags geschl. – **Menu** 22 und à la carte 32/75.

Linkes Ufer der Limmat (Hauptbahnhof, Geschäftszentrum) :

Baur au Lac, Talstr. 1, ✉ 8022, ✆ (01) 220 50 20, *Fax (01) 220 50 45*, « Garten und Terrasse », – – 15/60. AE ⓓ E VISA JCB. S. 5 EZ a
Pavillon : **Menu** 48 - 74/92 und à la carte 74/142 – ***rive gauche*** *(Sonntag geschl.)* **Menu** à la carte 57/116 – 28 – **107 Zim** 430/720, 18 Suiten.

Widder M, Rennweg 7, ✉ 8001, ✆ (01) 224 25 26, *Fax (01) 224 24 24*, « Renovierte historische Altstadthäuser mit zeitgenössischer Inneneinrichtung » – – 15/170. AE ⓓ E VISA JCB. Rest S. 5 EZ v
Menu 38 - 58 (mittags)/85 und à la carte 59/115 – **42 Zim** 370/640, 7 Suiten.

Savoy Baur en Ville M, am Paradeplatz, ✉ 8022, ✆ (01) 215 25 25, *Fax (01) 215 25 00*, « Modern - elegante Einrichtung » – – 15/70. AE ⓓ E VISA JCB. S. 5 EZ r
Savoy (1. Etage) **Menu** 39 - 64 (mittags) und à la carte 70/120 – ***Orsini*** (am Münsterhof) - italienische Küche - (Tischbestellung ratsam) **Menu** 39 - 62 (mittags)/95 und à la carte 78/137 – **104 Zim** 430/650, 8 Suiten.

Schweizerhof, Bahnhofplatz 7, ✉ 8001, ✆ (01) 218 88 88, *Fax (01) 218 81 81* – , Zim, Zim, – 40. AE ⓓ E VISA JCB. Rest S. 5 EY a
La Soupière (1. Etage) *(Samstagmittag, Sonntag und 25. Juli - 9. Aug. geschl.)* **Menu** 65/92 und à la carte 75/121 – **115 Zim** 350/550 – ½ P Zuschl. 65.

Ascot M, Tessinerplatz 9, ✉ 8002, ✆ (01) 208 14 14, *Fax (01) 208 14 20*, – , Zim, – 15/50. AE ⓓ E VISA JCB S. 4 CX a
Lawrence : **Menu** 48 (mittags) und à la carte 53/101 – ***Fujiya of Japan*** ✆ (01) 208 15 55 *(Sonntag - Montag geschl.)* **Menu** 48 (mittags)/85 und à la carte 55/91 – **73 Zim** 320/450 – ½ P Zuschl. 48.

Neues Schloss M, Stockerstr. 17, ✉ 8022, ✆ (01) 286 94 00, *Fax (01) 286 94 45*, – , Zim, video – 25. AE ⓓ E VISA JCB. Rest S. 5 EZ m
Le Jardin *(Samstag mittag geschl. und an Sonn- und Feiertagen nur Abendessen für Hotelgäste)* **Menu** 34 - 48 (mittags)/95 und à la carte 59/111 – **58 Zim** 265/420

Splügenschloss, Splügenstr. 2 / Genferstrasse, ✉ 8002, ✆ (01) 289 99 99, *Fax (01) 289 99 98* – , Zim, Zim, – 20. AE ⓓ E VISA JCB S. 4 CX e
Menu 29 - 59/95 und à la carte 67/135 – **52 Zim** 260/560.

Atlantis Sheraton, Döltschiweg 234, ✆ (01) 454 54 54, *Fax (01) 454 54 00*, , Park, , – , Zim, – 300. AE ⓓ E VISA JCB
Quatre Saisons *(Samstag - Sonntag jeweils abends und 11. Juli - 2. Aug. geschl.)* **Menu** 39 - 59 und à la carte 59/105 – ***Döltschistube :*** **Menu** 23 - 38 und à la carte 38/90, Kinder 14 – 29 – **161 Zim** 430/475. S. 3 AU z

Annexe Sheraton Inn garni, Döltschiweg 234, ✆ (01) 454 54 54, *Fax (01) 454 54 00* – . AE ⓓ E VISA JCB
29 – **62 Zim** 210/230.

Inter-Continental Zürich M, Badenerstr. 420, ✉ 8040, ✆ (01) 404 44 44, *Fax (01) 404 44 40*, , , – , Zim, – 15/500. AE ⓓ E VISA JCB. Rest S. 3 AT c
Menu 30 - 42 und à la carte 43/97 – 26 – **364 Zim** 270/430.

Zum Storchen, Am Weinplatz 2, ✉ 8001, ✆ (01) 227 27 27, *Fax (01) 227 27 00*, Limmat und Stadt, , « an der Limmat » – – 25. AE ⓓ E VISA JCB. Rest S. 5 EZ u
Rôtisserie **Menu** 39 - 55 (mittags)/88 und à la carte 62/103 – **73 Zim** 305/550 – ½ P Zuschl. 65.

Stoller M, Badenerstr. 357, ✉ 8040, ✆ (01) 405 47 47, *Fax (01) 405 48 48*, – – 25. AE ⓓ E VISA JCB S. 3 AU x
Menu 18.50 und à la carte 37/84 – **79 Zim** 260/380 – ½ P Zuschl. 30.

Glärnischhof [M], Claridenstr. 30, ✉ 8022, ✆ (01) 286 22 22, *Fax (01) 286 22 8* – |☰|, ⅔ Zim,, ▤ Zim, TV ☎ ✆ – 🏛 25. AE ⓓ E VISA JCB S. 5 EZ
Le Poisson (Samstag - Sonntag geschl.) **Menu** 31 - 53(mittags)/95 und à la cart 61/107 – ***Vivace :*** **Menu** 25 und à la carte 40/72 – **62 Zim** ☕ 250/450.

Glockenhof, Sihlstr. 31, ✉ 8023, ✆ (01) 211 56 50, *Fax (01) 211 56 60,* |☰|, ⅔ Zim,, ▤ Rest, TV ☎ ✆. AE ⓓ E VISA S. 5 EZ
Menu 23 und à la carte 38/90 – **106 Zim** ☕ 230/380.

Engimatt, Engimattstr. 14, ✉ 8002, ✆ (01) 284 16 16, *Fax (01) 201 25 16,* – |☰| TV ☎ ✆ 🚗 – 🏛 15. AE ⓓ E VISA JCB S. 4 CX
Menu 20 und à la carte 35/90, Kinder 15 – **80 Zim** ☕ 190/300 – ½ P Zuschl. 30

Walhalla [M], Limmatstr. 5, ✉ 8005, ✆ (01) 446 54 00, *Fax (01) 446 54 54,* – |☰|, ⅔ Zim, TV ☎ ✆ 🚗 – 🏛 15. AE ⓓ E VISA JCB S. 5 EY
Menu 19.50 und à la carte 38/71 – ☕ 13 – **48 Zim** 130/180 – ½ P Zuschl. 28.

Kindli [M], Pfalzgasse 1, ✉ 8001, ✆ (01) 211 59 17, *Fax (01) 211 65 28,* « Einrichtung im englischen Landstil » – |☰| TV ☎. AE ⓓ E VISA S. 5 EZ
Opus ✆ (01) 211 41 82 *(Feiertage geschl.)* **Menu** 39 (mittags)/48 und à la carte 43/90 – **21 Zim** ☕ 190/290.

Montana, Konradstr. 39, ✉ 8005, ✆ (01) 271 69 00, *Fax (01) 272 30 70,* |☰| TV ☎ ✆ ♿. AE ⓓ E VISA JCB S. 5 EY
Bistro Le Lyonnais *(Samstagmittag, Sonntag und über Weihnachten geschl.)* **Menu** 19 - 40 und à la carte 41/83 – **74 Zim** ☕ 170/290 – ½ P Zuschl. 40.

City, Löwenstr. 34, ✉ 8021, ✆ (01) 217 17 17, *Fax (01) 217 18 18* – |☰|, ▤ Rest TV ☎ ✆. AE ⓓ E VISA JCB S. 5 EY
Menu *(Samstagabend und Sonntag geschl.)* à la carte 35/69 – **73 Zim** ☕ 140/250.

Sukhothai (Wanphen Heymann-Sukphan), Erlachstr. 46, ✉ 8003, ✆ (01) 462 66 22, *Fax (01) 462 66 54* – ▤. AE ⓓ E. ✂ S. 4 CX
Montag, Sonn- und Feiertage, über Ostern und 11. Juli - 10. Aug. geschl. – **Menu** - thailändische Küche - (Tischbestellung ratsam) 90/145 und à la carte 86/142
Spez. Bärenkrebse und Königskrabben gebraten, drei Saucen. Junge Kokosnuss gefüllt mit Perlhuhnbrust an roter Currypaste. Rindsfiletstreifen gebraten mit Krachaiwurzeln.

Accademia Piccoli, Rotwandstr. 48, ✉ 8004, ✆ (01) 241 62 43 – ▤. AE ⓓ E VISA. ✂ S. 4 CV n
Samstag und Sonntag geschl. – **Menu** - italienische Küche - à la carte 60/115.

Zunfthaus zur Waag, Münsterhof 8, ✉ 8001, ✆ (01) 211 07 30, *Fax (01) 212 01 69,* Zunfthaus der Leinenweber und Hutmacher – AE ⓓ E VISA JCB
Menu 24 und à la carte 61/108. S. 5 EZ x

Intermezzo - ***Kongresshaus Zürich***, General Guisan-Quai, ✉ 8022, ✆ (01) 206 36 36, *Fax (01) 206 36 59* – ▤. AE ⓓ E VISA S. 5 EZ d
Samstag - Sonntag und Mitte Juli - Mitte Aug. geschl. – **Menu** 48 und à la carte 56/90.

Lindenhofkeller, Pfalzgasse 4, ✉ 8001, ✆ (01) 211 70 71, *Fax (01) 212 33 37,* – AE ⓓ E VISA S. 5 EZ z
Samstag, Sonn- und Feiertage, 24. Dez. - 3. Jan., Ende Feb. - Anfang März 2 Wochen und 11. - 26. Sept. geschl. – **Menu** 30 - 50 (mittags)/89 und à la carte 62/102.

Wirtsstuben Münsterhof, Münsterhof 6, ✉ 8001, ✆ (01) 211 43 40, *Fax (01) 211 43 40,* « Fresko aus dem 14. Jh. » – AE ⓓ E VISA S. 5 EZ s
von April - Sept. Samstag - Sonntag und 27. Juli - 17. Aug. geschl. – **Menu** 19.50 und à la carte 35/89.

Kaiser's Reblaube, Glockengasse 7, ✉ 8001, ✆ (01) 221 21 20, *Fax (01) 221 21 55,* – AE ⓓ E VISA. ✂ S. 5 EZ y
Montagabend (ausser Okt. - Dez.), Samstagmittag, Sonntag, über Weihnachten und 15. Juli - 8. Aug. geschl. – ***Goethe-Stübli*** (1.Etage) (Tischbestellung ratsam) **Menu** 54 (mittags)/120 und à la carte 57/74.

Au Premier, im Hauptbahnhof, ✉ 8023, ✆ (01) 217 15 15, *Fax (01) 217 15 00* – 🏛 15/80. AE ⓓ E VISA. ✂ S. 5 EY e
Samstagmittag und Sonntag geschl. – **Menu** 28 33/59 und à la carte 46/84.

Sala of Tokyo, Limmatstr. 29, ✉ 8005, ✆ (01) 271 52 90, *Fax (01) 271 78 07,* – AE ⓓ E VISA JCB S. 5 EY k
Sonntag - Montag, 20. Dez. - 4. Jan. und 24. Juli - 9. Aug. geschl. – **Menu** - japanische Küche - 35 - 110 und à la carte 47/98.

XX **Veltlinerkeller,** Schlüsselgasse 8, ✉ 8001, ✆ (01) 225 40 40, *Fax (01) 225 40 45* – AE ⓓ E VISA JCB — S. 5 EZ t
Samstag (ausser abends in Nov. und Dez.), Sonntag, 24. Dez. - 3. Jan. und 18. Juli - 15. Aug. geschl. – **Menu** à la carte 54/108.

XX **da Bernasconi,** Lavaterstr. 87, ✉ 8002, ✆ (01) 201 16 13, *Fax (01) 201 16 49,* – AE ⓓ E VISA — S. 4 CX b
Menu - italienische Küche - 35 und à la carte 50/94.

XX **La Pentola,** Waffenplatzstr. 12, ✉ 8002, ✆ (01) 202 41 81, *Fax (01) 202 41 81* – AE ⓓ E VISA JCB. — S. 4 CX z
Samstag - Sonntag, 24. Dez. - 3. Jan. und 17. Juli - 15. Aug. geschl. – **Menu** - italienische Küche - (Tischbestellung erforderlich) 36 - 50 (mittags)/85 und à la carte 50/87.

XX **Il Giglio,** Weberstr. 14, ✉ 8004, ✆ (01) 242 85 97, *Fax (01) 291 01 83* – AE ⓓ E VISA — S. 4 CX c
Samstagmittag, Sonntag, 2. - 10. Jan. und Mitte Juli - Mitte Aug. geschl. – **Menu** - italienische Küche - 25 - 40 (mittags)/95 und à la carte 44/105.

X **Emilio,** Zweierstr. 9, ✉ 8004, ✆ (01) 241 83 21 – ▤. AE ⓓ E — S. 4 CX f
25. Juli - 8. Aug. geschl. – **Menu** - spanische Küche - à la carte 60/110.

X **Napoli,** Sandstr. 7, ✉ 8003, ✆ (01) 462 07 64, – AE ⓓ E VISA — S. 4 CX r
Samstagmittag und Sonntag geschl. – **Menu** - italienische Küche - à la carte 52/98.

X **Brasserie Lipp,** Uraniastr. 9, ✉ 8001, ✆ (01) 211 11 55, *Fax (01) 212 17 26,* – ▤. AE ⓓ E VISA — S. 5 EY d
in Juli - Aug. Sonntag geschl. – **Menu** 22 und à la carte 35/104.

X **Caduff's Wine Loft,** Kanzleistr. 126, ✆ (01) 240 22 55, *Fax (01) 240 22 56* – AE ⓓ E VISA — S. 4 CV d
Samstag und Sonntag jeweils mittags geschl. – **Menu** (Tischbestellung erforderlich) 18 und à la carte 38/84.

X **Camino "Chez Bertrand",** Freischützgasse 4, ✉ 8004, ✆ (01) 241 94 36, *Fax (01) 291 16 29,* – AE ⓓ E VISA — S. 4 CV k
Samstag (ausser abends von Sept. - Juni), Sonntag und 24. Juli - 15. Aug. geschl. – **Menu** 25 - 34 (mittags) und à la carte 42/89.

in Zürich-Oerlikon *Nord - BT – Höhe 442 – ✉ 8050 Zürich-Oerlikon :*

Swissôtel Zürich M, Am Marktplatz, ✆ (01) 311 43 41, *Fax (01) 312 44 68,* ≤, , , – |‡|, ▤ Zim, TV video ☎ ✆ ♿ – 15/400. AE ⓓ E VISA. Zim — S. 3 BT n
***Szenario* : Menu** 17.50 und à la carte 41/96 – ☕ 23 – **336 Zim** 280/380, 11 Suiten.

in Zürich-Seebach *Nord -BT – Höhe 442 – ✉ 8052 Zürich-Seebach*

Landhus, Katzenbachstr. 10, ✆ (01) 308 34 00, *Fax (01) 308 34 51,* – |‡| TV ☎ P – 15/300. AE ⓓ E VISA. Zim — S. 3 BT u
Menu 16.50 - 22 (mittags) und à la carte 42/72 – **28 Zim** ☕ 115/145 – ½ P Zuschl. 25.

in Glattbrugg *Nord : 8 km über ① – Höhe 432 – ✉ 8152 Glattbrugg :*

Renaissance Zürich M, Talackerstr. 1, ✆ (01) 810 85 00, *Fax (01) 810 87 55,* , , – |‡|, Zim, ▤ TV ☎ ✆ – 15/300. AE ⓓ E VISA JCB
Asian Place - asiatische Küche - *(Samstag und Sonntag jeweils mittags geschl.)* **Menu** 25 (mittags) und à la carte 43/151 – ***Brasserie La Noblesse*** *(Samstag - Sonntag geschl.) (nur Mittagessen)* **Menu** 43 und à la carte 39/88 – ☕ 28 – **198 Zim** 310/350, 6 Suiten.

Hilton, Hohenbühlstr. 10, ✆ (01) 828 50 50, *Fax (01) 828 51 51,* , – |‡|, Zim, ▤ TV ☎ ✆ P – 15/280. AE ⓓ E VISA JCB
Harvest Grill *(Samstag und Sonntag jeweils mittags und Juli - Aug. geschl.)* **Menu** 39 (mittags)/68 und à la carte 53/124 – ***Taverne*** *(Sonntag ausser abends in Mai - Sept., Samstagmittag und 20. Dez. - 10. Jan. geschl.)* **Menu** 16 und à la carte 41/78 – ***Market Place* : Menu** 39 und à la carte 43/92 – ☕ 31 – **270 Zim** 275/385, 11 Suiten.

Mövenpick M, Walter Mittelholzerstr. 8, ✆ (01) 808 88 88, *Fax (01) 808 88 77* – |‡|, Zim, ▤ TV ☎ ✆ ♿ P – 15/220. AE ⓓ E VISA JCB
Appenzeller Stube *(Samstagmittag und Mitte Juli - Mitte Aug. geschl.)* **Menu** 40 (mittags)/77 und à la carte 48/102 – ***Mövenpick Rest.* : Menu** 16.50 und à la carte 30/76 – ***Dim Sum*** - chinesische Küche - *(Samstag - Sonntag jeweils mittags und im Juli 3 Wochen geschl.)* **Menu** 25 - 58 und à la carte 39/92 – ☕ 23 – **335 Zim** 265/370.

Novotel Zürich Airport, Talackerstr. 21, ✆ (01) 829 90 00, *Fax (01) 829 99 99* – |, Zim, TV – 15/150. AE E VISA JCB. Rest
Menu 18.50 und à la carte 38/76, Kinder 15 – 21 – **256 Zim** 195/219.

Airport, Oberhauserstr. 30, ✆ (01) 809 47 47, *Fax (01) 809 47 74* – |, Zim
TV P. AE E VISA JCB. Rest
Edo Garden : **Menu** 23 - 67/75 und à la carte 50/89 – ***Fujiya of Japan*** *(Samstag und Sonntag jeweils mittags geschl.)* **Menu** 48 (mittags)/97 und à la carte 60/99 – **44 Zim** 160/235.

Bruno's Rest., Europastr. 2, ✆ (01) 811 03 01, *Fax (01) 811 03 21*, , Modern-elegantes Dekor – P. AE E VISA.
Sonntag, 22. Dez. - 4. Jan. und Ende Juli - 7. Aug. geschl. – **Menu** 24 - 59 (mittags)/98 und à la carte 53/110, Kinder 20.

in Kloten *Nord : 12 km über ① – Höhe 447 – ✉ 8302 Kloten :*

Fly Away M, Marktgasse 19, ✆ (01) 813 66 13, *Fax (01) 813 51 25*, – |, Zim, TV P. AE E VISA
Menu - italienische Küche - 18 und à la carte 37/69 – 14 – **42 Zim** 150/188.

Top-Air, im Flughafen (Terminal A), ✆ (01) 816 60 60, *Fax (01) 816 41 91*, < – . AE E VISA
Menu 35 (mittags)/74 und à la carte 50/107, Kinder 17.

in Wallisellen *Nord-Ost : 10 km – Höhe 431 – ✉ 8304 Wallisellen :*

Belair, Alte Winterthurerstr. 16, ✆ (01) 839 55 55, *Fax (01) 839 55 65*, – |
TV video P. AE E VISA S. 3 BT t
Menu 23 - und à la carte 33/55 – **35 Zim** 150/180 – ½ P Zuschl. 24.

Zum Doktorhaus, Alte Winterthurerstr. 31 (am Kreuzplatz), ✆ (01) 830 58 22, *Fax (01) 830 19 03*, – 15/200. AE E VISA S. 3 BT v
Rest. Français : **Menu** 28 - 65/98 und à la carte 50/113 – ***Vineria :*** **Menu** 25 und à la carte 38/98.

in Gockhausen *Ost : 6 km – ✉ 8044 Gockhausen :*

Zur Rossweid, Rossweidstr. 2, ✆ (01) 820 28 40, *Fax (01) 820 28 36*, – P.
AE E VISA
über Weihnachten und 8. - 21. Aug. geschl. – **Menu** 21 und à la carte 27/87, Kinder 10.

in Zollikon *Süd-Ost : 4 km über ④ – Höhe 415 – ✉ 8702 Zollikon :*

Wirtschaft zur Höhe, Höhestr. 73, ✆ (01) 391 59 59, *Fax (01) 392 00 02*, , Ehemaliges Bauernhaus, « Terrasse » – P. AE E VISA S. 3 BU b
15. - 28. Feb. und 11. - 24. Okt. geschl. – **Menu** 42 - 55 (mittags)/90 und à la carte 55/139.

Rössli, Alte Landstr. 86, ✆ (01) 391 89 70, *Fax (01) 392 03 90*, 400-jähriges Zürcher Riegelhaus – AE E VISA S. 3 BU a
Sonntag, Montag und 27. Juli - 17.Aug. geschl. – **Menu** 38 - 42 (mittags)/89 und à la carte 63/103.

in Uetliberg *ab Zürich Hauptbahnhof mit der SZU-Bahn erreichbar – AU – Höhe 871 – ✉ 8143 Uetliberg :*

Uto Kulm, ✆ (01) 457 66 66, *Fax (01) 457 66 99*, < Zürich und Zürichsee, – TV – 15/45. AE E VISA
Menu 19.50 und à la carte 35/81, Kinder 12 – **27 Zim** 120/200.

ZURZACH *5330 Aargau (AG)* **216** ⑥ *– 3 752 Ew. – Höhe 339 – Kurort.*

Lokale Veranstaltungen

Juni : Achenbergschwinget (Schwingfest)

28.08 : Drehorgeltreffen.

Kur- und Verkehrsverein, Quellenstr. 1, (056) 249 24 00, Fax (056) 249 42 22.

Bern 124 – Aarau 44 – Baden 29 – Freiburg i. Breisgau 86 – Schaffhausen 45.

Kurhotel, Quellenstr. 31, (056) 249 25 25, *Fax (056) 249 24 44,* – AE VISA. Rest

***Rebbergstübli* : Menu** 23 - 42 und à la carte 38/79 – **69 Zim** 131/252 – ½ P Zuschl. 38.

Turmhotel mit Turmpavillon M, Quellenstr. 30, (056) 249 24 40, *Fax (056) 249 24 44,* ←, Direkter Zugang zum Thermalbad – P. AE VISA

Menu 29 - 42 und à la carte 46/95 – **112 Zim** 96/192 – ½ P Zuschl. 38.

Zurzacherhof, Dr. Martin-Erb-Str. 5, (056) 269 77 77, *Fax (056) 269 77 78,* ←, – AE VISA

20. Dez. - 5. Jan. geschl. – **Menu** 18.50 - 45 (abends) und à la carte 38/84, Kinder 12 – **53 Zim** 120/200 – ½ P Zuschl. 33.

ZWEISIMMEN *3770 Bern (BE)* **217** ⑯ *– 3 077 Ew. – Höhe 942 – Wintersport : 1 000/2 000 m 1 4.*

Verkehrsverein, Lenkstrasse, (033) 722 11 33, Fax (033) 722 25 85.

Bern 71 – Interlaken 53 – Gstaad 17.

Sonnegg, (033) 722 23 33, *Fax (033) 722 23 54,* ←, – P. AE VISA

15. Okt. - 1. Dez. geschl. – **Menu** 25 und à la carte 30/80 – **10 Zim** 150/180, Vorsaison 100/160 – ½ P Zuschl. 28.

LIECHTENSTEIN

216 ㉑ ㉒, **427** ⑦ ⑧ ⑯ ⑰ – *31 000 Ew.*

Die Hauptstadt des Fürstentums Liechtenstein, das eine Fläche von 160 km² und eine Einwohnerzahl von etwa 30 000 hat, ist VADUZ. Die Amtssprache ist Deutsch, darüberhinaus wird auch ein alemannischer Dialekt gesprochen. Landeswährung sind Schweizer Franken. Ab 5. April 1999 wird eine neue internationale Telefonlandesvorwahl (00423) eingeführt. Diese ersetzt die bisherige Vorwahl (075).

La principauté de Liechtenstein d'une superficie de 160 km², compte environ 30 000 habitants. La langue officielle est l'allemand, mais on y parle également un dialecte alémanique. Les prix sont établis en francs suisses. A compter du 5 avril 1999 l'actuel indicatif téléphonique local (075) sera remplacé par un indicatif international (00423).

Il principato del Liechtenstein ha una superficie di 160 km² e conta circa 30.000 abitanti. Capitale é VADUZ. La lingua ufficiale é il tedesco, ma vi si parla anche un dialetto alemanno. I prezzi sono stabiliti in franchi svizzeri. A partire dal 5 aprile 1999, l'attuale indicativo telefonico locale (075) sarà sostituito da un indicativo internazionale (00423).

The principality of Liechtenstein, covering an area of 10 000 square miles, has roughly 30 000 inhabitants. VADUZ is its capital. The official language is German, but a Germanic dialect is also spoken. Prices are in Swiss francs. From 5th April 1999 the current dialling code (075) will be replaceb by international dialling code (00423).

ℹ *Liechtensteinische Fremdenverkehrszentrale, Postfach 139, ✉ 9490 Vaduz, ☎ (075 - ab 04/99 : 00423) 232 14 43, Fax 392 16 18.*
ACFL Automobil Club des Fürstentums Liechtenstein Pflugstr. 20, 9490 Vaduz, ☎ (075 - ab 04/99 : 00423) 237 67 67.
ATC Auto-Motorrad-Touring-Club Fürstentum Liechtenstein, Lettstr. 2, 9490 Vaduz, ☎ (075 - ab 04/99 : 00423) 232 31 43.

Lokale Veranstaltungen

In Vaduz : 15.08 : Staatsfeiertag mit Volksfest und Feuerwerk.

Wintersportplätze – Stations de sports d'hiver
Stationi di sport invernali – Winter sports stations
MALBUN 1 606/2 000 m 6 ⛷
STEG 1 300/1 480 m 1 ⛷, ⛷

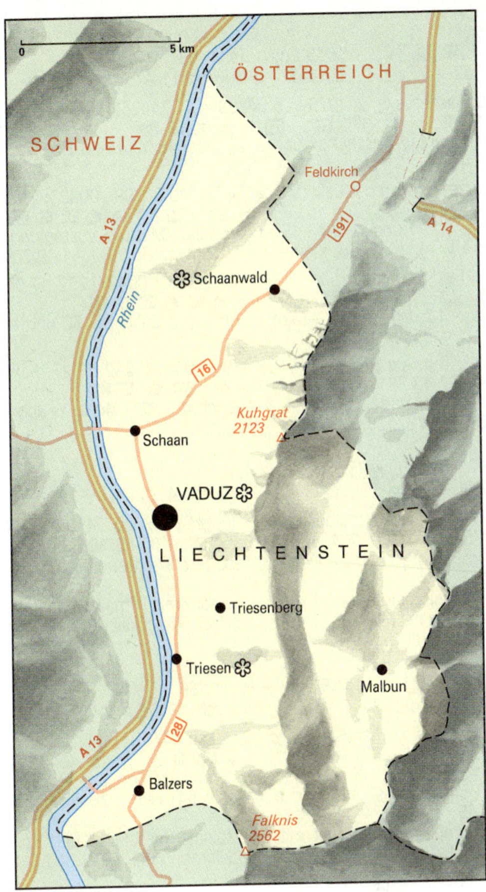

Balzers *9496 (FL)* **216** ㉑ ㉒ – *3 752 Ew. – Höhe 474.*
Bern 226 – Vaduz 8 – Chur 35 – Feldkirch 22 – Zürich 101.

Post, ✆ (075 - ab 04/99 : 00423) 388 14 00, *Fax (075 - ab 04/99 : 00423) 388 14 55,* – TV ☎ P AE ◑ E VISA
27. Dez. - 10. Jan. und Rest. auch 12. - 27. Juli geschl. – **Menu** *(Montag und Dienstag geschl.)* 26 und à la carte 36/82, Kinder 8 – **17 Zim** 98/155 – ½ P Zuschl. 25.

Malbun *(FL)* **216** ㉒ – *Höhe 1 602 – Wintersport : 1 606/2 000 m 6 – ✉ 9497 Triesenberg.*
Bern 248 – Vaduz 15 – Chur 57 – Feldkirch 29 – Zürich 123.

Malbunerhof, ✆ (075 - ab 04/99 : 00423) 263 29 44, *Fax (075 - ab 04/99 : 00423) 263 95 61,* ←, , , – , Zim, TV ☎ P – 30. AE ◑ E VISA.
Rest
Mitte Dez. - Mitte April und Mitte Mai - Ende Okt. – **Menu** à la carte 43/79, Kinder 8 – **29 Zim** 155/360, Vorsaison 95/290 – ½ P Zuschl. 35.

Gorfion, ✆ (075 - ab 04/99 : 00423) 264 18 83, *Fax (075 - ab 04/99 : 00423) 264 18 32,* ←, , – , Zim, TV ☎ P – 60. AE ◑ E VISA.
Rest
11. April - 22. Mai und 22. Okt. - 18. Dez. geschl. – **Menu** 45 und à la carte 30/90, Kinder 12 – **28 Zim** 130/260, Vorsaison 80/200 – ½ P Zuschl. 40.

Schaan *9494 (FL) 216 ㉒ – 5 035 Ew. – Höhe 450.*
Bern 237 – Vaduz 4 – Chur 47 – Feldkirch 11 – Zürich 112.

Sylva, Saxgasse 6, ✆ (075 - ab 04/99 : 00423) 232 39 42, *Fax (075 - ab 04/99 : 00423) 232 82 47,* – TV ☎ P E VISA
Menu *(Samstag geschl.)* *22* und à la carte 48/114 – **8 Zim** 130/180 – ½ P Zuschl. 40.

Schaanerhof, In der Ballota 3, ✆ (075 - ab 04/99 ; 00423) 232 18 77, *Fax (075 - ab 04/99 : 00423) 233 16 27,* – TV ☎ P AE E VISA
24. Dez. - 6. Jan. und 24. Juli - 15. Aug. geschl. – **Menu** *(Samstag und Sonntag geschl.)* *20* und à la carte 31/76, Kinder 9 – **30 Zim** 85/180 – ½ P Zuschl. 32.

Linde, Feldkircherstr. 1, ✆ (075 - ab 04/99 : 00423) 232 17 04, *Fax (075 - ab 04/99 : 00423) 232 09 29,* – TV ☎ P AE E VISA
19. Dez. - 14. Jan. geschl. – **Menu** *(Sonntag geschl.)* *21* - 30 und à la carte 26/7.., Kinder 13 – **23 Zim** 68/125.

Dux, Duxweg 31, ✆ (075 -ab 4/99 : 00423) 232 17 27, *Fax (075 -ab 4/99 : 00423) 232 48 78,* ≤, – Zim, TV ☎. E VISA
Mittwoch, Feb. und Sept. jeweils 3 Wochen geschl. – **Menu** *28* und à la carte 32/8.. – **10 Zim** 78/128.

Schaanwald *9486 (FL) 216 ㉒ – Höhe 456.*
Bern 244 – Vaduz 11 – Chur 54 – Feldkirch 4 – Zürich 119.

Waldhof (Meier), Voralbergerstr. 296, ✆ (075 -ab 04/99 : 00423) 373 11 38, *Fax (075 -ab 04/99 : 00423) 373 16 29,* – P AE E VISA
Sonntag - Montag und 22. Dez. - 3. Feb. geschl. – **Menu** *29* - 65/115 und à la carte 58/146
Spez. Bretonischer Steinbutt auf Lauchessenz mit Tomaten und Pommery-Senf. Wiener Tafelspitz mit Rösti und Petersilienpurée. Hirschkalbrücken an Preiselbeer-Brand-Sauce (Mai - Dez.).

Triesen *9495 (FL) 216 ㉒ – 3 586 Ew. – Höhe 466.*
Bern 230 – Vaduz 4 – Chur 39 – Feldkirch 18 – Zürich 105.

Schatzmann M, Landstr. 80, ✆ (075 - ab 04/99 : 00423) 399 12 12, *Fax (075 - ab 04/99 : 00423) 399 12 10,* – TV ☎ P AE E VISA
24. Dez. - 6. Jan. geschl. – **Menu** *(Samstagmittag, Sonntag, Montag und 5. - 26. Juli geschl.)* 54 (mittags)/115 und à la carte 54/131 – **28 Zim** 102/200 – ½ P Zuschl. 45
Spez. Scampi in Sesamkrust mit Blattspinat, Nussbutter und Honigessig. Rehrückenfilet mit Gewürztapenade und Knödelgratin (Mai - Juni und Okt. - Jan.). Heisser Schokoladenauflauf.

Schlosswald M, Meierhofstrasse, ✆ (075 - ab 04/99 : 00423) 392 24 88, *Fax (075 - ab 04/99 : 00423) 392 24 36,* ≤, – TV ☎ P AE E VISA
Menu *(Samstag - Sonntag, 7. - 21. Feb. und 1. - 15. Aug. geschl.)* *29* - 49 (mittags)/59 und à la carte 42/77 – **34 Zim** 150/220.

Meierhof, Meierhofstr. 15, ✆ (075 - ab 04/99 : 00423) 399 00 11, *Fax (075 - ab 04/99 : 00423) 399 00 88,* – TV ☎ P – 15/50. AE E VISA
Menu *(Samstag, 1. - 18. Jan. und 25. Juli - 9. Aug. geschl.)* *22* - 28/40 und à la carte 29/78 – **40 Zim** 140/190 – ½ P Zuschl. 30.

Triesenberg *9497 (FL) 216 ㉒ – 2 403 Ew. – Höhe 884.*
Bern 239 – Vaduz 6 – Chur 48 – Feldkirch 20 – Zürich 114.

Nürnberger's H. Martha Bühler, Sennwies 15, ✆ (075 - ab 04/99 : 00423) 237 47 77, *Fax (075 - ab 04/99 : 00423) 237 47 70,* ≤, – TV ☎ P AE E VISA
Montag geschl. – **Menu** *21* und à la carte 34/85, Kinder 10 – 15 – **16 Zim** 65/98 – ½ P Zuschl. 25.

Kulm, ✆ (075 - ab 04/99 : 00423) 237 79 79, *Fax (075 - ab 04/99 : 00423) 237 79 78,* ≤ Bergpanorama und Rheintal, – TV ☎. AE E VISA
Menu *18.50* - 23 (mittags) und à la carte 39/98 – **20 Zim** 90/152 – ½ P Zuschl. 31.

Vaduz *9490 (FL)* 216 ㉒ *– 4 887 Ew. – Höhe 468.*

Sehenswert : *Liechtensteinische Staatliche Kunstsammlung : Sammlung des Regierenden Fürsten★.*
Bern 233 – Chur 43 – Feldkirch 15.
Sankt Anton am Arlberg 76 – Zürich 108.

Park-Hotel Sonnenhof, Mareestr. 29, ✆ (075 - ab 04/99 : 00423) 232 11 92, *Fax (075 - ab 04/99 : 00423) 232 00 53*, ≤, « In einem gepflegten Park », – TV ☎ P. AE ⓓ E VISA JCB. Rest
Hotel : 23. Dez. - 6. Jan. geschl. ; Rest. : 23. Dez. - 28. Feb. geschl. – **Menu** *(Sonntag nur für Hotelgäste)* (Tischbestellung erforderlich) 38 - 58 (mittags)/125 und à la carte 68/136 – **29 Zim** 230/380 – ½ P Zuschl. 70.

Engel, Städtle 13, ✆ (075 - ab 04/99 : 00423) 232 03 13, *Fax (075 - ab 04/99 : 00423) 233 11 59*, – TV ☎ P. AE ⓓ E VISA
23. - 26. Dez. geschl. – **Menu** 19.50 und à la carte 36/87 – ***Chinatown*** (1. Etage) - chinesische Küche - **Menu** 39/70 (abends) und à la carte 45/70 – **20 Zim** 99/170 – ½ P Zuschl. 25.

Real mit Zim, Städtle 21, ✆ (075 - ab 04/99 : 00423) 232 22 22, *Fax (075 - ab 04/99 : 00423) 232 08 91*, – TV ☎. AE ⓓ E VISA JCB
über Weihnachten geschl. – ***Au Premier*** (1. Etage) **Menu** 145 und à la carte 64/134 – ***Vaduzerstube :*** **Menu** à la carte 51/129 – **13 Zim** 175/250
Spez. Junger Steinbutt im Ofen gebraten. Ganze Ente mit Orangensauce. Soufflé au chocolat.

Löwen mit Zim, Herrengasse 35, ✆ (075 - ab 04/99 : 00423) 238 11 44, *Fax (075 - ab 04/99 : 00423) 238 11 45*, – TV ☎ P. AE ⓓ E VISA
20. Dez. - 6. Jan. geschl. – **Menu** *(Sonntag - Montag geschl.)* 18.50 - 52 (mittags)/100 und à la carte 55/118 – **7 Zim** 180/300.

Torkel, Hintergasse 9, ✆ (075 - ab 04/99 : 00423) 232 44 10, *Fax (075 - ab 04/99 : 00423) 232 44 05*, ≤, « Alter Torkelbaum im Restaurant, wechselnde Kunstausstellungen » – P. AE ⓓ E VISA
Sonntag und 22. Dez. - 20. März geschl. – **Menu** 54/118 und à la carte 57/102.

Mühle mit Zim, Landstr. 120, ✆ (075 - ab 04/99 : 00423) 232 41 41, *Fax (075 - ab 04/99 : 00423) 232 14 58*, – TV ☎ P. AE ⓓ E VISA JCB
Menu *(Montag - Dienstag geschl.)* 18.50 - 28 und à la carte 29/86 – **7 Zim** 90/140.

Principales Stations de sports d'hiver

Principali Stazioni di sport invernali

	Voir p. S. Seite V.pagina	Alt./Höhe Mini/Maxi	Nombre Anzahl Numero	en/in km	Curling
Adelboden (BE)	79	1356 m./2350 m.	24	40	🥌
Alt Sankt Johann (SG)	82	894 m./1620 m.	5	40	
Andermatt (UR)	82	1436 m./2963 m.	10	20	🥌
Anzère (VS)	–	1500 m./2462 m.	12	15	🥌
Arosa (GR)	85	1739 m./2653 m.	16	25	🥌
Bettmeralp (VS) (mit 🚡)	116	1950 m./2709 m.	13	10	
Bever (GR)	116	1714 m.		150	
Blatten bei Naters/Belalp (VS)	120	1322 m./3100 m.	10	5	
Breil/Brigels (GR)	122	1289 m./2418 m.	11		
Celerina/Schlarigna (GR)	130	1730 m./3030 m.	9	150	🥌
Cernier (Val-de-Ruz) (NE)	–	822 m./1435 m.		66	
Champéry (VS)	131	1049 m./2300 m.	7	35	🥌
Charmey (FR)	132	891 m./1630 m.	8	29	
Château-d'Oex (VD)	133	968 m./1700 m.	14	28	🥌
Churwalden (GR)	139	1230 m./2865 m.	11	50	
Crans-Montana (VS)	142	1484 m./3000 m.	42	48	🥌
Davos (GR)	146	1560 m./2844 m.	38	75	🥌
Les Diablerets (VD)	150	1155 m./3000 m.	28	69	🥌
Disentis/Muster (GR)	152	1150 m./3000 m.	10	38	🥌
Engelberg (OW)	155	1000 m./3020 m.	24	37	🥌
Fiesch (VS)	159	1062 m./2869 m.	11	85	
Fleurier (Val de Travers) (NE)	–	742 m./1450 m.		120	
Flims-Waldhaus (GR)	161	1103 m./3018 m.	13	60	🥌
Flumserberg (SG)	162	1390 m./2222 m.	18	20	
Grächen (VS)	187	1617 m./2920 m.	12	16	🥌
Grimentz (VS)	188	1570 m./3000 m.	11	22	🥌
Grindelwald (BE)	189	1034 m./2501 m.	17	40	🥌
Gstaad (BE)	191	1049 m./1940 m.	17	140	🥌
Hasliberg (BE)	194	1230 m./2433 m.	16	40	
Haute-Nendaz (VS)	194	1255 m./3330 m.	39	25	🥌
Hoch-Ybrig (SZ)	–	1048 m./1850 m.	9	30	🥌

Wichtigste Wintersportplätze

Main-Winter sports Stations

Patinoire Eisbahn Pattinatoio	Pisc. couv. Hallenbad Pisc. coperta	Liaison avec Verbindung mit Collegate con	:	
⛸	🏊	Lenk	033/673.80.80	**Adelboden** (BE)
		Unterwasser/Wildhaus	071/999.18.88	**Alt Sankt Johann** (SG)
⛸			041/887.14.54	**Andermatt** (UR)
	🏊		027/399.28.00	**Anzère** (VS)
⛸			081/378.70.20	**Arosa** (GR)
⛸	🏊	Fiesch/Riederlalp	027/927.12.91	(mit) **Bettmeralp** (VS)
			081/852.49.45	**Bever** (GR)
	🏊		027/923.13.85	**Blatten bei Naters/Belalp** (VS)
⛸	🏊		081/941.13.31	**Breil/Brigels** (GR)
⛸		St. Moritz/Marguns/ Corviglia/Piz Nair	081/830.00.11	**Celerina/Schlarigna** (GR)
⛸	🏊		032/853.43.34	(Val-de-Ruz) **Cernier** (NE)
⛸	🏊	Les Portes-du-Soleil	024/479.20.20	**Champéry** (VS)
	🏊		026/927.14.98	**Charmey** (FR)
⛸			026/924.25.25	**Château-d'Oex** (VD)
⛸		Lenzerheide-Valbella/ Parpan	081/382.14.35	**Churwalden** (GR)
⛸	🏊		027/485.08.00	**Crans-Montana** (VS)
⛸	🏊	Klosters	081/415.21.21	**Davos** (GR)
⛸	🏊	Villars-sur-Ollon/Gryon	024/492.33.58	**Les Diablerets** (VD)
⛸	🏊		081/920.30.20	**Disentis/Muster** (GR)
⛸	🏊		041/637.37.37	**Engelberg** (OW)
	🏊	Bettmeralp/Riederalp	027/970.16.16	**Fiesch** (VS)
⛸			032/861.31.21	(Val-de-Travers) **Fleurier** (NE)
⛸	🏊	Laax/Falera	081/920.92.00	**Flims-Waldhaus** (GR)
⛸			081/720.18.18	**Flumserberg** (SG)
⛸	🏊		027/956.27.27	**Grächen** (VS)
⛸	🏊		027/475.14.93	**Grimentz** (VS)
⛸	🏊	Wengen/Mürren/ Schilthorn	033/854.12.12	**Grindelwald** (BE)
⛸	🏊	Rougemont	033/748.81.81	**Gstaad** (BE)
⛸	🏊		033/972.50.50	**Hasliberg** (BE)
		Verbier/Thyon-les-Collons/Veysonnaz/ La Tzoumaz	027/289.55.89	**Haute-Nendaz** (VS)
	🏊		055/414.26.26	**Hoch-Ybrig** (SZ)

	Voir p. S. Seite V.pagina	Alt./Höhe Mini/Maxi	Nombre Anzahl Numero	en/in km	Curling
Kandersteg (BE)	203	1176 m./2000 m.	7	75	🥌
Klosters (GR)	204	1191 m./2844 m.	33	50	🥌
Laax (GR)	208	1023 m./3018 m.	19	60	
Lenk (BE)	219	1068 m./2098 m.	17	42	🥌
Lenzerheide/Lai (GR)	220	1476 m./2865 m.	38	50	🥌
Leukerbad (VS)	221	1411 m./2700 m.	15	23	🥌
Leysin (VD)	222	1268 m./2300 m.	18	60	🥌
Malbun (FL)	379	1606 m./2000 m.	7	19	
Maloja (GR)	244	1815 m./2159 m.	1	150	
Meiringen (BE)	248	595 m./2433 m.	15	40	
Les Mosses (VD)	257	1448 m./1900 m.	11	60	
Morgins (VS)	-	1320 m./1850 m.	18	35	
Münster (VS)	259	1359 m./2180 m.	2	85	
Mürren (BE) (mit Zahnradbahn)	259	1650 m./2970 m.	14	14	🥌
Oberiberg (SZ)	-	1126 m./1856 m.	4	30	
Obersaxen (GR)	270	1281 m./2310 m.	9	30	
Pontresina (GR)	276	1800 m./2978 m.	12	150	🥌
Riederalp (VS) (mit 🚡)	282	1930 m./2335 m.	9	10	
Rougemont (VD)	287	992 m./2156 m.	4	28	
Saas-Fee (VS)	288	1800 m./3600 m.	27	34	🥌
Saas-Grund (VS)	290	1560 m./3100 m.	6	34	
Saignelégier/Franches Montagnes (JU)	290	978 m./1260 m.		75	
Saint-Cergue (VD)	291	1047 m./1680 m.	3	90	
Saint-Luc (VS)	292	1650 m./3026 m.	17	15	
Samedan (GR)	294	1720 m./2276 m.	5	150	🥌
Samnaun (GR)	294	1846 m./2872 m.	13	8	🥌
Sankt Moritz (GR)	300	1856 m./3030 m.	24	150	🥌
Sankt Stephan (BE)	-	993 m./1989 m.	4	48	
Savognin (GR)	306	1210 m./2713 m.	17	40	🥌
Schwarzsee (FR)	310	1050 m./1750 m.	10	10	
Scuol/Schuls (GR)	311	1244 m./2800 m.	16	60	🥌
Sedrun (GR)	313	1441 m./3000 m.	13	60	🥌
Le Sentier (Vallée de Joux) (VD)	314	1024 m./1476 m.	14	140	🥌
Sils-Maria (GR)	316	1815 m./3303 m.	7	150	🥌
Silvaplana (GR)	316	1816 m./3303 m.	8	150	🥌
Sörenberg (LU)	-	1166 m./2350 m.	19	27	
Splügen (GR)	-	1450 m./2215 m.	8	40	🥌
Tarasp-Vulpera (GR)	327	1268 m./2800 m.	16	60	🥌
Thyon – Les Collons (VS)	331	1802 m./2413 m.	27	3	
Ulrichen/Oberwald (VS)	-	1366 m./2080 m.	8	85	
Unteriberg (SZ)	-	931 m./1856 m.		30	

Patinoire Eisbahn Pattinatoio	Pisc. couv. Hallenbad Pisc. coperta	Liaison avec Verbindung mit Collegate con	i : ☎	
x			033/675.80.80	**Kandersteg** (BE)
	x	Davos	081/410.20.20	**Klosters** (GR)
x	x	Flims-Waldhaus/Falera	081/920.92.02	**Laax** (GR)
	x	Adelboden	033/733.31.31	**Lenk** (BE)
x	x	Valbella/Parpan/ Churwalden	081/385.11.20	**Lenzerheide/Lai** (GR)
x	x		027/472.71.71	**Leukerbad** (VS)
x	x		024/494.22.44	**Leysin** (VD)
x	x		075-ab 4/99 : 00423/263.65.77	**Malbun** (FL)
x			081/824.31.88	**Maloja** (GR)
	x		033/972.50.50	**Meiringen** (BE)
x			024/491.14.66	**Les Mosses** (VD)
x		Les Portes-du-Soleil	024/477.23.61	**Morgins** (VS)
			027/973.17.45	**Münster** (VS)
	x	Wengen/Grindelwald/ Schilthorn	033/856.86.86	**Mürren** (BE) (mit Zahnradbahn)
x			055/414.26.26	**Oberiberg** (SZ)
x			081/933.22.22	**Obersaxen** (GR)
x	x		081/838.83.00	**Pontresina** (GR)
		Bettmeralp/Fiesch	027/927.13.65	(mit 🚡) **Riederalp** (VS)
		Gstaad	026/925.83.33	**Rougemont** (VD)
x	x		027/958.18.58	**Saas-Fee** (VS)
x			027/957.24.03	**Saas-Grund** (VS)
x	x		032/952.19.52	**Saignelégier/Franches Montagnes** (JU)
x			022/360.13.14	**Saint-Cergue** (VD)
x			027/475.14.12	**Saint-Luc** (VS)
x			081/852.54.32	**Samedan** (GR)
x	x	Ischgl (A)	081/868.58.58	**Samnaun** (GR)
x	x	Celerina-Schlarigna/ Marguns/Corviglia/ Piz Nair	081/837.33.33	**Sankt Moritz** (GR)
			033/729.80.46	**Sankt Stephan** (BE)
x	x		081/684.22.22	**Savognin** (GR)
x	x		026/412.13.13	**Schwarzsee** (FR)
x	x		084/861.22.22	**Scuol/Schuls** (GR)
x	x		081/920.40.30	**Sedrun** (GR)
x	x		021/845.17.77	**Le Sentier** (Vallée de Joux) (VD)
x	x	Silvaplana/Furtschellas	081/838.50.50	**Sils-Maria** (GR)
x		Sils-Maria/Furtschellas	081/838.60.00	**Silvaplana** (GR)
x	x		041/488.11.85	**Sörenberg** (LU)
x			081/650.90.30	**Splügen** (GR)
x	x		081/864.09.44	**Tarasp-Vulpera** (GR)
	x	Verbier/Haute-Nendaz- Veysonnaz/La Tzoumaz	027/281.27.27	**Thyon-les Collons** (VS)
x	x		027/973.32.32	**Ulrichen/Oberwald** (VS)
	x		055/414.10.10	**Unteriberg** (SZ)

	Voir p. S. Seite V.pagina	Alt./Höhe Mini/Maxi	Nombre Anzahl Numero	en/in km	Curling
Unterwasser (SG)	333	910 m./2262 m.	5	40	
Val Müstair (GR) (Fuldera, Müstair, Santa Maria i. M., Tschierv)	–	1248 m./2700 m.	4	40	
Verbier (VS)	335	1526 m./3330 m.	49	40	🥌
Veysonnaz (VS)	340	1235 m./2413 m.	10	10	
Villars-sur-Ollon (VD)	340	1253 m./2217 m.	23	69	🥌
Wengen (BE) (mit Zahnradbahn)	346	1275 m./2440 m.	22	17	🥌
Wildhaus (SG)	349	1098 m./2076 m.	9	40	🥌
Zermatt (VS) (mit Zahnradbahn)	354	1620 m./3820 m.	37	22	🥌
Zinal (VS)	358	1671 m./2900 m.	9	12	
Zuoz (GR)	361	1750 m./2590 m.	4	150	🥌
Zweisimmen (BE)	375	1000 m./2000 m.	5	80	

Patinoire Eisbahn Pattinatoio	Pisc. couv. Hallenbad Pisc. coperta	Liaison avec Verbindung mit Collegate con	i : ☎	
	✓	Alt. St. Johann Wildhaus	071/999.19.23	**Unterwasser** (SG)
✓	✓		081/858.55.66	**Val Müstair** (GR) (Fuldera, Müstair, Santa Maria i. M., Tschierv)
✓	✓	Haute-Nendaz/Thyon-les Collons/Veysonnaz/ La Tzoumaz	027/775.38.88	**Verbier** (VS)
	✓	Haute-Nendaz/Thyon-les Collons/Verbier/ La Tzoumaz	027/207.10.53	**Veysonnaz** (VS)
✓	✓	Les Diablerets/Gryon	024/495.32.32	**Villars-sur-Ollon** (VD)
✓		Grindelwald/Mürren/ Schilthorn	033/855.14.14	**Wengen** (BE) (mit Zahnradbahn)
✓	✓	Alt. St. Johann/ Unterwasser	071/999.27.27	**Wildhaus** (SG)
✓	✓	Cervinia (I)/ Valtournenche (I)	027/967.01.81	**Zermatt** (VS) (mit Zahnradbahn)
✓	✓		027/475.13.70	**Zinal** (VS)
✓			081/854.15.10	**Zuoz** (GR)
✓			033/722.11.33	**Zweisimmen** (BE)

Carte des stations de sports d'hiver

- • *Stations de sports-d'hiver*
- *Téléphérique*
- *Funiculaire, voie à crémaillère*
- *Transport des autos par voie ferrée*

Etat des routes Informations routières : ✆ 163

11-5 *Fermeture possible en période d'enneigement. (Ex : Nov.-Mai)*

Karte der Wintersportorte

- • *Wintersportort*
- *Seilbahn*
- *Standseilbahn, Zahnradbahn*
- *Autotransport per Bahn*

Strassenzustand Telefonische Auskunft: ✆ 163

11-5 *Ggf. Wintersperre. (Beisp. : Nov.-Mai)*

Carte delle stazioni di sport invernali

- • *Stazione di sport invernali*
- *Funivia*
- *Funicolare, ferrovia a cremagliera*
- *Trasporto auto su treno*

Informazioni sullo stato delle strade: ✆ 163

11-5 *Chiusura possibile in periodo d'innevamento. (Esempio : Nov.-Maggio)*

Map of winter sports stations

- • *Winter sports resort*
- *Cablecar*
- *Funicular, rack railway*
- *Transportation of vehicles by rail*

For the latest road conditions: ✆ 163

11-5 *Approximate period when roads are snowbound and possibly closed. (Ex : Nov.-May)*

RHEIN
A 35
N 19
D 419
Belfort
BASEL
FRANCE
A 36
Doubs
18
Saignelégier
(Franches-Montagnes)
Solothurn
Besançon
N 57
Saint-Imier
Doubs
D 461
Biel/
Bienne
La Chaux-de-Fonds
A 1
Cernier
(Val-de-Ruz)
Neuchâtel
Lac de Neuchâtel
A 1
BERN
Fleurier
(Val-de-Travers)
5
Aare
A 6
N 57
Fribourg
A 1
Schwarzsee
11
Charmey
A 12
Zweisimmen
Le Sentier
(Vallée de Joux)
LAUSANNE
Saanenmöser
Sankt Stepha
Rougemont
A 9
Château-d'Oex
Gstaad
Lenk
A 1
Montreux
Saint-Cergue
LAC LÉMAN
Les Mosses
Crans-
Montana
Les
Diablerets
N 5
Leysin
11
1732
Col de la Croix
Anzère
N 5
Villars-
s-Ollon
11-5
Sion
A 9
Morgins
Veysonnaz
A 9
RHÔNE
GENÈVE
Champéry
Rhône
Haute-
Nendaz
Thyon-
Les Collons
FRANCE
Martigny
Verbier
A 40
Chamonix
Tunnel du Gd
St. Bernard
MONT BLANC

DEUTSCHLAND
RHEIN
A 35
Schaffhausen
15
A 7
A 1
Winterthur
BASEL
A 3
Aare
A 2
ZÜRICH
A 1
Reuss
A 3
18
Aare
Solothurn
A 2
Zug
A 14
8
Einsiedeln
Unteriberg
Oberiberg
Hoch-Ybrig
A 1
Luzern
A 2
10
4
Altdorf
1948
Klausenpa
17
10-5
BERN
Aare
A 6
Sörenberg
10-5
Engelberg
3239
Titlis
Hasliberg
11
Sedrun
2044
Diser
Mus
19
2259
Sustenpass
Meiringen
Interlaken
A 8
6
11-5
Andermatt
Oberalppass
11-5
11
Grindelwald
Wengen
Lauterbrunnen
11-5
Realp
Furkapass
2431
11-5
11-5
Grimselpass
11-5
2165
2108
St. Gotthardpass
P.so del S. Gottardo
2970
Schilthorn
Mürren
4158
Jungfrau
Ulrichen
Oberwald
Zweisimmen
Sankt Stephan
Münster
Kandersteg
Adelboden
Lötschbergtunnel
Bettmeralp
11-5
aad
Lenk
Lauchernalp
Riederalp
19
Rotten
A 2
Leukerbad
Belalp
Fiesch
Blatten bei Naters
Crans-Montana
Goppenstein
Brig
Visp
Anzère
Simplonpass
Sion
A 9
2005
Saint-Luc
9
Locarno
Veysonnaz
Grimentz
Grächen
Saas Grund
Thyon-Les Collons
Zinal
Täsch
Saas Fee
Verbier
S 34
Maggiore
ZERMATT
MATTERHORN
4478
MONTE ROSA
4634
Lago
ITALIA

Konstanz
Bodensee
Bregenz
DEUTSCHLAND
A 96
A 1
Sankt Gallen
8
Appenzell
A 13
ÖSTERREICH
A 12
A 14
St. Anton
S 16
Unterwasser
Wildhaus
Sankt Johann
Malbun
LIECHTENSTEIN
A 3
Flumserberg
28
Samnaun
Rhein
Klosters
Scuol
(Schuls)
27
Flims-
Waldhaus
Laax
Chur
DAVOS
Tarasp-Vulpera
Churwalden
2383
Arosa
Flüelapass
28
Zernez
Lenzerheide/
Lai
11-5
Obersaxen
Thusis
A 13
11-6
27
Tschierv
Müstair
Fuldera
Sta. Maria i. M.
(Val Müstair)
Albulapass
Zuoz
2312
Savognin
Bever
Celerina/
Schlarigna
Samedan
Splügen
11-5
3
Pontresina
Splügenpass/
P.so dello Spluga
SANKT MORITZ
Galleria
del
Bernardino
Silvaplana
2328
P.so del Bernina
Maloja
Sils-Maria
10-5
4049
Piz Bernina
S 36
3
A 13
S 39
S 38
Adda
Bellinzona
Como
di
Lago
S 36
Lugano
ITALIA
Oglio
Como

Jours fériés en Suisse/Feiertage i

Date Datum Data	Jour férié Feiertag Giorno festivo	AI	AG	AR	BE	BL	BS	FR	GE	GL	GR	JU	LU	NE
1 janv./Jan./ gennaio	Nouvel-An Neujahrstag Capodanno	•	•	•	•	•	•	•	•	•	•	•	•	•
2 janv./Jan./ gennaio	Berchtoldstag				•			•		•		•	•	•
6 janv./Jan. gennaio	Epiphanie Dreikönigstag Epifania													
1 mars/März/ marzo	Instauration de la République													•
19 mars/März/ marzo	Saint-Joseph Josephstag San Giuseppe												•	
2 avril/April/ aprile	Vendredi-Saint Karfreitag Venerdì santo	•	•	•	•	•	•	•	•	•	•	•	•	
5 avril/April/ aprile	Lundi de Pâques Ostermontag Lunedì di Pasqua	•	•	•	•	•	•	•	•	•	•	•	•	•
8 avril/April/ aprile	Fahrtsfest									•				
1 mai/Mai/ maggio	Fête du travail Tag der Arbeit Festa del Lavoro					•	•					•		
13 mai/Mai/ maggio	Ascension/Auffahrt/ Ascensione	•	•	•	•	•	•	•	•	•	•	•	•	•
24 mai/Mai/ maggio	Lundi de Pentecôte/ Pfingstmontag/Lunedì di Pentecoste	•	•	•	•	•	•	•	•	•	•	•	•	•
3 juin/Juni/ giugno	Fête-Dieu Fronleichnam Corpus Domini	•	•					•				•	•	
23 juin/Juni/ giugno	Commémoration du Plébiscite jurassien											•		
29 juin/Juni/ giugno	Sts-Pierre-et-Paul Peter und Paul SS Pietro e Paolo													
1 août/Aug./ agosto	Fête Nationale Bundesfeier Festa nazionale	•	•	•	•	•	•	•	•	•	•	•	•	•
15 août/Aug./ agosto	Assomption Maria Himmelfahrt Assunzione	•	•					•				•	•	
9 sept./Sept./ settembre	Jeûne Genevois Genfer Bettag Digiuno ginevrino								•					
20 sept./Sept./ settembre	Lundi du Jeûne Fédéral/Bettagsmontag/ Lunedì del digiuno federale													•
25 sept./Sept./ settembre	Fête de St-Nicolas de Flüe/Bruderklausenfest/San Nicolao della Flüe													
1 nov./Nov./ novembre	Toussaint Allerheiligen Ognissanti	•	•					•		•		•	•	
8 déc./Dez./ dicembre	Immaculée Conception Maria Empfängnis Immacolata	•	•					•					•	
25 déc./Dez./ dicembre	Noël/Weihnachtstag Natale	•	•	•	•	•	•	•	•	•	•	•	•	•
26 déc./Dez./ dicembre	Saint-Etienne Stephanstag Santo Stefano	•	•	•	•	•	•	•		•	•		•	
31 déc./Dez./ dicembre	Restauration de la République								•					

ler Schweiz/Giorni festivi in Svizzera

NW	OW	SG	SH	SO	SZ	TG	TI	UR	VD	VS	ZG	ZH	Jour férié Feiertag Giorno festivo	Date Datum Data
•	•	•	•	•	•	•	•	•	•	•	•	•	Nouvel-An Neujahrstag Capodanno	**1 janv./Jan./ gennaio**
			•	•		•			•		•	•	Berchtoldstag	**2 janv./Jan./ gennaio**
					•		•	•					Epiphanie Dreikönigstag Epifania	**6 janv./Jan./ gennaio**
													Instauration de la République	**1 mars/März/ marzo**
•					•		•	•		•			Saint-Joseph Josephstag San Giuseppe	**19 mars/März/ marzo**
•	•	•	•	•	•	•		•	•		•	•	Vendredi-Saint Karfreitag Venerdì santo	**2 avril/April aprile**
•	•	•	•	•	•	•	•	•	•		•	•	Lundi de Pâques Ostermontag Lunedì di Pasqua	**5 avril/April/ aprile**
													Fahrtsfest	**8 avril/April/ aprile**
			•			•	•					•	Fête du travail Tag der Arbeit Festa del Lavoro	**1 mai/Mai/ maggio**
•	•	•	•	•	•	•	•	•	•	•	•	•	Ascension/Auffahrt/ Ascensione	**13 mai/Mai/ maggio**
•	•	•	•	•	•	•	•	•	•		•	•	Lundi de Pentecôte/ Pfingstmontag/Lunedì di Pentecoste	**24 mai/Mai/ maggio**
•	•			•	•		•	•		•	•		Fête-Dieu Fronleichnam Corpus Domini	**3 juin/Juni/ giugno**
													Commémoration du Plébiscite jurassien	**23 juin/juni/ giugno**
							•						Sts-Pierre-et-Paul Peter und Paul SS. Pietro e Paolo	**29 juin/Juni/ giugno**
•	•	•	•	•	•	•	•	•	•	•	•	•	Fête Nationale Bundesfeier Festa nazionale	**1 août/Aug./ agosto**
•	•			•	•		•	•		•	•		Assomption Maria Himmelfahrt Assunzione	**15 août/Aug./ agosto**
													Jeûne Genevois Genfer Bettag Digiuno ginevrino	**9 sept./Sept./ settembre**
									•				Lundi du Jeûne Fédé-ral/Bettagsmontag/ Lunedì del digiuno federale	**20 sept./Sept./ settembre**
	•												Fête de St-Nicolas de Flüe/Bruderklau-senfest/San Nicolao della Flüe	**25 sept./Sept./ settembre**
•	•	•		•	•		•	•		•	•		Toussaint Allerheiligen Ognissanti	**1 nov./Nov./ novembre**
•	•				•		•	•		•	•		Immaculée Conception Maria Empfängnis Immacolata	**8 déc./Dez./ dicembre**
•	•	•	•	•	•	•	•	•	•	•	•	•	Noël/Weihnachtstag Natale	**25 déc./Dez./ dicembre**
•	•	•	•	•	•	•	•	•			•	•	Saint-Etienne Stephanstag Santo Stefano	**26 déc./Dez./ dicembre**
													Restauration de la République	**31 déc./Dez./ dicembre**

Adresses des marques automobiles
Adressen der Automobilfirmen
Indirizzi delle marche automobilistiche
Car manufacturer's addresses

ALFA ROMEO *Fiat Auto (Suisse) S.A.*
108, rue de Lyon
Tél. (022) 338 38 38
1211 Genève
Fax (022) 345 17 18

AUDI *Amag AG Aarauerstrasse 20*
Tél. (056) 463 91 91
5116 Schinznach-Bad
Fax (056) 463 93 93

BMW *BMW (Schweiz) AG*
Industriestrasse 14
Tél. (01) 855 31 11
8157 Dielsdorf
Fax (01) 853 01 91

CHEVROLET BUICK CADILLAC PONTIAC *Opel (Suisse) S.A.*
Salzhausstrasse 21
Tél. (032) 321 51 11
2501 Biel (Bienne)
Fax (032) 321 52 10

CHRYSLER *Chrysler Jeep Import*
(Switzerland) AG
Vulkanstrasse 120
Tél. (01) 434 82 00
8048 Zürich
Fax (01) 434 82 09

CITROEN *Citroën (Suisse) S.A.*
27, Route Acacias
Tél. (022) 308 01 11
1211 Genève
Fax (022) 342 60 42

DAEWOO *Daewoo Automobile*
(Schweiz) AG
Im Langhag 11
Tél. (052) 343 44 88
8307 Effretikon
Fax (052) 343 44 77

DAIHATSU *Ascar AG*
Import + Vertrieb
Industriestrasse
Tél. (062) 788 85 99
5745 Safenwil
Fax (062) 788 85 65

FERRARI *Ferrari (Suisse) S.A.*
2-8, rte de Gingins
Tél. (022) 363 89 89
1260 Nyon
Fax (022) 362 62 30

FIAT *Fiat Auto (Suisse) S.A.*
108, rue de Lyon
Tél. (022) 338 38 38
1211 Genève
Fax (022) 345 17 18

FORD *Ford Motor Company*
(Switzerland) S.A.
Kurvenstrasse 35
Tél. (01) 365 71 11
8021 Zürich
Fax (01) 362 64 15

HONDA *Honda Automobiles*
(Suisse) S.A.
5 Rue de la Bergère
Tél. (022) 989 05 00
1242 Satigny
Fax (022) 989 06 60

HYUNDAI *Hyundai Auto Import AG*
Steigstrasse 28
Tél. (052) 208 26 00
8401 Winterthur
Fax (052) 208 26 29

JAGUAR *Streag AG*
Industriestrasse
Tél. (062) 788 88 66
5745 Safenwil
Fax (062) 788 88 80

KIA *Kia Motors AG.*
Industriestrasse
Tél. (062) 788 88 99
5745 Safenwil
Fax. (062) 788 84 50

LADA *Lada (Suisse) S.A.*
Galtern
Tél. (026) 494 22 14
1712 Tafers
Fax (026) 494 22 41

LANCIA *Fiat Auto (Suisse) S.A.*
108, rue de Lyon
Tél. (022) 338 38 38
1211 Genève
Fax (022) 345 17 18

MAZDA *Mazda (Suisse) S.A.*
14, Rue de Veyrot
Tél. (022) 719 33 00
1217 Meyrin
Fax (022) 782 97 19

MERCEDES *Mercedes-Benz (Schweiz) AG*
Zürcherstrasse 109
Tél. (01) 732 51 11
8952 Schlieren
Fax (01) 730 07 40

MITSUBISHI *MMC Automobile AG*
Steigstrasse 26
Tél. (052) 208 25 00
8401 Winterthur
Fax (052) 208 25 99

NISSAN *Nissan Motor (Schweiz) AG*
Bergermoosstrasse 4
Tél. (01) 736 55 11
8902 Urdorf
Fax (01) 734 01 22

OPEL *Opel (Suisse) S.A.*
Salzhausstrasse 21
Tél. (032) 321 51 11
2501 Biel (Bienne)
Fax (032) 321 52 10

PEUGEOT *Peugeot Talbot (Suisse) S.A.*
Eigerplatz 2
Tél. (031) 387 41 11
3007 Bern
Fax (031) 387 41 20

PORSCHE *Amag AG*
Aarauerstrasse 20
Tél. (056) 463 91 91
5116 Schinznach-Bad
Fax (056) 463 93 93

RENAULT *Renault (Suisse) S.A.*
Riedthofstrasse 124
Tél. (01) 842 42 42
8105 Regensdorf
Fax (01) 840 18 85

ROVER *Streag AG*
Industriestrasse
Tél. (062) 788 88 66
5745 Safenwil
Fax (062) 788 88 80

SAAB *Saab Automobile Schweiz AG*
Talstrasse 82
Tél. (061) 701 84 50
4144 Arlesheim
Fax (061) 701 87 74

SEAT *Spancars Automobile AG*
Aarauerstrasse 20
Tél. (056) 463 95 95
5116 Schinznach-Bad
Fax (056) 463 95 35

SKODA *Amoda Automobile AG*
Kundendienst Skoda
Tél. (056) 463 94 65
5116 Schinznach Bad
Fax (056) 463 95 13

SUBARU *Streag AG*
Industriestrasse
Tél. (062) 788 88 66
5745 Safenwil
Fax (062) 788 88 60

SUZUKI *Suzuki Automobile AG*
Brandbachstrasse 9
Tél. (01) 805 66 66
8305 Dietlikon
Fax (01) 805 66 15

TOYOTA *Toyota AG*
Schürmattstrasse 724
Tél. (062) 788 88 44
5745 Safenwil
Fax (062) 788 86 00

VOLVO *Volvo Automobile (Schweiz) AG*
Industriering 43
Tél. (032) 387 84 00
3250 Lyss
Fax (032) 387 84 11

VOLKSWAGEN *Amag AG*
Aarauerstrasse 20
Tél. (056) 463 91 91
5116 Schinznach-Bad
Fax (056) 463 93 93

Principales foires
Wichtigste Messen
Principali fiere
Main fairs

Basel (BS)	*MUBA 99 (BS) : Die Publikums- und Erlebnismesse (La foire-événement grand public)*	05.03 - 14.0
	BASEL 99 : Europäische Uhren- und Schmuckmesse (Foire européenne de l'horlogerie et de la bijouterie)	29.04 - 06.0
	ORBIT 99 : Fachmesse für Informatik, Kommunikation und Organisation (Salon de l'informatique, de la communication et de l'organisation)	21.09 - 25.0
	Basler Herbstwarenmesse und 26. Basler Wymäss (Foire commerciale d'automne et 26e foire aux vins de Bâle)	23.10 - 01.1
	IGEHO 99 : Internationale Fachmesse für Gemeinschaftsverpflegung, Hotellerie und Restauration (Salon international de la restauration collective, de l'hôtellerie et de la restauration)	19.11 - 24.1
Bern (BE)	*BEA : Ausstellung für Gewerbe, Landwirtschaft, Handel und Industrie (Comptoir de Berne)*	24.04 - 03.0
Genève (GE)	*Salon international des inventions, des techniques et produits nouveaux (Internationale Messe für Erfindungen, neue Techniken und Produkte)*	05.02 - 14.0
	Salon international de l'automobile (Internationaler Automobil-Salon)	11.03 - 21.0
	Salon international du livre et de la presse (Internationale Messe für Buch und Presse)	28.04 - 02.0
	EUROP'ART : 8e Foire internationale d'art ancien, moderne et actuel (8. Internationale Messe für alte, moderne und aktuelle Kunst)	28.04 - 02.0
	Foire de Genève, Salon des arts ménagers (Haus und Heim Ausstellung)	17.11 - 28.1
Lausanne (VD)	*Exposition Habitat et Jardin (Haus und Garten Ausstellung)*	06.03 - 14.0
	Comptoir Suisse : Foire nationale (Nationale Messe)	15.09 - 26.0
Luzern (LU)	*LUGA : Luzerner Landwirtschafts- und Gewerbeausstellung (Exposition pour l'agriculture et l'artisanat de la Suisse centrale)*	23.04 - 02.05
St-Gallen (SG)	*OFFA-Pferdemesse : Ostschweizer Frühlings- und Freizeitmesse mit OFFA Pferdemesse (Foire du printemps et des loisirs de la Suisse orientale avec exposition internationale de chevaux)*	07.04 - 11.04
	MOBAUTECH : Internationale Messe für Modell- und Anlagenbau (Foire internationale de construction de modèles réduits et de maquettes)	08.09 - 12.09
	OLMA : Schweizer Messe für Land- und Milchwirtschaft (Foire suisse de l'agriculture et de l'industrie laitière)	07.10 - 17.10
Zürich (ZH)	*ZÜSPA : Zürcher Herbstschau für Haushalt, Wohnen, Sport und Mode (Salon d'automne zurichois des arts ménagers, du logement, du sport et de la mode)*	24.09 - 03.10
	EXPOVINA : Zürcher Wein Ausstellung (Salon du vin)	28.10 - 11.11

Lexique

Lexikon

(siehe S. 404)

Lessico

(vedere p. 411)

Lexicon

A

à louer	*zu vermieten*	*a noleggio*	*for hire*
addition	*Rechnung*	*conto*	*bill, check*
aéroport	*Flughafen*	*aeroporto*	*airport*
agence de voyage	*Reisebüro*	*agenzia di viaggio*	*travel bureau*
agencement	*Einrichtung*	*installazione*	*installation*
agneau	*Lamm*	*agnello*	*lamb*
ail	*Knoblauch*	*aglio*	*garlic*
amandes	*Mandeln*	*mandorle*	*almonds*
ancien, antique	*ehemalig, antik*	*vecchio, antico*	*old, antique*
août	*August*	*agosto*	*August*
art-déco	*Jugendstil*	*art-déco, liberty*	*Art Deco*
artichaut	*Artischoke*	*carciofo*	*artichoke*
asperges	*Spargeln*	*asparagi*	*asparagus*
auberge	*Gasthaus*	*locanda*	*inn*
aujourd'hui	*heute*	*oggi*	*today*
automne	*Herbst*	*autunno*	*autumn*
avion	*Flugzeug*	*aereo*	*aeroplane*
avril	*April*	*aprile*	*April*

B

bac	*Fähre*	*traghetto*	*ferry*
bagages	*Gepäck*	*bagagli*	*luggage*
bateau	*Boot, Schiff*	*barca*	*ship*
bateau à vapeur	*Dampfer*	*batello a vapore*	*steamer*
baudroie	*Seeteufel*	*pescatrice*	*angler fish*
beau	*schön*	*bello*	*fine, lovely*
beurre	*Butter*	*burro*	*butter*
bien, bon	*gut*	*bene, buono*	*good, well*
bière	*Bier*	*birra*	*beer*
billet d'entrée	*Eintrittskarte*	*biglietto d'ingresso*	*admission ticket*
blanchisserie	*Wäscherei*	*lavanderia*	*laundry*
bouillon	*Fleischbrühe*	*brodo*	*clear soup*
bouquetin	*Steinbock*	*stambecco*	*ibex*
bouteille	*Flasche*	*bottiglia*	*bottle*
brochet	*Hecht*	*luccio*	*pike*

C

cabri	*Zicklein*	*capretto*	*young goat*
café	*Kaffee*	*caffè*	*coffee*
café-restaurant	*Wirtschaft*	*ristorante-bar*	*café-restaurant*
caille	*Wachtel*	*quaglia*	*partridge*
caisse	*Kasse*	*cassa*	*cash desk*
campagne	*Land*	*campagna*	*country*
canard, caneton	*Ente, junge Ente*	*anatra*	*duck*
cannelle	*Zimt*	*cannella*	*cinnamon*
câpres	*Kapern*	*capperi*	*capers*

carvanal	*Fasnacht*	*carnevale*	*carnival*
carottes	*Karotten*	*carote*	*carrots*
carpe	*Karpfe*	*carpa*	*carp*
carte postale	*Postkarte*	*cartolina postale*	*postcard*
cascades, chutes	*Fälle*	*cascate*	*waterfalls*
céleri	*Sellerie*	*sedano*	*celery*
cépage	*Rebsorte*	*ceppo*	*grape variety*
cèpes, bolets	*Steinpilze*	*boleto*	*ceps*
cerf	*Hirsch*	*cervo*	*stag (venison)*
cerises	*Kirschen*	*ciliegie*	*cherries*
cervelle de veau	*Kalbshirn*	*cervella di vitello*	*calf's brain*
chaînes	*Schneeketten*	*catene da neve*	*snow chain*
chambre	*Zimmer*	*camera*	*room*
chamois	*Gems*	*camoscio*	*chamois*
champignons	*Pilze*	*funghi*	*mushrooms*
change	*Geldwechsel*	*cambio*	*exchange*
charcuterie	*Aufschnitt*	*salumi*	*pork butcher's meat*
château	*Burg, Schloss*	*castello*	*castle*
chevreau	*Zicklein*	*capretto*	*young goat*
chevreuil	*Reh*	*capriolo*	*roe deer (venison)*
chien	*Hund*	*cane*	*dog*
chou	*Kraut, Kohl*	*cavolo*	*cabbage*
chou de Bruxelles	*Rosenkohl*	*cavolini di Bruxelles*	*Brussel sprouts*
chou rouge	*Rotkraut*	*cavolo rosso*	*red cabbage*
chou-fleur	*Blumenkohl*	*cavolfiore*	*cauliflower*
choucroute	*Sauerkraut*	*crauti*	*sauerkraut*
circuit	*Rundfahrt*	*circuito*	*round tour*
citron	*Zitrone*	*limone*	*lemon*
clé	*Schlüssel*	*chiave*	*key*
col	*Pass*	*passo*	*pass*
collection	*Sammlung*	*collezione*	*collection*
combien ?	*wieviel ?*	*quanto ?*	*how much ?*
commissariat	*Polizeirevier*	*commissariato*	*police headquarters*
concombre	*Gurke*	*cetriolo*	*cucumber*
confiture	*Konfitüre*	*marmellata*	*jam*
coquille St-Jacques	*Jakobsmuschel*	*cappasanta*	*scallops*
corsé	*kräftig*	*robusto*	*full bodied*
côte de porc	*Schweinekotelett*	*braciola di maiale*	*pork chop*
côte de veau	*Kalbskotelett*	*costata di vitello*	*veal chop*
courgettes	*Courgetten*	*zucchine*	*courgette*
crème	*Rahm*	*panna*	*cream*
crêpes	*Pfannkuchen*	*crespella*	*pancakes*
crevaison	*Reifenpanne*	*foratura*	*puncture*
crevettes	*Krevetten*	*gamberetti*	*shrimps, prawns*
crudités	*Rohkost*	*verdure crude*	*raw vegetables*
crustacés	*Krustentiere*	*crostacei*	*crustaceans*

D

débarcadère	*Schiffanlegestelle*	*pontile di sbarco*	*landing-wharf*
décembre	*Dezember*	*dicembre*	*December*
demain	*morgen*	*domani*	*tomorrow*
demander	*fragen, bitten*	*domandare*	*to ask for*
départ	*Abfahrt*	*partenza*	*departure*
dimanche	*Sonntag*	*domenica*	*Sunday*
docteur	*Arzt*	*dottore*	*doctor*
doux	*mild*	*dolce*	*sweet, mild*

E

eau gazeuse	*mit Kohlensäure (Wasser)*	*acqua gasata*	*sparkling water*
eau minérale	*Mineralwasser*	*acqua minerale*	*mineral water*
écrevisse	*Flusskrebs*	*gambero*	*crayfish*
église	*Kirche*	*chiesa*	*church*
émincé	*Geschnetzeltes*	*a fettine*	*thin slice*
en daube, en sauce	*geschmort, in Sauce*	*stracotto, in salsa*	*stewed, with sauce*
en plein air	*im Freien*	*all'aperto*	*outside*
endive	*Endivie*	*indivia*	*chicory*
entrecôte	*Zwischenrip-penstück*	*costata*	*sirloin steak*
enveloppes	*Briefumschläge*	*buste*	*envelopes*
épinards	*Spinat*	*spinaci*	*spinach*
escalope panée	*paniertes Schnitzel*	*cotoletta alla milanese*	*escalope in breadcrumbs*
escargots	*Schnecken*	*lumache*	*snails*
étage	*Stock, Etage*	*piano*	*floor*
été	*Sommer*	*estate*	*summer*
excursion	*Ausflug*	*escursione*	*excursion*
exposition	*Ausstellung*	*esposizione, mostra*	*exhibition, show*

F

faisan	*Fasan*	*fagiano*	*pheasant*
farci	*gefüllt*	*farcito*	*stuffed*
fenouil	*Fenchel*	*finocchio*	*fennel*
féra	*Felchen*	*coregone*	*dace*
ferme	*Bauernhaus*	*fattoria*	*farm*
fermé	*geschlossen*	*chiuso*	*closed*
fêtes, jours fériés	*Feiertage*	*giorni festivi*	*bank holidays*
feuilleté	*Blätterteig*	*sfoglia*	*puff pastry*
février	*Februar*	*febbraio*	*February*
filet de bœuf	*Rinderfilet*	*filetto di bue*	*fillet of beef*
filet de porc	*Schweinefilet*	*filetto di maiale*	*fillet of pork*
fleuve	*Fluss*	*fiume*	*river*
foie de veau	*Kalbsleber*	*fegato di vitello*	*calf's liver*
foire	*Messe, Ausstellung*	*fiera*	*fair*
forêt, bois	*Wald*	*foresta, bosco*	*forest, wood*
fraises	*Erdbeeren*	*fragole*	*strawberries*
framboises	*Himbeeren*	*lamponi*	*raspberries*
fresques	*Fresken*	*affreschi*	*frescoes*
frit	*fritiert*	*fritto*	*fried*
fromage	*Käse*	*formaggio*	*cheese*
fruité	*fruchtig*	*fruttato*	*fruity*
fruits de mer	*Meeresfrüchte*	*frutti di mare*	*seafood*
fumé	*geräuchert*	*affumicato*	*smoked*

G

gare	*Bahnhof*	*stazione*	*station*
gâteau	*Kuchen*	*dolce*	*cake*
genièvre	*Wacholder*	*coccola*	*juniper berry*
gibier	*Wild*	*selvaggina*	*game*
gingembre	*Ingwer*	*zenzero*	*ginger*
girolles	*Pfifferlinge*	*gallinacci (funghi)*	*chanterelles*
glacier	*Gletscher*	*ghiacciaio*	*glacier*
grillé	*gegrillt*	*alla griglia*	*grilled*
grotte	*Höhle*	*grotta*	*cave*

H

habitants	*Einwohner*	*abitanti*	*residents, inhabitants*
hebdomadaire	*wöchentlich*	*settimanale*	*weekly*
hier	*gestern*	*ieri*	*yesterday*
hiver	*Winter*	*inverno*	*winter*
homard	*Hummer*	*astice*	*lobster*
hôpital	*Krankenhaus*	*ospedale*	*hospital*
hôtel de ville, mairie	*Rathaus*	*municipio*	*town hall*
huile d'olives	*Olivenöl*	*olio d'oliva*	*olive oil*
huîtres	*Austern*	*ostriche*	*oysters*

I - J

interdit	*verboten*	*vietato*	*prohibited*
jambon (cru, cuit)	*Schinken (roh, gekocht)*	*prosciutto (crudo, cotto)*	*ham (raw, cokked)*
janvier	*Januar*	*gennaio*	*January*
jardin, parc	*Garten, Park*	*giardino, parco*	*garden, park*
jeudi	*Donnerstag*	*giovedì*	*Thursday*
journal	*Zeitung*	*giornale*	*newspaper*
jours fériés	*Feiertage*	*festivi*	*bank holidays*
juillet	*Juli*	*luglio*	*July*
juin	*Juni*	*giugno*	*June*
jus de fruits	*Fruchtsaft*	*succo di frutta*	*fruit juice*

L

lac	*See*	*lago*	*lake*
lait	*Milch*	*latte*	*milk*
langouste	*Languste*	*aragosta*	*spiny lobster*
langoustines	*Langustinen*	*scampi*	*Dublin bay prawns*
langue	*Zunge*	*lingua*	*tongue*
lapin	*Kaninchen*	*coniglio*	*rabbit*
léger	*leicht*	*leggero*	*light*
légumes	*Gemüse*	*legume*	*vegetable*
lentilles	*Linsen*	*lenticchie*	*lentils*
lièvre	*Hase*	*lepre*	*hare*
lit	*Bett*	*letto*	*bed*
lit d'enfant	*Kinderbett*	*lettino*	*child's bed*
lotte	*Seeteufel*	*pescatrice*	*monkfish*
loup de mer	*Seewolf*	*branzino*	*sea bass*
lundi	*Montag*	*lunedì*	*Monday*

M

mai	*Mai*	*maggio*	*May*
maison	*Haus*	*casa*	*house*
maison corporative	*Zunfthaus*	*sede corporativa*	*guild house*
manoir	*Herrensitz*	*maniero*	*manor house*
mardi	*Dienstag*	*martedì*	*Tuesday*
mariné	*mariniert*	*marinato*	*marinated*
mars	*März*	*marzo*	*March*
mercredi	*Mittwoch*	*mercoledì*	*Wednesday*
miel	*Honig*	*miele*	*honey*
moelleux	*weich, gehaltvoll*	*vellutato*	*mellow*
monument	*Denkmal*	*monumento*	*monument*
morilles	*Morcheln*	*spugnole (funghi)*	*morels*
moules	*Muscheln*	*cozze*	*mussels*
moulin	*Mühle*	*mulino*	*mill*
moutarde	*Senf*	*senape*	*mustard*

N

navet	weisse Rübe	navone	turnip
neige	Schnee	neve	snow
Noël	Weihnachten	Natale	Christmas
noisettes, noix	Haselnüsse, Nüsse	nocciole, noci	hazelnuts, nuts
nombre de couverts limités	Tischbestellung ratsam	coperti limitati-prenotare	booking essential
nouilles	Nudeln	tagliatelle, fettuccine	noodles
novembre	November	novembre	November

O

octobre	Oktober	ottobre	October
œuf à la coque	weiches Ei	uovo à la coque	soft-boiled egg
office de tourisme	Verkehrsverein	informazioni turistiche	tourist information office
oignons	Zwiebeln	cipolle	onions
omble chevalier	Saibling	salmerino	char
ombragé	schattig	ombreggiato	shaded

P

pain	Brot	pane	bread
Pâques	Ostern	pasqua	Easter
pâtisseries	Feingebäck, Kuchen	pasticceria	pastries
payer	bezahlen	pagare	to pay
pêches	Pfirsiche	pesche	peaches
peintures, tableaux	Malereien, Gemälde	dipinti, quadri	paintings
perche	Egli	persico	perch
perdrix, perdreau	Rebhuhn	pernice	partridge
petit déjeuner	Frühstück	prima colazione	breakfast
petits pois	grüne Erbsen	piselli	green peas
piétons	Fussgänger	pedoni	pedestrians
pigeon	Taube	piccione	pigeon
pinacothèque	Gemäldegalerie	pinacoteca	picture gallery
pintade	Perlhuhn	faraona	guinea fowl
piscine, – couverte	Schwimmbad – Hallen	piscina, – coperta	swimming pool, in-door –
plage	Strand	spiaggia	beach
pleurotes	Austernpilze	gelone	oyster mushrooms
pneu	Reifen	pneumatico	tyre
poireau	Lauch	porro	leek
poires	Birnen	pere	pears
pois gourmands	Zuckerschoten	taccole	mange tout
poisson	Fisch	pesce	fish
poivre	Pfeffer	pepe	pepper
police	Polizei	polizia	police
pommes	Äpfel	mele	apples
pommes de terre, – à l'eau	Kartoffeln, Salz –	patate, – bollite	potatoes, boiled –
pont	Brücke	ponte	bridge
ponton d'amarrage	Bootsteg	pontile	jetty
poulet	Hähnchen	pollo	chicken
pourboire	Trinkgeld	mancia	tip
poussin	Küken	pulcino	young chicken
printemps	Frühling	primavera	spring
promenade	Spaziergang	passeggiata	walk
prunes	Pflaumen	prugne	plums

Q

quetsche	Zwetschge	grossa susina	dark-red plum
queue de bœuf	Ochsenschwanz	coda di bue	oxtail

R

raie	*Rochen*	*razza*	*skate*
raifort	*Meerrettich*	*rafano*	*horseradish*
raisin	*Traube*	*uva*	*grape*
régime	*Diät*	*dieta*	*diet*
remonte-pente	*Skilift*	*ski-lift*	*ski-lift*
renseignements	*Auskünfte*	*informazioni*	*information*
repas	*Mahlzeit*	*pasto*	*meal*
réservation	*Tischbestellung*	*prenotazione*	*booking*
résidents seulement	*nur Hotelgäste*	*solo per clienti alloggiati*	*residents only*
ris de veau	*Kalbsbries, Milken*	*animelle di vitello*	*sweetbread*
rive, bord	*Ufer*	*riva*	*shore, river bank*
rivière	*Fluss*	*fiume*	*river*
riz	*Reis*	*riso*	*rice*
roches, rochers	*Felsen*	*rocce*	*rocks*
rognons	*Nieren*	*rognone*	*kidneys*
rôti	*gebraten*	*arrosto*	*roasted*
rouget	*Rotbarbe*	*triglia*	*red mullet*
rue	*Strasse*	*strada*	*street*
rustique	*rustikal, ländlich*	*rustico*	*rustic*

S

saignant	*englisch gebraten*	*al sangue*	*rare*
St-Pierre (poisson)	*Sankt-Peters Fisch*	*sampietro (pesce)*	*John Dory (fish)*
safran	*Safran*	*zafferano*	*saffron*
salle à manger	*Speisesaal*	*sala da pranzo*	*dining-room*
salle de bain	*Badezimmer*	*stanza da bagno*	*bathroom*
samedi	*Samstag*	*sabato*	*Saturday*
sandre	*Zander*	*lucio perca*	*perch pike*
sanglier	*Wildschwein*	*cinghiale*	*wild boar*
saucisse	*Würstchen*	*salsiccia*	*sausage*
saucisson	*Trokenwurst*	*sausage*	
sauge	*Salbei*	*salvia*	*sage*
saumon	*Salm, Lachs*	*salmone*	*salmon*
sculptures sur bois	*Holzschnitzereien*	*sculture in legno*	*wood carvings*
sec	*trocken*	*secco*	*dry*
sel	*Salz*	*sale*	*salt*
semaine	*Woche*	*settimana*	*week*
septembre	*September*	*settembre*	*September*
service compris	*Bedienung inbegriffen*	*servizio incluso*	*service included*
site, paysage	*Landschaft*	*località, paesaggio*	*site, landscape*
soir	*Abend*	*sera*	*evening*
sole	*Seezunge*	*sogliola*	*sole*
sucre	*Zucker*	*zucchero*	*sugar*
sur demande	*auf Verlangen*	*a richiesta*	*on request*
sureau	*Holunder*	*sambuco*	*elderbarry*

T

tarte	*Torte*	*torta*	*tart*
téléphérique	*Luftseilbahn*	*funivia*	*cable car*
télésiège	*Sessellift*	*seggiovia*	*chair lift*
thé	*Tee*	*tè*	*tea*
thon	*Thunfisch*	*tonno*	*tuna*
train	*Zug*	*treno*	*train*

ain à crémaillère	Zahnradbahn	treno a cremagliera	rack railway
tripes	Kutteln	trippa	tripe
truffes	Trüffeln	tartufi	truffles
truite	Forelle	trota	trout
turbot	Steinbutt	rombo	turbot

V

vacances	Ferien	vacanze	holidays
vallée	Tal	vallata	valley
vendredi	Freitag	venerdì	Friday
verre	Glas	bicchiere	glass
viande séchée	Trockenfleisch	carne secca	dried meats
vignes, vignoble	Reben, Weinberg	vite, vigneto	vines, vineyard
vin blanc sec	herber Weisswein	vino bianco secco	dry white wine
vin rouge, rosé	Rotwein, Rosé	vino rosso, rosato	red wine, rosé
vinaigre	Essig	aceto	vinegar
voiture	Wagen	machina	car
volaille	Geflügel	pollame	poultry
vue	Aussicht	vista	view

Lexikon

Lexique

(voir page 397)

Lessico

(vedere p. 411)

Lexicon

A

Abend	soir	sera	evening
Abfahrt	départ	partenza	departure
Äpfel	pommes	mele	apples
April	avril	aprile	April
Artischoke	artichaut	carciofo	artichoke
Arzt	docteur	dottore	doctor
auf Verlangen	sur demande	a richiesta	on request
Aufschnitt	charcuterie	salumi	pork butcher's meat
August	août	agosto	August
Ausflug	excursion	escursione	excursion
Auskünfte	renseignements	informazioni	information
Aussicht	vue	vista	view
Ausstellung	exposition	esposizione, mostra	exhibition, show
Austern	huîtres	ostriche	oysters
Austernpilze	pleurotes	gelone	oyster mushrooms
Auto	voiture	Vettura	car

B

Badezimmer	salle de bain	stanza da bagno	bathroom
Bahnhof	gare	stazione	station
Bauernhaus	ferme	fattoria	farm
Bedienung inbegriffen	service compris	servizio incluso	service included
Bett	lit	letto	bed
bezahlen	payer	pagare	to pay
Bier	bière	birra	beer
Birnen	poires	pere	pears
Blätterteig	feuilletage	pasta sfoglia	puff pastry
Blumenkohl	chou-fleur	cavolfiore	cauliflower
Boot, Schiff	bateau	barca	ship
Bootsteg	ponton d'amarrage	pontile	jetty
Briefumschläge	enveloppes	buste	envelopes
Brot	pain	pane	bread
Brücke	pont	ponte	bridge
Burg, Schloss	château	castello	castle
Butter	beurre	burro	butter

C - D

Courgetten	courgettes	zucchine	courgette
Dampfer	bateau à vapeur	batello a vapore	steamer
Denkmal	monument	monumento	monument
Dezember	décembre	dicembre	December

Diät	*régime*	*dieta*	*diet*
Dienstag	*mardi*	*martedì*	*Tuesday*
Donnerstag	*jeudi*	*giovedì*	*Thursday*

E

Egli	*perche*	*persico*	*perch*
ehemalig, antik	*ancien, antique*	*vecchio, antico*	*old, antique*
Ei	*œuf*	*uovo*	*egg*
Einrichtung	*agencement*	*installazione*	*installation*
Eintrittskarte	*billet d'entrée*	*biglietto d'ingresso*	*admission ticket*
Einwohner	*habitants*	*abitanti*	*residents, inhabitants*
Endivie	*endive*	*indivia*	*chicory*
englisch gebraten	*saignant*	*al sangue*	*rare*
Ente, junge Ente	*canard, caneton*	*anatra*	*duck*
Erdbeeren	*fraises*	*fragole*	*strawberries*
Essig	*vinaigre*	*aceto*	*vinegar*

F

Fähre	*bac*	*traghetto*	*ferry*
Fälle	*cascades, chutes*	*cascate*	*waterfalls*
Fasan	*faisan*	*fagiano*	*pheasant*
Fasnacht	*carnaval*	*carnevale*	*carnival*
Februar	*février*	*febbraio*	*February*
Feiertage	*jours fériés*	*festivi*	*bank holidays*
Feingebäck, Kuchen	*pâtisseries*	*pasticceria*	*pastries*
Felchen	*féra*	*coregone*	*dace*
Felsen	*roches, rochers*	*rocce*	*rocks*
Fenchel	*fenouil*	*finocchio*	*fennel*
Ferien	*vacances*	*vacanze*	*holidays*
Fisch	*poisson*	*pesce*	*fish*
Flasche	*bouteille*	*bottiglia*	*bottle*
Fleischbrühe	*bouillon*	*brodo*	*clear soup*
Flughafen	*aéroport*	*aeroporto*	*airport*
Flugzeug	*avion*	*aereo*	*aeroplane*
Fluss	*fleuve, rivière*	*fiume*	*river*
Flusskrebs	*écrevisse*	*gambero*	*crayfish*
Forelle	*truite*	*trota*	*trout*
fragen, bitten	*demander*	*domandare*	*to ask for*
Freitag	*vendredi*	*venerdì*	*Friday*
Fresken	*fresques*	*affreschi*	*frescoes*
fruchtig	*fruité*	*fruttato*	*fruity*
Fruchtsaft	*jus de fruits*	*succo di frutta*	*fruit juice*
Frühling	*printemps*	*primavera*	*spring*
Frühstück	*petit déjeuner*	*prima colazione*	*breakfast*
Fussgänger	*piétons*	*pedoni*	*pedestrians*

G

Garten, Park	*jardin, parc*	*giardino, parco*	*garden, park*
Gasthaus	*auberge*	*locanda*	*inn*
gebacken	*frit*	*fritto*	*fried*
gebraten	*rôti*	*arrosto*	*roasted*
Geflügel	*volaille*	*pollame*	*poultry*
gefüllt	*farci*	*farcito*	*stuffed*
gegrillt	*grillé*	*alla griglia*	*grilled*
Geldwechsel	*change*	*cambio*	*exchange*
Gemäldegalerie	*pinacothèque*	*pinacoteca*	*picture gallery*

Gems	*chamois*	*camoscio*	*chamois*
Gemüse	*légumes*	*legume*	*vegetables*
Gepäck	*bagages*	*bagagli*	*luggage*
geräuchert	*fumé*	*affumicato*	*smoked*
geschlossen	*fermé*	*chiuso*	*closed*
geschmort, in Sauce	*en daube, en sauce*	*stracotto, in salsa*	*stewed, with sauce*
Geschnetzeltes	*émincé*	*a fettine*	*thin slice*
gestern	*hier*	*ieri*	*yesterday*
Glas	*verre*	*bicchiere*	*glass*
Gletscher	*glacier*	*ghiacciaio*	*glacier*
grüne Erbsen	*petits pois*	*piselli*	*green peas*
Gurke	*concombre*	*cetriolo*	*cucumber*
gut	*bien, bon*	*bene, buono*	*good, well*

H

Hähnchen	*poulet*	*pollo*	*chicken*
Hartwurst	*saucisson*	*salame*	*sausage*
Hase	*lièvre*	*lepre*	*hare*
Haselnüsse, Nüsse	*noisettes, noix*	*nocciole, noci*	*hazelnuts, nuts*
Haus	*maison*	*casa*	*house*
Hecht	*brochet*	*luccio*	*pike*
Herbst	*automne*	*autunno*	*autumn*
Herrensitz	*manoir*	*maniero*	*manor house*
heute	*aujourd'hui*	*oggi*	*today*
Himbeeren	*framboises*	*lamponi*	*raspberries*
Hirsch	*cerf*	*cervo*	*stag (venison)*
Höhle	*grotte*	*grotta*	*cave*
Holunder	*sureau*	*sambuco*	*elderbarry*
Holzschnitzereien	*sculptures sur bois*	*sculture in legno*	*wood carvings*
Honig	*miel*	*miele*	*honey*
Hummer	*homard*	*astice*	*lobster*
Hund	*chien*	*cane*	*dog*

I - J

im Freien	*en plein air*	*all'aperto*	*outside*
Ingwer	*gingembre*	*zenzero*	*ginger*
Jakobsmuschel	*coquille St-Jacques*	*cappasanto*	*scallops*
Januar	*janvier*	*gennaio*	*January*
Jugendstil	*art-déco*	*art-déco, liberty*	*Art Deco*
Juli	*juillet*	*luglio*	*July*
Juni	*juin*	*giugno*	*June*

K

Kaffee	*café*	*caffè*	*coffee*
Kalbshirn	*cervelle de veau*	*cervella di vitello*	*calf's brain*
Kalbskotelett	*côte de veau*	*costata di vitello*	*veal chop*
Kalbsleber	*foie de veau*	*fegato di vitello*	*calf's liver*
Kalbsbries, Milken	*ris de veau*	*animelle di vitello*	*sweetbread*
Kaninchen	*lapin*	*coniglio*	*rabbit*
Kapern	*câpres*	*capperi*	*capers*
Karotten	*carottes*	*carote*	*carrots*
Karpfe	*carpe*	*carpa*	*carp*
Kartoffeln, Salz –	*pommes de terre, – à l'eau*	*patate, bollite*	*potatoes, boiled*
Käse	*fromage*	*formaggio*	*cheese*
Kasse	*caisse*	*cassa*	*cash desk*
Kinderbett	*lit d'enfant*	*lettino*	*child's bed*
Kirche	*église*	*chiesa*	*church*

Kirschen	*cerises*	*ciliegie*	*cherries*
Knoblauch	*ail*	*aglio*	*garlic*
Konfitüre	*confiture*	*marmellata*	*jam*
kräftig	*corsé*	*robusto*	*full bodied*
Krankenhaus	*hôpital*	*ospedale*	*hospital*
Kraut, Kohl	*chou*	*cavolo*	*cabbage*
Krevetten	*crevettes*	*gamberetti*	*shrimps, prawns*
Krustentiere	*crustacés*	*crostacei*	*crustaceans*
Kuchen	*gâteau*	*dolce*	*cake*
Küken	*poussin*	*pulcino*	*young chicken*
Kutteln	*tripes*	*trippa*	*tripe*

L

Lamm	*agneau*	*agnello*	*lamb*
Land	*campagne*	*campagna*	*country*
Landschaft	*site, paysage*	*località, paesaggio*	*site, landscape*
Languste	*langouste*	*aragosta*	*spiny lobster*
Langustinen	*langoustines*	*scampi*	*Dublin bay prawns*
Lauch	*poireau*	*porri*	*leek*
leicht	*léger*	*leggero*	*light*
Linsen	*lentilles*	*lenticchie*	*lentils*
Luftseilbahn	*téléphérique*	*funivia*	*cable car*

M

Mahlzeit	*repas*	*pasto*	*meal*
Mai	*mai*	*maggio*	*May*
Malereien, Gemälde	*peintures, tableaux*	*dipinti, quadri*	*paintings*
Mandeln	*amandes*	*mandorle*	*almonds*
mariniert	*mariné*	*marinato*	*marinated*
März	*mars*	*marzo*	*March*
Meeresfrüchte	*fruits de mer*	*frutti di mare*	*seafood*
Meerrettich	*raifort*	*rafano*	*horseradish*
Messe, Ausstellung	*foire*	*fiera*	*fair*
Milch	*lait*	*latte*	*milk*
mild	*doux*	*dolce*	*sweet, mild*
Mineralwasser	*eau minérale*	*acqua minerale*	*mineral water*
mit Kohlensäure (Wasser)	*eau gazeuse*	*acqua gasata*	*sparkling water*
Mittwoch	*mercredi*	*mercoledì*	*Wednesday*
Montag	*lundi*	*lunedì*	*Monday*
Morcheln	*morilles*	*spugnole (funghi)*	*morels*
morgen	*demain*	*domani*	*tomorrow*
Mühle	*moulin*	*mulino*	*mill*
Muscheln	*moules*	*cozze*	*mussels*

N

Nieren	*rognons*	*rognone*	*kidneys*
November	*novembre*	*novembre*	*November*
nur für Hotelgäste	*résidents seulement*	*solo per clienti alloggiati*	*residents only*
Nudeln	*nouilles*	*fettucine*	*noodles*

O

Ochsenschwanz	*queue de bœuf*	*coda di bue*	*oxtail*
Oktober	*octobre*	*ottobre*	*October*
Olivenöl	*huile d'olives*	*olio d'oliva*	*olive oil*
Ostern	*Pâques*	*pasqua*	*Easter*

P

paniertes Schnitzel	*escalope panée*	*cotolet a alla milanese*	*escalope in breadcrumbs*
Pass	*col*	*passo*	*pass*
Perlhuhn	*pintade*	*faraona*	*guinea fowl*
Pfannkuchen	*crêpes*	*crespella*	*pancakes*
Pfeffer	*poivre*	*pepe*	*pepper*
Pfifferlinge	*girolles*	*gallinacci (funghi)*	*chanterelles*
Pfirsiche	*pêches*	*pesche*	*peaches*
Pflaumen	*prunes*	*prugne*	*plums*
Pilze	*champignons*	*funghi*	*mushrooms*
Polizei	*police*	*polizia*	*police*
Polizeirevier	*commissariat*	*commissariato*	*police headquarters*
Postkarte	*carte postale*	*cartolina postale*	*postcard*

R

Rahm	*crème*	*panna*	*cream*
Rathaus	*hôtel de ville, mairie*	*municipio*	*town hall*
Reben, Weinberg	*vignes, vignoble*	*vite, vigneto*	*vines, vineyard*
Rebhuhn	*perdrix, perdreau*	*pernice*	*partridge*
Rebsorte	*cépage*	*ceppo*	*grape variety*
Rechnung	*addition*	*conto*	*bill, check*
Reh	*chevreuil*	*capriolo*	*roe deer (venison)*
Reifen	*pneu*	*pneumatico*	*tyre*
Reifenpanne	*crevaison*	*foratura*	*puncture*
Reis	*riz*	*riso*	*rice*
Reisebüro	*agence de voyage*	*agenzia di viaggio*	*travel bureau*
Rinderfilet	*filet de bœuf*	*filetto di bue*	*fillet of beef*
Rochen	*raie*	*razza*	*skate*
Rohkost	*crudités*	*verdure crude*	*raw vegetables*
Rosenkohl	*chou de Bruxelles*	*cavolini di Bruxelles*	*Brussel sprouts*
Rotbarbe	*rouget*	*triglia*	*red mullet*
Rotkraut	*chou rouge*	*cavolo rosso*	*red cabbage*
Rotwein, Rosé	*vin rouge, rosé*	*vino rosso, rosato*	*red wine, rosé*
Rundfahrt	*circuit*	*circuito*	*round tour*
rustikal, ländlich	*rustique*	*rustico*	*rustic*

S

Safran	*safran*	*zafferano*	*saffron*
Saibling	*omble chevalier*	*salmerino*	*char*
Salbei	*sauge*	*salvia*	*sage*
Salm, Lachs	*saumon*	*salmone*	*salmon*
Salz	*sel*	*sale*	*salt*
Sammlung	*collection*	*collezione*	*collection*
Samstag	*samedi*	*sabato*	*Saturday*
Sankt-Peters Fisch	*St-Pierre (poisson)*	*sampietro (pesce)*	*John Dory (fish)*
Sauerkraut	*choucroute*	*crauti*	*sauerkraut*
schattig	*ombragé*	*ombreggiato*	*shaded*

Schiffanlegestelle	*débarcadère*	*pontile di sbarco*	*landing-wharf*
Schinken (roh, gekocht)	*jambon (cru, cuit)*	*prosciutto (crudo, cotto)*	*ham (raw, cokked)*
Schlüssel	*clé*	*chiave*	*key*
Schnecken	*escargots*	*lumache*	*snails*
Schnee	*neige*	*neve*	*snow*
Schneeketten	*chaînes*	*catene da neve*	*snow chain*
schön	*beau*	*bello*	*fine, lovely*
Schweinefilet	*filet de porc*	*filetto di maiale*	*fillet of pork*
Schweinekotelett	*côte de porc*	*braciola di maiale*	*pork chop*
Schwimmbad, Hallen –	*piscine, – couverte*	*piscina, – coperta*	*swimming pool, in-door –*
See	*lac*	*lago*	*lake*
Seeteufel	*baudroie*	*pescatrice*	*angler fish*
Seeteufel	*lotte*	*pescatrice*	*monkfish*
Seewolf	*loup de mer*	*branzino*	*sea bass*
Seezunge	*sole*	*sogliola*	*sole*
Seilbahn	*téléphérique*	*funivia*	*cable car*
Sellerie	*céleri*	*sedano*	*celery*
Senf	*moutarde*	*senape*	*mustard*
September	*septembre*	*settembre*	*September*
Sessellift	*télésiège*	*seggiovia*	*chair lift*
Skilift	*remonte-pente*	*ski-lift*	*ski-lift*
Sommer	*été*	*estate*	*summer*
Sonntag	*dimanche*	*domenica*	*Sunday*
Spargeln	*asperges*	*asparagi*	*asparagus*
Spaziergang	*promenade*	*passeggiata*	*walk*
Speisesaal	*salle à manger*	*sala da pranzo*	*dining-room*
Spinat	*épinards*	*spinaci*	*spinach*
Steinbock	*bouquetin*	*stambecco*	*ibex*
Steinbutt	*turbot*	*rombo*	*turbot*
Steinpilze	*cèpes, bolets*	*boleto*	*ceps*
Stock, Etage	*étage*	*piano*	*floor*
Strand	*plage*	*spiaggia*	*beach*
Strasse	*rue*	*strada*	*street*

T

Tal	*vallée*	*vallata*	*valley*
Taube	*pigeon,*	*piccione*	*pigeon*
Tee	*thé*	*tè*	*tea*
Thunfisch	*thon*	*tonno*	*tuna*
Tischbestellung	*réservation*	*prenotazione*	*booking*
Tischbestellung ratsam	*nombre de couverts limités*	*coperti limitati-prenotare*	*booking essential*
Torte	*tarte*	*torta*	*tart*
Traube	*raisin*	*uva*	*grape*
Trinkgeld	*pourboire*	*mancia*	*tip*
trocken	*sec*	*secco*	*dry*
trockener Weisswein	*vin blanc sec*	*vino bianco secco*	*dry white wine*
Trockenfleisch	*viande séchée*	*carne secca*	*dried meats*
Trüffeln	*truffes*	*tartufi*	*truffles*

U - V

Ufer	*rive, bord*	*riva*	*shore, river bank*
verboten	*interdit*	*vietato*	*prohibited*
Verkehrsverein	*office de tourisme*	*informazioni turistiche*	*tourist information office*

W

Wacholder	*genièvre*	*coccola*	*juniper berry*
Wachtel	*caille*	*quaglia*	*partridge*
Wald	*forêt, bois*	*foresta, bosco*	*forest, wood*
Wäscherei	*blanchisserie*	*lavanderia*	*laundry*
weich, gehaltvoll	*moelleux*	*vellutato*	*mellow*
weiches Ei	*œuf à la coque*	*uovo à la coque*	*soft-boiled egg*
Weihnachten	*Noël*	*Natale*	*Christmas*
weisse Rübe	*navet*	*navone*	*turnip*
wieviel ?	*combien ?*	*quanto ?*	*how much ?*
Wild	*gibier*	*selvaggina*	*game*
Wildschwein	*sanglier*	*cinghiale*	*wild boar*
Winter	*hiver*	*inverno*	*winter*
Wirtschaft	*café-restaurant*	*ristorante-bar*	*café-restaurant*
Woche	*semaine*	*settimana*	*week*
wöchentlich	*hebdomadaire*	*settimanale*	*weekly*
Würstchen	*saucisse*	*salsiccia*	*sausage*

Z

Zahnradbahn	*train à crémaillère*	*treno a cremagliera*	*rack railway*
Zander	*sandre*	*lucio perca*	*perch pike*
Zeitung	*journal*	*giornale*	*newspaper*
Zicklein	*chevreau, cabri*	*capretto*	*young goat*
Zimmer	*chambre*	*camera*	*room*
Zimt	*cannelle*	*cannella*	*cinnamon*
Zitrone	*citron*	*limone*	*lemon*
zu vermieten	*à louer*	*a noleggio*	*for hire*
Zucker	*sucre*	*zucchero*	*sugar*
Zuckerschoten	*pois gourmands*	*taccole*	*mange tout*
Zug	*train*	*treno*	*train*
Zunfthaus	*maison corporative*	*sede corporativa*	*guild house*
Zunge	*langue*	*lingua*	*tongue*
Zwetschge	*quetsche*	*grossa susina*	*dark-red plum*
Zwiebeln	*oignons*	*cipolle*	*onions*
Zwischenrippenstück	*entrecôte*	*costata*	*sirloin steak*

Lessico

Lexique

(voir page 397)

Lexikon

(siehe S. 404)

Lexicon

A

a fettine	*émincé*	*Geschnetzeltes*	*thin slice*
a noleggio	*à louer*	*zu vermieten*	*for hire*
a richiesta	*sur demande*	*auf Verlangen*	*on request*
abitanti	*habitants*	*Einwohner*	*residents, inhabitants*
aceto	*vinaigre*	*Essig*	*vinegar*
acqua gasata	*eau gazeuse*	*mit Kohlensäure (Wasser)*	*sparkling water*
acqua minerale	*eau minérale*	*Mineralwasser*	*mineral water*
aereo	*avion*	*Flugzeug*	*aeroplane*
aeroporto	*aéroport*	*Flughafen*	*airport*
affreschi	*fresques*	*Fresken*	*frescoes*
affumicato	*fumé*	*geräuchert*	*smoked*
agenzia di viaggio	*agence de voyage*	*Reisebüro*	*travel bureau*
aglio	*ail*	*Knoblauch*	*garlic*
agnello	*agneau*	*Lamm*	*lamb*
agosto	*août*	*August*	*August*
al sangue	*saignant*	*englisch gebraten*	*rare*
all'aperto	*en plein air*	*im Freien*	*outside*
alla griglia	*grillé*	*gegrillt*	*grilled*
anatra	*canard, caneton*	*Ente, junge Ente*	*duck*
animelle di vitello	*ris de veau*	*Kalbsbries, Milken*	*sweetbread*
aprile	*avril*	*April*	*April*
aragosta	*langouste*	*Languste*	*spiny lobster*
arrosto	*rôti*	*gebraten*	*roasted*
art-déco, liberty	*art-déco*	*Jugendstil*	*Art Deco*
asparagi	*asperges*	*Spargeln*	*asparagus*
astice	*homard*	*Hummer*	*lobster*
autunno	*automne*	*Herbst*	*autumn*

B

bagagli	*bagages*	*Gepäck*	*luggage*
barca	*bateau*	*Boot, Schiff*	*ship*
battello a vapore	*bateau à vapeur*	*Dampfer*	*steamer*
bello	*beau*	*schön*	*fine, lovely*
bene, buono	*bien, bon*	*gut*	*good, well*
bicchiere	*verre*	*Glas*	*glass*
biglietto d'ingresso	*billet d'entrée*	*Eintrittskarte*	*admission ticket*
birra	*bière*	*Bier*	*beer*
boleti	*cèpes, bolets*	*Steinpilze*	*ceps*
bottiglia	*bouteille*	*Flasche*	*bottle*
braciola di maiale	*côte de porc*	*Schweinekotelett*	*pork chop*

branzino	*loup de mer*	*Seewolf*	*sea bass*
brodo	*bouillon*	*Fleischbrühe*	*clear soup*
burro	*beurre*	*Butter*	*butter*
buste	*enveloppes*	*Briefumschläge*	*envelopes*

C

caffè	*café*	*Kaffee*	*coffee*
cambio	*change*	*Geldwechsel*	*exchange*
camera	*chambre*	*Zimmer*	*room*
camoscio	*chamois*	*Gems*	*chamois*
campagna	*campagne*	*Land*	*country*
cane	*chien*	*Hund*	*dog*
cannella	*cannelle*	*Zimt*	*cinnamon*
cappasanta	*coquille St-Jacques*	*Jakobsmuschel*	*scallops*
capperi	*câpres*	*Kapern*	*capers*
capretto	*cabri, chevreau*	*Zicklein*	*young goat*
capriolo	*chevreuil*	*Reh*	*roe deer (venison)*
carciofo	*artichaut*	*Artischoke*	*artichoke*
carne secca	*viande séchée*	*Trockenfleisch*	*dried meats*
carnevale	*carnaval*	*Fasnacht*	*carnival*
carote	*carottes*	*Karotten*	*carrots*
carpa	*carpe*	*Karpfe*	*carp*
cartolina postale	*carte postale*	*Postkarte*	*postcard*
casa	*maison*	*Haus*	*house*
cascate	*cascades, chutes*	*Fälle*	*waterfalls*
cassa	*caisse*	*Kasse*	*cash desk*
castello	*château*	*Burg, Schloss*	*castle*
catene da neve	*chaînes*	*Schneeketten*	*snow chain*
cavolfiore	*chou-fleur*	*Blumenkohl*	*cauliflower*
cavolini di Bruxelles	*chou de Bruxelles*	*Rosenkohl*	*Brussel sprouts*
cavolo	*chou*	*Kraut, Kohl*	*cabbage*
cavolo rosso	*chou rouge*	*Rotkraut*	*red cabbage*
cervella di vitello	*cervelle de veau*	*Kalbshirn*	*calf's brain*
cervo	*cerf*	*Hirsch*	*stag (venison)*
cetriolo	*concombre*	*Gurke*	*cucumber*
chiave	*clé*	*Schlüssel*	*key*
chiesa	*église*	*Kirche*	*church*
chiuso	*fermé*	*geschlossen*	*closed*
ciliegie	*cerises*	*Kirschen*	*cherries*
cinghiale	*sanglier*	*Wildschwein*	*wild boar*
cipolle	*oignons*	*Zwiebeln*	*onions*
circuito	*circuit*	*Rundfahrt*	*round tour*
coda di bue	*queue de bœuf*	*Ochsenschwanz*	*oxtail*
collezione	*collection*	*Sammlung*	*collection*
commissariato	*commissariat*	*Polizeirevier*	*police headquarters*
coniglio	*lapin*	*Kaninchen*	*rabbit*
conto	*addition*	*Rechnung*	*bill, check*
coperti limitati-prenotare	*nombre de couverts limités*	*Tichbestellung ratsam*	*booking essential*
coregone	*féra*	*Felchen*	*dace*
costata	*entrecôte*	*Zwischenrip-penstück*	*sirloin steak*
costata di vitello	*côte de veau*	*Kalbskotelett*	*veal chop*
cotoletta alla milanese	*escalope panée*	*paniertes Schnitzel*	*escalope in breadcrumbs*
cozze	*moules*	*Muscheln*	*mussels*

crauti	choucroute	Sauerkraut	sauerkraut
cremagliera	train à crémaillère	Zahnradbahn	rack railway
crespella	crêpes	Pfannkuchen	pancakes
crostacei	crustacés	Krustentiere	crustaceans

D

dicembre	décembre	Dezember	December
dieta	régime	Diät	diet
dipinti, quadri	peintures, tableaux	Malereien, Gemälde	paintings
dolce	gâteau	Kuchen	cake
dolce	doux	mild	sweet, mild
domandare	demander	fragen, bitten	to ask for
domani	demain	morgen	tomorrow
domenica	dimanche	Sonntag	Sunday
dottore	docteur	Arzt	doctor

E

escursione	excursion	Ausflug	excursion
esposizione, mostra	exposition	Ausstellung	exhibition, show
estate	été	Sommer	summer

F

fagiano	faisan	Fasan	pheasant
faraona	pintade	Perlhuhn	guinea fowl
farcito	farci	gefüllt	stuffed
fattoria	ferme	Bauernhaus	farm
febbraio	février	Februar	February
fegato di vitello	foie de veau	Kalbsleber	calf's liver
festivi	jours fériés	Feiertage	bank holidays
fiera	foire	Messe, Ausstellung	fair
filetto di bue	filet de bœuf	Rinderfilet	fillet of beef
filetto di maiale	filet de porc	Schweinefilet	fillet of pork
finocchio	fenouil	Fenchel	fennel
fiume	fleuve, rivière	Fluss	river
foratura	crevaison	Reifenpanne	puncture
foresta, bosco	forêt, bois	Wald	forest, wood
formaggio	fromage	Käse	cheese
fragole	fraises	Erdbeeren	strawberries
fritto	frit	fritiert	fried
fruttato	fruité	fruchtig	fruity
frutti di mare	fruits de mer	Meeresfrüchte	seafood
funghi	champignons	Pilze	mushrooms
funivia	téléphérique	Luftseilbahn	cable car

G

gallinacci (funghi)	girolles	Pfifferlinge	chanterelles
gamberetti	crevettes	Krevetten	shrimps, prawns
gambero	écrevisse	Flusskrebs	crayfish
gelone	pleurotes	Austernpilze	oyster mushrooms
gennaio	janvier	Januar	January
ghiacciaio	glacier	Gletscher	glacier
giardino, parco	jardin, parc	Garten, Park	garden, park
ginepro	genièvre	Wacholder	juniper berry
giornale	journal	Zeitung	newspaper
giorni festivi	fêtes, jours fériés	Feiertage	bank holidays

giovedì	*jeudi*	*Donnerstag*	*Thursday*
giugno	*juin*	*Juni*	*June*
grossa susina	*quetsche*	*Zwetschge*	*dark-red plum*
grotta	*grotte*	*Höhle*	*cave*

I

ieri	*hier*	*gestern*	*yesterday*
indivia	*endive*	*Endivie*	*chicory*
informazioni	*renseignements*	*Auskünfte*	*information*
informazioni turistiche	*office de tourisme*	*Verkehrsverein*	*tourist information office*
installazione	*agencement*	*Einrichtung*	*installation*
inverno	*hiver*	*Winter*	*winter*

L

lago	*lac*	*See*	*lake*
lamponi	*framboises*	*Himbeeren*	*raspberries*
latte	*lait*	*Milch*	*milk*
lavanderia	*blanchisserie*	*Wäscherei*	*laundry*
leggero	*léger*	*leicht*	*light*
legume	*légumes*	*Gemüse*	*vegetable*
lenticchia	*lentilles*	*Linsen*	*lentils*
lepre	*lièvre*	*Hase*	*hare*
lettino	*lit d'enfant*	*Kinderbett*	*child's bed*
letto	*lit*	*Bett*	*bed*
limone	*citron*	*Zitrone*	*lemon*
lingua	*langue*	*Zunge*	*tongue*
località, paesaggio	*site, paysage*	*Landschaft*	*site, landscape*
locanda	*auberge*	*Gasthaus*	*inn*
luccio	*brochet*	*Hecht*	*pike*
luccio perca	*sandre*	*Zander*	*perch pike*
luglio	*juillet*	*Juli*	*July*
lumache	*escargots*	*Schnecken*	*snails*
lunedì	*lundi*	*Montag*	*Monday*

M

maggio	*mai*	*Mai*	*May*
mancia	*pourboire*	*Trinkgeld*	*tip*
mandorle	*amandes*	*Mandeln*	*almonds*
maniero	*manoir*	*Herrensitz*	*manor house*
marinato	*mariné*	*mariniert*	*marinated*
marmellata	*confiture*	*Konfitüre*	*jam*
martedì	*mardi*	*Dienstag*	*Tuesday*
marzo	*mars*	*März*	*March*
mele	*pommes*	*Äpfel*	*apples*
mercoledì	*mercredi*	*Mittwoch*	*Wednesday*
miele	*miel*	*Honig*	*honey*
monumento	*monument*	*Denkmal*	*monument*
morbido, cremoso	*moelleux*	*weich, gehaltvoll*	*mellow*
mulino	*moulin*	*Mühle*	*mill*
municipio	*hôtel de ville, mairie*	*Rathaus*	*town hall*

N

Natale	*Noël*	*Weihnachten*	*Christmas*
navone	*navet*	*weisse Rübe*	*turnip*
neve	*neige*	*Schnee*	*snow*
nocciole, noci	*noisettes, noix*	*Haselnüsse, Nüsse*	*hazelnuts, nuts*
novembre	*novembre*	*November*	*November*

O

oggi	*aujourd'hui*	*heute*	*today*
olio d'oliva	*huile d'olives*	*Olivenöl*	*olive oil*
ombreggiato	*ombragé*	*schattig*	*shaded*
ospedale	*hôpital*	*Krankenhaus*	*hospital*
ostriche	*huîtres*	*Austern*	*oysters*
ottobre	*octobre*	*Oktober*	*October*

P

pagare	*payer*	*bezahlen*	*to pay*
pane	*pain*	*Brot*	*bread*
panna	*crème*	*Rahm*	*cream*
partenza	*départ*	*Abfahrt*	*departure*
Pasqua	*Pâques*	*Ostern*	*Easter*
passeggiata	*promenade*	*Spaziergang*	*walk*
passo	*col*	*Pass*	*pass*
pasticceria	*pâtisseries*	*Feingebäck, Kuchen*	*pastries*
pasto	*repas*	*Mahlzeit*	*meal*
patate,	*pommes de terre,*	*Kartoffeln, Salz –*	*potatoes,*
– bollite	*– à l'eau*		*boiled –*
pedoni	*piétons*	*Fussgänger*	*pedestrians*
pepe	*poivre*	*Pfeffer*	*pepper*
pere	*poires*	*Birnen*	*pears*
pernice	*perdrix, perdreau*	*Rebhuhn*	*partridge*
persico	*perche*	*Egli*	*perch*
pescatrice	*baudroie, lotte*	*Seeteufel*	*angler fish, monkfish*
pesce	*poisson*	*Fisch*	*fish*
pesche	*pêches*	*Pfirsiche*	*peaches*
piano	*étage*	*Stock, Etage*	*floor*
piccione	*pigeon, pigeonneau*	*Taube, junge Taube*	*pigeon*
pinacoteca	*pinacothèque*	*Gemäldegalerie*	*picture gallery*
piscina,	*piscine,*	*Schwimmbad,*	*swimming pool,*
– coperta	*– couverte*	*Hallen –*	*indoor –*
piselli	*petits pois*	*grüne Erbsen*	*green peas*
pneumatico	*pneu*	*Reifen*	*tyre*
polizia	*police*	*Polizei*	*police*
pollame	*volaille*	*Geflügel*	*poultry*
pollo	*poulet*	*Hähnchen*	*chicken*
ponte	*pont*	*Brücke*	*bridge*
pontile	*ponton d'amarrage*	*Bootsteg*	*jetty*
pontile di sbarco	*débarcadère*	*Schiffanlegestelle*	*landing-wharf*
porro	*poireau*	*Lauch*	*leek*
prenotazione	*réservation*	*Tischbestellung*	*booking*
prima colazione	*petit déjeuner*	*Frühstück*	*breakfast*
primavera	*printemps*	*Frühling*	*spring*
prosciutto (crudo, cotto)	*jambon (cru, cuit)*	*Schinken (roh, gekocht)*	*ham (raw, cokked)*
prugne	*prunes*	*Pflaumen*	*plums*
pulcino	*poussin*	*Küken*	*chick*

Q-R

quaglia	*caille*	*Wachtel*	*partridge*
quanto ?	*combien ?*	*wieviel ?*	*how much ?*
rafano	*raifort*	*Meerrettich*	*horseradish*
razza	*raie*	*Rochen*	*skate*

riso	*riz*	*Reis*	*rice*
ristorante-bar	*café-restaurant*	*Wirtschaft*	*café-restaurant*
riva	*rive, bord*	*Ufer*	*shore, river bank*
robusto	*corsé*	*kräftig*	*full bodied*
rocce	*roches, rochers*	*Felsen*	*rocks*
rognone	*rognons*	*Nieren*	*kidneys*
rombo	*turbot*	*Steinbutt*	*turbot*
rustico	*rustique*	*rustikal, ländlich*	*rustic*

S

sabato	*samedi*	*Samstag*	*Saturday*
sala da pranzo	*salle à manger*	*Speisesaal*	*dining-room*
salame	*saucisson*	*Hartwurst*	*sausage*
sale	*sel*	*Salz*	*salt*
salmerino	*omble chevalier*	*Saibling*	*char*
salmone	*saumon*	*Salm, Lachs*	*salmon*
salsiccia	*saucisse*	*Würstchen*	*sausage*
salumi	*charcuterie*	*Aufschnitt*	*pork butcher's meat*
salvia	*sauge*	*Salbei*	*sage*
sambuco	*sureau*	*Holunder*	*elderbarry*
sampietro (pesce)	*St-Pierre (poisson)*	*Sankt-Peters Fisch*	*John Dory (fish)*
scampi	*langoustines*	*Langustinen*	*Dublin bay prawns*
sculture in legno	*sculptures sur bois*	*Holzschnitzereien*	*wood carvings*
secco	*sec*	*trocken*	*dry*
sedano	*céleri*	*Sellerie*	*celery*
sede corporativa	*maison corporative*	*Zunfthaus*	*guild house*
seggiovia	*télésiège*	*Sessellift*	*chair lift*
Selvaggina	*gibier*	*Wild*	*game*
senape	*moutarde*	*Senf*	*mustard*
sera	*soir*	*Abend*	*evening*
servizio incluso	*service compris*	*Bedienung inbegriffen*	*service included*
settembre	*septembre*	*September*	*September*
settimana	*semaine*	*Woche*	*week*
settimanale	*hebdomadaire*	*wöchentlich*	*weekly*
sfoglia	*feuilleté*	*Blätterteig*	*puff pastry*
ski-lift	*remonte-pente*	*Skilift*	*ski-lift*
sogliola	*sole*	*Seezunge*	*sole*
solo per clienti alloggiati	*résidents seulement*	*nur für Hotelgäste*	*residents only*
spiaggia	*plage*	*Strand*	*beach*
spinaci	*épinards*	*Spinat*	*spinach*
spugnole (funghi)	*morilles*	*Morcheln*	*morels*
stambecco	*bouquetin*	*Steinbock*	*ibex*
stanza da bagno	*salle de bain*	*Badezimmer*	*bathroom*
stazione	*gare*	*Bahnhof*	*station*
stracotto, in salsa	*en daube, en sauce*	*geschmort, in Sauce*	*stewed, with sauce*
strada	*rue*	*Strasse*	*street*
succo di frutta	*jus de fruits*	*Fruchtsaft*	*fruit juice*

T

taccole	*pois gourmands*	*Zuckerschoten*	*mange tout*
tartufi	*truffes*	*Trüffeln*	*truffles*
tè	*thé*	*Tee*	*tea*
tonno	*thon*	*Thunfisch*	*tuna*
torta	*tarte*	*Torte*	*tart*

traghetto	*bac*	*Fähre*	*ferry*
treno	*train*	*Zug*	*train*
triglia	*rouget*	*Rotbarbe*	*red mullet*
trippa	*tripes*	*Kutteln*	*tripe*
trota	*truite*	*Forelle*	*trout*

U - V

uovo à la coque	*œuf à la coque*	*weiches Ei*	*soft-boiled egg*
uva	*raisin*	*Traube*	*grape*
vacanze	*vacances*	*Ferien*	*holidays*
vallata	*vallée*	*Tal*	*valley*
vecchio, antico	*ancien, antique*	*ehemalig, antik*	*old, antique*
venerdì	*vendredi*	*Freitag*	*Friday*
verdure crude	*crudités*	*Rohkost*	*raw vegetables*
vettura	*voiture*	*Auto*	*car*
vietato	*interdit*	*verboten*	*prohibited*
vino bianco secco	*vin blanc sec*	*herber Weisswein*	*dry white wine*
vino rosso, rosato	*vin rouge, rosé*	*Rotwein, Rosé*	*red wine, rosé*
vista	*vue*	*Aussicht*	*view*
vite, vigneto	*vignes, vignoble*	*Reben, Weinberg*	*vines, vineyard*
vitigno	*cépage*	*Rebsorte*	*grape variety*

Z

zafferano	*safran*	*Safran*	*saffron*
zenzero	*gingembre*	*Ingwer*	*ginger*
zucchero	*sucre*	*Zucker*	*sugar*
zucchine	*courgettes*	*Courgetten*	*courgette*

Distances

Quelques précisions

Au texte de chaque localité vous trouverez la distance des villes environnantes et celle de Berne.

Les distances sont comptées à partir du centre-ville et par la route la plus pratique, c'est-à-dire celle qui offre les meilleures conditions de roulage, mais qui n'est pas nécessairement la plus courte.

Entfernungen

Einige Erklärungen

In jedem Ortstext finden Sie Entfernungen zu grösseren Städten in der Umgebung und nach Bern.

Die Entfernungen gelten ab Stadtmitte unter Berücksichtigung der günstigsten (nicht kürzesten) Strecke.

Distanze

Qualche chiarimento

Nel testo di ciascuna località troverete la distanza dalle città viciniori e da Berna.

Le distanze sono calcolate a partire dal centro delle città e seguendo la strada più pratica, ossia quella che offre le migliori condizioni di viaggio ma che non è necessariamente la più breve.

Distances

Commentary

The text of each town includes its distance from its immediate neighbours and from Bern.

Distances are calculated from centres and along the best roads from a motoring point of view – not necessarily the shortest.

Distances entre principales villes
Entfernungen zwischen den größeren Städten
Distanze tra le principali città
Distances between major towns

Genève - Winterthur: 308 km

	Aarau	Baden	Basel	Bellinzona	Bern	Biel/Bienne	Brig	La-Chaux-de-Fonds	Chur	Davos	Delémont	Frauenfeld	Fribourg	Genève	Lausanne	Locarno	Lugano	Luzern	Martigny	Montreux	Morges	Neuchâtel	Nyon	Olten	St.Gallen	Schaffhausen	Schwyz	Sierre	Sion	Solothurn	Thun	Vevey	Winterthur	Yverdon-les-Bains	Zug
Baden	26																																		
Basel	54	65																																	
Bellinzona	194	190	244																																
Bern	77	103	97	255																															
Biel/Bienne	71	97	91	249	34																														
Brig	178	189	229	130	163	197																													
La-Chaux-de-Fonds	108	134	102	286	71	45	234																												
Chur	164	142	204	115	241	236	163	273																											
Davos	190	168	230	133	268	262	212	299	62																										
Delémont	73	97	40	252	73	49	232	62	236	262																									
Frauenfeld	86	64	126	214	164	158	213	195	125	151	158																								
Fribourg	107	133	127	285	32	49	177	66	271	298	103	194																							
Genève	238	264	258	340	164	159	210	140	403	429	206	325	135																						
Lausanne	174	201	195	276	100	103	146	91	339	365	157	261	71	61																					
Locarno	213	209	264	21	275	269	106	306	136	154	271	233	305	314	251																				
Lugano	219	215	269	28	280	274	155	312	142	160	277	239	310	354	301	41																			
Luzern	49	57	100	146	111	105	130	142	145	171	107	103	141	272	208	165	171																		
Martigny	204	230	224	210	129	146	80	157	243	292	200	291	100	134	70	185	235	238																	
Montreux	163	189	183	247	88	105	118	116	327	354	159	250	60	93	24	222	272	197	41																
Morges	190	216	210	291	115	111	162	91	354	381	158	277	87	50	11	266	316	224	85	44															
Neuchâtel	106	132	126	284	51	37	216	21	270	297	74	193	46	121	73	304	309	140	139	98	73														
Nyon	218	245	239	320	144	139	190	120	383	409	186	305	115	25	41	295	345	252	114	73	30	102													
Olten	14	39	45	199	63	57	184	95	178	204	60	100	93	224	161	219	224	55	190	149	176	92	205												
St.Gallen	128	106	167	199	205	199	216	237	89	115	200	47	235	366	303	221	226	125	332	291	318	234	347	142											
Schaffhausen	76	50	96	222	154	148	222	185	150	176	128	28	184	315	251	241	247	105	281	240	267	183	295	90	78										
Schwyz	76	69	139	124	150	144	124	181	115	142	146	90	180	311	247	144	149	36	204	236	263	179	291	94	93	98									
Sierre	243	270	264	167	169	186	37	197	200	249	239	250	140	173	110	142	192	167	43	81	125	179	154	230	253	259	161								
Sion	229	255	249	183	154	171	53	182	216	265	225	316	125	159	95	158	208	183	29	66	110	164	139	215	269	306	177	16							
Solothurn	48	74	68	226	39	24	199	61	212	239	34	135	69	180	137	246	251	82	166	125	132	58	160	34	176	125	121	206	191						
Thun	103	129	123	190	29	64	135	101	223	249	99	190	62	194	130	209	215	82	159	118	145	81	174	89	231	180	123	199	184	65					
Vevey	158	185	179	258	84	101	128	107	323	349	154	245	55	84	17	233	283	192	52	7	35	89	64	145	287	235	231	92	77	121	114				
Winterthur	70	48	109	197	147	141	197	179	125	151	141	15	177	308	245	217	222	85	274	233	260	176	289	83	57	27	74	234	299	118	173	229			
Yverdon-les-Bains	146	172	166	324	71	73	181	54	310	336	120	232	46	87	38	285	349	179	104	63	38	36	67	132	274	222	218	144	129	94	101	54	216		
Zug	56	49	103	147	135	129	146	166	117	143	131	75	165	296	232	166	172	30	262	221	248	164	276	79	96	78	26	183	199	106	108	216	58	203	
Zürich	47	25	86	180	124	118	180	156	121	147	118	45	154	285	222	200	205	60	251	210	237	153	266	60	86	48	57	217	276	95	150	206	28	193	31

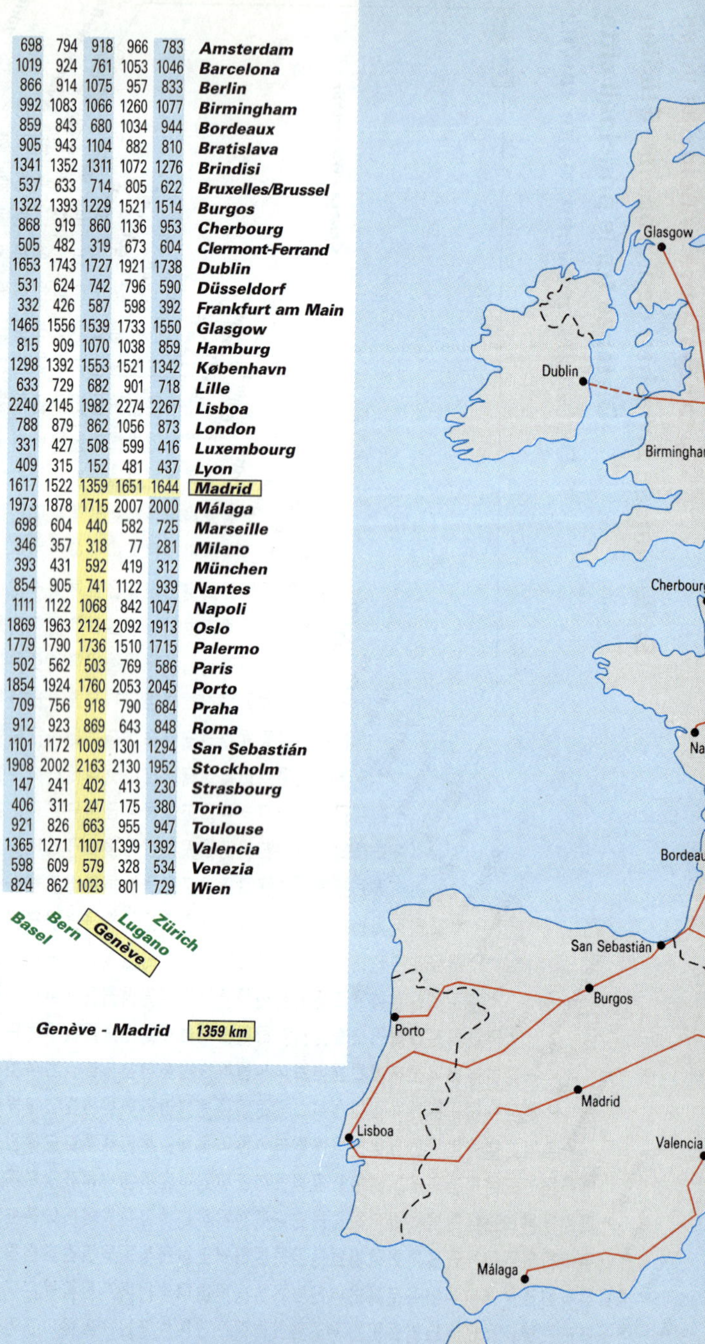

Basel	Bern	Genève	Lugano	Zürich	
698	794	918	966	783	***Amsterdam***
1019	924	761	1053	1046	***Barcelona***
866	914	1075	957	833	***Berlin***
992	1083	1066	1260	1077	***Birmingham***
859	843	680	1034	944	***Bordeaux***
905	943	1104	882	810	***Bratislava***
1341	1352	1311	1072	1276	***Brindisi***
537	633	714	805	622	***Bruxelles/Brussel***
1322	1393	1229	1521	1514	***Burgos***
868	919	860	1136	953	***Cherbourg***
505	482	319	673	604	***Clermont-Ferrand***
1653	1743	1727	1921	1738	***Dublin***
531	624	742	796	590	***Düsseldorf***
332	426	587	598	392	***Frankfurt am Main***
1465	1556	1539	1733	1550	***Glasgow***
815	909	1070	1038	859	***Hamburg***
1298	1392	1553	1521	1342	***København***
633	729	682	901	718	***Lille***
2240	2145	1982	2274	2267	***Lisboa***
788	879	862	1056	873	***London***
331	427	508	599	416	***Luxembourg***
409	315	152	481	437	***Lyon***
1617	1522	1359	1651	1644	***Madrid***
1973	1878	1715	2007	2000	***Málaga***
698	604	440	582	725	***Marseille***
346	357	318	77	281	***Milano***
393	431	592	419	312	***München***
854	905	741	1122	939	***Nantes***
1111	1122	1068	842	1047	***Napoli***
1869	1963	2124	2092	1913	***Oslo***
1779	1790	1736	1510	1715	***Palermo***
502	562	503	769	586	***Paris***
1854	1924	1760	2053	2045	***Porto***
709	756	918	790	684	***Praha***
912	923	869	643	848	***Roma***
1101	1172	1009	1301	1294	***San Sebastián***
1908	2002	2163	2130	1952	***Stockholm***
147	241	402	413	230	***Strasbourg***
406	311	247	175	380	***Torino***
921	826	663	955	947	***Toulouse***
1365	1271	1107	1399	1392	***Valencia***
598	609	579	328	534	***Venezia***
824	862	1023	801	729	***Wien***

Genève - Madrid **1359 km**

Oslo
Stockholm
København
Hamburg
Berlin
Amsterdam
ndon
Düsseldorf
Bruxelles
Brussel
Lille
Frankfurt
Praha
Luxembourg
Paris
Strasbourg
Wien
Bratislava
München
BASEL
ZÜRICH
BERN
GENÈVE
LUGANO
Venezia
Clermont-Ferrand
Lyon
Milano
Torino
Toulouse
Marseille
Roma
Brindisi
Barcelona
Napoli
Palermo

Principales routes

- Autoroute
- 1 Numéro de route
- 20 Distances partielles
- Transport des véhicules par voie ferrée

Distances entre principales villes : voir tableau

Hauptverkehrsstrassen

- Autobahn
- 1 Strassennummer
- 20 Teilentfernungen
- Autotransport per Bahn

Entfernungen zwischen den grösseren Städten : siehe Tabelle

Principali strade

- Autostrada
- 1 Numero della strada
- 20 Distanze parziali
- Trasporto auto su treno

Distanze tra le principali città : vedere tabella

Main roads

- Motorway
- 1 Road number
- 20 Intermediary distances
- Transportation of vehicles by rail

Distances between major towns : see table

Mulhouse
Belfort
BASEL
Vesoul
Montbéliard
Delémont
FRANCE
Besançon
Doubs
Solothurn
Biel / Bienne
la Chaux-de-Fonds
Col des Roches
Neuchâtel
BERN
Murten
Lac de Neuchâtel
Pontarlier
Payerne
Fribourg
Thun
Yverdon-les-Bains
Saane
Aare
Bulle
Sarine
LAUSANNE
Morges
Vevey
Montreux
Gstaad
Col de la Givrine
LAC LÉMAN
Col des Mosses
Col du Pillon
Col de la Faucille
Nyon
Thonon-les-Bains
Aigle
Crans
Gex
Sion
GENÈVE
FRANCE
Rhône
RHÔNE
Martigny
Col de la Forclaz
Col des Montets
Chamonix
Annecy
Megève
Tunnel du Grd St-Bernard
RHEIN
N 66
A 36-E 54
A 35-E 25
A 5-E 35
N 57-E 23
N 19-E 54
D 419
A 2
N 19-E 27
A 16-E 27
A 36-E 60
A 1-E 25
D 72
A 1-E 25
A 1 E 23-E 25
E 27
A 12
A 6
A 9-E 62
N 5
A 1 E 25-E 62
A 9-E 62
N 201
A 41
A 40
N 205

DEUTSCHLAND
RHEIN
Schaffhausen
Frauenfeld
Winterthur
ZÜRICH
BASEL
Liestal
Brugg
Baden
Aarau
Olten
Delémont
Solothurn
Langenthal
Aare
Reuss
Zug
Einsiedeln
Schwyz
Luzern
Vierwald-
Stätter
See
Stans
Sarnen
Altdorf
Klausenpass
BERN
Langnau
Brünigpass
Sustenpass
Oberalppass
Andermatt
Thun
Interlaken
Grindelwald
Wengen
Furkapass
Grimselpass
St. Gotthardpass/
P.so del S. Gottardo
Ticino
Kandersteg
Goppenstein
Rhône
Brig
Crans
Visp
Sion
Simplonpass
Toce
Täsch
Zermatt
Locarno
Ascona
Lago
Maggiore
Stresa
Varese
ITALIA
A 2
A 3-E 60
A 1-E 60
A 4
A 53
A 52
A 1
A 2-E 35
A 14
A 8
A 2-75
E 35
A 6
A 1-E 25
A 35-E 25
A 5-E 35
A 4-E 41
E 41-E 60
A 9-E 62
S 33
S 34
E 62
S 233
A 26

DEUTSCHLAND
ÖSTERREICH
LIECHTENSTEIN
ITALIA
Bodensee
Ravensburg
Konstanz
Bregenz
Arbon
Sankt Gallen
Herisau
Appenzell
Feldkirch
St. Anton
Landeck
Buchs
Vaduz
Glarus
Bad Ragaz
Rhein
Chur
Davos
Arosa
Flüelapass
Scuol
Reschenpaß/
P^so di Resia
Ofenpass/
Pass dal Fuorn
Sankt Moritz
Pontresina
Julierpass
Splügenpass/
P^so dello Spluga
Galleria del
Bernardino
P^so del Maloja
P^so del Bernina
Sondrio
Adda
Bellinzona
Lago di Como
Lugano
Lecco
Como
Oglio
Bergamo
A 96
A 1
A 13-E 43
A 14-E 60
A 3
A 13
A 12
A 2-E 35
S 16
S 36
S 38
S 39
S 40
S 42
S 340

Index des localités

classées par canton

Ces localités sont toutes repérées sur la carte Michelin par un souligné rouge. Voir les numéros de carte et de pli au texte de chaque localité. Les symboles 🛏 et 🍴 indiquent que vous trouverez un hôtel ou un restaurant dans ces localités.

Ortsverzeichnis

nach Kantonen geordnet

Diese Orte sind auf den Michelin-Karten angegeben und rot unterstrichen. Nummer und Falte der entsprechenden Karte ersehen Sie aus dem jeweiligen Ortstext. Die Symbole 🛏 und 🍴 zeigen an, dass es in diesen Orten ein Hotel oder ein Restaurant gibt.

Indice delle località

suddivise per cantoni

Queste località sono tutte sottolineate in rosso sulla carta Michelin. Il numero della carta e della piega è riportato nel testo di ciascuna località. I simboli 🛏 e 🍴 indicano che troverete in questa località un albergo o un ristorante.

List of localities

by "Cantons"

On Michelin maps all localities in the Guide are underlined in red. The entry of each locality gives the map number and fold. The symbols 🛏 and 🍴 indicate that you will find a hotel or a restaurant in these towns.

Fribourg
(Freiburg) **FR**

Genève
(Genf) **GE**

Glarus
(Glaris) **GL**

Graubünden
(Grisons) **GR**

Jura
JU

Luzern
(Lucerne) **LU**

Neuchâtel
(Neuenburg) **NE**

Nidwalden
(Nidwald) **NW**

Obwalden
(Obwald) **OW**

Sankt Gallen
(Saint-Gall) **SG**

Thurgau
(Thurgovie) **TG**

Uri
UR

Valais
(Wallis) **VS**

Vaud
(Waadt) **VD**

LIBERTÉ ET PATRIE

Zug
ZG

Zürich
ZH

Liechtenstein
(Fürstentum, Principauté)
FL

Notes
Notizen
Appunti

Indicatifs Téléphoniques Internationaux

Importante : pour les communications internationales, le zéro (0) initial de l'indicatif interurbain n'est pas à composer (excepté pour les appels vers l'Italie).

Indicativi Telefonici Internazionali

Importante : per comunicazioni internazionali, non bisogna comporre lo zero (0) iniziale dell'indicativo interurbano (escluse le chiamate per l'Italia).

from / to	A	B	CH	CZ	D	DK	E	FIN	F	GB	GR
A Austria	–	0032	0041	00420	0049	0045	0034	00358	0033	0044	0030
B Belgium	0043	–	0041	00420	0049	0045	0034	00358	0033	0044	0030
CH Switzerland	0043	0032	–	00420	0049	0045	0034	00358	0033	0044	0030
CZ Czech Republic	0043	0032	0041	–	0049	0045	0034	00358	0033	0044	0030
D Germany	0043	0032	0041	00420	–	0045	0034	00358	0033	0044	0030
DK Denmark	0043	0032	0041	00420	0049	–	0034	00358	0033	0044	0030
E Spain	0043	0032	0041	00420	0049	0045	–	00358	0033	0044	0030
F France	0043	0032	0041	00420	0049	0045	0034	00358	–	0044	0030
FIN Finland	99043	0032	0041	00420	0049	0045	0034	–	0033	0044	0030
GB United Kingdom	0043	0032	0041	00420	0049	0045	0034	00358	0033	–	0030
GR Greece	0043	0032	0041	00420	0049	0045	0034	00358	0033	0044	–
H Hungary	0043	0032	0041	00420	0049	0045	0034	00358	0033	0044	0030
I Italy	0043	0032	0041	00420	0049	0045	0034	00358	0033	0044	0030
IRL Ireland	0043	0032	0041	00420	0049	0045	0034	00358	0033	0044	0030
J Japan	00143	00132	00141	001420	00149	00145	00134	001358	00133	00144	00130
L Luxembourg	0043	0032	0041	00420	0049	0045	0034	00358	0033	0044	0030
N Norway	0043	0032	0041	00420	0049	0045	0034	0358	0033	0044	0030
NL Netherlands	0043	0032	0041	00420	0049	0045	0034	00358	0033	0044	0030
P Portugal	0043	0032	0041	00420	0049	0045	0034	00358	0033	0044	0030
PL Poland	0043	0032	0041	00420	0049	0045	0034	00358	0033	0044	0030
S Sweden	00943	00932	00941	009420	00949	00945	00934	009358	00933	00944	00930
USA	01143	01132	01141	011420	01149	01145	01134	011358	01133	01144	01130